AF644651

निवेदन

जालसाज़ी का विरोध करें और सफलता के लिए एक मज़बूत आधार तैयार करें।

पुस्तकें हमारी सबसे अच्छी दोस्त होती हैं, यही वह कहावत है, जिसे सुनकर हम सब बड़े हुए हैं, हालाँकि पायरेसी के चोर लगातार 'हमारे सबसे अच्छे दोस्त' के साथ जालसाज़ी कर रहे हैं। हमारी सभी पुस्तकों और उनसे संबंधित ऑनलाइन पूरक संसाधनों का कॉपीराइट हमारे पास सुरक्षित हैं और हम किसी को भी इन्हें कॉपी करने का कोई अधिकार नहीं देते हैं, पायरेसी पुस्तकों की चोरी करने जैसा है। ज्ञान वास्तविकता से आता है, आइए इस जालसाज़ी को हतोत्साहित करें। इसलिए, हम अपने सभी पाठकों से पायरेटेड पुस्तकों को रोकने और प्रमाणिक पुस्तकों को **चुनने का निवेदन करते हैं।**

पायरेटेड पुस्तकों की पहचान कैसे करें?

1 कवर और स्पाइन

- देखें और महसूस करें (नयी या इस्तेमाल की गयी पुस्तक)
- कवर पर धुँधली तस्वीरें
- सामने चिपकाया गया होलोग्राम
- ख़राब स्पाइन (सिकुड़न) या इसके निचले भाग पर एयर पॉकेट
- अस्पष्ट ISBN/बार कोड
- पूरक ऑनलाइन या ई-लर्निंग सामग्री के लिए मिटा हुआ/ग़ैर-कार्यात्मक एक्सेस कोड

2 टेक्स्ट/प्रिंटिंग/बाइंडिंग

- पृष्ठों की असमान स्याही
- खराब गुणवत्ता या धुँधली तस्वीरें/छवियाँ/चार्ट
- निम्न स्तरीय गुणवत्ता और अपारदर्शिता
- ग़लत संरेखण वाले पृष्ठ
- पृष्ठों का ग़ायब होना
- निम्न स्तरीय जिल्द गुणवत्ता

आप इस वीडियो पर जाकर देख सकते हैं कि पायरेटेड पुस्तक की पहचान कैसे करें।

पायरेसी की पहचान करने के बारे में अधिक जानकारी के लिए, https://www.mheducation.co.in/piracy पर जायें। पायरेटेड पुस्तक की रिपोर्ट करने के लिए, बैक कवर पर दिये गये व्हाट्सएप कोड पर 'Hi' भेजे या हमें support.india@mheducation.com पर लिखें।

रिपोर्ट की गयी पायरेटेड पुस्तकों की जाँच उनकी चोरी से निपटने के लिए की जाती है।

आइए, पायरेसी के चोरों से लड़ें और असली पुस्तक का इस्तेमाल करने का संकल्प करें!

लेखकों के विषय में

लेखक, स्नेहिल त्रिपाठी और सोनाली बंसल, यूपीएससी और राज्य पीएससी द्वारा आयोजित सिविल सेवा परीक्षा के उम्मीदवारों को प्रशिक्षण प्रदान करने वाले शैक्षिक सलाहकार हैं। वे देश के विभिन्न संस्थानों एवं ऑनलाइन प्लेटफॉर्म्स से जुड़े हैं। सोनाली बंसल Lady Shri Ram College, New Delhi, की पूर्व छात्रा रहीं हैं, जबकि स्नेहिल त्रिपाठी ऑनलाइन लर्निंग प्लैटफार्म Unacademy में Educator and Academic Head (UPSC CSE Category) के रूप में कार्यरत हैं। लेखकों की कई पुस्तकें प्रकाशित हुई हैं, जिनमें मैक्ग्रॉ हिल एजुकेशन द्वारा प्रकाशित 'मॉडर्न इंडियन हिस्ट्री' (2018), 'पोस्ट इंडिपेंडेंस इंडिया' (2018), 'स्वतंत्र भारत' (2019) और 'एन इंट्रोडक्शन टू मध्य प्रदेश जनरल नॉलेज' (2017) सम्मिलित हैं।

आधुनिक भारत
का इतिहास

सिविल सेवा की प्रारंभिक एवं मुख्य परीक्षा हेतु

समृद्ध **डिजिटिल संसाधनों** के साथ

सोनाली बंसल
स्नेहिल त्रिपाठी
अनुवाद: मनीष दुबे

McGraw Hill Education (India) Private Limited

Published by McGraw Hill Education (India) Private Limited
Registered Office: Anjana Complex No: 5/90 A, Butt Road, St. Thomas Mount, Chennai – 600016

Adhunik Bharat ka Itihas, 2e

Print Edition:
ISBN (13): 978-93-6444-561-0
ISBN (10): 93-6444-561-9

E-Book Edition:
ISBN (13): 978-93-6444-825-3
ISBN (10): 93-6444-825-1

1 2 3 4 5 6 7 8 9 7101348 29 28 27 26 25

Printed and bound in India

Typeset at Insight Publishing Solutions, New Delhi-92 & printed at Rajkamal Electric Press, Kundli, Haryana.

Visit us at: www.mheducation.co.in

Write to us at: info.india@mheducation.com

CIN: U80302TN2010PTC111532

Toll Free Number: 1800 103 5875

स्मृति में,

श्री रामगोपाल बंसल

श्री चन्द्र प्रकाश गोयल

श्री अक्षयवरनाथ तिवारी

लेखकों की कलम से

पिछले वर्षों में सिविल सेवा परीक्षा के बदलते प्रारूप और जटिलता ने प्रतिभागियों के लिए अनेक चुनौतियाँ उत्पन्न की हैं। यहाँ तक कि 'अपरिवर्ती' विषय जैसे इतिहास को भी अब एक स्रोत से तैयार करना कठिन है, क्योंकि लोक सेवा आयोग तेजी से परीक्षा के स्वरूप में बदलाव ला रही है और नए दौर व दृष्टिकोण के अनुसार वह इतिहास विषय को ढालती जा रही है।

परिणामस्वरूप, परीक्षा के लिए पढ़ाने के दौरान हमें ऐसे अनेक प्रतिभागी मिलते हैं, जो विभिन्न स्रोतों से इतिहास की विषय सामग्री को एकजुट करने करने में संघर्ष कर रहे होते हैं। परंतु वास्तविकता यह है कि प्रतिभागियों को बहुत ही सीमित समय में एक विशाल पाठ्यक्रम को तैयार करना होता है और परिणामस्वरूप वे सीमित स्रोतों पर निर्भर हो जाते हैं, जबकि परीक्षकों के लिए ऐसी की सीमा नहीं होती और वे किसी भी पुस्तक से प्रश्न उठाने हेतु स्वतंत्र होते हैं।

प्रतिभागियों की ऐसी एवं अनेक कठिनाइयों को ध्यान में रखते हुए हमने यह किताब एक 'परीक्षा-सहायक' के रूप में विकसित की है। लगभग दो वर्षों के विस्तृत अनुसंधान कार्य के बाद हम आश्वस्त हैं कि यह किताब सिविल सेवा परीक्षा के पाठ्यक्रम के आधुनिक भारतीय इतिहास के भाग का सबसे व्यापक एवं विश्वसनीय समायोजन प्रदान करती है।

इस किताब में नए प्रतिभागियों की आवश्यकताओं पर विशेष ध्यान दिया गया है- बिना किसी पूर्व ज्ञान की परिकल्पना के, विषयवस्तु को शून्य से विकसित किया गया है। पाठकों का मार्गदर्शन करने के लिए पूरी किताब में शैक्षणिक उपकरणों जैसे बोल्डिंग (bolding), हाइलाइटिंग (highlighting), फ्लैशबैक (Flashback), फ्लैश फॉरवर्ड (Flash forward) का उपयोग किया गया है। अवधारणा आधारित प्रश्न पूछने की बढ़ती प्रवृत्ति को देखते हुए ऐतिहासिक घटनाओं की पृष्ठभूमि, मूल्यांकन एवं आलोचनाओं पर विशेष बल दिया गया है। 'प्रीलिम कैप्सूल' इस किताब की एक अन्य विशेषता है। इसके अंतर्गत महत्वपूर्ण घटनाओं को सूचीबद्ध किया गया है, जिससे प्रतिभागियों को पुनरावृति के समय मदद मिलेगी।

पुस्तक का यह दूसरा संस्करण, अंग्रेजी की 'Modern Indian History, Second Edition' का एक सम्पूर्ण अनुवाद है। इसमें प्रथम तीन इकाइयां नई जोड़ी गयी है। ये इकाइयां 'मध्य-18वीं शताब्दी का भारत', 'भारत में ब्रिटिश प्रसार', एवं 'भारत पर ब्रिटिश प्रभाव'- जैसे विषयों पर व्यापक जानकारी प्रदान करतीं हैं। इसके अतिरिक्त 5 परिशिष्ट भी जोड़े गए हैं। महात्मा गांधी पर पूरी तरह से संशोधित अध्याय दिया गया है।

लेखक होने के नाते हमारा पूर्ण विश्वास है कि यह किताब आधुनिक भारत के इतिहास के लिए 'एकल बिंदु समाधान' (single point solution) साबित होगी और संघ लोक सेवा आयोग व राज्य सेवा आयोग की परीक्षाओं में प्रतिभागियों की सफलता में एक महत्वपूर्ण भूमिका निभाएगी।

हम McGraw Hill Education की समस्त संपादकीय टीम एवं अनुवादक मनीष दुबे के आभारी हैं, जिनके सहयोग के बिना यह कार्य संभव नहीं था। फीडबैक हेतु sonalibansal1@yahoo.com पर संपर्क करें।

सोनाली बंसल।

स्नेहिल त्रिपाठी।

प्राक्कथन

UPSC की सिविल सेवा परीक्षा के प्रारम्भिक और मुख्य चरणों के लिए लिखी गई पुस्तक 'आधुनिक भारत का इतिहास' नए पैटर्न के अनुसार सम्पूर्ण पाठ्यक्रम को कवर करते हुए लिखी गई एक विस्तृत किताब है। यह किताब आधुनिक भारत के इतिहास को व्यवस्थित और क्रमबद्ध ढंग से प्रस्तुत करती है। किताब में पूरे पाठ्यक्रम को वैज्ञानिक ढंग से अध्यायों और उप-अध्यायों में बांटा गया है। यथास्थान तालिकाएं, चित्र और मॉडल प्रश्न अध्ययन की प्रक्रिया को रोचक और बोधगम्य बनाते हैं।

हिन्दी माध्यम के अभ्यर्थियों के सामने अक्सर उत्कृष्ट अध्ययन सामग्री अपनी भाषा में उपलब्ध होने की चुनौती होती है। इस तरह की किताबों का हिन्दी में अनुवाद इस चुनौती को काफी हद तक आसान बनाता है।

मैं किताब के संश्लिष्ट प्रस्तुतिकरण के लिए इसके युवा लेखकों; स्नेहिल और सोनाली को बधाई देता हूँ। साथ ही प्रकाशक मैकग्रा हिल को भी इस किताब को हिन्दी में उपलब्ध कराने के लिए साधुवाद।

निशान्त जैन

UPSC CSE-2014 में 13वीं रैंक और हिंदी मीडियम के टॉपर

IAS, 2015 बैच

'मुझे बनना है UPSC टॉपर' और 'रुक जाना नहीं' बेस्टसेलर किताबों के लेखक।

प्राक्कथन

भारत सरकार के अंतर्गत विभिन्न सेवाओं और पदों के लिए प्रतिस्पर्धा हेतु लोक सेवा आयोग द्वारा आयोजित सिविल सेवा परीक्षा एक प्रसिद्ध परीक्षा है, जो प्रत्येक वर्ष देश के लाखों प्रतिभागियों को आकर्षित करती है। इसमें कोई संदेह नहीं है कि इस कठिन परीक्षा में उत्तीर्ण होने के लिए एक अच्छी गुणवत्ता वाली पाठ्य सामग्री की नितांत आवश्यकता होती है। अब तो और भी अधिक जब लोक सेवा आयोग निरन्तर परीक्षा का प्रारूप बदल रही है और अपने स्त्रोतों में विभिनता ला रही है।

यह सच है कि अकादमिक, अनुसंधान और यहाँ तक कि सामान्य पठन-पाठन जैसे अनेक उद्देश्यों के लिए आधुनिक भारतीय इतिहास पर किताबों की कोई कमी नहीं है। परंतु, आई. ए. एस. परीक्षा में सफल होने के लिए विद्यार्थियों को विशेष रूप से परीक्षा हेतु विकसित पाठ्य सामग्रियों की आवश्यकता होती है। निस्संदेह ऐसी किताबें निर्णायक लाभ के साथ आती हैं और आधुनिक भारत पर ऐसी किताब लंबे समय से प्रतीक्षित थी।

मुझे यह घोषित करते हुए खुशी हो रही है कि लेखक सोनाली बंसल एवं स्नेहिल त्रिपाठी द्वारा 'आधुनिक भारत का इतिहास' के रूप में इस दिशा में एक प्रभावशाली प्रयास किया गया है। इस किताब में परीक्षा के सम्पूर्ण पाठ्यक्रम को समाहित किया गया है और यह किताब की विषय-तालिका से सरलता से स्पष्ट हो जाता है। लेखकों ने भाषा को सरल, सुस्पष्ट और विचारोत्तेजक बनाए रखने का प्रयास किया है, जिससे तथ्यों को स्मरण करने में सहायता मिलती है। महत्वपूर्ण तथ्यों को रेखांकित भी किया है, ताकि विद्यार्थियों को इस बात का सतत मार्गदर्शन मिलता रहे कि उन्हें विषयवस्तु को कैसे पढ़ना है और कैसे संसाधित करना है। इस किताब की एक अन्य उत्कृष्ट विशेषता, जिसकी मैं इतिहास वैकल्पिक विषय के एक छात्र के रूप में सराहना करता हूँ, यह है कि किताब में तथ्यों (प्रारंभिक परीक्षा के लिए आवश्यक) व विचारों/ विश्लेषण (मुख्य परीक्षा के लिए आवश्यक) की एक सुसंतुलित प्रस्तुति की गई है।

ऐसी उत्कृष्ट विशेषताओं के साथ, सोनाली व स्नेहिल द्वारा लिखित तथा मनीष द्वारा अनुवादित आधुनिक भारत पर यह किताब, संघ लोक सेवा आयोग व राज्य सेवा आयोग के उम्मीदवारों के लिए सामान्य अध्ययन के साथ-साथ वैकल्पिक विषय के अध्ययन के लिए भी अत्यंत मूल्यवान सिद्ध होगी, ऐसा मुझे विश्वास है।

नितीश कुमार सिंह (IAS)
AIR-23 (2016 बैच), इतिहास वैकल्पिक विषय

विषय-सूची

सिविल सेवा परीक्षा का पाठ्य विवरण (आधुनिक भारतीय इतिहास संबंधी)

परीक्षा	विवरण
सिविल सेवा (प्रारंभिक) परीक्षा	• भारत का इतिहास और भारतीय राष्ट्रीय आंदोलन।

परीक्षा	विवरण
सिविल सेवा (प्रधान) परीक्षा	• 18वीं सदी के लगभग मध्य से लेकर वर्तमान समय तक का आधुनिक भारतीय इतिहास-महत्वपूर्ण घटनाएं, व्यक्तित्व, विषय। • स्वतन्त्रता संग्राम-इसके विभिन्न चरण और देश के विभिन्न भागों से इसमें अपना योगदान देने वाले महत्वपूर्ण व्यक्ति/उनका योगदान।

इकाई 1 मध्य-अठारहवीं शताब्दी का भारत

इकाई 3 परिवर्तन और प्रभाव (मध्य 18वीं से मध्य 19वीं शताब्दी)

इकाई 4 जन विद्रोह एवं जन आंदोलन

इकाई 5 सामाजिक-धार्मिक सुधार आंदोलन

इकाई 7 भारतीय राष्ट्रीय आंदोलन - भाग-2 (स्वतन्त्रता की ओर)

इकाई 1

मध्य-अठारहवीं शताब्दी का भारत

(ब्रिटिश विजय की पूर्व संध्या पर भारत)

अध्याय 1

मुगल साम्राज्य का पतन
(Decline of Mughal Empire)

- मुगल साम्राज्य का पतन
  - उत्तर मुगल (1707-1857)
    - बहादुर शाह प्रथम/मुअज़्ज़म शाह आलम प्रथम (1707-1712)
    - जहांदार शाह (1712-1713)
    - फ़र्रुख़सियर (1713-1719)
    - रफी उद-दर्जत (1719)
    - शाहजहां द्वितीय अथवा रफी उद-दौला (1719)
    - मुहम्मद शाह अथवा रोशन अख्तर बहादुर (1719-48)
    - अहमद शाह (1748-54)
    - आलमगीर द्वितीय अथवा अजीजुद्दीन (1754-1759)
    - शाहजहां तृतीय (1759-1760)
    - शाह आलम द्वितीय अथवा अली गौहर (1760-1806)
    - शाह अकबर द्वितीय (1806-1837)
    - बहादुर शाह द्वितीय अथवा बहादुर शाह जफर (1837-1857)
- मुगल साम्राज्य के पतन के कारण
  - आंतरिक कमजोरियां
    - औरंगजेब की पथभ्रष्ट नीतियां
    - कमजोर उत्तराधिकारी
    - उत्तराधिकार के लिए युद्ध एवं राजा-निर्माताओं की भूमिका
    - मुगल राज्य की प्रकृति
    - मुगल कुलीनता का अध:पतन
    - जमींदारों की वफादारी में तब्दीली (परिवर्तन)
    - जागीरदारी संकट एवं राज दरबार में गुटबाजी
    - सैन्य कमजोरी

- रिक्त कोष
- साम्राज्य का आकार एवं क्षेत्रीय शक्तियों का उदय
- मराठाओं का उदय

■ बाहरी चुनौतियां

- ईरानी एवं दुर्रानी राज्यों का हमला
- यूरोपीय शक्तियों का आगमन

● मुगल परंपराओं की निरंतरता

मुगल एवं ब्रिटिश जैसे दो साम्राज्यों के बीच फंसे 18वीं शताब्दी के भारत को अक्सर एक 'अंधकार युग' अथवा 'उथल-पुथल के युग' के रूप में प्रदर्शित किया जाता है। लेकिन क्या ऐसा सच में था?

चलिए हम इस काल को मध्य 18वीं शताब्दी के भारत में रहने वाले लोगों की नजरों से देखते हैं। मुगल साम्राज्य अब कमजोर था, लेकिन अभी समाप्त नहीं हुआ था। क्षेत्रीय शक्तियां तेजी से शक्ति एवं स्वायत्तता प्राप्त कर रही थीं। भारत व्यापार के लिए खुला हुआ था और यूरोपीय व्यापारिक कंपनियों के लिए एक आकर्षक स्थान के रूप में उभर चुका था। वैश्विक संदर्भ में, भारत अब एक आर्थिक रूप से पिछड़ा हुआ क्षेत्र नहीं था। यूरोप और न ही उत्तरी अमेरिका इतने धनाढ्य (अमीर) थे, जितने कि वे 19वीं एवं 20वीं शताब्दी में बन गए। यह सभी संभावनाएं अब तक भविष्य के गर्भ में थीं। शायद 'अंधकार युग' के रूप में यह चित्रण भारतीय इतिहास को एक अलग दृष्टि से देखने के लिए किया गया था, जो ब्रिटिश सरकार के अधीन भारत के पुन: एकीकरण की ब्रिटिश उपलब्धि एवं पाश्चात्य ज्ञान व संस्कृति के प्रसार के साथ भारत में प्रबुद्धवाद के एक नए युग के प्रारंभ को इंगित करता है। आज इस प्रकार के चित्रण से अनेक इतिहासकार सहमत नहीं होंगे।

अत: यह उचित है कि हम ऐसे विचारों से बचें और इसके स्थान पर मध्य 18वीं शताब्दी की भारतीय राजव्यवस्था को एक कालानुक्रमिक तरीके से समझें। इसमें तीन विस्तृत विषय शामिल हैं-

● **विषय 1- मुगल साम्राज्य का पतन (18वीं शताब्दी का पहला भाग)**

■ 18वीं शताब्दी के प्रारंभिक दशकों में मुगल साम्राज्य का पतन देखा गया- जो एक लंबी प्रक्रिया और अनेक कारकों के द्वारा प्रभावित हुई। औरंगजेब के शासन (1658-1707) में पतन की प्रक्रिया की शुरुआत हो चुकी थी, जिसे 1739 में नादिर शाह के आक्रमण ने गति प्रदान की। यद्यपि मुगल साम्राज्य नहीं बचा, लेकिन इसकी संस्थाएं एवं परंपराएं (विशेषकर भू-राजस्व प्रशासन से संबंधित) क्षेत्रीय राज्यों के साथ-साथ ब्रिटिश प्रांतों में भी जारी रहीं।

● **विषय 2- स्वायत्त राज्यों का उदय (18वीं शताब्दी के मध्य के दशक)**

■ 18वीं शताब्दी के मध्य के दशकों में स्वायत्त राज्यों एवं क्षेत्रीय शक्तियों के उदय को देखा गया, जिन्हें तीन समूहों में बांटा जा सकता है- (i) उत्तराधिकार वाले राज्य (हैदराबाद, अवध एवं बंगाल), (ii) नए राज्य (मराठा, सिख, जाट एवं अफगान) एवं (iii) स्वतंत्र राज्य (मैसूर, केरल एवं राजपूत)। ब्रिटिश को दूर रखने में यह सारी शक्तियां कैसे असफल हो गई थीं? ऐसे प्रश्नों का उत्तर जानने और बहुत कुछ अन्य तथ्यों पर इस विषय के अंतर्गत चर्चा की जाएगी।

● **विषय 3- ब्रिटिश सर्वोच्चता का उदय (18वीं शताब्दी का दूसरा भाग)**

■ मुगल साम्राज्य की दुर्बलता ने भी ईस्ट इंडिया कंपनी को एक अवसर प्रदान किया और 18वीं शताब्दी के अंतिम दशक में एक व्यापारिक कंपनी से एक राजनीतिक शक्ति के रूप में इस कंपनी का रूपांतरण देखा गया। हम इस परिवर्तन काल को दक्षिण भारत एवं बंगाल, जहां इसकी पहले शुरुआत हुई, से समझने का प्रयास करेंगे।

इकाई एक उपर्युक्त राजनीतिक विषयों को व्यापक रूप से सम्मिलित करती है और साथ ही आपके सामने 18वीं शताब्दी के भारतीय समाज एवं अर्थव्यवस्था की एक झलक भी प्रदान करती है। इस अध्याय में आप पहली विषय, मुगल साम्राज्य के पतन के बारे में पढ़ेंगे।

मुगल साम्राज्य का पतन (Decline of Mughal Empire)

18वीं शताब्दी का पहला भाग मुगल साम्राज्य के पतन का साक्षी बना। वहीं मुगल साम्राज्य, जिसने अनेक वर्षों से अपने अत्याधिक क्षेत्रीय विस्तार, सैन्य शक्ति एवं सांस्कृतिक उपलब्धियों से दुनिया को चकित कर रखा था। महान मुगल सम्राज्य, जिसकी शुरुआत 1526 में बाबर के पदारोहण से हुई और जिसका अंत 1707 में औरंगजेब की मृत्यु के साथ हुआ, भारतीय इतिहास के एक युग की समाप्ति का भी द्योतक है।

पतन की प्रक्रिया औरंगजेब के शासन से ही शुरू हो चुकी थी और जिसे उसके कमजोर उत्तराधिकारियों द्वारा नहीं रोका जा सकता था। जब औरंगजेब की मृत्यु हुई, उस समय भारत में मुगल साम्राज्य सबसे बड़ा था। साम्राज्य नियंत्रण से परे बढ़ता गया और इसकी विशालता से केंद्र का कमजोर होना शुरू हुआ। औरंगजेब की सामाजिक-धार्मिक नीतियों एवं कट्टरवाद से प्रजा में बगावत का आरंभ हुआ। इस बगावत में महान मराठा भी शामिल थे, जिनके साथ मिलकर उसने दक्कन क्षेत्र में 20 साल तक निरर्थक युद्ध लड़ा था।

इन विभिन्न कारकों ने औरंगजेब की मृत्यु के 50 वर्षों के अंदर ही मुगल साम्राज्य को विघटन की ओर बढ़ा दिया। एक के बाद एक नौ मुगल सम्राटों ने राजगद्दी को संभाला और तेज़ी से बिखरते चले गए। इसी दौरान भारत में अनेक रियासतों का जन्म हुआ। 1739 में नादिर शाह द्वारा दिल्ली पर आक्रमण हुआ और 1761 तक (जब अब्दाली ने आक्रमण किया) भारत के रक्षक के रूप में मराठों ने मुगलों का स्थान ले लिया। 1765 तक मुगल सम्राट ब्रिटिश का एक पेंशनभोगी बनकर रह गया।

1858 तक ब्रिटिश सरकार ने सावधानीपूर्वक मुगल साम्राज्य के भ्रम को जीवित रखा। 1707 एवं 1857 (जब अंतिम मुगल सम्राट बहादुरशाह जफर को ब्रिटिश द्वारा अपदस्थ कर दिया गया) के बीच के 150 वर्षों में 12 मुगल सम्राटों का उद्भव हुआ, जिन्हें उत्तर मुगल भी कहा जाता है। इनमें से दो सम्राटों, मोहम्मद शाह (1719-1748) एवं शाह आलम (1759-1806), ने नादिर शाह एवं अहमद शाह अब्दाली के भयानक आक्रमण का सामना किया। इन दोनों आक्रमणकारियों ने 1748-1767 के दौरान सात बार भारत पर आक्रमण किया।

इस प्रकार मुगल साम्राज्य की आंतरिक कमजोरियों और बाहरी आक्रमणों ने मुगल साम्राज्य की नींव को पूर्णतया डगमगाता हुआ छोड़ दिया।

उत्तर मुगल (Later Mughals) (1707-1857)

1707 में औरंगजेब की मृत्यु (89 वर्ष की आयु में) के साथ उसके तीन पुत्रों के बीच उत्तराधिकार के लिए एक युद्ध छिड़ गया। सबसे बड़े भाई राजकुमार मुअज़्ज़म अन्य दो भाइयों (जून, 1707 में जाजऊ में मुहम्मद आजम को और जनवरी, 1790 में हैदरबाद में कमबख्श को) को हराकर और उन्हें मौत के घाट उतारकर विजयी हुआ और उसने बहादुर शाह प्रथम के नाम से दिल्ली के सिंहासन पर आसीन हुआ।

बहादुर शाह प्रथम या मुअज़्ज़म शाह आलम प्रथम (1707-1712)- बहादुर शाह प्रथम (1707-1712) को शाह आलम प्रथम के नाम से भी जाना जाता था। वह 65 वर्ष का एक वयोवृद्ध था, जिसने औरंगजेब की कुछ संकीर्ण सोच वाली नीतियों को सीखा और उनको पुनः लागू किया। हिंदुओं के प्रति उसने अधिक सहिष्णु रवैया अपनाया और उसके शासनकाल में मंदिरों को भी नहीं तोड़ा गया। अपनी शासनकला या फिर अपनी दुर्बलता के कारण विभिन्न क्षेत्रीय शक्तियों के साथ सामान्य तौर पर उसने एक शांतिप्रद नीति को अपनाया।

- **मराठा**- बहादुर शाह ने मराठा राजकुमार साहू, जो 1689 से एक मुगल बंदी था, को महाराष्ट्र वापस जाने की अनुमति दी।
- **राजपूत**- उसने राजपूत मुखियाओं से शांति बनाई और उन्हें अपने राज्य में स्थायी किया।
- **जाट एवं बुंदेला**- उसने जाट मुखिया चुरामन एवं बुंदेला मुखिया छत्रसाल के साथ शांति स्थापित की, जिन्होंने बंदा बहादुर के विरुद्ध सैन्य अभियान में उसकी सहायता की।
- **सिख**- बहादुर शाह ने गुरु गोविंद सिंह को एक उच्च मनसब देकर बागी सिखों के साथ शांति स्थापित करने का प्रयास किया। लेकिन गुरु की मृत्यु के बाद सिखों ने एक बार पुनः बंदा बहादुर के नेतृत्व में विद्रोह छेड़ दिया। इस बार सम्राट ने सख्त रवैया अपनाते हुए स्वयं विद्रोहियों के विरुद्ध अभियान का नेतृत्व किया। उसने लोहागढ़ (हिमालय की तलहटी में गुरु गोविंद सिंह द्वारा बनाया गया एक किला) में बंदा बहादुर को पराजित किया। यद्यपि सिखों को परास्त नहीं किया जा सका और बाद में 1712 में उन्होंने किले को पुनः प्राप्त कर लिया ।

बहादुर शाह प्रथम

हालांकि, बहादुर शाह ने खुले दिल से जागीरें और पदोन्नतियां प्रदान कीं, जिससे उसके शासनकाल में प्रशासनिक क्षेत्र में काफी ह्रास हुआ। काफी खान द्वारा उसे 'शाह-ए-बेखबर' कहा गया। 1712 में बहादुर शाह प्रथम की मृत्यु हुई।

मुगल दरबार में गुट एवं राजा-निर्माता (King Maker)- बहादुर शाह की मृत्यु के बाद मुगल राजनीति एवं उत्तराधिकार के युद्ध में एक नए तत्व का प्रादुर्भाव हुआ। जहां पहले शक्ति के लिए संघर्ष शाही राजकुमारों के बीच होता था और कुलीन वर्ग केवल पीछे से राजनीति करते थे, अब कुलीन वर्ग सीधे तौर पर सिंहासन पर पदाकांक्षी हो गए और उन्होंने सत्ता में पद प्राप्त करने के लिए राजकुमारों का मोहरों की तरह इस्तेमाल करना शुरू कर दिया। अन्य शब्दों में, शक्तिशाली कुलीन राजा-निर्माता के रूप में उभरे। उदाहरण के तौर पर, जहांदार शाह के समय जुल्फिकार खान राजा-निर्माता के रूप में उभरा। इसी प्रकार सम्राट फ़र्रुख़सियर के समय सैयद बंधु ही थे, जिन्होंने फ़र्रुख़सियर को 1713 में राजगद्दी तक पहुंचाया और जब वह उनके हितों को नहीं साध पाया, तो 1719 उसे हटवा दिया।

सबसे बुरी बात यह थी कि ये कुलीन विभिन्न दलों जैसे- ईरानी एवं तुरानी, जो केवल अपने समूह या वर्ग हित का ही प्रतिनिधित्व करते थे, में बंट गए थे। यहां तक की वे अपने विकास के लिए राष्ट्र अर्थात मुगल साम्राज्य के कल्याण को भी ताक पर रखने को तैयार रहते थे। यद्यपि मुगल दरबार में अनेक दलों का उद्‌भव हुआ, लेकिन इनमें चार प्रमुख थे- तुरानी, ईरानी, अफगानी व हिंदुस्तानी। इनमें से पहले तीन मध्य एशिया, ओरान एवं अफगानिस्तान के विदेशियों के वंशज थे और वे 'आधिपत्य की सेना' की रीढ़ थे। भारत में वे प्रमुख सैन्य व असैन्य (नागरिक) पदों पर आसीन थे। तुरानी एवं अफगानी में से अधिकांश सुन्नी, जबकि ईरानियों में अधिकांश शिया थे। इस मुगल अथवा विदेशी दल के विपक्ष में हिंदुस्तानी दल था, जिसमें अधिकांश भारत में जन्मे मुसलमान शामिल थे और उन्हें राजपूतों व जाटों का समर्थन प्राप्त था। हालांकि, उल्लेखनीय है कि जाति एवं धर्म का नारा कुलीनों द्वारा अपने हितों को साधने के लिए दिया गया और जब आगे यह लाभप्रद नहीं हुआ, तो इसे त्याग भी दिया गया।

जहांदार शाह (1712-1713)- 1712 में बहादुर शाह के चार पुत्रों के बीच उत्तराधिकार का एक युद्ध शुरू हुआ। इन चारों को राजगद्दी प्राप्त करने की इतनी जल्दी थी कि उन्होंने बहादुर शाह के मृत शरीर को करीब एक महीने तक दफनाया नहीं और उत्तराधिकार के युद्ध में फंसे रहे। उत्तराधिकार के इस संघर्ष में कम योग्य पुत्रों में से जहांदर शाह सफल हुआ, जिसका समर्थन उस समय का सबसे शक्तिशाली कुलीन जुल्फिकार खान (ईरानी दल) कर रहा था।

जहांदार शाह एक पतित/भ्रष्ट राजकुमार था, जो पूरी तरह से ऐशो-आराम में डूबा रहता था। उसका प्रशासन वास्तविक रूप में अत्यधिक योग्य जुल्फिकार खान के हाथों में था, जो उसका वजीर या प्रधानमंत्री बना।

जुल्फिकार का मानना था कि राजपूत राजाओं एवं मराठा सरदारों के साथ मित्रवत संबंध स्थापित किया जाना महत्वपूर्ण है। अत: उसने औरंगजेब की नीतियों को तेजी से बदल दिया-

- **मराठा**- जुल्फिकार खान ने उस समझौते को सहमति दी, जो 1711 में दक्कन (डेक्कन) के उसके प्रतिनिधि (नायब) दाऊद खान पन्नी एवं साहू के बीच हुआ था, जिसके अनुसार मराठाओं को दक्कन का चौथ एवं सरदेशमुख इस शर्त पर प्रदान किया गया कि इनका संग्रह मुगल अधिकारियों द्वारा किया जाएगा और फिर मराठों को सौंपा जाएगा।
- **राजपूत**- अंबेर के जय सिंह को मालवा का सूबेदार, जबकि मारवाड़ के अजीत सिंह को गुजरात का सूबेदार (प्रमुख) बनाया गया
- **जाट, बुंदेला एवं सिख**- जुल्फिकार खान ने चुरामन जाट एवं छत्रसाल बुंदेला के साथ निरंतर शांति बनाए रखी। उसने सिखों का दमन भी जारी रखा।
- उसने अलोकप्रिय जजिया कर को भी समाप्त कर दिया।

जुल्फिकार खान ने जागीरों एवं दफ्तरों के अंधाधुंध विकास पर नियंत्रण रखकर साम्राज्य के वित्त को सुधारने का प्रयास किया। लेकिन उसने टोडरमल के भू-राजस्व बंदोबस्त को त्याग दिया और उसके स्थान पर राजस्व कृषि अथवा इजारा की कुप्रथा शुरू कर दी, जिसके अनुसार सरकार राजस्व किसानों एवं बिचौलियों के साथ एक समझौता करती थी और उस समझौते के अनुसार इन्हें एक निश्चित रकम (राशि) सरकार को देनी होती थी, जबकि वे किसानों से जितना चाहे उगाही कर सकते थे। जिसने किसानों के उत्पीड़न को बढ़ावा दिया।

जहांदार शाह को जल्द ही उसके भतीजे फ़र्रुख़सियर ने आगरा में हरा दिया और इस प्रकार जहांदार शाह के शासन की समाप्ति हुई। जुल्फिकार खान को भी फांसी दे दी गई।

जजिया एक वार्षिक कर था, जो ऐतिहासिक तौर पर इस्लामिक राज्यों द्वारा गैर-मुस्लिम प्रजा पर लगाया जाता था।

फ़र्रुख़सियर (1713-1719)- फ़र्रुख़सियर ने दो सैयद बंधुओं अब्दुल्ला खान एवं हुसैन अली खान बरहौ की सहायता से सत्ता हासिल की। आभार के तौर पर फ़र्रुख़सियर ने अब्दुल्ला खान को अपना वजीर बनाया एवं हुसैन अली खान को मीर बख्शी के पद पर नियुक्त किया। फ़र्रुख़सियर अयोग्य व कायर था एवं चापलूसों के प्रभाव में आ जाता था। इसका लाभ उठाकर इन दोनों बंधुओं ने जल्द ही राज्य के कार्यों पर प्रभावशाली नियंत्रण स्थापित कर लिया था (1713 1720)।

फ़र्रुख़सियर

सैयद बंधुओं ने धार्मिक सहिष्णुता की नीति को अपनाया। उनका मानना था कि भारत पर सौहार्दपूर्वक शासन तभी किया जा सकता है, जब शासन में मुस्लिम कुलीनों के साथ हिंदू मुखिया एवं कुलीनों को भी शामिल किया जाए। उन्होंने जजिया एवं तीर्थयात्रा कर समाप्त कर दिया। उन्होंने मराठा, राजपूत एवं जाटों के साथ निरंतर समझौता बनाए रखा, जबकि सिखों का दमन किया। फ़र्रुख़सियर के शासन में सिखों पर मुगलों की जीत हुई, सिख नेता बंदा बहादुर को गुरदासपुर में बंदी बना लिया गया और बाद में दिल्ली में उन्हें फांसी (19 जून, 1716) पर लटका दिया गया।

1714 में ब्रिटिश ईस्ट इंडिया कंपनी के एक सर्जन विलियम हैमिल्टन ने फ़र्रुख़सियर की एक गंभीर बीमारी को सफलतापूर्वक ठीक कर दिया था। सफलतापूर्वक इलाज होने के बाद ही फ़र्रुख़सियर जोधपुर के राजा अजीत सिंह की बेटी से शादी कर सके थे, जो बीमारी के कारण टलती जा रही थी। कंपनी को इनाम के तौर पर 1717 में सम्राट ने एक फरमान जारी किया (जिसे 1717 के फरमान के नाम से जाना गया), जिसमें बेपरवाह होकर ब्रिटिश ईस्ट इंडिया कंपनी को बंगाल में व्यापार के लिए सीमा शुल्क से छूट जैसे अनेक व्यापारिक विशेषाधिकार प्रदान किए गए। फरमान के प्रावधान बंगाल के नवाबों और अंग्रेजी कंपनी के बीच हमेशा के लिए संघर्ष का एक जरिया बन गए।

शीघ्र ही, फ़र्रुख़सियर अपनी सत्ता का स्वयं बिना किसी हस्तक्षेप के उपयोग करना चाहता था इसी कारण से उसने सैयद बंधुओं से छुटकारा पाने के लिए षड्यंत्र रचा। हालांकि, सैयद बंधु उससे अधिक चालाक साबित हुए और उन्होंने पेशवा बालाजी विश्वनाथ की सहायता से सम्राट को राजगद्दी से हटा कर उसे अंधा करके मार दिया। मुगल इतिहास में ऐसा पहली बार हुआ जब एक सम्राट को उसके कुलीनों द्वारा मार दिया गया।

फ़र्रुख़सियर के बाद सैयद बंधुओं ने दो युवा राजकुमारों (रफी-उद-दर्जत और रफी-उद-दौला) को गद्दी पर आसीन किया, जिनकी एक के बाद एक शीघ्र मृत्यु हो गई-

- **रफी-उद-दर्जत (अप्रैल 1719 से जून 1719)**- इसने अल्पकाल के लिए शासन किया।
- **रफी-उद-दौला या शाहजहां द्वितीय (जून 1719 से सितंबर 1719)**- इसने शाहजहां द्वितीय की उपाधि प्राप्त की। वह अफीम का आदी था और पेचिश रोग से उसकी मृत्यु हुई।

राजा निर्माताओं ने अब 18 वर्षीय रोशन अख्तर (जिसे मुहम्मद शाह के नाम से जाना गया) को भारत का सम्राट बनाया। फ़र्रुख़सियर के ये सभी तीन उत्तराधिकारी सैयद बंधुओं के हाथों की कठपुतली थे। यहां तक कि घूमने और लोगों से मिलने की उनकी व्यक्तिगत स्वतंत्रता को भी सीमित कर दिया गया था।

मुहम्मद शाह अथवा रोशन अख्तर बहादुर (1719-1748)- यद्यपि सैयद बंधुओं ने कुलीनों के सभी वर्गों के साथ मित्रता बनाए रखने का भरसक प्रयत्न किया, लेकिन निजाम-उल-मुल्क एवं मुहम्मद अमीन खान के नेतृत्व में कुलीनों के एक शक्तिशाली समूह ने उनके विरुद्ध षड्यंत्र शुरू कर दिया। ये कुलीन सैयद बंधुओं की बढ़ती शक्ति से ईर्ष्या करते थे। साथ ही, फ़र्रुख़सियर की हत्या ने भी उनमें से अनेक को भयभीत कर दिया था। मुहम्मद शाह स्वयं सैयद बंधुओं के नियंत्रण से मुक्त होना चाहता था और 1720 में एक शक्तिशाली कुलीन निजाम-उल-मुल्क की सहायता से उसने उन्हें मारने में सफलता हासिल की।

सैयद बंधुओं के पतन के बाद मुहम्मद शाह ने करीब 30 वर्षों (1719-1748) के एक लंबे समय तक शासन किया। यह संभवत: साम्राज्य को बचाने का अंतिम मौका था- मुगल शासन को अब भी सम्मान की दृष्टि से देखा जाता था तथा मुगल सेना को अब भी एक शक्तिशाली सेना माना जाता था, मराठा सरदार अब तक दक्षिण तक सीमित थे और राजपूत अब भी मुगलों के प्रति वफादार थे। एक शक्तिशाली एवं दूरदर्शी शासक अब भी स्थिति को संभाल सकता था। लेकिन मुहम्मद शाह में ऐसी कोई विशेषता नहीं थी। वह एक मंदबुद्धि और तुच्छ प्रवृत्ति का व्यक्ति था, जिसे भारतीय इतिहास में **मुहम्मद शाह रंगीला** के नाम से जाना गया, क्योंकि उसे शराब और शबाब का शौक था। सैयद बंधुओं के पतन के बाद वह एक नर्तक कोकी जीउ और एक नपुंसक हाफिज खिदमतगार खान के चंगुल में फंस गया था।

इस प्रकार मुहम्मद शाह के शासन से मुगल साम्राज्य के एक अपरिवर्तनीय पतन की शुरुआत हुई और साम्राज्य का भौतिक विखंडन शुरू हुआ-

- शक्तिशाली कुलीनों ने अब अर्द्धस्वतंत्र राज्य बनाना शुरू कर दिए। उदाहरण के तौर पर, निजाम-उल-मुल्क ने हैदराबाद में (1724), मुर्शीद कुली खान ने बंगाल में (1717), सादत खान ने अवध में (1722) अपने स्वायत्त राज्य बनाए।

- मराठों ने अपना प्रसार उत्तर की तरफ शुरू किया और 1737 में बाजीराव प्रथम ने दिल्ली पर चढ़ाई करके सम्राट को भयभीत कर दिया।
- 1739 में नादिरशाह ने भारत पर आक्रमण किया और करनाल के युद्ध में मुगलों को हराया तथा सिंधु के पश्चिम (जिसमें काबुल भी शामिल था) से लेकर पर्शियन साम्राज्य तक कूटनीतिक तौर पर महत्वपूर्ण क्षेत्रों पर कब्जा किया। एक बार फिर भारत उत्तर-पश्चिम के आक्रमणों से बचाव के लिए दुर्बल हो गया था। नादिर शाह की हत्या के तुरंत बाद अहमद शाह अब्दाली को अफगानिस्तान का राजा चुना गया। 1748 से 1767 के बीच अब्दाली ने मुगल साम्राज्य पर सात बार आक्रमण करके लूटा। उसका पहला आक्रमण मुहम्मद शाह के शासन के दौरान 1748 में हुआ।

निजाम-उल-मुल्क आसफ जाह- मुहम्मद शाह के शासन के दौरान निजाम-उल-मुल्क को 1722 में वजीर नियुक्त किया गया। प्रशासनिक सुधार में वजीर का समर्थन करने के स्थान पर मुहम्मद शाह ने अपने ही मंत्रियों पर शक किया। सम्राट की अस्थिर बुद्धि और संदेहास्पद स्वभाव से निराश होकर निजाम-उल-मुल्क ने अपनी महत्वाकांक्षा पूरी करने का निर्णय लिया। तब उसने सम्राट और उसके साम्राज्य को उनके भाग्य पर छोड़कर हैदराबाद राज्य खोजने के लिए दक्षिण की ओर मार्च करने का निर्णय लिया (दक्कन में 1724 में)। निजाम-उल-मुल्क का अलग होना मुगल साम्राज्य के भौतिक विखंडन की शुरुआत को इंगित करता है।

नादिरशाह का आक्रमण

मुगल साम्राज्य को एक गहरा आघात लगा, जब पर्शिया के राजा नादिरशाह ने 1738-1739 में भारत पर आक्रमण किया। नादिर शाह भारत की प्रख्यात धन संपदा से आकर्षित हुआ और दिवालिया हुए पर्शियन साम्राज्य ने दुर्बल मुगल शासन को एक आसान शिकार पाया। इससे पूर्व औरंगजेब उत्तर पश्चिमी सीमांत के लिए चौकन्ना रहता था। हालांकि, उसकी मृत्यु के बाद सीमांत को वर्षों तक नजरअंदाज किया गया। खतरा तब समझ आया, जब नादिरशाह ने लाहौर पर कब्जा कर लिया। दिल्ली की रक्षा के लिए जल्दबाजी में तैयारियां की गई, लेकिन कुलीनों की ओर से सुरक्षा की योजना पर सहमति नहीं बन सकी। आक्रमणकारी का सामना करने के लिए निजाम-उल-मुल्क के साथ सम्राट मुहम्मद शाह ने राजधानी से मार्च किया।

करनाल का युद्ध

13 फरवरी, 1739 को दोनों सेनाएं **करनाल** में टकराई और नादिरशाह की सेना ने मुगल सेना को बुरी तरह से हरा दिया। जहां एक ओर खान-ए-दौरा (मीर बक्शी) युद्ध भूमि पर गिर गया, वहीं दूसरी ओर सादात खान (अवध का सूबेदार) व सम्राट मोहम्मद शाह को बंदी बना लिया गया। नादिरशाह ने अब दिल्ली की ओर कूच किया और अपने मुट्ठी भर सैनिकों की मृत्यु का बदला लेने के लिए शाही राजधानी में नरसंहार का आदेश दिया। दिल्ली की तबाही के मंजर को कवि **मीर** एवं **सौदा** ने अपनी रचनाओं में चित्रित किया। नादिरशाह ने शाही कोष को कब्जे में लिया, मयूर सिंहासन और **कोहिनूर हीरा** दोनों ही उसकी लूट के सबसे महत्वपूर्ण कीमती समान थे। उसकी सम्पूर्ण लूट की अनुमानित रकम करीब 70 करोड़ थी, जो उसे 3 साल तक अपने राज्य को कराधान से मुक्त करने के बराबर थी! नादिरशाह ने सिंधु नदी के पश्चिम के क्षेत्र को भी अपने कब्जे में लिया।

नादिर शाह के आक्रमण से मुगल साम्राज्य को भारी क्षति हुई। इस आक्रमण ने मराठा सरदारों और विदेशी व्यापारिक कंपनियों के सामने साम्राज्य की छिपी हुई कमजोरियों को उजागर करके केंद्रीय वित्त को बर्बाद कर दिया और निर्धन हुए कुलीनों ने किसानों को उत्पीड़ित करना शुरू कर दिया, ताकि वे अपनी खोई हुई संपत्ति को वसूल सकें। सिंधु नदी के पश्चिम के क्षेत्र को गंवाने के बाद एक बार पुनः उत्तर-पश्चिम की ओर से साम्राज्य असुरक्षित हो गया।

अहमद शाह अब्दाली का आक्रमण- 1747 में नादिर शाह की हत्या के बाद अहमद शाह अब्दाली (अथवा अहमद शाह दुर्रानी) को अफगानिस्तान का राजा चुना गया और उसने दर-ए-दुर्रानी (मोतियों का मोती) की उपाधि धारण की। 1748 में उसने मोहम्मद शाह के शासन के दौरान भारत पर आक्रमण शुरू कर दिया था। 1748 और 1767 के बीच उसने आक्रमण किया और मुगल साम्राज्य को 7 बार लूटा।

अहमद शाह अब्दाली (1747-1772)

1749 के प्रारंभ में उसने पुनः सीमा को पार किया और पंजाब के सूबेदार मोइन-उल-मुल्क को हराया। हालांकि, मोइन-उल-मुल्क ने 14000 रुपए वार्षिक धन भेजने का वादा किया और फिर अब्दाली वापस चला गया।

1752 में अब्दाली को जब वादा किया हुआ धन नियमित रूप से मिलना बंद हो गया, तो उसने भारत पर तीसरी बार आक्रमण कर दिया। दिल्ली को बर्बादी से बचाने के विचार से सम्राट अहमद शाह ने पंजाब और मुल्तान अब्दाली को सौंप कर उसे संतुष्ट किया। लेकिन जब पंजाब के सूबेदार मोइन-उल-मुल्क की मृत्यु हुई, तो वजीर इमाद-उल-मुल्क ने व्यवस्था को बहाल करने के लिए अदीना बेग को 1753 में पंजाब का सूबेदार नियुक्त किया। इस कार्य को अब्दाली ने पंजाब के मामलों में हस्तक्षेप की तरह देखा।

अतः 1756 में अब्दाली ने चौथी बार भारत पर आक्रमण किया। जनवरी, 1757 में उसने दिल्ली में प्रवेश किया और दिल्ली के साथ-साथ उसने मथुरा और आगरा को भी लूटा। वापस लौटने से पहले अब्दाली ने भारत में अपने हित के संरक्षण के लिए आलमगीर द्वितीय को सम्राट, इमाद-उल-मुल्क को वजीर, रोहिल्ला प्रमुख नजीब-उद-दौला को साम्राज्य का मीर बक्शी और उसके पुत्र तिमूर शाह दुर्रानी (आलमगीर द्वितीय की पुत्री से इसका विवाह हुआ) को उसका 'सर्वोच्च एजेंट' का दर्जा दिया। इस शर्त पर कि वे अब्दाली की सर्वोच्चता को स्वीकार करते रहेंगे, मुगल राजवंश को हटाए बिना अब्दाली अफगानिस्तान लौट गया।

हालांकि, 1758 में नजीब को मराठा प्रमुख रघुनाथ राव, जिसने पंजाब को भी कब्जे में कर लिया था, द्वारा दिल्ली से निष्कासित कर दिया गया और इस कारण 1759 में अब्दाली को मजबूर होकर मराठाओं से प्रतिशोध लेने के लिए भारत वापस आना पड़ा। 1761 में उसने तीसरे पानीपत युद्ध में मराठों को हराया और इस प्रकार साम्राज्य को नियंत्रित करने और देश पर प्रभुत्व स्थापित करने की उनकी महत्वाकांक्षा को गहरा धक्का लगा। मराठों ने 1772 में और पुनः 1789 में मुगल सम्राट की रक्षा की और उन्होंने पंजाब व मुल्तान को पुनः हथियाने का प्रयास कभी नहीं किया और भारत के उत्तर पश्चिमी सीमांत के संरक्षक का कार्य किया।

ईरानी एवं दुर्रानी आक्रमणों के साथ-साथ भारतीय कुलीनों की आपसी कलह का संचयी प्रभाव यह हुआ कि 1761 तक मुगल साम्राज्य एक अखिल भारतीय साम्राज्य की तरह अस्तित्व में नहीं रहा।

नजीब-उद-दौलाह- वह एक रोहिल्ला प्रमुख (अफगानी) था, जो 1757 में दिल्ली पर आक्रमण के दौरान अहमद शाह अब्दाली के साथ शामिल हो गया था। कुछ समय के लिए नजीब-उद-दौलाह, बाद में उसका पुत्र जबिता खान और उसके पौत्र गुलाम कादिर ने दिल्ली में निर्विरोध शक्ति का उपयोग किया। नजीब बिजनौर जिले में स्थित नजीबाबाद शहर का संस्थापक था।

अहमद शाह (1748-1754)- मोहम्मद शाह का उत्तराधिकारी अहमद शाह एक नृत्यांगना उधम बाई का बेटा था। वह कमजोर था और उसने राजकीय मुद्दों को अपनी माता के हाथों में छोड़ दिया था। राजमाता उधम बाई (किब्ला-ए-आलम की उपाधि भी मिली) मंदबुद्धि थीं और अपने प्रेमी (एक प्रख्यात नपुंसक) जाविद खान की सहायता से शासन करती थीं।

अहमद शाह के शासन के दौरान अहमद शाह अब्दाली ने भारत पर दो बार आक्रमण किया: पहली बार 1749 में और दूसरी बार 1752 में दिल्ली की ओर मार्च किया। दिल्ली को बर्बादी से बचाने के विचार से अहमद शाह ने पंजाब और मुल्तान को अब्दाली को समर्पित करके उसे संतुष्ट किया। इस प्रकार पंजाब और मुल्तान अफगानों के हाथों में चले गए।

1752 में नवाब वाजिद सफदर जंग की सलाह पर गाजी-उद-दीन खान फीरोज जंग तृतीय (अथवा इमाद-उल-मुल्क, निज़ाम-उल-मुल्क आसफ जाह का पोता) को मीर बक्शी के रूप में नियुक्त किया गया और उसने मुगल सम्राट अहमद शाह द्वारा अमीरुल उमारा (कुलीनों का कुलीन) एवं इमाद-उल-मुल्क की उपाधि धारण की। फिरोज जंग तृतीय शीघ्र ही शक्तिशाली बन गया और उसने सम्राट को ही डराना शुरू कर दिया। सम्राट भी अब उसे दरबार से हटाना चाहता था। वह ऐसा करता इससे पहले ही फिरोज जंग तृतीय ने मराठा प्रधान सदाशिव राव भाऊ के साथ एक संधि की तथा दोनों ने मिलकर 1754 में अहमद शाह को पद से हटा दिया तथा उसके स्थान पर एक कठपुतली शासक आलमगीर द्वितीय को गद्दी पर बैठा दिया। इमाद-उल-मुल्क अब एक नया वजीर और शासक निर्माता बन गया।

नोट- इस प्रकार मोहम्मद शाह के बाद अनेक कमजोर व अयोग्य शासक हुए। जिनमें अहमद शाह (1748-1754), आलमगीर द्वितीय (1754-1759), शाह आलम द्वितीय (1759-1806), अकबर द्वितीय (1806-1837) एवं बहादुर शाह द्वितीय (1837-1857) शामिल थे।

आलमगीर द्वितीय अथवा अजीज-उद-दीन (1754-1759)- अहमद शाह को अपदस्थ करने के बाद इमाद-उल-मुल्क ने अब अजीज-उद्दीन (जहांदर शाह का बेटा) को राजगद्दी पर बिठाया, जिसने आलमगीर द्वितीय के नाम से शासन करना शुरू किया। इसी के शासनकाल में प्लासी का युद्ध (जून, 1757) लड़ा गया।

इसके शासन के दौरान 1757 में अहमद शाह अब्दाली ने भारत पर आक्रमण किया और दिल्ली को लूटा। इसी साल अफगानों और रोहिल्लाओं को भगाने के लिए इमाद ने मराठों को दिल्ली पर आक्रमण करने के लिए आमंत्रित किया। इसके बाद मार्च 1758 में रघुनाथ राव के नेतृत्व में मराठों की एक भारी फौज दिल्ली पहुंची और दिल्ली में अफगान के दुर्ग रक्षकों को हराकर नजीब को निष्कासित कर दिया और पंजाब तक बढ़कर लाहौर पर कब्जा कर लिया। उन्होंने तिमूर शाह (जिसे एक वर्ष पहले उसके पिता अहमद शाह के द्वारा वॉयसराय के रूप में नियुक्त किया गया था) को पद से हटा दिया और अदीना बेग को पेशवा बालाजी बाजीराव की ओर से पंजाब का सूबेदार (गवर्नर) नियुक्त कर दिया। अगस्त, 1759 में अफगान शासक अहमदशाह अब्दाली मराठों से बदला लेने के लिए भारत वापस लौटा। मराठों को हराने में उसे करीब 2 वर्ष लगे और अंततः 14 जनवरी, 1761 को पानीपत के तृतीय युद्ध में मराठा की बुरी तरह हार हुई।

नवम्बर, 1759 में वजीर-इमाद-उल मुल्क ने सम्राट की हत्या करवा दी और अपने एक कठपुतली मुगल सम्राट शाहजहां तृतीय को गद्दी पर बैठा दिया।

शाहजहां तृतीय (1759-1760)- शाहजहां तृतीय अल्पकाल के लिए मुगल सम्राट बना। वह मुहम्मद कम बख्श (जो औरंगजेब का सबसे छोटा बेटा था) का सबसे बड़ा बेटा था। उसे दिसंबर, 1759 को मुगल राज गद्दी पर बिठाया गया। वह वजीर इमाद-उल-मुल्क के द्वारा एक कठपुतली शासक बनाया गया था। उसे बाद में मराठा प्रमुख द्वारा अपदस्थ कर दिया गया।

शाह आलम द्वितीय अथवा अली गौहर (1760-1806)- 1759-60 के दौरान सदाशिवराव भाऊ के नेतृत्व में मराठों ने उत्तरी भारत में विजय पताका लहराना शुरू कर दी। सदाशिवराव ने शाहजहां तृतीय को हटाकर उसके स्थान पर मराठा आधिपत्य के अधीन आलमगीर द्वितीय के पुत्र अली गौहर को सम्राट बनाया। अली गौहर ने शाह आलम द्वितीय की उपाधि

धारण की। वह योग्य और साहसी व्यक्ति था, लेकिन अब साम्राज्य का उद्धार उसके हाथ में नहीं था। उसके शासनकाल में दो निर्णायक युद्ध हुए: पानीपत का तृतीय युद्ध (1761) और बक्सर का युद्ध (1764)।

1761 में पानीपत के युद्ध के बाद व दिल्ली को छोड़ने (20 मार्च, 1761) से पहले अहमद शाह अब्दाली ने शाह आलम को सम्राट और नजीब-उद-दौला को मीर बक्शी के पद पर आसीन किया। 1767 में अब्दाली ने अंतिम बार भारत पर आक्रमण किया था। उसके आक्रमणों ने मुगल साम्राज्य के पतन में गति ला दी व चारों तरफ अराजकता पनपने लगी। सम्राट शाह आलम द्वितीय को अगले 12 वर्षों तक दिल्ली में प्रवेश करने की अनुमति नहीं थी (1760-1772, जब तक कि उसे मराठों द्वारा 1772 में राजगद्दी पर नहीं बैठाया गया।) इस प्रकार वह 12 वर्षों तक निर्वासित रहा और उसे 'भगोड़ा मुगल सम्राट' के नाम से जाना गया। उसकी अनुपस्थिति में रोहिल्ला नेता नजीब-उद-दौला के पुत्र जबिता खान और उसके पौत्र गुलाम कादिर ने दिल्ली पर निर्बाध रूप से सत्ता का उपयोग किया।

1764 में इंग्लिश ईस्ट इंडिया कंपनी के विरुद्ध बक्सर के युद्ध में शाह आलम द्वितीय ने बंगाल के मीर कासिम और अवध के शुजाउद्दौला से हाथ मिलाया। बक्सर में पराजय के बाद मुगल सम्राट ने ब्रिटिश के साथ इलाहाबाद की संधि (1765) पर हस्ताक्षर किए। इस संधि के अनुसार सम्राट को बंगाल, बिहार एवं उड़ीसा की दीवानी (राजस्व संग्रह करने का अधिकार) अंग्रेजों को देनी पड़ी। बदले में सम्राट को 26 लाख की सहायिकी (subsidy) और कोरा व इलाहाबाद जिले दिए गए। अगले 6 वर्षों तक अंग्रेजों के एक आभासी कैदी के रूप में सम्राट इलाहाबाद के किले में रहे।

1771 में महादजी शिंदे (अथवा सिंधिया) के नेतृत्व में मराठा उत्तरी भारत में लौटे, दिल्ली को कब्जे में किया और मराठा आधिपत्य के अधीन शाह आलम द्वितीय को दिल्ली के सिंहासन पर आसीन किया (जनवरी, 1772)। शाह आलम ने सिंधिया को दिल्ली प्रशासन का प्रभारी बनाया। (इस प्रकार सिंधिया दिल्ली के अधिपति तब तक बने रहे, जब तक कि दौलतराव सिंधिया को 1803 में लॉर्ड लेक के द्वारा पराजित नहीं कर दिया गया)

1772-1773 के दौरान मराठों के समर्थन से मुगल सम्राट ने रोहिल्ला प्रमुख जाबिता खान, जिसे शाह आलम द्वारा मीर बक्शी के रूप में नियुक्त किया गया था, के विरुद्ध एक अभियान चलाया। जाबिता खान को उसके परिवार और अन्य रोहिल्ला नेताओं के साथ बंदी बना लिया गया और उनका बुरी तरह अपमान किया गया। जाबिता के बेटे गुलाम कादिर रोहिल्ला को नपुंसक बनाकर राजमहल में एक परिचर के रूप में सेवा करने के लिए छोड़ दिया। कुछ वर्षों बाद, 1787 में गुलाम कादिर इतना सक्षम हुआ कि वह स्वयं को मीर बक्शी और राज्य प्रतिनिधि के रूप में नियुक्त करने के लिए सम्राट को बाध्य कर सकता था। लेकिन सम्राट से मतभेद होने के कारण उसे जल्दी ही दिल्ली छोड़ना पड़ा और अगले साल बदला लेने के लिए वह दिल्ली वापस लौटा। 30 जुलाई, 1788 को उसने शाही महल को कब्जे में ले लिया और शाह आलम को अपदस्थ कर दिया। बाद में, उसने शाह आलम को निर्दयता से अंधा कर दिया। हालांकि, महादजी सिंधिया ने उसे मार गिराया और नेत्रहीन शाह आलम को पुन: राजा बना दिया। (अक्टूबर, 1788)। शाह आलम को ष्नेत्रहीन मुगल सम्राटष भी कहा जाता है।

1803 में दौलतराव सिंधिया को हराकर अंग्रेजों ने दिल्ली को पुन: अपने कब्जे में कर लिया और नेत्रहीन मुगल सम्राट ने एक बार पुन: ब्रिटिश का संरक्षण स्वीकार कर लियास 1803-1857 तक मुगल वंश ने अंग्रेजों के एक राजनीतिक मोहरे के रूप में काम किया। 1835 तक कंपनी के सिक्कों पर सम्राट शाह आलम की मोहर लगती रही।

शाह आलम की शक्ति उसके शासनकाल में इतनी घट चुकी थी कि फारसी में कहा जाने लगा कि, **'शल्तनत-ए-शाह आलम, अजदिल्लिता पालम'**, इसका अर्थ है शाह आलम का राज्य दिल्ली से पालम तक है, पालम दिल्ली का उपनगर है। शाह आलम द्वितीय ने कविताओं के दीवान लिखे और उसे **आफताब** उपनाम से भी जाना जाता था।

इस प्रकार शाह आलम द्वितीय और उसके उत्तराधिकारी नाममात्र के सम्राट थे, जो अपने ही कुलीनों अथवा मराठों अथवा ब्रिटिश के हाथों की कठपुतली थे। वास्तव में, ब्रिटिश ने मुगल सम्राट की परिकल्पना को 1858 में जब तक अंतिम मुगल सम्राट बहादुर शाह जफर को रंगून निर्वासित नहीं कर दिया, तब तक जिंदा रखा।

अकबर शाह द्वितीय (1806-1837)- शाह आलम द्वितीय की मृत्यु के बाद उसके बेटे ने अकबर शाह द्वितीय के नाम से उत्तराधिकार ग्रहण किया। अकबर द्वितीय ने ही राजा राममोहन राय को राजा उपाधि दी थी और पेंशन में वृद्धि के लिए उन्हें इंग्लैंड भेजा था। ईस्ट इंडिया कंपनी ने स्वयं को मुगल सम्राट की एक प्रजा कहना बंद कर दिया और कंपनी के सिक्कों से पर्शियन पंक्तियों को हटा कर उसके नाम से सिक्के जारी करना बंद कर दिया।

बहादुर शाह द्वितीय अथवा बहादुर शाह जफर (1837-1857)- अकबर द्वितीय की मृत्यु के बाद बहादुर शाह द्वितीय मुगल सम्राट बना। उन्हें कविताओं का शौक था और उन्हें 'जफर' की उपाधि नाम से जाना जाता है। 1857 के विद्रोह के दौरान विद्रोहियों के द्वारा बहादुर शाह जफर को भारत का सम्राट घोषित कर दिया गया था। 1857 के विद्रोह के बाद उन्हें पकड़ लिया गया और रंगून निर्वासित कर दिया गया, जहां 1862 में उनकी मृत्यु हुई।

बहादुर शाह जफर

नोट- कानूनी भाषा में रानी विक्टोरिया की घोषणा के साथ 1 नवंबर 1858 को मुगल साम्राज्य का अंत हुआ।

मुगल साम्राज्य के पतन के कारण

मुगल साम्राज्य के पतन के अनेक आंतरिक एवं बाहरी कारण हैं, जिनको निम्नलिखित बिंदुओं द्वारा समझा जा सकता है:

आंतरिक कमजोरियां

मुगल साम्राज्य मुख्य रूप से एक 'युद्ध राज्य' था। इसकी विशालता मुख्य रूप से सैन्य शक्ति पर निर्भर थी। इस संरचना के शीर्ष पर सम्राट, उसके बाद सैन्य अभिजात तंत्र और उसके बाद मुगल सेना थी। इस वृहद सैन्य संरचना के सभी तीनों स्तरों पर विभिन्न मुद्दे उभरते थे। इसे निम्नलिखित शीर्षकों से समझा जा सकता है:

औरंगजेब की पथभ्रष्ट नीतियां- औरंगजेब के अधीन मुगल साम्राज्य का प्रसार एक फूले हुए गुब्बारे के सदृश्य था। मुगल साम्राज्य प्रभावशाली नियंत्रण के बिंदु से परे प्रसारित हो चुका था और इसकी विशालता इसे केंद्र में कमजोरी की ओर बढ़ा रही थी। औरंगजेब यह अनुभव करने में असफल हो गया कि विशाल मुगल साम्राज्य प्रजा के सहर्ष समर्थन पर निर्भर करता है। उसकी धार्मिक असहिष्णुता ने राजपूत, सिख, जाट और मराठों को विरोधी बना दिया और वे खुले विद्रोह के लिए उठ खड़े हुए। मराठों के विरुद्ध दक्कन में निरंतर युद्ध की औरंगजेब की गलत नीति ने साम्राज्य के संसाधनों को खाली कर दिया था।

कमजोर उत्तराधिकारी- मुगल शासन एक व्यक्तिगत तानाशाही थी और इसकी सफलता शासन करने वाले राजा के चरित्र पर निर्भर करती थी। उत्तर मुगलकालीन शासक कमजोर और अक्षम साबित हुए, जो गुटबाजी में फंसे हुए कुलीनों के षड्यंत्र और साजिश के शिकार हुए।

बहादुर शाह (1707-1712) इतना अधिक वृद्ध था कि वह साम्राज्य की प्रतिष्ठा को बनाए रखने में असमर्थ था और उपाधियां तथा पुरस्कार द्वारा सभी दलों को संतुष्ट करना पसंद करता था। इस रवैये के कारण उसका उपनाम 'शाह-ए-बेखबर' प्रसिद्ध हुआ। अगले उत्तराधिकारियों में जहांदार शाह बहुत अपव्ययी, फर्रुखसियर एक डरपोक, जबकि मोहम्मद शाह जानवरों की लड़ाई देखने में अपना बहुत समय बिताता था। शराब और शबाब की आदत के कारण मोहम्मद शाह को एक उपनाम 'रंगीला' भी मिला। अहमद शाह ने एक बहुत बड़े क्षेत्र में हरम (सम्राट की पत्नियों या रखैलों के लिए एक अलग स्थान) को बढ़ा दिया, जहां वह अनेक सप्ताह या महीनों तक समय बिताता था। उत्तर मुगलकालीन सम्राट निःसंदेह कमजोर और अक्षम थे, जिसने विघटन की प्रक्रिया को तेज कर दिया।

उत्तराधिकार के युद्ध एवं राजा/शासक निर्माताओं की भूमिका - उत्तराधिकार का एक निश्चित कानून न होने के कारण मुगल राजकुमारों के बीच उत्तराधिकार का युद्ध छिड़ जाता था। 1712 में बहादुर शाह की मृत्यु के बाद प्रतिद्वंदी दलों के नेताओं ने अपने व्यक्तिगत हितों को साधने के लिए सिंहासन के प्रतिद्वंदी दावेदारों का एक साधन के रूप में उपयोग करना शुरू कर दिया था। उदाहरण के तौर पर, 1712 के बाद उत्तराधिकार के युद्ध में जुल्फिकार खान ने एक राजा-निर्माता के रूप में भूमिका निभाई। 1713-1720 तक सैयद बंधुओं ने राजा-निर्माताओं का कार्य किया और राजगद्दी पर चार राजाओं को नियुक्त करने में प्रमुख भूमिका निभाई। उनके बाद मीर मोहम्मद अमीन और आसफ जाह निजाम-उल-मुल्क ने राजा-निर्माताओं की भूमिका निभाई। इससे मुगल शासन की नींव कमजोर हुई और देश प्रेम के स्थान पर भेद-भाव को बढ़ावा मिला।

मुगल राज्य की प्रकृति- मुगल राज्य मुख्यतया एक पुलिस राज्य था, जिसने स्वयं को मुख्य रूप से कानून व व्यवस्था को बनाए रखने एवं राजस्व संग्रह तक सीमित रखा। मुगल शासक हिंदू और मुस्लिम के बीच समरसता की भावना को पोषित करने में असफल रहे। अकबर द्वारा इस दिशा में कुछ प्रयास किए गए थे, लेकिन औरंगजेब और उसके कमजोर उत्तराधिकारियों की कट्टरता ने उसे बर्बाद कर दिया। परिणामस्वरूप, अनेक भारतीय प्रधान मुगल शासकों को विदेशी और हिंदुओं का शत्रु मानते थे एवं मुगल शासन से स्वतंत्रता चाहने लगे थे।

मुगल कुलीनों (अथवा सैन्य अभिजात तंत्र) का अधःपतन- 16वीं शताब्दी के अंत में मनसबदारी व्यवस्था के द्वारा अकबर ने इस अभिजात तंत्र अथवा शासक वर्ग को संगठित किया था। सम्राट के प्रति व्यक्तिगत वफादारी के आधार पर सम्राट स्वयं मनसबदारों को नियुक्त करता था। उन्हें एक निश्चित संख्या में घुड़सवार रखने की आवश्यकता होती थी और उन्हें अक्सर जागीर के रूप में भुगतान किया जाता था। समय के साथ मनसबदारी व्यवस्था वंशानुगत बन गई और राज्य के अधिकारी कुछ चुनिंदा लोगों के अनुसार चुने जाने लगे। यह एक निश्चित जाति-धर्म समूह से जुड़े कुलीनों का कार्पोरेशन (समूह) बन गया (सबसे शक्तिशाली समूह ईरानी व तुरानी थे) और इससे अन्य वर्गो से जुड़े योग्य लोगों को आगे बढ़ने का अवसर नहीं मिला।

मुगल शासकों के पतन ने कुलीनों के पतन को आगे बढ़ा दिया। कुलीनों ने सैनिक जीवन के अनुशासन को छोड़कर विलासिता को अपना लिया था। उन्होंने विशाल धनराशि बड़े हरमों व नौकरों के एक बड़े स्टाफ को बनाए रखने इत्यादि में खर्च किया और अन्य दिखावे व वैभव के कार्यों में लिप्त हो गए। इस प्रकार की फिजूलखर्ची ने उनके सीमित वित्तीय संसाधनों को खाली कर दिया और उनकी नैतिकता को कमजोर बना दिया, अब वे एक-दूसरे के साथ वीरता के लिए नहीं, बल्कि चमक-दमक व चापलूसी के लिए प्रतिद्विंदिता करने लगे। इस तरह के पतन ने मुगल कुलीनों को जकड़ लिया और राज्य में योग्य प्रशासकों व सैन्य नेतृत्व का अभाव हो गया था।

जमींदारों की वफादारी में परिवर्तन- जमींदार और कुलीन दो वर्ग थे, जो सम्राट के साथ राजसत्ता का उपभोग करते थे। जमींदार अथवा भू-स्वामी वंशानुगत मालिक थे और वे रईस, राजस, ठाकुर और देशमुख जैसे अनेक नामों से जाने जाते थे। वे राजस्व के संग्रह और स्थानीय प्रशासन में एक महत्वपूर्ण भूमिका निभाते थे। ये जमींदार साम्राज्य की दुर्बलता का लाभ उठाने और स्वायत्त राज्यों की स्थापना के लिए भी कुलीनों की सहायता करते थे।

जागीरदारी संकट एवं दरबार में गुटबाजी- 18वीं शताब्दी में एक आर्थिक संकट का उद्भव हुआ, जिसे जागीरदारी संकट के नाम से भी जाना जाता है। सतीश चन्द्र ने इसे परिभाषित करते हुए लिखा है, कि उपलब्ध सामाजिक अधिशेष प्रशासन की कीमत चुकाने और शासकों की अपेक्षाओं के अनुरूप जीवन-स्तर देने के लिए पर्याप्त नहीं थे। एक समय में मनसबदारों की संख्या में असामान्य वृद्धि होने से ऐसा हुआ, जबकि जागीर के रूप में जो भूमि वितरित करनी थी, वह स्थिर या कम हो रही थी।

जागीरदारी संकट औरंगजेब के शासन के अंतिम वर्ष के दौरान अधिक बढ़ा, जिसका मुख्य कारण दक्कन युद्ध थे। ऐसा माना जाता है, कि जागीरदार संकट के कारण अच्छी जागीरों पर नियंत्रण करने के लिए कुलीनों के बीच अस्वस्थ प्रतिस्पर्धा हुई। मुगल दरबार में दलगत राजनीति हर दिन की बात हो गई, प्रत्येक दल अच्छी जागीर प्राप्त करने के लिए सम्राट को प्रभावित करना चाहता था। किसी एक समूह की सम्राट से निकटता स्वाभाविक रूप से दूसरे समूह को सम्राट से अलग कर देती थी और इससे सम्राट और कुलीनों के बीच निष्ठा से जुड़े व्यक्तिगत संबंध धीरे-धीरे प्रभावित होने लगते थे। इस प्रकार कुलीन अब साम्राज्य के कार्यों के समर्थक नहीं रहे। उन्होंने निर्धारित संख्या में सैनिकों व घोड़ों को बनाए रखना बंद कर दिया और अब वे अपने स्वायत्त राज्यों को बनाने में अधिक दिलचस्पी दिखाने लगे।

1712 में बहादुर शाह की मृत्यु के बाद शाही दरबार में राजनीति अपने उच्च स्तर पर पहुंच गई। जहांदार शाह (1712-1713),फर्रुखसियर (1713-1719) और मोहम्मद शाह (1719-1748) के शासनकाल सबसे अधिक षड्यंत्र से ग्रस्त थे। ईरानी समूह का नेतृत्व असद खान और उसके पुत्र जुल्फिकार खान, तुरानी समूह का नेतृत्व गाजी-उद-दीन खान, फिरोज जंग और उसके पुत्र चिन किलिच खान (निजाम-उल-मुल्क) एवं हिंदुस्तानी समूह का नेतृत्व सैय्यद बंधुओं ने किया। प्रत्येक दल सम्राट को अपने विचारों से प्रभावित करने का प्रयास करता था और दूसरे दल के विरुद्ध भड़काता था। यद्यपि ये दल पारिवारिक संबंधों के आधार पर बनाए गए थे, लेकिन फिर भी व्यक्तिगत हित एक महत्वपूर्ण भूमिका निभाता था। निजाम-उल-मुल्क और बुरहान-उल-मुल्क के व्यक्तिगत हितों ने उन्हें नादिरशाह के साथ षड्यंत्र की ओर बढ़ा दिया।

सैन्य कमजोरी- मुगल सेना में कुछ अंतर्निहित दुर्बलताएं थीं। इसे एक प्रकार की सामंती शैली में संगठित किया गया था, जिसमें सैनिकों की सम्राट की अपेक्षा मनसबदारी के प्रति ज्यादा वफादारी रहती थी। इस कारण अनुशासनहीनता और बगावत को बढ़ावा मिला।

सैन्य अभिजात तंत्र के पतन ने मुगल सेना को भी कमजोर बनाया। इसमें योग्य सेनानायकों, प्रभावशाली निरीक्षण, सैन्य सुधार और नई तकनीक की निराशाजनक कमी थी। साथ ही, मुगल सेना शिविरों के एक विशाल समूह के साथ आगे बढ़ती थी, जो एक शहर के समान दिखता था, जिसमें बाजार और दुकानें भी होती थीं। सेना के साथ महिलाएं, बच्चे, पशु और अन्य गैर-लड़ाकू लोग रहते थे, जिससे यह एक सशस्त्र भीड़ के समान लगती थी।

सेना की दुर्बलता ने आंतरिक के साथ-साथ बाहरी चुनौतियों को भी आमंत्रित किया। उदाहरण के तौर पर, शिवाजी के नेतृत्व में मराठों ने बार-बार औरंगजेब के शासन को चुनौती दी थी। उसकी मृत्यु के बाद मराठों की लूटपाट बढ़ने लगी और मार्च, 1737 में तो उन्होंने दिल्ली के उपनगरों को भी लूट लिया। इसी प्रकार 1739 में नादिर शाह के आक्रमण से साम्राज्य की प्रतिष्ठा को गहरा धक्का लगा।

रिक्त कोष- निर्माण के प्रति शाह जहां के उत्साह ने पहले ही कोष को कमजोर कर दिया था और उसके बाद दक्कन में औरंगजेब के लंबे युद्धों ने इसे लगभग खाली कर दिया था। सैन्य दल संचलन ने भी दक्कन में खड़ी फसलों को नष्ट कर दिया था और जो कुछ बचा हुआ था, उसे मराठा आक्रमणकारियों द्वारा नष्ट कर दिया गया था। किसानों ने कृषि कार्य छोड़कर जीवन यापन के लिए लूटपाट व चोरी करना आरंभ कर दिया था। उत्तर मुगलकालीन शासकों के अंतर्गत वित्तीय स्थिति और खराब हुई। वहां तक कि स्वायत्त राज्यों ने भी धीरे-धीरे केंद्र को राजस्व का भुगतान बंद कर दिया, लेकिन इसके बाद भी राजनीतिक उथल-पुथल और सम्राटों व कुलीनों की फिजूलखर्ची वाली जिंदगी जारी रही।

साम्राज्य का आकार और क्षेत्रीय शक्तियों का उदय- मुगल साम्राज्य इतना विशाल था कि एक केंद्र से किसी शासक द्वारा नियंत्रित नहीं किया सकता था, ऐसे समय में जबकि मध्यकालीन यातायात और संचार की स्थितियां बेहतर नहीं थीं। औरंगजेब के शासन के समय में ही शक्तिशाली क्षेत्रीय समूह जैसे- सिख, जाट, राजपूत और मराठों ने मुगल सत्ता की अवहेलना की, ताकि वे अपने लिए अलग राज्य बना सकें। मराठों एवं क्षेत्रीय शक्तियों के बीच निरंतर संघर्ष ने साम्राज्य को कमजोर बनाया और इसके पतन में भागीदारी की।

बाहरी चुनौतियां और कारण

मराठों का उदय – पेशवाओं के नेतृत्व में मराठा शक्ति का उदय होना, मुगल साम्राज्य के विघटन में योगदान देने वाला एक सबसे महत्वपूर्ण बाहरी कारण माना जा सकता है। उनका शक्तिशाली क्षेत्रीय शक्ति के रूप में उद्‌भव हुआ और उन्होंने हिंदू राष्ट्र का आदर्श प्रतिपादित किया, जिसे मुस्लिम साम्राज्य की कीमत पर ही बनाया जा सकता था। औरंगजेब की मृत्यु के बाद परिस्थितियां मराठों के अनुकूल हुई तथा अब वे आक्रामक होने लगे थे और उन्होंने अपना विस्तार उत्तरी भारत तक करना शुरू कर दिया था। यहां तक कि वे दिल्ली दरबार में राजा-निर्माता के रूप में भूमिका निभाने लगे थे। उन्होंने विदेशी आक्रमणकारियों जैसे- अहमद शाह अब्दाली के विरुद्ध देश के रक्षक के रूप में कार्य करना शुरू कर दिया था। यद्यपि मराठा मुगलों का स्थान लेने में सफल नहीं हुए, लेकिन 18वीं शताब्दी में उत्तरी भारत में उनकी विजय ने मुगल साम्राज्य को गहरा झटका दिया।

ईरानी (पर्शियन) एवं दुर्रानी (अफगान) राज्य का आक्रमण- ईरानी राजा नादिरशाह ने 1738-1739 में भारत पर आक्रमण किया और करनाल के युद्ध में मुगल सेना को हराया। नादिरशाह के उत्तराधिकारी अहमद शाह अब्दाली ने 1748 और 1767 के बीच भारत पर 7 बार आक्रमण किया। इन आक्रमणों ने मुगल राजकोष को तो खाली किया ही, साथ ही दुनिया के सामने साम्राज्य की सैन्य कमजोरियों को भी उजागर किया। जिससे इसकी प्रतिष्ठा को भी गहरा आघात लगा।

यूरोपीय शक्तियों का उदय- यूरोपीय व्यापारिक कंपनियों ने भी भारत में उत्पन्न इन परिस्थितियों का लाभ उठाया और स्वयं को सत्ता का दावेदार देखना शुरू कर दिया। उन्होंने दरबार के षड्यंत्रों में सहभागिता की और मुगल साम्राज्य के विघटन की प्रक्रिया को तेजी से आगे बढ़ाया।

मुगल परंपराओं की निरंतरता

मुगल साम्राज्य के भौतिक विघटन के विपरीत शासन का मुगल स्वरूप अनेक वर्षों तक जीवित बना रहा। मुगल सम्राट से संबंधित प्रतिष्ठा इतनी अधिक महत्वपूर्ण थी, कि सभी विरोधी प्रधानों एवं राजाओं द्वारा इसकी स्वीकृति का प्रयास किया जाता था। उन्होंने भी मुगलकालीन प्रशासनिक प्रथाओं को जारी रखा। यहां तक कि मराठा राज्य, जिसका उद्‌भव मुगल शासन की प्रतिक्रिया के रूप में हुआ था, ने भी प्रशासन की मुगलकालीन विधियों को अपनाया हालांकि, यह भी याद रखना चाहिए कि ये अनुरूपण केवल क्षेत्रीय थे, न कि अखिल भारतीय स्तर के। इस प्रकार क्षेत्रीय प्रधानों एवं ब्रिटिश द्वारा भी अनेक मुगलकालीन परंपराओं और संस्थाओं को भारतीय राजव्यवस्था में पुनः एकीकृत किया गया।

मुगल साम्राज्य के पतन के कारण (प्रमुख इतिहासकारों के विचार):

- **सम्राटों एवं कुलीनों की व्यक्तिगत असफलता** (विलियम इरविन एवं जदुनाथ सरकार)- इन्होंने सम्राटों एवं कुलीनों की व्यक्तिगत असफलताओं को इंगित किया है। सरकार के अनुसार औरंगजेब एक धार्मिक कट्टरपंथी था। उसने कुलीनों एवं अधिकारियों के बीच धर्म के आधार पर भेद-भाव किया, जिससे कुलीनों के बीच बड़े स्तर पर रोष उत्पन्न हुआ।
- **जागीरदारी संकट** (सतीश चंद्र, अतहर अली)- सतीश चंद्र के विचार अनुसार यह एक आर्थिक संकट था, जिसने मुगल साम्राज्य के पतन में एक महत्वपूर्ण भूमिका निभाई। उनके अनुसार औरंगजेब के शासन के अंत में मनसबदारी-जागीरदारी व्यवस्था अव्यवस्थित हो गई थी।
- **कृषि संबंधी संकट** (इरफान हबीब)- इन्होंने भी आर्थिक संकट की भूमिका पर बल दिया। उन्होंने बताया कि कृषक व्यवस्था शोषणकारी हो चुकी थी, जिसने किसानों को विद्रोह के लिए उत्साहित किया और राजसी स्थिरता को बर्बाद कर दिया। मुगल सरकार और कुलीन वर्ग जितना सम्भव हो, उतना राजस्व उगाही करने का प्रयास करते थे। इससे किसानों के ऊपर बोझ बढ़ा और उनके राजस्व भुगतान करने की क्षमता नष्ट होने लगी। इतना ही नहीं जागीरदारों को बार-बार स्थानांतरित किया जाता था और लंबे समय के लिए कृषि के विकास में उनकी बहुत कम रुचि रहती थी।

- **दक्कन संकट** (एम एन पीयरसन, जी.एफ.रिचार्डस एवं पी हार्डी)- इनके अनुसार मुगल के पतन का मुख्य कारण दक्कन में मुगल हस्तक्षेप और मराठों के साथ युद्ध था।
- **क्षेत्रीय शक्तियों का उदय** (मुजफ्फर आलम एवं चेतन सिंह)- इनके अनुसार मुगलों के पतन का मुख्य कारण दिल्ली एवं आगरा में आर्थिक विकासहीनता के विपरीत अवध और पंजाब क्षेत्रों में प्रभावशाली आर्थिक प्रगति का होना था। अनेक सामाजिक एवं राजनीतिक तत्व इन क्षेत्रों में शीघ्रता से अमीर हुए और उन्होंने अपने लिए स्वतंत्रता का दावा करना शुरू कर दिया था।

मूल्यांकन-

आर्थिक संकट का विचार ही है, जिसे सामान्य तौर पर स्वीकार किया जाता है। यद्यपि हम निष्कर्ष निकाल सकते हैं कि कोई भी एक कारण नहीं है, जो मुगल साम्राज्य के पतन के लिए उत्तरदायी हो और पूरे भारत पर लागू हो; अपितु मुगल राज्य के राजनीतिक भवन के ढहने के पीछे अनेक कारण थे, जिनके बारे में हम विस्तार से चर्चा कर चुके हैं।

प्रीलिम कैप्सूल

मुगल साम्राज्य का पतन (1707-1857)

काल	उत्तर मुगलकालीन सम्राट	महत्वपूर्ण विवरण
1707-1712	बहादुर शाह प्रथम अथवा मुअज़्ज़म शाह आलम प्रथम	इसने मराठा राजकुमार साहू (जो 1689 से मुगल कैदी था) को महाराष्ट्र वापस जाने की अनुमति दी। इसने गुरु गोविंद सिंह को कुछ मनसब दिए। इसने लौहागढ़ (गुरु गोविंद सिंह द्वारा बनाया गया एक किला) में बंदा बहादुर को हराया। काफी खान द्वारा इसे **'शाह-ए-बेखबर'** कहा गया है।
1712-1713	जहांदर शाह	वह एक शक्तिशाली कुलीन जुल्फिकार खान के समर्थन से मुगल सिंहासन पर बैठा। जुल्फिकार खान ने टोडरमल की भू-राजस्व व्यवस्था का त्याग कर राजस्व कृषि अथवा इजारा जैसी बुरी व्यवस्था को अपनाया। मुगल दरबार में अनेक दलों का उद्भव हुआ जैसे तुरानी, ईरानी, अफगानी और हिंदुस्तानी।
1713-1719	फ़र्रुख़सियर	उसने सैयद बंधुओं की सहायता से सत्ता प्राप्त की। सैयद बंधुओं ने जजिया और यात्रा कर को हटा दिया। सिख नेता बंदा बहादुर को फांसी दी गई। फ़र्रुख़सियर ने 1717 में एक फरमान जारी करके ईस्ट इंडिया कंपनी को अनेक व्यापारिक विशेषाधिकार दिए। सैयद ने पेशवा बालाजी विश्वनाथ की सहायता से फ़र्रुख़सियर को मार दिया। मुगल इतिहास में ऐसा पहली बार हुआ जब एक सम्राट को उसके कुलीनों द्वारा मार दिया गया।

काल	उत्तर मुगलकालीन सम्राट	महत्वपूर्ण विवरण
1719	रफी-उद-दराजत	इसने अल्पकाल के लिए शासन किया और क्षय रोग से उसकी मृत्यु हुई।
1719	रफी-उद-दौला अथवा शाहजहां द्वितीय	वह अफीम का आदी था और पेचिश रोग से उसकी मृत्यु हुई।
1719-1748	मुहम्मद शाह अथवा रोशन अख्तर बहादुर	इसने 1720 में एक शक्तिशाली कुलीन निजाम-उल-मुल्क की सहायता से सैयद बंधुओं को मारा। इसे इतिहास में **मुहम्मद शाह रंगीला** के नाम से जाना गया। वह एक नर्तक कोकी जीउ और नपुंसक हफीज खिदमतगार खान के चंगुल में फंसा रहा। साम्राज्य का भौतिक विघटन शुरू हुआ। शक्तिशाली कुलीनों ने अब अर्ध-स्वतंत्र राज्यों को बनाना शुरू कर दिया। उदाहरणस्वरूप, हैदराबाद में निजाम-उल-मुल्क, बंगाल में मुर्शीद कुली खान और अवध में सादत खान। 1737 में बाजीराव प्रथम ने दिल्ली को लूटा। 1739 में नादिरशाह ने भारत पर आक्रमण किया और **करनाल के युद्ध** में मुगलों को हराकर मयूर सिंहासन व **कोहिनूर हीरे** को अपने अधिकार में लिया। 1748 में अहमद शाह अब्दाली ने **पहली बार** भारत पर आक्रमण किया।
1748-1754	अहमद शाह	राज्य उसकी माता **उधम बाई** के नियंत्रण में आ गया। अब्दाली ने भारत पर 2 बार (1749 व 1752) आक्रमण किया। दिल्ली को बर्बादी से बचाने के लिए अहमद शाह ने अब्दाली को पंजाब और मुल्तान समर्पित कर दिया। 1754 में मराठा प्रधान सदाशिव राव भाऊ की सहायता से इमाद-उल-मुल्क ने इसे अपदस्थ कर दिया।
1754-1759	आलमगीर द्वितीय अथवा अजीजुद्दीन	इसे नए वजीर और राजा-निर्माता इमाद-उल-मुल्क द्वारा सिंहासन पर बिठाया गया। जून, 1757 में प्लासी का युद्ध लड़ा गया। 1757 में अब्दाली ने भारत पर आक्रमण किया और दिल्ली को लूटा। वापिस लौटने से पहले अब्दाली ने भारत में अपने हित के संरक्षण के लिए आलमगीर द्वितीय को सम्राट, इमाद-उल-मुल्क को वजीर, रोहिल्ला प्रमुख नजीब-उद-दौला को साम्राज्य का मीर बक्शी और उसके पुत्र तिमूर शाह दुर्रानी (आलमगीर द्वितीय की पुत्री से इसका विवाह हुआ) को उसका 'सर्वोच्च एजेंट' का दर्जा दिया। 1757 में अफगान और रोहिल्ला को हराने के लिए इमाद ने मराठों को आमंत्रित किया। मार्च, 1758 में रघुनाथ राव के नेतृत्व में मराठों की एक भारी फौज दिल्ली पहुंची और दिल्ली में अफगान के दुर्ग रक्षकों को हराकर नजीब को निष्कासित कर दिया और पंजाब तक बढ़कर लाहौर पर

काल	उत्तर मुगलकालीन सम्राट	महत्वपूर्ण विवरण
		कब्जा कर लिया। उन्होंने तिमूर शाह को पद से हटा दिया और अदीना बेग को पेशवा बालाजी बाजीराव की ओर से पंजाब का सूबेदार (गवर्नर) नियुक्त कर दिया। अगस्त, 1759 में मराठों से बदला लेने अब्दाली वापस लौटा। नवम्बर, 1759 में वजीर इमाद-उल-मुल्क द्वारा आलमगीर द्वितीय को मार दिया गया।
1759-1760	शाहजहां तृतीय	इसे वजीर इमाद-उल-मुल्क के द्वारा एक कठपुतली शासक के रूप में मुगल सिंहासन पर बिठाया गया। इसे बाद में मराठा प्रधानों के द्वारा अपदस्थ कर दिया गया।
1760-1806	शाह आलम द्वितीय अथवा अली गौहर	इसे सदाशिव राव भाऊ के नेतृत्व में मराठों ने सम्राट के रूप में गद्दी पर बिठाया। 1761 में पानीपत के युद्ध में अब्दाली ने मराठों को हराया। लौटने से पहले अब्दाली ने शाह आलम को सम्राट और नजीब-उद-दौला को मीर बक्शी बनाया। शाह आलम द्वितीय को अगले 12 वर्षों तक दिल्ली आने की अनुमति नहीं थी और वह निर्वासन में रहा। उसकी अनुपस्थिति में रोहिल्ला नेता नजीब-उद-दौला और बाद में उसके पुत्र जाबिता खान और पौत्र गुलाम कादिर ने दिल्ली की सत्ता का उपभोग किया। 1764 में अंग्रेजी कंपनी के विरुद्ध बक्सर के युद्ध में शाह आलम द्वितीय ने बंगाल के मीर कासिम और अवध के शुजा-उद-दौला के साथ हाथ मिलाया। 1765 में इसने ब्रिटिश के साथ इलाहाबाद की संधि की। उसे ब्रिटिश को बंगाल, बिहार और उड़ीसा की दीवानी देने के लिए मजबूर होना पड़ा। वह इलाहाबाद के किले में अगले 6 वर्षों तक अंग्रेजों के एक आभासी बंदी के रूप में रहा। 1772 में महादजी शिंदे के नेतृत्व में मराठों द्वारा उसे पुन: मुगल सिंहासन पर आसीन कर दिया गया। 1772-73 के दौरान मुगलों के समर्थन के द्वारा रोहिल्ला नेता जाबिता खान के विरुद्ध एक अभियान चलाया। 1788 में जाबिता खान के बेटे पुत्र गुलाम कादर ने शाह आलम को अपदस्थ कर उसे अंधा कर दिया। इस प्रकार उसे नेत्रहीन मुगल सम्राट के नाम से जाना गया 1803 में दौलतराव सिंधिया को हराकर अंग्रेजों ने दिल्ली पर पुन: कब्जा कर लिया और नेत्रहीन मुगल सम्राट को एक बार पुन: ब्रिटिश का संरक्षण स्वीकार करने के लिए मजबूर होना पड़ा उसने स्वयं कविताओं की दीवान लिखी इसे 'आफताब' उपनाम से जाना गया।

काल	उत्तर मुगलकालीन सम्राट	महत्वपूर्ण विवरण
1806–1837	अकबर शाह द्वितीय	वह दूसरा अंतिम मुगल सम्राट था। उसने **राम मोहन राय** को 'राजा' की उपाधि दी थी और उन्हें इंग्लैंड भेजा था। 1835 में ईस्ट इंडिया कंपनी ने स्वयं को मुगल सम्राट की एक प्रजा कहना बंद कर दिया और उसके नाम के सिक्के ढलवाना बंद कर दिया।
1837–1857	बहादुर शाह द्वितीय अथवा बहादुर शाह जफर	वह कविता का शौकीन था और उसे 'जफर' उपाधि के नाम से जाना गया। 1857 के विद्रोह के दौरान बहादुर शाह जफर को विद्रोहियों के द्वारा भारत का सम्राट घोषित किया गया। विद्रोह के बाद उसे पकड़ लिया गया और रंगून निर्वासित कर दिया गया, जहां नवम्बर, 1862 में उसकी मृत्यु हुई।

अध्याय

2

स्वायत्त राज्यों का उदय
(Rise of Autonomous States)

- उत्तराधिकारी राज्य- हैदराबाद, कर्नाटक, बंगाल और अवध
  - हैदराबाद एवं निजाम
    - निजाम-उल-मुल्क आसफ जाह (1724-1748)
  - कर्नाटक
    - नवाब सादतुल्ला खान (1710-1732) और दोस्त अली (1732-1740)
  - बंगाल और नवाब नाजिम
    - मुर्शीद कुली खान(1717-1727)
    - शुजाउद्दीन मुहम्मद खान (1727-1739)
    - सरफराज खान (1739-1740)
    - अलीवर्दी खान (1740-1756)
    - सिराजुद्दौला (1756-1757)
  - अवध
    - सादत खान (1722-39)
    - सफदर जंग (1739-54)
    - शुजा-उद-दौला (1754-75)
    - आसफ-उद-दौला (1775-1797)
- नए राज्य: मराठा, सिख, जाट एवं अफगान
  - मराठा
    - पहले पेशवा बालाजी विश्वनाथ (1713-20)
    - दूसरे पेशवा बाजीराव प्रथम (1720-40)
    - तीसरे पेशवा बालाजी बाजीराव (1740-61)
    - चौथे पेशवा माधवराव (1761-1772)
    - पांचवे पेशवा नारायण राव (1772-1773)
    - छठे पेशवा रघुनाथ राव (1773-1774)
    - सातवें पेशवा सवाई माधवराव (1774-1795)
    - आठवें एवं नवें पेशवा बाजीराव द्वितीय (1796-1802)

- सिख
  - सिख संघ
  - रंजीत सिंह के अधीन पंजाब (1801-1839)
- जाट
  - चुरामन (1695-1721)
  - बदन सिंह (1621-1756)
  - सूरज मल (1756 जव 1763)
- अफगान
  - फर्रूखाबाद में मुहम्मद खान बंगाश
  - रोहिलखंड में अली मुहम्मद खान
- स्वतंत्र राज्य: मैसूर, केरल और राजपूत राज्य
  - मैसूर
    - हैदर अली (1761-82)
    - टीपू सुल्तान (1782-99)
  - केरल
    - मार्तंड वर्मा
    - राम वर्मा
  - राजपूत
    - मुगल विरोधी लीग (1708)
    - जयसिंह द्वितीय अथवा राजा सवाई जय सिंह (1699-1743)
- 18वीं शताब्दी का भारत- सामाजिक एवं आर्थिक परिस्थितियां
  (ब्रिटिश विजय की पूर्व संध्या पर भारतीय अर्थव्यवस्था एवं समाज)

मुगल साम्राज्य के पतन के बाद 18वीं शताब्दी की भारतीय राज्यव्यस्था का दूसरा प्रमुख विषय स्वायत्त राज्यों का उदय था। मुगल साम्राज्य के अवशेष से बड़ी संख्या में स्वायत्त एवं अर्ध-स्वायत्त राज्यों का उद्‌भव हुआ और भारत में सर्वोच्च बनने के लिए ब्रिटिश को इन्हें जीतना था। इस प्रकार इस अध्याय में आप ब्रिटिश विजय की पूर्व संध्या पर भारतीय राज्यों और उस समय के समाज के बारे में पढ़ेंगे।

1761 तक मुगल साम्राज्य केवल नाममात्र के लिए साम्राज्य रह गया था। इसकी दुर्बलता ने क्षेत्रीय शक्तियों को उनकी स्वतंत्रता का दावा करने के लिए प्रेरित किया। यद्यपि नए राज्यों ने प्रत्यक्ष तौर पर मुगल साम्राट की सत्ता को चुनौती नहीं दी थी, क्योंकि उसे सतत राजनीतिक वैधानिकता के एक स्रोत के रूप में देखा जाता था। इन राज्यों ने शासन के विभिन्न क्षेत्रों में मुगल संस्थाओं को जारी रखा। इस प्रकार 18वीं शताब्दी में इन राज्यों का उद्‌भव राजव्यवस्था के विघटन की अपेक्षा एक रूपांतरण को प्रस्तुत करता था। यह सत्ता के विकेंद्रीकरण को प्रकट करता है, न कि शक्ति के निर्वात अथवा राज़नीतिक उथल-पुथल को।

व्यापक रूप से तीन प्रकार के राज्यों का उदय हुआ-

1. **उत्तराधिकारी राज्य (The Successor States)**- ये मुगल साम्राज्य से ही निकले। इनका उदय मुगल प्रांतों के सूबेदारों (governors) द्वारा स्वायत्ता के दावे के परिणामस्वरूप हुआ। हैदराबाद, कर्नाटक, बंगाल और अवध इसमें शामिल थे।

2. **नए राज्य (The New States)**- इनका जन्म मुगल सत्ता के विरुद्ध स्थानीय प्रधानों द्वारा किए गए विद्रोह के परिणामस्वरूप हुआ। इन राज्यो का निर्माण विद्रोही मराठा, सिख, जाट और अफ़गान द्वारा किया गया।
3. **स्वतंत्र राज्य (The Independent States)**- ये केवल नाममात्र के लिए मुगल साम्राज्य के भाग थे और अब 18वीं शताब्दी में पूर्णतया स्वतंत्र हो गए। ये भारत के दक्षिण-पश्चिम और दक्षिण-पूर्वी तट के क्षेत्र थे; जिनमें मैसूर, केरल और राजपूत राज्य शामिल थे।

ये राज्य इतने शक्तिशाली थे कि मुगल शक्ति को नष्ट कर सकते थे, लेकिन इनमें से कोई भी इसका स्थान लेने योग्य नहीं था। यद्यपि कुछ राज्य बहुत समृद्ध थे और कुछ ने काफी सैन्य शक्ति प्राप्त कर ली थी, लेकिन कोई भी इतने संसाधन और शक्ति प्राप्त नहीं कर सका था कि वह अखिल भारतीय राज्य-व्यवस्था को संभाल सके। विज्ञान और तकनीक में पिछड़ापन इन राज्यों की सबसे बड़ी कमजोरी थी। उस समय के सबसे आधुनिक देश ग्रेट ब्रिटेन द्वारा भारत को पूर्णतया अधीन करने के पीछे यह एक महत्वपूर्ण कारण बना।

उत्तराधिकारी राज्य - हैदराबाद, कर्नाटक, बंगाल और अवध

इन राज्यों ने मुगल सम्राट के प्रति उनकी निष्ठा को औपचारिक रूप से त्याग किए बिना पूर्ण स्वायत्तता का उपयोग करना शुरू कर दिया और इस प्रकार मुगलकालीन संस्थागत संरचना के अंदर एक नई राजनीतिक व्यवस्था का जन्म हुआ। निम्नलिखित के द्वारा मुगल संप्रभुता की परिकल्पना को जीवित रखा गया-

- शाही राजकोष को वार्षिक राजस्व भेजा जाता था।
- उच्च पदों पर नियुक्ति के लिए सम्राट की औपचारिक सहमति ली जाती थी।
- आदेश, उपाधियां इत्यादि मुगल सम्राट के नाम पर दी जाती थीं।

हैदराबाद एवं निजाम

निजाम-उल-मुल्क आसफ जाह (1724-1748)

हैदराबाद राज्य की स्थापना 1724 में शाही दरबार के तुरानी समूह के सबसे शक्तिशाली कुलीन कमर-उद्दीन सिद्दी की द्वारा की गई। उसे उसकी उपाधियों चिन किलिच खान (1690-1691 में सम्राट औरंगजेब द्वारा दी गई), निजाम-उल-मुल्क (1713 में फर्रुखसियर द्वारा दी गई) और आसफ जाह (1725 में मुहम्मद शाह द्वारा) के द्वारा भी जाना जाता है।

दक्कन के वायसराय के रूप में (1713-1722)

मुगल दिनों के दौरान दक्कन का सूबेदार हैदराबाद में नियुक्त किया गयास दक्कन में स्वतंत्र राज्य के विचार की कल्पना पहली बार जुल्फिकार खान द्वारा की गई थी, जिसने 1708 में दक्कन में वायसराय का दर्जा प्राप्त कर लिया था। 1713 में उसकी मृत्यु के बाद फर्रुखसियर के आग्रह पर किलिच खान दक्कन का वायसराय बना, जिसे औरंगजेब ने निजाम-उल-मुल्क की उपाधि दी। दक्कन के वायसराय के रूप में उसने प्रशासन को पुनर्संगठित और राजस्व व्यवस्था को सुव्यवस्थित किया।

निजाम-उल-मुल्क आसफ जाह

बाद में, फर्रुखसियर ने निजाम-उल-मुल्क से सैयद बंधुओं (हिंदुस्तानी समूह के नेता) से लड़ने के लिए आह्वान किया। हालांकि, सैयद बंधु सम्राट फर्रुखसियर से अधिक होशियार साबित हुए। सैयद बंधुओं ने पेशवा बालाजी विश्वनाथ की सहायता से जल्दी ही सम्राट को अंधा कर मार दिया। हालांकि, 1720 में निजाम-उल-मुल्क ने सैयद बंधुओं को मारने में मोहम्मद शाह की सफलतापूर्वक सहायता की। उसे बाद में मोहम्मद शाह के दरबार में इनाम के तौर पर वजीर के पद से नवाजा।

मुगल साम्राज्य के वजीर के रूप में (1722-24)- वजीर के रूप में उसने भ्रष्ट मुगल प्रशासन को सुधारने का प्रयास किया और इससे उसके कई दुश्मन बने, जिन्होंने उसके विरुद्ध सम्राट के दिमाग में जहर भरा।

हैदराबाद राज्य की स्थापना (1724)- सम्राट के ढुलमुल एवं संदेहास्पद प्रकृति से निराश होकर निजाम-उल-मुल्क ने अपनी महत्वाकांक्षा का अनुसरण करने का निर्णय लिया। उसने सम्राट और उसके साम्राज्य को उसके भाग्य के हाथों में छोड़ा और दक्षिण की ओर दक्कन में हैदराबाद राज्य की खोज में मार्च शुरू किया।

1724 ने निजाम-उल-मुल्क ने अपने पद से इस्तीफा दिया और जब उसे पता चला कि मुबारिज खान, उस समय दक्कन का वायसराय, ने अपना पद खाली करने से मना कर दिया है, वह दक्कन की ओर रवाना हुआ। निजाम-उल-मुल्क ने 1724 में शकर-खेड़ा युद्ध में मुबारिज खान को हरा दिया और मार डाला। तब सम्राट ने उसे आसफ जाह की उपाधि से सम्मानित किया।

आसफ जाह ने कभी अपनी स्वतंत्रता खुले तौर पर घोषित नहीं की, लेकिन व्यवहार में वह एक स्वतंत्र शासक की तरह कार्य करता था और उसने आसफ जाह वंश की स्थापना की। उसके उत्तराधिकारी हैदराबाद के निजाम के नाम से जाने गए। उसने सम्राट के आदेश के बिना युद्ध किए, संधियों पर हस्ताक्षर किए, मनसब बनाए और अनेक महत्वपूर्ण नियुक्तियां की। साथ ही, अनेक अवसरों पर निजाम मुगल साम्राज्य के रक्षक के रूप में सामने आया। उदाहरण के तौर पर, करनाल के युद्ध (1739) में निजाम ने नादिरशाह के विरुद्ध युद्ध में सम्राट की सहायता की।

निजाम एक बुद्धिमान राजनेता और एक दयालु शासक था। उसने राजस्व व्यवस्था में सुधार किया, जमींदारों की शक्ति को अधीन किया और हिंदुओं के प्रति सहिष्णु नीति (एक हिंदू पूरन चंद उसका दीवान था) का अनुसरण किया। उसने पेशवा को सलाह दी कि उत्तर दिशा में मराठों के प्रसार की संभावना है और बाजीराव प्रथम द्वारा इस सलाह को तुरंत स्वीकार कर लिया गया। इस प्रकार उसने चतुरता से मराठा शक्ति को दूसरी दिशा में मोड़ दिया था।

उत्तराधिकार का युद्ध (1748)- 1748 में उसकी मृत्यु के बाद उसके पुत्र नासिर जंग और पुत्र मुजफ्फर जंग के बीच उत्तराधिकार का एक खूनी युद्ध हुआ। इस राजनीतिक संकट का लाभ उठाकर मराठा, मैसूर और कर्नाटक इन सभी ने हैदराबाद के विरुद्ध अपना हिसाब चुकता किया। मराठों ने इच्छा से राज्य पर आक्रमण किया और चौथ संग्रहीत किया। डूप्ले के अधीन फ्रेंच ने इस अवसर का उपयोग किया। उसने एक समूह को दूसरे के विरुद्ध बढ़ाया और मुजफ्फर जंग का समर्थन करके बदले में उससे आकर्षक धन और क्षेत्र के रूप में पुरस्कार लिया।

कर्नाटक

नवाब सादतुल्ला खान (1710-1732) और दोस्त अली (1732-1740)

18वीं शताब्दी में कर्नाटक का मुगल सूबा (प्रांत) दक्कन के सूबेदार/गवर्नर (हैदराबाद के निजाम) की सत्ता के अधीन आ गया। लेकिन व्यवहार में दक्कन के गवर्नर ने स्वयं को मुगल सम्राट के नियंत्रण से मुक्त कर लिया था, उपगवर्नर या कर्नाटक के नवाब ने भी उसकी स्वतंत्र सत्ता स्थापित कर ली थी। इसके बाद कर्नाटक के नवाब सादतुल्ला खान ने अर्कोट में मुख्यालय बनाया, अपने भतीजे दोस्त अली को अपना उत्तराधिकारी बनाया और यह सब उसने निजाम की पूर्व सहमति के बिना किया। हालांकि, 1740 में मराठों ने कर्नाटक पर आक्रमण कर नवाब दोस्त अली को मार दिया और उसके दामाद चंदा साहिब को कैदी बनाकर सातारा ले गए।

इसके बाद कर्नाटक के मामले बिगड़ते चले गए और इसने यूरोपीय व्यापारिक कंपनियों को सीधे तौर पर भारतीय राजनीति में हस्तक्षेप करने का अवसर प्रदान किया। 1744 से 1763 तक लगभग 20 वर्षों तक अंग्रेज और फ्रांस दक्षिण भारत में एक कठोर युद्ध में फंसे रहे और संघर्ष की इस श्रृंखला को कर्नाटक युद्ध (1740-63) के नाम से जाना गया।

कर्नाटक क्षेत्र- कोरोमंडल और इसके आंतरिक क्षेत्र को कर्नाटक क्षेत्र नाम दिया गया है। यद्यपि यह लंबे समय तक एक राजनीतिक अथवा प्रशासनिक विभाग नहीं रहा, लेकिन इसका ऐतिहासिक तौर पर अत्यधिक महत्व रहा।

बंगाल एवं नवाब नाजिम

18वीं शताब्दी के पहले भाग में बंगाल सूबा अथवा प्रांत स्वतंत्र स्वायत्त राज्य के रूप में उभरा। यद्यपि मुगल सम्राट की संप्रभुता को चुनौती नहीं दी गई, लेकिन व्यवहारिक तौर पर दो अत्यधिक योग्य व्यक्तियों, मुर्शीद कुली खान और अलीवर्दी खान, द्वारा सूबेदारों/गवर्नरों की वंशानुगत सत्ता स्थापित हुई।

18वीं शताब्दी में बंगाल: मुगलों के अधीन

बंगाल प्रांतीय प्रशासन -

- 18वीं शताब्दी में बंगाल में बंगाल, बिहार और उड़ीसा शामिल थे। यह मुगल साम्राज्यिक व्यवस्था का एक अभिन्न भाग था। अधिकारियों जैसे नाजिम और दीवान को सीधे मुगल सम्राट द्वारा नियुक्त किया जाता था। नाजिम पर नियंत्रण के लिए अलग से दीवान को नियुक्त किया गया थास प्रांत में मुख्य अधिकारी थे-
  - **दीवान-** राजस्व व्यवस्था का प्रमुख
  - **नाजिम-** असैन्य और सैन्य प्रशासन के अन्य मुद्दों का कार्यकारी प्रमुख
  - **बक्शी-** सूबा का सैन्य वेतनदाता (खजांची)
  - **कोतवाल-** पुलिस विभाग का प्रमुख
  - **काजी-** न्याय अदा करने वाला
  - **वाकई नविस-** राजनीतिक महत्व के समाचारों का संग्रहण करना

सूबों को सरकारों (फौजदार द्वारा अध्यक्षता) में बांटा गया था और सरकारों को फिर परगनों में बांटा गया था। स्थानीय स्तर पर स्थानीय लोगों व प्रशासन पर जमींदारों का अत्यधिक नियंत्रण था। 17वीं शताब्दी तक यह व्यवस्था अच्छे से चलती रही। 18वीं शताब्दी में धीरे-धीरे केंद्रीय सत्ता के प्रांतीय प्रशासन के साथ संबंध कमजोर और विकृत हो गए। यह केवल भेंट (उपहार) ही प्राप्त करता था और धीरे-धीरे यहां तक की भेंट (उपहार) मिलना भी अनियमित हो गया।

निजामत और दीवानी- मुगल प्रांतीय प्रशासन की दो प्रमुख शाखाएं थीं: निजामत और दीवानी। सीधे शब्दों में, निजामत का अर्थ असैन्य या नागरिक प्रशासन तथा दीवानी का अर्थ राजस्व प्रशासन था। निजामत का प्रमुख प्रांतीय सूबेदार होता था; जिसे नाजिम, गवर्नर अथवा प्रांत का वायसराय भी कहा जाता था। दीवान प्रांत के राजस्व प्रशासन का प्रमुख था। सूबे के प्रशासन में नियंत्रण और संतुलन के लिए ये दो प्रमुख अधिकारी मुगल सम्राट द्वारा नियुक्त किए गए थे और यह सीधे तौर पर उसके प्रति जवाबदेह थे। दीवान निजाम से स्वतंत्र रूप से कार्य करता था।

18वीं शताब्दी में बंगालः स्वायत्ता की ओर (नवाब नाजिम)

मुर्शीद कुली खान (1717-1727)

1717 में मुर्शीद कुली खान द्वारा एक स्वतंत्र राज्य बंगाल स्थापित किया गया। मुर्शीद कुली खान को मोहम्मद हादी के नाम से भी जाना जाता था। मुर्शीद कुली की बंगाल के प्रति चाह 1700 में शुरू हुई, जब उसे औरंगजेब के द्वारा दीवान के रूप में बंगाल भेजा गया, जहां वह एक सफल राजस्व प्रशासक साबित हुआ।

बंगाल के सूबेदार और दीवान के रूप

1717 में फर्रुखसियर ने उसे बंगाल के सूबेदार अथवा गवर्नर (नाजिम या निजाम) के रूप में नियुक्त किया। इस प्रकार उसने एक साथ सूबेदार और दीवान का पद प्राप्त किया। इस प्रकार उसे एक साथ नाजिम (कार्यकारी एवं सैन्य प्रमुख) और दीवान (राजस्व का संग्रहकर्ता) दो पदों को प्राप्त करने का अभूतपूर्व विशेष अधिकार प्राप्त हुआ। इसके साथ शक्ति के

विभाजन (जिसे नियंत्रण और संतुलन की व्यवस्था के द्वारा दोनों साम्राज्यिक अधिकारियों को नियंत्रित करने के लिए संपूर्ण मुगल काल में बनाया गया) का अंत हुआ। इसने मुर्शीद कुली खान को, जिसे पहले ही दक्ष राजस्व प्रशासन के लिए जाना जाने लगा था, उसे अपनी स्थिति मजबूत करने में सहायता की। अब उसने स्वयं को बंगाल का नवाब घोषित कर लिया था।

बंगाल के नवाब के रूप में-

मुर्शीद कुली बंगाल का पहला स्वतंत्र नवाब बना। उसने ढाका के स्थान पर मुर्शिदाबाद को अपनी राजधानी बनाया। वह एक सक्षम शासक साबित हुआ और उसने बंगाल को एक समृद्ध राज्य बनाया।

भू-राजस्व व्यवस्था को युक्तिसंगत बनाना (Rationalisation of Land Revenue System)

राजस्व संग्रह के क्षेत्र में मुर्शीद कुली खान के समक्ष चुनौती थी कि अधिकारियों को (वेतन के स्थान पर) सारा प्रांत जागीरों के रूप में आवंटित किया गया था। राजस्व संग्रह को युक्तिसंगत बनाने के लिए उसने दो युक्तियों को अपनाया। प्रथम, उसने सारी जागीरों का पुनर्ग्रहण किया और उन्हें खालसा भूमि में परिवर्तित कर दिया तथा बेदखल हुए अधिकारियों को उड़ीसा प्रांत के जंगली क्षेत्र में नई जागीरें दी। द्वितीय, उसने मुगल जागीरदारी व्यवस्था को राजस्व कृषि या इजारा या माल्जामिनी व्यवस्था से बदला। यह एक अनुबंध व्यवस्था थी, जिसके अंतर्गत इजारादारों या समझौताकारों से प्रतिभूति बंधपत्र (security bonds) देकर भू-राजस्व संग्रह का अनुबंध किया जाता था। इजारादारों को चुनते समय हिंदुओं को प्राथमिकता देने के लिए कुली खान को जाना जाता है। इन समझौताकारों की दूसरी अथवा तीसरी पीढ़ी को जमींदारों के नाम से जाना गया।

मुर्शीद कुली खान के अधीन नए शक्तिशाली प्रबुद्ध वर्ग का उदय

इस प्रकार मुर्शीद कुली के अधीन पुराने वंशानुगत जमींदार बड़ी संख्या में समाप्त हो गए और एक नए अधिकारी पूंजीपति वर्ग का उदय हुआ। उसने बंगाल में भूस्वामी अभिजात वर्ग के एक नए वर्ग का सृजन किया, जिसकी स्थिति को बाद में 1793 में स्थाई बंदोबस्त के द्वारा निश्चित किया गया। साथ ही विवरण पर ध्यान केंद्रित करके कुली खान राजस्व संग्रह को बढ़ाने में भी सक्षम हुआस राजस्व संग्रह के मामलों में वह बहुत कठोर था। राजस्व कृषि की व्यवस्था ने जमींदारों और किसानों पर भी दबाव बढ़ाया, जिससे धनी और व्यवसायी तत्वों का महत्व बढ़ने लगा। जमींदारों पर उनके अनुबंध अनुसार भुगतान करने के लिए निरंतर दबाव ने वित्तदाताओं के लिए अवसर खोले। इस काल में जगत सेठ के घराने का उद्‌भव देखा गया। जगत सेठ ने न केवल विशाल जमींदारों के संरक्षक के रूप में कार्य किया, बल्कि उसने बंगाल राजस्व के प्रेषित धन को दिल्ली भेजने का पूरा उत्तरदायित्व लिया था। इस प्रकार उसे नवाब का सतत संरक्षण मिला।

1717 के बाद दिल्ली के साथ बंगाल का संबंध केवल उपहार भेजने तक सीमित रह गया। वास्तव में, बंगाल का राजस्व वित्तीय अनिश्चितता के दौरान मुगल सम्राटों के लिए अक्सर एक नियमित आय का साधन होता था। मुगल शासक के प्रति औपचारिक निष्ठा के दिखावे के पीछे मुर्शीद कुली ने पर्याप्त स्वायत्तता का उपयोग करना शुरू कर दिया और एक वंशानुगत शासन स्थापित किया, ताकि वह यह सुनिश्चित कर सके कि प्रांत की निजामत परिवार के एक सदस्य से दूसरे को मिले, न कि किसी बाहरी को। वह वास्तव में मुगल सम्राट के द्वारा नियुक्त बंगाल का अंतिम सूबेदार था।

शुजाउद्दीन मुहम्मद खान (1727-1739)

मुर्शीद कुली ने अपनी बेटी के पुत्र सरफराज खान को अपना उत्तराधिकारी चुना। लेकिन सरफराज को उसके पिता शुजाउद्दीन मुहम्मद खान द्वारा बेदखल कर दिया गया, जिसने 1727 में दो प्रान्तों बंगाल और उड़ीसा पर अपना नियंत्रण कर लिया था। इस प्रकार मुर्शीद कुली के दामाद शुजाउद्दीन ने 1727 से 1739 तक बंगाल पर शासन किया।

सरफराज खान (1739-1740)

1740 में शुजाउद्दीन की मृत्यु के बाद उसका बेटा सरफराज खान नवाब बना। लेकिन शीघ्र ही घेरिया के युद्ध (10 अप्रैल 1740) में बिहार के उप-सूबेदार अंलीवर्दी खान द्वारा उसे अपदस्थ कर मार दिया गया।

अलीवर्दी खान (1740-1756)

घेरिया के युद्ध में विजय प्राप्त करने के बाद जगत सेठ के साहूकार परिवार और कुछ शक्तिशाली जमींदारों की सहायता से अलीवर्दी खान ने स्वयं को नवाब घोषित किया। उसका शासन मुगलों के साथ एक आभासी विराम दिखाता है; क्योंकि सम्राट को वार्षिक भेंट का भुगतान और सम्राट के द्वारा उच्च प्रांतीय अधिकारियों की नियुक्ति, प्रांतों पर शाही नियंत्रण के ऐसे दो महत्वपूर्ण स्वरूप थे, जो अली वर्दी के शासन में दिखाई नहीं दिए। हालांकि, हैदराबाद के निजाम और अवध के नवाब वजीरों के समान ही अलीवर्दी खान ने भी मुगल संप्रभुता की परिकल्पना को जीवित रखा।

अलीवर्दी खान के सामने आए बाहरी खतरे-

अलीवर्दी खान ने अपने शासन के दौरान दो बाहरी खतरों का सामना किया- एक मराठों से और दूसरा अफगान विद्रोहियों से। वास्तव में, अलीवर्दी के 15 वर्षों का शासन मराठा संकट से लड़ने में व्यतीत हुआ। एक मराठा साम्राज्य के स्वप्न से प्रेरित और धन की इच्छा लिए मराठों ने 1742 से 1751 के दौरान तीन से चार बार बंगाल पर आक्रमण किया। अंततः 1751 में अलीवर्दी ने मराठों के साथ शांति संधि की, उसने वार्षिक चौथ का भुगतान करना स्वीकार किया और उड़ीसा को इस शर्त पर छोड़ दिया कि मराठा भविष्य में अलीवर्दी के क्षेत्र में प्रवेश नहीं करेंगे। अलीवर्दी को एक अन्य चुनौती अफगान जनरल मुस्तफा खान से मिली। इन लंबे युद्धों से बंगाल सरकार पर गंभीर तनाव बना रहा। अपने पौत्र सिराजुद्दौला को अपना उत्तराधिकारी नामित कर 1756 में अलीवर्दी की मृत्यु हुई।

मुर्शीद कुली खान एवं अलीवर्दी खान-

- ताकत - दोनों ही बहुत योग्य और अत्यंत स्वतंत्र थे। उन्होंने बंगाल को लंबे समय तक शांत और व्यवस्थित प्रशासन दिया। बंगाली शासकों ने नियमित थाने और चौकी स्थापित कीं और उन्होंने सार्वजनिक नियुक्तियां करने में धार्मिक आधार पर भेदभाव नहीं किया। उन्होंने व्यापार और उद्योग को प्रोत्साहित किया और साथ ही उनके क्षेत्र में व्यापार कर रहीं विदेशी कंपनियों पर सख्त नियंत्रण रखा। उन्होंने अधिकारियों के द्वारा निजी व्यापार को नियंत्रित किया और सीमा शुल्क प्रशासन में दुरुपयोग की रोकथाम की। अलीवर्दी खान ने उचित ही चंदेरनागौर (चन्द्रनगर) और कलकत्ता में फ्रांस और अंग्रेजी कंपनियों को किलाबंदी करने की अनुमति नहीं दी थी।
- कमजोरी- हालांकि, बंगाल के नवाब एक पक्ष में अदूरदर्शी और अज्ञानी साबित हुए। वे यह समझने में असफल रहे कि अंग्रेजी कंपनी केवल व्यापारिक कंपनी नहीं थी, बल्कि उस समय के सबसे आक्रामक औपनिवेशिक बल की प्रतिनिधि थी। शेष दुनिया के साथ उनके संपर्क में कमी उनके लिए महंगी साबित हुई और ऐसा नहीं होता तो वे जान जाते कि कैसे यूरोपीय व्यापारिक कंपनियों ने अफ्रीका, दक्षिण-पूर्व एशिया और लैटिन अमेरिका को बर्बाद कर दिया था।

18वीं शताब्दी में बंगालः राजनीतिक अधीनता की ओर

सिराजुद्दौला (1756-1757)

सिराज के उत्तराधिकार को दो अन्य दावेदारों शौकत जंग (पूर्णिया का फौजदार) और घसेटी बेगम (अलीवर्दी की बेटी) से चुनौती मिली। इसके परिणामस्वरूप, दरबार में गुटबाजी बढ़ी और इस गुटबाजी को, एक प्रभावशाली समूह, जिसमें **जगत सेठ, ओमी चंद (अथवा अमीरचंद), राजबल्लभ, राज दुर्लभ, मीर जाफर, जमींदार और अन्य लोग** थे, ने समर्थन दिया। ये सभी सिराज के भी विरोधी थे। इसने बंगाल के प्रशासन को गंभीर रूप से अव्यवस्थित कर दिया और इसका लाभ ईस्ट इंडिया कंपनी द्वारा उठाया गया।

ईस्ट इंडिया कंपनी के साथ विवाद- यद्यपि 1717 का फरमान कंपनी और बंगाल के नवाबों के बीच विवाद का एक शाश्वत स्रोत बन चुका था, लेकिन मोड़ तब आया जब अगले आंग्ल-फ्रांस संघर्ष की प्रत्याशा में अंग्रेजी कंपनी ने फोर्ट विलियम की किलेबंदी को मजबूत करना शुरू कर दिया और इसकी दीवार पर बंदूकें लगा दीं। बंगाल के नवाब समय-समय पर इस किलेबंदी पर आपत्ति उठाते रहे हैं, लेकिन सिराज के शासन के दौरान यह संघर्ष उग्र हो गया और सैन्य संघर्ष की ओर बढ़ गया।

सिराज के दरबार के असंतुष्ट कुलीनों, विशेष तौर पर जगत सेठ, राय दुर्लभ, अमीरचंद (ओमीचंद) ने सिराज को बेदखल करने के लिए अंग्रेजों के साथ हाथ मिलाया और इसके बाद 1757 में प्लासी षड्यंत्र हुआ। अंग्रेजों की शक्ति से अधिक यह नवाबों के विश्वासपात्रों का विश्वासघात ही था, जो प्लासी के युद्ध के भविष्य के निर्णय के लिए उत्तरदायी था, जिसमें ब्रिटिश की जीत हुई और सिराज का शासन समाप्त हुआ। इस प्रकार भारत में कंपनी के शासन और भारत के साथ ब्रिटिश संबंधों के एक नए चरण की शुरुआत हुई।

अवध

अवध का सूबा रणनीतिक रूप से हिमालय और गंगा के उत्तरी किनारे के बीच स्थित था। पश्चिम में कन्नौज जिले से पूर्व में कर्मनाशा नदी तक इसका प्रसार था। इसमें बनारस और इलाहाबाद के पास स्थित कुछ जिले शामिल थे। दिल्ली से समीपता इसके महत्व को बढ़ाती थी। 18वीं शताब्दी में अवध आर्थिक रूप से भी समृद्ध था और यहां कृषि और व्यापार में संपन्नता थी। एक स्वायत्त राज्य के रूप में अवध का उदय बुरहान-उल-मुल्क सादत खान के ईरानी और शिया परिवार के राजनीतिक लक्ष्य का परिणाम था।

सादत खान (1722-39)

सादत खान स्वतंत्र राज्य अवध का संस्थापक था। वह बहुत साहसी और बुद्धिमान व्यक्ति था। 1722 में मुगल सम्राट के द्वारा उसे अवध का सूबेदार नियुक्त किया गया। उसे विद्रोही जमींदारों को अधीन करने का एक कठिन कार्य दिया गया था, जो प्रांत में हर जगह फैल चुके थे। उन्होंने भूमि कर का भुगतान करने से मना कर दिया था और वे अपने किलों और सेनाओं के साथ स्वायत्त प्रधानों के समान व्यवहार करते थे। एक वर्ष के अंदर उसने सफलतापूर्वक यह कार्य किया और प्रशंसा के रूप में सम्राट मुहम्मद शाह ने उसे बुरहान-उल-मुल्क की उपाधि से नवाजा।

इसके बाद वह दिल्ली लौट गया, लेकिन वहां सम्राट के चहेतों में से एक के साथ उसका झगड़ा हो गया और उसे मजबूरन अवध लौटना पड़ा। दरबार की राजनीति से निराश होकर उसने अवध में एक राजनीतिक आधार बनाने का निर्णय लिया। इस दिशा में पहले कदम के रूप में उसे उप-सूबेदार के रूप में अपना ही भांजा व दामाद सफदर जंग मिला, जिसे सम्राट द्वारा मान्यता प्राप्त भी थी। इस प्रकार उसने प्रांत को वंशानुगत अधिकार बना लिया और धीरे-धीरे अवध की स्वाधीनता प्राप्त की।

सादत खान, अवध का पहला नवाब

1723 में सादत खान ने एक नए भू-राजस्व बंदोबस्त की शुरुआत की और न्यायसंगत भू-राजस्व करारोपण के द्वारा किसानों के जीवन में सुधार किया। बंगाल के नवाबों के समान ही उसने भी हिंदू और मुसलमानों के बीच भेदभाव नहीं किया। उसकी सेना अच्छी तरह से प्रशिक्षित थी और उन्हें अच्छा वेतन मिलता था। उसका प्रशासन कुशल था।

1735 तक सादत खान ने कोरा, जहानाबाद, बनारस, जौनपुर, गाजीपुर और जूनागढ़ जैसे समीपवर्ती क्षेत्रों पर अपने प्रभाव का प्रसार किया। इस पूरे काल के दौरान उसने शाही दरबार के साथ संचार माध्यमों को खुला रखा।

1739 में नादिरशाह के विरुद्ध लड़ने के लिए मुगल सम्राट ने सहायता के लिए सादत खान को दिल्ली बुलाया। हालांकि, करनाल के युद्ध में उसे बंदी बना लिया गया। उसे और निराशा हुई, जब आक्रमण के दौरान उसके समर्थन के बावजूद मीर बख्शी का पद निजाम को मिल गया। उसने इसे धोखे की तरह देखा और प्रतिशोध में आकर पाला बदलकर नादिर शाह से मिल गया। उसकी चाल उसी पर भारी पड़ गई, जब आक्रमणकारी ने 20 करोड़ रुपये की उससे मांग की, जिसका उसने वादा किया था। इससे हताश होकर उसने दिल्ली पर कब्जा करने के एक दिन बाद जहर खाकर आत्महत्या कर ली।

सफदरजंग (1739-54)

नादिर शाह केवल 2 महीने के लिए भारत का सम्राट बना उसने 2 करोड रुपए पेशकश के रूप में स्वीकार करके अवध में सफदरजंग को उत्तराधिकारी के रूप में मान्यता प्रदान की। जंग को वास्तव में अवसर तब मिला, जब मुहम्मद शाह और निजाम-उल-मुल्क, दोनों की 1748 में मृत्यु हो गई और नए सम्राट अहमद शाह द्वारा उसे वजीर नियुक्त किया गया। उसे और उसके अधिकारियों को नवाब वजीर के नाम से जाना गया। उसे इलाहाबाद प्रांत भी दिया गया।

1754 में अपनी मृत्यु के पहले अवध और इलाहाबाद के लोगों को उसने शांति और स्थायित्व का एक लंबा समय प्रदान किया था। उसने विद्रोही जमींदारों का भी दमन किया और मराठा आक्रमण से अपने प्रांत को बचाने के लिए मराठा सरदारों के साथ एक संधि भी की। उसने न्यायसंगत न्याय-व्यवस्था की स्थापना की। उसने भी धार्मिक आधार पर भेदभाव नहीं किया। उसके शासनकाल में सबसे उच्च पद एक हिंदू महाराजा **नवाब राय** को प्राप्त था।

सफदरजंग ने एक उच्च स्तरीय व्यक्तिगत नैतिकता को बनाए रखा। वास्तव में, तीनों स्वायत्त राज्यों हैदराबाद, बंगाल और अवध, के सभी संस्थापक उच्च व्यक्तिगत नैतिकता वाले व्यक्ति थे। उन्होंने सीधा व सरल जीवन व्यतीत किया।

शुजा-उद-दौला (1754-75)

1754 में सफदर जंग की मृत्यु के बाद उसके पुत्र शुजा-उद-दौला को अवध का सूबेदार/गवर्नर नियुक्त किया गया।

पानीपत के तीसरे युद्ध में भूमिका (1761)- 1761 में जब अफगानी आक्रमणकारी अहमद शाह अब्दाली पुनः भारत पहुंचा और मराठों के विरुद्ध पानीपत का युद्ध लड़ा गया, तब शुजा ने अपने विरोधी मराठों को कमजोर बनाने के लिए अफगानी आक्रमणकारियों का साथ दिया। अवध और इलाहाबाद के अपने क्षेत्र में उसकी स्वायत्तता और शक्ति तब तक निर्विरोध बनी रही, जब तक कि बक्सर के युद्ध में उसका सामना अंग्रेजी ईस्ट इंडिया कंपनी से नहीं हो गया।

शुजा-उद-दौला

बक्सर के युद्ध में भूमिका- बक्सर के युद्ध में बंगाल के नवाब, अवध के नवाब और मुगल सम्राट की संयुक्त सेना को अंग्रेजी कंपनी द्वारा हरा दिया गया और इलाहाबाद की संधि (16 अगस्त 1765) के द्वारा अवध को ब्रिटिश जाल में फंसा दिया गया। अन्य बातों के साथ इस संधि के अनुसार शुजा को 50 हजार रुपए के युद्ध हर्जाने का भुगतान करना था और एक-दूसरे के क्षेत्रों की सुरक्षा के लिए कंपनी के साथ एक पारस्परिक व्यवस्था को मानना था। अगले वर्षों में अवध की समृद्धि को देखकर कंपनी ने धीरे-धीरे अपनी वित्तीय मांगों को बढ़ाया और 1773 में एक अन्य संधि के द्वारा नवाब को कंपनी की सेना (जिसे अवध में ही रहना था) की प्रत्येक ब्रिगेड (पल्टन) के लिए 210000 रुपए प्रति महीने भुगतान करने के लिए राजी होना पड़ा। यह अवध को कंपनी के प्रति दीर्घकालिक कर्ज की ओर ले गया। अवध में अंग्रेजी सेना की सैन्य उपस्थिति ने भी नवाबी शासन को गंभीर रूप से कमजोर बनाया।

आसफ-उद-दौला (1775-1797)

1775 में शुजा-उद-दौला की मृत्यु के बाद उसका बेटा आसफ-उद-दौला नवाब बना। 1775 में ही उसने राजधानी फैजाबाद से लखनऊ परिवर्तित की। अंग्रेजों के भय के बावजूद उसने अपनी ऊर्जा सांस्कृतिक लक्ष्यों में केंद्रित की और लखनऊ दरबार के आसपास एक जीवंत सांस्कृतिक कार्यक्षेत्र विकसित किया। इस प्रकार एक विशिष्ट **लखनऊ संस्कृति** के उदय का मार्ग प्रशस्त किया। कला और साहित्य के संरक्षण में शीघ्र लखनऊ दिल्ली से प्रतिस्पर्धा करने लगा। यह साहित्यिक व संवेदनशील व्यक्तियों के लिए एक दूसरा घर बन गया, जो दिल्ली छोड़ चुके थे और शोक ग्रस्त थे। इन विद्वानों और कवियों में **मिर्जा रफी सौदा** और **मीर गुलाम हसन** शामिल थे। उसने लोकप्रिय स्मारक **बड़ा इमामबाड़ा** बनवाया था। अपनी दयालुता के कारण नवाब को बहुत लोकप्रियता मिली और लखनऊ में एक कहावत लोकप्रिय हुई, 'जिसको न दे मौला, उसको दे आसफ-उद-दौला'।

1801 तक अंग्रेजों के लिए अवध एक बफर राज्य था, जिससे पाश्चात्य शक्तियों से बंगाल को सुरक्षित किया जा सकता था। कुछ समय बाद अवध ब्रिटिश प्रसार के लिए एक संकट बन गया और अंततः उसे 1856 में अधीन कर लिया गया।

नए राज्य: मराठा, सिख, जाट और अफगान

मराठा

ऐतिहासिक पृष्ठभूमि

मराठा राज्य का ध्वज

17वीं शताब्दी में पश्चिम दक्कन में मराठा राज्य बनाया गया। 18वीं शताब्दी में यह वृहत्त मराठा स्वराज्य का एक केंद्र बन गया। सभी क्षेत्रीय शक्तियों में मराठा सबसे प्रमुख थे। 18वीं शताब्दी के पहले भाग में मुगलों का पतन देखा गया, अंतिम भाग में ब्रिटिश का उदय देखा गया और मध्य भाग में मराठों के राजनीतिक प्रभुत्व के प्रसार को देखा गया। मराठा अकेली एक ऐसी भारतीय शक्ति थी, जो इतनी शक्तिशाली थी कि मुगल शासन का एक विकल्प बन सकती थी।

दक्कन से मुगलों के जाने के बाद मराठा सैन्य नेताओं (मराठा सरदारों) के एक संघ के रूप में उभरे। मूल रूप से, मराठा सरदार केवल भू-राजस्व के अस्थाई कार्य अधिकार में रखते थे, लेकिन व्यवहार में एक बार स्थापित होने के बाद उनमें वंशानुगत रूप से बने रहने की प्रवृत्ति उत्पन्न हुई। एक अखिल भारतीय साम्राज्य बनाने के लिए मराठा सरदारों में एकता और दूर-दृष्टि की कमी थी। हालांकि, वह सफलतापूर्वक मुगलों के विरुद्ध निरंतर संघर्ष करते रहे थे।

मुगलों के साथ संबंध

मुगलों द्वारा मराठों के दमन का लंबा इतिहास था, विशेष तौर पर 1681 के दौरान औरंगजेब द्वारा शुरू किया गया 27 वर्षीय युद्ध था। मराठा हिंदू धर्म में आस्था रखते थे और कुछ मुगल सम्राटों की धार्मिक असहिष्णुता ने मराठों के रोष को और भड़का दिया।

1689 में औरंगजेब ने शिवाजी के पुत्र व उत्तराधिकारी संभाजी को हराकर मार दिया और उसके बेटे शानू को पकड़ लिया। सम्पूर्ण मराठा राष्ट्र मुगलों के विरुद्ध सशस्त्र खड़ा हुआ, जो जनता का एक युद्ध बन गया। 1700 में अपनी मृत्यु तक शिवाजी के छोटे पुत्र राजाराम ने संघर्ष को जारी रखा और उसके बाद उसकी पत्नी ताराबाई (वह अपने बेटे शिवाजी द्वितीय की एक राज्य प्रतिनिधि के रूप में कार्य कर रहीं थीं) ने संघर्ष को आगे बढ़ाया। 1707 में औरंगजेब की मृत्यु के बाद महाराष्ट्र को संघर्ष का एक केंद्र बिंदु बनाने की आशा से उसके उत्तराधिकारियों ने शिवाजी के पुत्र शाहू को रिहा कर चाल

चली। औरंगजेब ने उसके और उसकी माता के साथ बहुत गरिमामय ढंग से व्यवहार किया था, ताकि शाहू के साथ एक राजनीतिक सहमति बन सके।

जैसा कि मुगलों को अपेक्षा थी, कि शाहू की रिहाई ने मराठों को दो प्रतिस्पर्धी शिविरों में विभाजित कर दिया, एक का नेतृत्व कोल्हापुर में ताराबाई द्वारा किया गया और दूसरे का सतारा में शाहू के द्वारा। शाहू की चाची ताराबाई ने शाहू को एक ढोंगी घोषित किया और शाहू के उत्तराधिकार को मान्यता देने से मना कर दिया। इसका परिणाम एक लंबे गृह युद्ध के रूप में सामने आया, जिसमें अंतत: शाहू की जीत हुई और जीत में उन्हें स्वतंत्र सरदारों के एक समूह और कोंकण के एक योग्य चितपावन ब्राह्मण बालाजी विश्वनाथ का सहयोग मिला।

शिवाजी का राज्याभिषेक

इस प्रकार शाहू और ताराबाई के बीच हुए इस गृह युद्ध ने राजा शाहू के पेशवा (प्रधानमंत्री) बालाजी विश्वनाथ के नेतृत्व में एक नए मराठा शासन को जन्म दिया। इस परिवर्तन ने मराठा इतिहास में एक नए काल की शुरुआत की: पेशवा प्रभुत्व का काल। इसी काल में मराठा राज्य एक साम्राज्य में परिवर्तित हो गया।

बालाजी विश्वनाथ (1713-20)

बालाजी विश्वनाथ द्वारा दी गईं सेवाओं को सम्मान देने के लिए नवम्बर, 1713 में राजा शाहू ने उन्हें अपना प्रधानमंत्री या पेशवा नियुक्त किया। अपनी कूटनीति और राजनीतिज्ञता के गुण के कारण बालाजी विश्वनाथ ने पेशवा के पद को मराठा साम्राज्य का कार्यकारी प्रमुख बना लिया, जबकि राजा शाहू नाममात्र के शासक रह गए।

पहले पेशवा- बालाजी विश्वनाथ

सैयद बंधुओं की सहायता - 1719 में बालाजी ने मुगल राजसिंहासन से फर्रुखसियर को हटाकर उसके स्थान पर दिल्ली में एक कठपुतली सम्राट स्थापित करने में सैयद बंधुओं की सहायता की। 15000 सैनिकों की मराठा टुकड़ी के साथ वे स्वयं दिल्ली गए। इसने उसे साम्राज्य की कमजोरी का साक्षी बनने का मौका दिया और उत्तर में प्रसार की महत्वाकांक्षा उसके मन में भर गई। इतना ही नहीं पुरस्कार के रुप में मराठा राजा के लिए उसने एक मुगल सनद (शाही आदेश) प्राप्त किया।

1719 की मुगल सनद- सनद के अनुसार मराठों को पूरे दक्कन (औरंगाबाद, बरार, बिदर, बीजापुर, हैदराबाद और खानदेश) और कर्नाटक से चौथ (राजस्व का एक चौथाई) एवं सरदेशमुखी (राजस्व का 10% अतिरिक्त) संग्रहित करने की अनुमति दी गई। उपर्युक्त विशेषाधिकारों के बदले मराठों को सम्राट की सहायता के लिए 15000 सैनिकों की एक टुकड़ी रखना था, दक्कन में शान्ति व व्यवस्था बनाए रखना था और सम्राट को 10 लाख रूपए वार्षिक भेंट के रूप में भुगतान करना था। इस प्रकार मराठा राजा पूरे दक्कन का सरदेशमुख बन गया। इस सनद को इतिहास में 'मराठा प्रभुत्व के मैग्नाकार्टा' के नाम से भी जाना जाता है।

मराठा संघ की स्थापना- दक्कन के चौथ और सरदेशमुखी के कुशल संग्रहण के लिए बालाजी विश्वनाथ ने मराठा सरदारों को पृथक क्षेत्र प्रदान किए, इस प्रकार मराठा संघ की नींव पड़ी। वतन और सरंजामी व्यवस्था जागीर व्यवस्था का ही एक अन्य स्वरूप था, जिसे बालाजी ने उस समय अराजकता के स्थान पर शांति लाने के लिए सबसे उपयोगी माना था। हालांकि, बाद में यह मराठों की एक मुख्य कमजोरी बन गई थी, क्योंकि इसने राजा को अपने वित्त के लिए सरदारों पर निर्भर बना दिया था। अब सरदारों ने मुगल साम्राज्य की दूरस्थ भूमि पर अपना नियंत्रण स्थापित करना शुरू कर दिया, जहां उन्होंने

धीरे-धीरे स्वायत्त प्रधानों के रूप में बसना शुरू किया। इस प्रकार अपने मुख्य राज्य के बाहर मराठों की विजय मराठा राजा अथवा पेशवा के द्वारा प्रत्यक्ष रूप से हासिल नहीं की गई थी, बल्कि यह जीत सरदारों और उनके निजी दलों के साथ प्राप्त की गई। इन विजयों के दौरान वे अक्सर एक-दूसरे के साथ भिड़ जाते थे और वे शत्रुओं के साथ भी हाथ मिलाने में नहीं हिचकिचाते थे, फिर चाहे शत्रु निजाम हो, मुगल हो या फिर अंग्रेज।

बालाजी विश्वनाथ को **मराठा राज्य का दूसरा संस्थापक** भी कहा जाता है। 1720 में उनकी मृत्यु के बाद राज्य का उत्तराधिकार उसके 20 वर्षीय बेटे बाजीराव प्रथम को मिला।

बाजीराव प्रथम (1720-40)

1720 में बालाजी विश्वनाथ के स्थान पर उसके बड़े बेटे बाजीराव प्रथम ने पेशवा के रूप में स्थान ग्रहण किया। अपनी युवावस्था के बावजूद वह एक साहसी सेनानायक और एक बुद्धिमान राजनीतिज्ञ था और उसे शिवाजी के बाद गोरिल्ला रणनीति का महान प्रतिपादक माना जाता है।

बाजीराव प्रथम अधीन मराठा प्रसार-

- उसने मराठा साम्राज्यवाद की एक नई नीति प्रतिपादित की, जिसका उद्देश्य मराठा राज्य को नर्मदा के पार तक प्रसारित करना था। उत्तर में विजय की नीति को उसने इन शब्दों में प्रस्तुत किया, 'नष्ट होते हुए पेड़ (मुगल साम्राज्य) के तने पर वार करो, शाखाएं अपने आप गिर जाएंगी। इस प्रकार कृष्णा से लेकर सिंधु तक मराठा ध्वज लहराना चाहिए।' उसने हिंदू-पद-पादशाही (मुगलों के विरुद्ध हिंदू प्रधानों का समर्थन प्राप्त करने के लिए हिंदू साम्राज्य का विचार) के विचार का प्रचार किया।
- अपनी 20 साल की पेशवाशाही में बाजीराव मार्च करता रहा और युद्ध जीतता रहा। उसके नेतृत्व में मराठों ने मालवा, गुजरात और बुंदेलखंड के भागों पर नियंत्रण प्राप्त किया। महाराष्ट्र में उसे लड़ते रहने वाले पेशवा के रूप में याद किया जाता है। इसी के काल में सिंधिया और होलकर जैसे युद्ध नेता प्रमुख हो गए थे, जिन्हें बाजीराव प्रथम ने ही ऊपर उठाया था।
- दक्कन में निजाम-उल-मुल्क से बाजीराव को गंभीर चुनौती मिली। दोनों दो बार युद्ध भूमि में टकराए और दोनों बार निजाम की हार हुई और उसे दक्कन में छह मुगल प्रांतों में चौथ और सरदेशमुखी मराठों को देने के लिए मजबूर होना पड़ा।
- 1733 में बाजीराव ने जंजिरा द्वीप के सिद्दियों के विरुद्ध एक अभियान चलाया और अंत में उन्हें प्रमुख भूमि से निष्कासित कर दिया। साथ ही साथ उसमें पुर्तगालियों के विरुद्ध भी एक अभियान शुरू किया और अंत में साल्सेट और बेसिन पर उसने कब्जा कर लिया।
- बाजीराव ने महाराष्ट्र के इस राज्य को उत्तर में प्रसार करता हुआ एक साम्राज्य भी बना दिया। उसकी अग्रगामी नीति ही थी, जिसने 1760 तक पंजाब से बंगाल तक के प्रांतों को मराठा प्रभाव के अधीन कर दिया था।

हालांकि, साम्राज्य की मजबूत नींव नहीं रखी जा सकी और नए क्षेत्रों के प्रशासन पर भी बहुत कम ध्यान दिया गया। ऐसा इसलिए था क्योंकि नए सरदारों की रुचि राजस्व संग्रह तक सीमित रहती थी। बाजीराव ने खतरनाक सामंती प्रवृत्ति पर नियंत्रण रखने का कोई प्रयास नहीं किया, जो अंत में मराठा राज्य के लिए विनाशकारी सिद्ध हुई। 1740 में 42 वर्ष की आयु में बाजीराव की असामयिक मृत्यु हुई।

बालाजी बाजीराव (1740-61)

बाजीराव के 18 वर्षीय पुत्र बालाजी बाजीराव 1740 से 1761 तक पेशवा रहे। बालाजी बाजीराव को नाना साहेब के नाम से भी जाना जाता है। 1749 में छत्रपति शाहू की मृत्यु के बाद नाना साहेब मराठा राजव्यवस्था में सर्वोच्च बन गए थे।

शाहू के उत्तराधिकारी राजाराम ने एक दस्तावेज, जिसे **संगोला समझौते** के नाम से जाना गया (इसे 1750 की संवैधानिक क्रांति के नाम से भी जाना है), को निष्पादित किया; जिसके अनुसार सर्वोच्च शक्ति छत्रपति से पेशवा को हस्तांतरित कर दी गई। इस प्रकार पेशवा मराठा राज्य का वास्तविक शासक बन गया और शासन उसके मुख्यालय पूना स्थानांतरित हो गया। बालाजी बाजीराव का राजनीतिक परिदृश्य नई शक्तियों (अफगान, सिख, फ्रांसीसी और अंग्रेज) के प्रादुर्भाव का साक्षी बना। बालाजी बाजीराव के अधीन मराठा प्रसार-

- पेशवा बालाजी बाजीराव के शासन के दौरान मराठा शक्ति अपनी चरम सीमा तक पहुंच गई और इसका प्रसार कटक से अटॉक तक हुआ। पूर्व में रघुजी भोंसले के नेतृत्व में मराठों ने बंगाल, बिहार और उड़ीसा (अलीवर्दी द्वारा शासित) पर नियमित रूप से चढ़ाई की। इन आक्रमणों को 1751 के बाद एक संधि के बाद रोक दिया गया, जिसके अनुसार अलीवर्दी ने उड़ीसा को समर्पित कर दिया और उन तीनों प्रांतों के लिए 1,20,000 रुपए वार्षिक चौथ भुगतान के लिए सहमत हुआ।
- दक्षिण में मैसूर राज्य सहित अनेक राज्यों को भेंट देने के लिए मजबूर कर दिया।
- उत्तर में मराठा दल जयपुर, उदयपुर, बूंदी, कोटा इत्यादि राजपूत राज्यों पर आक्रमण करते रहे। शीघ्र ही वे मुगल राज-सिंहासन के पार्श्व की शक्ति बन गए। अफगान आक्रमण के समय मराठा संरक्षण में मुगल सम्राट 1752 में एक सन्धि पर पहुंचे। 1752 में मराठों ने नया वजीर बनने में इमाद-उल-मुल्क की सहायता की और 1753 में उन्होंने सिंहासन पर अपनी पसंद का व्यक्ति आसीन कर दिया।

अब्दाली के साथ टकराव- मराठा उत्तर में अपनी विजय से संतुष्ट नहीं थे और पंजाब पर उनकी लालच भरी निगाहें थीं, जिस पर अब्दाली के एक एजेंट का शासन था। मराठों की एक बहुत बड़ी भूल थी। अब्दाली जितना लूट सकता था, उतना लूटकर भारत से जा चुका था; लेकिन अब उसने भारत वापस लौटने और मराठा की बढ़ती हुई महत्वाकांक्षाओं को चुनौती देने का निर्णय लिया।

अब्दाली ने रोहिलखण्ड के नजीब-उद-दौला और अवध के शुजा-उद-दौला के साथ एक गठबंधन किया, जो मराठा लूटपाट का कष्ट झेल चुके थे। आने वाले संघर्ष के महत्व को देखते हुए पेशवा ने अपने नाबालिग बेटे विश्वास राव के नेतृत्व (नाममात्र का नेतृत्व) में उत्तर की ओर एक सेना भेजी। लेकिन वास्तविक नेतृत्व पेशवा के चचेरे भाई **सदाशिव राव भाऊ** (पेशवा बाजीराव प्रथम के छोटे भाई व चीमाजी अप्पा के बेटे) के हाथों में थी। सेना के पास यूरोपियन शैली की पैदल सेना और तोपें भी थीं, जिनकी कमान **इब्राहिम खान गर्दी** के हाथों में थी।

मराठों ने अब उत्तरी शक्तियों से समर्थन प्राप्त करने की कोशिश की, लेकिन उनके पूर्व व्यवहार ने ऐसी सभी शक्तियों को विरोधी बना दिया था। उदाहरण के तौर पर, इन्होंने राजपूत, पंजाब और अवध पर भारी जुर्माना और उपहार के बोझ थोप दिए थे। इस प्रकार इमाद-उल-मुल्क के कमजोर समर्थन को छोड़कर उन्हें अपने शत्रु से अकेले ही लड़ना था।

पानीपत का तीसरा युद्ध (14 जनवरी 1761)

14 जनवरी 1761 को मराठा और अब्दाली की सेनाएं पानीपत के मैदान पर मिली। मराठा सेना की बुरी तरह हार हुई, लगभग 50,000 लोग हताहत हुए। यहीं से मराठा के प्रताप के पतन की शुरुआत हुई। अनेक मराठा सेनानायकों और 28000 सैनिकों सहित विश्वास राव और सदाशिव राव भाऊ, दोनों ही मारे गए। जो भाग रहे थे, उनका अफगान घुड़सवार सेना द्वारा पीछा किया गया और उन्हें पानीपत क्षेत्र के जाट, अहीर और गुर्जरों द्वारा लूटा गया। पेशवा जब अपने चचेरे भाई की सहायता के लिए उत्तर की ओर बढ़ रहा था, तभी उसे यह खबर मिली। इस दुखद समाचार को सुनकर उसे बहुत धक्का लगा और जून, 1761 में उसकी आकस्मिक मृत्यु हो गई। इस प्रकार अहमद शाह ने मराठा प्रताप को एक प्राणघातक झटका दिया।

न ही मराठों को और न ही अफगानों को इस युद्ध से लाभ हुआ। इस युद्ध से ब्रिटिश को लाभ हुआ, जिसने बंगाल में अपने प्रभाव को फैलाने के लिए इस अवसर का उपयोग किया। वास्तव में, पानीपत युद्ध में यह निर्णय नहीं हुआ कि भारत पर कौन शासन करेगा, बल्कि यह निर्णय हुआ कि कौन शासन नहीं करेगा।

इसके बाद वापस मराठा प्रताप को पुन:प्राप्त करना आसान नहीं था। 1772 में पेशवा माधवराव प्रथम की मृत्यु हुई और उसके बाद सत्ता के लिए गुटीय संघर्ष हुआ। इसने प्रथम आंग्ल-मराठा युद्ध में ब्रिटिश के हाथों मराठों की पराजय को सुगम बना दिया।

पानीपत के तीसरे युद्ध में मराठों के पराजय के कारण:

- अब्दाली के सैनिकों की संख्या मराठों की सैनिकों से अधिक थी। जो अब्दाली की सेना में सैनिकों की संख्या 60000 थी, वहीं मराठों की सेना में सैनिकों की संख्या 45000 से अधिक नहीं हो सकी।
- अब्दाली की सेना बेहतर ढंग से संगठित और सुसज्जित थी। अब्दाली के सैनिक जहां एक और बंदूक या मस्कट (लंबी नाली वाली हल्की बंदूक) और कुंदा वाली बंदूकों से लड़ रहे थे, वहीं मराठा सैनिक अधिकांशत: अपनी तलवार और भालों से लड़ रहे थे।
- मराठा बिना किसी के समर्थन के अकेले लड़े थे। उनके रौबदार व्यवहार और लूटपाट की नीति ने मुसलमानों और हिंदू प्रधानों जैसे जाट, राजपूत और सिखों को उनसे दूर कर दिया था। जबकि दूसरी ओर उत्तर भारत की मुस्लिम शक्ति अब्दाली के साथ खड़ी थीं।
- मराठा नेतृत्व की पारस्परिक ईर्ष्या ने भी उनकी स्थिति को कमजोर बना दिया था।

पानीपत के युद्ध का महत्व

- इस युद्ध से किसी भी पक्ष को लाभ नहीं हुआ।
- इस युद्ध के मराठों के लिए घातक परिणाम हुए और मराठा साम्राज्यवाद का क्रम गंभीर रूप से विचलित हुआ।
- मराठों को जन-धन और प्रतिष्ठा की बड़ी हानि हुई। मराठों ने अपनी सेना के योग्य नेतृत्व को खो दिया और उसकी राजनीतिक छवि को गहरा धक्का लगा।
- मराठा 1761 से पूर्व की स्थिति को पुन: कभी प्राप्त नहीं कर सके। उसकी हार ने ब्रिटिश ईस्ट इंडिया कंपनी को बंगाल और दक्षिण भारत में अपनी शक्ति मजबूत करने का अवसर प्रदान किया।
- अफगानों को भी अपनी इस विजय से लाभ नहीं हुआ। यहां तक कि वह पंजाब को भी अधिकार में नहीं रख सके।

माधव राव प्रथम (1761-1772)

17 वर्षीय माधवराव 1761 में पेशवा बने। वह एक प्रतिभावान राजनीतिज्ञ थे और उन्होंने 11 वर्ष के अल्पकाल में मराठा साम्राज्य की खोई हुई प्रतिष्ठा को पुन: स्थापित किया। इस घटना को **मराठा पुनरुत्थान (Maratha Resurrection)** के नाम से जाना गयास इस कार्य में उनकी सहायता उनके योग्य प्रधानमंत्री **नाना फडणवीस** ने की। अंग्रेजी कंपनी की बढ़ती शक्ति और मराठों के मध्य आंतरिक मतभेद के बीच मराठा संघ को एक साथ बांधे रखने में नाना फडणवीस की केंद्रीय भूमिका थी।

माधवराव ने सफलतापूर्वक पुराने शत्रुओं जैसे उत्तर में रोहिल्ला, राजपूत और जाट प्रधानों को तथा दक्षिण में मैसूर और हैदराबाद को अधीन कर लिया। 1771 में मराठों ने दिल्ली में सम्राट शाह आलम को पुन: गद्दी पर बिठाया, जो अब उनका पेंशनभोगी बन चुका था। इस प्रकार ऐसा प्रतीत होने लगा था जैसे उत्तर में मराठा प्रधानता वापस आ गई हो। हालांकि, 1772 में छय रोग से माधवराव की मृत्यु हो गई।

नारायण राव: (1772-1773)

माधवराव की मृत्यु के बाद मराठा साम्राज्य उथल-पुथल की अवस्था में पहुंच गया। पूना में बालाजी बाजीराव के छोटे भाई रघुनाथ राव और माधव राव के छोटे भाई नारायण राव के बीच सत्ता के लिए संघर्ष शुरू हुआ। नारायण राव को अंतत: 1773 में अपने चाचा रघुनाथ राव की साजिश के सामने घुटने टेकने पड़े।

रघुनाथ रावः (1773-1774)

रघुनाथ राव 1773 से 1774 तक एक अल्पकाल के लिए मराठा साम्राज्य के पेशवा बने। उसे नाना फडणवीस और 11 अन्य प्रशासकों (बारभाई) के द्वारा अपदस्थ कर दिया गया, जिसे **बारभाई षड्यंत्र** के नाम से भी जाना जाता है। बारभाई में प्रभावशाली मराठा सरदार जैसे महादजी शिंदे (या सिंधिया) और तुकोजीराव होलकर शामिल थे।

महादजी शिंदे (या सिंधिया, 1768-1794)

महादजी शिंदे

महादजी एक मराठा सरदार थे, जिन्होंने मध्य भारत में ग्वालियर राज्य पर शासन किया। वे 1761 में पानीपत के तीसरे युद्ध के बाद उत्तरी भारत में मराठा शक्ति के पुनरुत्थान में सहायक थे। माधवराव प्रथम और नाना फडणवीस के साथ वे मराठा पुनरुत्थान के तीन स्तंभों में से एक थे।

उनके शासन के दौरान ग्वालियर मराठा साम्राज्य का एक प्रमुख राज्य और भारत में सबसे महत्वपूर्ण सैन्य शक्ति बना। उन्होंने सेना में कुछ राजपूतों और यहां तक कि मुसलमानों को भी भर्ती करना शुरू किया। उन्होंने अपनी सेना को यूरोपियन और वैज्ञानिक ढंग से पुनर्संगठित किया।

महादजी के नेतृत्व में मराठा उत्तरी भारत में वापस लौटे, राजपूतों को कुचल दिया, जाटों को हराया, रोहिल्लाओं को दोआब से निष्कासित कर दिया और दिल्ली पर पुनः अधिकार कर शाह आलम द्वितीय को मराठा सर्वोच्चता के अधीन दिल्ली के सिंहासन पर आसीन कर दिया (फरवरी 1771)। 1772-1773 के दौरान मुगल सम्राट के साथ उन्होंने रोहिल्लाओं के विरुद्ध अभियान चलाया और यहां तक कि मथुरा के जाटों की शक्ति को भी नष्ट कर दिया। प्रथम आंग्ल-मराठा युद्ध (1775-1782) के दौरान मराठों की ओर से महादजी ने एक महत्वपूर्ण भूमिका निभाई। उन्होंने अकेले ही मध्य भारत में ब्रिटिश को झुका दिया था, जिसके परिणामस्वरूप 1782 में सलवाई की संधि हुई। सलबाई की संधि में ब्रिटिश सरकार ने उन्हें एक स्वतंत्र राजा स्वीकार कर लिया था। उनकी मृत्यु के बाद दौलत राव सिंधिया उनके उत्तराधिकारी बने।

सवाई माधवराव या माधवराव द्वितीय (1774-1795)

बारभाई ने नारायण राव की मृत्यु के बाद उनकी विधवा से हुए पुत्र माधवराव द्वितीय को पेशवा बनाया। साथ ही नाना फडणवीस को उनका राज्य-संरक्षक या राज्य प्रतिनिधि बनाया गया। जब माधवराव द्वितीय को पेशवा बनाया गया, तब वे केवल 40 दिन के थेस उस समय सत्ता पर नाना फडणवीस की राजनीतिक साजिश का प्रभुत्व था। सवाई माधवराव की उत्तराधिकार ने रघुनाथ राव की महत्वाकांक्षाओं को हतोत्साहित किया और वह ब्रिटिश की ओर देखने लगा और उसने उनकी सहायता से सत्ता प्राप्त करने का प्रयास किया, जिसके परिणामस्वरूप पहला आंग्ल-मराठा युद्ध हुआ।

पेशवा की शक्ति अब धीरे-धीरे क्षीण होने लगी। पूना अब नाना फडणवीस की अध्यक्षता में सवाई माधवराव के समर्थक और रघुनाथ राव के समर्थकों के बीच एक षड्यंत्र का अड्डा बन गया था। केंद्रीय सत्ता की कमजोरी का लाभ उठाकर उत्तर में बढ़े मराठा सरदारों अथवा प्रधानों ने अपने लिए अर्ध-स्वतंत्र राज्य बना लिए। इनमें **होलकर (इंदौर), सिंधिया (ग्वालियर), गायकवाड (बड़ौदा) और भोंसले (नागपुर)** शामिल थे। उनके पास उनकी स्वयं की सेनाएं थीं और पेशवा के लिए उनकी निष्ठा अब नाममात्र की रह गई थी। उत्तर में मराठा सरदारों के साथ महादजी शिंदे सबसे महत्वपूर्ण थे। उन्होंने फ्रांसीसी और पुर्तगाली अधिकारियों की सहायता से यूरोपियन शैली में एक शक्तिशाली सेना संगठित की, जिसमें समान रूप से हिंदू और मुस्लिम सैनिक थे।

1795 में सवाई माधवराव ने आत्महत्या की, संभवत: जिसका कारण नाना फडणवीस की मनमानी या अत्याचार था। संघ पर नियंत्रण करने के लिए मराठा कुलीनों के बीच शक्ति का एक संघर्ष शुरू हुआ। शक्तिशाली प्रधान दौलत राव सिंधिया और मंत्री नाना फडणवीस ने रघुनाथ राव के बेटे बाजीराव द्वितीय को कठपुतली पेशवा के रूप में बिठाया।

बाजी राव द्वितीय (1796-1818)

बाजीराव द्वितीय मराठा साम्राज्य के अंतिम पेशवा थे। अब ब्रिटिश ने मराठा चुनौती को समाप्त करने का निर्णय ले लिया था। ब्रिटिश ने युद्ध-सरदारों को चतुर कूटनीति से विभाजित किया और तब उन्हें द्वितीय मराठा युद्ध और तृतीय मराठा युद्ध में पृथक-पृथक हराया। पेशवा का पद समाप्त कर दिया गया, जबकि मराठा राज्यों को सहायक राज्यों के रूप में बने रहने की अनुमति दे दी गई।

प्रथम शासन (1796-1802)- उसका पहला शासन द्वितीय आंग्ल-मराठा युद्ध (1803-1805) का साक्षी बना। नाना फडणवीस की मृत्यु के बाद पूना का दरबार एक बार पुन: अनेक गुटीय षड्यंत्रों में फंस गया। शक्ति के लिए इस संघर्ष में पेशवा बाजीराव द्वितीय, दौलतराव सिंधिया और यशवंत राव होलकर मुख्य मराठा नेताओं के रूप में उभरे और इन्होंने उसका अपमान करने का प्रयास किया। 1801 में पेशवा ने होलकर के भाई विठोजी राव होलकर (विठोबा के नाम से भी जाना जाता है) को निर्दयता से मार दिया। इस कारण होलकर ने पूना पर आक्रमण किया और हडसपर के समीप पेशवा और सिंधिया की संयुक्त सेना को हरा दिया एवं पूना को कब्जे में ले लिया। पेशवा ने भागकर बेसिन में शरण ली और वेलेजली (वैलेस्ली) से सहायता मांगी। इसने ब्रिटिश को मराठा मुद्दों में हस्तक्षेप करने का एक आदर्श अवसर प्रदान किया। बाजीराव द्वितीय ने सहायक संधि को स्वीकार किया और 1802 में बेसिन की संधि पर हस्ताक्षर किया। इसने अन्य मराठा प्रधानों की देशभक्ति की भावनाओं को प्रभावित किया और इसके बाद द्वितीय आंगल-मराठा युद्ध शुरू हुआ। इसी के साथ मराठा संघ के विघटन की शुरुआत हुई।

द्वितीय शासन (1803-1818)- इनके शासनकाल में तीसरा आंग्ल-मराठा युद्ध शुरू हुआ। 3 जून 1818 को पेशवा ने ब्रिटिश के सामने समर्पण किया। उसे सिंहासन से हटा दिया गया व पेंशन बंद कर दी गई और उसे कानपुर के पास बिठूर में अपने अंतिम दिन व्यतीत करने का आदेश दिया गया।

नाना साहेब- वे 1857 की क्रांति के दौरान एक नेता थे। निष्कासित किए गए मराठा पेशवा बाजीराव द्वितीय के गोद लिए हुए पुत्र के रूप में उन्होंने मराठा संघ और पेशवा परंपरा को पुनर्स्थापित करने का प्रयास किया।

इस प्रकार अपना एक साम्राज्य स्थापित करने का मराठों का सपना पूरा नहीं हो सका। ऐसा मुख्य रूप से इसलिए हुआ क्योंकि मराठा साम्राज्य भी मुगल साम्राज्य के समान पतनशील सामाजिक व्यवस्था अपनाया हुआ था और वह भी उसी के समान कमजोरियों से गुज़र रहा था। उनकी राजस्व व्यवस्था और प्रशासनिक व्यवस्था काफी समान थी। मराठों ने न ही नई अर्थव्यवस्था को विकसित किया और न ही विज्ञान व तकनीक को प्रोत्साहित करने का प्रयास किया। मुगलों के समान ही उनकी सत्ता केवल बल पर निर्भर रही। वे आम जनता के साथ संबंध स्थापित करने में असफल रहे और उनका हित केवल असहाय किसानों से राजस्व प्राप्त करने तक सीमित रह गया था। कृषक उत्पादन का लगभग आधा राजस्व के रूप में संग्रहित किया जाता था। इस प्रकार मराठा स्वयं को एक आधुनिक राज्य में परिवर्तित करने में असफल हुए और ब्रिटिश के उदय के लिए उन्होंने मार्ग प्रशस्त किया।

सिख

सिख

पंजाब (लाहौर के पूर्व मुगल प्रांत) में विकास अन्य प्रांतों की तुलना में कुछ अलग था। अन्य मुगल प्रांतों में मुगल प्रांतीय सूबेदार थे, जिन्होंने स्वायत्त राज्य स्थापित किए। लेकिन पंजाब में स्थानीय लोगों (सिख) का एक समूह था, जिसने ऐसा किया।

सिख धर्म- सिख धर्म की स्थापना 15वीं शताब्दी में गुरु नानक द्वारा पंजाब क्षेत्र में की गई। सिख पंथ उतना ही प्राचीन था, जितना कि मुगल साम्राज्य। जब गुरु नानक ने 15वीं शताब्दी में पंजाब में समर्पण और समानता के संदेशों का प्रचार करना शुरू किया, उसी समय बाबर मुगल साम्राज्य की स्थापना कर रहा था। सिख का शाब्दिक अर्थ है शिष्य अथवा सीखने वाला। कुछ समय बाद इस नए पंथ ने एक धार्मिक आंदोलन का स्वरूप ले लिया और शीघ्र ही पंजाब में जाट किसानों और अन्य निम्न जातियों के मध्य फैल गया। गुरु नानक का धार्मिक आंदोलन शांतिपूर्ण और पंथनिरपेक्ष था।गुरु नानक के बाद नौ सिख गुरु हुए। सभी 10 सिख गुरुओं ने धर्म की सरलता और कट्टरता-मुक्त होने पर बल दिया।

गुरु नानक

1. **गुरु नानक**- सिख धर्म के संस्थापक।
2. **गुरु अंगद**- गुरुमुखी लिपि विकसित की, लंगर और युवाओं के लिए मल्ल अखाड़े की परंपरा शुरू की।
3. **गुरु अमर दास**- आनंद साहिब तैयार किया, साधारण आनंद काराज विवाह शुरू किया और सिखों के बीच सती प्रथा को समाप्त किया।
4. **गुरु रामदास**- पवित्र शहर अमृतसर (जिसे पहले रामदासपुर और गुरु का चक नाम से जानते थे) की नींव रखी और स्वर्ण मंदिर के निर्माण की पहल कीस
5. **गुरु अर्जन देव**- आदि ग्रंथ को संकलित किया और स्वर्ण मंदिर के निर्माण को पूर्ण कराया। (इस समय रंजीत सिंह का शासन था। मंदिर की सजावट के लिए संगमरमर और सोने का उपयोग प्रचुर मात्रा में किया गया।)
6. **गुरु हरगोबिंद**- सिख मार्शल आर्ट (युद्ध विधा) सृजित किया, युद्ध रणनीति व सैन्य कला में सिखों को प्रशिक्षित किया, अकाल तख्त बनवाया और इन्हें सैनिक संत के नाम से भी जाना जाता है।
7. **गुरु हर राय**- इन्होंने सिख सैनिकों की विशाल सेना को बनाए रखा, जिसे छठे सिख गुरु ने संकलित किया था, लेकिन वे सैन्य संघर्ष से दूर रहे और इन्हें कोमल हृदयी गुरु के नाम से भी जाना जाता है।
8. **गुरु हर कृष्ण**- यह सभी गुरुओं में सबसे युवा थे, इन्हें 5 वर्ष की आयु में गुरु बनाया गया।
9. **गुरु तेग बहादुर**- इन्होंने इस्लाम में धर्मांतरण होने से मना कर दिया था और इनका मुगल सम्राट औरंगजेब के आदेश पर दिल्ली में सिर काट दिया गया।
10. **गुरु गोविंद सिंह**- 1699 में खालसा की स्थापना के द्वारा उन्होंने सिखों को एक सैन्य बल में रूपांतरित कर दिया।

मुगलों के साथ संबंध- अंतिम चार गुरुओं को मुगलों के द्वारा सताया गया, गुरु अर्जन व गुरु तेग बहादुर को यातनाएं दी गईं और इस्लाम कबूल न करने पर क्रूरता से मार दिया गया। परिणामस्वरूप, मुगलों का विरोध करने के लिए सिख धर्म का सैन्यीकरण किया गया। औरंगजेब शुरुआत में सिखों के विरुद्ध नहीं था, लेकिन जैसे-जैसे यह समुदाय आकार में बढ़ने लगा और मुगलों की केंद्रीय सत्ता के लिए चुनौती बनने लगा, वह उनके विरुद्ध हो गया। गुरु तेग बहादुर को 1675 में दिल्ली में मार दिया गया। (हालांकि, रणजीत सिंह के अधीन सिख साम्राज्य में धार्मिक सहिष्णुता एवं बहुलवाद प्रमुख था।)

गुरु गोविंद सिंह (1666-1708)- गुरु तेग बहादुर को इस्लाम न कबूल करने पर मुगलों के द्वारा मार दिया गया और उसके बाद उनके पुत्र गुरु गोविंद सिंह को नौ वर्ष की आयु में सिख गुरु बनाया गया। अपने जीवन के दौरान गुरु गोविंद के चार पुत्रों को भी मार दिया गया और इस प्रकार वह मुगल-सिख संघर्ष के शिकार हुए।

गुरु गोविंद सिंह (सिखों के दसवें एवं अंतिम गुरु) ने 1699 में खालसा की स्थापना से सिखों को एक सैन्य बल में रूपांतरित कर दिया। गुरु के द्वारा स्वयं इस संस्था में सदस्यों को लाया गया, जिन्हें 5 चिन्हों के द्वारा अपनी निष्ठा दिखानी थी, जिसमें केश (बाल न कटवाना) और कृपाण (छोटी तलवार) आदि शामिल थे। संभवतः गुरु इस बात को समझ चुके थे कि पंथ की रक्षा के लिए सशस्त्र प्रतिरोध आवश्यक है। इसका कारण यह भी हो सकता है कि सिखों के बीच जाट किसानों का उदय हो रहा था और जाट सांस्कृतिक परंपरा में पहले से ही हथियार रखना शामिल था। खत्री व्यापारी सिख

समुदाय के अन्य भाग थे। जाटों के साथ समानता पाने की उनकी महत्वाकांक्षा तब पूर्ण हुई, जब गुरु गोविंद सिंह ने गुरु परंपरा को समाप्त करके गुरु-शक्ति को पंथ और ग्रंथ में निहित कर दिया।

औरंगजेब के साथ गुरु गोविंद सिंह का संघर्ष जग जाहिर है। लगभग 1696 के आसपास से गुरु गोविंद आनंदपुर और उसके आसपास एक स्वायत्त क्षेत्र स्थापित करने का प्रयास कर रहे थे। 1704 में मुगलों के द्वारा आनंदपुर पर कब्जा कर लिया गया और गुरु को वहां से जाने के लिए मजबूर होना पड़ा। 1708 में एक षड्यंत्र द्वारा गुरु गोविंद की हत्या कर दी गई और सिखों का नेतृत्व उनके शिष्य बंदा बहादुर के पास आ गया।

बंदा बहादुर (1708-1716)- बंदा सिंह अथवा बंदा बैरागी (बंदा बहादुर के नाम से बेहतर जाने गए) का औरंगजेब के उत्तराधिकारियों के साथ 8 साल तक कठोर, यद्यपि असमान, संघर्ष चला। मुगलों ने विद्रोहियों का निर्दयता से दमन करने का प्रयास किया, क्योंकि पंजाब रणनीतिक रूप से महत्वपूर्ण था। कुछ समय के बाद, सिख समुदाय के अंदर मतभेद होने के कारण बंदा बहादुर की स्थिति कमजोर होने लगी थी। कुछ जाट जमींदार और खत्री राजस्व-किसान मुगलों के पक्ष में हो गए थे (उदाहरण के तौर पर, आगरा के चुरामन जाट)। 1716 में बंदा बहादुर को पकड़कर मार दिया गया। इससे भी सिखों का दमन नहीं हो सका, उन्होंने अंततः पंजाब में अपनी राजनीतिक शक्ति की स्थापना करने में सफलता प्राप्त की।
निम्नलिखित कारकों ने पंजाब में सिखों की राजनीतिक सर्वोच्चता में योगदान किया-

- 18वीं शताब्दी के प्रारंभिक दशकों में मुगल शाही सत्ता का कमजोर होना।
- 1739 से अफगान एवं प्रशियन आक्रमणों ने पंजाब में मुगल सत्ता को गंभीर रूप से दुर्बल बना दिया था।
- विदेशी आक्रमणों के बाद मराठों ने भी यहां चढ़ाई की और परिणामस्वरूप प्रांत में उथल-पुथल हुई। मराठों ने भी पंजाब पर नियंत्रण करने की कोशिश की।
- प्रांतीय प्रशासन में आंतरिक संघर्ष भी एक अन्य कारण था। 1726-1745 के दौरान जकारिया खान लाहौर का मुगल सूबेदार थास उसकी मृत्यु के बाद पंजाब में सूबेदारी के लिए उसके तीनों पुत्रों के बीच संघर्ष हुआ।

इन सभी कारकों ने 18वीं शताब्दी में पंजाब में ऐसी स्थिति बना दी, जिससे सिखों को सर्वोच्च शक्ति के रूप में उभरने का मौका मिला। मुगल साम्राज्य की विपत्ति सिखों के लिए एक लाभकारी अवसर साबित हुआ। नादिर शाह एवं अब्दाली के आक्रमण ने पंजाब में मुगल सत्ता को गंभीर रूप से कमजोर कर दिया था। 1761 में पानीपत के तीसरी युद्ध में अब्दाली के नेतृत्व में अफगानों ने मराठों को कुचल दिया था। इस प्रकार अफगानों के हाथों मुगल एवं मराठों की हार ने सिखों को पंजाब में उनकी स्थिति मजबूत करने का मौका दिया।

पंजाब से अब्दाली के जाने के बाद सिख संघों ने राजनीतिक निर्वात को भरना शुरू किया। 1765 एवं 1800 के मध्य उन्होंने पंजाब और जम्मू को अपने नियंत्रण में कर लिया था। इस प्रकार 1765 से सिखों की राजनीतिक शक्ति का धीरे-धीरे उत्थान देखा गया और 19वीं शताब्दी के प्रारंभ में एक स्वायत्त राज्य की स्थापना के साथ चरम पर पहुंचा।

लाहौर (पूर्व मुगल प्रांत) में संप्रभु सिख शासन का काल (1765-1845)

सिख संघ

मुगल दमन को देखते हुए सिखों ने स्वयं को अनेक छोटे गतिमान समूहों में संगठित किया। इन समूहों को जत्था और इसकी अध्यक्षता करने वाले को जत्थेदार कहा जाता था। 1765 के बाद अनेक छोटे जत्थों ने स्वयं को स्थानीय प्रधानों के नेतृत्व में 12 बड़े क्षेत्रीय संघों अथवा मिसलों में पुनर्संगठित किया। इनमें भंगी, रामगढ़िया, कन्हैया, सिंहपुरिया, अहलूवालिया और सुक्करचक्किया शामिल थे। बड़े स्तर पर पंजाब में राजनीतिक सत्ता विकेंद्रित रही और इस पूरे काल के दौरान यह सत्ता क्षैतिज रूप से वितरित रही। ऐसी स्थिति तब तक चलती रही जब तक कि सुक्करचक्किया मिसल के प्रधान रणजीत सिंह ने 18वीं शताब्दी के अंत में अधिक केंद्रीयकृत राज्य बनाने की कोशिश नहीं कर दी।

रणजीत सिंह के अधीन पंजाब (1801-1839)

18वीं शताब्दी के अंत में रणजीत सिंह के अधीन पंजाब शोहरत की बुलंदी को छूने लगा। रणजीत सिंह सुक्करचक्किया मिसल के नेता महान सिंह के बेटे थे। वे एक साहसी सैनिक, दक्ष प्रशासक और एक कुशल कूटनीतिज्ञ थे। उन्होंने सतलज से झेलम तक फैले हुए क्षेत्र को अपने नियंत्रण में लिया। **1799 में लाहौर और 1802 में अमृतसर को जीता।**

रणजीत सिंह

अंग्रेजों के साथ संघर्ष

जब सिख स्वयं को उत्तर में एक राजनीतिक शक्ति के रूप में स्थापित करने का प्रयास कर रहे थे, ठीक उसी दौरान अंग्रेजी कंपनी पूर्वी भारत में स्वयं को स्थापित करने का प्रयास कर रही थी। पूर्व में सर्वोच्च होने के बाद अंग्रेजों ने अपना ध्यान उत्तर में लगाया। इस प्रकार सिखों के साथ उनका संघर्ष अनिवार्य हो गया। 1809 में रणजीत सिंह ने ब्रिटिश ईस्ट इंडिया कंपनी के साथ अमृतसर की संधि की। इस संधि के शर्तों के अनुसार अंग्रेजों ने उसे पंजाब का अकेला संप्रभु शासक होने की मान्यता दी और उसे सतलुज के उत्तर में स्वतंत्र रूप से कार्य करने की अनुमति दी गई, जबकि ब्रिटिश का नियंत्रण सिस-सतलुज सिख राज्यों (cis-Sutlej Sikh States) पर स्थापित होगा। इस प्रकार रणजीत सिंह को सतलुज के दक्षिण में किसी भी प्रकार के प्रसार करने से रोक दिया गया।

सतलुज के उत्तर में प्रसार

बाद में, उसने **कश्मीर, पेशावर और मुल्तान** पर भी विजय हासिल की। इस प्रकार उसने अपना राज्य स्थापित किया। उसने भू-राजस्व व्यवस्था में कोई परिवर्तन नहीं किया और मुगल व्यवस्था को ही जारी रखा। कुल उत्पादन पर 50% की दर से भू-राजस्व लगाया जाता था। **शेर-ए-पंजाब** नाम से लोकप्रिय रणजीत सिंह एक कुशल प्रशासक थे। उन्होंने यूरोपियन प्रशिक्षकों की सहायता से यूरोपियन तर्ज पर अपनी सेना को आधुनिक बनाया। उनकी सेना सिखों तक सीमित नहीं थी, उसने गोरखा, बिहारी, उड़िया, पठान, डोगरा और यहां तक कि पंजाबी मुसलमानों को भी भर्ती किया था।

व्यक्तिगत रूप से, धार्मिक मुद्दों में रणजीत सिंह सहिष्णु और उदार थे। वे एक धर्मनिष्ठ हिन्दू थे, लेकिन उन्होंने हिंदू और मुस्लिम से जुड़ी पवित्रात्माओं को भी संरक्षण दिया था। फकीर अजीजुद्दीन और दीवान दीनानाथ उसके सबसे भरोसेमंद मंत्रियों में से एक थे।

1838 की त्रिपक्षीय संधि

अपने कूटनीतिक यथार्थवाद से रणजीत सिंह तात्कालिक रूप से ब्रिटिश अतिक्रमण से अपने राज्य को बचाने में सक्षम थे, लेकिन अपने शासन के शुरुआत में ही ब्रिटिश ने उन्हें एक त्रिपक्षीय संधि (1838) करने के लिए मजबूर कर दिया, जिसके अनुसार उन्हें पंजाब से निकलने के लिए ब्रिटिश सेनाओं को एक मार्ग देने के लिए सहमत होना पड़ा, ताकि काबुल के सिंहासन पर शाह शुजा को आसीन करने में आसानी हो सके।

1809 के बाद 1839 में रणजीत सिंह की मृत्यु तक, सिख और अंग्रेजों के बीच कोई बड़ा संघर्ष नहीं था। रणजीत सिंह के बड़े पुत्र खड़क सिंह एक अयोग्य उत्तराधिकारी साबित हुआ और 1839 में अचानक उसकी मृत्यु हो गई। खड़क सिंह के बेटे नौनिहाल की भी अपने पिता के अंतिम संस्कार से लौटते हुए अकस्मात मृत्यु हो गई। इस प्रकार पंजाब में एक

अराजकता की स्थिति उत्पन्न हुई। सत्ता के लिए एक तीव्र आंतरिक संघर्ष हुआ और अंग्रेज पंजाब को शीघ्र जीतने के लिए आगे बढ़े। 1845 में पहला आंग्ल-सिख युद्ध प्रारंभ हुआ और 1849 में ब्रिटिश ने अंततः पंजाब को कब्जे में कर लिया। इस प्रकार रणजीत सिंह की मृत्यु के एक दशक के अंदर शक्तिशाली सिख राज्य को ब्रिटिश साम्राज्य में मिला लिया गया।

सीस-सतलुज राज्य- इस शब्द (जो अब अप्रचलित हो चुका है) का उपयोग पहली बार 1809 में किया गया था, जब सतलुज के दक्षिण में बसे सिख प्रधानों को ब्रिटिश संरक्षण दिया गया। यह शब्द सामान्य तौर पर देश के दिल्ली क्षेत्र के उत्तर और सतलुज के दक्षिणी भाग को इंगित करता है।

जाट

18वीं शताब्दी में मुगल साम्राज्य की कमजोरी का लाभ उठाकर कुछ छोटे राज्य भी उत्तरी भारत में उभरे। जाट और अफगान ऐसे ही राज्य थे। जाट एक कृषक जाति थी, जो दिल्ली-आगरा क्षेत्र में बसे हुए थे। उन्होंने 17वीं शताब्दी के दूसरे भाग में जाट जमींदारों के नेतृत्व में औरंगजेब की शोषणकारी नीतियों के विरुद्ध विद्रोह कर दिया था। यद्यपि विद्रोह का दमन कर दिया गया था, लेकिन क्षेत्र में उथल-पुथल बनी रही। एक किसान विद्रोह होने के बावजूद जाट राज्य सामंतवादी बना रहा, जिसमें जमींदार मुख्य शक्ति बने रहे। सूरजमल के अधीन राजस्व की मांग मुगलों के समय से अधिक थी।

राजस्थान के भरतपुर में जाट राज्य की नींव चुरामन और बदन सिंह द्वारा रखी गई।

चुरामन (1695-1721)- चुरामन ने थून में एक शक्तिशाली किला बनाया और इस क्षेत्र में मुगल सत्ता को चुनौती दी। जब 1721 में जयसिंह द्वितीय के नेतृत्व में मुगल सेना ने उसके किले पर आक्रमण कर कब्जे में ले लिया, तो चुरामन ने आत्महत्या कर ली।

बदनसिंह (1721-1756)- चुरामन के भतीजे बदन सिंह ने अब जाटों का नेतृत्व अपने हाथों में लिया। उसने अपनी स्थिति को मजबूत किया और डीग, कुम्हेर, वेइर और भरतपुर में 4 किले बनवाए, भरतपुर राज्य को मजबूत किया।

सूरजमल या (सुजानसिंह, 1756 से 1763)- हालांकि, सूरजमल के नेतृत्व में जाट शक्ति अपने चरम पर पहुंची। वह एक साहसी सैनिक और योग्य प्रशासक थे। उसके राज्य उत्तर में दिल्ली से दक्षिण में चंबल तक, पश्चिम में आगरा से पूर्व में गंगा तक फैला, जिसमें **आगरा, मथुरा, मेरठ और अलीगढ़** के सूबे शामिल थे।

पानीपत के तीसरे युद्ध में सूरजमल की भूमिका

अफगान आक्रांता अब्दाली के विरुद्ध संघर्ष को मराठा द्वारा एक महान धार्मिक युद्ध का रूप दिया गया। पेशवा के एजेंटों ने समर्थन जुटाने के लिए प्रत्येक हिंदू राजकुमार के दरबार का भ्रमण किया, जिसमें सूरजमल भी शामिल थे। सदाशिव राव भाऊ के साथ एक बैठक के बाद सूरजमल ने अब्दाली के विरुद्ध युद्ध में मराठों का साथ देने का निर्णय लिया। शीघ्र ही अब्दाली के विरुद्ध अभियान की योजना को लेकर मतभेद उत्पन्न हुए और भाऊ ने सबसे शक्तिशाली हिंदू राजा को अपना शत्रु बना लिया, जो हर तरह से उनकी सहायता करने वाला था। अब्दाली ने इस अवसर का लाभ उठाने का सोचा और सूरजमल की सक्रिय सहयोग न सही, उसकी तटस्थता को सुनिश्चित करने का प्रयास किया। सूरजमल ने तटस्थता रखने की सहमति दी, लेकिन उसकी सहानुभूति निरंतर मराठों के साथ बनी रही।

मराठों की पराजय में राजा सूरजमल की तटस्थता एक महत्वपूर्ण कारण बनी। दिल्ली के आसपास का विशाल क्षेत्र निरंतर तहस-नहस करने से पूर्णतया नष्ट हो गया, संघर्ष के दौरान जहां अब्दाली रोहिलखंड से आपूर्ति के लिए निर्भर था, वही मराठा जाट राज्य पर निर्भर थे। अपने अहंकारी रवैये के कारण भाऊ को सारे संसाधन गंवाने पड़े और मराठों को पानीपत में खाली पेट लड़ना पड़ा।

हालांकि, जब बचे हुए मराठा पानीपत से भागकर जाट राज्य पहुंचे, तो जाटों ने राहत के लिए उन्हें भोजन, दवा और कपड़े दिए। यह सूरजमल की उदारता ही थी कि उनमें से कुछ मराठा नर्मदा को पार करके पेशवा तक पहुंच सके और पानीपत की दयनीय कहानी बता सके। अतः यह स्पष्ट है कि सूरजमल के अधीन जाटों ने पानीपत के युद्ध में सहभागिता नहीं की थी। हालांकि, उन्होंने लड़ाई के दौरान बचकर निकलने वाले मराठा सैनिकों और नागरिकों की पूरी सहायता की थी।

अपने स्थिर बुद्धि और स्पष्ट दूरदर्शिता के कारण सूरजमल को जाट जनजाति का प्लेटो कहा जाता था। हालांकि, उसका शासन संक्षिप्त था और उसकी मृत्यु नजीब-उद-दौला के नेतृत्व में रोहिल्लाओं से लड़ने के दौरान 25 दिसंबर 1763 को हुई। उसकी मृत्यु से जाट राज्य समाप्ति की ओर बढ़ गया।

अफगान (फर्रूखाबाद एवं रोहिलखंड)

अफगानिस्तान में राजनीतिक उथल-पुथल होने के कारण 18वीं शताब्दी के मध्य में फर्रूखाबाद एवं रोहिलखंड राज्यों में अफगानी लोगों का प्रवास बहुत तेजी से हुआ।

फर्रूखाबाद- फर्रुखसियर और मोहम्मद शाह के शासन के दौरान अफगानी मुहम्मद खान बंगाश (अहमद खान बंगाश) ने फर्रूखाबाद (वर्तमान अलीगढ़ और कानपुर के मध्य का क्षेत्र) पर अपना नियंत्रण स्थापित किया।

रोहिलखंड- इसी प्रकार एक अफगान (पठान) सैनिक दाऊद और उसके पुत्र अली मुहम्मद खान ने अपने लिए एक स्वतंत्र रियासत बनाई। अली मुहम्मद खान ने नादिरशाह के आक्रमण के बाद उत्तरी भारत में सत्ता के विघटन का लाभ उठाया और एक छोटे राज्य रोहिलखंड की स्थापना की। यह हिमालय की तलहटी में स्थित था और इसकी राजधानी पहले बरेली में आवंला थी और बाद में रामपुर बनी।

राजनीतिक रूप से आफगानों की भूमिका नकारात्मक थी। पानीपत के तीसरे युद्ध के दौरान रोहिल्ला और बंगाश, दोनों ने ही अहमद शाह अब्दाली की सहायता की थी। रोहिल्लाओं को भी इस क्षेत्र में अन्य शक्तियों के हाथों बुरे दौर से गुजरना पड़ा था, पहले जाट एवं अवध के शासकों द्वारा और बाद में मराठा एवं ब्रिटिश के द्वारा।

MYSORE,
The Dominions of CHICK DEO RAJA WADEYAR, 1704.

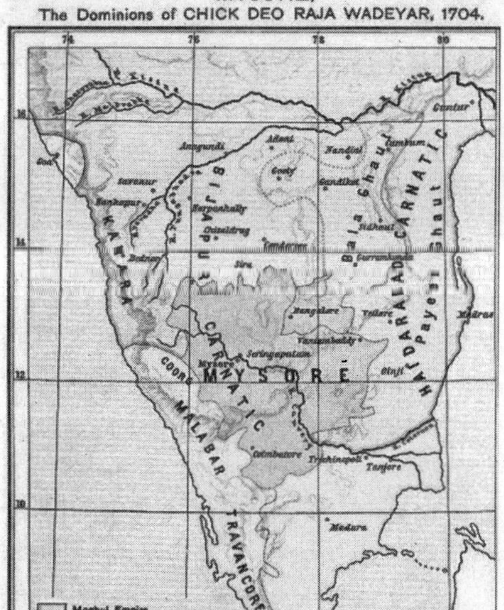

Justus Perthes, Gotha.

स्वतंत्र राज्यः मैसूर, केरल एवं राजपूत

स्वतंत्र राज्यों का एक तीसरा वर्ग भी था, जो न ही दिल्ली के विरुद्ध विद्रोह का और न ही उससे विभाजन का परिणाम था। उन्हें अतीत में पहले से ही बहुत स्वायत्तता थी और अब 18वीं शताब्दी में पूर्णतया स्वतंत्र हो गए।

मैसूर

मैसूर हैदराबाद के दक्षिण में पूर्वी और पश्चिमी घाट के संगम पर स्थित था। यह मूलतः 16वीं शताब्दी में विजयनगर साम्राज्य के एक वायसराय के अधीन था। विजयनगर साम्राज्य की समाप्ति के बाद से ही मैसूर राज्य अपनी स्वाधीनता बनाए हुए थे और नाममात्र के लिए ही मुगल साम्राज्य का भाग था।

18वीं शताब्दी के प्रारंभ में मैसूर पर वाडियार राजा **चिक्का कृष्णराज** का शासन था। उसके दो मंत्रियों, नंजराज (सर्वाधिकारी अथवा प्रधानमंत्री) और देवराज (दुलवाई या सेना अध्यक्ष), ने शक्ति अपने हाथों में ले ली थी और राजा को एक कठपुतली बना दिया था। 18वीं शताब्दी के मध्य हैदराबाद के बाद दक्षिण भारत में मैसूर दूसरी महत्वपूर्ण शक्ति के रूप में उभरा। मैसूर की नींव हैदर अली द्वारा रखी गई, जिसे बाद में उसके योग्य पुत्र टीपू सुल्तान द्वारा मजबूत किया गया।

हैदर अली (1761-82)

1721 में हैदर अली का जन्म हुआ। मैसूर सेना में उसने एक छोटे अधिकारी के रूप में अपना पेशा शुरू किया। यद्यपि वह अशिक्षित था, लेकिन उसके अंदर ऊर्जा व बुद्धिमत्ता अत्यधिक थी। 1761 में नंजराज को हराकर मैसूर राज्य में उसने अपनी सत्ता स्थापित की।

हैदर अली के अधीन प्रसार-

हैदर अली

- हैदर ने विद्रोही पोलिगरों (जमींदारों) पर अपना नियंत्रण स्थापित किया और बिदनुर, सुंडा, कनारा और मालाबार को जीता। हिंद सागर तक पहुंच बढ़ाने के लिए उसने मालाबार पर कब्जा किया।
- हैदर एक प्रसारवादी शासक था और स्वाभाविक रूप से उसका अन्य क्षेत्रीय शक्तियों के साथ संघर्ष हुआ, जिनमें मराठा, निजाम और अंग्रेज शामिल थे।
- उसने 1764, 1766 और पुनः 1771 में मराठों का सामना किया, क्योंकि पेशवा माधवराव के नेतृत्व में मराठा जल्दी अपने पुराने रूप में लौट चुके थे। हालांकि, 1772 में पेशवा की मृत्यु के बाद हैदर अली ने न केवल खोए हुए क्षेत्र प्राप्त किए, बल्कि उसने कृष्णा-तुंगभद्रा दोआब में स्थित अनेक क्षेत्रों को भी प्राप्त कर लिया था।
- 1769 में मद्रास के समीप अंग्रेजों को उसके द्वारा भारी पराजय झेलनी पड़ी।

हैदर की उल्लेखनीय उपलब्धि यह थी कि उसने इस बात को समझा कि एक शक्तिशाली राज्य का आधार केवल एक आधुनिक सेना ही हो सकती है। उसने फ्रांसीसी विशेषज्ञों को शामिल किया और उनकी सहायता से डिंडीगुल में एक आधुनिक शस्त्रागार स्थापित किया। उसने यूरोपियन तर्ज पर संगठनात्मक अनुशासन शुरू करने का एक प्रयास किया। उसने अपनी सेना रिसाला की व्यवस्था के माध्यम से संगठित की थी, जिसमें आदेश की एक स्पष्ट श्रृंखला शासक तक जाती थी। उसने धार्मिक सहिष्णुता को अपनाया और उसके कई मंत्री हिंदू थे।

द्वितीय आंग्ल-मैसूर युद्ध (1782) के दौरान हैदर की मृत्यु हुई और उसका स्थान उसके पुत्र टीपू सुल्तान ने लिया।

टीपू सुल्तान

टीपू सुल्तान (1782-99) - 18वीं शताब्दी के अन्य राज्यों से अलग टीपू सुल्तान ने अपनी स्वायत्तता का बलपूर्वक उद्घोष किया। 1787 में उसने पादशाह की उपाधि धारण की, मुगल सम्राट के निर्देश के बिना उसने सिक्कों पर अपना नाम जारी किया और खुतबा (मस्जिद में शुक्रवार का उपदेश) में सम्राट शाह आलम के नाम के स्थान पर अपना नाम अंकित कराया और यहां तक कि उसने एक नया पंचांग भी जारी किया। उसने अपने शासन को वैध बनाने के लिए तुर्क खलीफा से सनद (शाही आदेश) की भी मांग की। साथ ही उसने मुगल राजा के साथ संबंध को पूर्णतया समाप्त नहीं किया। यथार्थवादी होने के कारण उसने आवश्यकतानुसार मुगल सत्ता को मान्यता दी और उसको नकारा भी।

प्रशासक और शासक के रूप में टीपू सुल्तान सफल रहे और उन्होंने अपने समकालीन शासकों से प्रशंसा प्राप्त की। अपनी सत्ता पर किसी भी प्रकार के नियंत्रण न होने के बावजूद

उसने एक लापरवाह निरंकुश की तरह व्यवहार नहीं किया और अपनी जनता की प्रसन्नता और कल्याण के लिए कार्य किए। 18वीं शताब्दी के अन्य शासकों से कहीं अधिक टीपू सुल्तान ने दक्षिण भारत पर अंग्रेजों के द्वारा उत्पन्न होने वाले भय को पूर्णतया पहचान लिया था। तदनुसार, टीपू ने एक कुशल सैन्य बल को तैयार किया। उसने अपनी सेना को प्रशिक्षित करने के लिए फ्रांसीसी अधिकारियों को नियुक्त किया था और यहां तक कि एक फ्रांसीसी सैनिक दल को भी शामिल किया था। उसने 1796 के बाद एक आधुनिक नौसेना के निर्माण का भी प्रयास किया था।

आर्थिक रूप से, टीपू के अधीन मैसूर समृद्ध हुआ, तथापि समकालीन आर्थिक पिछड़ेपन से मुक्त नहीं था। उसने आधुनिक व्यापार और उद्योग के महत्व को समझ लिया था। वह अकेला भारतीय शासक था, जिसने इस बात को समझा कि सैन्य शक्ति की नींव आर्थिक शक्ति में ही है। अतः उसने अंतर्देशीय के साथ-साथ विदेशी व्यापार को भी प्रोत्साहित किया, लेकिन साथ में ही कठोर शासकीय नियंत्रण भी लगाया। उसने मैसूर राज्य में अनेक कंपनियां स्थापित कीं, जो व्यापक स्तर पर वस्तुओं जैसे- कागज, रेशमी कपड़ा, उपकरण औजार इत्यादि बनाती थीं। उसने विदेशी व्यापार को विकसित करने के लिए फ्रांस, तुर्की, ईरान और पेगू म्यांमार में दूत भेजे। उसने यूरोपियन कंपनी की तर्ज पर व्यापारिक कंपनियां भी स्थापित करने का प्रयास किया। उसने कृषि के आधुनिकीकरण के लिए कार्य किया और मैसूर में रेशम उत्पादन का कार्य प्रारंभ करवाया।

टीपू एक अन्वेषक और एक आधुनिकतावादी भी थे। उन्हें सीखने में बहुत उत्सुकता रहती थी और उनके पास अनेक विषयों पर किताबों से सजी एक पुस्तकालय भी थी। उन्होंने पाश्चात्य विचारों की सराहना की, जिसने उनके मस्तिष्क को पूर्वी रूढ़िवाद और उदासीनता से मुक्त कर दिया था। टीपू ने फ्रांसीसी क्रांति में उत्सुकता दिखाई थी। ऐसा माना जाता है कि उन्होंने श्रीरंगपट्टनम में **स्वतंत्रता का एक वृक्ष** लगवाया था। वह जैकोबिन क्लब के सदस्य बने थे और स्वयं को नागरिक टीपू के रूप में प्रस्तुत किया।

साम्राज्यवादी लेखकों ने टीपू को 'एक पवित्र व सरल दैत्य और एक धर्मांध राजा' के रूप में वर्णित किया है। यह विचार प्रत्यक्ष रूप से पक्षपाती है। श्रृंगेरी पत्रों से यह पता चलता है कि उसने मंदिर की मरम्मत और अन्य कार्यों के लिए धन दिया था और श्रीरंगपट्टनम किले के अंदर स्थित मंदिरों की पूजा में कभी हस्तक्षेप नहीं किया था।

टीपू ने मृत्युपर्यंत मैसूर का शासन किया। 1799 में चौथे-आंग्ल मैसूर युद्ध के दौरान अपनी राजधानी श्रीरंगपट्टनम की रक्षा करते हुए ब्रिटिश के हाथों उनकी मृत्यु हुई। 1799 में मैसूर के अंतिम समर्पण के पहले टीपू सुल्तान और हैदर अली ने ब्रिटिश के विरुद्ध चार युद्ध लड़े थे। मराठा, कर्नाटक के नवाब और हैदराबाद के निजाम समय-समय पर मैसूर शासक को अधीन करने के लिए ब्रिटिश के साथ जुड़े थे।

टीपू सुल्तान का प्रशासन - टीपू सुल्तान का शासन उस समय के अन्य शासनों के समान एक निरंकुश शासन था। सुल्तान स्वयं राज्य की सैन्य, असैन्य और राजनीतिक सत्ता का सर्वोच्च था। उसके प्रशासन में वजीर का कोई पद नहीं था। हालांकि 7 मुख्य विभाग थे और प्रत्येक का नेतृत्व एक मीर आसिफ के हाथों में था.

- मीरआसफ कचहरी- वित्त एवं राजस्व विभाग
- मीर मीरां कचहरी- सैन्य विभाग
- मलिकत-तुज्जार कचहरी- वाणिज्य विभाग
- मीर यम कचहरी- समुद्री विभाग
- मीर खजाइन कचहरी- कोष एवं टकसाल विभाग
- मीर सदर कचहरी- आयुध एवं किले की सुरक्षा हेतु राखी जाने वाली सेना से संबंधित विभाग

केरल

18वीं शताब्दी के प्रारंभ में केरल को बड़ी संख्या में प्रधानों और राजाओं में विभाजित किया गया था। सबसे प्रमुख चार राज्य कालीकट (जेमोरिन के अधीन), चिरक्कल, कोचिन और त्रावणकोर थे। सबसे दक्षिणी राज्य त्रावणकोर ने मुगल शासन से अपनी स्वाधीनता हमेशा बनाए रखी। 1766 में जब हैदर अली ने केरल पर आक्रमण किया एवं मालाबार और कालीकट पर कब्जा कर लिया, तब इसने मैसूर के प्रसार की दहशत का सामना भी किया, लेकिन त्रावणकोर को बख्श दिया था। त्रावणकोर राज्य की राजधानी शुरुआत में **पदमनाभपुरम** (1729-1795) थी, जिसे बाद में बदलकर **तिरुवनंतपुरम** (1795-1949) कर दिया गया था।

त्रावणकोर का उदय (1729 के बाद)-

- मार्तंड वर्मा- 1729 के बाद राजा मार्तंड वर्मा के नेतृत्व में त्रावणकोर अपने शिखर पर पहुंचा। उसने पश्चिमी तर्ज पर प्रशिक्षित आधुनिक सेना की सहायता से कन्याकुमारी से कोचीन तक अपना राज्य फैला लिया था। उसने डच को हराया और केरल में उनकी राजनीतिक शक्ति का अंत किया।
- राम वर्मा- उसके उत्तराधिकारी राम वर्मा एक विद्वान और रचनात्मक व्यक्ति थे। उन्हें पाश्चात्य ज्ञान भी थी। वे धाराप्रवाह अंग्रेजी बोलना जानते थे और नियमित रूप से लंदन, कलकत्ता व मद्रास में प्रकाशित होने वाले समाचार पत्रों को पढ़ते थे। त्रिवेंद्रम को विद्वता व कला का केंद्र बनाने में उनकी महती भूमिका थी। उसकी मृत्यु के बाद राज्य ने अपनी समृद्धि को गवां दी और जल्द ही ब्रिटिश दबाव के सामने घुटने टेक दिए व 1800 में एक रेजिडेंट स्वीकार कर लिया।

राजपूत

राजपूत योद्धा कुलों से थे, जिन्होंने राजस्थान और सौराष्ट्र में एक अपरिहार्य बहुमत से शासन किया। अकबर के समय से ही एक अप्रत्यक्ष शासन के द्वारा राजपूत प्रधानों का संरक्षण मुगल सम्राट द्वारा किया गया था। वे सम्राट की अधीनता के एक प्रतीक के रूप में वार्षिक पेशकश का भुगतान करते थे और आंतरिक प्रशासन में स्वायत्तता का उपभोग करते थे। उनमें से अनेक को मुगल सेना में उच्च सैन्य पद दिए गए थे। इस प्रकार उन्होंने साम्राज्य की शक्ति को बढ़ाने में योगदान दिया और बदले में उन्हें उनके राज्य में स्वयं को मजबूत करने की सहायता मिली।

मुगलों के साथ संबंध- 18वीं शताब्दी में मुगल और राजपूतों के बीच प्रेम व नफरत, दोनों को देखा जा सकता है। राजपूत शासक पतनशील मुगल साम्राज्य का लाभ उठाने में पीछे नहीं रहे। बिपिन चंद्र के अनुसार राजपूतों में स्वतंत्रता की इच्छा औरंगजेब के शासन में उनके साथ हुए कठोर व्यवहार के कारण उत्पन्न हुई। औरंगजेब ने राजस्थान में अनेक क्रूर अभियान चलाए थे। उसने धार्मिक असहिष्णुता का व्यवहार किया और जजिया को पुन: लगाया था। इस प्रकार औरंगजेब के काल में राजपूतों के मन में मुगल शासन के प्रति नफरत उत्पन्न हुई, जबकि इससे पहले राजपूत मुगलों के सबसे महत्वपूर्ण भाग थे।

शेखर बंदोपाध्याय लिखते हैं कि औरंगजेब ने राजपूत सरदारों के विरुद्ध भेदभाव नहीं किया था, लेकिन वह मेवाड़ के निरंतर क्षेत्रीय प्रसार को सहन नहीं कर सकता था। परिस्थिति तब और खराब हो गई, जब मारवाड़ के उत्तराधिकार में उसने हस्तक्षेप किया। औरंगजेब ने अजीत सिंह (मारवाड़ के राणा जसवंत सिंह के मरणोपरांत पुत्र) को राणा के रूप में मान्यता देने से मना कर दिया था। उसके स्थान पर उसने इंदर सिंह राठौर (जसवंत सिंह का भतीजा) को राणा बनाया। परिणामस्वरूप, मारवाड़ के अजीत सिंह ने विद्रोह किया और मेवाड़ ने उसकी सहायता की।

मुगल विरोधी-लीग (1708) - 1708 में सम्राट बहादुरशाह ने जोधपुर की ओर मार्च किया और अजीत सिंह को झुकने पर मजबूर कर दिया। इसके विरोध में एक मुगल-विरोधी लीग का गठन हुआ, जिसका नेतृत्व अजीत सिंह, जय सिंह द्वितीय और दुर्गादास राठौर (जसवंत सिंह के एक वरिष्ठ अधिकारी) द्वारा किया गया। उन्होंने धीरे-धीरे दिल्ली के साथ संबंध को ढीला करने की नीति अपनाई और व्यवहार में स्वतंत्र राज्यों के रूप में कार्य करना शुरू किया। उन्होंने दिल्ली में सत्ता के लिए संघर्ष में सहभागिता की और लाभप्रद सूबेदारी प्राप्त की।

हालांकि, राजपूत शासक आपस में विभाजित बने रहे और उनमें से कोई भी इतना शक्तिशाली नहीं हुआ कि मराठा या अंग्रेजों को चुनौती दे सके।

जयसिंह द्वितीय अथवा राजा सवाई जय सिंह (1699–1743)

उस समय के सबसे शक्तिशाली राजपूत प्रधान अंबेर के राजा सवाई जय सिंह थे, जिन्होंने 1699 से 1743 तक जयपुर पर शासन किया। वे एक विशिष्ट राजनीतिज्ञ और सुधारक थे। विज्ञान में उनकी रुचि उनके व्यक्तित्व का सबसे विशिष्ट पक्ष था, विशेषकर ऐसे समय में जब भारतीय लोग वैज्ञानिक प्रगति की गुमनामी में थे।

जयसिंह ने जयपुर शहर की स्थापना की और इसे विज्ञान व कला का एक केंद्र बनाया। जयपुर शहर-योजना पर आधारित वैज्ञानिक ढंग से बना हुआ एक शहर है। जयसिंह एक महान खगोलशास्त्री भी थे। उन्होंने दिल्ली, जयपुर, उज्जैन, वाराणसी और मथुरा में वेधशालाओं का निर्माण कराया। उनमें रखे कुछ उपकरण तो उनके स्वयं के आविष्कार थे। उन्होंने जयमिति और त्रिकोणमिति पर अनेक महत्वपूर्ण पाठ तैयार करवाए, जिसमें यूक्लिड की 'एलिमेंटस ऑफ ज्योमेट्री' भी शामिल थी।

जयसिंह एक समाज सुधारक भी थे। उन्होंने राजपूतों द्वारा उनकी बेटियों की शादी में किए जाने वालें अत्यधिक खर्च को कम करने का प्रयास किया।

निष्कर्ष

इस प्रकार हम देखते हैं कि क्षेत्रीय शक्तियां मुगलों का स्थान लेने में अक्षम थीं और एक अखिल भारतीय राज व्यवस्था के लिए उनके पास पर्याप्त स्रोत नहीं थे। क्षेत्रीय शक्तियां सामान्य आर्थिक विकासहीनता को नहीं बदल सकते थे, जो मुगल अर्थव्यवस्था में आ चुकी थीं। कृषि से होने वाली आय में कमी होने से जागीरदारी संकट बढ़ने लगा। परिणामस्वरूप, अनेक क्षेत्रीय शक्तियों ने आंतरिक और बाहरी व्यापार को संरक्षित करने के लिए अथक प्रयास किए।

सतीश चंद्र का तर्क है कि 18वीं शताब्दी में सामाजिक-आर्थिक स्थिरता (गतिहीनता) का सामान्यीकरण करके बात करना गलत है। उन्होंने उस समय की आर्थिक विभिन्नता पर ध्यान केंद्रित किया है। प्रांतों में नए धन और सामाजिक शक्ति का सृजन हुआ था, जो केंद्रीय मुगल शक्ति के पतन का परिणाम था। इन क्षेत्रों के पर्याप्त स्रोतों नें वास्तव में अंग्रेजों और अन्य यूरोपीय व्यापारियों को आकर्षित किया था और उपमहाद्वीप में सर्वोच्चता के लिए उनके बीच प्रतिस्पर्धा शुरू हुई।

क्षेत्रीय राज्यों की सबसे बड़ी कमजोरी उनका वैज्ञानिक पिछड़ापन था, उन्होंने उद्योग और व्यापार को आधुनिक बनाने का बहुत कम प्रयास किया। इन पिछड़े क्षेत्रीय राज्यों ने आसानी से ब्रिटिश व्यवस्था के सामने अपने घुटने टेक दिए थे।

18वीं शताब्दी का भारत: आर्थिक एवं सामाजिक परिस्थितियां

(ब्रिटिश विजय की पूर्व संध्या पर भारतीय अर्थव्यवस्था और समाज)

सामाजिक और आर्थिक उन्नति की बात की जाए, तो 18वीं शताब्दी का भारत एक पर्याप्त गति के साथ उन्नति करने में असफल रहा। भारत एक अंतर्विरोधों का देश था, जहां अत्यधिक गरीबी और अत्यधिक संपन्नता दोनों ही थीं। जहां एक ओर सामान्य जनता दरिद्र, पिछड़ी और शोषित थी, वहीं दूसरी ओर अमीर और शक्तिशाली लोग विलासिता और प्रचुरता का जीवन जी रहे थे। हालांकि, सामान्य तौर पर देखा जाए तो उस समय जनता का जीवन ब्रिटिश शासन के 100 वर्षों के बाद हुए जीवन से बेहतर था। 18वीं शताब्दी में जनता के सामाजिक व आर्थिक जीवन को निम्नलिखित शीर्षकों में समझा जा सकता है:

आर्थिक परिस्थितियां

ग्राम अर्थव्यवस्था

- आत्मनिर्भर, स्वशासित ग्राम समुदाय - 18वीं शताब्दी के प्रारंभ में भारतीय अर्थव्यवस्था की आधारभूत इकाई आत्मनिर्भर स्वशासित ग्राम समुदाय था, जो अपनी स्थानीय आवश्यकताओं के लिए लगभग सब कुछ (शायद कुछ वस्तुएं जैसे नमक और लोहा छोड़कर) उत्पादन करती थी।
- कृषि एवं हस्तशिल्प उद्योग - ये दो उद्योग घनिष्ठता से जुड़े हुए थे। जहां एक ओर किसान फसल उगाते थे, वही उनके परिवार के लोग आवश्यक वस्तुओं का उत्पादन करने के लिए कातने, बुनने और अन्य सहायक या गौण कार्य करते थे। अन्य सेवाएं कारीगरों जैसे- बढ़ई, कुम्हार, सुनार, लोहार और अन्यों के द्वारा प्राप्त करते थे, जो बदले में फसल का कुछ भाग प्राप्त करते थे। हस्तशिल्प उच्च स्तरीय विकास की ओर बढ़ा और उसकी बहुत मांग थी।
- कृषक संरचना - भूमि में निजी संपत्ति की अवधारणा का अब तक विकास नहीं हुआ था। गांव में भूमि प्रचुर थी और उस पर सामूहिक रूप से कृषि करने वाली समुदाय का अधिकार था, प्रत्येक परिवार का कृषि योग्य भूमि में भाग होता था। कार्ल मार्क्स ने इस प्रकार के भूमि के सामूहिक स्वामित्व को साम्यवाद के भारतीय स्वरूप के रूप में व्याख्या की है। भूमि के स्वामित्व से जुड़े विभिन्न वर्गों को कुछ निश्चित अधिकार थे। वास्तविक किसानों को जोतने का अधिकार था और उन्हें कार्यकाल की सुरक्षा दी गई थी, बशर्ते अधिक मात्रा होने पर उत्पादन के एक निश्चित भाग का भुगतान किया जाना था। भू-राजस्व का संग्रह गांव के मुखिया या पाटिल द्वारा किया जाता था और नवाब या शासक को पहुंचाते थे। राज्य की राजस्व मांग छठवें भाग से लेकर एक तिहाई तक होती थी। भूमि से जुड़े अन्य मुद्दों और विवादों का ग्राम पंचायत के साथ विमर्श करके पाटिल द्वारा सुलझाया जाता था।
- स्वशासन- गांव भी स्वशासित थे। ग्राम पंचायत ग्रामीण मुद्दों का प्रशासन और विवादों का निपटारा करती थीं। स्थानीय मुखिया अथवा सूबेदार दिन प्रतिदिन के ग्रामीण मुद्दों में हस्तक्षेप नहीं करते थे और स्वयं को गांव की फसलों में एक भाग के दावे तक सीमित रखते थे। इस प्रकार राज्य का गांव के साथ मुख्य संबंध भू-राजस्व के भुगतान से जुड़ा था। यद्यपि शासक और वंश निरंतर परिवर्तित होते रहे, लेकिन ग्रामीण जीवन ज्यों का त्यों चलता रहा और इस परिवेश को कार्ल मार्क्स द्वारा एशियाई समुदायों की अपरिवर्तनीयता कहा गया है।
- गतिहीनता या विकासहीनता- ग्रामीण समुदायों के अपरिवर्तनीय चरित्र एक तरफ सामाजिक-आर्थिक स्थिरता, तो दूसरी तरफ विकासहीनता के लिए उत्तरदायी था। कृषि तकनीकी रूप से पिछड़ी और गतिहीन थी। यद्यपि किसानों का उत्पादन बाकी समाज के लिए आधार था, तथापि उसका स्वयं का प्रतिफल अपर्याप्त था। किसानों को राज्य, जमींदारों और राजस्व किसानों को अत्यधिक धनराशि का भुगतान करना होता था। ग्रामीण समुदायों का अलगाव भारतीय हस्तशिल्प के बड़े बाजारों के निर्माण में बाधा थी। जाति आधारित सामाजिक-आर्थिक संरचना व्यक्ति और श्रम की थोड़ी गतिशीलता को ही सहमति देती थी। राष्ट्रीय चेतना के विकास में राजनीतिक उदासीनता एक बाधा की तरह कार्य करती थी। इसके परिणामस्वरूप, भारतीय ग्राम गतिहीनता का एक चित्र प्रस्तुत करते थे, जो दुनिया भर में हो रहे सभी आधुनिक भारतीय वैज्ञानिक विकासों से अछूते थे।

शहरी अर्थव्यवस्था

- यद्यपि, आर्थिक गतिहीनता जारी रही, तथापि भारत उत्पादकों की भूमि बनी रही और भारतीय उत्पादक दुनिया भर में प्रसिद्ध थे। यद्यपि शहरी अर्थव्यवस्था एक बेहतर चित्र प्रस्तुत करती थी, तथापि शहरी केंद्र (जहां उद्योग स्थित थे) और ग्रामीण केंद्र (जो कच्चे माल की आपूर्ति करते थे) के बीच कोई स्पष्ट विभाजन नहीं था। भारत में औद्योगिक उत्पादन बड़े स्तर पर एक ग्रामीण आधारित गतिविधि बनी रही।

भारतीय उद्योग की स्थिति

- वस्त्र उद्योग- सूती कपड़ा सबसे महत्वपूर्ण उत्पाद था, जिसका लगभग पूरे भारत में उत्पादन होता था। बंगाल (ढाका, मुर्शिदाबाद), गुजरात (अहमदाबाद, सूरत, भरूच), आंध्रा (मसूलिपटनम, औरंगाबाद, विशाखापट्टनम) के सूती वस्त्र, मुर्शिदाबाद, लाहौर और आगरा के रेशमी कपड़े; आगरा, लाहौर और कश्मीर के ऊनी शॉल और कारपेट की भारत के साथ-साथ विदेशों में भी मांग थी।
- अन्य कृषि आधारित उद्योग - रेशम एवं सूती कपड़े के अलावा रंगाई करने वाले पदार्थ विशेषकर नील और शकर अगले महत्वपूर्ण व्यवसायिक औद्योगिक उत्पाद थे। प्रमुख कृषि आधारित उद्योगों में तेल, तंबाकू, अफीम और मादक पेय शामिल थे।
- खनन एवं जहाज निर्माण- यद्यपि खनन अपर्याप्त रूप से विकसित था, तथापि भारत लोहे में आत्मनिर्भर था। जहाज-निर्माण एक महत्वपूर्ण और विकासशील उद्योग था।
- विलासिता के सामान- उच्च स्तरीय विलासिता के सामान भी उत्पादित होते थे, जिनका अमीरों द्वारा बड़े स्तर पर उपभोग किया जाता था।
- उत्पादन के केंद्र - कुछ अन्य महत्वपूर्ण उत्पादन के केंद्रों में पटना (बिहार), चंदेरी एवं बुरहानपुर (मध्य प्रदेश), जौनपुर, वाराणसी, लखनऊ (उत्तर प्रदेश); मुल्तान, लाहौर (पंजाब); बेंगलुरु, कोयंबटूर एवं मदुरई (दक्षिण भारत) शामिल थे। उभरते हुए भारतीय शहरों ने भी स्वयं की बैंकिंग व्यवस्था विकसित की, जिसमें श्रॉफ, महाजन व अन्य शामिल थे।
- आर्थिक गतिहीनता - यद्यपि कृषि और शिल्प उद्योगों में भारत आत्मनिर्भर था, तथापि कुछ समीक्षकों ने अनुभव किया है कि ब्रिटिश राज से पहले औद्योगिक क्षेत्र गतिहीन और तकनीकी रूप से पिछड़ा हुआ था और कृषि एवं शिल्प उद्योग से जुड़े उत्पादन में समग्र रूप से अवनति की प्रवृत्ति थी। हालांकि, यह अवनति ब्रिटिश राज में 18वीं और 19वीं शताब्दी में इससे कहीं अधिक थी।

भारतीय व्यापार की स्थिति

- व्यापार का अनुकूल संतुलन- चूंकि भारत खाद्य उत्पादन और हस्तशिल्प में आत्मनिर्भर था, इसलिए बड़े स्तर पर वस्तुओं का आयात नहीं करना होता था। इसके विपरीत यहां के कृषि और औद्योगिक उत्पादों की विदेशी बाजार में बड़ी मांग थी। 17वीं शताब्दी में भारतीय सूती कपड़ा पश्चिमी देशों में किया जाने वाला सबसे महत्वपूर्ण एशियाई निर्यात था। इस प्रकार भारत आयात से अधिक निर्यात करता था और व्यापार संतुलन भारत के हित में था।
- बुलियन का अन्तर्वाह- भारतीय सूती वस्त्र उद्योग में उल्लेखनीय वृद्धि ने खरीददार देशों से भारत में बुलियन (सोना-चांदी) के प्रवाह को सुनिश्चित किया। उस समय यूरोप के साथ भारतीय व्यापार एशिया और शेष विश्व के बीच मूल्य-अंतर पर आधारित था। यूरोपियन व्यापारी भारतीय वस्तुओं को कम कीमत पर खरीदते थे और उन्हें यूरोप, अफ्रीका और अन्य नए विश्व बाजारों में कहीं अधिक कीमत पर बेचते थे। चूंकि भारत में यूरोपीय वस्तुओं के लिए कोई मांग नहीं थी, इसलिए भारतीय वस्तुओं का क्रय बुलियन भुगतान द्वारा होता था।
- व्यापारियों और बैंकरों का उदय-उन्नत व्यापार पूंजीपतियों और बैंकरों को अस्तित्व में लाया, जिन्होंने व्यापार और वाणिज्य को आगे और प्रोत्साहित किया। वास्तव में, 18वीं शताब्दी के प्रारंभ में भारत विश्व व्यापार और उद्योग के मुख्य केंद्रों में से एक था।
- निर्यात की मुख्य वस्तुएं - निर्यात में सूती वस्त्र, रेशम, नील, चावल, गेहूं, शकर, मसाले, कीमती पत्थर, दवा और शोरा शामिल थे।
- आयात के प्रमुख सामान

- अरब की खाड़ी से मोती, रेशम, ऊन, सूखे मेवे, गुलाब जल और खजूर
- अरब से कॉफी, सोना, दवा, शहद
- चीन से चाय, शकर, रेशम और चीनी मिट्टी
- तिब्बत से सोना, कस्तूरी
- इंडोनेशिया से मसाले, इत्र और शक्कर
- अफ्रीका से हाथी दांत और दवा
- यूरोप से ऊनी कपड़े, धातु व कागज

महीन मलमल रेशम पहने हुए एक बंगाली महिला, 18वीं शताब्दी

- विघटन - हालांकि, 18वीं शताब्दी में मुगल साम्राज्य के राजनीतिक विघटन ने आर्थिक विघटन भी ला दिया था। क्षेत्रीय शक्तियों के बीच निरंतर युद्ध और संघर्ष से आर्थिक गतिविधियों को नुकसान हुआ। प्रत्येक छोटा और विशाल शासक अपने क्षेत्र से होकर गुजरने वाली वस्तुओं पर भारी शुल्क लगाकर अपनी आय को बढ़ाने की कोशिश करता था। अनेक व्यापारिक केंद्रों को विदेशी आक्रमणकारियों द्वारा भी लूटा गया और यूरोपीय व्यापारिक कंपनियों ने भारतीय राजनीति में हस्तक्षेप करना शुरू कर दिया था।

आक्रमणकारियों द्वारा लूटे गए व्यापारिक केंद्रों के उदाहरण

- नादिर शाह द्वारा दिल्ली को लूटा गया।
- अब्दाली द्वारा लाहौर, दिल्ली और मथुरा को लूटा गया।
- जाटों द्वारा आगरा को लूटा गया।
- मराठों द्वारा गुजरात और दक्कन को लूटा गया।
- सिखों द्वारा सरहिंद को लूटा गया।

18वीं शताब्दी में भारत के मुख्य औद्योगिक उत्पाद- भारत सूती एवं रेशम वस्त्रों का बड़े स्तर पर उत्पादन करता था, साथ मे डाई, शक्कर, तेल, तंबाकू, अफीम, अल्कोहल, जूट, हाथी दांत, जहाज, लोहा, अन्य खनिज और धातु उत्पाद (जैसे- सोना और चांदी के आभूषण, हथियार, ढाल इत्यादि) एवं उच्च स्तरीय विलासिता के सामान का उत्पादन करता था।

सामाजिक परिस्थितियां (Social Conditions)

18वीं शताब्दी की राजनीतिक उथल-पुथल के बावजूद जनता का सामाजिक जीवन परंपरागत बना रहा।

सामाजिक स्तरीकरण या विभाजन- सामाजिक व्यवस्था के उच्च शिखर पर सम्राट था और उसके बाद कुलीन वर्ग। शांति काल के समय वे विलासिता का जीवन व्यतीत करते थे। मध्यम वर्गों में व्यापारी, दुकानदार इत्यादि शामिल थे। समाज के सबसे निचले पायदान पर बड़ी संख्या में गरीब किसान और शिल्पकार शामिल थे। समाज धर्म, क्षेत्र, जनजाति, भाषा और जातियों में बंटा हुआ था। वास्तव में, जाति हिंदुओं के सामाजिक जीवन का केंद्रीय पक्ष थी। यद्यपि इस्लाम सामाजिक समानता का उपदेश देता है, तथापि वे भी वर्ग और जाति में बंटे हुए थे। कई मायनों में न केवल शिया और सुन्नी, बल्कि ईरानी, अफगानी, तुर्रानी और हिंदुस्तानी मुस्लिम भी एक दूसरे से अलग थे।

महिलाओं की स्थिति - परिवार व्यवस्था मुख्य रूप से पितृसत्तात्मक थी और परिवार के पुरुष मुखिया की इच्छा सामान्यता सबसे ऊपर होती थी। यद्यपि ऐसी महिलाओं के उदाहरण मिलते हैं, जिन्होंने राजव्यवस्था अथवा कला में महत्वपूर्ण भूमिका निभाई थी, तथापि महिलाओं की स्थिति निश्चित तौर पर समानता की नहीं थी। बाल विवाह, दहेज और पर्दा-प्रथा जैसी कुप्रथाएं व्याप्त थीं। वास्तव में, जाति व्यवस्था, सती प्रथा और विधवाओं की बुरी स्थिति 18वीं शताब्दी के भारत की सबसे बड़ी सामाजिक बुराइयां थीं।

दासता- दास प्रथा उस समय की एक अन्य सामाजिक बुराई थी। यूरोपीय यात्रियों और प्रशासकों ने भारत में व्याप्त दासता की इस प्रथा को प्रतिवेदित किया है। अत्यधिक गरीबी और प्राकृतिक आपदाओं ने कुछ को अपने बच्चे बेचने पर मजबूर कर दिया था। हालांकि, भारत में दासों के साथ अमेरिका और यूरोप में रहने वाले दासों की अपेक्षा बेहतर व्यवहार किया जाता था। उन्हें सामान्य तौर पर वंशानुगत सेवकों के रूप में देखा जाता था। वे आपस में विवाह कर सकते थे और उनके बच्चों को स्वतंत्र नागरिक समझा जाता था। यूरोपियों के भारत में आगमन के साथ भारत में दास व्यापार को नया आयाम मिला। यूरोपीय कंपनियां बंगाल, असम और बिहार के बाजारों से दासों को खरीदकर उन्हें अमेरिका व यूरोप के बाजारों में बेचतीं थीं। 1789 में दासों की तस्करी को उद्घोषणा के द्वारा समाप्त कर दिया गया, यद्यपि विभिन्न रूपों में यह लंबे समय तक बनी रही।

शिक्षा का स्थिति- 18वीं शताब्दी में भारत में प्रचलित शिक्षा व्यवस्था परंपरागत, अप्रगतिशील और पश्चिम देशों में हो रहे आधुनिक विकासों से अछूती थी। भारतीय शिक्षा का विचार सांस्कृतिक था, न कि शैक्षिक इसके साथ ही शिक्षा को धर्म से जोड़ा गया था। व्यवसायिक शिक्षा वर्ण अथवा पारिवारिक परंपरा के अनुसार दी जाती थी।

- **प्राथमिक शिक्षा** काफी प्रसारित थी, यद्यपि यह उच्च जाति के पुरुषों तक सीमित थी। प्राथमिक विद्यालयों को पाठशाला अथवा मकतब कहा जाता था और उन्हें अक्सर मंदिरों अथवा मस्जिदों से जोड़ दिया जाता था। विद्यालय के पाठ्यक्रम में पढ़ना, लिखना और अंकगणित के साथ-साथ नैतिक व धार्मिक शिक्षा शामिल थी। विज्ञान और तकनीक के अध्ययन को शामिल नहीं किया गया था।
- **उच्च शिक्षा** केंद्रों को चतुसपाठी अथवा तोल (संस्कृत के लिए) और मदरसा (फारसी एवं अरबी के लिए) कहा जाता था। फारसी दरबार की भाषा थी, जिसे मुस्लिम के साथ-साथ हिंदुओं द्वारा भी सीखा जाता था। फ्रांसीसी यात्री बरनियर ने काशी या बनारस को **भारत का एथेंस** कहा है।
- **साक्षरता**- उल्लेखनीय है कि साक्षरता उतनी ही थी, जितनी ब्रिटिश के अधीन बाद में थी। एक अच्छी बात यह थी कि समाज में शिक्षकों की प्रतिष्ठा उच्चकोटि थी।

हिंदू-मुस्लिम संबंध- 18वीं शताब्दी में हिंदू और मुस्लिम के बीच मित्रवत संबंध थे। वे एक दूसरे के धर्म का सम्मान करते थे और धार्मिक सहिष्णुता से काम लेते थे। यह विशेष तौर पर गांव और शहरों में रहने वाले आम लोगों के बीच सत्य था, जहां सामाजिक व सांस्कृतिक कार्य में हिंदू और मुस्लिम एक-दूसरे के साथ सहयोग करते थे।

कला एवं संस्कृति- सांस्कृतिक रूप से भी क्षय के चिन्ह मिलते हैं। यह पूर्णतया परंपरावादी बनी रही। सबसे अधिक पतन कला के क्षेत्र में देखा गया, जो राजाओं और कुलीनों के संरक्षण पर निर्भर था (उदाहरणस्वरूप, मुगल शिल्प और चित्रकला) तथापि 18वीं शताब्दी को अंधकार का युग नहीं कहा जा सकता। दिल्ली के पतन के साथ प्रतिभा नए राज्यों की राजधानियों जैसे- हैदराबाद, लखनऊ, मुर्शिदाबाद और जयपुर की ओर मुड़ गई थी। सांस्कृतिक निरंतरता आगे भी बनी रही और स्थानीय परंपराएं निरंतर विकसित होती रहीं।

- स्थापत्य कला के क्षेत्र में
  - जयपुर: सवाई जयसिंह ने प्रसिद्ध गुलाबी शहर जयपुर का निर्माण करवाया। उन्होंने जयपुर, दिल्ली, बनारस, मथुरा और उज्जैन में पांच खगोलीय वेधशालाओं का भी निर्माण कराया।
  - लखनऊ में आसफ उद्दौला ने 1784 में बड़ा इमामबाड़ा (मुहर्रम पर्व मनाने के लिए) का निर्माण कराया।
  - अमृतसर: महाराजा रणजीत सिंह ने सिख मंदिर का नवीनीकरण कराया और उसके बाहरी भाग को सोने की एक पतली परत से सजाया व उसे स्वर्ण मंदिर का नाम दिया।
  - केरल: अपनी अद्भुत स्थापत्य कला और भित्ति चित्र की चित्रकारी के लिए प्रसिद्ध पदमनाभपुरम महल बनवाया गया।

- साहित्य के क्षेत्र में
  - उर्दू भाषा और काव्य का तेजी से प्रसार होना 18वीं शताब्दी की एक महत्वपूर्ण विशेषता थी। इसी काल में प्रसिद्ध उर्दू कवि जैसे- मीर, सौदा, नजीर और मिर्जा गालिब का उद्भव देखा गया।
  - हिंदी, पंजाबी, मराठी, बंगाली, असमी और तेलुगु जैसी देशी भाषाओं का इस काल में बहुत विकास हुआ। दक्षिण भारत में त्रावणकोर के शासक मार्तंड वर्मा और राम वर्मा के संरक्षण में मलयालम साहित्य को पुनर्जीवन मिला। कंचन नांबियार केरल के महान कवियों में से एक हुए। कथकली साहित्य, नृत्य और नाटक इस काल के दौरान पूर्णता विकसित हुआ देखा गया। कुछ प्रसिद्ध सिंधी कवियों में शाह अब्दुल लतीफ, सचल और शमी शामिल थे। लतीफ ने कविताओं के प्रसिद्ध संग्रह रिसालो की रचना की। वारिस शाह ने पंजाबी में प्रसिद्ध रूमानी उपन्यास हीर-रांझा लिखा। असम में अहोम राजाओं के संरक्षण में साहित्य विकसित हुआ। गुजरात से दयाराम एक महान गीतकार हुए।

इस प्रकार हम देखते हैं कि 18वीं शताब्दी का भारत परंपरागत दृष्टिकोण और गतिहीनता का चित्र प्रस्तुत करता है। वह पश्चिम की वैज्ञानिक, सांस्कृतिक, राजनीतिक और आर्थिक उपलब्धियों से पूर्णतया अनभिज्ञ था। हालांकि, आधुनिक तर्ज पर विकास के लिए कुछ परिस्थितियां मौजूद थीं, लेकिन ऐसे विकास को राजनीतिक अस्थिरता, सामंतवादी समाज और यूरोपीय कंपनियों की उपस्थिति के कारण धक्का लगा। भारतीय जीवन और समाज की सबसे बड़ी कमजोरी विज्ञान के क्षेत्र में थी। यही कमी उस समय के सबसे आधुनिक देश के द्वारा भारत को पूर्णतया गुलाम बनाने का एक महत्वपूर्ण कारण बनी।

बड़ा इमामबाड़ा

अध्याय

3

ब्रिटिश सर्वोच्चता का उदय: पृष्ठभूमि (यूरोप में साम्राज्यवाद का उदय एवं भारत में यूरोपियों का आगमन)

- यूरोप में पूंजीवाद और साम्राज्यवाद का उद्भव
  - यूरोप में सामाजिक-आर्थिक परिवर्तन (14वीं शताब्दी से)
    - यूरोपीय सामंती संकट (14वीं शताब्दी)
    - पुनर्जागरण एवं सुधारवाद (14वीं से 16वीं शताब्दी)
    - भौगोलिक खोजें और उपनिवेशवाद (15वीं शताब्दी)
    - वणिक पूंजीवाद (16वीं एवं 17वीं शताब्दी)
    - संगठित व्यापार का उद्भव: संयुक्त स्टॉक कंपनियां.एवं चार्टर कंपनियां (17वीं शताब्दी)
    - वणिकवाद (17वीं शताब्दी)
    - वैज्ञानिक विचार एवं औद्योगिक क्रांति (18वीं शताब्दी)
- यूरोपियों का आगमन (15वीं शताब्दी से)
  - पुर्तगाली
  - डच (नीदरलैंड/हॉलैंड)
  - अंग्रेज
  - डेन
  - फ्रांसीसी
- यूरोपीय व्यापार का स्वरूप

18वीं शताब्दी के भारतीय राजव्यवस्था की तीसरी विषय भारत में ब्रिटिश सर्वोच्चता का उदय थी। इसने भारत के इतिहास में एक नए चरण का आरंभ किया। आपकी सुविधा के उद्देश्य से इस विषय को दो अध्यायों में बांटा गया हैस इस अध्याय में आप समझेंगे कि क्यों और कैसे ब्रिटिश भारत आए। अगले अध्याय में आप इस बात से परिचित होंगे कि कैसे ब्रिटिश ने अपना प्रभाव स्थापित किया।

यूरोप में पूंजीवाद और आधुनिक साम्राज्यवाद के उद्भव के दौरान ब्रिटिश भारत आए। इन दोनों व्यवस्थाओं का यूरोप में हुए सामाजिक-आर्थिक विकास के पुराने स्वरूप से गहरा संबंध था। इस प्रकार इस अध्याय के पहले भाग में हम 14वीं और 19वीं शताब्दी में यूरोप में हुए सामाजिक-आर्थिक विकास का एक संक्षिप्त सर्वेक्षण करेंगे। इसमें आप यूरोप में हुए सामंतवाद के पतन, नए विचारों के उद्भव (जिसने भौगोलिक खोजों के लिए प्रेरित किया), साम्राज्यवाद, उपनिवेशवाद इत्यादि के बारे में पढ़ेंगे, जिससे आपको भारत में ब्रिटिश साम्राज्यवाद की प्रकृति को समझने में सहायता मिलेगी।

14वीं शताब्दी में यूरोप में महत्वपूर्ण परिवर्तन हुए। पूंजीवाद ने सामंतवादी अर्थव्यवस्था और समाज का स्थान लेना शुरू कर दिया था। इसने विश्व इतिहास में एक नए अध्याय की शुरुआत की। ऐसा इसलिए था क्योंकि पूंजीवाद लाभ कमाने पर आधारित एक व्यवस्था है। यह हमेशा नए बाजारों और अधिक लाभ की खोज में रहती है। पूंजी जमा होती है और फिर भविष्य में लाभ के लिए इसका पुन: निवेश कर दिया जाता है। पूंजीवादी व्यवस्था का प्रसार इस प्रकार विश्वव्यापी था।

अत: विश्व इतिहास यूरोप में हो रहे विकास से गहराई से जुड़ गया। यूरोप में औद्योगिक क्रांति और पूंजी-निर्माण नए बाजारों की खोज की ओर ले गया। औपनिवेशिक शक्तियों के लिए अपने भविष्य बनाने हेतु एशिया और अफ्रीका आदर्श स्थान थे। बाहरी व्यापार करने के लिए यूरोप में अलग-अलग व्यापारिक कम्पनियां स्थापित हुईस शीघ्र ही औपनिवेशिक शक्तियों जैसे- पुर्तगाली, डच, फ्रांसीसी और अंग्रेजों के बीच हितों का टकराव और संघर्ष शुरू हो गया। इस संघर्ष में अंग्रेजी ईस्ट इंडिया कंपनी विजयी हुई और उसने भारतीय व्यापार पर एकाधिकार स्थापित कर लिया।

यूरोप में पूंजीवाद एवं साम्राज्यवाद का उद्भव

◗ यूरोप में सामाजिक-आर्थिक परिवर्तन (14वीं शताब्दी से)

18वीं शताब्दी का एक महत्वपूर्ण पक्ष विभिन्न यूरोपीय औपनिवेशिक शक्तियों के बीच भारतीय उपमहाद्वीप पर अपनी सर्वोच्चता स्थापित करने के लिए प्रतिस्पर्धा था। ये सभी यूरोपीय देश एक औपनिवेशिक साम्राज्य स्थापित करने के लिए इस प्रतिस्पर्धा में क्यों कूद पड़े थे? इस बात को 14वीं शताब्दी से यूरोप में हो रहे सामाजिक-आर्थिक विकास के संदर्भ में समझा जा सकता है।

प्रमुख सामाजिक-आर्थिक परिवर्तनों को निम्न बिंदुओं में समझा जा सकता है-

- यूरोपीय सामंतवादी संकट (14वीं शताब्दी)
- पुनर्जागरण एवं सुधारवाद (14वीं से 16वीं शताब्दी)
- भौगोलिक खोजें एवं उपनिवेशवाद (15वीं शताब्दी)
- वणिक पूंजीवाद (16वीं एवं 17वीं शताब्दी)
- संगठित व्यापार का उदय: संयुक्त स्टॉक कंपनियां एवं चार्टर्ड कंपनियां (17वीं शताब्दी)
- वणिकवाद (17वीं शताब्दी)
- वैज्ञानिक विचार एवं औद्योगिक क्रांति (18वीं शताब्दी)

उपर्युक्त परिवर्तनों ने यूरोप में व्यवसायिक क्रांति को जन्म दिया, जिसने यूरोप का एक वणिक पूंजीवाद से औद्योगिक पूंजीवाद में रूपांतरण कर दिया।

यूरोपीय सामंतवादी संकट (14वीं शताब्दी)

सामंतवाद करीब 1000 साल से अस्तित्व में था और जो मध्यकालीन यूरोप की एक प्रमुख सामाजिक व्यवस्था थी। इस व्यवस्था के अंतर्गत कुलीन-वर्ग सैन्य सेवा के बदले क्रॉउन से भूमि प्राप्त करते थे। जागीरदार कुलीन-वर्ग के जोतदार या पट्टेदार होते थे, जबकि किसानों को अपने भूस्वामी की भूमि पर जीवन यापन करना होता था।

इस प्रकार पूरा सामंती समाज निर्भरता पर आधारित थी। शक्तिशाली को अपनी सेवा के लिए कमजोरों की जरूरत होती थी। समाज एवं अर्थव्यवस्था मुख्य रूप से भूमि आधारित थी। सामाजिक पदसोपान के निचले पायदान पर किसान थे, जो अपने स्वामी की सेवा के लिए प्रतिबद्ध थे। ये स्वामी फिर उनसे बड़े स्वामियों की सेवा करते थे। ईसाई चर्च और इसके पादरी सामंतवादी समाज में अत्यधिक शक्तिशाली थे।

14वीं शताब्दी तक सामंतवादी समाज की प्रगति अपने चरम पर पहुंच चुकी थी। यूरोप का सामंतवादी समाज अब संकट में था। जिस गति से जनसंख्या वृद्धि हो रही थी, उतनी गति से तकनीक और संसाधन नहीं बढ़ रहे थे। तदनुसार, जब काली मृत्यु प्लेग (Black Death Plague) 1348 से फैलना शुरू हुआ, तो इसने बड़ी संख्या में लोगों को समाप्त कर दिया। हालांकि, जोतने योग्य भूमि पर असर नहीं पड़ा। परिणामस्वरुप, सामंती भू-स्वामियों की आय में कमी होने से उन्होंने अपना नियंत्रण किसानों के ऊपर बढ़ाना शुरू कर दिया। किसानों ने प्रतिरोध किया एवं 14वीं व 15वीं शताब्दी में पूरे यूरोप में अनेक किसान विद्रोह हुए।

यह संकट मुख्य रूप से पश्चिमी यूरोप में था, जिसमें एल्ब नदी के पश्चिम के क्षेत्र में स्थित देश जैसे- इंग्लैंड, फ्रांस, पोलैंड, स्पेन, जर्मनी के भाग और स्कैंडिनेविया शामिल थे। यहां सामंती भू-स्वामियों की पकड़ कमजोर होने लगी और सामंती संकट के बाद कृषि दासता में भी गिरावट आने लगी, जिससे सशक्त राजाओं के अधीन राष्ट्र राज्यों का उद्भव होने लगा। इसके विपरीत पूर्वी यूरोप (जिसमें वर्तमान के क्षेत्र जैसे- पोलैंड, रोमानिया, बुल्गारिया, हंगरी, भूतपूर्व सोवियत संघ इत्यादि शामिल थे) में भू-स्वामियों ने सफलतापूर्वक किसानों को अधीन बनाए रखा और संकट के बाद कृषि दासता मजबूत हुई। इसके परिणामस्वरूप पूर्वी यूरोप व्यापार, उद्योग और शहरीकरण में पश्चिमी यूरोप से पिछड़ गया।

सामंती संकट का एक परिणाम यह हुआ कि कृषि कम लाभदायक होने लगी, जबकि व्यापार व व्यवसाय में तुलनात्मक रूप से वृद्धि होने लगी। मार्कोपोलो एक सुप्रसिद्ध इटालियन व्यापारी था, जिसने चीन की यात्रा की। मेडिटेरियन या भूमध्यसागर में इटली को भौगोलिक लाभ भी था, क्योंकि वह यहां से भूमि और समुद्र दोनों से पूर्व से जुड़ा हुआ था। 1500 ईसवी तक इटली यूरोप का सबसे अधिक समृद्ध राज्य के रूप में उभरा, जिसके वेनिस, मिलान, फ्लोरेंस, जेनेवा और अन्य व्यापारिक केंद्र थे।

पुनर्जागरण एवं सुधारवाद (Renaissance and Reformation) (14वीं से 16वीं शताब्दी)- पुनर्जागरण सामाजिक और सांस्कृतिक परिवर्तन का एक काल था, जो अपने जन्म स्थान इटली से शुरू होकर पूरे यूरोप में फैल गया था। कुछ इतिहासकार यूरोपीय पुनर्जागरण को प्रारंभिक आधुनिक युग की सुबह मानते हैं। पुनर्जागरण का अर्थ होता है पुनर्जन्म। इस काल को नवोन्मेष, कल्पना और सृजनशीलता के लिए जाना जाता है। पुनर्जागरण वह काल भी था, जिसके दौरान यूरोप के परंपरागत अतीत को पुनर्जीवित किया गया। सबसे उल्लेखनीय परिवर्तन कला व स्थापत्य, साहित्य, दर्शनशास्त्र और विज्ञान के क्षेत्र में अनुभव किया गया। स्वाभाविक रूप से, पुनर्जागरण रूढ़िवादी विश्वासों पर प्रश्न चिन्ह और कैथोलिक चर्च के प्रभाव को पतन की ओर ले गया।

सुधारवाद, 16वीं शताब्दी का एक आंदोलन था, जिसका उद्देश्य रोमन चर्च की बुराइयों में सुधार करना था। इस आंदोलन का अंत दोषरहित प्रोटेस्टेंट चर्चों की स्थापना के साथ हुआ। ऐसे विकास का व्यापक प्रभाव पड़ा और सुधारवाद एक धार्मिक, राजनीतिक, बौद्धिक और सांस्कृतिक उथल-पुथल के रूप में उभरा, जिसने यूरोप के लोगों को एक नई दिशा दी।

14वीं शताब्दी में यूरोप पुनर्जागरण के काल में प्रवेशित हुआ और इसके सामंतवादी समाज पर प्रश्न उठने लगे और वह अनेक प्रकार से रूपांतरित हुआ। यूरोपीय, विशेष तौर पर व्यापारियों और बैंकरों के उभरते हुए वर्गों ने सामंतवादी युग की पदसोपान व्यवस्था द्वारा व्यक्तिगत अधीनता पर प्रश्न चिह्न लगाना शुरू कर दिया।

भौगोलिक अन्वेषण एवं उपनिवेशवाद (15वीं शताब्दी)- नए मार्गों और भूमियों की खोज में निम्न कारकों ने सहयोग किया।

- **पुराने व्यापारिक मार्गों पर इटालियन और अरबों का एकाधिकार**- शीघ्र ही यूरोप के अन्य देश व्यापार पर इटालियन एकाधिकार को समाप्त करने के उत्सुक हो गए थे, लेकिन 1453 में कांस्टेंटिनोपल को तुर्को द्वारा कब्जे में ले लिया गया और लाल सागर का पुराना व्यापार मार्ग अब इस्लामिक शासकों का एक राजकीय एकाधिकार बन गया था। अन्य मार्ग भी या तो अरबों या इटालियनों के नियंत्रण में थे, जिन्होंने उभरते हुए यूरोपीय राष्ट्रों से इसे साझा करने से मना कर दिया। ऐसी परिस्थितियों में पश्चिमी यूरोपीय राज्यों विशेष तौर पर पुर्तगाल और स्पेन, भारत और इंडोनेशिया के स्पाइस द्वीपों तक जाने के लिए नए मार्गों को खोजने के लिए व्याकुल हो रहे थे।

- **राष्ट्र राज्यों का उदय**- सशक्त राजाओं के अधीन राष्ट्र-राज्यों का उदय हुआ, जिसने भौगोलिक अन्वेषणों के लिए प्रोत्साहित किया और प्रारंभिक यूरोपीय अन्वेषण राज्य द्वारा संचालित थे।
- **पुनर्जागरण**- पुनर्जागरण ने पश्चिमी यूरोप के लोगों के बीच साहस और अनुसंधान की भावना को उत्प्रेरित किया।

- 1487 में पुर्तगाल के बर्थोलोमेव डियाज अफ्रीका के दक्षिणतम बिंदु (केप ऑफ गुड होप नाम दिया गया) पर पहुंचा।
- 1492 में स्पेन के क्रिस्टोफर कोलंबस ने भारत पहुंचने की कोशिश की, लेकिन इसके स्थान पर उसने अमेरिका को खोजा।
- 1498 में पुर्तगाल के वास्कोडिगामा ने यूरोप से भारत पहुंचने का एक नया समुद्री मार्ग खोजा और इस प्रकार समुद्र से भारत पहुंचने वाला पहला यूरोपीय बना।

वणिक पूंजीवाद (Merchant Capitalism) (16वीं व 17वीं शताब्दी)- यह स्पष्ट रूप से व्यापारियों का एक युग था। भौगोलिक अन्वेषण और नए उपनिवेशों ने लाभ के लिए विशाल संभावनाओं को खोल दिया था। व्यापारी वर्ग के द्वारा व्यापार के लाभ के लिए एकत्रित की गई पूंजी को वणिक पूंजी कहा गया। इस प्रकार पूंजीवाद के विकास के इस आरंभिक चरण को वणिक पूंजीवाद नाम से जाना गया।

पूंजीवाद ने अब सामंतवादी अर्थव्यवस्था एवं समाज का स्थान लेना शुरू कर दिया और यूरोप में व्यवसायिक क्रांति का उदय हुआ। यह शब्द उन परिवर्तनों की ओर इंगित करता है, जिसमें बाजार और मौद्रिक अर्थव्यवस्था का तेजी से प्रसार हुआ। उदाहरणस्वरूप, मुद्रा का उपयोग व्यापक हो गया और इसने पुराने वस्तु-विनिमय व्यवस्था का स्थान लेना शुरू कर दिया। 1600 तक लगभग सभी प्रमुख यूरोपीय शहर डाक सेवा से जुड़ चुके थे। शहरीकरण ने तेजी पकड़ी और लंदन, पेरिस, एम्स्टर्डम जैसे शहर तेजी से विकसित हुए।

शिल्पकारों के द्वारा भी पूंजी एकत्रित की गई, जिन्हें बढ़ते हुए बाजार से लाभ हो रहा था। वास्तव में वणिक पूंजीवाद के युग में हुए औद्योगिक विकास और निर्माण को **आद्य-औद्योगीकरण (proto-industrialisation)** कहा गया, क्योंकि इसने पूर्व औद्योगिक क्रांति के उद्भव के लिए परिस्थितियां निर्मित कर दी थीं।

संगठित व्यापार का उद्भवः संयुक्त स्टॉक एवं चार्टर्ड कंपनियां- 17वीं शताब्दी में अधिक परिष्कृत व्यवसायिक संगठनों जैसे- संयुक्त स्टॉक कंपनियों और चार्टर कंपनियों का उदय हुआ। संयुक्त स्टॉक कंपनी का एक बड़ा लाभ यह था कि इससे पूंजी का एक बड़ा भाग एकत्रित किया जा सकता था। चार्टर्ड कंपनियां सरकार द्वारा अधिकृत होती थीं, जिन्हें अक्सर किसी एक निश्चित देश के साथ व्यापार का एकाधिकार दिया जाता था। ऐसी अनेक कंपनियां स्थापित की गई, जिनमें अंग्रेजी ईस्ट इंडिया कंपनी (1600) और फ्रांसीसी ईस्ट इंडिया कंपनी (1664) शामिल थीं। इन विकासों का एक परिणाम यह हुआ कि 18वीं और 17वीं शताब्दी में विश्व व्यापार में एक बड़ी वृद्धि देखी गई।

वणिकवाद (Mercantilism) (17वीं शताब्दी)- 17वीं शताब्दी में यूरोप में आर्थिक विचारों और प्रथाओं के एक समूह का बोलबाला रहा, जिसे वणिकवाद कहा गया। यह एक आर्थिक सिद्धांत था, जिसके अनुसार व्यापार धन को सृजित करता है और लाभकारी संतुलनों के संचय द्वारा और उत्प्रेरित होता है, जिसे सरकार के द्वारा संरक्षणवाद के माध्यम से बढ़ावा दिया जाना चाहिए। वास्तव में वणिकवाद को आक्रामक राष्ट्रवाद के एक आर्थिक पक्ष के रूप में समझा जा सकता है।

इसके विचार और नीति निर्धारण को संक्षिप्त में निम्न बिंदुओं में समझा सकता है-

- विश्व व्यापार की मात्रा अधिकांशतः निश्चित होती है और राज्य को इस व्यापार से जितना अधिक संभव हो, प्राप्त करने की कोशिश करनी चाहिए।
- स्वर्ण और चांदी राष्ट्रीय धन का सबसे अधिक महत्वपूर्ण स्वरूप थे। यदि राज्य के पास ये नहीं होते हैं, तो स्वाभाविक रूप से व्यापार ही उसे प्राप्त करने का एक रास्ता था।
- धन अथवा मूल्यवान धातुओं के संचय के लिए राज्य को व्यापार का एक लाभदायक संतुलन तय करना चाहिए।

- राज्य को निर्मित वस्तुओं के आयात को कम करने के लिए उच्च शुल्क, जबकि सस्ते कच्चे माल के आयात को प्रोत्साहित करने के लिए निम्न शुल्क अधिरोपित करना चाहिए।
- राज्य को विशेषकर निर्मित वस्तुओं के निर्यात के लिए प्रोत्साहन देना चाहिए। इसके लिए राज्य को एकाधिकार देना चाहिए और गिल्डों (श्रेणियों) को अधिनियमित करना चाहिए।
- उपनिवेशों को प्राप्त करना वांछित था, क्योंकि ये निर्यात के लिए एक बाजार और कच्चे माल की आपूर्ति के लिए एक साधन का काम करते थे।

स्वाभाविक रूप से, वणिकवादी काल यूरोप में पूंजी के संचय का एक काल था, जो 18वीं शताब्दी में आने वाली औद्योगिक क्रांति के लिए एक अत्यंत महत्वपूर्ण पूर्व-आवश्यकता साबित हुआ।

वैज्ञानिक विचार और औद्योगिक क्रांति (18वीं शताब्दी)

औद्योगिक क्रांति, जो ब्रिटेन (1760–1840) में आरंभ हुई, नए निर्माण प्रक्रिया की ओर एक संक्रमणकाल था। इस संक्रमण में हस्त-निर्मित विधियों से मशीन आधारित उत्पादन, मशीनी उपकरणों के विकास, नए रसायनिक निर्माण, लौह उत्पादन प्रक्रिया, भाप शक्ति का बढ़ता उपयोग एवं कंपनी व्यवस्था का उदय शामिल था। रोजगार, उत्पादन के मूल्य, पूंजी निवेश इत्यादि के आधार पर कपड़ा उद्योग, औद्योगिक क्रांति का सबसे प्रमुख उद्योग था। साथ ही यह पहला उद्योग था, जिसने आधुनिक उत्पादन साधनों का उपयोग किया। औद्योगीकरण में प्रवेश करने वाला पहला देश ब्रिटेन था और अधिकांश महत्वपूर्ण तकनीकी अन्वेषण ब्रिटिश थे।

औद्योगिक क्रांति (पावर लूम या करघे से बुनाई का एक दृश्य)

निम्नलिखित कारकों ने ब्रिटेन में औद्योगिक विकास में सहभागिता की:

- **ब्रिटेन का बढ़ता हुआ व्यापार**- पिछले दशकों में ब्रिटेन का विदेशी व्यापार तेजी से बढ़ा। इसका कारण उसका तेजी से बढ़ता हुआ प्रभाव और पूरे विश्व में उसके द्वारा नए उपनिवेशों की प्राप्ति थी। इन उपनिवेशों में अफ्रीका, वेस्टइंडीज, लैटिन अमेरिका, कनाडा, ऑस्ट्रेलिया, चीन और भारत शामिल थे, जिन्होंने निर्यात के लिए असीमित अवसर प्रदान किए।
- **ब्रिटिश सरकार की भूमिका**- उस समय ब्रिटेन की सरकार व्यवसायिक एवं निर्माण कार्य से जुड़े हितों से प्रभावित थी और उसने बाजारों व उपनिवेशों को अपना पूरा समर्थन दिया।
- **वैज्ञानिक खोजें एवं अन्वेषण**- उत्पादन में वृद्धि करने की ब्रिटिश निर्माताओं की इच्छा ने उन्हें नए प्रकार की तकनीक का उपयोग करने और नई खोजों की ओर ध्यान देने के लिए प्रेरित किया।
- **वैज्ञानिक विचारों की भूमिका**- इसी समय वैज्ञानिक विचारों ने औद्योगिक क्रांति में सहयोग किया। वैज्ञानिकों जैसे- निकोलस कोपरनिकस, आइजक न्यूटन, गैलीलियो, जेम्स वाट और अन्य ने वैज्ञानिक दृष्टिकोण को समृद्ध किया। जेम्स हरग्रीव्ज (1765) ने स्पिनिंग जेनी विकसित की, जिसने कताई की क्षमता को 100 गुना बढ़ा दिया। अब एक व्यक्ति 8 व्यक्तियों के बराबर काम कर सकता था। रिचर्ड आर्कराइट के वाटर प्रेम ने जैनी को एक व्यवसायिक रूप दे दिया। क्रॉम्पटन के कताई खच्चर ने और सुधार किया। 1780 के दशक में पावर लूम अथवा बिजली करघा का उपयोग होने लगा, जिसने ब्रिटेन के वस्त्र निर्यात को तेजी से बढ़ाया और यही ब्रिटेन में औद्योगिक क्रांति का एक मुख्य वाहक बना। 1790 के दशक में जेम्स वाट के भाप इंजन का आविष्कार उद्योगों के लिए एक वरदान साबित हुआ। नौ-परिवहन में भाप शक्ति के उपयोग ने समुद्री यातायात में क्रांति ला दी। अंततः रेलवे ने यातायात के एक नए युग का सूत्रपात किया।

- **बढ़ती हुई जनसंख्या की भूमिका**- 1740 के बाद तेजी से बढ़ती हुई जनसंख्या ने ब्रिटेन में औद्योगिक क्रांति में सहयोग किया। बढ़ते उत्पादन को उपभोक्ता मिले और साथ ही सस्ते श्रम की उपलब्धता बढ़ी।
- **संचित पूंजी की भूमिका**- कंपनी व्यवस्था में निवेश के लिए ब्रिटेन में पर्याप्त पूंजी संचित हो चुकी थी। साथ ही अब यह पूंजी सामंतवादी तत्वों के हाथों में न होकर व्यापारियों के हाथों में थी, जो व्यापार व उद्योग में निवेश के लिए उत्साहित थे। उपनिवेशों (जिसमें बंगाल की लूट भी शामिल थी) से प्राप्त की हुई पूंजी ने भी ब्रिटेन में औद्योगिक क्रांति में बड़े स्तर पर सहायता की।

पहले हमने देखा कि ब्रिटेन के बढ़ते हुए विदेशी व्यापार ने औद्योगिक क्रांति को बढ़ाया। लेकिन केवल ऐसा नहीं है, औद्योगिक क्रांति ने भी विदेशी व्यापार और उपनिवेशवाद को मजबूत करना शुरू कर दिया था। जैसे ही इंग्लैंड का औद्योगिक उत्पादन विकसित हुआ, वैसे ही विदेश से निर्मित वस्तुओं के आयात की आवश्यकता कम होने लगी। शीघ्र ही उत्पादकों/निर्माताओं ने इंग्लैंड के आंतरिक बाजार की पूर्ण आपूर्ति कर दी और अब वे निर्यात के बाजारों की ओर देखने लगे। ऐसे निर्यात बाजार यूरोप में शुरुआत में नहीं थे, लेकिन बाद में जैसे ही औद्योगीकरण यूरोपीय महाद्वीप में फैलना शुरू हुआ, तो निर्यात बाजार केवल कम विकसित औपनिवेशिक देशों में ही पाए जाने लगे, जहां पर आधुनिक औद्योगीकरण अब तक नहीं हुआ था। भारत सहित ऐसे देशों को पूर्णतया कृषक वस्तुओं का निर्यातक और औद्योगिक वस्तुओं का आयातक देशों में परिवर्तित कर दिया गया था। इस रूपांतरण का एक अच्छा उदाहरण यह है कि भारत जो 18वीं शताब्दी में सूती वस्त्र का एक मुख्य निर्यातक देश था, वह 19वीं शताब्दी में ब्रिटेन से आने वाली वस्तुओं का एक मुख्य आयातक देश बन गया। इस प्रकार औद्योगिक क्रांति ने यूरोप के वणिक पूंजीवाद को औद्योगिक पूंजीवाद में रूपांतरित कर दिया।

यूरोपियों का आगमन (15वीं शताब्दी से)

हम पहले ही देख चुके हैं कि 14वीं शताब्दी से ही यूरोप में महत्वपूर्ण परिवर्तन होने लगे थे। सामंती संकट के बाद व्यापार व व्यवसाय की तुलना में कृषि बहुत कम लाभदायक हो गई थी। पुनर्जागरण का जन्म स्थान इटली 11वीं से 12वीं शताब्दी के आसपास पूर्वी देशों से दस्तकारी वस्तुएं लेकर यूरोप की आपूर्ति करके समृद्ध हो रहा था। अन्य यूरोपीय देश जल्द ही इस इटालियन एकाधिकार को तोड़ने के लिए उत्सुक हो चुके थे।

पुराने व्यापार मार्ग पर इटली और अरब का एकाधिकार, राष्ट्र राज्य का उदय, पुनर्जागरण ऐसे अनेक कारण थे, जिन्होंने नए मार्गों, क्षेत्रों एवं उपनिवेशों की खोज में योगदान दिया। औपनिवेशिक शक्तियों के लिए अपना भविष्य बनाने के लिए एशिया और अफ्रीका आदर्श स्थान थे। पुर्तगालियों का पहले आगमन हुआ और उसके बाद डच, अंग्रेज, डेनिश और फ्रांसीसी आए।

बाहरी व्यापार को करने के लिए यूरोप में अनेक व्यापारिक कंपनियां स्थापित की गईं। औद्योगिक क्रांति और पूंजी निर्माण यूरोप को नए बाजारों की खोज की ओर ले गया एवं औपनिवेशिक स्वरूप को और मजबूती मिली। शीघ्र ही इन औपनिवेशिक शक्तियों के मध्य हितों का टकराव व संघर्ष होने लगा। इस संघर्ष में अंग्रेजी ईस्ट इंडिया कंपनी विजयी हुई और उसने भारतीय व्यापार पर अपना एकाधिकार स्थापित किया।

पुर्तगाली

भारत में सबसे पहले पुर्तगालियों का आगमन हुआ। भारत में पुर्तगालियों के आगमन के आर्थिक के साथ-साथ धार्मिक दोनों ही कारण थे। वे मसालों विशेषकर काली मिर्च की खोज के साथ-साथ पूर्व के साथ अरब व इटली के व्यापारिक एकाधिकार को नष्ट करने आए थे। वे एशिया व अफ्रीका में ईसाई धर्म को फैलाने एवं अरब व तुर्क के प्रभाव की रोकथाम करने की इच्छा से भी आए थे। पुर्तगालियों के पहले हिंद महासागर में व्यापार पर अरब व्यापारियों का एकाधिकार था। लेकिन अपने आगमन के 15 वर्षों के अंदर पुर्तगालियों ने पूर्णतया अरब व्यापार को नष्ट कर दिया और पूर्वी व्यापार पर अपना नियंत्रण स्थापित कर लिया, जो लगभग एक शताब्दी तक चलता रहा।

प्रारंभिक प्रयास

- **प्रिंस हेनरी द नेविगेटर**– पुर्तगाल के प्रिंस हेनरी (नेविगेटर उपनाम मिला) के दिमाग में भारत के लिए एक समुद्री मार्ग खोजने का विचार घर कर गया था। वह लाल सागर के मुस्लिम प्रभुत्व वाले मार्ग से बचना चाहते थे। हालांकि, अपने सपने को पूरा किए बिना ही उनकी मृत्यु हो गई।
- **बर्थोलोमेव डियाज (1487)**– 1487 में बर्थोलोमेव डियाज अफ्रीका के दक्षिणतम बिंदु पर पहुंचा, जिसे केप ऑफ स्टॉर्म नाम (Cape of Storms) दिया गया और अटलांटिक से हिंद महासागर पहुंचने वाले पहले यूरोपीय बने। पुर्तगालियों ने बाद में इस कैप का नाम केप ऑफ गुड होप (Cape of Good Hope) रख दिया। डियाज ने बाद में अपने अनुभव का उपयोग एक जहाज के निर्माण में किया, जिसका उपयोग बाद में वास्कोडिगामा ने किया।

पुर्तगाली भारतीय बेड़े का चित्रण

वास्कोडिगामा (पहला पुर्तगाली भारतीय बेड़ा, 1498)– वास्कोडिगामा केप ऑफ गुड होप से एक जहाज में, जिसे एक गुजराती अब्दुल माजिद चला रहे थे, चला और भारत की ओर निरंतर चलते हुए 1498 में कालीकट पहुंचा। इस प्रकार उसने भारत के लिए एक नए समुद्री मार्ग की खोज की और समुद्र से भारत पहुंचने वाला पहला यूरोपीय बना। इसने यूरोप के साथ भारत के व्यापार के इतिहास में एक नया अध्याय शुरू कर दिया। वास्कोडिगामा दो पुर्तगाली भारतीय बेड़े की अगुवाई कर रहे थे, पहले और चौथे बेड़े को पुर्तगाल के राजा मैनुअल प्रथम के संरक्षण में भेजा गया था, जिसका कालीकट के जेमोरिन शासक मनना विक्रमा द्वारा स्वागत किया गया। वास्कोडिगामा एक जहाजी माल के साथ वापस लौटा और इस माल को बेचकर उसे अपनी समुद्री यात्रा के खर्च से 60 गुना अधिक लाभ प्राप्त हुआ।

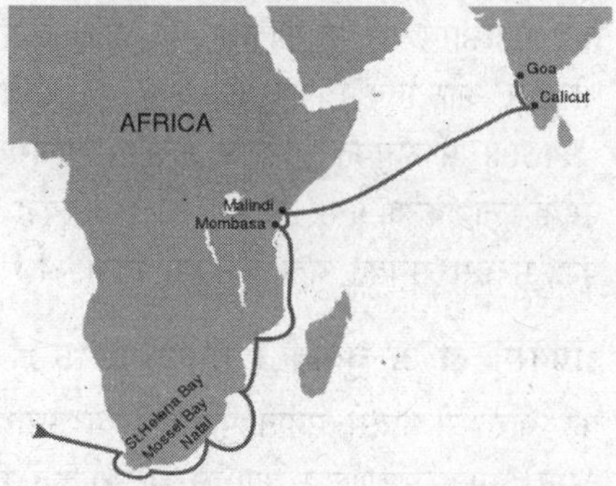

1498 में वास्कोडिगामा द्वारा उपयोग किया गया मार्ग

पेड्रो अल्वारेस कैबरल (पहला पुर्तगाली भारतीय बेड़ा 1500)– मार्च, 1500 में कालीकट के जेमोरिन के साथ संधि करने के और एक पुर्तगाली कंपनी स्थापित करने के उद्देश्य से पेड्रो अल्वारेस कैबरल दूसरा भारतीय बेड़ा लेकर आया। हालांकि, कैबरल अरब व्यापारियों के साथ एक झगड़े में फंस गया, जिन्होंने कालीकट में पुर्तगाली कंपनी पर हमला किया और लगभग 50 पुर्तगाली मारे गए। क्रोधित कैबरल ने बंदरगाह में लंगर से बंधे दस अरबी समुद्री जहाजों को पकड़ लिया और बेड़े पर करीब 600 लोगों की हत्या कर दी व जहाज को जलाने से पहले सामान को भी जब्त कर लिया।

वास्कोडिगामा (चौथा पुर्तगाली भारतीय बेड़ा 1502)– 1502 में वास्कोडिगामा भारत आया और उसने निम्नलिखित स्थापित किया–

- 1503 में कोचीन में पहला पुर्तगाली कारखाना स्थापित हुआ।
- 1505 में कन्नूर में दूसरा कारखाना स्थापित हुआ।

शीघ्र ही कालीकट, कोचीन, कन्नूर और कोल्लम पुर्तगालियों के लिए महत्वपूर्ण व्यापारिक केंद्र बन गए। पुर्तगालियों के व्यापारिक केंद्रों अथवा कंपनियों को भी फिटोरिया कहा जाता था। ये किलेबंदी से रहित व्यापारिक चौकियां होती थी, जो नौसेना के बेड़ों के लिए अड्डे का काम करते थीं। आरंभिक व्यापारिक मसालों में मुख्य रूप से काली मिर्च और दालचीनी होती थी।

पुर्तगाली भारतीय राज्य का गठन (1503-1504)

पुर्तगाली भारतीय राज्य विदेशों में स्थित विभिन्न पुर्तगाली किलों और उपनिवेशों का एक शासकीय निकाय था और यह वॉयसराय के अधीन कार्य करता था। वास्तव में, इस निकाय के गठन से यह संकेत मिल गया था कि पुर्तगाली केवल मसालों के व्यापार से संतुष्ट नहीं रहने वाले थे, बल्कि वे पूर्व में एक पुर्तगाली ईसाई राज्य की स्थापना करेंगे और यहां इस्लाम के विरुद्ध एक पवित्र युद्ध छेड़ेंगे।

पुर्तगाली गवर्नर

फ्रांसिस्को डी अल्मीडा (1505-1509) - फ्रांसिस्को डी अल्मीडा को 3 वर्ष के लिए भारत का **पहला पुर्तगाली वॉयसराय** नियुक्त किया गया और उसे पर्याप्त सशस्त्र जहाज के साथ भेजा गया, ताकि वह पुर्तगाली हितों का संरक्षण कर सकें। उसे सरकार द्वारा निर्देशित किया गया था कि वह ऐसे पुर्तगाली किले बनवाए, जिससे कि हिंद महासागर के व्यापार पर पुर्तगाली नियंत्रण स्थापित किया जा सके। उसने **'नीला जल नीति'** अपनाई, जिसके अनुसार उसका उद्देश्य भूमि की अपेक्षा हिंद महासागर पर पुर्तगालियों की नाविक या जहाजी सर्वोच्चता स्थापित करना था। उसको अंजोडीव द्वीप पर (जो मुस्लिम बीजापुर और हिंदू विजयनगर राज्य की सीमा पर स्थित था) पर एक किला बनवाने का श्रेय जाता है।

1508 में संयुक्त मुस्लिम नौसेना (गुजराती सुल्तान व मामेलुक मिस्त्री बेड़ा) के द्वारा चौल एवं दाबुल में पुर्तगाली बेड़े पर हमला किया गया, जिसमें चौल के युद्ध में अल्मीडा के बेटे को अपनी जान गंवानी पड़ी। हालांकि, अल्मीडा ने द्वीव के युद्ध में इस संयुक्त बल को हरा दिया और इस प्रकार हिंद महासागर पर पुर्तगाली सर्वोच्चता स्थापित हुई।

अफोंसो डी अल्बुकर्क (1509-1515)

वह भारत में सबसे महान पुर्तगाली वॉयसराय था और उसे भारत में पुर्तगाली शक्ति का वास्तविक संस्थापक माना जाता है। उसने अपना मुख्यालय कोचिन में स्थापित किया।

1509 में अल्बुकर्क ने द्वीव को और 1510 में उसने गोवा को बीजापुर के सुल्तान से जीता। गोवा की जीत के साथ भारत में पहला पुर्तगाली क्षेत्रीय राज्य स्थापित हुआ और गोवा भारतीय क्षेत्र में पहला अंश बन गया, जिस पर सिकन्दर के समय के बाद किसी यूरोपीय का अधिकार हो पाया। अल्बुकर्क के नेतृत्व में पुर्तगालियों ने अरब की खाड़ी (परसियन खड़ी) के होर्मुज जलडमरूमध्य से लेकर मलाया में मलक्का और इंडोनेशिया में स्पाइस आईलैंड तक पूरे एशियाई तटों पर अपना प्रभुत्व स्थापित कर लिया था। बंगाल में **हुगली और बालासोर** पुर्तगाली व्यापारिक केंद्र बने।

अल्बुकर्क ने भारत में पुर्तगालियों को मजबूती प्रदान की। वह एक दक्ष प्रशासक था और उसने प्रशासन में स्थानीय लोगों को जोड़ा। वह भारत में स्थाई पुर्तगाली बंदोबस्त चाहता था और इस उद्देश्य से उसने अपने देशवासियों को भारतीय महिलाओं से शादी करने के लिए और ईसाई धर्म को प्रचारित करने के लिए प्रोत्साहित किया। उसने अपने नियंत्रण वाले क्षेत्रों में सती प्रथा का भी उन्मूलन किया।

निनो डा कुन्हा (1529-1538)- वह अल्बुकर्क के बाद अगला मुख्य पुर्तगाली गवर्नर था। 1530 में उसने शासकीय मुख्य दफ्तर को कोचिन से गोवा स्थानांतरित कर दिया और इस प्रकार गोवा को भारत में पुर्तगालियों की आधिकारिक राजधानी बना दी।

इस प्रकार पुर्तगालियों ने भारत में सफलतापूर्वक अपने पैर जमा लिए। पुर्तगालियों की भारत में सफलता का एक मुख्य कारण मुगलों द्वारा एक शक्तिशाली नौसेना को विकसित न कर पाना था। दक्षिण भारत भी मुगलों के सीधे क्षेत्रीय प्रभाव से बाहर था और इसलिए पुर्तगाली वहां भी अपना नियंत्रण स्थापित कर सके।

कार्ट्ज व्यवस्था (Cartaze System)- भारतीय जहाजों से धन उगाही करने के लिए पुर्तगालियों द्वारा इस विधि का उपयोग किया जाता था। इस व्यवस्था के अंतर्गत सभी भारतीय जहाजों (जो एक निश्चित गंतव्य की ओर जा रहे हो) के कप्तानों को, जिन्हें पुर्तगालियों द्वारा आरक्षित नहीं किया गया हो, को गोवा के वायसराय से लाइसेंस खरीदना होता था। लाइसेंस के अभाव में उनके जहाजों को पुर्तगालियों द्वारा जब्त किया जा सकता था।

पुर्तगालियों का पतन

पुर्तगालियों के पतन में अनेक कारकों का योगदान रहा। अल्बूकर्क के बाद आए सभी वॉयसराय कमजोर और अक्षम थे। 1661 में भी पुर्तगाली स्पेन के साथ युद्ध में फंसे हुए थे और उन्हें इंग्लैंड के समर्थन की आवश्यकता थी। इस कारण पुर्तगाल की राजकुमारी कैथरीन का इंग्लैंड के चार्ल्स द्वितीय के साथ विवाह हुआ और दहेज के रूप में उसे दक्षिणी बॉम्बे का कम बसा हुआ द्वीपीय क्षेत्र इंग्लैंड को देना पड़ा।

पुर्तगालियों के पतन के कारण

1. अल्बूकर्क के बाद भारत में पुर्तगाली प्रशासन अक्षम हो गया, क्योंकि उसके उत्तराधिकारी कमजोर और अयोग्य थे।
2. पुर्तगाली समाज अभिजात तंत्र के प्रभुत्व में था और व्यापारियों का इतना सामाजिक प्रभाव नहीं था कि वे अपने हितों के अनुसार राज्य की नीति को मोड़ सकें। इससे पुर्तगालियों द्वारा अपना सामुद्रिक साम्राज्य बनाए रखना कठिन हो गया।
3. पुर्तगाली अधिकारियों को गृह सरकार द्वारा नजरअंदाज किया गया। उनका वेतन बहुत कम था और वे भ्रष्टाचार में लिप्त होने लगे थे।
4. पुर्तगाली धार्मिक मामलों में असहिष्णु और कट्टरपंथी साबित हुए। उन्होंने जबरदस्ती लोगों को ईसाई धर्म में परिवर्तित करने का प्रयास किया, जिससे देशवासी उनके शत्रु हो गए थे।
5. पुर्तगालियों ने व्यापार और समुद्री डकैती में ज्यादा अंतर नहीं किया और इस कारण भी देशवासी उनके विरोधी हो गए थे।
6. 1580 में पुर्तगाल का स्पेन में विलय होने से पुर्तगालियों को इंग्लैंड व हॉलैंड के साथ स्पेन के युद्ध में घसीटा गया। इस कारण भारत में पुर्तगाली हितों को बुरी तरह नजरअंदाज किया गया।
7. पुर्तगालियों ने ब्राजील की खोज कर ली थी, जिसने उनके शाही हितों को भारत से दूर कर दिया था।
8. अंततः सबसे महत्वपूर्ण कारण यह था कि पुर्तगालियों को अन्य यूरोपीय शक्तियों से अत्यधिक प्रतियोगिता मिल रही थी, जो उनके बाद आए थे। डच ने इंडोनेशिया के ऊपर और ब्रिटेन ने भारत, श्रीलंका और मलाया पर अपना नियंत्रण प्राप्त कर लिया था।

17वीं शताब्दी के मध्य तक आते-आते अंततः पुर्तगाली भारत से लौट गए। लेकिन उनके तीन क्षेत्र गोवा, दीव और दमन 1961 तक उनके हाथों में रहे। इस प्रकार पुर्तगाली भारत में आने वाले पहले और भारत को छोड़ने वाले अंतिम शासक थे।

पुर्तगालियों का प्रभाव- हिंद महासागर पर पुर्तगाली नियंत्रण के महत्वपूर्ण सामाजिक-राजनीतिक, धार्मिक और आर्थिक परिणाम हुए-

1. पुर्तगालियों ने मालाबार और कोंकण तट पर ईसाई धर्म का प्रचार शुरू किया। धर्म प्रचारक जैसे- संत फ्रांसिस जेवियर, फादर रुडोल्फ एवं फादर मोनसेरेट ने ईसाई धर्म का प्रचार करने में महत्वपूर्ण भूमिका निभाई। 1540 में गोवा के सभी मंदिरों को नष्ट कर दिया गया था।
2. मिशनरियों अथवा धर्म प्रचारकों ने पश्चिमी तट पर विद्यालय और महाविद्यालय शुरू किए, जहां पर देशी भाषा में शिक्षा दी जाती थी।

3. मिशनरियों ने भारतीय इतिहास और संस्कृति पर अनुसंधान किए। फाहैरास ने सिंधु घाटी सभ्यता पर गहराई से अध्ययन किया था।
4. पुर्तगाली भारत में प्रिंटिंग प्रेस लेकर आए। बाइबल को कन्नड़ एवं मलयालम भाषा में छापा गया।
5. पुर्तगालियों ने भारत में विभिन्न प्रकार की फसलें, फल एवं सब्जियों (जिन्हें वे विभिन्न देशों से प्राप्त करते थे) को लेकर आए। इनमें आलू, शकरकंद, तंबाकू, मक्का, भिंडी, मिर्ची, अनानास, पपीता, चीकू, लीची, संतरा, काली मिर्च मूंगफली, काजू, बादाम इत्यादि शामिल थे।
6. पुर्तगाली प्रभाव ने समुद्री व्यापार में नौसेना के महत्व को स्थापित किया।

प्रीलिम कैप्सूल

पुर्तगाली

वर्ष	व्यक्तित्व	महत्वपूर्ण घटनाएं
–	प्रिंस हेनरी द नेविगेटर	वह प्रारंभिक पुर्तगाली साम्राज्य का एक महत्वपूर्ण व्यक्ति था और 15वीं शताब्दी के यूरोपीय सामुद्रिक खोजों और प्रसार में उसका प्रमुख स्थान था। उसका उपनाम नेविगेटर था।
1487	बर्थोलोमेव डियाज	अफ्रीका के दक्षिणतम बिंदु (जिसे केप ऑफ स्टॉर्म नाम दिया गया) पर पहुंचा और उसे अटलांटिक के रास्ते हिंद महासागर पहुंचने वाले पहले यूरोपीय के रूप में जाना जाता है। पुर्तगालियों ने इसका नाम बाद में केप ऑफ गुड होप रख दिया।
1498	वास्कोडिगामा	उसने **पहले पुर्तगाली भारतीय** बेड़े का नेतृत्व किया। वह केप ऑफ गुड होप से जहाज से चला और भारत की ओर चलते हुए कालीकट पहुंचा। इस प्रकार उसने भारत के लिए यूरोप से एक नए समुद्री मार्ग की खोज की और समुद्र के रास्ते भारत पहुंचने वाला वह **पहला यूरोपीय** बना। उसके जहाज को एक गुजराती **अब्दुल माजिद** ने चलाया। उसने दो पुर्तगाली भारतीय बेड़ों (पहला व चौथा) का नेतृत्व किया। उसे पुर्तगाल के राजा **मैनुअल प्रथम** के संरक्षण में भेजा गया था।
1500	पेड्रो अल्वारेस कैबरल	कैबरल का स्थानीय अरब व्यापारियों के साथ संघर्ष हुआ।
1502	वास्कोडिगामा	1503 में कोचिन में पहला पुर्तगाली कारखाना स्थापित हुआ। 1505 में कन्नूर में दूसरा कारखाना स्थापित हुआ।
1505-1509	फ्रांसिस्को डी अल्मीडा (प्रथम पुर्तगाली वॉयसराय)	वह भारत का **पहला पुर्तगाली** वायसराय था। उसने नीला जल नीति अपनाई, जिसका उद्देश्य हिंद महासागर में पुर्तगालियों की नाविक सर्वोच्चता को स्थापित करना था। अंजोडीव फोर्ट के निर्माण का श्रेय उसे जाता है। 1508 में उसने द्वीव के युद्ध में संयुक्त मुस्लिम नौसेना को हराया।

वर्ष	व्यक्तित्व	महत्वपूर्ण घटनाएं
1509-1515	अफोंसो डी अल्बुकर्क	उसे भारत में पुर्तगाली शक्ति का **वास्तविक संस्थापक** माना जाता है। अपना मुख्यालय **कोचिन** में बनाया। 1509 में उसने **द्वीव** को जीता। 1510 में उसने बीजापुर के सुल्तान से **गोवा** को जीता। उसने अपने देशवासियों को भारतीय महिलाओं से विवाह करने और ईसाई धर्म को प्रसारित करने के लिए प्रेरित किया। अपने अधीन क्षेत्रों में उसने सती प्रथा को समाप्त किया।
1529-1538	निनो डा कुन्हा	1530 में इसने सरकार के मुख्य दफ्तर को कोचिन से गोवा स्थानांतरित कर दिया।

डच (नीदरलैंड/हॉलेंड से)

स्पेनिश के साथ विलय के बाद पुर्तगाली शक्ति डगमगाने लगी और डच ने उसका स्थान ले लिया। डच व्यापार करने भारत आए। वह व्यापार के साथ-साथ जहाजी तकनीकों में उन्नतशील थे। उन्होंने **फ्लूट शिप (the Fluyt)** तैयार की, जो काफी हल्की थी और जिसमें कम चालाक-दल की आवश्यकता होती थी। यह जहाज पुर्तगाली जहाजों के मुकाबले ज्यादा अच्छे साबित हुए।

कॉर्नेलिस द हूटमान (1596)- 1596 में कॉर्नेलिस द हूटमान पहला डच यात्री था, जो भारत पहुंचा।

डच ईस्ट इंडिया कंपनी (1602)- 1602 में डच ईस्ट इंडिया कंपनी गठित की गई। डच संसद ने एक चार्टर के द्वारा इसे अन्य राज्यों के साथ युद्ध और शांति करने, नए क्षेत्र प्राप्त करने और किले बनाने की शक्ति दी। लेकिन डच की मुख्य रुचि इंडोनेशियाई द्वीप समूह एवं इंडोनेशियाई स्पाइस आईलैंड में थी, न कि भारत में। शीघ्र ही मलाया जलडमरूमध्य और जावा व सुमात्रा के इंडोनेशियन स्पाइस द्वीपों से पुर्तगालियों को हटा दिया। यहां तक कि उन्होंने अंग्रेजों के प्रयासों को यहां असफल बना दिया था। हालांकि, उन्होंने खोज के अनुसार दक्षिण-पश्चिम एशिया के साथ व्यापार करने के लिए भारतीय व्यापार जरूरी है, क्योंकि वहां भारतीय कपड़ों की बहुत मांग थी। बदले में भारतीय लौंग, काली मिर्च और मसाले की मांग करते थे। इस प्रकार भारतीय कपड़ों को निर्यात की एक वस्तु बनाने का श्रेय डच को जाता है।

डच कारखाने-

- 1605 में पहला कारखाना आंध्रा में मसूलीपट्टनम में स्थापित की गई।
- 1606 में दूसरा कारखाना पेटोपोली (निजामपटनम) में स्थापित की गई।
- 1610 में डच ने चंद्रगिरी के राजा के साथ एक संधि की और पुलीकट में उनका मुख्यालय स्थापित किया। यहां उन्होंने अपने स्वर्ण के सिक्के ढलवाये, जिन्हें पगोडा कहा जाता था।
- शीघ्र ही उन्होंने सूरत, ब्रॉच, काम्बे, अहमदाबाद, गोवा में कोचिन, मद्रास में नागापटनम, आंध्रा में मसूलीपट्म, बंगाल में पीपली व चिंसुरा, मालाबार तट पर माहे, उत्तर प्रदेश में आगरा और बिहार में पटना में अपनी व्यापारिक गोदाम स्थापित किए।
- कासिमबाजार, कराईकल, बालासोर, बर्नागोर एवं गोल्कोंडा में भी डच कंपनियां स्थापित की गई।
- 1690 में डच मुख्यालय पुलीकट से स्थानांतरित कर नागप्पत्तिनम (नागापटनम) कर दिया गया।

आंग्ल-डच प्रतिस्पर्धा- 1623 में इंडोनेशिया में अंबोएना हत्याकांड हुआ, जिसमें डच द्वारा 10 अंग्रेज और 9 जापानी मार दिए गए। नरसंहार के बाद डच ने स्वयं को मलाय द्वीप समूह और अंग्रेजों ने स्वयं को भारत तक सीमित करना शुरू कर दिया। 1759 में बेदारा (बंगाल) के निर्णायक युद्ध में डचों को हरा दिया गया और इस प्रकार भारत में डच शक्ति का अंत हुआ।

अंग्रेज

अंग्रेजी ईस्ट इंडिया कंपनी (1600)- इंग्लैंड भी लाभकारी एशियाई व्यापार में शामिल होने के लिए अधीर हो चुका था। 1599 में पूर्व (पूर्वी देशों) के साथ व्यापार के लिए एक कंपनी स्थापित की गईस इसका नेतृत्व व्यापारियों के एक समूह ने किया, जिसे मर्चेंट एडवेंचरर कहा गया। कंपनी को ईस्ट इंडिया कंपनी के नाम से जाना गया और उसका उपनाम जॉन कंपनी पड़ा।

अंग्रेजी ईस्ट इंडिया कंपनी का ध्वज

1600 में रानी एलिजाबेथ द्वारा ईस्ट इंडिया कंपनी को शाही चार्टर प्रदान किया गया, जिसमें कंपनी को 15 वर्ष के लिए कैप ऑफ गुड होप के पूर्व में व्यापार करने का विशेष अधिकार दिया गया। डच कंपनी की अपेक्षा यह एक छोटी व्यापारिक संस्था थी। इसका एक साधारण संगठन था, जिसमें 24 निदेशक होते थे और इन निदेशकों को शेयर होल्डरों की सामान्य बैठक द्वारा वार्षिक रूप से निर्वाचित किया जाता था। शुरुआत में अंग्रेजी कंपनी ने मसाला के व्यापार पर ध्यान केंद्रित किया। कंपनी की प्रारंभिक समुद्री यात्रा इंडोनेशिया में स्पाइस द्वीपों के लिए थी। 1608 में गुजरात के सूरत में एक व्यापार पारगमन बिंदु (trade transit point) बनाया गया, जहां कंपनी के जहाज बंदरगाह पर रुकते थे। अब कंपनी ने गुजरात के सूरत में एक कंपनी खोलने की योजना बनाई और कैप्टन हॉकिंस को भेजा।

कैप्टन हॉकिंस (1608)- 1608 में सूरत में एक कंपनी खोलने की अनुमति लेने के लिए अंग्रेजी कंपनी के एक प्रतिनिधि के रूप में कैप्टन विलियम हॉकिन्स को जहांगीर के दरबार में भेजा गया। हॉकिंस पहला अंग्रेज था (24 अगस्त 1608), जिसने भारतीय मिट्टी पर अपने पैर जमाए। वह तुर्की भाषा बोल सकता था और वह एक जहाज में आया, जिसका नाम हेक्टर था। वह सूरत पहुंचा और यहां से वह 1609 में आगरा में जहांगीर के दरबार के लिए गया। अंग्रेजी कंपनी को एक शाही फरमान के द्वारा पश्चिमी तट पर कंपनियां खोलने के लिए अनुमति प्रदान की गई। लेकिन अंग्रेज इस रियायत से संतुष्ट नहीं थे, क्योंकि वे पूरे देश के लिए अनुमति चाहते थे। हालांकि, पुर्तगाली षड्यंत्र के कारण हॉकिंस को आगरा छोड़ना पड़ा और अंग्रेजों ने यह अनुभव किया कि मुगलों से अनुग्रह करने से पहले उन्हें पुर्तगालियों से समझौता करना होगा।

अंग्रेजी कारखाने

कारखाना केवल एक व्यापारिक अड्डा था, जिसमें गोदाम, दफ्तर और कंपनी के कर्मचारियों के घर थे। यह उल्लेखनीय है, कि इस कंपनी में निर्माण कार्य की कोई गतिविधि नहीं की गई थी।

प्रारंभिक कारखाने

- 1611 में मसूलीपट्टनम के दक्षिण में पहला कारखाना खोला गया। 1611 में ही अंग्रेजों ने सूरत के पास स्वालय होल के युद्ध में पुर्तगालियों को हराया। इसने जहांगीर को आश्वस्त किया और अंग्रेजों को 1613 में सूरत में एक स्थाई कंपनी खोलने की अनुमति दी गई।
- प्रसार की नीति को आगे बढ़ाते हुए 1615 में राजा जेम्स प्रथम ने सर थॉमस रो को एक राजदूत के रूप में जहांगीर के दरबार भेजा। रो को शाही फरमान प्राप्त करने में सफलता मिली, जिसके अनुसार अंग्रेजों को मुगल साम्राज्य के सभी भागों में कंपनियां स्थापित करने और व्यापार करने की अनुमति मिली।

शीघ्र ही किलाबंदी के अभाव में अंग्रेज स्वयं को असुरक्षित अनुभव करने लगे और उन्होंने सूरत की किलेबंदी करने का प्रयास किया, लेकिन मुगलों ने उनके इस प्रयास को असफल कर उन्हें बंदी बना लिया। अंग्रेजों ने तब मुगलों के साथ सीधा विरोध होने से बचने के लिए दक्षिण भारत पर अपना ध्यान केंद्रित करने का निर्णय लिया। दक्षिण भारत में अंग्रेजों के लिए स्थितियां ज्यादा अनुकूल थीं, क्योंकि वहां उनको सशक्त भारतीय शासन का सामना नहीं करना पड़ता था।

मद्रास

मद्रास में फोर्ट सेंट जॉर्ज

- 1632 में **गोलकोंडा के सुल्तान** ने अंग्रेजों के समर्थन में एक स्वर्ण फरमान जारी किया, जिसके अनुसार उन्हें 500 पैगोड़ा के वार्षिक भुगतान पर गोलकोंडा के बंदरगाहों से स्वतंत्र रूप से व्यापार करने की अनुमति दी गई।
- 1639 में फ्रांसिस डे चंद्रगिरी के राजा से मद्रास लीज पर लेने के लिए सक्षम था और उसने अपनी गतिविधियों का केंद्र मद्रास स्थानांतरित कर लिया। राजा ने अंग्रेजों को मद्रास की किलाबंदी करने, इसका प्रशासन करने और सिक्के ढालने की अनुमति इस शर्त पर दी कि वह बंदरगाह के राजस्व का आधा उसे भुगतान करेगा। इस प्रकार अंग्रेजों ने एक कंपनी स्थापित की और इसके चारों ओर एक छोटा किला बनाया, जिसे **फोर्ट सेंट जॉर्ज** कहा गया।
- 1690 में अंग्रेजों ने मद्रास के पास देवनाम्पटनम किला खरीदा और इसका नाम **फोर्ट सेंट डेविड** रखा।

बंगाल

- 1651 में हुगली में बंगाल की पहली अंग्रेजी कंपनी स्थापित हुई, जिसे बंगाल के सूबेदार सुल्तान शुजा से अनुमति मिली। 1658 में बंगाल, बिहार, उड़ीसा और कोरोमंडल तट के सभी प्रतिष्ठानों को फोर्ट सेंट जॉर्ज के नियंत्रण में लाया गया।
- 1690 में जॉब चारनॉक ने सूतानुति में एक कंपनी स्थापित की, जिसकी 1696 में किलेबंदी की गई और उसका नाम फोर्ट विलियम रखा गया।
- 1698 में अंग्रेजी कंपनी ने बंगाल के सूबेदार अजीम-उस-शान से सुल्तान के सूतानुति, कालीकाता और गोविंदपुर के गांवों की जमींदारी (राजस्व संग्रह का अधिकार) प्राप्त कीस इसके लिए उन्हें पूर्व मालिकों को 1200 रुपये का भुगतान करना था। 1700 में बंगाल कंपनियों को फोर्ट विलियम के अधीन किया गया। जल्द ही ये गांव एक नगर के रूप में विकसित हुए, जिसे कलकत्ता कहा गया।

बॉम्बे

1662 में राजा चार्ल्स द्वितीय ने पुर्तगाली राजकुमारी के साथ शादी में बॉम्बे को दहेज में प्राप्त किया। 1668 में क्रॉउन ने इसे कंपनी को 10 पौंड के वार्षिक किराए पर हस्तांतरित कर दिया और बढ़ते हुए मराठा शक्ति के भय से इसकी किलाबंदी भी की गई। बॉम्बे ने शीघ्र ही पश्चिमी तट पर कंपनी के एक मुख्य अड्डे के रूप में सूरत का स्थान ले लिया।

अंग्रेज एवं मुगल

कंपनी का आंतरिक विकास- 1615 और 1686 के बीच कंपनी तेजी से विकसित हुई। 1625 में कंपनी के गवर्नरों और निदेशकों को न्यायिक शक्तियां प्रदान की गईं। 1661 में विदेशों में अपने अधिकारों के संरक्षण के लिए कंपनी को युद्ध के जहाजों को भेजने की शक्ति दी गई। 1683 में इसे युद्ध की घोषणा और शांति करने की पूरी शक्ति दी गई और वह सेना

रख सकती थी। 1680 के दशक में कंपनी ने भारत में अंग्रेजी प्रभुत्व को बनाए रखने की योजनाएं बनाई। अनेक अवसरों पर निदेशक- मंडल ने कंपनी के अधिकारियों को सुझाव देते हुए लिखा कि वे एक ऐसी सैन्य व असैन्य नीति अपनाएं कि विशाल राजस्व प्राप्त कर सकें, भारत में अपनी सेना को बनाए रख सकें और अंग्रेजों को भारत में एक राष्ट्र बना सकें।

औरंगजेब- 1680 में औरंगजेब ने एक फरमान जारी किया जिसके अनुसार सूरत को छोड़कर सभी जगह कंपनी का व्यापार सीमा-शुल्क रहित कर दिया गया। 1688 में मुगल और अंग्रेजो के बीच शत्रुता तब फूट पड़ी, जब अंग्रेजों ने हुगली पर कब्जा करके सम्राट औरंगजेब के विरुद्ध युद्ध की घोषणा कर दी। अंग्रेजों ने गंभीर रूप से स्थिति का गलत आंकलन किया और मुगल शक्ति को कम आंका। वे जल्द ही हार गए और उनके कारखानों को बंगाल से बाहर कर दिया गया। इस बात का अनुभव करके कि वे मुगल शक्ति से लड़ने के लिए अभी पर्याप्त सक्षम नहीं हुए हैं, उन्होंने एक बार पुनः विनम्रता से काम करने का निर्णय लिया। औरंगजेब ने भी अंग्रेजों को उनकी गलती के लिए जल्दी क्षमा कर दिया, क्योंकि उसने देखा कि विदेशी व्यापार भारतीय दस्तकारों और व्यापारियों को लाभ पहुंचा रहा था और राजकोष की वृद्धि में सहायक था। इस प्रकार उसने डेढ़ लाख रुपये मुआवजे के भुगतान के साथ पुनःव्यापार करने की अनुमति दी।

फर्रुखसियर- 1717 में ईस्ट इंडिया कंपनी को एक शाही फरमान (1717 के फरमान) के अंतर्गत मुगल सम्राट फर्रुखसियर द्वारा विशेषाधिकार प्राप्त करने में सफलता मिली। इसे कंपनी का मैग्नाकार्टा भी कहा जाता है। यह फरमान बंगाल में कंपनी को अपनी पकड़ बढ़ाने में महत्वपूर्ण साबित हुआ। इसी के बाद ही उन्होंने बंगाल को उपनिवेश बनाया और फिर पूरे भारत को।

फरमान के प्रावधान- फरमान ने 1691 में दिए गये अधिकारों को सुनिश्चित किया और इसका विस्तार गुजरात तक कर दिया। इसमें निम्नलिखित प्रावधान थे-

- अंग्रेजों को बंगाल में कर मुक्त व्यापार करने की अनुमति दी गई, इसके बदले उन्हें 30000 रूपये वार्षिक भुगतान करना था।
- सूरत में जितने भी देय शेष रह गए थे, उनके भुगतान से मुक्त किया गया। इसके बदले उन्हें समझौते के तौर पर एक बार मे 10000 रूपये देने थे।
- कंपनी ने हैदराबाद में अपने सभी देयों के भुगतान से विमुक्ति के पुराने विशेष अधिकार को बनाए रखा और मद्रास में उसे उस समय प्रचलित लगान को ही देना था।
- कंपनी को उनकी मुद्रा (जिसे बॉम्बे में ढाला जाता था) पूरे भारत में उपयोग की अनुमति दी गई।
- कंपनी को ऐसी वस्तुओं के संचालन के लिए दस्तक या पार-पत्र जारी करने का अधिकार भी दिया गया।
- कंपनी के अधिकारियोंक/कर्मचारियों को भी व्यापार करने की अनुमति दी गई, लेकिन उन्हें इस फरमान के अंतर्गत नहीं रखा गया और उन्हें भारतीय व्यापारियों की तरह करों का भुगतान करना था। हालांकि, कंपनी के अधिकारियों/कर्मचारियों द्वारा निजी व्यापार करने के लिए दस्तकों का गलत उपयोग किया जाने लगा था।

फरमान संघर्ष के स्त्रोत के रूप में - यह फरमान कंपनी और बंगाल के नवाबों के बीच संघर्ष का एक स्त्रोत बन गया। बंगाल के शक्तिशाली नवाबों जैसे- मुर्शीद कुली खान और अलीवर्दी खान ने 1717 के फरमान की अंग्रेजों द्वारा की गई व्याख्या पर आपत्ति जताई। उन्होंने अंग्रेजी व्यापारियों पर सख्त नियंत्रण रखा और दस्तकों के दुरुपयोग करने से उन्हें रोका।

देशी शासकों द्वारा सख्त राजनीतिक नियंत्रण के बावजूद कंपनी का व्यवसायिक पक्ष उन्नत होता गया। मद्रास, बॉम्बे और कलकत्ता ऐसी गतिविधियों के केंद्र बन गए। बड़ी संख्या में भारतीय व्यापारी और बैंकर इन शहरों के प्रति आकर्षित हुए। जहां तक कंपनी के अधिकारियों/कर्मचारियों का प्रश्न है, वे भी कम वेतन होने के बावजूद भारत में सेवा देने के इच्छुक रहते थे। ऐसा इसलिए था क्योंकि उन्हें भारतीय व्यापारियों के समान ही करों का भुगतान करके भारत में निजी व्यापार करने की अनुमति थी।

प्रीलिम कैप्सूल

अंग्रेज

वर्ष	व्यक्तित्व	महत्वपूर्ण घटनाएं
1600	ईस्ट इंडिया कंपनी	रानी एलिजाबेथ के द्वारा कंपनी को एक शाही चार्टर प्रदान किया गया, जिसके अनुसार कंपनी को कैप ऑफ गुड होप के पूर्व में 15 वर्षों के लिए व्यापार का विशेष अधिकार दिया गया।
1608	कैप्टन हॉकिंस	इन्हें अंग्रेजी कंपनी के एक प्रतिनिधि के रूप में सूरत में एक कंपनी खोलने की अनुमति देने के लिए जहांगीर के दरबार में भेजा गया। वह **पहला अंग्रेज** था, जिसने भारतीय जमीन पर पैर जमाए। वह तुर्की भाषा बोल सकता था और जिस जहाज में वह आया उसका नाम **हेक्टर** था। वह सूरत पहुंचा और 1609 में आगरा में जहांगीर के दरबार के लिए गया। उसने पश्चिमी तट पर कारखाने खोलने की अनुमति प्राप्त कर ली थी, लेकिन कंपनी इससे संतुष्ट नहीं थी क्योंकि वह पूरे भारत के लिए अनुमति चाहती थी।
1611	–	अंग्रेजों ने अपनी पहला कारखाना दक्षिण में मसूलीपट्नम में खोला। अंग्रेजों ने पुर्तगालियों को सूरत के पास स्वाले होल के युद्ध में पराजित किया।
1613	–	अंग्रेजों को सूरत में एक स्थाई कारखाना स्थापित करने की अनुमति मिली।
1615	सर थॉमस रो	इन्हें **राजा जेम्स प्रथम** के द्वारा जहांगीर के दरबार में एक राजदूत के रूप में भेजा गया। रो को मुगल साम्राज्य के सभी भागों में कारखाने स्थापित करने और व्यापार करने के लिए शाही फरमान प्राप्त करने में सफलता मिली।
1632 (मद्रास)	–	गोलकोंडा के सुल्तान ने अंग्रेजों के समर्थन में एक स्वर्ण फरमान जारी किया, जिसमें उन्हें 500 पैगोडा के वार्षिक भुगतान पर गोलकोंडा के बंदरगाहों पर स्वतंत्र रूप से व्यापार करने की अनुमति दी गई।
1639	फ्रांसिस डे	वह चंद्र गिरी के राजा से मद्रास को पट्टे पर लेने के लिए सक्षम था। अंग्रेजों ने यहां एक कंपनी स्थापित की और उसके चारों ओर एक छोटा किला बनवाया, जिसे फोर्ट सेंट जॉर्ज कहा गया।
1651 (बंगाल)		बंगाल के सूबेदार सुल्तान शुजा से अनुमति प्राप्त करके बंगाल में पहला अंग्रेजी कारखाना हुगली में खोला गया।
1658		बंगाल, बिहार, उड़ीसा और कोरोमंडल तट के अंग्रेजी कंपनी के सभी संस्थानों को फोर्ट सेंट जॉर्ज के नियंत्रण के अधीन लाया गया।
1690	जॉब चारनोक	उसने सुतानुती में एक कारखाना स्थापित किया, जिसकी 1696 में किलाबंदी की गई और उसे फोर्ट विलियम कहा गया।
1696	–	सुतानुती कारखाने की किलाबंदी की गई और उसे फोर्ट विलियम कहा गया।
1698	–	बंगाल के सूबेदार अजीम-उस-शान से अंग्रेजी कंपनी ने सुतानुती, कालीकता और गोविंदपुर के गांवों की जमींदारी प्राप्त की।

वर्ष	व्यक्तित्व	महत्वपूर्ण घटनाएं
1700	–	बंगाल के कारखानों को फोर्ट विलियम के अधीन किया गया। शीघ्र ही यह तीनों गांव कलकत्ता शहर के रूप में विकसित हुए।
1662 (बॉम्बे)	–	राजा चार्ल्स द्वितीय ने एक पुर्तगाली राजकुमारी के साथ शादी पर बॉम्बे को दहेज के रूप में प्राप्त किया। 1668 में राजा ने बॉम्बे को 10 पौंड के वार्षिक भुगतान पर कंपनी को हस्तांतरित कर दिया।
1717		फर्रुखसियर ने 1717 के फरमान के अंतर्गत अंग्रेजी कंपनी को महत्वपूर्ण व्यापारिक विशेष अधिकार प्रदान किए, जिसे कंपनी का मैग्नाकार्टा कहा जाता है।

डेन

डेन लोग डेनमार्क से आए और वह एक अल्प औपनिवेशिक शक्ति थे। 1616 में डेनिश ईस्ट इंडिया कंपनी स्थापित हुई और उन्होंने 1620 में तंजौर के निकट त्रेंकबेर में अपने अड्डे बनाए। उन्होंने 1755 में बंगाल में सेरामपोर के निकट फेड्रिक नगर नामक एक कॉलोनी स्थापित की। 1777 में डेनिश कंपनी दिवालिया हो जाती है और सेरामपोर को डेनिश क्राउन को हस्तांतरित कर दिया गया। हालांकि, सेरामपोर भारत में मिशनरियों के लिए एक सुरक्षित स्थान बन गया और मिशनरियों के सांस्कृतिक व शैक्षिक गतिविधियों के लिए इसे प्रसिद्धि मिली। 1845 में डेनमार्क ने सेरामपोर को ब्रिटेन को सौंप दिया। इस प्रकार बंगाल में लगभग 150 वर्ष की डैनिश उपस्थिति का अंत हुआ।

फ्रांसीसी

भारत में आने वाली अंतिम यूरोपीय औपनिवेशिक शक्ति फ्रांसीसी थी। वे भी एशियाई व्यापार से लाभ कमाने के लिए बहुत इच्छुक थे।

फ्रेंच ट्रेडिंग कंपनी (1664)– 1664 में कोलबर्ट ने फ्रांसीसी ईस्ट इंडिया कंपनी की स्थापना की। फ्रेंच ट्रेडिंग कंपनी को किंग लुईस चतुर्थ के द्वारा भारत और ईस्टइंडीज के साथ व्यापार करने के लिए एक लाइसेंस प्रदान किया गया था।

फ्रांसीसी कारखाने

- 1667 में पहला फ्रांसीसी कारखाना **सूरत** में स्थापित किया गया। फ्रांसिस केरोन को इसका डायरेक्टर जनरल बनाया गया।
- 1669 में **मसूलीपट्म** में एक कारखाना खोला गया।
- 1672 में कैरोन का स्थान फ्रैंकोइस मार्टिन ने ले लिया, जिसे बीजापुर के राजा शेर खान लोधी के द्वारा एक गांव प्राप्त हुआ और जिसे पांडिचेरी के रूप में स्थापित किया गया। बाद में, पांडिचेरी भारत में फ्रांसीसी राजधानी के रूप में विकसित हुईस
- 1674 में फ्रांस ने बंगाल के शासक से कलकत्ता के पास एक स्थान प्राप्त किया, जहां उन्होंने चंदेरनागोर (1690-1692) नाम के शहर का निर्माण किया।
- 1693 में डच ने पांडुचेरी को छीन लिया, लेकिन रेस्विक की संधि (1697) के द्वारा फ्रांस ने इसे पुन: प्राप्त कर लिया था। इस प्रकार फ्रांसीसी ईस्ट इंडिया कंपनी ने चंदेरनागौर एवं पांडिचेरी में अपना आधार बनाया।
- फ्रांसीसी ने हिंद महासागर के **मॉरीशस और रियूनियन** महाद्वीपों पर अपना नियंत्रण प्राप्त किया।
- 1697 और 1739 के बीच फ्रांस ने अनेक अड्डों को शामिल कर अपनी स्थिति मजबूत की। इन अड्डों में **माहे, कराईकल, बालासोर और कासिमबाजार** शामिल थे।

वास्तविक संकट तब उत्पन्न हुआ, जब फ्रांस ने तंजोर को अपने नियंत्रण में कर लिया, जिसे ब्रिटिश अपने व्यापारिक सुरक्षा के लिए सबसे महत्वपूर्ण मानते थे।

यूरोपीय व्यापार का स्वरूप

16वीं शताब्दी में जब यूरोपीय शक्तियों ने पहली बार भारत के साथ व्यापार करना शुरू किया, तब उनके पास भारतीय वस्तुओं के बदले देने के लिए बहुत कम वस्तुएं (केवल शराब व तेल) थीं। लगभग तीन शताब्दियों तक वे एशिया के साथ व्यापार के विपरीत संतुलन की समस्या का सामना करते रहे। शुरुआत में पूर्व के साथ अपने आयातों के भुगतान के लिए वे सोना व चांदी का उपयोग करते थे। हालांकि, यूरोपीय कंपनियों की ऐसा करने के लिए आलोचना की जाती थी, क्योंकि वणिकवादी विश्वास के अनुसार बुलियन का जाना बुरा माना जाता था। अंततः 18वीं शताब्दी में ही समाधान निकला, जब अंग्रेज बंगाल-राजस्व और चीन से अफीम के निर्यात से प्राप्त राजस्व को प्राप्त करने लगे।

जहां तक व्यापार की वस्तुओं का संबंध है, यूरोप में भारतीय मसाले सबसे अधिक बेचे जाने वाली वस्तु थी। 17वीं शताब्दी के अंत तक सूती वस्त्र, रेशम, शोरे ने मसालों का स्थान लेना शुरू कर दिया। भारतीय वस्त्रों की बढ़ते आयात से ब्रिटेन के अंग्रेजों को चिंता होने लगी और वे सरकार से ऐसे आयातों को प्रतिबंधित करने का दबाव बनाने लगे। इसके बाद 1700 से इंग्लैंड में संरक्षणवादी नियमन पारित होना शुरू हो गए।

औद्योगिक पूंजीवाद की उन्नति से यूरोपीय अर्थव्यवस्था में परिवर्तन ने भी भारत के साथ इसके राजनीतिक-आर्थिक संबंधों को प्रभावित किया। औद्योगिक पूंजीपति भारतीय व्यापार पर ईस्ट इंडिया कंपनी के एकाधिकार से नाराज होने लगे। एडम स्मिथ से लेकर अनेक व्यापारिक लॉबियों ने ईस्ट इंडिया कंपनी के एकाधिकार का विरोध किया और इसका यह परिणाम हुआ की 1813 में भारतीय व्यापार में और 1833 में चीन के साथ इसके एकाधिकार को समाप्त कर दिया गया।

संक्षेप में, इस अध्याय में आपने 15वीं शताब्दी से यूरोप में हुए रूपांतरण के बारे में पढ़ा। व्यापार व व्यवसाय में वृद्धि यूरोपीय राष्ट्र द्वारा एशिया, अफ्रीका और अमेरिका में उपनिवेश की खोज के साथ जुड़ गई। बाहरी व्यापार को करने के लिए विभिन्न व्यापारिक कंपनियां खोली गई। अनेक यूरोपीय ईस्ट इंडिया कंपनियां भारत में आई। हालांकि, हितों का टकराव होने से अनेक पक्षों में संघर्ष होने लगा, जिनमें पुर्तगाली, डच, अंग्रेज, डेन और फ्रांसीसी शामिल थे। परिणामस्वरूप, अंग्रेजी और फ्रांससी ईस्ट इंडिया कम्पनियां मुख्य प्रतिद्वंदी के रूप में उभरीं। इस आंग्ल-फ्रांसीसी प्रतिद्वंदिता के बारे में आप अगले अध्याय में पढ़ेंगे, जिसमें अंततः अंग्रेजों की विजय होती है।

अध्याय

4 ब्रिटिश सर्वोच्चता का उदय-कर्नाटक, प्लासी एवं बक्सर

- अंग्रेजी ईस्ट इंडिया कंपनी: एक व्यापारिक कंपनी से राजनीतिक शक्ति तक
- सर्वोच्चता के लिए अंग्रेज-फ्रांसीसी संघर्ष
  - प्रथम कर्नाटक युद्ध (1740-1748)
  - द्वितीय कर्नाटक युद्ध (1749-1754)
  - तृतीय कर्नाटक युद्ध (1757-1763 AD)
  - अंग्रेजों के विरुद्ध फ्रांस के हारने के कारण
- बंगाल की ब्रिटिश विजय: प्लासी से बक्सर तक (1757-1765)
  - प्लासी का युद्ध (23 जून 1757)
  - बक्सर का युद्ध (22 अक्टूबर 1764)
  - बंगाल में राजनीतिक घटनाओं का मूल्यांकन, 1757-1765

औरंगजेब की मृत्यु के बाद मुगल साम्राज्य का पतन देखा गया और अनेक स्वायत्त राज्यों के उद्भव से शक्ति का विकेंद्रीकरण हुआ। अंग्रेजी एवं फ्रांसीसी कंपनियों ने भारत में राजनीतिक भविष्य देखना शुरू कर दिया था। 18वीं शताब्दी के प्रारंभ तक अंग्रेजी और फ्रांसीसी कंपनियों ने पहले ही एक लाभदायक व्यापार के साथ स्वयं को स्थापित कर लिया था। ये दोनों पहले से ही यूरोप और उत्तरी अमेरिका में एक-दूसरे के प्रतिद्वंदी बन चुके थे। इस प्रकार भारत में आंग्ल-फ्रांसीसी प्रतिद्वंदिता के लिए मंच तैयार हो चुका था, जो 1740 के दशक में शुरू हुआ और अंग्रेजों की विजय के साथ समाप्त हुआ। इसके बाद 1757 में प्लासी के युद्ध के साथ बंगाल से भारत को जीतने की शुरुआत हुई।

सर्वोच्चता के लिए फ्रांसीसी के साथ ब्रिटेन का संघर्ष ब्रिटिश शक्ति के उदय का पहला चरण था। बंगाल की जीत दूसरा और निर्णायक कदम था। इस प्रकार इस अध्याय में आप अंग्रेज-फ्रांस प्रतिद्वंदिता के बारे में पढ़ेंगे, जो कर्नाटक युद्ध का रूप ले लेता है और जिसका अंत भारत में फ्रांसीसी शक्ति के अंत के साथ होता है। आप ब्रिटिश की बंगाल विजय के बारे में भी पढ़ेंगे, जिसमें 1757 से 1765 के दौरान बंगाल में शक्ति का क्रमिक हस्तांतरण नवाबों से ब्रिटिश के ओर होता है और इस दौरान प्लासी और बक्सर के युद्ध मुख्य ऐतिहासिक घटनाएं बनीं। शुरुआत में ब्रिटिश ने देशी संस्थाओं के माध्यम से शासन किया, लेकिन 1773 से उन्होंने संवैधानिक परिवर्तनों को लागू करना शुरू कर दिया। अंत में, भारत में ब्रिटिश शक्ति ब्रिटेन की विश्वव्यापी साम्राज्यवादी व्यवस्था के साथ एकीकृत हुई।

ईस्ट इंडिया कंपनी: व्यापारिक कंपनी से राजनीतिक शक्ति तक

18वीं शताब्दी के मध्य में ईस्ट इंडिया कंपनी का एक व्यापारिक कंपनी से राजनीतिक शक्ति के रूप में क्रमिक रूपांतरण देखा गया। 1600 से 1744 के काल के दौरान कंपनी ने धीरे-धीरे भारत में व्यापारिक नेटवर्क का प्रसार किया और साथ ही साथ कूटनीति एवं युद्ध की संयुक्त रणनीति के द्वारा प्रतिद्वंदियों को पीछे करती रही। यद्यपि ब्रिटिश सर्वोच्चता का उदय सामान्यतया 1757 में प्लासी के युद्ध में ब्रिटिश विजय से माना जाता है, लेकिन विजय के लिए पृष्ठभूमि दक्षिण भारत में सजी थी, जहां उनका मुकाबला फ्रांसीसी कंपनी के साथ था।

सर्वोच्चता के लिए आंग्ल-फ्रांसीसी युद्ध: कर्नाटक युद्ध

जब पतनशील मुगल सत्ता और कमजोर क्षेत्रीय शक्तियां भारत में यूरोपीय कंपनियों के हितों का संरक्षण करने में अक्षम साबित हुई, तब उन्होंने स्वयं को सैन्य रूप से सशक्त बनाने की आवश्यकता महसूस की। साथ ही वे व्यवसायिक संस्थाएं थीं, जो अपना लाभ बढ़ाने की कोशिश में थीं। इसके लिए प्रतियोगिता का उन्मूलन और एकाधिकार की स्थापना आवश्यक थी। वे न केवल अपने व्यापार का एकाधिकार और अपने सामान को ऊंची कीमतों में बेचना चाहते थे, अपितु वे अपना सामान सस्ते में खरीदना भी चाहते थे। इसके लिए आवश्यक था कि वे जिस देश के साथ व्यापार कर रहे थे, वहां उनके पास कुछ राजनीतिक नियंत्रण हो।

ऐसी स्थिति में अंग्रेज और फ्रांसीसी के बीच शत्रुता का पनपना स्वाभाविक था। दक्षिण भारत आंग्ल-फ्रांसीसी प्रतिद्वंदिता का क्षेत्र बन चुका था, क्योंकि यह उनकी राजधानी पांडिचेरी सहित फ्रांसीसी गतिविधियों का मुख्य केंद्र बन चुका था। फ्रांसीसियों ने हैदराबाद एवं मैसूर जैसे पड़ोसी राज्यों पर भी प्रभाव बढ़ाना शुरू कर दिया था। इसके अलावा शक्तिशाली मराठों के कारण पश्चिमी भारत में ज्यादा गुंजाइश नहीं थी, जबकि पूर्वी भारत पर अलीवर्दी खान का सख्त नियंत्रण था। केवल दक्षिण भारतीय ही था, जहां परिस्थितियां, विशेषकर 1748 में निजाम-उल-मुल्क की मृत्यु के बाद अनुकूल थीं।

इस प्रकार 1740 से 1763 तक लगभग 20 वर्षों तक अंग्रेज और फ्रांसीसी दक्षिण भारत में एक कठोर युद्ध में फंसे रहे और संघर्षों की इस श्रृंखला को कर्नाटक युद्धों (1740-1763) के नाम से जाना गया।

प्रथम कर्नाटक युद्ध (1746-1748)

तात्कालिक कारण: उत्तराधिकार का ऑस्ट्रिया युद्ध, 1740- भारत में इन दो यूरोपीय प्रतिद्वंदियों के बीच संघर्ष का तात्कालिक कारण यूरोप में ऑस्ट्रियाई उत्तराधिकार का युद्ध बना, जो 1740 में ऑस्ट्रिया और प्रशा के बीच शुरू हुआ। इस युद्ध में ब्रिटेन और फ्रांस विरोधी खेमों में शामिल थे। शायद अपनी अपेक्षाकृत कमजोर स्थिति से सचेत होकर फ्रांसीसी ने युद्ध को भारत में प्रसारित होने से रोकने का पूरा प्रयत्न किया और डूप्ले ने अपने अंग्रेजी समकक्ष को निष्पक्षता बनाए रखने का सुझाव दिया। लेकिन अंग्रेज सहमत नहीं हुए और इसके स्थान पर उन्होंने आक्रामक रवैया अपनाया एवं भारत के दक्षिण-पूर्व तट पर कुछ फ्रांसीसी जहाजों पर कब्जा कर लिया। भारत में फ्रांस के पास कोई बेड़ा नहीं था। अतः फ्रांसीसी गवर्नर जनरल डूप्ले ने मॉरीशस के फ्रांसीसी गवर्नर ला बोरडोन्नाइस को अतिरिक्त सेना के लिए संदेश भेजा। ला बोरडोन्नाइस तुरंत ही 3000 सैनिकों के एक दस्ते के साथ कोरोमंडल तट की ओर निकल पड़ा। जैसे ही सहायता पहुंची, फ्रांस ने अंग्रेजों पर हमला कर दिया और फोर्ट सेंट जॉर्ज, मद्रास और अन्य समीपस्थ स्थानों में स्थित ब्रिटिश अधिकारों पर कब्जा कर लिया (21 सितंबर 1746)। युद्धबंदियों में रॉबर्ट क्लाइव भी शामिल थे। इस प्रकार पहला कर्नाटक युद्ध शुरू हुआ।

अंग्रेजों का कर्नाटक के नवाब, नवाब अनवरुद्दीन से संरक्षण मांगना- कर्नाटक के नवाब अनवरुद्दीन ने अपने राज्य में शत्रुता को अस्वीकार कर दिया। इस प्रकार जब अंग्रेजों ने उससे संरक्षण के लिए अपील की तब नवाब ने फ्रांसीसियों से मद्रास छोड़ने के लिए कहा। लेकिन फ्रांसीसी अब पीछे हटने की मनोदशा में नहीं थे और उन्होंने सुझाव को नजरअंदाज कर दिया, जैसा कि अंग्रेजों ने पहले किया था।

सेंट थॉमस का युद्ध (1746)- नवाब ने अब फ्रांस के विरुद्ध युद्ध के लिए एक विशाल सेना भेजी। 1746 में सेंट थॉमस के निकट मायलापुर के अड्यार नदी के किनारे महफूज खान के नेतृत्व में 10000 सैनिकों की एक विशाल भारतीय सेना और कैप्टन पैराडाइज के नेतृत्व में 230 यूरोपीय व 700 भारतीय सैनिकों की एक छोटी फ्रांसीसी सेना एक-दूसरे से मिलीं। लेकिन सबको अचंभित करते हुए फ्रांसीसी सेना के उचित ढंग से प्रशिक्षित मुट्ठी भर सैनिकों ने अनवरुद्दीन की विशाल सेना को जबरदस्त तरीके से हरा दिया। जिसने स्पष्ट रूप से यूरोपीय सेनाओं की उत्कृष्टता को प्रदर्शित किया और भारतीय शासकों की सैन्य कमजोरियों को उजागर किया।

डूप्ले ने यह सीखा कि भारतीय राजकुमारों से संघर्ष के दौरान उनकी अनुशासित सेना बहुत उपयोगी होगी और 18वीं शताब्दी की ऐसी राजनीतिक उथल-पुथल के समय में ऐसे भारतीय राजकुमारों की कोई कमी नहीं थी, जो स्थिति को अपने अनुकूल बनाने के लिए डूप्ले की सहायता को आमंत्रित करें। उस समय भारतीय शासक देशभक्ति के द्वारा निर्देशित नहीं हो रहे थे और अपने विरोधियों से हिसाब चुकता करने के लिए वे विदेशियों को भी आमंत्रित करने में नहीं हिचकिचाते थे। इस प्रकार वह डूप्ले ही था, जिसने भारतीय शासकों के विवादों में हस्तक्षेप करके राजनीतिक नियंत्रण प्राप्त करने का रास्ता दिखाया।

ऐक्स ला शपैल की संधि, 1748- यद्यपि फ्रांस ने घेराबंदी को जारी रखा, ऑस्ट्रियाई उत्तराधिकार के युद्ध का ऐक्स ला शपैल की संधि के द्वारा विजय की पारस्परिक बहाली के आधार पर अंत हुआ। इस प्रकार भारत में भी ब्रिटेन-फ्रांस के संघर्ष के पहले चरण का अंत हुआ। मद्रास अंग्रेजों को वापस मिला और फ्रांस ने उत्तरी अमेरिका में लुइस वर्ग को प्राप्त किया। संघर्ष के पहले दौर का अंत ड्रॉ के साथ हुआ।

द्वितीय कर्नाटक युद्ध (1749-1754)

दक्षिण भारत में राजवंशों के बीच झगड़े ने अंग्रेज-फ्रांसीसी संघर्ष के दूसरे चरण की पृष्ठभूमि प्रदान की। कर्नाटक और हैदराबाद, दोनों राज्यों में उत्तराधिकार के विवाद ने फ्रांसीसी गवर्नर जनरल डूप्ले को भारतीय राजनीति में हस्तक्षेप करने का एक अवसर प्रदान किया।

कर्नाटक और हैदराबाद में उत्तराधिकार का विवाद- मराठों ने 1740 में कर्नाटक पर हमला कर दिया और नवाब दोस्त अली को मारकर उसके दामाद चंदा साहिब को एक बंदी के रूप में सातारा ले गए। 1743 में हैदराबाद के निजाम ने अनवरुद्दीन खान को कर्नाटक का नवाब नियुक्त किया। लेकिन 1748 में चंदा साहिब को मराठों द्वारा रिहा कर दिया गया और इसी वर्ष हैदराबाद के निजाम निजाम-उल-मुल्क आसफजाह की मृत्यु हुई। उसके बाद उसका स्थान उसके पुत्र नसीर जंग ने लिया, लेकिन उसके पौत्र मुजफ्फर जंग ने सिंहासन पर अपना दावा पेश किया। अब मुजफ्फर जंग चंदा साहिब के साथ मिल गया।

डूप्ले द्वारा हस्तक्षेप- इस प्रकार डूप्ले को उसका अवसर मिल गया और उसकी योजना के फलीभूत आश्चर्यजनक सफलता उसका इंतजार कर रही थी। आसफजाह की मृत्यु (1748) के बाद शुरू हुए उत्तराधिकार के युद्धों में हस्तक्षेप करने के लिए भी वह सक्षम था। उसने मुजफ्फर जंग और चंदा साहिब को फ्रांसीसी समर्थन देने का वादा किया। इस प्रकार फ्रांस, चंदा साहिब एवं मुजफ्फर जंग के बीच एक त्रिपक्षीय समझ विकसित हुई।

फ्रांसीसी द्वारा कर्नाटक में चंदा साहिब को अपने संरक्षण में पदासीन करना (1749)- अगस्त, 1749 में तीनों दलों ने घात लगाई और वेल्लोर के पास अंबुर के युद्ध में अनवरुद्दीन को मार दिया। उसका पुत्र मोहम्मद अली त्रिचिनोपोली भाग गया और चंदा साहिब को कर्नाटक का नवाब बनाया गया। उसने फ्रांस को पांडिचेरी के निकट 80 गावों का एक अनुदान प्रदान किया।

फ्रांसीसी प्रभाव को बढ़ता देख ब्रिटिश ने निजाम के सिंहासन के लिए नसीर जंग और कर्नाटक के नवाब के लिए मोहम्मद अली का समर्थन करने का निर्णय लिया। इस प्रकार आंग्ल-फ्रांसीसी युद्ध का दूसरा चरण शुरू हुआ, जिसे द्वितीय कर्नाटक युद्ध भी कहा जाता है।

फ्रांस द्वारा हैदराबाद में मुजफ्फर जंग को अपने संरक्षण में निजाम बनाना- फ्रांस और उसके सहयोगी दलों ने दक्कन की ओर मार्च किया। फ्रांसीसी सेना ने अचंभित करते हुए नासिर जंग को मार दिया और मुजफ्फर जंग को फ्रांसीसी संरक्षण में हैदराबाद का निजाम बनाया गया। मुजफ्फर जंग ने कृष्णा नदी के दक्षिण में सभी मुगल क्षेत्रों में डूप्ले को सम्मान स्वरूप गवर्नर बनाकर पुरस्कृत किया। पांडिचेरी के निकट क्षेत्रों के साथ-साथ उड़ीसा में मसूलीपट्नम के प्रसिद्ध शहरी बाजार भी फ्रांस को सौंप दिया गया। इसके बदले डूप्ले ने मुजफ्फर जंग की सहायता के लिए एक फ्रांसीसी सेना के साथ अपने सर्वश्रेष्ठ अधिकारी मार्क्विस डि बुस्सी को रखा। हैदराबाद के दरबार में फ्रांसीसी हितों का संरक्षण करने का यह सबसे अच्छा रास्ता भी था।

डूप्ले अपनी राजनीतिक शक्ति के उच्च शिखर पर था और एक साम्राज्य बनाने का उसका स्वप्न संभवत: अब पूरा होने वाला था। इसके बाद मुजफ्फर जंग एक अकस्मात झड़प में मारा गया। हालांकि, बुस्सी ने शीघ्र ही सिंहासन पर अपना मनोनीत व्यक्ति सलाबत जंग को बिठाकर दक्कन पर फ्रांसीसी प्रभाव बनाए रखा। इस प्रकार बुस्सी ने लगभग 7 वर्षों तक दक्कन के राजनीतिक भविष्य को नियंत्रित किया और यहां तक की निजाम को कोरोमंडल तट (**उत्तरी सरकार, Northern Circars** के नाम से भी जाना जाता है) पर स्थित चार समृद्ध जिलों को उसे देने के लिए प्रेरित किया। इन जिलों में मुस्तफानगर, एलोर, राजमुंद्री व श्रीकाकुलम शामिल थे। फ्रांसीसी शक्ति दक्षिण भारत में अब अपने उच्च शिखर पर थी, लेकिन उसका पतन भी अब दूर नहीं था।

रॉबर्ट क्लाइव का उद्भव- इसी बीच मोहम्मद अली ने त्रिचिनोपोली के किलों में शरण ली और चंदा साहिब व फ्रांसीसी के किलों पर कब्जा करने के प्रयास विफल हुए। दक्षिण भारत में अपनी स्थिति पर गंभीर खतरे को भांप कर ब्रिटिश ने अब मोहम्मद अली के साथ अपनी पूरी शक्ति लगाने का निर्णय लिया।

इस निर्णायक मोड़ पर एक व्यक्ति अपने साहस और बुद्धिमत्ता के साथ सामने आया, जिसने अंग्रेजों के भविष्य को बचा लिया। वह कंपनी का एक युवक क्लर्क रॉबर्ट क्लाइव था। उसने सुझाव दिया कि कर्नाटक की राजधानी आर्कोट पर हमला करके मोहम्मद अली पर फ्रांसीसी दबाव को कम किया जा सकता है।

आर्कोट पर कब्जा (अगस्त 1751)- क्लाइव की सुनियोजित योजना को बस अनुमति का इंतजार था और अनुमति के साथ ही क्लाइव ने केवल 210 सैनिकों की एक छोटी सेना की टुकड़ी के साथ आर्कोट पर हमला कर दिया (अगस्त 1751)। योजना का गहरा प्रभाव पड़ा और अपनी राजधानी का पतन होता हुआ देख चंदा साहिब ने त्रिचिनोपोली से 4000 सैनिकों का एक दल आर्कोट पर पुन: कब्जा करने के लिए भेजा। क्लाइव ने सफलतापूर्वक 53 दिनों (23 सितम्बर से 14 नवम्बर) तक इस घेराबंदी को बनाए रखा। इसी बीच क्लाइव ने मद्रास और दूसरे कुछ भारतीय सहयोगियों (मैसूर, तंजौर एवं मराठों के शासक) से अतिरिक्त सेना की सहायता प्राप्त की। क्लाइव ने चंदा साहिब को अनेक महत्वपूर्ण युद्धों में पराजित किया।

रॉबर्ट क्लाइव

इसी बीच आर्कोट को कब्जे में लेने से उत्साहित होकर स्ट्रिंगर लॉरेंस के नेतृत्व में एक सशक्त अंग्रेजी सेना त्रिचिनोपोली पहुंची और फ्रांसीसी बलों ने समर्पण किया (जून, 1752)।

चंदा साहिब को विश्वासघाती के रूप में पकड़ लिया गया और त्रावणकोर के राजा द्वारा उसे मौत की सजा दी गई। मोहम्मद अली तब कर्नाटक के विवाद रहित नवाब बने। डूप्ले की आकांक्षाएं जमीन पर आ गिरीं।

डूप्ले का वापस बुलाया जाना, 1754- त्रिचिनोपोली में फ्रांसीसी पराजय ने डूप्ले के भविष्य का अंत कर दिया। फ्रांसीसी कंपनी के निदेशकों ने उसकी इस राजनीतिक महत्वाकांक्षा को नहीं सराहा और उसके खर्चे को अस्वीकार कर उसे वापस बुला लिया। 1 अगस्त 1754 को गोदेहू ने भारत में फ्रांसीसी गवर्नर जनरल के रूप में डूप्ले का स्थान लिया। डूप्ले को वापस बुलाया जाना भारत में फ्रांसीसी कंपनी के भविष्य के लिए एक बड़ा धक्का साबित हुआ।

पांडिचेरी की सन्धि, 1755- डूप्ले की नीति से पूर्णतया विपरीत गोदेहू ने एक अंग्रेजों के साथ 1755 में एक शांति संधि की, जिसे पांडिचेरी की संधि कहा गया। इस संधि के अनुसार दोनों कंपनियों ने भारतीय राजकुमारों के झगड़ों में हस्तक्षेप न करने की सहमति दी। संघर्ष का दूसरा चरण भी अधूरा साबित हुआ।

हालांकि, इस संधि के बाद फ्रांस ने कुछ समय के लिए हैदराबाद पर अपना नियंत्रण बनाए रखा, लेकिन इसके बाद दक्षिण में उनकी प्रतिष्ठा और उनकी प्रभुत्वशाली स्थिति को निश्चित ही धक्का लगा।

तृतीय कर्नाटक युद्ध (1757-1763)

तात्कालिक कारण: यूरोप में सात वर्षीय युद्ध, 1756- प्रथम कर्नाटक युद्ध के समान ही इस युद्ध की जड़ें भी यूरोप में ही थीं। 1756 में यूरोप में 7 वर्षीय युद्ध फूट पड़ा था। इस युद्ध में इंग्लैंड और फ्रांस एक दूसरे के विपरीत खेमों में शामिल थे और इसका अंत भारत में भी यूरोपीय कंपनियों के बीच संक्षिप्त शांति संधि के साथ हुआ।

काउंट डे लैल्ली का आगमन (अप्रैल, 1758)- इस बार फ्रांसीसी सरकार ने अंग्रेजों को भारत से बाहर निकालने का एक दृढ़ प्रयत्न किया। इस उद्देश्य से फ्रांसीसी सरकार ने काउंट डे लैल्ली की अध्यक्षता में एक फ्रांसीसी सेना भेजी, जो 12 माह के एक लंबे सफर के बाद अप्रैल, 1758 में भारत पहुंची। इस समय तक ब्रिटिश प्लासी का युद्ध जीत चुके थे।

फ्रांसीसी सेना द्वारा समस्याओं का सामना किया जाना- लैल्ली ने जोश के साथ काम शुरू किया। उसने फोर्ट सेंट डेविड पर आक्रमण किया और उसे व उस क्षेत्र में स्थित अन्य छोटे अंग्रेजों के अधिकार क्षेत्रों पर भी कब्जा कर लिया। लेकिन फ्रांसीसी विजय अल्पकालिक साबित हुई, क्योंकि अनेक समस्याएं धरातल पर आना शुरू हो गई थीं। लैल्ली का मद्रास पर आक्रमण असफल हुआ, क्योंकि उसे समय पर नौसेना का समर्थन नहीं मिला। फ्रांसीसी कंपनी को गोला-बारूद की कमी का भी सामना करना पड़ा, साथ ही उनके पास सेना को भुगतान करने के लिए धन की कमी भी थी। लैल्ली का व्यवहार अपने अधीनस्थों के साथ ठीक नहीं था। लैल्ली और उसके अधीनस्थों के बीच अविश्वास का माहौल पैदा हो गया, जिसने फ्रांसीसी सेना को हतोत्साहित कर दिया।

ऐसे नाजुक समय पर उतावले और जिद्दी लैल्ली ने बुस्सी को निजाम के दरबार से बुला लिया और फ्रांसीसी सेना को अयोग्य कमांडरों के अधीन छोड़ दिया। स्थिति का मूल्यांकन करके अंग्रेजों ने बंगाल से एक सेना उत्तरी सरकार (Northern Circars) में भेजी। उन्होंने राजमुंद्री एवं मसूलीपट्म पर कब्जा कर लिया और निजाम सलाबत जंग के साथ एक अनुकूल संधि भी की। इस प्रकार दक्कन में फ्रांस ने अपना प्रभाव खो दिया।

वांडीवाश का युद्ध (1760)- युद्ध जारी रहा और वांडीवाश (अब तमिलनाडु में) के युद्ध में लैल्ली की निर्णायक हार हुई (22 जनवरी 1760)। जनरल आयर कूट के नेतृत्व में अंग्रेजी सेना ने लैल्ली के नेतृत्व वाली फ्रांसीसी सेना को बुरी तरह हरा दिया और बुस्सी को बंदी बना लिया गया। अंग्रेजों ने जल्दी ही पांडिचेरी पर भी कब्जा करके लैल्ली को मैसूर के नवाब हैदर अली से सहायता लेने के लिए मजबूर कर दिया। हालांकि, समन्वय के अभाव में हैदर द्वारा भेजी गई सैनिकों की टुकड़ी बिना एक युद्ध लड़े ही मैसूर वापस लौट गई।

फ्रांसीसी राजधानी पांडिचेरी ने अंतत: 16 जनवरी 1761 को आत्मसमर्पण किया। पांडिचेरी का पतन भारत में फ्रांसीसी प्रभुत्व की अंतिम कील साबित हुई। जल्द ही मालाबार तट पर स्थित जिंजी और माहे भी अंग्रेजों को समर्पित कर दिए गए और भारत में फ्रांस के लिए पैर रखने की जगह भी नहीं बची।

पेरिस की संधि, 1763- 7 वर्षीय युद्ध के अंत के साथ 1763 में तीसरा कर्नाटक युद्ध भी औपचारिक रूप से पेरिस की संधि के निष्कर्ष के साथ समाप्त हुआ। संधि के अनुसार नि:संदेह पांडिचेरी एवं कुछ अन्य फ्रांसीसी अधिकार क्षेत्रों को फ्रांस को वापस लौटा दिया गया, लेकिन इस शर्त पर कि वे इनकी कभी किलाबंदी नहीं करेंगे और इनका कार्य व्यापारिक केंद्रों के रूप में होगा। सबसे बुरा वक्त लैल्ली का इंतजार कर रहा था। उसे 2 साल तक युद्ध बंदी के रूप में रखा गया, उसके बाद उसे अपने गृह देश वापस लौटने की अनुमति मिली, जहां उसे कोई अच्छा व्यवहार नहीं मिला और पहले उसे बंदी बनाया गया व बाद में उसे फांसी दे दी गई।

इस प्रकार तीसरे कर्नाटक युद्ध ने भारत में अंग्रेज-फ्रांस की प्रतिद्वंदिता के पर्दे को गिरा दिया और ब्रिटिश साम्राज्य की स्थापना के लिए मार्ग प्रशस्त किया।

अंग्रेजों के सामने फ्रांस की पराजय के कारण

भारत में फ्रांस की पराजय के अनेक कारण थे, जिनमें से कुछ कारणों को निम्न प्रकार से समझा जा सकता है-

- **फ्रांस की महाद्वीपीय महत्वाकांक्षाएं**- 18वीं शताब्दी में फ्रांस अपनी महाद्वीपीय महत्वाकांक्षाओं से घिरा हुआ था। उस समय के फ्रांसीसी राजा अपने देश की प्राकृतिक सीमाओं के लिए लड़ रहे थे, जिसका अर्थ था राइन और इटली की ओर क्षेत्रों की प्राप्ति। फ्रांस की इस प्रकार की प्रसारवादी नीति ने उसे यूरोप में युद्धों में फंसाए रखा और औपनिवेशिक अर्जन में लगने वाली उसकी ऊर्जा बंट गई। अंत में फ्रांस को महाद्वीप में भी कुछ नहीं मिला और यहां तक कि उसने अपने औपनिवेशिक अधिकारों को भी खो दिया। वहीं दूसरी ओर ब्रिटेन ने अपना पूरा ध्यान औपनिवेशिक प्रसार पर रखा।
- **दोनों देशों की शासन व्यवस्था में अंतर**- कुछ इतिहासकार इंग्लैंड की तुलना में फ्रांस की निम्न कोटि की शासन व्यवस्था को फ्रांस की असफलता का कारण मानते हैं। उस समय फ्रांस की सरकार निरंकुश थी और भ्रष्टाचार व अक्षमता से गुजर रही थी, जबकि अंग्रेजी सरकार का संचालन एक प्रबुद्ध कुलीनतंत्र द्वारा किया जा रहा था, जिसके अधीन ब्रिटेन एक संवैधानिक व्यवस्था की ओर तेजी से आगे बढ़ रहा था।
- **दोनों कंपनियों के संगठन में अंतर**- फ्रांसीसी कंपनी का गठन राजा द्वारा सहयोग की गई पूंजी से हुआ था, जिसमें राजा की पूंजी बहुमत में थी व शेयर होल्डरों को लाभांश की गारंटी भी दी गई थी। परिणामस्वरुप, कंपनी के निदेशकों को राजा के द्वारा नामांकित किया जाता था, जो कंपनी की प्रगति में बहुत कम रुचि लेते थे। स्वाभाविक रूप से, कंपनी की वित्तीय स्थिति कई बार बुरे दौर से गुजरी और कई बार उसे शासकीय सब्सिडी द्वारा पुनर्जीवित किया गया। इसके विपरीत अंग्रेजी कंपनी एक स्वतंत्र व्यवसायिक कॉर्पोरेशन थी। इसका एक निदेशक मंडल था, जिसे कंपनी के कल्याण में बहुत ज्यादा रुचि थी।
- **डूप्ले का उत्तरदायित्व**- डूप्ले की राजनीतिक क्षमताओं के बावजूद, वह फ्रांस की पराजय की जिम्मेदारी से कभी नहीं भाग सकता था। वह अपनी राजनीतिक महत्वाकांक्षाओं से इतना अधिक घिरा हुआ था कि उसने संघर्ष के अन्य सभी पक्षों को नजरअंदाज कर दिया था। उदाहरण के तौर पर, अपनी राजनीतिक विजयों के उत्साह में वह कंपनी की बिगड़ती वित्तीय व व्यापारिक पक्ष को समझने में असफल रहा। अत: डुप्ले भी अंग्रेजों के हाथों फ्रांस की पराजय के लिए अंशत: उत्तरदायी था।
- **बंगाल में ब्रिटिश सफलता का प्रभाव**- कुछ इतिहासकार बंगाल में ब्रिटिश सफलता को भारत में फ्रांस की पराजय और ब्रिटेन की विजय के लिए सबसे महत्वपूर्ण कारण मानते हैं। उनके अनुसार ब्रिटेन के पाले में गेंद जाने का कारण उनका बंगाल के समृद्ध स्रोतों का उपयोग कर पाना था। ब्रिटेन ने बंगाल पर कब्जा कर लिया था और इसके संसाधनों का उपयोग तीसरे कर्नाटक युद्ध में किया।

- अन्य कारण
  - डूप्ले का वापस बुलाया जाना फ्रांस की एक बड़ी गलती साबित हुई।
  - काउंट डे लैल्ली एक हठी व उतावला व्यक्ति था। उसके ऐसे व्यवहार ने उसके अधीनस्थों को उससे दूर कर दिया था। यह भी पराजय का एक कारण बना।
  - भारत में फ्रांस का कोई भी स्थाई नौसैनिक अड्डा नहीं था, जबकि ब्रिटेन का एक नौसैनिक अड्डा मौजूद था और उसकी नौसेना उच्च कोटि की भी थी।

मेरियट- "डूप्ले ने मद्रास में भारत की कुंजी खोजने की एक बहुत बड़ी गलती की, जबकि क्लाइव ने इसे बंगाल में खोजा और पाया।''

इस प्रकार अंग्रेजी कंपनी अनेक मोर्चों पर उच्च स्तरीय साबित हुई। वह एक धनी कंपनी थी और उसके पास विशाल बेड़ों सहित एक विशाल उच्च स्तरीय अवसंरचना थी। अंग्रेजी कंपनी ने अनेक समुद्री यात्राएं की थीं और उसको व्यवसाय का अच्छा ज्ञान था। अंग्रेजी कंपनी एक बहुत बड़ी निजी कॉर्पोरेशन थी और वह किसी भी तरह से राज्य पर निर्भर नही थी। दोनों कंपनियों के बीच इन कुछ गुणात्मक अंतरों के कारण भारत में अंग्रेजों के हाथों फ्रांस की हार हुई।

प्रीलिम कैप्सूल

कर्नाटक युद्ध (1740-1763)

युद्ध	काल	महत्वपूर्ण विवरण
प्रथम कर्नाटक युद्ध, डूप्ले	1740-1748	तात्कालिक संदर्भ- यूरोप में आस्ट्रियाई उत्तराधिकार का युद्ध, जिसमें इंग्लैंड और फ्रांस एक-दूसरे के विपरीत शिविरों में शामिल हुए। मुख्य युद्ध- **सेंट थॉमस** का युद्ध यूरोप में **ऐक्स ला शपैल** की संधि के साथ समाप्त हुआ। परिणाम- यह एक अनिर्णीत संघर्ष था।
द्वितीय कर्नाटक युद्ध, डूप्ले, गोदेहू	1749-1754	तात्कालिक संदर्भ - कर्नाटक एवं हैदराबाद में उत्तराधिकार का विवाद। मुख्य युद्ध- **अम्बूर एवं आर्कोट** का युद्ध। **पांडिचेरी की संधि** के साथ समाप्त हुआ। परिणाम- यद्यपि परिणाम तक नहीं पहुंचा, तथापि अंग्रेज फ्रांस पर भारी थे।
तृतीय कर्नाटक युद्ध काउंट डे लैल्ली	1757-1763	तात्कालिक संदर्भ- यूरोप में 7 वर्षीय युद्ध। एक बार पुनः फ्रांस और इंग्लैंड विपरीत शिविरों में शामिल हुए। भारत में भी यूरोपीय कंपनियों के बीच एक संक्षिप्त संधि के द्वारा इसका अंत हुआ। मुख्य युद्ध - **वांडीवाश का युद्ध** **पेरिस की संधि** के साथ 7 वर्षीय युद्ध समाप्त हुआ। परिणाम- भारत में ब्रिटेन ने फ्रांस को निर्णायक रूप से हरा दिया।

बंगाल की ब्रिटिश विजय: प्लासी से बक्सर तक (1757-1765)

भारत में ब्रिटिश विजय का प्रारंभ 1757 में प्लासी के युद्ध से माना जा सकता है, जब अंग्रेजी कंपनी की सेना ने बंगाल के नवाब सिराजुद्दौला को हराया। वास्तव में, बंगाल में ब्रिटिश विजय का इतिहास 1757 से 1764 तक 8 वर्षों के अल्पकाल के दौरान नवाब से ब्रिटिश की ओर सत्ता के क्रमिक हस्तांतरण का इतिहास है। ब्रिटिश एवं बंगाल के नवाबों के बीच संघर्ष का मुख्य कारण व्यवसायिक प्रतिद्वंदिता थी।

पृष्ठभूमि

- 17वीं शताब्दी से ही बंगाल डच, अंग्रेजी और फ्रांसीसी कंपनियों के लिए एक लाभकारी क्षेत्र के रूप में उभरा और ये सभी मुख्य रूप से बंगाल के समृद्ध संसाधनों के लिए आकर्षित हुए।
- 1651 में बंगाल के सूबेदार सुल्तान शुजा की अनुमति से हुगली में पहला अंग्रेजी कारखाना स्थापित हुआ।
- 1651 में ही शुजा ने बंगाल, बिहार और उड़ीसा में स्वतंत्र व्यापार का विशेषाधिकार ईस्ट इंडिया कंपनी को दिया। इसके बदले में उन्हें 3000 रुपए (350 पाउंड) उस समय देना था, जब कंपनी का बंगाल से आयात करीब 1 साल का 50,000 पाउंड था। ऐसा इसलिए किया क्योंकि सुल्तान शुजा श्री बॉटन की सेवाओं से खुश थे, जिन्होंने सफलतापूर्वक एक शाही महिला की बीमारी को ठीक कर दिया था। इस प्रकार अंग्रेजी कंपनियां कासिमबाजार, पटना और अन्य स्थानों पर फैली।
- 1698 में अंग्रेजी कंपनी ने सुतानुती, कालिकता, गोबिंदपुर के गांवों की जमींदारी सूबेदार अजीम-उस-शान से प्राप्त की। इसके बदले में उसे पूर्व भू-स्वामियों को 1200 रुपए का भुगतान करना था। 1700 में बंगाल के कारखानों को फोर्ट विलियम के अधीन कर दिया गया था।
- 1717 में सम्राट फर्रुखसियर ने पहले के सूबेदारों द्वारा कंपनी को, जो व्यापार के विशेषाधिकार दिए गए थे, उनको सहमति दी।
- 1717 में ही फर्रुखसियर ने मुर्शीद कुली खान को बंगाल के दीवान के साथ-साथ बंगाल का निजाम या गवर्नर भी नियुक्त कर दिया। इस प्रकार उसे निजाम और दीवान, दोनों के पद एक साथ प्राप्त हुए। अपनी स्थिति का लाभ उठाकर मुर्शीद कुली ने स्वयं को बंगाल का नवाब घोषित कर दिया और वह बंगाल का पहला स्वतंत्र नवाब बना।
- 1740 में बिहार के उपगवर्नर या उप-सूबेदार अलीवर्दी खान ने मुर्शीद कुली के पौत्र नवाब सरफराज खान को अपदस्थ कर मार दिया। अलीवर्दी खान ने उचित ही चंदननगर (चंद्रनागोरे) और कलकत्ता में फ्रांसीसी व अंग्रेजी कारखानों को किलाबंदी की अनुमति नहीं दी। 1756 में सिराज़-उद-दौला को अपना उत्तराधिकारी नामांकित कर अलीवर्दी की मृत्यु हुई।

प्लासी का युद्ध (23 जून 1757)

अंग्रेजी कंपनी ने बंगाल की राजनीति में 1757 का प्लासी षड्यंत्र के द्वारा अपने पैर जमाए जिसमें, सिराजुद्दौला (सिराज-उद-दौला) के शासन का अंत हुआ और ब्रिटिश भारत के साथ ब्रिटिश संबंधों के एक नए चरण की शुरुआत हुई।

सिराज-उद-दौला

सिराजुद्दौला (अप्रैल, 1756- जून, 1757)- सिराज के उत्तराधिकार को दो अन्य प्रत्याशियों ने चुनौती दी, जिसमें से एक पूर्णिया के फौजदार शौकत जंग थे और दूसरा अलीवर्दी की बेटी घसेटी बेगम थी। इसका परिणाम दरबार में अत्यधिक गुटबाजी के रूप में सामने आया। नवाब के दरबार में बहुत प्रभावशाली दल में जगत सेठ, अमीरचंद, राजबल्लभ, राज दुर्लभ और मीर जाफर शामिल

थे, जो सिराज के विरोध में थे। इतने गंभीर रूप से बंगाल के प्रशासन को अस्थिर कर दिया और इसका लाभ अंग्रेजी ईस्ट इंडिया कंपनी के द्वारा उठाया गया।

बंगाल के नवाब और अंग्रेजी कंपनी के बीच संघर्ष के निम्नलिखित मुख्य कारण थे-

- **1717 का फरमान**- 1717 में मुगल सम्राट फर्रुखसियर ने ब्रिटिश ईस्ट इंडिया कंपनी को अनेक व्यापारिक विशेष अधिकार देने का एक फरमान जारी किया। यह फरमान बंगाल के नवाब और अंग्रेजी कंपनी के बीच संघर्ष का एक कारण बन गया। एक तो इसका अर्थ बंगाल की सरकार के राजस्व में कमी आना था और दूसरा कंपनी के अधिकारियों/कर्मचारियों द्वारा दस्तकों का दुरुपयोग किया जा रहा था।
- **कृष्णा दास को आश्रय** - अंग्रेजी कंपनी ने राजबल्लभ के पुत्र कृष्णा दास को आश्रय दिया था, जो नवाब की इच्छा के विरुद्ध अत्यधिक कोष लेकर भाग गया था।
- **घसेटी बेगम को समर्थन**- कंपनी ने घसेटी बेगम के दावों का समर्थन करके नवाब को क्रुद्ध कर दिया था।
- **तात्कालिक कारण**- अत्यधिक तनावग्रस्त स्थिति तब बन गई, जब अंग्रेजी-फ्रांसीसी संघर्ष के अन्य चरण की प्रत्याशा में अंग्रेजी कंपनी ने विलियम फोर्ट की किलेबंदी करना शुरू की और उसकी दीवाल पर बंदूके लगा दीं। सिराज ने बार-बार अंग्रेजों से किलाबंदी न करने के लिए आग्रह किया।

ब्लैक होल त्रासदी (The Black Hole Tragedy)- 15 जून 1756 को सिराजुद्दौला ने फोर्ट विलियम किले की घेराबंदी की और यह 5 दिनों तक चली। इसी दौरान गवर्नर रोजर ड्रेक और उसके कुछ साथी हुगली नदी की ओर पिछले दरवाजे से बच निकले और समुद्र के पास फुल्टा में शरण ली व मद्रास से सहायता का इंतजार किया। वे जॉन जेफानियाह होलवेल के नेतृत्व में महिला व बच्चों सहित 146 व्यक्तियों को पीछे छोड़ गए थे। 20 जून को किले के गिरने के बाद नवाब ने कलकत्ता का नाम अलीनगर रख दिया और उसे माणिक चंद्र के अधीन कर स्वयं मुर्शिदाबाद लौट गया।

इसके बाद होलवेल और अन्य को किले के एक छोटे कमरे, जैसे ब्लैक होल के नाम से जाना गया, में कैद कर लिया गया। इस कमरे में अत्यधिक गर्मी थी और इसकी लंबाई 18 फीट व चौड़ाई 14 फीट 10 इंच थी। ऐसा माना जाता है कि 146 कैद किए हुए व्यक्तियों में से अगले दिन केवल 26 व्यक्ति ही जिंदा बचे थे। इस घटना को ब्लैक होल त्रासदी कहा गया।

इस घटना को ब्रिटिश के साहस और नवाब की बेरहमी के उदाहरण के रूप में देखा गया। सिराजुद्दौला को इन हत्याओं के लिए सीधा उत्तरदायी माना गया। अंग्रेजी कंपनी ने इस घटना का आक्रामक युद्धों के समर्थन में ब्रिटिश जनता की सहानुभूति लेने में उपयोग किया।

इसी बीच रॉबर्ट क्लाइव के नेतृत्व में एक सशक्त नौसेना के रूप में मद्रास से सहायता पहुंची। फोर्ट विलियम में नवाब के प्रभारी अधिकारी मानिक चंद्र को रिश्वत दी गई और उसने प्रतिरोध का एक संक्षिप्त दिखावा करके आत्मसमर्पण कर दिया।

अलीनगर की संधि (9 फरवरी 1757)- परिणामस्वरूप, फरवरी 1757 में नवाब को अंग्रेजों के साथ एक शांति संधि करनी पड़ी और अलीनगर की अपमानजनक संधि पर हस्ताक्षर करना पड़ा। इस संधि के अनुसार नवाब को अंग्रेजों को उनके व्यापार के पहले जैसे विशेष अधिकारों को वापस देना था, कलकत्ता की किलेबंदी की अनुमति प्रदान करनी थी और यहां तक कि अंग्रेजों द्वारा हुई हानि के मुआवजा का भुगतान भी करना था।

इस प्रकार क्लाइव ने कलकत्ता को पुन: प्राप्त किया और यहां तक कि नवाब को सभी अंग्रेजी मांगों को मानने के लिए मजबूर कर दिया। अंग्रेज अब भी संतुष्ट नहीं थे। वे नवाब के रूप में मीर जाफर को लाने का निर्णय कर चुके थे। इसको ध्यान में रखते हुए अंग्रेजों ने नवाब के सामने ऐसी असम्भव मांगें रखीं कि युद्ध अनिवार्य हो जाए। क्लाइव ने नवाब के दरबार के नेताओं के बीच षड्यंत्र की एक कड़ी बुनी। उनमें मुख्य थे-

- **मीर जाफर:** मीर बक्शी, नवाब की सेना का मुख्य सेनाध्यक्ष
- **मानिक चंद:** कलकत्ता का प्रभारी अधिकारी
- **अमीरचंद:** एक अमीर व्यापारी
- **जगत सेठ:** बंगाल का बड़ा बैंकर
- **खादिम खान:** नवाब की बड़ी सेनाओं का नेतृत्व करने वाला

सिराज के दरबार के इन असंतुष्ट कुलीनों ने सिराज को अपदस्थ करने के लिए अंग्रेजों से हाथ मिलाया और प्लासी का षड्यंत्र हुआ।

युद्ध (23 जून 1757)- 23 जून 1757 को मुर्शिदाबाद से दक्षिण में 30 किलोमीटर दूर प्लासी में दोनों सेनाएं मिलीं। अंग्रेजी सेना में 950 यूरोपीय पैदल सेना और 2100 भारतीय सैनिक शामिल थे, जबकि नवाब की सेना में 50000 सैनिक थे, जिसका नेतृत्व विश्वासघाती मीर जाफर कर रहा था। नवाब के सैनिकों के एक छोटे समूह ने ही साहस से लड़ा, जिनका नेतृत्व मीर मदन और मोहनलाल ने किया था। मीर मदन के मारे जाने के बाद मीर जाफर ने नवाब के डर के साथ खेला और उसके सेनानायकों के हाथों में नेतृत्व छोड़कर उसे युद्ध भूमि से निवृत्त होने का सुझाव दिया। इस चाल को अच्छी तरह से चला गया। जब नवाब 2000 घुड़सवारों के साथ चला गया, तो मीर जाफर और राय दुर्लभ के नेतृत्व में नवाब की सेना का एक बड़ा भाग क्लाइव द्वारा नवाब की बाकी सेना पर किए जा रहे जबरदस्त हमले को देखता रहा। इसके परिणामस्वरूप, नवाब को भागना पड़ा, लेकिन उसे पकड़ लिया गया और मीर जाफर के पुत्र मीरां के आदेश पर एक कातिल मोहम्मद अली बेग ने उसे मार दिया।

प्लासी के युद्ध के परिणाम

- मीर जाफर को बंगाल का नवाब घोषित किया गया। (प्लासी के युद्ध के पहले ही क्लाइव ने उसे नवाब की पदवी देने का वादा किया था।)
- रॉबर्ट क्लाइव को बंगाल का गवर्नर बनाया गया। (क्लाइव पहली बार गवर्नर बनना: 1757-1760)
- कंपनी को बंगाल, बिहार और उड़ीसा में स्वतंत्र व्यापार करने का निर्विरोध अधिकार दिया गया।
- ऐसा समझा गया कि ब्रिटिश अधिकारियों को अब अपने निजी व्यापार के लिए किसी प्रकार के कर का भुगतान नहीं करना होगा।
- कंपनी को कलकत्ता के समीप 24 परगना के समीप जमींदारी मिली।
- मीर जाफर ने कंपनी के अधिकारियों को घूस या पुरस्कार के रूप में 50 लाख रुपए का भुगतान किया। इसके अलावा एक बड़ी राशि क्लाइव को व्यक्तिगत रूप से और कंपनी की हानियों के लिए मुआवजा भी दिया गया।
- बंगाल की सभी फ्रांसीसी संस्थाओं को अंग्रेजों को समर्पित कर दिया गया।

प्लासी के युद्ध का महत्व- यह युद्ध सैन्य क्षमता की दृष्टि से शायद ही महत्वपूर्ण था, क्योंकि अंग्रेजी सेना ने सैन्य उत्कृष्टता नहीं दिखाई। यह केवल एक झड़प थी, जिसमें अंग्रेजों के 65 और नवाब के 500 सैनिक मारे गए। अंग्रेजों की शक्ति की अपेक्षा यह नवाब के साथियों का विश्वासघात था, जिसने प्लासी के युद्ध का भविष्य तय किया।
निम्न कारणों से यह युद्ध एक महत्वपूर्ण ऐतिहासिक घटना साबित हुई-

- **बंगाल में ब्रिटिश राजा निर्माता के रूप में उभरे:** ब्रिटिश में अब उनके आदमी मीर जाफर को नया नवाब नियुक्त किया। जाफर बंगाल में अपनी स्थिति को बनाए रखने के लिए अंग्रेजों पर पूर्णतया निर्भर था।
- **ईस्ट इंडिया कंपनी की स्थिति में परिवर्तन**- प्लासी के युद्ध में विजय बंगाल में ईस्ट इंडिया कंपनी की स्थिति में एक बड़ा परिवर्तन लाया। अंग्रेजी कंपनी बंगाल में अब तक एक अन्य यूरोपीय कंपनियों के समान ही एक कंपनी थी,

लेकिन प्लासी के बाद कंपनी सर्वोच्च साबित हुई और उसने बंगाल के व्यापार में अपना एकाधिकार स्थापित किया। बंगाल की राजनीति में अंग्रेज एक शक्तिशाली प्रतिभागी के रूप में उभरे।

- **बंगाल के विशाल संसाधन अब ब्रिटिश के उपयोग के लिए खुले**- युद्ध में विजय ने बंगाल के विशाल संसाधनों को ब्रिटिश के उपयोग के लिए रास्ता खोल दिया। प्लासी के बाद कंपनी को धन की, जो पहली किश्त दी गई, वह चांदी के सिक्कों के रूप में थी और करीब 100 नावों में उसे ले जाया गया था। बंगाल उस समय भारत का सबसे समृद्ध प्रांत था, उसके निर्मित सामानों की भारत में ही नहीं, विश्व में बडी मांग थी। बंगाल में विजय ने अंग्रेजी-फ्रांसीसी संघर्ष में निर्णायक भूमिका निभाई। वास्तव में, बंगाल के राजस्व से अंग्रेज देश के सभी स्थानों को जीतने के लिए होने वाले खर्चों को उठाने में सक्षम हो गए थे।

इस प्रकार 'प्लासी क्रांति' जैसा कि उसे कहा जाता है, दूरगामी परिणामों वाला एक युद्ध साबित हुआ। प्लासी से भारत में ब्रिटिश विजय की शुरुआत थी।

मीर जाफर (जून, 1757- अक्टूबर, 1760)- पद प्राप्त करने के तुरंत बाद ही मीर जाफर को कुछ गंभीर समस्याओं का सामना करना पड़ा-

- कुछ जमींदारों जैसे- मिदनापुर के राजाराम सिन्हा और पूर्णिया के हिजिर अली खान ने मीर जाफर को उनका शासक स्वीकार करने से मना कर दिया था।
- मीर जाफर को भी उसके कुछ सैनिकों, जो अपना वेतन नियमित रूप से प्राप्त नहीं कर रहे थे, के साथ-साथ अपने अधिकारियों जैसे- राय दुर्लभ पर भी संदेह होने लगा था।
- मुगल सम्राट के पुत्र (ज़ो बाद में शाह आलम बना) ने भी बंगाल के सिंहासन पर कब्जा करने का प्रयास किया था।
- सैन्य समर्थन के लिए कंपनी पर मीर जाफर की बढ़ती निर्भरता का उपयोग, कंपनी ने उससे और वित्त व अन्य विशेषाधिकारों की मांग करके किया। लेकिन नवाब कंपनी की बढ़ती हुई मांगों को पूरा करने में असफल हुआ, जिसने उसे बर्बाद कर दिया था।

मीर जाफर ने ब्रिटिश के साथ किए गए अपने समझौते पर अब पछताना शुरू कर दिया और ब्रिटिश की चाकरी से छुटकारा पाने के लिए उसने ब्रिटिश के विरुद्ध डच के साथ षड्यंत्र करना शुरू किया। हालांकि, क्लाइव ने बेदरा के निर्णायक युद्ध (नवंबर, 1759) में डच को हराकर इस चाल को नाकाम कर दिया था। लेकिन अब अंग्रेजी कंपनी का नवाब पर संदेह बढ़ चुका था और उसने उसका एक अनुकूल प्रतिस्थापन ढूंढ़ना शुरू कर दिया था। कंपनी के दृष्टिकोण से कंपनी की भूमिका प्लासी के बाद से काफी बदल चुकी थी और अब उसे व्यवसाय के साथ-साथ सैन्य व राजनीतिक शक्तियों की भूमिका भी निभानी थी। वह अपनी इन नई जिम्मेदारियों के लिए धन कहां से जुटाती? नवाब निर्धारित भुगतान करने में असमर्थ था और 1760 तक उसका कंपनी पर 25 लाख रुपए का कर्ज हो गया था। अब कंपनी का मीर जाफर पर विश्वास खो चुका था।

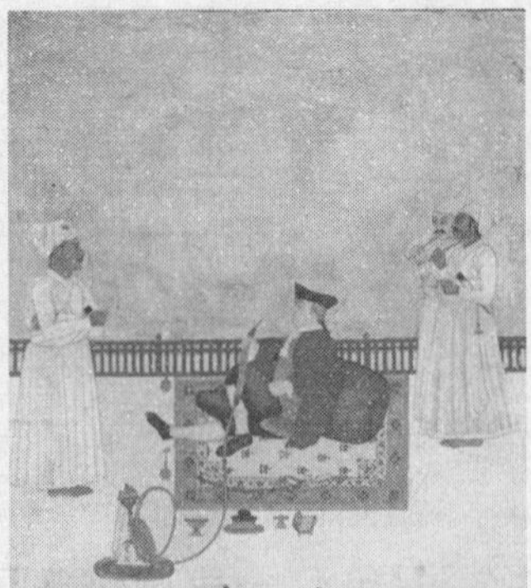

ईस्ट इण्डिया कंपनी का एक अधिकारी

इसी बीच मीर जाफर के पुत्र मीरां की मृत्यु हुई और एक बार पुनः उत्तराधिकार पर संघर्ष शुरू हुआ। यह संघर्ष मीरां के पुत्र और मीर जाफर के दामाद मीर कासिम के बीच था। मीर कासिम ने गुप्त रूप से आवश्यक धन के लिए हेनरी वैनसिटार्ट (जिसने 1760 में बंगाल के गवर्नर के रूप में क्लाइव का स्थान ले लिया था) को वादा कर दिया था, यदि अंग्रेजी कंपनी नवाब के पद के लिए उसका समर्थन करे। तदनुसार, हेनरी वैनसिटार्ट ने मीर कासिम का पक्ष लेने का निर्णय लिया और अक्टूबर, 1760 में मीर जाफर को अंततः अपने दामाद मीर कासिम के पक्ष में पद त्याग करने के लिए मजबूर कर दिया गया। इस प्रकार मीर जाफर में जैसा बोया वैसा काटा, उसने धोखा किया था, तो उसे भी धोखा ही मिला।

मीर कासिम या इमाद-उद-दौला (अक्टूबर 1760-1763)- मीर कासिम ने कंपनी को बर्दवान, मिदनापुर और चिटगांव की जमींदारी प्रदान की। उसने सिलहट के चूना व्यापार का आधा शेयर कंपनी को देने का वादा किया। उसने वैनसिटार्ट, होलवेल और अन्य अंग्रेज अधिकारियों को करीब 19 लाख रुपए की भारी रिश्वत दी।

मीर कासिम के शासन के पहले कुछ महीने अच्छे बीते। लेकिन ब्रिटिश के साथ उसके रिश्ते कई कारणों से बिगड़ने लगे। लेकिन उसने अंग्रेजी आशाओं को झूठा साबित कर दिया। वह एक योग्य और सक्षम शासक था और विदेशी नियंत्रण से स्वयं को स्वतंत्र करना चाहता था।

- उसने अपनी राजधानी **मुर्शिदाबाद से बिहार में मुंगेर** स्थानांतरित कर दी, जो कलकत्ता की कंपनी और मुर्शिदाबाद के दरबारी-षड्यंत्र से दूर थी।
- उसने अपने द्वारा चयनित लोगों द्वारा नौकरशाही का जीर्णोद्धार कर दिया और राज्य के वित्त को सुधारने का प्रयास किया।
- उसने यूरोपीय तर्ज पर अपनी सेना को आधुनिक बनाने और मुंगेर में बंदूकों के निर्माण के लिए तैयारियों की कोशिश की।
- बिहार के उप-गवर्नर रामनारायण का व्यवहार मीर जाफर के दिनों से ही दुर्दांत व हठी हो गया था। उसने अंग्रेजी समर्थन से बैंकिंग प्राप्त की थी। कई बार याद दिलाने के बावजूद उसने बिहार के लेखे प्रस्तुत नहीं किए। वास्तव में, इस बार उसने आगे बढ़कर स्वयं को स्वतंत्र शासक के रूप में घोषित कर दिया था। मीर कासिम ने इस प्रकार की खुली अवज्ञा सहन न करने का निर्णय लिया और उसको अपदस्थ करने व फांसी देने का आदेश जारी किया।
- कंपनी के दस्तकों का निजी व्यापार के लिए दुरुपयोग करना अंग्रेजी कंपनी और नवाब के बीच तनाव का एक शाश्वत कारण था। कंपनी के कर्मचारी या अधिकारी अपने सामानों पर कोई कर नहीं चुकाते थे, जबकि निम्नलिखित परिस्थितियों में स्थानीय व्यापारियों को कर का भुगतान करना होता था-
    - नवाब का कर-राजस्व का खोना।
    - स्थानीय व्यापारी असमान प्रतियोगिता का सामना करते थे।
- कंपनी के अधिकारी कमीशन के लिए भारतीय व्यापारियों को दस्तकें बेच देते थे।
- यहां तक कि कंपनी के सेवक या अधिकारी कर मुफ्त व्यापार से संतुष्ट नहीं थे और वस्तुओं को सस्ते दामों में प्राप्त करने के लिए बल का उपयोग करते थे। वे नवाब के अधिकारियों को नजरअंदाज करते हुए किसानों व व्यापारियों से उनकी वस्तु एवं उत्पाद उनके मूल्य के एक चौथाई भाग में बलपूर्वक ले लेते थे। वह किसानों को हिंसा और शोषण के द्वारा अपनी वस्तुओं को उनके मूल्य से कई गुना महंगी खरीदने के लिए मजबूर करते थे।

ऐसी परिस्थितियों में मीर कासिम ने ब्रिटिश से स्वतंत्र होने का प्रयास नहीं किया, लेकिन उसने अपने क्षेत्राधिकार में अंग्रेजों के बढ़ते अतिक्रमण को सीमित करने का प्रयास किया, जो उसे निराशा की ओर ले जा रहा था। उसने गवर्नर वन्सिटार्ट को एक पत्र लिखकर उनसे न्याय व विवेक का आग्रह किया। निराश अनुग्रह को प्राप्त करके वन्सिटार्ट, वारेन हेस्टिंग्स, कलकत्ता काउंसिल के एक अन्य सदस्य मुंगेर में नवाब से मिले और एक समझौता किया। इस पर सहमति हुई कि नवाब अंग्रेज व्यापारियों को अंतर्देशीय व्यापार में एक भाग देगा, बशर्ते वे 9% कर का भुगतान करें। इस बात पर भी सहमति बनी कि नवाब अकेला दस्तक प्रदान करने के लिए सक्षम होगा और उसकी सत्ता व्यापार संबंधी विवादों के समाधान हेतु अंतिम होगी।

दुर्भाग्यवश, कलकत्ता परिषद द्वारा इस समझौते को असहमति मिली। परिषद के अधिकतर सदस्य स्वयं भी अंतर्देशीय व्यापार में सहभागिता करते थे और समझौते के स्थान पर वे मीर कासिम को हटाने के समर्थन में थे, ताकि उन्हें रिश्वत प्राप्त करने का एक और अवसर मिल जाए।

निराशा से मीर कासिम ने सभी प्रकार के अंतर्देशीय करों को समाप्त कर दिया, ताकि भारतीय व्यापारियों को भी अंग्रेजों के समान किया जा सके। इस प्रकार 1763 में नवाब और अंग्रेजों के बीच युद्ध छिड़ गया और उसी वर्ष युद्धों की एक श्रृंखला में नवाब की पराजय हुई। इसके बाद वह अवध भाग गया और उसने शुजा-उद-दौला (अवध के नवाब) और शाह आलम द्वितीय (भगोड़ा मुगल सम्राट) के साथ अंग्रेजों को हराने के लिए एक सन्धि की।

बक्सर का युद्ध (22 अक्टूबर 1764)

शाह आलम द्वितीय

तात्कालिक कारण

कंपनी के अधिकारियों/कर्मचारियों द्वारा अपने निजी व्यापार के लिए दस्तकों का दुरुपयोग 1764 के युद्ध का तात्कालिक कारण बना।

युद्ध (22 अक्टूबर 1764)- तीनों सहयोगी 22 अक्टूबर 1764 को बक्सर के युद्ध मैदान में कंपनी की सेना से भिड़े। सहयोगी दलों में करीब 40000 से 60000 सैनिक थे, जबकि अंग्रेज सेना में मेजर मुनरो के नेतृत्व में करीब 7000 सैनिक थे। इस युद्ध में दोनों ही पक्षों को बहुत हानि हुई और अंततः उच्च सैन्य शक्ति अर्थात ब्रिटिश की विजय हुई।

यह युद्ध भारतीय इतिहास में सभी निर्णायक युद्धों में से एक था। इसने बंगाल, बिहार और उड़ीसा में ब्रिटिश को मालिक के रूप में स्थापित कर दिया। अवध को उनकी दया पर छोड़ दिया था।

बक्सर युद्ध के परिणाम

- इस युद्ध ने बंगाल के नवाबों के भविष्य को लगभग समाप्त कर दिया था। सभी व्यवहारिक उद्देश्यों के लिए वास्तविक शक्ति अंग्रेजी कंपनी के हाथों में हस्तांतरित हो गई थी।
- मीर जाफर को बंगाल के सिंहासन पर और अधिक कठिन शर्तों के साथ पुनः वापस लाया गया।
- मीर जाफर मिदनापुर, बर्दवान और चिटगांव जिलों को अंग्रेजों को देने के लिए सहमत हुआ। साथ ही उन्हें बंगाल में कर-रहित व्यापार (नमक अपवाद था जिस पर 2% कर था) करने की अनुमति दी। उसे और उसके उच्च अधिकारियों को अंग्रेजी कंपनी को 5 लाख रुपए प्रति महीना भुगतान करना था, साथ ही कंपनी को नियुक्तियों के मुद्दों में हस्तक्षेप की अनुमति मिली और नवाब को अपनी सैन्य क्षमता घटानी थी।
- मीर जाफर की इसके बाद जल्दी मृत्यु हो गई और उसके नाबालिग पुत्र निजाम-उद-दौला को नवाब नियुक्त किया गया।
- रॉबर्ट क्लाइव को बंगाल के गवर्नर और सेनाध्यक्ष के रूप में वापस भेजा गया। सबसे पहले उसने पराजित हुई शक्तियों के साथ संबंधों को परिभाषित करने का कार्य अपने हाथों में लिया और इस कार्य में उसने व्यवहारिक बुद्धिमत्ता दिखाई-
- अवध के नवाब के साथ समझौता- रॉबर्ट क्लाइव अवध गया और इलाहाबाद में शुजा-उद-दौला से मिला और उसके साथ **इलाहाबाद की पहली संधि** (16 अगस्त 1765) की। इस संधि के अनुसार-
  - अवध के नवाब को कंपनी को 50 लाख रुपए की युद्ध क्षतिपूर्ति का भुगतान करना था।
  - नवाब को सम्राट शाह आलम के लिए इलाहाबाद और कोरा समर्पित करना था और बनारस के जमींदार बलवंत सिंह को उसकी जायदाद सुनिश्चित करनी थी।
  - नवाब को कंपनी के साथ एक रक्षात्मक और आक्रमक संधि (सहायक संधि) करनी थी। कंपनी ने बाहरी आक्रमण के विरुद्ध नवाब से समर्थन का वादा किया, बशर्ते वह सेनाओं की सेवा के लिए भुगतान करे। इस प्रकार अवध का नवाब कंपनी पर निर्भर हो गया।
- मुगल सम्राट शाह आलम द्वितीय के साथ समझौता- रॉबर्ट क्लाइव ने मुगल सम्राट आलम द्वितीय के साथ इलाहाबाद की दूसरी संधि (अगस्त, 1765) की। इस संधि के अनुसार-
  - सम्राट को कंपनी के संरक्षण में लिया गया और उसे कोरा व इलाहाबाद जिले दिए। (सम्राट अंग्रेजों के एक आभासी कैदी के रूप में 6 वर्षों के लिए इलाहाबाद के किले में रहा।)
  - बदले में 12 अगस्त 1765 को सम्राट ने एक फरमान जारी करके कंपनी को बंगाल, बिहार और उड़ीसा की दीवानी दी। इसके लिए कंपनी को सम्राट को 26 लाख रुपए वार्षिक भुगतान करना था। (इस प्रकार इस फरमान ने बंगाल

में कंपनी की प्राप्ति को वैधानिक बना दिया, इसने सिद्धांत में बंगाल में एक दोहरी व्यवस्था शुरू की, जिसमें सम्राट को कंपनी का एक उपयोगी कठपुतली बना दिया था।)

- बंगाल के नवाब के साथ समझौता - मीर जाफर की मृत्यु के बाद उसके पुत्र नाजम-उद-दौला को निम्न शर्तों पर उत्तराधिकारी बनने की अनुमति दी गई-
  - नवाब को कंपनी के हाथों में रक्षा एवं विदेशी मामलों (दोनों निजामत के कार्य) को समर्पित करना होगा, जबकि नागरिक प्रशासन को कंपनी द्वारा मनोनीत नायब सूबेदार के हाथों में देना था व नायब सूबेदार को उनकी सहमति के बिना हटाया नहीं जा सकता था।
  - (स्पष्ट रूप से कंपनी ने सम्राट से दीवानी और बंगाल के नवाब से निजामत के कार्यों को प्राप्त किया। इस प्रकार अप्रिय दोहरी शासन व्यवस्था सिद्धांत में ही दोहरी थी, व्यवहार में बंगाल में कंपनी ने सभी वास्तविक शक्तियां प्राप्त कर लीं थीं। नवाब ने सभी स्वतंत्र सैन्य और वित्तीय शक्तियां खो दी थीं।)
- **बंगाल में प्रशासन की दोहरी व्यवस्था (Dual System) का स्थापित होना-** सिद्धांत में दोहरी व्यवस्था का अर्थ था, शासन की ऐसी व्यवस्था जहां दीवानी कार्यों (राजस्व संग्रह) का कार्य कंपनी के हाथों में, जबकि बंगाल के नवाब के हाथों में निजामत के कार्य (सुरक्षा, कानून व व्यवस्था और न्याय प्रशासन) थे। हालांकि, नाजम-उद-दौला को इस बात पर कि वह निजामत कार्यों को समर्पित कर देगा, बंगाल का नवाब बनने का अनुमति दी गई। इस प्रकार वास्तव में दोहरी व्यवस्था बनावटी थी, क्योंकि वास्तव में, कंपनी ही सारे राजनीतिक शक्तियों का उपयोग कर रही थी। इस प्रकार व्यवहार में दोहरी व्यवस्था शासन की ऐसी व्यवस्था थी, जहां कंपनी ने सारी वास्तविक शक्तियां प्राप्त कर ली थी, जबकि शासन का उत्तरदायित्व नवाब के कंधों पर था।
  - इस व्यवस्था का लाभ यह था कि ब्रिटिश के पास उत्तरदायित्व के बिना शक्ति थी। इसका बंगाल की जनता पर बुरा प्रभाव पड़ा, क्योंकि न ही कंपनी और न ही नवाब ने उनके कल्याण के बारे में सोचा।
  - इस प्रकार बंगाल से धन का निर्गम शुरू हुआ। कंपनी ने इंग्लैंड से पैसा भेज कर भारतीय वस्तुएं खरीदना बंद कर दिया और अब ये वस्तुएं बंगाल के राजस्व से खरीदी जाती थीं और विदेशों में बेची जाती थीं।
  - इस धन के निर्गम ने बंगाल को निर्धन बनाया और 1770 के बंगाल में अकाल के लिए यह मुख्य कारण बना। यद्यपि अकाल का कारण वर्षा का न होना था, लेकिन इसके बुरे प्रभाव को कंपनी की नीतियों ने बढ़ा दिया था।
  - कंपनी को एक बड़ी रकम ब्रिटिश सरकार को प्रतिवर्ष देनी होती थी।

क्लाइव ने दोहरी व्यवस्था को क्यों अपनाया?

- क्लाइव नवाब को एक प्रतिछाया सत्ता के रूप में बनाए रखना चाहता था, जिसमें कंपनी उसका सम्मान करते हुए दिखे। सत्ता का सीधे तौर पर उपयोग करने से कंपनी का वास्तविक रंग दिख जाता और कंपनी के विरुद्ध भारतीय राजकुमारों के एक होने की भी संभावना थी।
- कंपनी नहीं चाहती थी कि उसके कार्यों के संबंध में इंग्लैंड की रूचि बढ़े। वह ब्रिटिश संसद के हस्तक्षेप से दूर रहना चाहती थी।
- यह भी संदेह था कि अन्य यूरोपीय कंपनियां कंपनी की सूबेदारी को स्वीकार करती और उन्हें वे कर देतीं, जो वे बंगाल के नवाब को दे देते थीं।
- सीधे तौर पर राजनीतिक सत्ता का उपयोग अन्य यूरोपीय शक्तियों के ध्यान को आकर्षित कर सकता था।
- कंपनी के पास बंगाल के प्रशासन को चलाने के लिए पर्याप्त कार्मिक व्यक्ति नहीं थे।
- कंपनी के निदेशक प्रदेश/क्षेत्र की प्राप्तिओं की अपेक्षा वित्तीय व व्यवसायिक प्राप्तियों में अधिक रूचि रखते थे।

इस प्रकार दोहरी शासन व्यवस्था का यह परिणाम हुआ कि अंग्रेजी कंपनी ने बिना उत्तरदायित्व के वास्तविक शक्ति

प्राप्त कर ली थी।

दोहरी व्यवस्था का बुरा प्रभाव- दोहरी व्यवस्था पूर्णरूप से असफल साबित हुई और इसके निम्नलिखित प्रभाव पड़े-

- इसने बंगाल में **प्रशासन व कानून व्यवस्था** को पूर्णतया बिगाड़ दिया था। नवाब को कानून लागू करने की वास्तविक शक्ति प्राप्त नहीं थी और कंपनी ने भी इस संबंध में सारी जिम्मेदारियों का त्याग कर दिया था।
- बंगाल, जो कभी भारत का धान्य भंडार हुआ करता था, उसे अकाल झेलना पड़ा। कंपनी ने बंगाल के लिए मोहम्मद रजा खान और बिहार के लिए राजा सिताब रॉय को नायब दीवान नियुक्त किया था और उनको निर्देश दिया था कि वे जितना संभव हो उतना उच्च राजस्व का संग्रह करें।
- दोहरी सरकार ने बंगाल में व्यापार-व्यवसाय को भी अवरुद्ध कर दिया था। कंपनी के व्यापारी सख्त एकाधिकार का उपयोग करने लगे, जिससे भारतीय व्यापारियों को अत्यधिक नुकसान होने लगा था।
- इसने **देशी उद्योग और शिल्प को भी बर्बाद** कर दिया। कंपनी ने अपनी राजनीतिक शक्ति का उपयोग करके बंगाल के कपास बुनकरों को मजबूर किया कि वे एक निश्चित कीमत पर केवल कंपनी से कच्चा माल खरीदेंगे और उनको ही बुना हुआ कपड़ा बेचेंगे। कंपनी ने उद्योगों को भी अपने हिसाब से प्रोत्साहित किया। उदाहरण के तौर पर, **1769 के एक आदेश के अनुसार** कंपनी को कच्चे रेशम के उत्पादन को प्रोत्साहित करने, जबकि बुने हुए रेशमी कपड़ों को हतोत्साहित करने के लिए कहा गया, क्योंकि ये इंग्लैंड में बने रेशम के कपड़ों के साथ प्रतिस्पर्धा करते थे।
- बंगाल में कंपनी की लोभी नीतियों ने पूरे वातावरण को दूषित कर दिया और बंगाली समाज को नैतिक पतन की ओर ले गई। कंपनी के भारतीय कर्मचारियों/अधिकारियों ने उनके भ्रष्टाचारी मालिकों के उदाहरण का अनुसरण करना शुरू कर दिया था। किसानों और शिल्पकारों को उनके श्रम की सही कीमत नहीं मिलती थी, जिसने अच्छे कार्य के लिए उनकी प्रेरणा को खो दिया।

बक्सर के युद्ध का महत्व- बक्सर ने प्लासी के परिणाम को सुनिश्चित किया और ब्रिटिश एक बार पुनः सर्वोच्च शक्ति के रूप में उभरे। अब बंगाल का नवाब उनकी कठपुतली, अवध का नवाब एक आसानी से मान जाने वाला सहयोगी और मुगल सम्राट उनका पेंशन-भोगी था। बंगाल से लेकर इलाहाबाद तक की जमीन उनके कदमों में थी और दिल्ली तक का रास्ता खुला हुआ था। जहां प्लासी के युद्ध ने उन्हें बंगाल की राजनीति में एक शक्तिशाली कारक बनाया, वहीं बक्सर ने उन्हें उत्तर भारत की राजनीति का एक केंद्र बिंदु बनाया। वास्तव में, ब्रिटिश भारतीय साम्राज्य के लिए एक सशक्त दावेदार बन गए थे।

बंगाल में राजनीतिक घटनाओं का मूल्यांकन (1757-1765)

1757 से 1765 के बीच बंगाल में हुई राजनीतिक गतिविधियों को अनेक इतिहासकारों द्वारा एक राजनीतिक क्रांति के रूप में परिभाषित किया जाता है। अंग्रेजी कंपनी और उसके अधिकारियों ने इन घटनाओं में एक महत्वपूर्ण भूमिका निभाई। इतनी ही महत्वपूर्ण भूमिका उनके भारतीय सहयोगियों ने निभाई, जिनमें जगत सेठ, जमींदार, व्यापारी और अन्य स्थानीय अधिकारी थे, जो सिराज के नागरिक व सैन्य प्रशासन में उसके द्वारा किये गए परिवर्तन से खुश नहीं थे और उन्होंने उसको हटाने के लिए षडयंत्र किया। ब्रिटिश भी अपने अनुकूल किसी नवाब को चाहते थे और उन्होंने भारतीय समूह का साथ दिया।

संक्षेप में, कंपनी के आर्थिक और उसके भारतीय सहयोगियों के राजनीतिक हितों ने प्लासी के षड्यंत्र को अंजाम दिया। बंगाल का राजनीतिक रुपान्तरण प्लासी में ब्रिटिश विजय से शुरू हुआ और बक्सर की विजय से अपने चरम पर पहुंचा। बक्सर की जीत केवल बंगाल के नवाब के विरुद्ध नहीं, बल्कि मुगल सम्राट और अवध के नवाब पर जीत थी। अतः बक्सर में ब्रिटिश विजय बंगाल में ब्रिटिश विजय के साथ-साथ शेष भारत में उसकी विजय की शुरुआत थी।

इकाई 2

भारत में ब्रिटिश प्रसार एवं सुदृढ़ीकरण (1767–1857)

अध्याय

1

दक्षिण भारत में ब्रिटिश प्रसार (मैसूर और मराठा पर विजय, 1767-1818)

- 18वीं शताब्दी में शक्ति-संघर्ष के कारण
- मैसूर और मराठा राज्यों में ब्रिटिश हस्तक्षेप के कारण
- आंग्ल-मैसूर युद्ध (1766-1799)
    - प्रथम आंग्ल-मैसूर युद्ध (1766-1769)
    - द्वितीय आंग्ल-मैसूर युद्ध (1780-1784)
    - तृतीय आंग्ल-मैसूर युद्ध (1790-1792)
    - चतुर्थ आंग्ल-मैसूर युद्ध (1799)
- आंग्ल-मराठा युद्ध (1775-1818 के दौरान)
    - पहला आंग्ल-मराठा युद्ध (1775-1782)
    - द्वितीय आंग्ल-मराठा युद्ध (1803-1805)
    - तृतीय आंग्ल-मराठा युद्ध (1817-1818)
- ब्रिटिश के हाथों मैसूर और मराठों के पराजय के कारण

आप पहले ही जान चुके हैं कि 18वीं शताब्दी की भारतीय राजव्यवस्था तीन प्रमुख विषयों से चिंहित की जाती है- मुगल साम्राज्य का पतन, क्षेत्रीय शक्तियों का उदय और 18वीं शताब्दी के अंतिम दशक में भारत में ब्रिटिश सर्वोच्चता का उदय। फ्रांस के साथ सर्वोच्चता के लिए संघर्ष ब्रिटिश शक्ति के उदय का पहला चरण था। बंगाल की विजय दूसरा और निर्णायक चरण था।

बंगाल की विजय के बाद ब्रिटिश प्रसार और समेकन की प्रक्रिया विभिन्न विजयों और उपमहाद्वीप के विभिन्न भागों में बसे प्रतिद्वंदियों के उन्मूलन के माध्यम से सम्पन्न हुई, जिसकी हम इस इकाई में चर्चा करेंगे। यह इकाई उभरती साम्राज्यवादी विचारधारा और परंपरा का एक दृष्टिकोण प्रदान करती है, जिसने भारत में ब्रिटिश शासन को मजबूत और व्यवस्थित करने के प्रयास को स्वरूप प्रदान किया।

बंगाल की विजय के बाद ब्रिटिश दक्षिण भारत की ओर बढ़े, जो मुख्य रूप से व्यवसायिक हितों से प्रेरित थे। इस अध्याय में आप दक्षिण भारत में, मुख्य रूप से मैसूर और मराठा राज्यों में, ब्रिटिश प्रसार के बारे में पढ़ेंगे।

ईस्ट इंडिया कंपनी ने पहले ही 1761 तक फ्रांस को कर्नाटक युद्ध के द्वारा अलग कर दिया था और इसी युद्ध ने भारतीय क्षेत्रीय शक्तियों की कमजोरियों को भी उजागर कर दिया था। दक्षिण भारतीय शासकों के बीच प्रतिद्वंदिता और परिवर्तनशील

राजनीतिक परिस्थिति ने इस क्षेत्र में कंपनी द्वारा राजनीतिक हस्तक्षेप हेतु एक अनुकूल वातावरण प्रदान किया। इस क्षेत्र पर राजनीतिक नियंत्रण पाने में अनेक वर्ष लगे और अंग्रेजी कंपनी ने स्थानीय शासकों को अधीन करने के लिए अनेक युद्ध लड़े। इन दक्षिण भारतीय राज्यों की आंतरिक कमजोरी सत्ता के इस संघर्ष में अंतिम परिणाम के लिए निर्णायक साबित हुई एवं मैसूर व मराठों की पराजय अन्य भारतीय राज्यों के लिए भी घातक साबित हुई।

18वीं शताब्दी में शक्ति संघर्ष के कारण

18वीं शताब्दी विभिन्न समूहों के बीच शक्ति संघर्ष से पूर्ण थी। यह संघर्ष भारतीय राज्यों के मध्य व भारतीय राज्यों और अंग्रेजी कंपनी के बीच था।

देशी शक्तियों के एक-दूसरे के साथ संघर्ष के कारण

देशी शक्तियों के बीच संघर्ष का मुख्य कारण उनकी प्रादेशिक/क्षेत्रीय प्रसार की इच्छा थी। शासकों की व्यक्तिगत इच्छा, क्षेत्र के लिए उनकी लालच भरी खोज और यहां तक कि उनके धार्मिक उत्साह इत्यादि के रूप में इस संघर्ष को समझाने का परंपरागत दृष्टिकोण अत्यधिक साधारण प्रतीत होता है। क्षेत्रीय प्रसार मुख्य रूप से और अधिक संसाधनों की आवश्यकता का एक परिणाम था। उदाहरण के तौर पर, मराठा मुख्य रूप से उनके प्रभाव के क्षेत्र से संग्रहित चौथ और सरदेशमुखी पर निर्भर थे। इस प्रकार और अधिक संसाधनों की आवश्यकता से प्रेरित क्षेत्रीय प्रसार की इच्छा पड़ोसी राज्यों को एक दूसरे के साथ संघर्ष में लाई। देशी शक्तियों के बीच पारस्परिक शत्रुता अंततः ब्रिटिश द्वारा उनकी आंतरिक राजव्यवस्था में प्रभावशाली ढंग से हस्तक्षेप करने के लिए सहायक साबित हुई।

भारतीय राज्यों के साथ ब्रिटिश के संघर्ष का कारण

ब्रिटिश का मैसूर और मराठा राज्यों में हस्तक्षेप का मुख्य कारण व्यावसायिक हित था। देशी शक्तियों के बीच संघर्ष ने भारतीय राज्यों के आंतरिक राजनीतिक मुद्दों में हस्तक्षेप करने के लिए ब्रिटिश को एक अवसर प्रदान किया, ताकि वे अपने नियंत्रण के क्षेत्र को प्रसारित और अपने लाभ को बढ़ा सकें।

मैसूर और मराठा राज्यों में ब्रिटिश हस्तक्षेप के कारण

- मालाबार तट के समृद्ध व्यापार पर हैदर और टीपू के नियंत्रण को अंग्रेजी कंपनी द्वारा उनके काली मिर्च और इलाइची के व्यापार के लिए एक खतरा देखा गया। 1785 में टीपू ने अपने राज्य के अंदर बंदरगाहों के द्वारा काली मिर्च और इलाइची के निर्यात पर प्रतिबंध लगा दिया था। 1788 में उसने अंग्रेजी व्यापारियों के साथ सौदा करने से स्पष्ट रूप से मना कर दिया था।
- मद्रास पर अंग्रेजी नियंत्रण के बीच में मैसूर को एक खतरे के रूप में देखा गया।
- मैसूर के साथ फ्रांस की संधि को अंग्रेजों ने अपने प्रभुत्व के लिए एक खतरे के रूप में देखा।
- बॉम्बे से अंग्रेजों के व्यापार के लिए मराठों को एक खतरे के रूप में देखा गया।
- इन दोनों राज्यों में पैदल सेना और तोप-बंदूक की विधा में विकास होना कंपनी के लिए बड़ी बेचैनी का कारण था।
- ब्रिटेन की गृह सरकार को नेपोलियन के साथ युद्ध में बढ़ते व्यय के कारण वित्त की आवश्यकता थी और इसलिए उसने कंपनी के व्यापारियों की आक्रामक व प्रसारवादी नीति को प्रेरित किया।

ब्रिटिश उपनिवेशवादियों ने भारत में अपनी सैन्य कार्रवाइयों के समर्थन में एक अन्य तर्क प्रस्तुत किया कि अधिकतर समकालीन भारतीय शासक पूर्व राजवंशों को हड़पकर शासक बने हैं और इसलिए पूर्व राजवंशों को पुनर्स्थापित करना, उनके

नागरिक अधिकारों के लिए आवश्यक है। इस प्रकार के तर्क भारत में उनके राजनीतिक हस्तक्षेप को कानून बनाने की इच्छा के अलावा और कुछ नहीं था।

आंग्ल-मैसूर युद्ध (1767-1799 के दौरान)

हैदर अली के नेतृत्व में मैसूर के उदय को पड़ोसी राज्यों, मराठा, कर्नाटक के नवाब और हैदराबाद के निजाम को एक खतरे की तरह देखा गया। मराठा और निजाम ने मैसूर के विरुद्ध एक संधि की और मैसूर को नियंत्रित करने के लिए अंग्रेजी कंपनी का सहयोग भी लिया। लेकिन निजाम समान रूप से मराठों से भी शंकित था, इसलिए उसने मराठों के विरुद्ध अंग्रेजी कंपनी के साथ सहयोग किया।

कुल मिलाकर, अंग्रेज और मैसूर के बीच चार युद्ध हुए। केवल पहले युद्ध को छोड़कर ब्रिटिश सभी में विजयी हुए। अंग्रेजी कंपनी का प्रतिनिधित्व मुख्य रूप से मद्रास प्रेसिडेंसी ने किया। इन युद्धों का मुख्य कारण मैसूर शासकों की स्वतंत्र सत्ता को कमजोर करना था। मैसूर शासकों को अधीन करने के लिए मराठा, कर्नाटक के नवाब और हैदराबाद के निजाम समय-समय पर अंग्रेजों के साथ मिले।

चौथे युद्ध में विजय के बाद ब्रिटिश ने मैसूर राज्य को विघटित कर दिया और राज्य का एक भाग वाडयार वंश के नाबालिग राजकुमार को दे दिया।

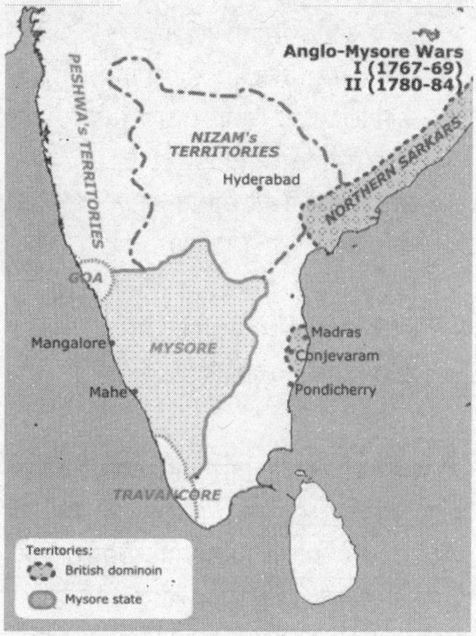

आंग्ल-मैसूर युद्ध

प्रथम आंग्ल-मैसूर युद्ध (1767-69)

फ्रांस के साथ हैदर अली की मित्रता को आंग्ल-मैसूर युद्ध का एक कारण माना जाता है। एक अन्य महत्वपूर्ण कारण मद्रास सरकार और कर्नाटक के नवाब के बीच मैसूर सीमा का विवाद होना था।

युद्ध का तात्कालिक कारण **उत्तरी सरकारों (Northern Circars)** पर नियंत्रण के लिए आपस में प्रतिद्वंदिता का होना था। अंग्रेजी कंपनी मद्रास और बंगाल में स्थित उसके क्षेत्रों के बीच एक भूमिगत मार्ग खोज रही थी और उत्तरी सरकार (जो 1758 तक फ्रांस के पास थी) तटीय क्षेत्रों की एक श्रृंखला थी, जो इनके बीच स्थित थी। रॉबर्ट क्लाइव ने हैदराबाद के निजाम (फ्रांस के प्रभाव में) से इस क्षेत्र का उपयोग करने के लिए मांग की थी, जिसे शुरुआत में निजाम ने मना कर दिया था।

हालांकि, 1766 में कंपनी ने **उत्तरी सरकारों (Northern Circars)** में प्रसार करना शुरू किया। निजाम ने इस पर आपत्ति उठाई व अंग्रेजों के साथ युद्ध करने का विचार किया, लेकिन बाद में, अपनी कमजोर वित्तीय स्थिति को देखते हुए उसने कंपनी के साथ एक संधि कर ली। इस संधि के अनुसार कंपनी को उत्तरी सरकारें मिलीं और बदले में कंपनी ने निजाम को हैदर अली के विरुद्ध उसके प्रयास में सैन्य समर्थन देने का वादा किया।

इसी समय में निजाम ने मराठों के साथ भी एक संधि की, क्योंकि दोनों ही हैदर अली के प्रसारवादी रवैया से भयभीत अनुभव कर रहे थे। हैदर अली स्वयं भी अंग्रेजों से चिढ़ा हुआ था, क्योंकि उन्होंने वेल्लोर में एक चौकी की किलाबंदी कर ली थी।

इस प्रकार मराठा, निजाम और अंग्रेज ने हैदर अली के विरुद्ध एक त्रिपक्षीय संधि की और 1766 में मैसूर पर आक्रमण किया। लेकिन हैदर अली ने सफलतापूर्वक ब्रिटिश के विरुद्ध निजाम और मराठों को अपने साथ आने के लिए मना लिया। तब उसने कंपनी के विरुद्ध एक आक्रमण किया और मद्रास के द्वार तक पहुंच गया। उसने 1769 में अपनी शर्तों पर मद्रास परिषद को एक शांति संधि पर हस्ताक्षर के लिए मजबूर कर दिया, इस संधि को मद्रास की संधि के नाम से जाना गया।

इस संधि के अनुसार दोनों शक्तियों ने एक तीसरे दल के द्वारा आक्रमण होने की स्थिति में एक-दूसरे की सहायता करने के लिए सहमति दी।

विभिन्न गवर्नर जनरल के अधीन प्रसार: मैसूर और मराठा युद्ध

- गवर्नर जनरल वॉरेन हेस्टिंग्स के अधीन प्रसार (1772-85)
  प्रथम आंग्ल-मराठा युद्ध (1775-1782)
  द्वितीय मैसूर-युद्ध (1780-1784)
- कॉर्नवालिस के अधीन प्रसार (1786-1793)
  तृतीय मैसूर युद्ध (1790-1792)
- लॉर्ड वेलेजली के अधीन प्रसार (1798-1805)
  चौथा मैसूर युद्ध (1799)
  द्वितीय आंग्ल-मराठा युद्ध (1803-1805)
- लॉर्ड हेस्टिंग्स के अधीन प्रसार (1813-1822)
  तृतीय आंग्ल-मराठा युद्ध (1817-1818)

प्रथम गवर्नर जनरल वॉरेन हेस्टिंग्स (1772-1785)

प्रथम आंग्ल-मैसूर युद्ध (1769) के बाद वॉरेन हेस्टिंग्स मद्रास का उपशासक बना। 1772 में वह कलकत्ता प्रेसिडेंसी का गवर्नर नियुक्त हुआ। कलकत्ता प्रेसिडेंसी सबसे महत्वपूर्ण ब्रिटिश प्रेसिडेंसी थी। 1774 में हेस्टिंग्स को प्रथम गवर्नर जनरल के रूप में स्वाभाविक रूप से चुना गया।

वॉरेन हेस्टिंग्स

वॉरेन हेस्टिंग्स के सामने विशाल कार्य थे। उसे कंपनी को व्यापारियों की एक कंपनी से प्रशासकों के एक बल के रूप में रूपांतरित करना था और बंगाल में प्रशासन की एक कार्यकारी व्यवस्था विकसित करनी थी। सबसे महत्वपूर्ण, उसे कंपनी के वित्त को पुनर्जीवित करना था।

प्रशासनिक सुधार- 1772 में यह निर्णय लिया गया कि क्लाइव द्वारा स्थापित प्रशासन की दोहरी व्यवस्था को समाप्त किया जाए। कंपनी ने अब स्वयं ही भू-राजस्व संग्रह करने का निर्णय लिया, न कि नायब दीवान द्वारा, जिसे रॉबर्ट क्लाइव ने इस उद्देश्य के लिए पहले नियुक्त किया था। इस प्रकार, प्रेसिडेंट को बंगाल, बिहार और उड़ीसा के राजस्वों के पूर्ण प्रबंधन का प्रभार अपने हाथों में लेने की आवश्यकता थी। तदनुसार, गवर्नर और परिषद ने राजस्व बोर्ड स्थापित किया और कंपनी ने अपने यूरोपीय अधिकारियों को भू-राजस्व संग्रह व राजस्व के मुद्दों का प्रबंधन के लिए नियुक्त किया, जिन्हें कलेक्टर कहा जाता था। कोष को भी मुर्शिदाबाद से कलकत्ता ले जाया गया।

राजस्व सुधार- 1772 में हेस्टिंग्स ने सबसे अधिक बोली लगाने वाले को जायदाद किराए पर देने की क्रूर विधि के द्वारा भू-राजस्व का एक पंचवर्षीय समझौता किया। राजस्व-किसानों की भूमि में कोई स्थायी रुचि नहीं थी, इसलिए वे जोतने वालों से अत्यधिक राजस्व उगाहने की कोशिश करते थे। कंपनी के अधिकारी स्वयं भी बोली में शामिल होते थे। वॉरेन हेस्टिंग्स पर भी इस प्रकार की जालसाजी का आरोप था। इस प्रकार इस व्यवस्था ने किसानों/जोतदारों के लिए मुश्किलें खड़ी कर दीं। पंचवर्षीय समझौता की व्यवस्था के समाप्त होने के बाद हेस्टिंग्स ने 1777 में वार्षिक समझौते की व्यवस्था को पुनः लागू किया, लेकिन एक बार फिर कुछ बोली लगाने वाले को ही जायदाद किराए पर देने की विधि को अपनाया गया।

न्यायिक सुधार- बंगाल की तत्कालीन न्यायिक व्यवस्था में हेस्टिंग्स ने अनेक सफल सुधार किए। हेस्टिंग्स के पहले दीवानी और फौजदारी मामलों का निर्णय जमींदारों द्वारा किया जाता था। उसने मुगल मॉडल के आधार पर एक न्यायिक संरचना बनाने का प्रयास किया और दीवानी अदालत व फौजदारी अदालत की स्थापना की। यह अदालतें हिंदू और मुस्लिम दोनों कानूनों का अनुसरण करती थीं। हालांकि, 1773 के रेगुलेटिंग एक्ट के अनुसार सभी ब्रिटिश मामलों के लिए कलकत्ता में एक सुप्रीम कोर्ट की स्थापना की गई, जहां अंग्रेजी कानून का अनुसरण किया जाता था। कानूनी व्यवस्था में यह दोहरापन भारत में कंपनी के शासन के दौरान निरंतर चलता रहा। हेस्टिंग्स ने हिंदू और मुस्लिम कानूनों को भी संहिताबद्ध करने का प्रयास किया था। 1776 में संस्कृत में संहिता का एक अनुवाद **'गेन्टू कानूनों की संहिता' (Code of Gentoo Laws)** शीर्षक से सामने आया।

द्वितीय आंग्ल-मैसूर युद्ध (1780–1784)

ब्रिटिश का मद्रास की संधि के अनुसार चलने का कोई इरादा नहीं था। जब 1771 में मराठों ने हैदर के क्षेत्र पर आक्रमण किया, तो अंग्रेजी कंपनी उसकी सहायता के लिए नहीं आई। इसलिए कंपनी और मैसूर के बीच युद्ध का दूसरा चरण शुरू होने में अब केवल समय की बात थी। दूसरी ओर, फ्रांसीसी हैदर के लिए अधिक सहायक साबित हुए, क्योंकि उसकी सैन्य मांगे जैसे- शोरा, लेड और बंदूक इत्यादि सैन्य सामान स्वाभाविक रूप से माहे (हैदर के क्षेत्राधिकार में मालाबार तट पर फ्रांसीसी अड्डा) के रास्ते मैसूर तक पहुंच जाते थे। आगे, 1775 में अमेरिका का स्वतंत्रता युद्ध शुरू हो चुका था और फ्रांस ने अमेरिकी उपनिवेशों की सहायता की। फ्रांस की इस सहायता के बाद गवर्नर जनरल वॉरेन हेस्टिंग्स को हैदर अली के फ्रांस के साथ संबंधों ने चिंतित कर दिया था। ऐसी परिस्थितियों में कंपनी ने माहे पर कब्जा करने का प्रयत्न किया, जो हैदर अली को सीधी चुनौती थी। अंग्रेजों ने हैदर अली को उस समय भी अपमानित किया, जब अंग्रेजी सेना उत्तरी सरकार (Northern Circars) में गुंटूर पर कब्जा करने के लिए हैदर के क्षेत्रों से बिना अनुमति लिए गुजर रही थीं।

एडमिरल सफ्रेन के साथ हैदर अली, जुलाई 1782

माहे पर अंग्रेजों का कब्जा द्वितीय मैसूर युद्ध के लिए तात्कालिक कारण बना। अंग्रेजों ने मराठा और निजाम (हेस्टिंग्स ने निजाम को गुंटूर जिले को सौंपकर रिश्वत दी थी) पर जीत पा ली थी। जुलाई, 1781 में सर आयर कूटे के नेतृत्व में अंग्रेजी सेना ने पोर्टोनोवा में हैदर अली को हराया। एडमिरल बैली डे सफ्रेन के नेतृत्व में 1782 में फ्रांसीसी सहायता भारत पहुंची। लड़ाई जारी रहा, लेकिन बाद में 1782 में द्वितीय मैसूर युद्ध के दौरान हैदर अली की कैंसर (कर्क रोग) से मृत्यु हो गई।

हैदर अली के पुत्र और उत्तराधिकारी टीपू ने ब्रिटिश के विरुद्ध युद्ध को जारी रखा। हालांकि, 1783 में अमेरिकी स्वतंत्रता का युद्ध शुरू हुआ। इसलिए सफ्रें को टीपू को छोड़कर यूरोप वापस जाना पड़ा। संसाधनों की कमी और मराठा व्यवहार की अनिश्चितता के कारण मद्रास सरकार ने भी शांति की इच्छा जाहिर की। टीपू को भी अपने प्रशासन को सशक्त करने के लिए समय की आवश्यकता थी। इस प्रकार, एक-दूसरे के क्षेत्रों की पारस्परिक बहाली के आधार पर **मैंगलोर की संधि** (मार्च, 1784) पर हस्ताक्षर के साथ युद्ध समाप्त हुआ। समान आधार पर किसी भारतीय शासक के साथ यह ब्रिटिश की अंतिम संधि थी।

गवर्नर जनरल लॉर्ड कॉर्नवालिस (1786-1793)

भू-राजस्व समस्या का संतोषजनक समाधान निकालने के विशेष कर्त्तव्य के लिए कॉर्नवालिस को भारत भेजा गया। कॉर्नवालिस द्वारा निर्मित प्रशासनिक संरचना 1858 तक बनी रही ।

लॉर्ड कॉर्नवालिस

राजस्व सुधार- 1790 में कॉर्नवालिस ने जमींदारों को भूमि के स्वामी के रूप में मान्यता देने का निर्णय लिया, बशर्ते उन्हें राज्य को भू-राजस्व का वार्षिक भुगतान करना था। लगान के 89 प्रतिशत (शेष 11% जमींदारों के लिए छोड़कर) के आधार पर जमींदारों के साथ 10 वर्षीय समझौता किया गया। 1793 में इस 10 वर्षीय समझौते को स्थाई घोषित कर दिया गया।

कॉर्नवालिस संहिता- 1793 में शक्तियों के पृथक्करण के सिद्धांत के आधार पर कॉर्नवालिस ने लोकप्रिय कॉर्नवालिस संहिता के रूप में उसके न्यायिक सुधारों को संकलित किया। इस संहिता ने कलेक्टर से उसकी सभी न्यायिक शक्तियां ले लीं और उसके पास केवल राजस्व प्रशासन का कर्त्तव्य रह गया। न्यायिक शक्तियां जिला न्यायाधीश को दे दीं गईं।

फौजदारी कानून में सुधार- कॉर्नवालिस ने फौजदारी कानून में भी परिवर्तन किए। उदाहरण के तौर पर, हत्या के मुकदमे में कानून-अधिकारी को अब हत्या के इरादे के आधार पर समझना था, न कि केवल हत्या के तरीके से। शरीर के अंग विच्छेद करने की सजा का स्थान अब कारावास या जुर्माना ने ले लिया। साथ ही, गैर-मुस्लिमों को अब फौजदारी मामलों में मुसलमानों के विरुद्ध गवाही देने की अनुमति दी गई।

अवांछनीय प्रभाव- यद्यपि कॉर्नवालिस के सुधार समता के सिद्धांत पर आधारित थे, लेकिन अपने तात्कालिक संदर्भ में इसके अनेक अवांछनीय प्रभाव निकले। नई संहिता आम लोगों के लिए अपरिचित और समझने के हिसाब से बहुत विस्तृत थी। परंपरागत न्यायिक व्यक्तियों का स्थान यूरोपीय न्यायाधीशों ने ले लिया था, जिन्हें भारतीय परंपराओं और आदतों के बारे में बहुत कम जानकारी थी।

रिश्वत एवं भ्रष्टाचार का दमन- कॉर्नवालिस स्वयं धन के लोभ से परे था, जिसने वॉरेन हेस्टिंग्स और रॉबर्ट क्लाइव के नामों को कलंकित कर दिया था। कॉर्नवालिस ने कंपनी के कर्मचारियों को निजी व्यापार में लिप्त होने से मना कर दिया था और भारत छोड़ने से पहले प्रत्येक अधिकारी को संपत्ति के बारे में ब्यौरा देना होता था। उसने कंपनी के अधिकारियों के वेतन भी बढ़ा दिए ताकि वे भ्रष्टाचार में लिप्त न हों।

प्रशासन का यूरोपीकरण- दुर्भाग्यवश, कॉर्नवालिस भी अपने अधिकतर देशवासियों के समान ही जातीय भेद-भाव के संक्रमण से पीड़ित था। उसका सामान्य तौर पर भारतीयों के बारे में निम्न विचार था और वह प्रत्येक भारतीय को भ्रष्ट मानता था। उसने सभी उच्च सेवाओं के लिए यूरोपियों को आरक्षित कर रखा था। उदाहरण के तौर पर, सेना में भारतीय लोग सूबेदार या जमादार की स्थिति से ऊपर नहीं जा सकते थे और लोक सेवा में डिप्टी कलेक्टर से ऊपर पद प्राप्त नहीं कर सकते थे। इस प्रकार उसने जातिवाद/रंगभेद की नीति पर आधिकारिक मुहर लगा दी, जो अंत तक चलती रही। कॉर्नवालिस के प्रसार के अंतर्गत **तृतीय आंग्ल मैसूर** युद्ध शामिल था।

तीसरा आंग्ल-मैसूर युद्ध (1790-1792)

यह संधि अल्पकालिक थी। 1786 में लॉर्ड कॉर्नवालिस गवर्नर जनरल बना और उसने अपनी कूटनीति के माध्यम से मराठों और निजाम को अंग्रेजों के पक्ष में कर लिया। युद्ध को अपरिहार्य मानकर टीपू ने तुर्क और फ्रांस से सहायता मांगी।

हालांकि, त्रावणकोर पर टीपू का आक्रमण तीसरे आंग्ल-मैसूर युद्ध का तत्कालीन कारण बना। त्रावणकोर के राजा ने जईकोट्टई और क्रांगानार को कोचिन में डच से खरीदा था और चूंकि कोचिन मैसूर का एक सहायक राज्य था, टीपू ने इसे

अपने संप्रभु अधिकारों का एक उल्लंघन माना। इस प्रकार, अप्रैल, 1790 में टीपू ने त्रावणकोर पर आक्रमण किया। अंग्रेज पहले से ही युद्ध के लिए तैयार थे और त्रावणकोर के शासक के पक्ष में लड़ने का निर्णय ले चुके थे।

1790 में युद्ध शुरू हुआ। मराठा और निजाम की सेनाओं के समर्थन के लिए कॉर्नवालिस ने स्वयं एक विशाल सेना का नेतृत्व किया और श्रीरंगपट्टम पहुंचा। टीपू को बुरी तरह हार का सामना करना पड़ा और उसने शांति के लिए पहल की। इस प्रकार, 1792 में श्रीरंगपट्टम की संधि पर हस्ताक्षर हुए और टीपू को अपने क्षेत्र का आधा भाग कंपनी और उसके सहायकों को समर्पित करना पड़ा। जहां कंपनी ने बड़ामहल, डिंडीगुल और मालाबार प्राप्त किया, वही मराठों ने तुंगभद्रा की ओर के क्षेत्र और निजाम ने कृष्णा नदी से पेन्नार और उससे भी आगे के क्षेत्रों को प्राप्त किया। टीपू को 3 करोड़ रुपए युद्ध क्षतिपूर्ति के रूप में भुगतान करना था, लेकिन वह तुरंत इसका पूरा भुगतान करने में अक्षम था, जिसके कारण कॉर्नवालिस ने उसके दो पुत्रों को बंदी के रूप में रखा।

कॉर्नवालिस के बाद **सर जॉन शोर** गवर्नर जनरल बना, लेकिन उसने मैसूर के साथ अहस्तक्षेप की नीति को अपनाया। इस कारण जॉन शोर को **अहस्तक्षेप की नीति का जनक** कहा जाता है। बाद में, सर जॉन लॉरेंस ने अफगानिस्तान के साथ अहस्तक्षेप की नीति अपनाई थी।

गवर्नर लॉर्ड वेलेजली (1798-1805)

लॉर्ड वेलेजली

लॉर्ड वेलेजली 1798 में उस समय भारत आया, जब ब्रिटेन पूरे विश्व में फ्रांस के साथ संघर्ष में 'करो या मरो' की स्थिति में था। मुख्य रूप से वह साम्राज्यवादी था और उसका मानना था कि भारत में फ्रांसीसी खतरे से निपटने का तरीका यह है कि अधिक से अधिक भारतीय राज्यों को ब्रिटिंश नियंत्रण में किया जाए। इस राजनीतिक उद्देश्य को प्राप्त करने के लिए उसने तीन विधियों का उपयोग किया- सहायक संधि की व्यवस्था, प्रत्यक्ष युद्ध और पूर्व अधीनस्थ शासकों के क्षेत्रों का ग्रहण।

सहायक संधि व्यवस्था (Subsidiary Alliance System) में निम्नलिखित प्रावधान शामिल थे:

- भारतीय राज्य को अपने विदेशी संबंध को कंपनी के हाथों में समर्पित करना था। वह गवर्नर जनरल की अनुमति के बिना किसी भी अन्य भारतीय राज्य से वार्तालाप नहीं कर सकता था।
- कंपनी ने भारतीय राज्य को विदेशी एवं आंतरिक भय के विरुद्ध पूर्ण संरक्षण सुनिश्चित किया।
- एक अंग्रेजी सेना भारतीय राज्य के क्षेत्र में उसके संरक्षण के लिए रखी गई, इसके बदले भारतीय राज्य को कंपनी को वार्षिक सब्सिडी नगद में देनी होती थी। विशाल राज्यों को इस हेतु अपने क्षेत्र का एक भाग देना होता था।
- राज्य की राजधानी में ब्रिटिश रेजिडेंट की नियुक्त किया गया।
- ब्रिटिश की अनुमति के बिना भारतीय राज्य किसी भी यूरोपीय को सेवा में नियोजित नहीं कर सकते थे।

भारतीय राज्यों पर नकारात्मक प्रभाव- इस व्यवस्था से भारतीय राज्यों को विभिन्न हानियां हुई-

- राजनीतिक रूप से, एक शासक के लिए सहायक संधि पर हस्ताक्षर करना वास्तव में अपनी स्वाधीनता खोना था।
- आर्थिक रूप से, धन का निर्गम हो रहा था, क्योंकि वार्षिक सब्सिडी निरंकुशता से तय की जाती थी और बहुत उच्च होती थी, जो राज्य की भुगतान करने की क्षमता से अत्यधिक ज्यादा होती थी। शासक इस बोझ को भारी करों के माध्यम से जनता पर डाल देता था। उसकी सेना को भी भंग कर दिया गया था, जिसके परिणामस्वरूप हजारों लोगों को अपनी आजीविका खोनी पड़ी।
- नैतिक रूप से, इसने शासकों को गैर-जिम्मेदार और दमनकारी बना दिया था, क्योंकि उन्हें उनकी प्रजा का अब कोई भय नहीं था। उन्हें कंपनी के द्वारा आंतरिक के साथ-साथ बाहरी आक्रमण से भी संरक्षण प्राप्त था।

ब्रिटिश को लाभ- दूसरी तरफ ब्रिटिश के लिए सहायक संधि बहुत लाभदायक साबित हुई-

- ब्रिटिश एक विशाल सेना रख सकती थी और वह भी भारतीय राज्यों की खर्च पर। इससे अन्य यूरोपीय राष्ट्रों को संदेह उत्पन्न नहीं होगा।
- इसने कंपनी को फ्रांसीसी भय से निपटने का मार्ग दिया, क्योंकि सहायक राज्य को सभी फ्रांसीसीयों को अपनी सेवा से हटाना था।
- कंपनी अन्तर्राज्यीय संबंधों में मध्यस्थ बन चुकी थी और इस प्रकार ब्रिटिश के विरुद्ध षड्यंत्र में सभी राज्यों के एक साथ आने की संभावना समाप्त हो गई थी।
- इसने ब्रिटिश रेजिडेंट को एक राजनीतिक एजेंट से आभासी तानाशाह के रूप में रूपांतरण करके धीरे-धीरे सहायक संधि करने वाले राज्यों पर नियंत्रण बढ़ाने का भी अवसर दिया।
- भारतीय राज्य में खड़ी अंग्रेजी सेना की सहायता से कभी भी किसी भी राज्य को आसानी से हराया जा सकता था।

निम्नलिखित भारतीय राज्यों के साथ सहायक संधि की गई- हैदराबाद के निजाम (1798 और 1800), मैसूर (1799), तंजोर (1799), अवध (1801), पेशवा (1802), बरार के भोंसले राजा (1803), सिंधिया (1804) और होल्कर (1818, लार्ड हेस्टिंग्स के अधीन)। जोधपुर, जयपुर, मचेरी, बूंदी और भरतपुर के राजपूत राज्यों को भी कब्जे में लिया गया। यद्यपि संधि के प्रावधानों में प्रत्येक राज्य के लिए कुछ अंतर था, लेकिन वेलेजली मैसूर, कर्नाटक, तंजोर और सूरत के लिए विशेष रूप से कठोर था।

चतुर्थ आंग्ल-मैसूर युद्ध (1799)

लॉर्ड वेलेजली 1797 में भारत के लिए रवाना हुआ। संभवत: अंग्रेजी इतिहास में यह सबसे कठोर वर्ष था और इंग्लैंड पूरे विश्व में फ्रांस के विरुद्ध अपने जीवन के लिए संघर्ष कर रहा था। नेपोलियन बोनापार्ट मिस्र और सीरिया को जीत चुका था और अब वह भारत की ओर बढ़ रहा था। 1801 में उसने रूस के जार पॉल के साथ एक संधि की और हेरात व कंधार के रास्ते भारत पर आक्रमण करने की एक गंभीर योजना बनाई। अंग्रेज नेपोलियन के हाथों हार के परिणाम को अच्छी तरह से महसूस करते थे, इसका अर्थ होगा व्यवसाय का अंत, जिसने उसको अत्यधिक वित्तीय और राजनीतिक लाभ पहुंचाया था। हमारे लिए नेपोलियन की योजना आज काल्पनिक लगती हो, लेकिन समकालीनों के लिए ऐसा नहीं था। उनके लिए भी यह एक वास्तविक खतरा था और वेलेजली कोई जोखिम उठाने की स्थिति में नहीं था।

नेपोलियन की योजनाओं को मैसूर के टीपू सुल्तान ने अंग्रेजों को भारत से बाहर करने के लिए एक सही अवसर के रूप में देखा। वह फ्रांस के साथ समझौते में जुड़ा और उसने कंपनी के साथ युद्ध के लिए एक विस्तृत तैयारी शुरू कर दी थी। उसने श्रीरंगपट्टम में एक स्वतंत्रता का झंडा लगाया और स्वयं को नागरिक टीपू के रूप में प्रस्तुत किया। उसने फ्रांसीसी सेनानायक रेमंड को नियुक्त किया और उसकी सहायता के लिए 14000 सैनिकों की एक सेना रखी।

वेलेजली ने निष्कर्ष निकाला कि भारतीय राज्यों को अंग्रेजी प्रभाव में लाने की अति आवश्यकता है और न केवल फ्रांस के वास्तविक सहायकों, बल्कि संभावित सहायकों को भी दबाना होगा। उसने जितना संभव हो भारतीय राज्यों को संधियों में शामिल करने का प्रयत्न किया। इसके लिए उसने अनुनय और भय दोनों का सहारा लिया।

निजाम को सहायक संधि के लिए मजबूर करने के बाद उसने अपना ध्यान टीपू सुल्तान पर लगाया। वेलेजली का अनुमान था कि लाल सागर से एक फ्रांसीसी आक्रमण मध्य-1799 के बाद ही संभव हो सकता है और उसने उससे पहले टीपू के साथ एक समझौता करने का निर्णय लिया। जब सहायक संधि से जुड़े गवर्नर जनरल के सभी प्रस्तावों को टीपू ने मना कर दिया, तब फरवरी, 1799 में युद्ध शुरू हुआ और उसी वर्ष मई में समाप्त हो गया। अंग्रेजी कंपनी ने श्रीरंगपट्टम के युद्ध (1799) में एक निर्णायक जीत हासिल की। इससे पहले की फ्रांसीसी सहायता पहुंचती, टीपू शहर की रक्षा करने के दौरान मारा गया। अपनी राजधानी की रक्षा करते हुए एक नायक की तरह उसकी मृत्यु हुई।

शेष मैसूर क्षेत्र के अधिकांश भाग को कंपनी, निजाम और मराठों द्वारा कब्जे में ले लिया गया एवं कंपनी को निम्न प्रायद्वीप के समुद्री तट पर नियंत्रण मिला। मालाबार तट से कोई भी फ्रांसीसी संकट अब संभव नहीं था। मैसूर और श्रीरंगपट्टम के आस-पास शेष केंद्र को वाडियार वंश के 2 वर्षीय नाबालिग राजकुमार कृष्णराज को वापस दे दिया गया, जिसके पूर्वज हैदर अली के पहले वास्तविक शासक थे। वाडियार राजा और मैसूर पर एक विशिष्ट सहायक संधि अधिरोपित की गई, जिसने उन्हें ब्रिटिश पर निर्भर बना दिया। वाडियार शासकों ने 1947 तक मैसूर के शेष बचे राज्य पर शासन किया और इसके बाद भारतीय संघ से जुड़े। टीपू के परिवार के सदस्यों को वेल्लोर में बंदी बनाया गया और उसके दो पुत्रों को पेंशन दी गई।

चौथे आंग्ल-मैसूर युद्ध में सफलता के बाद वेलेजली ने अहंकार से कहा, 'अब पूर्व का राज्य हमारे कदमों में है।'

मैसूर के बाद वेलेजली ने अवध की ओर ध्यान लगाया और नवाब को सहायक संधि (1801) स्वीकार करने के लिए मजबूर किया। इसके बाद वेलेजली ने मराठों पर ध्यान केंद्रित किया, उसके महत्व की अकेली शक्ति जो ब्रिटिश संरक्षण से बाहर थी। यद्यपि गवर्नर जनरल के प्रस्ताव को मराठों ने मना कर दिया, लेकिन मराठा शिविर की आंतरिक कलह ने पेशवा को 1802 में कंपनी के जाल में फंसा दिया।

प्रीलिम कैप्सूल

आंग्ल-मैसूर युद्ध (1767-1799 के दौरान)

युद्ध	काल	महत्वपूर्ण विवरण
प्रथम मैसूर युद्ध	1767-1769	तत्कालिक कारणः उत्तरी सरकारों पर नियंत्रण की प्रतिद्वंदिता। यह प्रतिद्वंदिता अंततः मराठा, निजाम और अंग्रेजों के बीच हैदर अली के विरुद्ध एक त्रिपक्षीय संधि की ओर ले गई। युद्ध की शुरुआत 1766 में गठबंधन द्वारा आक्रमण से हुई। जल्द ही हैदर ने निजाम और मराठों को अंग्रेजों के विरुद्ध युद्ध के लिए मना लिया और अंततः मद्रास परिषद को उसकी शर्तों पर शांति संधि के लिए मजबूर होना पड़ा। इस प्रकार, मद्रास की संधि के साथ 1769 में युद्ध समाप्त हुआ। परिणाम- हैदर अली अंग्रेजों पर भारी पड़ा।
द्वितीय मैसूर युद्ध वॉरेन हेस्टिंग्स	1780-1784	तात्कालिक कारण- अंग्रेजों द्वारा माहे पर कब्जा। युद्ध में मराठों और निजाम ने अंग्रेजों का साथ दिया। मुख्य युद्ध- पोर्टो-नोवा का युद्ध। परिणाम- संघर्ष ड्रॉ पर समाप्त हुआ।
तृतीय मैसूर युद्ध कॉर्नवालिस	1790-1792	तात्कालिक कारण- त्रावणकोर पर टीपू का आक्रमण। इस युद्ध में मराठों और निजाम ने अंग्रेजों का पक्ष लिया। **श्रीरंगपट्टम की संधि** के साथ समाप्त हुआ। परिणाम- टीपू सुल्तान हारा। उसे अपने क्षेत्र का आधा भाग कंपनी और उसके सहायकों को देना पड़ा। कंपनी ने बड़ामहल, डिंडीगुल और मालाबार प्राप्त किया।

चतुर्थ मैसूर युद्ध लॉर्ड वेलेजली	1799	तात्कालिक कारण- भारत पर नेपोलियन के आक्रमण की योजना और टीपू का फ्रांस के साथ वार्तालाप। मुख्य युद्ध- श्रीरंगपट्टम का युद्ध परिणाम- अपने शहर की रक्षा करते हुए टीपू मारा गया औन मैसूर ने अपनी स्वतंत्रता खो दी।

आंग्ल-मराठा युद्ध (1775-1818)

मुगल साम्राज्य की अवशेष से मराठों के साथ-साथ अंग्रेजी ईस्ट इंडिया कंपनी का उद्‌भव हुआ। दोनों ही अपने क्षेत्रों में विजयी हुए, मराठा अन्य भारतीय राज्यों में और अंग्रेज भारत में अन्य यूरोपीय प्रतिद्वंदियों में। लेकिन अब 18वीं शताब्दी के अंतिम भाग में दोनों का एक-दूसरे से सामना हुआ और दोनों सीधे संघर्ष में लिप्त हुए।

पहला, दूसरा और तीसरा आंग्ल-मराठा युद्ध दक्षिण भारत में लड़ा गया। मराठा साम्राज्य में पांच मुख्य प्रधान- पूना में पेशवा, नागपुर में भोंसले, ग्वालियर में सिंधिया, इंदौर में होल्कर और बड़ौदा में गायकवाड थे। पेशवा इस मराठा संघ का नाममात्र का अध्यक्ष था और इन सभी के बीच कटु प्रतिस्पर्धा थी, विशेष रूप से सिंधिया और होल्कर के बीच। ये युद्ध 1775 में शुरू हुए और 1818 में ब्रिटिश विजय के साथ समाप्त हुए।

प्रथम आंग्ल-मराठा युद्ध (1775-1782)

प्रथम मराठा युद्ध का कारण अंग्रेजों की अत्यधिक महत्वाकांक्षा थी। जहां बंगाल और मद्रास सरकारों ने क्रमशः अवध और कर्नाटक पर अपना प्रभाव बना लिया था, वहीं शक्तिशाली मराठा संघ की उपस्थिति के कारण बॉम्बे सरकार की इस क्षेत्र में इस प्रकार की कोई राजनीतिक उपलब्धि नहीं थी और वह स्वयं को छोटा समझने लगी। अब उसने अपनी आंखें मराठा क्षेत्रों पर जमाना शुरू कर दी, विशेष तौर पर, सैल्सेट और बेसिन के बंदरगाहों पर और उसे पूना दरबार में राजनीतिक प्रभाव बनाने की आशा थी। चौथे पेशवा माधवराव की मृत्यु के बाद पेशवाशाही के उत्तराधिकार के कारण हुए विवाद ने अंग्रेजों को मराठा मामलों में हस्तक्षेप करने का आवश्यक अवसर दे दिया।

आप अध्याय 1.3 में पढ़ चुके हैं, कि माधवराव की मृत्यु के बाद मराठा राज्य में कैसे उत्तराधिकार के लिए संघर्ष शुरू हो गया था। नारायण राव और रघुनाथ राव के बीच में पूना में सत्ता के लिए संघर्ष छिड़ गया था। रघुनाथ राव ने नारायण राव को षड्यंत्र फंसाकर स्वयं पेशवा बना। वह अल्प समय (1773-1774) के लिए पेशवा रहा और फिर उसे **बाराभाई षड्यंत्र** द्वारा हटाकर माधवराव को पेशवा बना दिया गया। इस प्रकार निराश होकर रघुनाथराव ब्रिटिश की शरण में गया और उनकी सहायता से शक्ति प्राप्त करने का प्रयास किया। यह प्रथम आंग्ल-मराठा युद्ध की तात्कालिक पृष्ठभूमि थी। युद्ध सूरत की संधि से शुरू हुआ और सलवाई की संधि के साथ समाप्त हुआ। रघुनाथ राव में बॉम्बे सरकार को एक साधन दिखा और आशा थी कि महाराष्ट्र में वही दोहरी सरकार बने, जो बंगाल में क्लाइव ने बनाई थी।

सूरत की संधि (7 मार्च 1775)- यह संधि 7 मार्च 1775 को बॉम्बे में रघुनाथ राव (राघोबा) और ब्रिटिश सरकार के बीच हस्ताक्षरित हुई। इस संधि में 16 शर्तें थीं। इस संधि के अनुसार यह निर्णय हुआ कि ब्रिटिश सरकार 2500 सैनिक भेजकर रघुनाथ राव को पेशवा बनने में सहायता करेगी। इसके बदले रघुनाथ राव सालसेट और बेसिन के क्षेत्रों और सूरत व भरूच से प्राप्त होने वाले राजस्व ब्रिटिश को सौंप देगा।

सूरत की संधि के अनुसार कर्नल कीटिंग के नेतृत्व में एक ब्रिटिश सेना सूरत पहुंची। 18 मई 1775 को **अदास** में अंग्रेज और मराठा सेनाओं के बीच एक जबरदस्त युद्ध हुआ। इस युद्ध में यद्यपि मराठा पराजित हुए, तथापि पूना पर उनका नियंत्रण बना रहा।

पुरंदर की संधि (1 मार्च 1776)- जब सूरत की संधि की एक प्रति बंगाल में उच्च ब्रिटिश सरकार (कलकत्ता परिषद) के पास पहुंची, तो उसने इस संधि को अन्यायपूर्ण और अवैधानिक बताकर निंदा की। आगे, वॉरेन हेस्टिंग्स ने कर्नल उपटोन

को पूना दरबार भेजा और पुरंदर की संधि पर हस्ताक्षर हुए। इस प्रकार पुरंदर की संधि कलकत्ता में ब्रिटिश सरकार और पूना दरबार के बीच हुई और इसके अनुसार-

1. सूरत की संधि को रद्द किया गया।
2. ब्रिटिश ने राघोबा के पक्ष को छोड़ा और यह निर्णय लिया कि राघोबा को पेशवा सरकार द्वारा 25000 रुपए की मासिक पेंशन दी जाएगी और उसे गुजरात जाकर कोपर गांव में रहना होगा।

हालांकि, घटनाओं में अचानक से मोड़ आने के कारण पुरंदर की संधि लागू नहीं हुई थी। 1775 में अमेरिका का स्वाधीनता युद्ध शुरू हुआ और 1778 में अंग्रेजों के विरुद्ध फ्रांस अमेरिका के पक्ष से शामिल हुआ। इसी समय एक फ्रांसीसी साहसी व्यवसायी शेवेलियर डे सेंट लुबिन पूना पहुंचा। जिसने वॉरेन हेस्टिंग्स को सचेत कर दिया और उसने तुरंत पुरंदर की संधि समाप्त कर दी और बॉम्बे सरकार को सुदृढ़ करने के लिए एक विशाल सेना भेजी और मराठों के विरुद्ध अभियान को अनुमति प्रदान की। इस प्रकार, बॉम्बे सरकार ने पुनः युद्ध शुरू किया और कर्नल एगेरटन (जिसका स्थान बाद में कर्नल कॉकबर्न ने लिया) के नेतृत्व में एक सेना पूना की ओर भेजी।

अंग्रेज और मराठा सेनाएं पूना की सरहद पर मिली। मराठा सेना का नेतृत्व प्रतिभाशाली जनरल महादजी सिंधिया द्वारा किया गया था। उसने अंग्रेजी सेना को तलेगांव (9 जनवरी 1779, तलेगांव का युद्ध) के निकट पश्चिमी घाट की घाटियों में सभी ओर से फंसा लिया था। मराठों ने 'झुलसी हुई पृथ्वी' नीति, खेतों को जलाना और कुएं में जहर डालने जैसी नीतियों का भी उपयोग किया। अंग्रेजों को पीछे हटकर एक गांव (वडगांव) की ओर जाने के लिए मजबूर होना पड़ा। अंततः मध्य जनवरी, 1779 तक अंग्रेजों को समर्पण करना पड़ा और बॉम्बे सरकार को पूना दरबार के साथ एक अपमानजनक संधि पर हस्ताक्षर करने के लिए मजबूर होना पड़ा। इसे वडगांव की संधि (Treaty of Wadgaon) के नाम से जाना गया।

वडगांव की संधि (1779)- इस संधि के अनुसार यह निर्णय हुआ कि बॉम्बे सरकार 1773 के बाद प्राप्त किए गए सभी क्षेत्रों को वापस करेगी और सिंधिया को भरूच के राजस्व का एक भाग मिलेगा।

हेस्टिंग्स ने वडगांव की इस अपमानजनक संधि को मानने से अस्वीकार कर दिया। उसने शीघ्र ही कर्नल गोडार्ड (Colonel Goddard) के नेतृत्व में एक सेना बंगाल भेजी, जिसने जल्द ही अहमदाबाद और वसाई पर कब्जा कर लिया। लेकिन इस ब्रिटिश सेना को पूना में मराठों द्वारा हरा दिया गया। इसी बीच हेस्टिंग्स ने **कर्नल पोफम** (Colonel Popham) के नेतृत्व में बंगाल से एक अन्य सैन्य टुकड़ी भेजी, जिसने 3 अगस्त 1781 को ग्वालियर पर कब्जा कर लिया। **जनरल कैमक** (General Camac) ने भी सिपरी (आज का शिवपुरी) के युद्ध में सिंधिया को हरा दिया।

महादजी सिंधिया को मराठा संघ का नेता बनने की महत्वाकांक्षा थी और इसलिए उसने ब्रिटिश के साथ एक संधि करने का प्रयत्न किया। परिणामस्वरूप, सिंधिया और अंग्रेजी कंपनी के बीच एक समझ पैदा हुई। अंततः ब्रिटिश और पूना सरकार के बीच सलबाई की संधि पर हस्ताक्षर हुए।

सलबाई की संधि (Treaty of Salbai) (ग्वालियर जिला, 1782)- महादजी सिंधिया की मध्यस्थता से ब्रिटिश और पूना सरकार के बीच इस संधि पर हस्ताक्षर हुए। यह संधि एक दूसरे के क्षेत्रों की पारस्परिक बहाली के आधार पर हुई। इस संधि के मुख्य प्रावधान थे-

1. माधव नारायण राव को पेशवा स्वीकार किया जाएगा।
2. ब्रिटिश राघोबा के अभियोग को छोड़ देंगे और उसे 3.5 लाख रुपए की वार्षिक पेंशन देंगे।
3. कंपनी ने पुरंदर की संधि के बाद कब्जे में लिए बेसिन और अन्य क्षेत्रों को छोड़ दिया, लेकिन सालसेट और एलिफेंटा आईलैंड को अपने पास बनाए रखा।
4. सिंधिया को यमुना के पश्चिम की ओर पूरा क्षेत्र पुनः प्राप्त हुआ।

इस प्रकार मराठा राज्य में सर्वोच्चता प्राप्त करने का ब्रिटिश प्रयास असामयिक साबित हुआ। प्रथम आंग्ल-मराठा युद्ध अनिर्णित रहा। दोनों पक्षों ने एक दूसरे की शक्ति का स्वाद चखा, जिसने अगले 20 वर्षों तक एक दूसरे के बीच पारस्परिक

सम्मान और शांति को सुनिश्चित किया। इसने ब्रिटिश को अन्य पक्षों विशेषकर मैसूर पर ध्यान केंद्रित करने के लिए आवश्यक समय भी दिया।

मराठों में अहिल्याबाई होल्कर, महादजी सिंधिया और नाना फडणवीस इस काल के स्मरणीय योग्य नेता थे। लेकिन सामान्य तौर पर मराठा राज्य इन वर्षों में एक बुरे रूप में था। पेशवाशाही के उत्तराधिकार को लेकर असहमति थी और नाना फडणवीस पर मराठा मुद्दों का पूरा नियंत्रण था। नाना के तानाशाही शासन से तंग आकर युवा पेशवा माधवराव नारायण ने 25 अक्टूबर 1795 को आत्महत्या कर ली थी। राघोबा के पुत्र बाजीराव द्वितीय अगले पेशवा बने। 13 मार्च 1800 को नाना फडणवीस की पूना में मृत्यु हुई और एक बार पुनः पूना दरबार षड्यंत्रों का केंद्र बन गया था।

द्वितीय आंग्ल मराठा युद्ध (1803-1805)

1798 में लॉर्ड वेलेजली भारत आया और उसने अपनी सहायक संधि की नीति का आक्रामक तरीके से अनुसरण किया। पहले मराठों ने सहायक संधि के सभी प्रस्तावों को स्वीकार करने से मना कर दिया था, लेकिन उनके आंतरिक विभेदों ने उन्हें वेलेजली के जाल में फंसा दिया था।

फ्लैशबैक-

पेशवा बाजीराव द्वितीय, (प्रथम शासन) (1796-1802) - इसके पहले शासन ने द्वितीय आंग्ल मराठा युद्ध देखा। नाना फडणवीस की मृत्यु के बाद पूना दरबार एक बार पुनः अनेक दरबारी षड्यंत्रों का शिकार बना। मराठा राजव्यवस्था में सत्ता के इस संघर्ष में पेशवा बाजीराव द्वितीय, दौलतराव सिंधिया और यशवंत राव होल्कर मुख्य मराठा नेताओं के रूप में उभरे। पेशवा और सिंधिया ने होल्कर के विरुद्ध एक संधि की और उसका अपमान करने का प्रयास किया। 1801 में पेशवा ने होल्कर के भाई विठोजी राव होल्कर को बुरी तरह से मार दिया। उत्तर में होल्कर ने पूना पर आक्रमण किया और हड्सपर के निकट पेशवा आए, सिंधिया की संयुक्त सेना को हराकर पूना पर कब्जा कर लिया। पेशवा ने भागकर बेसिन में शरण ली और वेलेजली से सहायता की मांग की। इसने ब्रिटिश को मराठा मामलों में हस्तक्षेप का एक आदर्श अवसर प्रदान किया। बाजीराव द्वितीय ने सहायक संधि स्वीकार की और 1802 में बेसिन की संधि पर हस्ताक्षर किए।

बेसिन की संधि (Treaty of Bassein) (31 दिसंबर 1802)- यह 'शाश्वत और सामान्य गठबंधन' की संधि पेशवा बाजीराव द्वितीय और अंग्रेजी कंपनी के बीच हुई। यह एक सहायक संधि थी। इस संधि के निम्नलिखित मुख्य प्रावधान थे-

1. पेशवा ने कंपनी का संरक्षण स्वीकार किया और उसे एक विशाल वार्षिक सब्सिडी का भुगतान करना था।
2. पेशवा ने स्वीकार किया कि एक अंग्रेजी सेना पूना में रहेगी और मराठा सेना में अंग्रेजों का कोई भी यूरोपीय शत्रु नहीं रखा जाएगा।
3. पेशवा ने स्वीकार किया कि अन्य देशों के साथ उसके विदेशी संबंधों पर ब्रिटिश नियंत्रण होगा।

अससये के युद्ध

इस प्रकार मराठा संघ के प्रमुख पेशवा ने अपनी स्वतंत्रता खो दी और धीरे-धीरे अन्य मराठा प्रधान भी इसी स्थिति में आ गए। इसने अन्य मराठा प्रधानों की राष्ट्र/देशभक्ति की भावना को प्रभावित किया और द्वितीय आंग्ल-मराठा युद्ध उत्प्रेरित हुआ, जिससे मराठा संघ का विभाजन शुरू हुआ। दौलतराव सिंधिया और रघुजी भोंसले ने तुरंत अंग्रेजों के विरुद्ध एक गठबंधन बनाया। उन्होंने यशवंतराव होल्कर को शामिल

करने का प्रयास किया, लेकिन उन्हें सफलता नहीं मिली। गायकवाड तटस्थ रहे। इस प्रकार राष्ट्रीय खतरे के समय भी मराठा प्रधान एक नहीं हुए थे।

अंग्रेजों ने सभी मराठा क्षेत्रों पर आक्रमण करने का निर्णय लिया। युद्ध दो मुख्य केंद्रों पर लड़ा गया- वेलेजली के अधीन दक्कन में और जनरल लेक के अधीन उत्तरी भारत में। यह तीन उपकेंद्रों गुजरात, बुंदेलखंड और उड़ीसा में भी लड़ा गया।

- दक्कन में वेलेज़ली ने अस्सये के युद्ध (Battle of Assaye) (औरंगाबाद के निकट सितंबर, 1803) और अरगांव के युद्ध (बुरहानपुर के पास नवंबर, 1803) में सिंधिया और भोंसले की संयुक्त सेनाओं को हराया।
- उत्तर में लॉर्ड लेक ने दिल्ली के युद्ध (सितंबर, 1803) में दौलतराव सिंधिया और लसवारी के युद्ध (Battle of Laswari) (अलवर के समीप नवंबर, 1803) में सिंधिया और भोंसले की संयुक्त सेनाओं को हराया। जनरल लेक ने अलीगढ़, दिल्ली और आगरा को कब्जे में लिया। यह उल्लेखनीय है कि एक बार पुनः दिल्ली का नियंत्रण मराठों के हाथों से निकल कर ब्रिटिश हाथों में चला गया और पुनः नेत्रहीन मुगल शासक शाह आलम द्वितीय कंपनी का पेंशनभोगी बना। इससे पहले भी बक्सर के युद्ध के बाद वह पेंशनभोगी बना था।

इस प्रकार 5 महीने के अंदर सिंधिया और भोंसले को हार का सामना करना पड़ा और दोनों को अंग्रेजी कंपनी के साथ अलग-अलग संधियों पर हस्ताक्षर करने पड़े।

देवगांव की संधि (Treaty of Deogaon) (17 दिसम्बर 1803)- इस सहायक संधि पर रघुजी भोंसले और कंपनी के हस्ताक्षर हुए। इस संधि के अनुसार भोंसले ने बालासोर, कटक और वर्धा नदी की ओर पश्चिम में संपूर्ण राज्य के क्षेत्रों को गंवा दिया। भोंसले ने नागपुर में एक ब्रिटिश रेजिडेंट को रखने की सहमति दी। एम एलफिंस्टन को इस पद के लिए भेजा गया।

सुर्जी-अर्जनगांव की संधि (Treaty of Surji-Arjangaon) (30 दिसम्बर 1803)- सिंधिया और कंपनी के बीच हुई इस संधि के अनुसार सिंधिया को गंगा और यमुना के बीच के क्षेत्र को शामिल करते हुए अपने राज्य का एक विशाल भाग कंपनी को देना पड़ा। उसने अपने दरबार में एक ब्रिटिश रेजिडेंट सर जॉन मेलकॉम को रखने के लिए सहमति दी। एक अन्य संधि (बुरहानपुर की संधि, 27 फरवरी 1804) के अनुसार सिंधिया ने कंपनी के साथ सहायक संधि की।

यशवंत राव होल्कर के साथ युद्ध- अब तक होल्कर ने स्वयं को युद्ध से दूर रखा था, लेकिन अप्रैल, 1804 में ब्रिटिश और उसके बीच युद्ध शुरू हुआ। होल्कर ने कोटा के पास कर्नल मॉनसन को हराया और दिल्ली की ओर कूच किया। लेकिन वहां के स्थानीय रेजिडेंट लेफ्टिनेंट कर्नल ऑक्टर लोनी के द्वारा दिल्ली की रक्षा की गई। होल्कर की सेना की एक टुकड़ी को डिंग के युद्ध में पराजय मिली, जबकि दूसरी टुकड़ी, जिसका नेतृत्व होल्कर स्वयं कर रहे थे, को जनरल लेक ने हराया। होल्कर अमृतसर भागे और सिखों से सहायता की मांग की, लेकिन सिखों ने मना कर दिया। अब उसने ब्रिटिश के साथ शांति के बारे में विचार करना शुरू किया। उसी समय ईस्ट इंडिया कंपनी के साझेदारों ने अनुभव किया कि निरंतर युद्ध खर्चीले साबित हो रहे हैं। कंपनी के निदेशकों ने अनुभव किया कि अब प्रसार को रोकने का वक्त आ गया है। इसी प्रकार ब्रिटेन में गृह सरकार, ऐसे समय में जब नेपोलियन यूरोप के लिए एक खतरा बन रहा था, वित्तीय संकट का सामना कर रही थी। इस प्रकार, वेलेजली को वापस बुलाया गया और सर जॉर्ज बार्लो को होल्कर के साथ संधि के लिए भारत भेजा। इस प्रकार वेलेजली के अधीन बढ़ते प्रसार को समाप्ति के पहले नियंत्रण में लाया गया, यद्यपि कंपनी भारत में सर्वोच्च शक्ति के रूप में अब उभर चुकी थी।

राजपुर घाट की संधि (24 दिसम्बर 1805)- यह संधि यशवंत राव होल्कर और अंग्रेजी कंपनी के बीच हुई। इस संधि के अनुसार होल्कर ने चंबल नदी के उत्तर की ओर और बूंदी पहाड़ियों (बुंदेलखंड) के सभी दावों का त्याग कर दिया, लेकिन साथ ही उसे अपने खोए हुए राज्य का बड़ा भाग वापस प्राप्त हुआ। अंग्रेजों ने मेवाड़ और मालवा में होल्कर के अधिकारों पर बाधा न डालने का वादा किया। राजपुर घाट की संधि के साथ द्वितीय आंग्ल-मराठा युद्ध समाप्त हुआ। द्वितीय आंग्ल-मराठा युद्ध का परिणाम यह हुआ कि इसने मराठा संघ को तोड़ दिया।

गवर्नर जनरल लॉर्ड हेस्टिंग्स (1813-1823)

यदि लॉर्ड वेलेजली को फ्रांस को दूर करने और भारत में कंपनी की सैन्य प्रधानता को स्थापित करने में सफलता मिली, तो लॉर्ड हेस्टिंग्स को भारत में ब्रिटिश सर्वोच्चता को स्थापित करने में सफलता प्राप्त हुई। वास्तव में, हेस्टिंग्स ने भारत में ब्रिटिश सर्वोच्चता के ताने-बाने को पूर्ण किया।

लॉर्ड हेस्टिंग्स

भारत का गवर्नर जनरल बनने से पहले लॉर्ड हेस्टिंग्स अमेरिका के स्वाधीनता युद्ध में ब्रिटिश सेना में सेवा दे चुका था। भारत में उसने एक आक्रामक व अग्रगामी नीति अपनाई और विस्तृत युद्ध लड़े। इस प्रकार वेलेजली की नीति को पूर्ण व दृढ़ किया।

लॉर्ड हेस्टिंग्स के अधीन प्रसार-

उसके गवर्नर जनरल रहते हुए आंग्ल-नेपाल युद्ध, पिंडारियों का दमन और तीसरा आंग्ल-मराठा युद्ध हुआ। लॉर्ड हेस्टिंग्स का काल भारत में ब्रिटिश शक्ति के प्रसार और दृढ़ीकरण के लिए एक नींव का पत्थर साबित हुआ।

प्रशासनिक सुधार- यद्यपि हेस्टिंग्स की बुद्धिमत्ता युद्ध के लिए ज्यादा अनुकूल थी, लेकिन उसके काल में महत्वपूर्ण प्रशासनिक सुधार देखे गए। इसका कारण उसके पास प्रशासकों का एक योग्य समूह, जिसमें सर जॉन मेलकॉम, सर थॉमस मुनरो, माउंट स्टूअर्ट एलफिंस्टन, जेनकिंस और चार्ल्स मेटकॉफ शामिल थे, का होना था।

- 1820 में मद्रास के गवर्नर मुनरो ने मालाबार, कानरा, कोयंबटूर, मदुरा और डिंडीगुल में रैयतवाड़ी व्यवस्था का भूमि बंदोबस्त स्थापित किया। इसके अंतर्गत रैयत (भूमि का वास्तविक जोतदार) के साथ सीधा समझौता किया जाता था।
- उत्तर-पश्चिम प्रांतों में 1802 में **महलवाड़ी व्यवस्था** लाई गई। इसके अंतर्गत ग्राम समुदाय अथवा महल के साथ समझौता किया गया।
- हेस्टिंग्स ने कार्यपालिका से न्यायपालिका को अलग करने की कॉर्नवालिस व्यवस्था में संशोधन किया और इस प्रकार कलेक्टर अब मजिस्ट्रेट का पद भी रख सकता था।

पिंडारियों, लुटेरों का समूह, का दमन - ऐसा माना जाता है कि पिंडारी शब्द का उद्‌भव मराठी से हुआ है, जिसका अर्थ होता है पिंडा अर्थात खमीर युक्त पेय का उपभोक्ता। पहली बार पिंडारी शब्द 1689 में महाराष्ट्र पर मुगलों के आक्रमण के समय सुना गया और उन्हें मराठा सेना से जुड़े अनियमित घुड़सवार माना जाता था, जो बिना वेतन के सेवा करते थे, लेकिन इसके बदले में लूटने का लाइसेंस प्राप्त करते थे। मुगल सत्ता के पतन, कमजोर क्षेत्रीय राज्यों और बारंबार मराठा लूट ने भारत में पिंडारियों के उदय की स्थिति को निर्मित किया। इन्हें अक्सर मराठों का खोजी भी कहा जाता है। वास्तव में, ये बर्खास्त सैनिक, वीर किसान और बेकार लोग होते थे।

पिंडारी लुटेरों की मुख्य विशेषता उनकी गति और गोपनीयता थी। उनके संभव संचलन की सूचना के पहले ही उनका अभियान पूरा हो जाता था। वे टिड्डी दल के समान आते थे और उनके रास्ते में जो मिलता उसे लूट कर और नष्ट करते जाते थे।

19वीं शताब्दी के प्रारंभ में चितू, वासिल मुहम्मद और करीम खान मुख्य पिंडारी नेताओं के रूप में उभरे। पिंडारियों ने क्रमशः अपने अभियान के क्षेत्र को बढ़ाया और 1812 में मिर्जापुर और शाहबाद के जिलों और बाद में उतरी सरकारों (Northern Circars, 1816) को लूटा। इसने लॉर्ड हेस्टिंग्स को उनके विरुद्ध सख्त कार्रवाई के लिए उकसाया किया। उसने एक बार में मराठों को हराने और पिंडारियों का दमन करने की योजना बनाई। हेस्टिंग्स ने एक विशाल सेना बनाई और उत्तरी बल का नेतृत्व स्वयं किया और दक्कन का प्रभार सर थॉमस हिस्लोप को दिया।

जनवरी, 1818 तक पिंडारियों को प्रभावशाली ढंग से दबा दिया गया। करीम खान ने आत्मसमर्पण किया, वासिल मुहम्मद ने ब्रिटिश हिरासत में आत्महत्या की, जबकि चितू जंगल की ओर भाग गया, जहां एक चीते ने उसको मार दिया।

तृतीय आंग्ल-मराठा युद्ध (1817-1718)

ब्रिटिश गवर्नर जनरल लॉर्ड हेस्टिंग्स के आगमन के साथ आंग्ल-मराठा युद्ध के तीसरे और अंतिम चरण की शुरुआत हुई। उसने भारत में ईस्ट इंडिया कंपनी की सर्वोच्चता स्थापित करने का प्रयास किया और आक्रामक नीति को अपनाया। 1805 के बाद मराठों को जो समय मिला था, उसको उन्होंने अपनी शक्ति को मजबूत करने की अपेक्षा पारस्परिक संघर्ष में बर्बाद कर दिया था। हेस्टिंग्स का मुख्य उद्देश्य अब तीन मराठा शासकों भोंसले, सिंधिया और होल्कर की स्वतंत्रता को नष्ट करना था।

तीनों मराठा प्रधानों में बरार के भोंसले राजा सबसे कमजोर साबित हुए। 22 मार्च 1816 को रघुजी भोंसले की मृत्यु के बाद उसके पुत्र परसोजी के उत्तराधिकार को परसोजी के चचेरे भाई अप्पा साहेब (मुधोजी द्वितीय भोंसले के नाम से भी जाना गया) के द्वारा चुनौती दी गई। ब्रिटिश रेजिडेंट जेन्किन्स ने इसे राज्य पर एक सहायक संधि अधिरोपित करने का सही अवसर देखा। कंपनी का समर्थन प्राप्त करने के इच्छुक अप्पा साहेब ने कंपनी के अनुकूल शर्तों को रखा।

नागपुर की संधि (सहायक संधि 27 मई 1816)- तदनुसार, 27 मई 1816 को अप्पा साहेब और अंग्रेजी कंपनी के बीच नागपुर की संधि पर हस्ताक्षर हुए और नागपुर में एक सहायक सेना रखी गई।

पेशवा बाजीराव द्वितीय ने पहले बेसिन की संधि की, लेकिन समय के साथ उसने स्वयं को गला घोंटा हुआ अनुभव करना शुरू किया और स्वाधीनता के प्रतीकों को दिखाना शुरू किया। उसने अंग्रेजों के एक जागीरदार बड़ौदा के गायकवाड पर अपनी सत्ता साबित करना शुरू किया। उसने काठियावाड़ और बड़ौदा के शुल्क पर अपना दावा करना शुरू किया। बड़ौदा ने पेशवा के साथ वार्तालाप के लिए अपने मुख्यमंत्री गंगाधर शास्त्री को भेजा, लेकिन वार्तालाप असफल रही और वापस लौटते हुए नासिक में पेशवा के मुख्यमंत्री त्रिम्बकजी के कहने पर शास्त्री को मार दिया गया। ब्रिटिश रेसिडेंट एलफिंस्टन ने त्रिम्बकजी के समर्पण की मांग की। इसके बाद अंग्रेजी कंपनी ने युद्ध की तैयारी की और उसकी सेना ने पूना को चारों ओर से घेर लिया। पेशवा ने अनिच्छा से समर्पण किया और पूना की नई संधि स्वीकार की।

पूना की संधि (सहायक संधि 13 जून 1817)- इस संधि के अनुसार अन्य बातों के साथ पेशवा ने मराठा संघ के विघटन को स्वीकार किया और यह भारत में ब्रिटिश सर्वोच्चता की स्थापना में एक मील का पत्थर था। उसने कोंकड़ सहित महत्वपूर्ण किलों और बुंदेलखंड, मालवा एवं हिंदुस्तान को कंपनी को सौंप दिया।

लॉर्ड हेस्टिंग्स ने दौलतराव सिंधिया से, जो सितंबर, 1817 में एक बड़ी सेना के साथ पहुंचा चुका था, से समर्पण करने या युद्ध का सामना करने को कहा। सिंधिया ने समर्पण करके सहायक संधि स्वीकार की। यह मित्रता की संधि थी और सिंधिया अनेक तरह से स्वतंत्र बना रहा।

ग्वालियर की संधि (सहायक संधि, 5 नवम्बर 1817)

दौलतराव सिंधिया को भी ग्वालियर की संधि पर हस्ताक्षर करने के लिए अंग्रेजों द्वारा मजबूर किया गया। इस संधि के अनुसार पिंडारियों का दमन करने में कंपनी की सहायता का उसने वादा किया। इस प्रकार पिंडारियों के विरुद्ध एक अभियान के रूप में तीसरा मराठा युद्ध शुरू हुआ। ब्रिटिश सेनाओं का नेतृत्व लॉर्ड हेस्टिंग्स ने किया, जिसका समर्थन जनरल थॉमस हिस्लोप के अधीन एक बल के द्वारा किया गया।

यद्यपि मराठा प्रधान विनम्र हो गए थे, लेकिन शीघ्र ही पेशवा के नेतृत्व में एक बार पुनः उठे। भोंसले (नागपुर के अप्पा साहेब) और होल्कर (इंदौर के मल्हार राव होल्कर तृतीय) की सेनाओं की सहायता से पेशवा की सेनाएं ईस्ट इंडिया कंपनी के विरुद्ध खड़ी हुईं। 5 नवंबर 1817 को पेशवा ने पूना की ब्रिटिश रेजिडेंसी को जला दिया और खड़की में ब्रिटिश शिविर पर हमला किया। लेकिन **खड़की (5 नवम्बर)** में पेशवा को, भोंसले को **सितबाल्डी पहाड़ियों (26 नवम्बर)** और होल्कर को **मेहीदपुर (21 दिसम्बर 1817)** में हरा दिया गया।

होल्कर एवं मंदसौर की संधि (सहायक संधि, 6 जनवरी 1818)- इंदौर के मल्हार राव होल्कर तृतीय को मंदसौर की संधि पर हस्ताक्षर करने के लिए मजबूर होना पड़ा और अब इंदौर में एक ब्रिटिश रेजिडेंट रखा गया। होल्कर को खानदेश समेत पंजाब के दक्षिण में उसके सभी क्षेत्रों को समर्पित करना था। उसको राजपूत राज्यों पर भी अपना दावा छोड़ना था। चूंकि होल्कर केवल 11 वर्ष का था, इसलिए तांतिया जोग को मुख्यमंत्री नियुक्त किया गया। इस प्रकार ब्रिटिश के साथ एक सहायक संधि पर हस्ताक्षर करने वाला होल्कर **अंतिम मराठा प्रधान** बना।

खड़की में पराजय के बाद पेशवा ने ब्रिटिश के साथ दो और युद्ध लड़े- कोरेगांव का युद्ध (1 जनवरी 1818) और अशती का युद्ध (20 फरवरी 1818)। वह दोनों ही युद्धों में हारा और अंतत: उसे सर जॉन मेलकॉम के समक्ष समर्पण करना पड़ा। इस प्रकार संपूर्ण मराठा बल को ईस्ट इंडिया कंपनी के उच्च सैन्य शक्ति द्वारा बर्बाद कर दिया गया।

हेस्टिंग्स ने पेशवा और पेशवाशाही दोनों से छुटकारा पाने का निर्णय लिया। अत: पेशवा को सिंहासन से हटा दिया गया, पेंशन बंद कर दी गई और उसे **कानपुर के निकट बिठूर** में अंतिम समय बिताने का आदेश दिया गया। उसके राज्य को ब्रिटिश के अधीन लाया गया और बॉम्बे प्रेसिडेंसी का विस्तार किया गया। मराठा गर्व को संतुष्ट करने के लिए पेशवा के राज्य में से एक **सतारा** राज्य बनाया गया और शिवाजी के प्रत्यक्ष वंशज **प्रताप सिंह** को उसे दे दिया गया।

इस प्रकार 1818 तक पंजाब और सिंध को छोड़कर सम्पूर्ण भारतीय उपमहाद्वीप प्रत्यक्ष या अप्रत्यक्ष रूप से ब्रिटिश नियंत्रण में लाया गया।

प्रीलिम कैप्सूल

आंगल-मराठा युद्ध (1775-1818 के दौरान)

युद्ध	काल	महत्वपूर्ण विवरण
प्रथम मराठा युद्ध वॉरेन हेस्टिंग्स	1775-1782	तात्कालिक कारण- सवाई माधवराव पेशवा बने, जिसने रघुनाथ राव को असंतुष्ट किया और अब उसने ब्रिटिश की सहायता से सत्ता पर कब्जा करने का प्रयास किया। यह युद्ध **सूरत की संधि** से शुरू हुआ और **सलवाई की संधि** से समाप्त हुआ। मुख्य युद्ध- अदास, तलेगांव और सिपरी का युद्ध। परिणाम- अनिर्णित। सलवाई की संधि ने मराठों को 20 साल के लिए शांति प्रदान की।
द्वितीय मराठा युद्ध लॉर्ड वेलेजली	1803-1805	तात्कालिक कारण- 1801 में पेशवा बाजीराव द्वितीय ने होल्कर के भाई बिठुजी राव होल्कर को मार दिया। जब होल्कर ने उस पर जवाबी कार्रवाई की तो पेशवा भागकर बेसिन पहुंचा और वेलेजली से सहायता मांगी। यह युद्ध **बेसिन की संधि** से शुरू हुआ और **राजपुर घाट की संधि** से इसका अंत हुआ। महत्वपूर्ण युद्ध- अस्सये, अरगांव, दिल्ली, लस्वारी और डिंग। परिणाम- अंग्रेज मराठा पर भारी पड़े। सिंधिया, भोंसले और होल्कर के साथ कंपनी द्वारा अलग-अलग संधियां की गई, जिसने मराठा संघ को तोड़ दिया।
तृतीय मराठा युद्ध लॉर्ड हेस्टिंग्स	1817-1818	तात्कालिक कारण- **पिंडारियों** के विरुद्ध एक अभियान के रूप में युद्ध शुरू हुआ। **ग्वालियर की संधि** के साथ युद्ध शुरू हुआ और **मंदसौर की संधि** के साथ समाप्त। मुख्य युद्ध- खड़की, कोरेगांव, सिताबाल्डी, मेंहदीपुर और अशती। परिणाम- मराठा बलों की निर्णायक हार हुई। पेशवा के क्षेत्रों को ब्रिटिश के द्वारा कब्जे में लिया गया।

ब्रिटिश के हाथों मैसूर और मराठों के पराजय के कारण

हम पाते हैं कि मैसूर और मराठा राज्यों में कुछ उभयनिष्ठ कमजोरियां थीं। इन कमजोरियों ने उन्हें अंग्रेजी कंपनी के हाथों हरा दिया। गतिहीनता का सामना कर रहे पूर्वी देश के लोग पुनर्जागरण, औद्योगिक क्रांति और युद्ध कला की मैक्यावली विधियों के द्वारा सुसज्जित गतिशील अंग्रेजी राष्ट्र से सफलतापूर्वक सामना नहीं कर सकते थे। पराजय के मुख्य कारण निम्न हैं–

1. **भारतीय राज्यों के बीच पारस्परिक प्रतिद्वंदिता**– निरंतर आपस में प्रतिद्वंदिता करती देशी शक्तियां साम्राज्यवादी शक्तियों के लिए आसान शिकार हो गए। हम इस अध्याय में देख चुके हैं कि मैसूर और मराठों के बीच बहुत विवाद थे। अंग्रेजों ने भारतीय राज्यों के बीच इस पारस्परिक प्रतिद्वंदिता का लाभ उठाया और दोनों के ऊपर ही नियंत्रण स्थापित किया।
2. **प्रशासन में गुटबाजी और हित समूहों का होना**– दोनों ही राज्यों में विभिन्न हित समूह थे, जो एक दूसरे के विरुद्ध थे और इसने केंद्रीय सत्ता को कमजोर बनाया।
3. **संसाधनों की कमी**– भारतीय राज्यों के पास संसाधनों की कमी होना, ब्रिटिश के साथ लड़ाई में एक मुख्य कमजोरी थी। ब्रिटिश पहले ही बंगाल को अपने नियंत्रण में ले चुके थे, जो देश का सबसे उन्नतशील भाग था और साथ ही उन्हें अपने गृह सरकार का भी पूरा समर्थन था।

संक्षेप में, इस अध्याय में हमने मैसूर और मराठा राज्यों पर जीत के रूप में दक्षिण भारत में ब्रिटिश प्रसार को देखा। ब्रिटिश इस क्षेत्र में पहले व्यवसायिक लाभ से आए। उस समय देशी राज्यों के बीच चल रही प्रतिद्वंदिता ने अंग्रेजों को उनके राजनीतिक मुद्दों में हस्तक्षेप का अवसर दिया। राज्यों की प्रशासनिक कमजोरियों के कारण अंततः ब्रिटिश के हाथों उनकी पराजय हुई। मैसूर और मराठा राज्यों की पराजय अन्य भारतीय राज्यों के लिए भी घातक साबित हुई और भारत में ब्रिटिश राज्य की नींव पड़ी।

अध्याय

2

भारतीय सीमाओं से परे ब्रिटिश प्रसार (नेपाल, बर्मा और अफगानिस्तान) (1814–1842)

- भारतीय सीमा से परे प्रसार के कारण
- प्रमुख विजय
  - नेपाल
    - आंग्ल-नेपाल युद्ध (1814-1816)
  - बर्मा
    - प्रथम आंग्ल-बर्मा युद्ध (1824-1826)
    - द्वितीय आंग्ल-बर्मा युद्ध (1852-1853)
  - अफगानिस्तान
    - प्रथम अफगान युद्ध (1839-1842)

इस अध्याय में आप भारतीय सीमाओं से परे ब्रिटिश औपनिवेशिक प्रसार के बारे में पढ़ेंगे। 1818 तक मराठों की पराजय के साथ भारत में ब्रिटिश सर्वोच्चता का कार्य पूर्ण हो चुका था। ब्रिटिश ने पंजाब और सिंध को छोड़कर लगभग संपूर्ण भारत को जीत लिया था और इनका भी संयोजन समय की बात थी। अपने राज्य की मजबूती के लिए ब्रिटिश ने दो आयामी नीति का अनुसरण किया- एक अनुकूल प्रशासनिक व्यवस्था का प्रारंभ और दूसरा नए जीते हुए राज्यों की सुरक्षा। भारत में ब्रिटिश सीमाओं को सुरक्षित करने की प्रक्रिया में अनेक राज्यों को प्रत्यक्ष अथवा अप्रत्यक्ष रूप से ब्रिटिश नियंत्रण में लाया गया, ताकि उनका आंतरिक खतरे के विरुद्ध एक सीमा-चौकी की तरह उपयोग किया जा सके।

साथ ही, ईस्ट इंडिया कंपनी भारत को दक्षिण और दक्षिण-पूर्व एशिया की भूमि पर नियंत्रण के लिए एक आधार के रूप में उपयोग कर रही थी। 1757 से 1857 के दौरान अंग्रेजों का उत्तर में नेपाल से दक्षिण में श्रीलंका तक, उत्तर-पश्चिम में अफगानिस्तान, दक्षिण-पश्चिम में मॉरीशस से दक्षिण-पूर्व में अंडमान और निकोबार, बर्मा, मलाया और फिलिपिंस पर नियंत्रण स्थापित हो गया था। केवल मुख्य भूमि- एशिया, चीन, सियाम, लाओस, कंबोडिया और वियतनाम तुलनात्मक रूप से अछूते रह गए थे।

भारतीय सीमाओं से परे प्रसार के कारण

ईस्ट इंडिया कंपनी के वित्तीय आधार में परिवर्तन (व्यापार से भू-राजस्व)

बंगाल का प्रांत एशिया की मुख्य भूमि का पहला प्रमुख क्षेत्र था, जो अंग्रेजी कंपनी के सीधे नियंत्रण में आया। अब तक कंपनी की आय का प्राथमिक स्रोत व्यापार था, जिसको बहुआयामी चुनौतियों का सामना करना पड़ रहा था।

1770 के दशक तक बंगाल की अर्थव्यवस्था गड़बड़ा चुकी थी, इसने न केवल कंपनी के लाभ को, बल्कि चीन के साथ उसके लाभकारी व्यापार को भी कठिनाई में डाल दिया था। क्योंकि चीनी व्यापारी उनका सामान चांदी के आदान-प्रदान से ही बेचते थे, जिसे अधिकांशत: बंगाल के राजकोष से प्रदान किया जाता था। इसके अलावा इंग्लैंड में औद्योगिक क्रांति मजबूत होती जा रही थी और औद्योगिक हितों की मांग थी कि पूर्व देशों में कंपनी के व्यापार के एकाधिकार को समाप्त किया जाए। कंपनी स्वयं भारत में देशी शक्तियों के साथ खर्चीले सैन्य संघर्ष में लिप्त हो चुकी थी। ऐसी स्थिति में व्यापार से प्राप्त आय में गिरावट और सशस्त्र संघर्ष पर बढ़ते हुए खर्चे ने कंपनी के वित्तीय आधार को व्यापार-व्यवसाय से भू-राजस्व की ओर परिवर्तित कर दिया।

व्यापार के लिए दक्षिण-पूर्व एशिया से मसाले प्राप्त करने की आवश्यकता

कई वर्षों तक कंपनी चीन के साथ लाभकारी व्यापार कर रही थी विशेष रूप से रेशम, ननकीन (पीले तरह के सूती कपड़े) और चाय। लेकिन चीनी व्यापारी अधिकतर चांदी के बदले आदान-प्रदान करते थे, जो 1757 से बंगाल कोष से प्राप्त हो रहा था। बंगाल के धन में कमी होने से कंपनी ने चीन के साथ व्यापार के भुगतान के लिए, पहले मध्य भारत के मालवा क्षेत्र से प्राप्त अफीम को चांदी का स्थान दिया और दूसरा, दक्षिण-पूर्व एशिया से प्राप्त मसालों को चीन और यूरोप में बेचने के बारे में सोचा। इसने कंपनी को दक्षिण-पूर्व एशिया में अपना प्रसार करने के लिए मजबूर किया।

नए बाजारों और आपूर्तियों की आवश्यकता- भारत के बाहर अंग्रेजी कंपनी के प्रसार की रुचि भारत से प्राप्त सामान के लिए नए बाजारों की खोज करने की आवश्यकता से प्रेरित थी।

भारतीय साम्राज्य को सुरक्षित करने की आवश्यकता- कंपनी को भारतीय साम्राज्य और चीन व भारत के साथ उसके व्यापारिक मार्गों को सुरक्षित करने की आवश्यकता थी। अत: भारत के बाहर कंपनी का प्रसार रणनीतिक रूप से प्रेरित था।

नोट- भारत के बाहर अंग्रेजों की पहली विजय मलक्का जलडमरूमध्य में हुई थी और इसमें पेनांग (1791), मलक्का और सिंगापुर (1824) के बंदरगाह शामिल थे।

मुख्य विजय

नेपाल

आंग्ल-नेपाल युद्ध (1814-1816)

ऐतिहासिक पृष्ठभूमि- 1768 में गोरखाओं ने काठमांडू का नियंत्रण भटगांव के रंजीत मल्ला के उत्तराधिकारियों से छीन लिया। पर्वतों से परे उनके प्रसार के प्रयास को उत्तर में चीनियों के द्वारा नियंत्रित कर लिया गया। अत: वे बंगाल और अवध की सीमाओं की ओर बढ़े और भारत में अंग्रेजों के साथ उनका संघर्ष हुआ।

1801 में गवर्नर जनरल वेलेजली ने भारत में कंपनी की मजबूती के लिए सहायक संधि की। उसकी योजना के अनुपालन में और चीन या तिब्बत के विरुद्ध एक चौकी निर्मित करने के उद्देश्य से, नेपाल के हिंदू गोरखा राज्य को संधि पर हस्ताक्षर करने और काठमांडू में एक ब्रिटिश रेजिडेंट स्वीकार करने के लिए मजबूर किया। हालांकि, 1803 में नेपाली शत्रुता के कारण रेजिडेंट ने नेपाल छोड़ दिया। इसी दशक में, भारत और नेपाल की 1100 किलोमीटर तक की सीमा पर अनेक समस्याओं को देखा गया।

कारण

- ब्रिटिश विदेश और सीमांत नीति का अनुपालन: अंग्रेज उत्तर से भारत के संरक्षण के लिए केवल हिमालय पर निर्भर नहीं रहना चाहते थे। उन्होंने नेपाल में भारत और तिब्बत/चीन के बीच एक स्थिर बफर राज्य देखा।
- आगामी सीमा विवाद।
- अंग्रेज और गोरखा, दोनों के द्वारा प्रसारवादी नीति का अनुसरण किया गया।

गोरखा योद्धा

युद्ध- मई, 1814 में गोरखाओं ने बुटवल के तीन पुलिस चौकियों पर हमला किया, जो उस समय अंग्रेजी ईस्ट इंडिया कंपनी की सत्ता के अधीन थे। गवर्नर जनरल हेस्टिंग्स ने इसे कंपनी की सत्ता के विरुद्ध एक चुनौती की तरह देखा और सतलज से कोसी तक संपूर्ण सीमा पर आक्रमक कार्रवाई का निर्णय लिया।

अक्टूबर, 1814 को गवर्नर जनरल हेस्टिंग्स ने नेपालियों को हराकर नेपाल युद्ध प्रारम्भ किया। पहाड़ी जनता ने इसका सशक्त प्रतिरोध किया और करीब एक वर्ष तक ब्रिटिश को सैन्य संघर्ष में उलझाए रखा। बुटवल, अल्मोड़ा, मलाओं और मकवानपुर जैसे प्रमुख महत्वपूर्ण युद्ध लड़े गए और सभी अंग्रेजों के पक्ष में गए

नेपालियों को अंतत: हरा दिया गया और उन्हें **सुगौली की संधि (मार्च 1816)** पर हस्ताक्षर करने के लिए मजबूर किया गया। इस संधि के अनुसार ब्रिटिश को गढ़वाल और कुमाऊं के जिले मिले और काठमांडू में एक रेजिडेंट रखा गया। कंपनी की उत्तर-पश्चिम की सीमा पर्वतों तक बढ़ी और अंग्रेजों को सतलुज की पहाड़ियों का संपूर्ण क्षेत्र प्राप्त हुआ, जिसमें **शिमला, मसूरी, रानीखेत, लण्ढोर और नैनीताल** जैसे पहाड़ी क्षेत्र शामिल थे।

सुगौली की संधि के बाद ब्रिटिश ने नेपाली शासकों के साथ उनके समझौतों में चातुर्यता का परिचय दिया। उन्होंने नेपाली शासकों के साथ एक संप्रभु शासक की तरह व्यवहार किया। नेपाल ने भी 1857 के दौरान तटस्थता बनाए रखी और ब्रिटिश ने बड़ी संख्या में गोरखाओं को किराए के सैनिक के रूप में अपनी सेना में रखा। 1815 में करीब 5000 नेपालियों ने ब्रिटिश सेना में प्रवेश लिया, उनमें से अधिकतर वास्तविक गोरखा नहीं थे, बल्कि कुमाऊं, गढ़वाली और हिंमालय में रहने वाले अन्य पहाड़ी व्यक्ति थे। यह सभी समूह बाद में गोरखा नाम से जाने गए और ब्रिटिश भारतीय सेनाओं की रीढ़ की हड्डी बने।

बर्मा

प्रथम आंग्ल-बर्मा युद्ध (1824-1826)

तात्कालिक कारण- 1823-1824 में विद्रोहियों का पीछा करते हुए बर्मा की सेना ने असम और मणिपुर में प्रवेश करके उस पर कब्जा कर लिया और चिटगांव पर आक्रमण की तैयारी की। हालांकि भारत में इन क्षेत्रों पर अंग्रेजों का दावा था। ब्रिटिश भारतीय सेना ने जवाब में बर्मा पर आक्रमण किया, जिसे पहला आंग्ल-बर्मा युद्ध कहा गया।

1824 में ब्रिटिश भारतीय सेना ने बर्मा पर हमला किया। बर्मा के अराकान क्षेत्र पर मुख्य हमला समुद्री मार्ग से किया गया। महा बुंदेला के नेतृत्व में बर्मा की सेनाओं को आसानी से हरा दिया गया और राजा को एक शांति संधि, यानडाबू की संधि पर हस्ताक्षर के लिए मजबूर होना पड़ा।

यानडाबू की संधि (24 फरवरी 1826)- इस संधि के अनुसार,

- अंग्रेजों को असम, मणिपुर पर पुन: नियंत्रण मिला और उन्होंने अराकान व तेनासेरिम पर कब्जा किया। इस प्रकार राजा को अपना अधिकांश भाग गंवाना पड़ा।
- राजा को अपनी राजधानी में एक ब्रिटिश रेजिडेंट स्वीकार करने और युद्ध में हुई क्षतिपूर्ति का भुगतान करने के लिए मजबूर होना पड़ा।

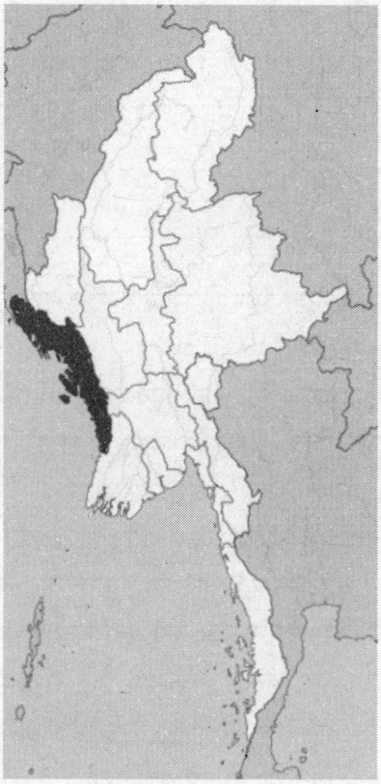

तेनासेरिम क्षेत्र, बर्मा

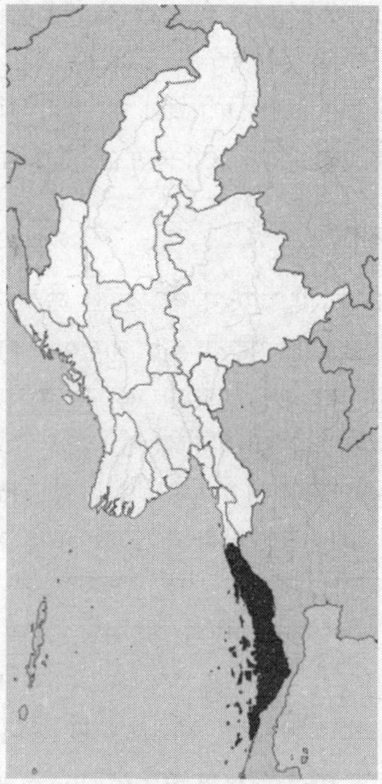

अराकान क्षेत्र, बर्मा

◗ द्वितीय आंग्ल-बर्मा युद्ध (1852-1853)

1840 में ब्रिटिश रेजिडेंट ने दावा किया कि बर्मा में उसके साथ अच्छा व्यवहार नहीं हुआ और उसने बर्मा छोड़ दिया। इसी बीच बर्मा टिंबर और अन्य कीमती वस्तुएं, जैसे- टिन, काली मिर्च व हाथी दांत का प्रमुख आपूर्तिकर्ता बना। इरावदी नदी का डेल्टा बंगाल और दक्षिण-पूर्व एशिया के लिए चावल का मुख्य आपूर्तिकर्ता के रूप में उभरा। इन विकासों ने ब्रिटिश को बर्मा पर कब्जा के लिए प्रेरित किया।

तात्कालिक कारण- यानडाबू की संधि के बाद अनेक ब्रिटिश व्यापारी बर्मा और रंगून के दक्षिणी तट पर बस गए थे। वे अक्सर बर्मा वासियों के हाथों बुरे व्यवहार की शिकायत करते थे। बर्मा सरकार के द्वारा दो ब्रिटिश कप्तानों पर कुछ आरोपों के लिए भारी जुर्माना लगाया गया था। इस घटना के बाद ब्रिटिश व्यापारियों ने उस समय के गवर्नर जनरल लॉर्ड डलहौजी को एक याचिका भेजी। इस प्रकार, 1852 में अंग्रेजों की गरिमा को पुनः प्राप्त करने के लिए डलहौजी ने बर्मा पर हमला करने का निर्णय लिया।

1852 में युद्ध शुरू हुआ और 1853 तक अंग्रेजों ने रंगून, पेगु (या निम्न बर्मा) और टौंगो तक के क्षेत्र पर कब्जा कर लिया था। इस प्रकार, बंगाल की घाटी के संपूर्ण तट पर अंग्रेजों ने नियंत्रण प्राप्त कर लिया था। बर्मी राजा मिन्डन मिन को अपनी राजधानी मांडले स्थानांतरित करने के लिए मजबूर होना पड़ा था। पेगु पर कब्जे के लिए ब्रिटिश को आलोचना का सामना करना पड़ा था।

लंदन टाइम्स ने टिप्पणी की, ''भारत में ब्रिटिश प्रतिष्ठा को बनाए रखने के लिए नए कब्जों की आवश्यकता नहीं थी।''

नोट- तीसरा बर्मा युद्ध 1885 में हुआ, जब अंग्रेजों ने बर्मा पर आक्रमण किया। इसका कारण राजा थिबाव मिन द्वारा एशिया पर अंग्रेजों के नियंत्रण को कमजोर करने के लिए वियतनाम में फ्रांस के साथ षड्यंत्र करना था। यह युद्ध अंग्रेजों की विजय के साथ समाप्त हुआ और ऊपरी बर्मा का समामेलन किया गया। इस प्रकार बर्मा ब्रिटिश भारत का एक प्रांत बन गया (1937 के बाद बर्मा पर एक पृथक उपनिवेश के रूप में शासन किया गया)।

अफगानिस्तान

रूस का खतरा- रूसी जोखिम के विचार का प्रचार मध्य 19वीं शताब्दी में ब्रिटिश विदेश सचिव लॉर्ड पामर्स्टन द्वारा किया गया और इसका उल्लेख पहली बार विलियम बेंटिक द्वारा किया गया।

19वीं शताब्दी का काल एशिया पर प्रभाव के लिए ब्रिटिश और रूसी साम्राज्य के बीच एक कूटनीतिक प्रतिस्पर्धा का काल था। इस प्रकार, 19वीं शताब्दी में ब्रिटेन में रूस को शत्रु की तरह देखा जाता था और मध्य एशिया में रूस का कोई भी कार्य लंदन में नकारात्मक दृष्टि से देखा जाता था। 1832 में ब्रिटेन ने अपने मताधिकार को बढ़ाया, जिसकी रूस के सम्राट निकोलस प्रथम द्वारा निंदा की गई। इसने निरंकुश रूस और लोकतांत्रिक ब्रिटेन के बीच शीत युद्ध के लिए मंच सजा दिया। परिणामस्वरुप, रूस के 19वीं शताब्दी के 'पूर्व के विशिष्ट मिशन' (यह कथित तौर पर चीन के विरोध में था, न कि भारत के) की गलत व्याख्या की गई। 1837 में लॉर्ड पामर्स्टन ने सिंध, अफगानिस्तान की अस्थिरता, उत्तर-पश्चिम में सिख राज्य की बढ़ती शक्ति के भय से अफगानिस्तान के रास्ते ब्रिटिश भारत पर रूसी आक्रमण की संभावना को उठाया। मध्य एशिया से भारत में प्रवेश का अफगानिस्तान अकेला मार्ग था।

रूसी जोखिम के प्रति ब्रिटिश प्रतिक्रिया- रूसी जोखिम के प्रति ब्रिटिश प्रतिक्रिया दो आयामी थी-

- **अग्रगामी नीति**- एक प्रतिक्रिया थी कि अफगानिस्तान का समामेलन या उसे एक बफर राज्य बनाकर उस पर पूरा नियंत्रण किया जाए। यह विचार कंजरवेटिव पार्टी (रूढ़ीवादी दल) के सदस्यों द्वारा दिया गया।
- **उत्तम निष्क्रियता की नीति**- एक अन्य प्रतिक्रिया थी जिसके अनुसार रूस के साथ कूटनीतिक समझ पर पहुंचा जाए और जहां तक अफगानिस्तान का प्रश्न है, उस पर अहस्तक्षेप की नीति अपनाई जाए। यह विचार उदारवादियों ने दिया।

1830 के दशक में अफगानिस्तान के संरक्षण को लेकर ब्रिटिश ज्यादा चिंतित हो गए और जिससे प्रथम आंग्ल-अफगान युद्ध हुआ, जो ब्रिटिश के लिए बहुत ही खतरनाक साबित हुआ। इसका सीधा परिणाम यह हुआ कि ब्रिटिश प्रतिष्ठा को पुन: प्राप्त करने के प्रयास में उन्हें सिंध (1843) और पंजाब (1849) का समामेलन करना पड़ा और ब्रिटिश भारत की सीमा सीधे अफगानिस्तान से लग गई।

प्रथम अफगान युद्ध (1839-1842)

साम्राज्य की सुरक्षा और उत्तर पश्चिम में एक वैज्ञानिक सीमा की खोज की चिंता अंग्रेजों को अफगानियों के संपर्क में लाई। ब्रिटिश द्वारा अफगानिस्तान को नेपोलियन के फ्रांस और जार के रूस के विरुद्ध एक बफर राज्य के रूप में देखा जाता था। ऐसा अनुभव किया गया कि अफगानिस्तान को एक मित्र राजकुमार के नियंत्रण में होना चाहिए।

अफगानिस्तान का अमीर (शासक) **दोस्त मोहम्मद** अंग्रेजों के साथ मित्रता के लिए उत्सुक था और उसने ऑकलैंड के गवर्नर जनरल बनने पर उसे एक बधाई पत्र भेजा। हालांकि, दोस्त मोहम्मद ने अपनी मित्रता में शर्त रखी थी कि अंग्रेज रणजीत सिंह से पेशावर को बचाए रखने में सहायता करेंगे। ऑकलैंड ने तटस्थता बनाए रखने का निर्णय लिया और लिखा कि ब्रिटिश सरकार की यह नीति नहीं है कि वह स्वतंत्र राज्यों के मामलों में हस्तक्षेप करें। निराश होकर दोस्त मोहम्मद रूस के साथ मित्रता के लिए आगे बढ़ा।

बर्न्स का मिशन- सितंबर, 1837 में ऑकलैंड ने कैप्टन अलेक्जेंडर बर्न्स को एक व्यवसायिक मिशन पर काबुल भेजा, लेकिन वास्तव में उसे वहां की राजनीतिक स्थिति को समझने के लिए भेजा गया था। बर्न्स ने काबुल से प्रतिवेदन लिखा कि अमीर विचारों में पूर्णतया अंग्रेजों के साथ है, लेकिन उसने आग्रह किया कि ब्रिटिश को पेशावर लौटाने के लिए रणजीत सिंह पर दबाव बनाना चाहिए। लेकिन ऑकलैंड अटल था कि दोस्त मोहम्मद को पेशावर प्राप्त करने की अपनी सारी आशाओं को छोड़ देना चाहिए और भारत सरकार पहले ही लाहौर और काबुल के बीच शांति बनाए रखने का एक महत्वपूर्ण कार्य कर रही थी। अतः दोस्त मोहम्मद को ब्रिटिश के शत्रुओं के साथ कोई गठबंधन नहीं करना चाहिए। इसके बाद दोस्त मोहम्मद ने निराशा अनुभव की ओर रूस के राजदूत का गर्मजोशी से स्वागत किया। अपने मिशन में असफल होकर अप्रैल, 1838 में बर्न्स भारत लौटा गया।

प्रथम अफगान युद्ध के कारण-

- साम्राज्य की सुरक्षा की चिंता।
- एक वैज्ञानिक सीमा की खोज।
- तात्कालिक कारण- बर्न्स के मिशन का असफल होना।

बर्न्स के मिशन के असफल होने के बाद गवर्नर जनरल ऑकलैंड ने एक अग्रगामी नीति अपनाने का निर्णय लिया। उसने दोस्त मोहम्मद को अपदस्थ करने और देश को किसी मित्र राजकुमार के हाथों में सौंपने की योजना बनाई।

त्रिपक्षीय संधि (26 जून 1838)- योजना के अनुसार अंग्रेज, शाह शुजा (अफगानिस्तान का पूर्व शासक) और रणजीत सिंह के बीच एक त्रिपक्षीय संधि पर हस्ताक्षर हुए। संधि का अनुसरण करते हुए तीनों दलों की संयुक्त सेना (सिंधु की सेना के नाम से भी जाना गया) ने काबुल पर हमला किया।

जुलाई, 1839 तक सेना ने कंधार और गजनी पर कब्जा कर लिया। दोस्त मोहम्मद इन पराजयों से इतना हतोत्साहित हुआ कि उसने युद्ध छोड़ दिया और काबुल के उत्तर-पश्चिम में स्थित एक शहर बायमान भाग गया। शाह शुजा को अफगान सिंहासन पर बिठाया गया।

प्रथम अफगान युद्ध के दौरान ब्रिटिश भारतीय सेना

हालांकि, जल्द ही योजना में चूक नजर आने लगी। अफगानिस्तान की जनता ने शाह शुजा को अस्वीकार कर दिया और अब उसकी स्थिति को ब्रिटिश सेना की सहायता से ही बनाए रखा जा सकता था। इस प्रकार, जनरल एलफिंस्टन के नेतृत्व में काबुल में एक छोटी गढ़ सेना रखी गई। लेकिन अंग्रेजों को निरंतर प्रतिकार का सामना करना पड़ा।

- सितंबर, 1840 में वाली के खुलूम से सैन्य सहायता प्राप्त करके दोस्त मोहम्मद ने अंग्रेजों पर आक्रमण किया, लेकिन वह असफल रहा। उसे गिरफ्तार करके एक कैदी रूप में कलकत्ता भेज दिया गया।
- पुनः 1841 में अफगान अंग्रेजों के विरुद्ध विद्रोह के लिए उठ खड़े हुए। काबुल, जलालाबाद, कंधार और गजनी में अनेक अंग्रेजों को मार दिया गया और उनकी छावनियों पर कब्जा कर लिया गया। बर्न्स को भी मार दिया गया। ब्रिटिश अधिकारी मैकनाग्टन को अकबर खान (दोस्त मोहम्मद के पुत्र) के साथ एक अपमानजनक संधि करने के लिए मजबूर होना पड़ा और 3 दिन के अंदर अफगानिस्तान छोड़ने के लिए सहमति देनी पड़ी। हालांकि, मैकनाग्टन को भी मार दिया गया।

- जनवरी, 1842 में काबुल में एक घातक पलायन शुरू हुआ। अपने 4500 सैनिकों और 12000 शिविर अनुशरणकर्ताओं के साथ एलिफंस्टन का काफी हद तक विनाश हो गया था। शाह शुजा की भी हत्या कर दी गई।

ऑकलैंड के स्थान पर एलेनबरो आना- ऑकलैंड की भव्य योजना एक गुब्बारे की तरह फूट पड़ी और शीघ्र ही उसके स्थान पर लॉर्ड एलेनबरो को लाया गया। एलेनबरो ने सेना को पीछे हटने का आदेश दिया। परिणामस्वरुप, सितंबर, 1842 तक संयुक्त ब्रिटिश सेना जलालाबाद, कंधार और काबुल पर पुनः नियंत्रण करने में सक्षम हुई। सेना ने कैदियों का बचाव किया, काबुल के मुख्य बाजार को नष्ट किया और फिर खैबर दर्रे से पीछे हटे। दोस्त मोहम्मद को रिहाकर काबुल में उसकी सत्ता को पुनर्स्थापित किया गया।

ऑकलैंड की अफगान नीति का मूल्यांकन- अफगान युद्ध को 'अफगानिस्तान में आपदा' के नाम से जाना गया और इसे 'मूर्खता, अज्ञानता और घमंड' का एक संयोग कहा गया। यह बहुत खर्चीला साबित हुआ और इसने ब्रिटिश भारतीय सेना की प्रतिष्ठा को एक बड़ा झटका पहुंचाया।

ऑकलैंड अफगान नीति को नैतिक रूप से न्यायपूर्ण नहीं माना सकता, क्योंकि स्वतंत्र राज्यों के आंतरिक मामलों में हस्तक्षेप न करने के उसके पूर्व निर्णय से इसका अंतर्विरोध होता है। अफगानिस्तान एक स्वतंत्र राज्य और दोस्त मोहम्मद इसका सर्व-स्वीकार्य शासक था। राजनीतिक रूप से, ऑकलैंड को सही नहीं माना जा सकता, क्योंकि रूसी खतरे को लेकर उसके विचार अतिशयोक्तिपूर्ण थे, जबकि वास्तव में शत्रु कई हजारों मील दूर थे। अफगानिस्तान के सिंहासन पर एक मित्र राजकुमार स्थापित करने का लक्ष्य पूरा नहीं हो सका और दोस्त मोहम्मद को युद्ध के बाद पुनः गद्दी मिली।

संक्षेप में, इस अध्याय में हमने भारत के बाहर उपनिवेश बनाने के ब्रिटिश प्रयास के बारे में पढ़ा। अंग्रेजी कंपनी ने अपने व्यापार और औपनिवेशिक हितों को प्रोत्साहित और संरक्षित करने के उद्देश्य से ही भारत के बाहर क्षेत्रों में रुचि ली। कूटनीति और युद्ध में लिप्त होकर कंपनी ने श्रीलंका, मॉरीशस, अंडमान और निकोबार, बर्मा, मलाया, फिलिपिंस और नेपाल पर अपना नियंत्रण स्थापित किया। जो क्षेत्र सीधे कब्जे में नहीं थे, उन पर अप्रत्यक्ष रूप से प्रभाव था। इन प्रसारवादी गतिविधियों का खर्च भारतीय कोष से उठाया गया, जबकि भारतीय सिपाहियों ने आवश्यक सैन्य सहायता भी प्रदान की। इस प्रकार मुख्य रूप से भारत और भारतीय किसान व सैनिक ही थे, जिनकी कीमत पर इंग्लैंड पूरे दक्षिण एशिया में एक प्रमुख शक्ति के रूप में उभरा।

अध्याय

3

उत्तरी भारत में ब्रिटिश प्रसार (सिंध, पंजाब और अवध की विजय, 1843-1857)

- सिख पर विजय (1843)
- पंजाब पर विजय (1849)
  - प्रथम आंग्ल-सिख युद्ध (1845-1846)
  - द्वितीय आंग्ल-सिख युद्ध (1848-1849)
- अवध का समामेलन (1856)

उत्तरी भारत में रोहिलखंड और इटावा को 1774 में शुजा-उद-दौला के द्वारा कब्जे में ले लिया गया और बाद में उसे 1801 में कंपनी के क्षेत्र में मिला लिया गया। इस प्रकार, उत्तरी भारत में केवल पंजाब और अवध मुख्य शक्तियां रह गई थीं। पश्चिम में सिंध को भी 1847 में जीत लिया गया। उसका भी यहां वर्णन किया गया है। इस प्रकार, 1818 से 1857 के बीच ब्रिटिश ने संपूर्ण भारत को जीतने का अपना कार्य संपन्न किया।

सिंध पर विजय (1843)

1780 के दशक में **मीर फतेह अली खान** के नेतृत्व में एक बलूच जनजाति तालपुराओं द्वारा सिंध पर कब्जा कर लिया गया था। उसकी मृत्यु के बाद इस क्षेत्र को चार भाइयों ने, जिन्हें **चार यार** के नाम से जाना गया, में साझा किया गया, जो स्वयं को सिंध का अमीर या लॉर्ड्स कहते थे।

आंग्ल-फ्रांसीसी प्रतिद्वंदिता की पृष्ठभूमि

1740 से 1800 के बीच आंग्ल-फ्रांसीसी प्रतिद्वंदिता मुख्य रूप से दक्षिण भारत में सीमित थी और टीपू सुल्तान और उसके फ्रांसीसी संबंधों की हार के साथ समाप्त हुई। 1807 के बाद आंग्ल-फ्रांसीसी संघर्ष उत्तर-पश्चिम की ओर स्थानांतरित हो गया। नौसैनिक संघर्ष में फ्रांस की हार के बाद नेपोलियन ने भू-मार्ग से भारत पर आक्रमण की योजना बनाई। परिस्थिति से सचेत होकर लॉर्ड मिंटो ने तुरंत चार कूटनीतिक मिशनों, तेहरान में मेलकॉम, काबुल में एल्फिंस्टन, लाहौर में चार्ल्स मेटकॉफ और सिंध में सैटन को भेजा। इन कूटनीतिक मिशन के प्रयासों से फ्रांसीसी चुनौती का प्रत्युत्तर देने के लिए इन सभी सरकारों से मित्रता की संधियां की।

इस प्रकार 1809 में अमीरों के साथ **शाश्वत मित्रता की संधि** की, जिन्होंने सिंध में फ्रांस को न बसने देने का वादा किया। 1820 में संधि को नवीनीकृत करते हुए इसके द्वारा आगे अमेरिकावासियों को भी सिंध से बाहर किया गया। लेकिन शीघ्र ही सिंधु की व्यवसायिक व नौपरिवहन (नेविगेशन) से जुड़े मूल्य ने कंपनी के अधिकारियों का ध्यान आकर्षित किया। परिणामस्वरूप, 1832 में विलियम बैंटिक ने अमीरों के साथ एक नई व्यवसायिक संधि हस्ताक्षर करने के लिए कर्नल पोटिंगर को सिंध भेजा। इस संधि के अनुसार अमीरों को अंग्रेजी यात्रियों और व्यापारियों के लिए सिंध से एक स्वतंत्र मार्ग की अनुमति और व्यवसायिक उद्देश्य के लिए सिंध के उपयोग की अनुमति दी गई। बाद में, पोटिंगर को कंपनी के राजनीतिक एजेंट के रूप में सिंध में रखा गया।

आंग्ल-रूसी प्रतिद्वंदिता का संदर्भ

हालांकि, लॉर्ड ऑकलैंड ने रूसी खतरे से भारत की रक्षा के एक विशाल दृष्टिकोण से सिंध को देखना शुरू कर दिया था। उसके लिए अफगानिस्तान के समामेलन के लिए सिंध एक आवश्यक प्रवेशक था। इस प्रकार, रूस को प्रत्युत्तर देने के लिए सिंध को जीता गया। सिंध नदी से व्यवसायिक लाभ भी आकर्षक थे।

शीघ्र ही, रणजीत सिंह ने सिंध सीमा पर लगे एक शहर रोझन पर कब्जा कर लिया, जिसने कंपनी को अमीरों के संरक्षण का प्रस्ताव देने का अवसर दिया। अमीरों ने विदेशी सहायता के लिए न ही इच्छा की थी और न ही आग्रह किया था, तथापि उसे 1839 में एक सहायक संधि पर हस्ताक्षर के लिए मजबूर होना पड़ा और हैदराबाद में एक ब्रिटिश रेजिडेंट को स्वीकार करना पड़ा।

अफगान युद्ध (1839-1842) के दौरान सिंध के अमीरों ने स्वयं को ब्रिटिश सेनाओं की सहायता के उत्तरदायित्व से लदा हुआ पाया। उनके क्षेत्रों के भागों, जैसे- शिकारपुर, बुक्कर और करांची को शाश्वत मित्रता संधि का उल्लंघन करते हुए ले लिया गया और उन्हें अपने क्षेत्र में रखी ब्रिटिश सेना, जिसे वे नहीं चाहते थे, को बनाए रखने के लिए एक विशाल धन खर्च करना पड़ रहा था। अमीरों की स्वतंत्र स्थिति सदैव के लिए जा चुकी थी।

1842 में ऑकलैंड का स्थान एलनबोरो ने ले लिया। वह भी सिंध का समामेलन करने का बहाना ढूंढ़ रहा था। ऐसा करके वह प्रथम अफगान युद्ध के दौरान खोई हुई अंग्रेजी प्रतिष्ठा को पुनः प्राप्त करना चाहता था।

सितंबर, 1842 में सिंध में ब्रिटिश प्रेसिडेंट के रूप में मेजर आउट्रम का स्थान सर चार्ल्स नेपियर ने ले लिया। नेपियर भी समान रूप से प्रांत को कब्जे में लेने के लिए उत्सुक था और उसने डराने-धमकाने की नीति अपनाई। उसने अमीरों पर ब्रिटिश सरकार के साथ शत्रुता और वैमनस्य का आरोप लगाया।

सिंध के समामेलन के कारण-

- रूसी खतरे का प्रत्युत्तर देना- सिंध को अफगानिस्तान पर कब्जा करने के लिए आवश्यक प्रवेशक देखा गया।
- सिंध नदी से व्यवसायिक लाभ प्राप्त करना।
- प्रथम अफगान युद्ध में खोई हुई अंग्रेजी प्रतिष्ठा को पुनः प्राप्त करना है।

1843 में सिंध को अंततः सर चार्ल्स नेपियर के द्वारा एक संक्षिप्त अभियान (मियानी और दाबो के युद्ध) के बाद कब्जे में ले लिया गया। 1847 में सिंध को ब्रिटिश इंडिया के बॉम्बे प्रेसीडेंसी का भाग बना दिया।

पंजाब पर विजय (1849)

जून, 1839 में महाराजा रणजीत सिंह की मृत्यु हुई। अपनी व्यक्तिगत उपलब्धियों के बावजूद वह पंजाब में एक स्थिर राज्य स्थापित करने में असफल रहे और उनकी मृत्यु के बाद वहां राजनीतिक अस्थिरता पैदा हुई। वह एक निरंकुश शासक थे और उन्होंने एक सैन्य शासन स्थापित किया। अपने पीछे 40000 सैनिकों की एक सेना छोड़ गये। उनकी मृत्यु के 5 वर्षों के

अंदर सेना की संख्या तीन गुनी हो गई थी, जो राज्य के घटते हुए संसाधनों पर बोझ साबित होने लगी। जब सैनिकों को भुगतान नहीं किया जा सका, तो वे नियंत्रण से बाहर हो गए और राजनीति में हस्तक्षेप करने लगे। रणजीत सिंह के अनेक पुत्रों के बीच उत्तराधिकार का युद्ध छिड़ गया। ये अयोग्य वंशज अव्यवस्था को नियंत्रित करने में असमर्थ थे।

सर चार्ल्स नेपियर

रणजीत सिंह के पुत्र खड़क सिंह और नौनिहाल सिंह एक के बाद एक उत्तराधिकारी बने। 1843 में महाराजा के नाबालिक पुत्र दलीप सिंह को रानी जिंदा के संरक्षण में राजा घोषित किया गया।

अंग्रेजों द्वारा निगाहें जमाए रखना- पंजाब में जो कुछ हो रहा था, उसको अंग्रेज देख रहे थे और सतलज के दूसरे तरफ के उपजाऊ मैदान पर अपनी आंखें जमाए हुए थे। अफगान युद्ध में विनाशकारी हार ने ब्रिटिश प्रतिष्ठा को घटा दिया था, जिसे वे सिंध और पंजाब की कीमत पर पुनः प्राप्त करना चाहते थे। 1843 में उन्होंने पंजाब के दक्षिण तक सिंध पर कब्जा कर लिया था।

1843 में मेजर ब्रॉडफूट को पंजाब में कंपनी के राजनीतिक एजेंट के रूप में नियुक्त किया गया। उसने पंजाब में अव्यवस्था पर बल दिया और दरबार में भ्रष्ट व्यवहार की प्रत्येक कहानी का ब्योरा दिया।

1844 में लॉर्ड हार्डिंग ने गवर्नर जनरल के रूप में लॉर्ड एलनबोरो का स्थान लिया। हार्डिंग ने कंपनी की सैन्य स्थिति को मजबूत करने के लिए अनेक कदम उठाए। पंजाब और सिंध में कंपनी की सेनाओं को प्रशिक्षित किया गया। कंपनी ने एक दिखावटी रुख लिया और तर्क दिया कि तैयारियां केवल रक्षात्मक स्वरूप की हैं और सिखों से एक संभव आक्रमण का अनुमान लगाया।

1845 में लाल सिंह, रानी जिंदा का प्रेमी, ने सेना पर अपनी ओर से जीत हासिल की और वजीर बन गया। तेजा सिंह सिख सेनाओं का नया सेनाध्यक्ष बना।

सिखों के लिए ब्रिटिश का यह कदम आत्मरक्षा की अपेक्षा आक्रामक प्रतीत हुआ। फलस्वरूप, 11 दिसम्बर 1845 को लाल सिंह के नेतृत्व में सिख सेनाओं ने सतलज नदी को पार कर सर ह्यूग गफ के नेतृत्व वाली अंग्रेजी सेना के विरुद्ध आक्रामक कार्रवाई की। 13 दिसम्बर को हार्डिंग ने युद्ध की घोषणा की और इस प्रकार युद्ध शुरू हो गया।

आंग्ल-सिख युद्ध के कारण

- पंजाब पर नियंत्रण और अपने प्रभाव को प्रसारित करने की ब्रिटिश इच्छा।
- पंजाब के राज्य का वैभवपूर्ण धन- कोहिनूर इसके कोष का ही एक भाग था।
- महाराजा रणजीत सिंह के बाद राजनीतिक अस्थिरता।
- खालसा सेना की अनुशासनहीनता।
- मेजर ब्रॉडफूट की भड़काऊ भूमिका।
- प्रथम अफगान युद्ध के दौरान खोई हुई अपनी प्रतिष्ठा को प्राप्त करने का ब्रिटिश प्रयास।

प्रथम आंग्ल सिख युद्ध (1845-1846)

ब्रिटिश और सिख सेना के बीच चार क्रमिक युद्ध लड़े गए। ये **मुड़की, फिरोजशाह, बद्दोवाल और अलिवाल** के युद्ध थे। लेकिन पांचवा व सबसे निर्णायक युद्ध सोबरन का युद्ध (10 फरवरी 1846) था। लेकिन **लाल सिंह और तेजा सिंह** के विश्वासघात के कारण, जिन्होंने अंग्रेजों को सभी महत्वपूर्ण सूचनाएं पहुंचा दी थीं जिसके कारण, सिख सेनाओं को बुरी तरह पराजित होना पड़ा। सिखों की पराजय के बाद ब्रिटिश ने लाहौर पर कब्जा किया और सिखों को लाहौर की संधि पर हस्ताक्षर करने के लिए मजबूर होना पड़ा।

लाहौर की संधि (9 मार्च 1846) - इस संधि के मुख्य प्रावधान निम्न प्रकार थे-

1. महाराजा ने सतलुज नदी के दक्षिण तक अपने सभी क्षेत्रों पर अधिकार छोड़ दिया।
2. सिखों को 1.5 करोड़ रुपए क्षतिपूर्ति का भुगतान करना था। पूरा भुगतान न करने की स्थिति में उन्हें कश्मीर एवं हजारा समेत कुछ अतिरिक्त क्षेत्रों को छोड़ना था। ब्रिटिश ने कश्मीर को 1 करोड़ रुपए में गुलाब सिंह को बेच दिया।
3. रानी जिंदा के संरक्षण में नाबालिक दलीप सिंह को राजा स्वीकार किया गया और लाल सिंह को वजीर बनाया।
4. **सर हेनरी लॉरेंस** लाहौर में ब्रिटिश रेजिडेंट बने।

राजा लाल सिंह

ब्रिटिश द्वारा कश्मीर को गुलाब सिंह के बेचने के कदम से सिख नाखुश थे। फलस्वरूप, लाल सिंह के नेतृत्व में सिखों ने विद्रोह किया। विद्रोह को दबा दिया गया और दलीप सिंह के साथ एक अन्य संधि (भैरोवाल की संधि) की गई।

भैरोवाल की संधि (22 दिसंबर 1846)- इस संधि के मुख्य प्रावधान थे-

1. रानी जिंदा की संरक्षकता समाप्त हुई और उसे पेंशन मिलना शुरू हुआ।
2. शासकीय कार्यों के लिए ब्रिटिश रेजिडेंट की अध्यक्षता में 8 सिख प्रधानों की एक परिषद नियुक्त की गई।
3. यह निर्णय लिया गया कि जब तक दलीप सिंह वयस्क नहीं हो जाते, लाहौर में एक स्थाई ब्रिटिश सेना रहेगी।

मूल्यांकन- प्रथम आंग्ल-सिख युद्ध के बाद पंजाब को कब्जे में नहीं लिया गया। यह तर्क बचकाना लगता है कि कंपनी ने ऐसा रणजीत सिंह (कंपनी के एक मित्र) की याद में उनका सम्मान करते हुए नहीं किया था। इन घटनाओं का गंभीर अध्ययन करने पर पता चलता है कि पंजाब का समामेलन ब्रिटिश के लिए गंभीर समस्याएं निर्मित कर सकता था। खालसा की सेना को हराया जा चुका था, न कि नष्ट। साथ ही, प्रत्येक सिख किसान शस्त्र का उपयोग जानता था और गोरिल्ला युद्ध की संभावना को नकारा नहीं जा सकता था। ब्रिटिश सरकार के पास पंजाब जैसे विशाल क्षेत्र पर नियंत्रण रखने के लिए पर्याप्त संसाधन भी नहीं थे। यह स्पष्ट था कि पंजाब को ब्रिटिश साम्राज्य में मिलाने से पहले इसे क्षेत्रीय रूप से कम, सैन्य रूप से कमजोर और वित्तीय रूप से पंगु बनाना था।

द्वितीय आंग्ल-सिख युद्ध (1848-1849)

भैरोवाल की संधि के बाद असीमित सैन्य और असैन्य शक्तियों के साथ ब्रिटिश रेजिडेंट पंजाब का यथार्थ शासक बन गया था। जब रानी जिंदा ने शक्तियों के ऐसे अपहरण पर अपनी नाराजगी दिखाई, तो उसके आभूषणों को छीन लिया गया और उसे एक गुप्तचर के अधीन शेखपुरा भेज दिया गया। उसकी पेंशन को भी मनमाने ढंग से 1.5 लाख रुपए से घटाकर केवल 48000 रुपए वार्षिक कर दी गई।

गवर्नर जनरल लॉर्ड डलहौजी और साममेलन की नीति (1848-1856)

लॉर्ड डलहौजी

1848 में लॉर्ड डलहौजी ने लॉर्ड हार्डिंग का स्थान लिया। वह जब भारत में गवर्नर जनरल के रूप में आया तो वह एक युवा, कुलीन और निरंकुश था। एक साम्राज्यवादी और एक समामेलनवादी था। डलहौजी का स्पष्ट रूप से मानना था कि ब्रिटिश सरकार को एक क्षेत्र भी प्राप्त करने का कोई अवसर नहीं छोड़ना चाहिए और वह जितना अधिक क्षेत्र में संभव हो प्रत्यक्ष ब्रिटिश शासन का प्रसार करने के लिए प्रतिबद्ध था। इस प्रकार जहां उसके पूर्ववर्तियों ने जितना संभव हो समामेलन को टाला, इसके विपरीत डलहौजी ने वैधानिक रास्ता मिलने पर समामेलन किया।

डलहौजी की समामेलन की नीति के पीछे भारत में ब्रिटिश निर्यातों को प्रसारित करना था। अन्य साम्राज्यवादियों के समान ही उसका मानना था कि देशी राज्यों में कुप्रशासन के कारण ब्रिटिश निर्यातकों को नुकसान उठाना पड़ रहा है। उसका विचार था कि सहायक संधि की नीति भारत में ब्रिटिश विजय को सुगम बनाने के अपने उद्देश्य को पूरा कर चुकी है और अब सहायक राज्यों को साम्राज्य के लाभ से मुक्त किया जा सकता है।

डलहौजी का समामेलन, युद्ध और शांति, दोनों ही था। युद्ध का समामेलन विजय के अधिकार पर आधारित था और शांति का समामेलन व्यप्तगत के सिद्धांत पर।

व्यप्तगत का सिद्धांत (Doctrine of Lapse)-

यह डलहौजी के समामेलन नीति का मुख्य साधन था। यह डलहौजी की घोषित दृढ़ निश्चय कि दिखावटी राजसी सत्ताओं के द्वारा शासन की व्यवस्था का परिणाम जनता के कष्ट के रूप में सामने आता है, पर आधारित था। तदनुसार, वह उन भारतीय राजकुमारों को अपदस्थ करना चाहता था, जो मुगलों के वंशज होने का दिखावा करते थे।

इस सिद्धांत के अनुसार ब्रिटिश सहायक व्यवस्था के अधीन किसी रियासत अथवा क्षेत्र का शासक यदि स्पष्टतः अयोग्य हो और बिना पुरुष-वारिस के मर जाता है, तो उसके क्षेत्र का समामेलन हो जाएगा। दूसरी शर्त ने बिना वारिस के भारतीय संप्रभु द्वारा उत्तराधिकारी चुनने के अधिकार का स्थान ले लिया। इस सिद्धांत को लागू करके सातारा (1848), जैतपुर और संबलपुर (1849), भगत (1850), उदयपुर (छतीसगढ़, 1852), झांसी (1853), नागपुर (1854), तंजोर और आर्कोट (1855) सहित अनेक राज्यों का समामेलन किया गया।

डलहौजी ने अनेक पूर्व शासकों की उपाधियों को मान्यता और उनकी पेंशन का भुगतान करने से भी मना कर दिया था। इनमें कर्नाटक, सूरत, तंजौर और बिठूर के शासक शामिल थे। यह ध्यान देने वाली बात है कि डलहौजी ने इस सिद्धांत का आविष्कार नहीं किया था।

डलहौजी के सुधार- डलहौजी का मुख्य उद्देश्य भारत में ब्रिटिश शासन को मजबूत करना था। उसने ईस्ट इंडिया कंपनी की प्राप्तियों को मजबूत करने के लिए अनेक सामाजिक और सार्वजनिक सुधार किए। हालांकि, उसने वह नींव रखी जिस पर आधुनिक भारत का निर्माण हुआ और डलहौजी को आधुनिक भारत के निर्माता की उपाधि भी मिली।

प्रशासनिक सुधार- डलहौजी ने प्रशासन के लगभग सभी भागों में सुधार किया। नए प्राप्त क्षेत्रों के लिए उसने एक केंद्रीय नियंत्रण की व्यवस्था बनाई, जिसके अनुसार ऐसे प्रत्येक क्षेत्र में एक कमिश्नर नियुक्त किया गया, जो सीधे तौर पर गवर्नर जनरल के प्रति उत्तरदाई होता था।

सैन्य सुधार- डलहौजी के समामेलन ने पश्चिम में पंजाब और सिंध तक ब्रिटिश साम्राज्य को फैला दिया था। इन क्षेत्रों पर बेहतर नियंत्रण रखने के लिए बंगाल तोपखाने के मुख्यालयों को कलकत्ता से मेरठ स्थानांतरित किया गया। सेना का स्थाई मुख्यालय धीरे-धीरे शिमला स्थानांतरित हो गया, जो वर्ष के अधिकांश समय में भारत सरकार के आधार के रूप में उभरा।

शैक्षिक सुधार- डलहौजी के शासन के दौरान जुलाई, 1857 में **वुड का घोषणा पत्र (Wood's Dispatch)** (चार्ल्स वुड का लोकप्रिय शैक्षिक पत्र, वे नियंत्रण बोर्ड के अध्यक्ष थे) आया। इसके द्वारा समावेश सिद्धांत का त्याग किया गया और प्राथमिक से विश्वविद्यालय स्तर तक शिक्षा की स्पष्ट योजना को प्रदान किया। भारत की तीनों प्रेसिडेंसियों में आंग्ल-वर्नाकुलर स्कूल (अंग्रेजी-देशी भाषा के विद्यालय) खोलने का सुझाव दिया और वह नींव रखी, जिस पर भारत की आधुनिक शिक्षा व्यवस्था निर्मित हुई। इन सुधारों के आधार पर बाद में 1857 में भारत में पहले तीन विश्वविद्यालय स्थापित किए गए।

रेलवे विभाग- वह डलहौजी ही था, जिसने भारत में पहली बार रेलवे की शुरुआत की। भारत में पहली रेलवे लाइन 1853 में बॉम्बे से थाणे तक बिछाई। 1853 का डलहौजी का रेलवे का ब्यौरा भारत में भविष्य के रेलवे के प्रसार का आधार बना। डलहौजी ने निजी उद्यमों को भी भारत में रेलवे के विकास के लिए प्रेरित किया, ताकि सरकार पर निर्भरता कम हो सके। भारत में रेलवे की स्थापना स्थानीय नागरिकों को लाभ पहुंचाने के उद्देश्य से नहीं की गई थी, बल्कि इसका उद्देश्य कोयला जैसे प्राकृतिक संसाधनों को बड़ी मात्रा में आसानी से तट तक पहुंचाने के लिए किया गया था, ताकि ब्रिटेन को इन संसाधनों का निर्यात आसानी से किया जा सके।

सार्वजनिक निर्माण विभाग- डलहौजी से पहले सार्वजनिक निर्माण कार्यों का भार सैन्य बोर्ड के पास था। डलहौजी ने पहली बार एक पृथक सार्वजनिक निर्माण विभाग बनाया और सार्वजनिक कार्यों के लिए एक बड़ा धन खर्च किया। डलहौजी ने आधुनिक डाक व्यवस्था एवं इलेक्ट्रिक टेलीग्राफ की नींव रखी। उसे भारत में इलेक्ट्रिक टेलीग्राफ का जनक भी कहा जाता है।

डलहौजी का मूल्यांकन- डलहौजी का 8 वर्ष का शासन प्रत्येक क्षेत्र में महत्वपूर्ण विकास से भरा हुआ था और उसे भारत का सबसे महान गवर्नर जनरल के रूप में माना जाता है। हालांकि, डलहौजी एक क्रूर साम्राज्यवादी भी साबित हुआ। उसकी नीतियां क्रमश: असंतोष उत्पन्न करने और अंतत: 1857 की क्रांति के लिए जिम्मेदार थी।

तात्कालिक कारण (मूलराज का विद्रोह)- नए गवर्नर जनरल डलहौजी को शीघ्र ही समामेलन का अवसर मिल गया, जब दो ब्रिटिश अधिकारियों (वंश अग्निव और लेफ्टिनेंट एंडरसन) को मुल्तान के गवर्नर मूलराज ने मुल्तान का प्रभार लेने के लिए उन्हें भेजा। उन अधिकारियों की वहां हत्या कर दी गई और कुछ समय के अंदर ही अन्य सिख प्रधानों ने अपनी सेनाओं के साथ मूलराज के ध्वज तले खुला विद्रोह कर दिया। विद्रोह शीघ्र ही पंजाब में एक राष्ट्रीय विद्रोह के रूप में विकसित हुआ।

इसको एक कारण मानकर डलहौजी ने युद्ध की घोषणा की। द्वितीय आंग्ल-सिख युद्ध में तीन युद्ध लड़े गए-

1. रामनगर का युद्ध (22 नवम्बर 1848)
2. चिल्लियांवाला का युद्ध (13 जनवरी 1849)- पहले दो युद्ध अनिर्णित रहे। इन युद्धों में ब्रिटिश सेना का नेतृत्व जनरल गफ ने किया।
3. गुजरात का युद्ध (21 फरवरी 1849)- सिख सेना पराजित हुई और चार्ल्स नेपियर के नेतृत्व वाली अंग्रेजी सेना के समक्ष उसने समर्पण किया।

जब सिख सेना धराशायी हुई, तो डलहौजी ने समामेलन के पक्ष में निर्णय लेते हुए कहा कि भारत में शांति की गारंटी तब तक नहीं हो सकती जब तक संपूर्ण सिख जनता की अधीनता को न बदल दे और एक स्वतंत्र राष्ट्र के रूप में इसकी शक्ति को नष्ट न कर दें। अत: 29 मार्च 1849 को डलहौजी ने पंजाब पर कब्जा किया। महाराजा दलीप सिंह को पेंशनभोगी बनाया गया और उसे शिक्षा के लिए इंग्लैंड भेजा गया। पंजाब प्रशासन को कमिश्नरों के एक बोर्ड को सौंप दिया गया। दलीप सिंह से कोहिनूर हीरा ले लिया गया और उसे ब्रिटिश शाही ताज में लगाया गया। इस प्रकार, पंजाब ब्रिटिश साम्राज्य का एक भाग बन गया।

अवध का समामेलन (1856)

अवध का राज्य 1764 में पहली बार ब्रिटिश के संपर्क में आया, जब ईस्ट इंडिया कंपनी द्वारा मीर कासिम, शुजा-उद-दौला और शाह आलम द्वितीय की संयुक्त सेना को बक्सर के युद्ध में हराया गया। तब अवध ब्रिटिश की दया पर था, लेकिन क्लाइव ने उसे कब्जे में न लेने का निर्णय लिया। युद्ध के बाद समझौते के रूप में अवध नवाब को वापस सौंप दिया गया, लेकिन उसे अंग्रेजों के साथ एक सहायक संधि पर हस्ताक्षर करने पड़े और राज्य में कोरा व इलाहाबाद जिलों को जोड़ा गया। इस प्रकार कंपनी के क्षेत्रों और अशांत पश्चिमी भारत के बीच अवध को एक बफर राज्य बनाया गया।

सहायक संधि व्यवस्था के अंदर अवध की अधीनस्थ अवस्था के बावजूद नवाब ने अनेक प्रकार से उसकी स्वाधीनता का दावा किया। कंपनी के विरोध के बावजूद शुजा-उद-दौला ने यूरोपीय तर्ज पर एक लाख सैनिकों की एक सेना बनाई और यहां तक कि उसमें 150 फ्रांसीसी अधिकारियों को रखा। 1774 में उसने रोहिलखंड और इटावा को भी कब्जे में ले लिया था।

शुजा-उद-दौला के बाद अवध- 1775 में शुजा-उद-दौला की मृत्यु के बाद अवध की स्थिति कमजोर हो गई। उसके पुत्र आसफ़-उद-दौला ने नियंत्रण प्राप्त करने की कोशिश की, लेकिन चूंकि मुगल परंपरा के अनुसार प्रांतीय स्तर पर राजवंश को बनाए रखने की अनुमति नहीं थी, उसे विरोध का सामना करना पड़ा। निराश होकर उसने कंपनी के साथ एक समझौता किया। कंपनी ने उसके लिए नवाबी को सुरक्षित किया, लेकिन साथ ही कंपनी ने अवध में अपनी स्थिति को मजबूत करने के लिए इस अवसर का उपयोग किया।

1801 की संधि (सहायक संधि)- जब गवर्नर जनरल लॉर्ड वेलेजली भारत आया, तो उसने नवाब सआदत अली खान को 1801 में एक नई संधि पर हस्ताक्षर करने के लिए मजबूर किया। इस संधि के अनुसार नवाब को निम्न दोआब, गोरखपुर और रोहिलखंड समेत अपने आधे क्षेत्रों को कंपनी को सौंपना था। उसे कंपनी के परिषद के अधिकारियों के सुझाव के अनुसार भी कार्य करने की आवश्यकता थी। इस प्रकार नवाब आंतरिक और बाहरी सुरक्षा के लिए कंपनी पर निर्भर होता गया और जनता के कल्याण को लेकर उसकी आंखें बंद हो गई थी, जो राज्य के अधिकारियों के कुशासन के कारण कराह रहे थे। वास्तव में, ब्रिटिश भी अवध में बुरे प्रशासन के लिए उत्तरदायी थे, क्योंकि 1801 से अप्रत्यक्ष रूप से ब्रिटिश ही अवध पर शासन कर रहे थे। 1801 की संधि ने ही 1856 में अवध के समामेलन के लिए प्राथमिक आधार बना दिया था।

19वीं शताब्दी के मध्य तक अवध के समामेलन के पक्ष में ब्रिटिश मत परिपक्व हुआ। वास्तव में, इस समय के दौरान ब्रिटिश साम्राज्यवादियों का यह मानना था कि सुशासन के लिए केवल ब्रिटिश ही सक्षम हैं। हालांकि, डलहौजी का लालच मैनचेस्टर के सामानों के लिए एक बाजार के रूप में अवध की असीम संभावनाओं से प्रेरित था। (इसी प्रकार कच्चे कपास की बढ़ती ब्रिटिश मांग को संतुष्ट करने के लिए 1853 में डलहौजी ने कपास उत्पादन करने वाले प्रांत बरार को निजाम से छीन लिया था।)

तदनुसार, 1848 में जब लॉर्ड डलहौजी गवर्नर जनरल बना, तो उसने अवध के समामेलन के लिए निपुणता से एक योजना बनाई। इसी वर्ष उसने लखनऊ के रेजिडेंट के रूप में कर्नल **स्लीमन** को भेजा। स्लीमन ने अवध में व्याप्त कुशासन के बारे में एक बड़ी रिपोर्ट लिखी। हालांकि उसने समामेलन का सुझाव नहीं दिया, लेकिन वह प्रशासन पर ब्रिटिश नियंत्रण के बढ़ाए जाने के पक्ष में था। 1854 में स्लीमन का स्थान **आउट्रम** ने लिया, जिसने पुनः राज्य के रुग्ण शासन की रिपोर्ट दी।

अवध का समामेलन- अंततः 1856 में आउट्रम की रिपोर्ट के आधार पर कुशासन के चलते लॉर्ड डलहौजी ने अवध पर कब्जा किया। नवाब वाजिद अली शाह को कलकत्ता में घर में ही नजरबंद किया गया।

इस प्रकार हम देखते हैं कि कंपनी अवध के शासकों के भौतिक और नैतिक क्षेत्रों पर लगातार अतिक्रमण करती रही और 1856 में उसका समामेलन एक तार्किक निष्कर्ष बना। समामेलन के इस अंतिम कदम ने अवध की जनता के आत्मसम्मान को गंभीर रूप ठेस पहुंचाई, विशेष रूप से ब्रिटिश सेना के सैनिकों को, जो जिसमें से अधिकांश अवध से आते थे। दरबार को भंग करने का अर्थ अनेक दरबारियों, शिल्पकारों और सैनिकों का बेरोजगार होना था। तालुकदारों को उनकी संपत्तियों से बेदखल करके उनके किलों को नष्ट कर दिया गया।

उत्तर-पश्चिमी प्रांत से क्या तात्पर्य है? (उत्तर-पश्चिम सीमांत प्रांत से भ्रमित न हो)

1801 और 1806 के बीच ब्रिटिश ने लॉर्ड वेलेजली की आक्रामक नीतियों के द्वारा उत्तरी भारत (लगभग आधुनिक उत्तर प्रदेश) में विशाल क्षेत्रों को जीता। 1836 में सभी जीते हुए प्रांतों और सौंपे गए प्रशासनिक विभागों को मिलाकर उत्तर-पश्चिम प्रांत स्थापित किया गया। 1856 में अवध राज्य को कब्जे में लेकर उत्तर-पश्चिम प्रांत के साथ मिला दिया गया और उसका नाम बदलकर उत्तर-पश्चिम प्रांत एवं अवध रखा गया। 1858 में इलाहाबाद इसकी राजधानी बनी, जब एक दिन के लिए उसे भारत की राजधानी बनाया गया था। 1857 के विद्रोह के बाद प्रांत को पुनर्गठित किया गया और उसका आकार कम करते हुए गुड़गांव व दिल्ली को पंजाब और सागर व नर्मदा क्षेत्रों को मध्य प्रांत स्थानांतरित किया गया। 1902 में इस प्रांत को पुनर्गठित करते हुए इसका नाम आगरा व अवध का संयुक्त प्रांत रखा गया।

प्रीलिम कैप्सूल

उत्तरी भारत में ब्रिटिश प्रसार (सिंध, पंजाब व अवध पर विजय) (1843-1857)

युद्ध	काल	महत्वपूर्ण विवरण
सिंध पर विजय लॉर्ड एलनबोरो	1843	मुख्य युद्ध- मियानी और दाबो। परिणाम- सर चार्ल्स नेपियर के नेतृत्व में अंग्रेजों की जीत हुई। सिंध को कब्जे में लिया गया और उसे बाद में 1847 में ब्रिटिश भारत के बॉम्बे प्रेसिडेंसी का भाग बनाया गया।
प्रथम सिख युद्ध लॉर्ड हार्डिंग	1845-1846	मुख युद्ध- **मुड़की, फिरोजशाह, बद्दोवाल, अलिवाल, सोबरन** **लाहौर की संधि** के साथ समाप्त हुआ। परिणाम- सतलुज नदी के दक्षिण के क्षेत्रों को सिखों ने खोया। **सर हेनरी लॉरेंस** को लाहौर में ब्रिटिश रेजिडेंट बनाया गया।
द्वितीय सिख युद्ध लॉर्ड डलहौजी	1848-1849	तात्कालिक कारण- मुल्तान सूबेदार या गवर्नर मूलराज का विद्रोह। मुख्य युद्ध- रामनगर, चिलियानवाला, गुजरात। गुजरात का युद्ध निर्णायक था। परिणाम- डलहौजी ने पंजाब को कब्जे में लिया।
अवध का समामेलन लॉर्ड डलहौजी	1856	आउट्रम की रिपोर्ट के आधार पर कुशासन के चलते अवध को कब्जे में लिया गया।

इकाई 3

परिवर्तन और प्रभाव
(मध्य 18वीं से मध्य 19वीं शताब्दी)
(ब्रिटिश द्वारा किए गए परिवर्तन और भारतीय अर्थव्यवस्था, राज्यव्यवस्था, प्रशासन और समाज पर उनका प्रभाव)

अध्याय

1

परिवर्तन और प्रभाव: भारतीय अर्थव्यवस्था

- ब्रिटिश ईस्ट इंडिया कंपनी का आर्थिक मॉडल
- उपनिवेशवाद के बदलते चरण और भारतीय अर्थव्यवस्था एवं उद्योग पर प्रभाव
  - पूर्व उपनिवेशवादी चरण (1600-1757)
  - उपनिवेशवादी चरण (1757 के बाद)
    - व्यवसायी पूंजीवाद का युग (1757 जव 1813)
    - औद्योगिक पूंजीवाद का युग (1813 जव 1857)
    - वित्तीय पूंजीवाद कायुग (1857-1947)
- भारतीय कृषक संरचना में परिवर्तन और अर्थव्यवस्था पर प्रभाव
  - नए भू राजस्व बंदोबस्त और उनका प्रभाव
    - स्थाई बंदोबस्त
    - रैयतवाड़ी बंदोबस्त
    - महलवारी बंदोबस्त
- भारत में ब्रिटिश शासन का आर्थिक प्रभाव
  1. परंपरागत अर्थव्यवस्था का विघटन
  2. कृषि और किसानों का विनाश होना
  3. पुरानी पुराने जमींदारों का नष्ट होना और भूमि आधारित नए वर्गों का उदय
  4. शिल्पकारों और दस्तकारों का नष्ट होना, वि-औद्योगीकरण और भारतीय अर्थव्यवस्था का ग्रामीणीकरण
  5. कृषि का व्यवसायीकरण
  6. धन का निर्गम
  7. निर्धनता एवं अकाल
  8. ब्रिटिश के अधीन आधुनिक उद्योगों का उदय
  9. नए भारतीय बुर्जुआ का उदय

हम उन परिस्थितियों (यूरोप में वणिक पूंजीवाद के विकास के दौरान) के बारे में पढ़ चुके हैं, जिसमें ईस्ट इंडिया कंपनी भारत आई। ईस्ट इंडिया कंपनी मुख्य रूप से एक व्यापारिक कंपनी थी और इसका मुख्य उद्देश्य भारत के साथ लाभकारी व्यापार स्थापित करना था। यह हमेशा आर्थिक हितों से प्रेरित रही। यहां तक कि राजनीतिक लाभ भी आर्थिक हितों से प्रेरित

थे। फलस्वरूप, जब कंपनी ने भारत में राजनीतिक सर्वोच्चता प्राप्त की, तब शासन व्यवस्था कंपनी के लाभ को बढ़ाने का एक साधन बनकर रह गई थी, न कि जन कल्याण का एक माध्यम। भारत में ब्रिटिश शासन का सबसे प्रत्यक्ष प्रभाव आम जनता की दरिद्रता और किसान व दस्तकारों का शोषण था।

इस अध्याय में हम ईस्ट इंडिया कंपनी के उद्देश और उसके प्रभाव को समझने का प्रयास करेंगे।

ब्रिटिश ईस्ट इंडिया कंपनी का आर्थिक मॉडल

ईट इंडिया कंपनी: एक संयुक्त स्टॉक कंपनी

अंग्रेजी कंपनी सहित यूरोप की ईस्ट इंडिया कंपनियां विश्व में पहली संयुक्त स्टॉक कंपनियां थीं। आज हम देखते हैं कि भारत के व्यापार पर उन कंपनियों का प्रभुत्व रहता है, जो पूंजी में वृद्धि के लिए स्टॉक और शेयर को बेंचते हैं। ऐसा इसलिए है क्योंकि संयुक्त स्टॉक संरचना इन कंपनियों को अधिक मात्रा में पूंजी एकत्रित करने का अवसर देती हैं और साथ में ही लंबे समय के लिए व्यापार की निरंतरता को भी सुनिश्चित करती हैं।

इंग्लैंड की सरकार द्वारा एकाधिकार प्रदान करना

इसका अर्थ है कि कंपनी को भारत और हिंद महासागर के अन्य देशों के साथ व्यापार पर पूर्ण नियंत्रण दिया गया। ऐसा इसलिए था क्योंकि ऐसा महसूस किया गया कि राज्य को धन प्राप्ति के लिए विदेशी व्यापार को प्रोत्साहित करना चाहिए। दूर के देशों के साथ इस जोखिम भरे व्यापार के लिए सरकार के संरक्षण की आवश्यकता थी। ईस्ट इंडिया कंपनी के व्यापारी तुलनात्मक रूप से धनाढ्य थे और राज दरबार में उनका प्रभाव अधिक था और वे कंपनी के लिए एकाधिकार लेने में सक्षम हुए।

हालांकि, कानूनी एकाधिकार एक बात है और उसे वास्तव में प्रभावी बनाना एक अलग बात है। मध्य 18वीं शताब्दी से कंपनी के प्रबंधन को अपने एकाधिकार को प्रभावी बनाने और भारतीय व्यापार से अन्य कंपनियों को बाहर करने के लिए बहुत संघर्ष करना पड़ा।

'सस्ता खरीदना और महंगा बेंचना' की नीति

कंपनी का व्यापारिक मॉडल सीधा था, सस्ता खरीदना और महंगा बेचना। प्रतियोगिता में कमी लाना उनका एक अन्य महत्वपूर्ण उद्देश्य था। इसके लिए कंपनी ने कानून, बल और यहां तक कि युद्ध जैसे सभी साधनों का उपयोग किया। कंपनी ने उत्तराधिकार राज्यों की कमजोरियों का लाभ उठाया और उन्हें रिश्वत देकर व डराकर कंपनी के लिए विशिष्ट व्यापारिक अधिकार प्राप्त किए। 18वीं शताब्दी के अंतिम दशकों में किसान और दस्तकारों को सस्ते दामों में वस्तुएं बेचने के लिए मजबूर किया और यहां तक कि कंपनी के लिए वस्तुएं उत्पादन करने के लिए मजबूर भी किया गया।

नए बाजारों की आवश्यकता

इंग्लैंड में चल रही औद्योगिक क्रांति के साथ अब इसके तीव्र उत्पादन के उपभोग के लिए नए बाजारों की खोज शुरू हुई। साथ ही, अब तेजी से बढ़ते उद्योगों के लिए पहले से अधिक कच्चे माल की आवश्यकता थी। इस प्रकार भारत और इंग्लैंड के बीच आर्थिक संबंधों का आधार तेजी से बदलने लगा था। चूंकि इंग्लैंड तेजी से विश्व के पहले औद्योगिक व पूंजीपति देश के रूप में उभर रहा था, इसके व्यापारिक कंपनियों, जिन्होंने भारतीय साम्राज्य प्राप्त कर लिया था, को अब एक नई भूमिका निभाने की आवश्यकता थी।

अधिक सुरक्षित और लाभदायक व्यापार के लिए क्षेत्रीय प्रसार

शुरुआत में अंग्रेजों ने व्यापार के लिए एक या दो जहाजों के द्वारा भारत की ओर समुद्र की यात्रा की। लेकिन इस तरह वृहद स्तरीय व्यापार संभव नहीं था, क्योंकि जब व्यापारिक जहाज पहुंचता, तो संक्षिप्त नोटिस पर बड़ी मात्रा में वस्तुओं को प्राप्त करना संभव नहीं था। इस प्रकार कारखाने स्थापित करना आवश्यक हो गया, इन कारखानों का यहां अर्थ निर्यात के लिए वस्तुओं को संचित करने के व्यापारिक अड्डों से था। इन कारखानों में उत्पादन की कोई गतिविधि नहीं की जाती थी। स्वाभाविक रूप से, ईस्ट इंडिया कंपनी जैसी कंपनियों ने इनके संरक्षण के लिए इसके चारों ओर किले बनाना शुरू कर दिया। मुगल शक्ति के विघटन को देखते हुए यह और आवश्यक हो गया था।

हालांकि, धीरे-धीरे कंपनियों ने किलेबंदी की अपनी सीमाओं का उल्लंघन करना शुरू किया और अपने व्यापारिक केंद्रों का सैन्यीकरण करके उन्हें सशस्त्र शक्ति के केंद्र बना दिए और इस प्रकार स्थानीय सरकारों को चुनौती दी। यह किले ही थे, जहां से कंपनी ने आसपास के क्षेत्रों में अपना नियंत्रण बढ़ाना शुरू किया। समुद्री यात्रा व्यवस्था से क्षेत्रीय शक्ति के रूप में ईस्ट इंडिया कंपनी के इस प्रकार के विकास ने उसके व्यापार और लाभ को अनेक प्रकार से बढ़ाने में बहुत सहायता की। किसान एवं शिल्पकारों के द्वारा बलपूर्वक वस्तुएं उत्पादित करवाने, विरोधियों को समाप्त करने और यहां तक कि स्थानीय शक्तियों से विशेष व्यापारिक अधिकार प्राप्त करने में सैन्य शक्ति का होना बहुत उपयोगी था। अंत में, सबसे प्रमुख था कि क्षेत्रीय शक्तियों पर नियंत्रण भू-राजस्व को लाता था। इसे हम बंगाल के उदाहरण से समझते हैं। 1765 में बक्सर के युद्ध में विजय के बाद ईस्ट इंडिया कंपनी ने बंगाल की दीवानी प्राप्त की थी। अब कंपनी ने भारत से होने वाले निर्यात का भुगतान के लिए बंगाल से संग्रहित भू राजस्व का उपयोग करना शुरू कर दिया था, जिसने इंग्लैंड से होने वाले सोने-चांदी के निर्यात को कम कर दिया था।

संक्षेप में, ईस्ट इंडिया कंपनी की क्षेत्रीय महत्वाकांक्षाओं में बहुत अधिक आर्थिक महत्व निहित था। परिणामस्वरूप, 19वीं शताब्दी के प्रारंभ तक ईस्ट इंडिया कंपनी भारत में सबसे शक्तिशाली क्षेत्रीय शक्ति के रूप में उभरी।

कंपनी के वित्तीय आधार का स्थानांतरित होना (व्यापार से भू-राजस्व की ओर) Shifting financial base of the Company (from trade to land revenue)- मध्य 18वीं शताब्दी से 1813 तक कंपनी के निदेशकों को अनेक कारणों से कंपनी के प्रभावी एकाधिकार को बनाए रखने के लिए बहुत संघर्ष करना पड़ा-

- ऐसे व्यापारी हमेशा थे, जो किसी भी तरह से भारतीय व्यापार में अपना रास्ता बनाना चाहते थे।
- कंपनी के अपने कर्मचारी भी अपने निजी व्यापार को स्थापित करने के प्रलोभन से ऊपर नहीं उठे थे।
- कंपनी के एकाधिकार को भी इंग्लैंड में गंभीर चुनौती का सामना करना पड़ा। इसका कारण एडम स्मिथ (वेल्थ ऑफ नेशन, 1776) जैसे अर्थशास्त्रियों द्वारा मुक्त व्यापार के सिद्धांत का समर्थन करना था।
- इंग्लैंड में संचित पूंजी को भी निवेश की स्वतंत्रता की चाहत थी।
- औद्योगिक क्रांति के कारण भी कंपनी की पूर्ण वणिक गतिविधियों का महत्व कम हो गया था। इंग्लैंड में ऐसी लॉबी का उद्‌भव हुआ, जिसने कंपनी के एकाधिकार को समाप्त करने के लिए दबाव बनाया।

इन सभी कारणों से कंपनी के एकाधिकार को क्रमशः 1813 और 1833 के चार्टर अधिनियम द्वारा समाप्त कर दिया गया। व्यापार से कम होती आय को देखते हुए कंपनी का वित्तीय आधार व्यापार और व्यवसाय से भू-राजस्व की ओर स्थानांतरित हुआ। स्वाभाविक रूप से, इसने कंपनी को निरंतर क्षेत्रीय प्रसार के लिए आगे बढ़ाया।

उपनिवेशवाद के बदलते चरण और भारतीय अर्थव्यवस्था एवं उद्योग पर उसका प्रभाव

पूर्व-उपनिवेशीय चरण (1600-1757)

इस काल के दौरान भारत में ईस्ट इंडिया कंपनी की भूमिका अन्य व्यापारिक कंपनियों के समान ही थी। वह भारत में वस्तुएं एवं कीमती धातुएं लाती थी और इन्हें भारतीय वस्तुओं से बदलती थी, जिसे वे विदेशों में बेंचते थे। कंपनी को मुख्य रूप से भारतीय वस्तुओं को विदेश में बेचकर लाभ होता था और इसलिए स्वाभाविक रूप से उसे भारतीय वस्तुओं के उत्पादन और उसके लिए नए बाजारों के निर्माण में रुचि थी। यही कारण था कि भारतीय शासकों ने भारत में कंपनी के कारखानों को प्रोत्साहित किया। अपने सामानों की उच्च मांग होने से भारत का व्यापार संतुलन हमेशा अनुकूल रहता था और अनेक यूरोपीय कंपनियां भारतीय व्यापार में उनके भाग के लिए एक दूसरे से प्रतिस्पर्धा करती थीं।

हालांकि, जल्द ही ब्रिटिश निर्माताओं/उत्पादकों को भारतीय सूती वस्त्रों की लोकप्रियता से ईर्ष्या होने लगी, क्योंकि भारत के महीन व परिष्कृत सूती वस्त्र उनके खुदरे व अपरिष्कृत ऊनी वस्त्रों का स्थान लेते जा रहे थे। उन्होंने इंग्लैंड की सरकार पर भारत की वस्तुओं को इंग्लैंड में प्रतिबंधित करने का दबाव बनाना शुरू कर दिया था। 1720 के दशक तक छपे हुए अथवा डाई किए हुए सूती वस्त्रों के उपयोग करने या पहनने को प्रतिबंधित करने वाला एक कानून पारित किया गया। साथ ही, अंग्रेजी सरकार ने भारतीय सादे कपड़े और रेशम के आयात पर भारी शुल्क अधिरोपित भी किया। अन्य यूरोपीय देशों जैसे हालैंड ने भी ब्रिटिश का अनुसरण किया। इसके बावजूद भारतीय सूती एवं रेशम वस्त्र ने मध्य 18वीं शताब्दी तक कुछ विदेशी बाजारों में अपनी स्थिति को बनाए रखा, जब तक अंग्रेजी सूती वस्त्र उद्योग ने भी आधुनिक तर्ज पर विकसित होना शुरू नहीं कर दिया।

औपनिवेशिक चरण (Colonial Stage) (1757 के बाद)

एक मार्क्सवादी और कम्युनिस्ट पार्टी ऑफ ग्रेट ब्रिटेन की विचारक रजनी पाम दत्त के अनुसार भारत में औपनिवेशिक शासन के इतिहास के तीन चरण थे-

- व्यापारिक पूंजीवाद या वणिकवाद का युग (1757 से 1813)
- औद्योगिक पूंजीवाद का युग (1813 से 1857)
- वित्तीय पूंजीवाद का युग (1857 से 1947)

व्यापारिक पूंजीवाद अथवा वणिकवाद का युग (व्यापार के एकाधिकार और लूट का युग, 1757 से 1813)

इस वणिकवादी चरण को प्रत्यक्ष लूट, व्यापारिक एकाधिकार और इंग्लैंड तथा यूरोप को निर्यात करने के लिए अतिरिक्त राजस्व को भारत में निर्मित वस्तुओं को खरीदने में लगाने से संबंधित था।

जैसा कि पहले उल्लेख किया जा चुका है, कि वणिकवाद एक आर्थिक सिद्धांत था, जिसमें माना जाता है कि व्यापार धन निर्मित करता है और इसको लाभकारी संतुलन के संचय द्वारा और बढ़ाया जा सकता है तथा सरकार के द्वारा इसे संरक्षणवाद के माध्यम से प्रेरित किया जाना चाहिए। वणिकवाद उस समय के सबसे प्रभावशाली आर्थिक सिद्धांत के रूप में उभरा और इस नीति में निम्न विचार शामिल थे-

- सस्ता खरीदना, महंगा बेचना।
- व्यापार पर एकाधिकार करना।
- जिस देश के साथ व्यापार किया जाना है, वहां राजनीतिक नियंत्रण स्थापित **करने का प्रयास करना।**

इस प्रकार 1757-1813 के दौरान ईस्ट इंडिया कंपनी की गतिविधियां उपर्युक्त उद्देश्यों से अभिप्रेरित थीं। सस्ते दाम में खरीदने और महंगे दाम में बेचने के अपने दृढ़ निश्चय के कारण ईस्ट इंडिया कंपनी ने प्रतिद्वंदी यूरोपीय कंपनियों को समाप्त कर दिया था, भारतीय राजनीति में हस्तेक्षप किया और राजनीतिक सर्वोच्चता की स्थापना के लिए युद्ध लड़े।

कंपनी की भूमिका में परिवर्तन और भारतीय अर्थव्यवस्था एवं उद्योग पर इसके द्वारा पड़ने वाले प्रभाव को निम्न बिंदुओं में समझा जा सकता है-

एकाधिकार नियंत्रण के लिए राज्य शक्ति का उपयोग (1757 के बाद)- प्लासी के युद्ध में कंपनी की विजय भारत में कंपनी की भूमिका और भारत देश के साथ उसके आर्थिक संबंधों में एक बड़ा परिवर्तन लाई। प्लासी के बाद ईस्ट इंडिया कंपनी ने अपनी राजनीतिक शक्ति और स्थिति का उपयोग भारतीय व्यापार और उत्पादन पर एकाधिकार के नियंत्रण को बनाने में किया।

गुमास्ता व्यवस्था का उपयोग (1753)- 1753 तक यूरोपीय कंपनियां और 'मुक्त व्यापारी' वस्तु प्राप्त करने के लिए भारतीय व्यापारियों पर निर्भर थे। इन व्यापारियों को ददनी व्यापारी कहा जाता था, क्योंकि इन्हीं के माध्यम से कंपनी के द्वारा शिल्पकारों या बुनकरों को ददनी अथवा पेशगी दी जाती थी। 1753 से कंपनी ने इन स्वतंत्र ददनी व्यापारियों के स्थान पर गुमास्ता (ईस्ट इंडिया कंपनी के एजेंट) का उपयोग करना शुरू कर दिया, जिन्हें कम्पनी उनके द्वारा संग्रहित वस्तुओं पर कमीशन का भुगतान करती थी। प्लासी के बाद कंपनी ने गुमास्ता व्यवस्था के उपयोग के लिए राजनीतिक शक्ति का उपयोग किया, जिसने भारतीय व्यापारियों को कमीशन प्राप्त दलाल की स्थिति में ला दिया था।

प्रत्यक्ष अभिकरण (direct agency) व्यवस्था का उपयोग (1789)- 1789 में प्रत्यक्ष अभिकरण की व्यवस्था लाई गई, जिसमें भारतीय मध्यस्थों की आवश्यकता को समाप्त कर दिया। इसी प्रकार कंपनी के बंगाल के दीवान बनने के बाद जगत सेठ के बैंकिंग हाउस को राज्य बैंक के रूप में अधिकार को समाप्त कर दिया गया और उसके टकसाल के अधिकार को भी धीरे-धीरे छीन लिया गया। इस प्रकार एक-एक करके भारतीय व्यापारी अधीनस्थ स्थिति में आ गए या उन्हें व्यापार से ही बाहर कर दिया गया।

ब्रिटिश को दीवानी का हस्तांतरण (1765)- बक्सर के युद्ध के बाद जब ईस्ट इंडिया कंपनी ने बंगाल के दीवानी अधिकारों को प्राप्त कर लिया, तो बंगाल की खुली लूट का काल शुरू हुआ। भारतीय मार्क्सवादी और अर्थशास्त्री आर.सी. दत्त के अनुमान के अनुसार के दौरान कंपनी के अधिकारियों और कर्मचारियों ने जितना धन प्राप्त किया, वह 1757-1765 के दौरान बंगाल के नवाब द्वारा संग्रहित कुल भू-राजस्व से 4 गुना अधिक था, जिसने गंभीर रूप से किसानों को दरिद्र बनाया। किसानों को अक्सर बेगार करने व उनसे गैरकानूनी देय का भुगतान करने के लिए मजबूर किया जाता था, जिसने उन्हें साहूकारों के चंगुल में फंसा दिया था और कर्ज व बेदखली आम हो गई थी। भूमि का बड़ा भाग कृषि से बाहर हो गया था, जिससे बंगाल में एक विनाशकारी अकाल आया। इस अकाल ने करीब एक तिहाई जनता को समाप्त कर दिया था।

धन/कोष का स्थानांतरण- इस प्रकार कंपनी व्यवसायिक राजस्व के साथ अब क्षेत्रीय राजस्व दिखाने लगी। कंपनी ने एक क्षेत्र से प्राप्त इस क्षेत्रीय राजस्व का उपयोग दूसरे क्षेत्रों की विजय के भुगतान के लिए करना शुरू कर दिया था। वास्तव में, ये बंगाल के किसान ही थे, जिन्होंने भारत की ब्रिटिश विजय का भार वहन किया। कंपनी ने भारत में एक स्व-संचालित वित्तीय व्यवस्था बना ली थी और इंग्लैंड से किसी प्रकार के धन की आवश्यकता नहीं थी। यह व्यवस्था 1765 से 1813 तक चलती रही, जब तक कंपनी का एकाधिकार समाप्त नहीं हो गया।

क्षेत्रीय राजस्व का उपयोग भारतीय वस्तुओं को खरीदकर ब्रिटेन में भारतीय भेंट के रूप में निर्यात करने में किया जाता था। इस प्रकार भारत से धन का निर्गम शुरू हुआ। इस प्रकार के निर्यात ने भारत से संसाधनों को प्रेषित किया, जबकि बदले में भारत को कोई आयात नहीं मिलता था। भारत से इंग्लैंड स्थानांतरित होने वाले अन्य धन में निजी व्यापारियों के लाभ, रिश्वत और लूट से प्राप्त अंग्रेजों की आय, इंग्लैंड में जहाजरानी कंपनियों, बैंकों और बीमा कंपनियों के साथ-साथ

इंग्लैंड को प्राप्त कंपनी की प्राप्तियां/प्रेषण शामिल थीं। इन प्राप्तियों का उपयोग इंग्लैंड में कंपनी के कर्मचारियों के वेतन, इंग्लैंड में कंपनी द्वारा लिए गए ऋण के ब्याज इत्यादि के भुगतान में किया जाता था। इस प्रकार के धन के स्थानांतरण ने भारत को स्वाभाविक रूप से दरिद्र बनाया।

बल का उपयोग- यद्यपि ब्रिटेन से निर्यात बढ़ा, लेकिन भारतीय कारीगरों को इसका कोई लाभ नहीं हुआ, क्योंकि कंपनी बुनकरों और कारीगरों को डरा-धमकाकर राजनीतिक शक्ति का उपयोग करके उन्हें उनके उत्पाद को कम और मनमानी कीमतों पर बेचने के लिए मजबूर करती थी। वास्तव में, कंपनी के अधिकारी और कर्मचारी बंगाली बुनकरों को केवल कंपनी के साथ खरीदने और बेचने की गतिविधियों को करने के लिए मजबूर करते थे। इस प्रकार भारतीय बुनकरों का क्रेता और विक्रेता दोनों ही रूप में नुकसान हुआ और उनमें से बड़ी संख्या में बुनकरों ने अपने वंशानुगत व्यवसाय को त्यागने का विचार करना शुरू किया।

◗ खतबंदी व्यवस्था

बुनकरों को यहां तक कि गुमस्ताओं के द्वारा भी डराया धमकाया जाता था, ताकि वे वस्त्र निर्मित करने के लिए अग्रिम स्वीकार करें और कंपनी को बाजार की कीमत से कम में उत्पाद बेंचे। 1780 के दशक में यह प्रथा और व्यवस्थित की गई और इससे खतबंदी व्यवस्था के नाम से जाना गया, ब्रिटिश सरकार द्वारा पारित नियमनों के अधीन कारीगरों को अपना उत्पाद केवल कंपनी को बेचने के लिए अनुबंधित किया गया। 1789 के नियमन के अनुसार यदि वे वस्तुओं की आपूर्ति करने में असफल होते हैं, तो उन्हें अग्रिम के 35% जुर्माना भरना होता था। इस प्रकार कंपनी ने वास्तव में बुनकरों को अनुबंधित श्रमिकों की स्थिति में ला दिया था।

रैयती व्यवस्था या असमीवार व्यवस्था- इस व्यवस्था में नील की खेती करने वाले रैयत या किसान को बहुत कम कीमत पर आवश्यक उत्पाद की आपूर्ति करने के लिए मजबूर किया जा सकता था। किसान को इसके लिए स्वयं के हल, बैल इत्यादि इस्तेमाल करने होते थे। लेकिन इसके लिए उन्हें बागान मालिकों द्वारा बहुत कम भुगतान किया जाता था। कंपनी ने राज्य शक्ति का उपयोग करके छोटे किसानों को अलाभकारी खेती करने के लिए मजबूर करके कार्य करवाने को ज्यादा लाभदायक माना, न कि किराए पर लाए गए मजदूरों से सीधे उत्पादन कराने में। इस प्रकार कंपनी का व्यवसायिक उत्पादन पहले से मौजूद छोटे किसानों की संरचना से तेजी से आगे बढ़ा। स्वाभाविक रूप से इस व्यवस्था ने किसानों का अनेक प्रकार से शोषण किया।

बाजारों और उत्पादकों का प्रभुत्व- 1770 और 1780 के दशक में बल और राज्य शक्ति का उपयोग करके कंपनी और उसके अधिकारियों, जो निजी व्यापार में लिप्त थे, ने कुछ विशेष सामानों में सामूहिक एकाधिकार को विकसित किया। कंपनी ने विरोधियों को समाप्त करके भी अपना एकाधिकार स्थापित किया। भारतीयों के साथ-साथ विदेशी व्यापारियों का बंगाली शिल्पकारों को उचित कीमत प्रस्तावित करना और उत्पादकों से सीधे वस्तुएं खरीदना निषेध कर दिया गया था। इसका परिणाम 'क्रय के बाजार' के निर्माण के रूप में सामने आया, जहां क्रेता अपने द्वारा उत्पादन की हुई वस्तुओं की कीमतें खुद तय करते थे।

आयात प्रतिबंधों का उपयोग- इसके साथ ही, भारतीय वस्त्रों के इंग्लैंड में प्रवेश पर भारी आयात शुल्क लगाया जाता था, क्योंकि ब्रिटिश सरकार अपने स्वदेशी उत्पादकों को संरक्षित करना चाहती थी। इससे भारत में निर्मित सूती वस्तुओं का निर्यात घटने लगा। बुनकरों और सूत कातने वालों की आय तेजी से घटी और इस प्रकार भारतीय उद्योग के इस क्षेत्र में पूंजी संचय और तकनीकी नवोन्मेष की किसी भी संभावना को रोक दिया गया।

जहां एक ओर भारत से धन बाहर ले जाने की व्यवस्था क्रमशः बढ़ती जा रही थी और कंपनी के अधीन भारत का परंपरागत निर्माण क्षेत्र धीरे-धीरे कमजोर होता जा रहा था वहीं दूसरी ओर इसी समय ब्रिटेन में औद्योगिक क्रांति शुरू हो चुकी थी और वह अपने उद्योगों को तेजी से प्रसारित कर रहा था। भारत से प्राप्त धन ने ही इंग्लैंड में पूंजी के संचय में महत्वपूर्ण भूमिका निभायी, जो औद्योगीकरण के लिए आवश्यक था।

ब्रिटेन की औद्योगिक क्रांति (1760-1840) ने ब्रिटेन की अर्थव्यवस्था को पूर्णतया रूपांतरित कर दिया था और अब वह अपने उत्पादों के लिए नए बाजारों की खोज में लगा था, विशेष तौर पर, सूती कपड़ों के उत्पादों के लिए, जिसने ब्रिटेन में औद्योगिक क्रांति के एक मुख्य वाहक के रूप में कार्य किया था। साथ ही, इसे अब अपने बढ़ते उद्योगों के लिए पहले से अधिक कच्चे माल की आवश्यकता थी। इस प्रकार भारत और इंग्लैंड के बीच आर्थिक संबंधों का संपूर्ण आधार तेजी से परिवर्तित हुआ। चूंकि इंग्लैंड तेजी से विश्व का पहला औद्योगिक पूंजीपति देश बन रहा था, व्यापारिक कंपनी, जिसने भारतीय साम्राज्य को प्राप्त कर लिया था, अब एक नई भूमिका में आने की आवश्यकता थी। इस प्रकार ईस्ट इंडिया कंपनी ने अपनी शक्ति और स्थिति का उपयोग भारत को अपने औद्योगिक वस्तुओं के लिए एक बाजार और कच्चे माल के लिए एक आपूर्तिकर्ता में रूपांतरित करने में किया।

जब ब्रिटिश निर्माताओं ने कंपनी के विरुद्ध एक शक्तिशाली अभियान (1793-1813) चलाया और इसके एकाधिकार को समाप्त करने में सफलता प्राप्त की, तो ब्रिटेन में इस औद्योगिक क्रांति के औपनिवेशिक स्वरूप को और मजबूती मिली। इस प्रकार अब मुफ्त व्यापार की नीति (policy of free trade) को लाकर ब्रिटिश वस्तुओं के भारत में अबाध प्रवेश को अनुमति दी, जिसने भारतीय देशी उद्योगों का विनाश कर दिया।

औद्योगिक पूंजीवाद का युग (1813 से 1858, मुक्त व्यापार का काल)

भारत को मशीन से निर्मित विदेशी वस्तुओं के लिए खोल दिया गया (1813)- इस काल में मुक्त व्यापार-औद्योगिक पूंजीवादी शोषण को देखा गया । 1813 का वर्ष भारत के औपनिवेशिक शोषण का एक महत्वपूर्ण काल था, क्योंकि इसी वर्ष भारतीय व्यापार पर कंपनी का एकाधिकार समाप्त हुआ था। 1813 के बाद ईस्ट इंडिया कंपनी की व्यवसायिक नीति ब्रिटिश उद्योगों की आवश्यकताओं के अनुसार संचालित हुई और इसका मुख्य उद्देश्य भारत को ब्रिटिश उत्पादों का एक उपभोक्ता और ब्रिटिश उद्योगों के लिए कच्चे माल का एक आपूर्तिकर्ता बनाना था।

एक पक्षीय मुक्त व्यापार- मुक्त व्यापार केवल एकपक्षीय था। जहां एक ओर भारत को विदेशी वस्तुओं के लिए खोल दिया था, वहीं ब्रिटेन में भारतीय वस्तुओं पर भारी आयात कर लगाया जाता था। इसके फलस्वरूप, इंग्लैंड के लिए भारत के निर्यात में गिरावट आई। इसने भारत और ब्रिटिश के मध्य व्यापार के स्वरूप को बदल दिया। अब भारत मुख्य रूप से वस्तुओं का आयातक देश हो गया। 1815-1832 के दौरान भारत से इंग्लैण्ड निर्यात किए जाने वाले सूती वस्त्रों का मूल्य 1.3 मिलियन से घटकर केवल 0.1 मिलियन हो गया था। जबकि इसी काल में सूती वस्त्रों का आयात पांच गुना बढ़ गया था। अब व्यापार संतुलन तेजी से ब्रिटेन के अनुकूल होने लगा।

भारतीय अर्थव्यवस्था का एक औपनिवेशिक अर्थव्यवस्था में बदलना- क्रमशः भारतीय अर्थव्यवस्था एक औपनिवेशिक अर्थव्यवस्था में बदलने लगी- कच्चे माल के लिए एक आपूर्तिकर्ता और निर्मित वस्तुओं के लिए एक बाजार। स्थानीय हस्तशिल्प उद्योग नष्ट हुए और मुख्य रूप से भारतीय अर्थव्यवस्था एक कृषक अर्थव्यवस्था में बदल गई। भारत के विदेशी व्यापार की संरचना में इस सामान्य परिवर्तन और देश के घरेलू उद्योग पर इसके प्रभाव के इस परिप्रेक्ष्य को अनेक इतिहासकारों (जैसे- आर.सी. दत्त, मदन मोहन मालवीय और विपिन चंद्र) ने वि-औद्योगीकरण अथवा भारतीय उद्योगों के विनाश के रूप में व्याख्या की है।

अन्य परिवर्तन- भारत को एक औपनिवेशिक अर्थव्यवस्था में रूपांतरित करने के लिए कंपनी की सरकार ने अन्य अनेक परिवर्तन किए-

- ब्रिटिश वस्तुओं के विक्रेताओं की संख्या को बढ़ाने के लिए उन्होंने नए क्षेत्रों को जीता। (जैसे- 1856 में अवध का समामेलन)
- ब्रिटिश वस्तुओं के प्रति भारतीयों के मन में लगाव विकसित करने के लिए भारत में पश्चिमीकरण को बढ़ावा दिया गया।

- अनेक ब्रिटिश अधिकारियों और नेताओं ने भू-राजस्व में कमी करने का सुझाव दिया, ताकि भारतीय किसान ऐसी स्थिति में बने रहें कि ब्रिटिश वस्तुओं को खरीद सकें।
- बड़े किसानों को नगद फसल के उत्पादन के लिए प्रेरित किया गया, ताकि खाद्यान्न की कीमत में वृद्धि हो जाए। (आगे पढ़ें कृषि का व्यवसायीकरण और उसका प्रभाव)
- भारत के दूरस्थ स्थानों तक ब्रिटिश वस्तुओं को बेंचने के लिए यातायात की सुविधाओं, विशेषकर रेलवे, को विकसित किया गया।

वित्तीय पूंजीवाद का युग (1858-1947)

औद्योगिक विकास और उपनिवेशों के शोषण से ब्रिटेन में बड़ी मात्रा में पूंजी एकत्रित हुई। उद्योगपतियों की संपत्ति को बढ़ता हुआ देखकर श्रमिक वर्ग ने एकजुट होने की आवश्यकता को अनुभव किया। दूसरी ओर, श्रमिक वर्ग की बढ़ती हुई शक्ति ने उद्योगपतियों को संदेहास्पद और बेचैन बना दिया था। उन्होंने अनुभव करना शुरू किया कि श्रमिक वर्ग की बढ़ती शक्ति से उनके मोल-भाव की शक्ति कम होगी और उनका लाभ भी कम होगा। इंग्लैंड में और अधिक औद्योगीकरण का मतलब श्रमिकों की मोल-भाव की शक्ति का बढ़ना था। यह वही समय था, जब मार्क्स और एंजेल द्वारा 'द कम्युनिस्ट मेनिफेस्टो' (The Communist Manifesto) को अंग्रेजी भाषा में प्रकाशित किया गया।

आधुनिक समय में विकसित देश पूंजी अन्तर्वाह का आर्थिक विकास के लिए घरेलू संसाधनों के एक पूरक के रूप में स्वागत करते हैं। दुर्भाग्यवश, औपनिवेशिक युग में औपनिवेशिक सरकार के द्वारा पूंजी अन्तर्वाह का उपयोग भारतीय अर्थव्यवस्था के विकास के लिए नहीं, अपितु भारतीय संसाधनों के पूर्ण शोषण के लिए किया जाता था। साथ ही, ब्रिटिश सरकार द्वारा भारत में वस्त्र और लौह उद्योगों में पूंजी निवेश नहीं कराया जाता था, क्योंकि वे उनकी पूंजी के लिए ब्रिटेन के उद्योगों के साथ प्रतिस्पर्धा नहीं चाहते थे। इसके स्थान पर वे ऐसी गतिविधियों में निवेश करते थे, जो ब्रिटिश उद्योगों के लिए पूरक हों क्योंकि उनके निवेश का उद्देश्य भारत का औद्योगिक विकास करना नहीं था।

भारत में ब्रिटिश उद्योगपतियों का निवेश करना- ब्रिटिश उद्योगपतियों ने चाय बागानों, जूट, कोयला, खनन और रेलवे में निवेश के प्रति आकर्षण महसूस किया और कुछ समय बाद बंदरगाहों में भी अच्छा निवेश किया गया। ब्रिटिश ने भारत में रेलवे पर सबसे ज्यादा पूंजी का निवेश किया, क्योंकि रेलवे के विकास को ब्रिटिश के लिए एक व्यवसायिक व प्रशासनिक आवश्यकता समझा गया। भारतीय बाजार पर कब्जा करने के लिए भारतीय उद्योगों में भी पूंजी का निवेश किया गया।

'ओपेनिंग अप' इंडिया (Opening up India) **(1813 के बाद)**- इसका अर्थ था देश को ब्रिटिश पूंजी और औद्योगिक वस्तुओं केलिए खोलना, भारत के संदर्भ में मुख्य रूप से इसका मतलब रेलवे का विकास था।

अनेक हित समूह ने भारत और ब्रिटिश सरकार पर भारत में रेलवे निर्माण का दबाव बनाया। ब्रिटिश निर्माताओं की भारत के अंदर विशाल और अनछुए बाजार को खोलने की आशा थी और साथ ही साथ इससे इंग्लैंड में उनकी भूखी मशीनों के लिए कच्चे माल के एकत्रीकरण की सुविधा उपलब्ध हो सकती थी। निवेशक और बैंकरों ने भारत में रेलवे को उनकी अतिरिक्त पूंजी के सुरक्षित निवेश का एक साधन समझा। ब्रिटिश स्टील निर्माताओं ने इसे उनके स्टील उत्पादों के लिए एक बड़ा बाजार माना। भारत सरकार ने शीघ्र ही इन विचारों को सकारात्मकता से लिया और साम्राज्य सुरक्षा की दृष्टि से भी इसे आवश्यक समझा। उन्होंने रेलवे को उनके विशाल क्षेत्रों पर बेहतर नियंत्रण और प्रशासन के लिए उपयुक्त समझा और आंतरिक विद्रोह अथवा बाहरी आक्रमण के समय सेना के तीव्र संचालन के लिए भी इसे बेहतर समझा।

स्पष्टतया, भारत में रेलवे के निर्माण के पीछे मुख्य कारण ब्रिटिश साम्राज्यवाद के आर्थिक, राजनीतिक और सैन्य हितों को साधना था। **इसको निम्न बिंदुओं के द्वारा समझा जा सकता है**

- भारत के आंतरिक क्षेत्रों में ब्रिटिश औद्योगिक वस्तुओं के वितरण में रेलवे द्वारा सुविधा प्रदान करना।
- इसके द्वारा भारत के आंतरिक क्षेत्रों से कच्चा माल एकत्रित करके ब्रिटेन के लिए निर्यात हेतु शीघ्रता से उपलब्ध कराने की सुविधा।

- भारत में काम कर रही रेलवे कंपनियों में ब्रिटिश पूंजी के निवेश को अवसर प्रदान करना।
- लॉर्ड डलहौजी का विचार था कि रेलवे देश के दूरस्थ क्षेत्रों पर नियंत्रण करने में सहायता करेगी और आंतरिक विद्रोह को शांत करने के लिए सेना के तीव्र संचलन में सहायक होगी।

अखिल भारतीय रेलवे कंपनियां इंग्लैंड में संयुक्त स्टॉक कंपनियों के रूप में स्थापित की गई थीं। अंग्रेज निवेशकों को शेयर खरीदने के लिए प्रेरित करने हेतु भारत सरकार ने उनके निवेश पर कम-से-कम 5% ब्याज की गारंटी का प्रस्ताव दिया। इस प्रकार अखिल भारतीय रेलवे कंपनियां, वास्तव में अंग्रेजी कंपनियां थीं, जिन्हें ब्याज की गारंटी के समझौते द्वारा संरक्षित किया गया था।

भारत में रेलवे के विकास का प्रभाव अनेक कारणों से नकारात्मक था- ब्याज की शासकीय गारंटी का अर्थ था कि लाभ हो अथवा हानि अंग्रेज निवेशकों को भारत के करदाताओं के धन से ब्याज का भुगतान होना तय था। इसने रेलवे के निर्माण में जरूरत से अधिक व्यय और कुप्रबंधन को बढ़ावा दिया। इसके अलावा रेल द्वारा कंपनियां लगभग सभी आवश्यक वस्तुओं का आयात करती थी, इससे भारत के विदेशी मुद्रा का व्यय बढ़ता चला गया। रेलवे भाड़े के आयात-निर्यात को ऐसे निश्चित किया गया था कि आयात-निर्यात ब्रिटिश के अनुकूल रहे और यह भारत में निर्मित वस्तुओं के संचलन के विरुद्ध भेदभावपूर्ण था।

उपर्युक्त नकारात्मक परिणाम के बावजूद रेलवे के कुछ सकारात्मक प्रभाव भी थे- यह भारत में आधुनिक तकनीक और कौशल को लाई और इसने भारत को एक संयुक्त बाजार बनाने में सहायता की। रेलवे देश के कोने-कोने तक पहुंच गई थी, जो की भारत के विभिन्न भागों के लोगों को एक-दूसरे के संपर्क में लाया। भारत के विभिन्न वर्गों के लोगों को एक समान टिकट और एक समान कंपार्टमेंट में यात्रा करना होता था, जिसने उन्हें एक-दूसरे के साथ सम्पर्क में आने का अवसर दिया और इस प्रकार भारत के एक राष्ट्र के रूप में उभरने में इसने सहायता की।

भारतीय कृषक संरचना में परिवर्तन और अर्थव्यवस्था पर प्रभाव- करों का संग्रह सभी सरकारों का एक व्यवसाय या कार्य होता है और संग्रहित कर सामान्यत: करदाताओं के कल्याण पर खर्च किया जाता है। हालांकि, ईस्ट इंडिया कंपनी को निर्यात के लिए वस्तुएं खरीदने, आगे की विजयों के खर्च को वहन करने के लिए और प्रशासन के व्यय के साथ-साथ ब्रिटिश शासन को मजबूत करने के लिए भारत की जनता से करों का संग्रह करने की आवश्यकता थी।

प्राचीन काल से ही राजाओं और शासकों के द्वारा उनके करों का एक बड़ा भाग कृषि से प्राप्त होता था, क्योंकि कृषि भारतीय जनता की एक मुख्य आर्थिक गतिविधि थी। भारत में ब्रिटिश सर्वोच्चता के उदय के साथ यह कंपनी की सरकार ही थी, जो निरंतर भू-राजस्व के संग्रह में लिप्त होती जा रही थी। इस प्रकार स्पष्ट है कि भारतीय रैयत अथवा किसानों से संग्रहित भू-राजस्व का उपयोग उनके कल्याण के लिए नहीं, बल्कि कंपनी की औपनिवेशिक आवश्यकताओं की पूर्ति करने के लिए किया जाता था।

इतना ही नहीं, कंपनी के भू-राजस्व की नीतियां पूर्व के शासकों से बहुत अधिक अलग थीं। उन्होंने करों के संग्रह और निर्धारण के लिए नए प्रकार के भू-राजस्व बंदोबस्तों को शुरू किया। (मुख्यतया तीन प्रकार के बंदोबस्त थे- स्थाई बंदोबस्त, रैयतवाड़ी व्यवस्था और महलवाड़ी व्यवस्था)। भू-स्वामित्व की नई अवधारणाओं और भू-राजस्व की भारी मांग (पहले के उत्पादन के 1/6 और 1/3 भाग से बढ़ाकर ऋ भाग कर दिया गयास) ने ग्रामीण अर्थव्यवस्था और सामाजिक संबंधों में दूरगामी परिवर्तन किए।

नए भू-राजस्व बंदोबस्त और उनके प्रभाव

ब्रिटिश शासक भारत में अपने शासन से अत्यधिक आर्थिक लाभ कमाने के उत्साह से प्रेरित थे। ब्रिटिश औद्योगिक और वणिकवादी हितों ने जब कंपनी के व्यापार से राजस्व उगाहने की क्षमता को प्रतिबंधित कर दिया, तो कंपनी की सरकार ने आय के एक मुख्य साधन के रूप में भू-राजस्व पर ध्यान केन्द्रित करना शुरू कर दिया था। भू-राजस्व पर ब्रिटिश शासकों का भी अत्यधिक ध्यान केंद्रित हुआ।

प्रारंभिक ब्रिटिश प्रशासक भारत को एक विशाल सम्पदा मानते थे और कंपनी अनुभव करती थी कि उसका संपूर्ण आर्थिक लगान पर अधिकार है और कृषकों के लिए केवल उन्हें उनका पारिश्रमिक और खेती करने में हुए व्यय का ही भुगतान किया जाना चाहिए। यह अत्यधिक भू-राजस्व की मांग शीघ्र ही अनुत्पादक साबित हुई। कृषि धीरे-धीरे आर्थिक रूप से अलाभकारी होने लगी, विशाल क्षेत्र कृषि भूमि से बाहर हो गया और अकाल के काले बादलों ने जनता को घेर लिया।

भू-राजस्व प्रबंधन में पहले प्रयोग- प्लासी के युद्ध (1757) में विजय के बाद कंपनी ने बंगाल के नवाब मीर जाफर से चौबीस परगना की जमींदार प्राप्त की। 1760 में बंगाल नवाब मीर कासिम ने ईस्ट इंडिया कंपनी को बर्दवान, मिदनापुर और चटगांव से भू-राजस्व संग्रह करने का अधिकार प्रदान किया। बक्सर के युद्ध (1764) में विजय के बाद कंपनी ने बंगाल, बिहार और उड़ीसा की दीवानी प्राप्त की।

1765-1772 के दौरान रॉबर्ट क्लाइव ने बंगाल में दोहरी शासन व्यवस्था शुरू की। ब्रिटिश ने नवाब द्वारा स्थापित प्रशासन को जारी रखने का निर्णय लिया और इसका उपयोग अधिक-से-अधिक भू-राजस्व संग्रह करने में किया। कंपनी ने दो नायब-दीवानों मोहम्मद रजा और राजा सिताब रॉय को क्रमशः बंगाल और बिहार में नियुक्त किया और उन्हें जितना संभव हो उच्च राजस्व संग्रह करने का निर्देश दिया।

1772 में क्लाइब द्वारा प्रशासन की द्वैध व्यवस्था को समाप्त करने का निर्णय लिया गया। कंपनी ने अब नायब-दीवान के स्थान पर स्वयं भू-राजस्व संग्रह का निर्णय लिया। इस प्रकार अध्यक्ष को बंगाल, बिहार और उड़ीसा के राजस्व के संपूर्ण प्रबंधन का प्रभार लेना आवश्यक हो गया था। तदनुसार, गवर्नर और परिषद ने राजस्व बोर्ड का गठन किया और कंपनी ने राजस्व मामलों का प्रबंधन करने के लिए अपने यूरोपीय अधिकारियों को नियुक्त किया, जिन्हें कलेक्टर कहा जाता था। राजकोष को भी मुर्शिदाबाद से कलकत्ता स्थानांतरित किया गया।

1772 में वॉरेन हेस्टिंग्स ने एक नई व्यवस्था 'खेती व्यवस्था' (farming system) शुरू की, जिसके अंतर्गत वह सबसे अधिक बोली लगाने वाले को राजस्व संग्रह करने का अधिकार देने के लिए नीलामी करता था। इस प्रकार वह समझौता करने वाले के साथ भू-राजस्व का एक 5 वर्षीय समझौता करता था। वह संविदाकार (उन दिनों उन्हने राजस्व किसान भी कहा जाता था) एक निश्चित भूमि क्षेत्र से सर्वाधिक रकम भुगतान करने का प्रस्ताव देता था और उसे 5 वर्ष के लिए उस क्षेत्र में पूरी शक्तियां दी जाती थीं।

स्वाभाविक रूप से, इन संविदाकारों को भूमि में कोई स्थाई रुचि नहीं थी और उन्होंने अपने संविदा के समय के दौरान जितना संभव हो राजस्व उगाहने का प्रयास किया। जनता के बर्बाद होने और बाद के वर्षों में उत्पादन कम होने को लेकर उन्हें कोई चिंता नहीं थी। कुल मिलाकर, उन्हें अपना लाभांश निकालना था। स्पष्ट रूप से, जबरन वसूली और शोषण इस व्यवस्था के परिणाम थे।

इस व्यवस्था का एक अन्य परिणाम भ्रष्टाचार था। जैसा कि आज की अनेक शासकीय संविदाओं में होता है, लाभकारी संविदाओं को मित्रों, पसंदीदा लोगों और सत्ताधरियों द्वारा अपने लिए बेनामीदारों को दिया जाता है, जिससे सरकार को हानि का सामना करना पड़ता है। कंपनी के अधिकारी भी स्वयं उनके सेवकों के नाम पर बोली में शामिल होते थे। वॉरेन हेस्टिंग्स पर भी इस प्रकार की जालसाजी के आरोप थे। अतः इस व्यवस्था ने किसानों के लिए मुश्किलें पैदा कीं और यह व्यवस्था बुरी तरह असफल हुई। पांच वर्षीय व्यवस्था के समाप्त होने के बाद, हेस्टिंग्स ने 1777 में इसे वार्षिक व्यवस्था में बदल दिया, लेकिन एक बार पुनः खेती करने के अधिकार का आधार उच्च बोली लगाना ही था।

इन दोनों व्यवस्थाओं के अधीन यद्यपि भू-राजस्व उच्च हुआ, वास्तविक संग्रह वर्ष-दर-वर्ष अलग होता था और कभी-कभी आधिकारिक अपेक्षाओं के अनुसार भी हो जाता था। इसने कंपनी के राजस्व में उस समय भी अस्थिरता ला दी, जब कंपनी निरंतर प्रसार के अभियान में लगी हुई थी। यह व्यवस्था रैयत या संविदाकार के खेती में सुधार करने की किसी भी प्रकार की प्रेरणा को दफना रही थी।

यही चरण था जब एक स्थायी धनराशि पर भू-राजस्व को निश्चित करने का विचार पहली बार सामने आया और 1784 में पिट्स इंडिया एक्ट के अंतर्गत कंपनी ने बंगाल में एक स्थायी भू-राजस्व व्यवस्था शुरू करने का सुझाव दिया। तदनुसार, 1786 में लॉर्ड कॉर्नवालिस को भू-राजस्व समस्या का एक संतोषजनक समाधान खोजने के लिए और इस व्यवस्था को सुधारने के विशेष प्रभार के साथ भारत भेजा गया।

1790 में कॉर्नवालिस ने जमींदारों को भूमि के स्वामी के रूप में मान्यता देने का निर्णय लिया, बशर्ते उन्हें राज्य को भू-राजस्व का वार्षिक भुगतान करना होगा। 89% के लगान (शेष 11% जमींदारों के लिए छोड़कर) के आधार पर जमींदारों के साथ एक 10 वर्षीय समझौता किया गया। 1793 में इस 10 वर्षीय समझौते को स्थाई घोषित किया गया और इसे बंगाल का स्थाई बंदोबस्त कहा गया।

जमींदारों को भूस्वामी बनाया जाए अथवा कर संग्रहता, इस बात को लेकर जॉन शोर और जेम्स ग्रांट के बीच विचारों में मतभेद था। जॉन शोर उन्हें भूस्वामी के रूप में चाहते थे, जबकि ग्रांट का मानना था कि सभी भूमि सरकार की होनी चाहिए और जमींदारों को केवल कर संग्रहता बनाना चाहिए। कॉर्नवालिस अंततः जॉन शोर के विचारों से सहमत हुआ।

स्थाई बंदोबस्त (कॉर्नवालिस द्वारा बंगाल, 1793)

(स्थाई जमींदारी बंदोबस्त अथवा जागीरदारी/ मालगुजारी/ बिस्वेदारी बंदोबस्त)

लंदन के अधिकारियों के साथ-साथ कॉर्नवालिस देख सकते थे कि वर्तमान व्यवस्था लंबे समय तक चलने योग्य नहीं है। यह जनता को दरिद्र बनाने के साथ कृषि को नष्ट कर रही थी। इस प्रकार यह निर्णय लिया गया कि भू-राजस्व स्थाई रूप से निश्चित किए जाने चाहिए। इस व्यवस्था से अनेक सकारात्मक प्रभावों की अपेक्षा थी।

यह समझौता किसके साथ और क्यों हुआ?

राजस्व निश्चित करने के बाद अगला प्रश्न था कि इसे किससे संग्रहित किया जाए? बंगाल के नवाब इसे जमींदारों से प्राप्त करते थे, बड़े नवाबों को राजस कहा जाता था और उनकी सेना होती थी। जमींदारों द्वारा किसानों से सीधे राजस्व संग्रह किया जाता था।

स्थाई बंदोबस्त भी जमींदारों के साथ किया गया। इस व्यवस्था की एक विशेषता यह थी कि इसमें जमींदारों और राजस्व-किसानों को भूमि का स्वामी बनाया गया। अब वे उनकी जमींदारी की संपूर्ण भूमि के स्वामी थे। उनके स्वामित्व के अधिकार को वंशानुगत और हस्तांतरणीय बनाया गया।

नए गवर्नर जनरल लॉर्ड कॉर्नवालिस स्वयं भी ब्रिटेन में भूमि से जुड़े कुलीन-तंत्र से संबंध रखता था और इसलिए वह जमींदारों को स्वामित्व का अधिकार देने के पक्ष में था। उसको आशा थी कि जमींदार भूमि में सुधार करेंगे, क्योंकि उत्पादकता में जो भी अतिरिक्त वृद्धि होगी, उसका लाभ उनको ही मिलेगा। साथ ही बंगाल, बिहार और उड़ीसा में लगभग 40-50 लाख कृषक परिवार थे और इन सब से कर संग्रह करना ब्रिटिश के लिए बहुत ही कठिन कार्य था। बड़े जमींदारों की कम संख्या से कर संग्रह करने का विकल्प बहुत आसान था।

स्थाई बंदोबस्त क्या था?

1793 में बंगाल और बिहार में स्थाई बंदोबस्त प्रारंभ किया गया। दो करोड़ और 65 लाख के उच्च स्तर पर भू-राजस्व निश्चित किया गया। इन प्रांतों की भूमि का प्रत्येक टुकड़ा कुछ जमींदारों का एक भाग बन गया। जमींदारों को इस पर एक निश्चित कर (10/11) का भुगतान करना था। जब तक वह कर का भुगतान करते रहेंगे, उनकी भूमि के स्वामी बने रहेंगे। वे उसे बेंच सकते थे, हस्तांतरित कर सकते थे और गिरवी रख सकते थे। उसकी मृत्यु के बाद उसकी भूमि उसके वारिसों को विरासत में मिलेगी। लेकिन यदि वह कर चुकाने में असफल हुआ, तो सरकार उससे उसकी जमींदारी वापिस लेकर नीलामी के द्वारा इसे बेंच सकती थी। इस प्रकार जमींदारों की स्थिति को काफी पराधीन बनाया गया।

जमींदारों पर स्थाई बंदोबस्त का नकारात्मक प्रभाव- इस व्यवस्था के अंतर्गत भूमि कर का 10/11 भाग राज्य को जाता था, जबकि 1/11 भाग जमींदारों को मिलता था। ब्रिटिश के द्वारा मांग किए हुए उच्च कर के भुगतान में जमींदारों को बहुत कठिनाई होने लगी। फलस्वरूप, अनेक जमींदारों ने अपनी जमींदारी खो दी थी। 1794 और 1819 के बीच 68% जमींदारों की भूमि को बंगाल में बेचा गया। कुछ जमींदारों ने उनकी भूमि को छोटे-छोटे भागों में बांटकर उप-धारकों (sub-holders) को लगान पर दे दिया था, जिन्होंने उनसे एक निश्चित लगान के भुगतान का वादा किया था। इसने किसानों के शोषण को और बढ़ा दिया।

स्थाई बंदोबस्त का किसानों/जोतदारों पर नकारात्मक प्रभाव

भूमि पर किसानों के वंशानुगत अधिकारों को लेकर जमींदारों को दे दिया गया था। खेती करने वालों की स्थिति जमींदारों के एक काश्तकार के रूप में हो गई थी। उनको चारागाह, वन भूमि के उपयोग, मछली पालन, सिंचाई, लगान में वृद्धि के विरुद्ध संरक्षण इत्यादि अधिकारों समेत अन्य परंपरागत अधिकारों से वंचित कर दिया गया था।

जो भू-राजस्व निश्चित किया गया था, वह अत्यधिक था। इसे शोषणकारी साधनों के द्वारा ही संग्रहित किया जा सकता था। जहां राज्य की मांग निश्चित थी, वहीं किसानों से लिए जाने वाले लगान को अनिश्चित छोड़ दिया गया। इसने खेत जोतने वाले किसानों की स्थिति को बदतर बना दिया, जिन्हें जमींदारों की दया पर पूर्णतया छोड़ दिया गया था। अत्यधिक लगान, कर्ज और बेदखली आम बातें हो गई थीं। वास्तव में, 1793 और 1799 के नियमनों के अनुसार काश्तकारों के लगान के भुगतान करने में असफल होने पर जमींदार उनकी संपत्ति को जब्त कर सकते थे। इस प्रकार उत्पीड़न को कानूनी रंग दिया गया। इसने जमींदारों को काश्तकारों द्वारा आवश्यक धनराशि का भुगतान न करने पर उन्हें पीटना, कोड़े मारना जैसी गैर-कानूनी विधियों का इस्तेमाल करने के लिए प्रेरित किया। इस प्रकार सरकार, जमींदार और साहूकार के तिहरे बोझ ने कृषकों को कुचल दिया था। राजस्व की अत्यधिक मांग तथा राजस्व के संग्रह और इसकी कार्य प्रणाली में कठोरता के कारण स्थाई बंदोबस्त अंततः टूट गया।

स्थाई बंदोबस्त के अंतर्गत क्षेत्र- स्थाई बंदोबस्त को बंगाल, बिहार, उड़ीसा, उत्तर प्रदेश के वाराणसी और गाजीपुर क्षेत्रों और उत्तरी कर्नाटक में लाया गया। यह ब्रिटिश भारत के **19%** क्षेत्र में फैला हुआ था।

रैयतवाड़ी व्यवस्था (सर थॉमस मुनरो और कैप्टन एलेग्जेंडर रीड के द्वारा, मद्रास, 1820)

स्थाई बंदोबस्त के दोष समय के साथ और बढ़ गए और ब्रिटिश सरकार ने भूमि कर के संग्रह के लिए अन्य माध्यमों को खोजना शुरू कर दिया। साथ ही, दक्षिण और दक्षिण पश्चिम भारत को जीतने के बाद ब्रिटिश को नई चुनौतियों का सामना करना पड़ा।

रैयतवाड़ी व्यवस्था क्या थी?

1792 में मुनरो और दो अधिकारियों को मद्रास के नए जीते हुए क्षेत्रों का प्रशासन करने के लिए भेजा। उन्होंने पाया कि इस क्षेत्र में कोई बड़े जमींदार नहीं हैं, जिनके साथ भू-राजस्व व्यवस्था की जा सके। इस प्रकार उन्होंने सुझाव दिया कि समझौता उनके क्षेत्र के कर-निर्धारण के आधार पर वास्तविक खेती करने वाले किसान अथवा रैयत के साथ करना चाहिए। इस प्रकार रैयतवाड़ी व्यवस्था का उदय हुआ। इस व्यवस्था के अंतर्गत खेती करने वाले को तब तक उसकी भूमि का स्वामी माना जाएगा, जब तक वह भूमि कर का भुगतान करता रहेगा। प्रत्येक क्षेत्र पर भुगतान किए जाने वाले कर का निश्चय एक सरकारी अधिकारी द्वारा किया जाता था और तब खेती करने वाले को चुनना था कि उसे खेती करनी है और निश्चित रकम का भुगतान करना है अथवा नहीं करना। इस व्यवस्था के अंतर्गत बंदोबस्त को स्थाई नहीं किया गया और इसे प्रत्येक वर्ष संशोधित किया जाता था और सामान्यतया राजस्व मांग को बढ़ाया जाता था।

रैयतवाड़ी व्यवस्था के अंतर्गत भूमि का सर्वेक्षण और कर निर्धारण

कर निर्धारण के लिए राजस्व अधिकारी प्रत्येक क्षेत्र का सर्वेक्षण करते थे। मृदा गुणवत्ता के साथ-साथ खेती के क्षेत्र पर विचार करते थे और उसके बाद उनके सर्वेक्षण के आधार पर कर-निर्धारण किया जाता था। इस प्रकार भू-राजस्व निर्धारण एक कठिन कार्य था, हजारों क्षेत्रों (खेतों) का सर्वेक्षण किया जाता था और कर निर्धारण में इस बात का ध्यान रखा जाता था कि सभी क्षेत्रों पर समान रूप से कर का बोझ आये। यदि कर के बोझ को समान रूप से वितरित नहीं किया जाता, तो खेती करने वाले किसान भारी कर वाले क्षेत्र को नहीं लेते थे और वह भूमि बिना खेती किए हुए रह जाती थी।

हालांकि, व्यवहार में मद्रास प्रेसिडेंसी में रैयतवाड़ी व्यवस्था को उस स्वरूप में लागू किया गया, जो मुनरो द्वारा मूल रूप से नहीं दिया गया था। अनेक जिलों में कोई सर्वेक्षण नहीं किया गया और पूर्व के वर्षों में भुगतान किए गए कर के आधार पर कर का निर्धारण किया गया, जिसे पुटकट कर-निर्धारण (putcut assessment) कहा गया। शासकीय अधिकारियों ने भी रैयतों को उनकी इच्छा के विरुद्ध खेती करने के लिए मजबूर करना शुरू कर दिया था और वे कर संग्रह के लिए शोषणकारी विधियों का उपयोग करते थे। इसके बाद ही 1854 में मद्रास प्रताड़ना आयोग (मद्रास टॉर्चर कमीशन) की स्थापना हुई थी।

मद्रास में रैयतवाड़ी को अपनाना (1820)- कुछ आरंभिक प्रयोगों के बाद 1820 में मद्रास प्रेसिडेंसी में रैयतवाड़ी व्यवस्था को अपनाया गया और स्वयं मुनरो को इसके सहज क्रियान्वयन को सुनिश्चित करने के लिए गवर्नर नियुक्त किया गया। मुनरो ने इसके पक्ष में अनेक तर्क दिए। उसने दावा किया कि यह व्यवस्था भारत में पहले से प्रचलित थी और यह भारतीय परिस्थितियों के लिए सबसे उत्तम व्यवस्था है। उसने इस ओर भी इशारा किया कि स्थाई बंदोबस्त से कंपनी को वित्तीय नुकसान हुआ था, क्योंकि इसमें वे कृषि उत्पादकता बढ़ने के साथ बढ़ती आय में अपने भाग पर दावा नहीं कर सकते थे। हालांकि, इस व्यवस्था को मुख्य रूप से इसीलिए अपनाया गया था, क्योंकि अन्य सभी व्यवस्थाओं की अपेक्षा इससे सर्वाधिक राजस्व प्राप्त किया जा सकता था, क्योंकि इसमें कोई जमींदार अथवा मध्यस्थता करने वाला नहीं था।

रैयतवाड़ी व्यवस्था के नकारात्मक प्रभाव- हालांकि, रैयतवाड़ी व्यवस्था से जुड़ी भूमि पर कृषक स्वामित्व की व्यवस्था नहीं लायी। सरकार ने बाद में घोषित किया कि भू-राजस्व लगान है, न कि कर। साथ ही, राजस्व की दर बहुत उच्च (45-50%) निर्धारित जाती थी। सरकार अपनी इच्छा पर इसको बढ़ा सकती थी और रैयत को राजस्व का भुगतान करना होता था, चाहे उसकी फसल पूरी तरह बर्बाद ही क्यों न हो जाए। लगान के संग्रह के लिए प्रताड़ित करने वाली अनेक विधियों का उपयोग किया जाता था। लगान न दिए जाने पर भूमि को जब्त किया जा सकता था।

इस व्यवस्था से व्यापक उत्पीड़न हुआ। किसान गरीबी में डूब गए और साहूकारों (जिनकी स्थिति ब्रिटिश के अधीन बहुत बढ़ चुकी थी) के चंगुल में फंसने लगे थे। ब्रिटिश काल से पहले साहूकार ग्रामीण समुदाय के अधीन होते थे, उन्हें अत्यधिक ब्याज लेने और भूमि जब्त करने की अनुमति नहीं थी। अब उसे नई राजस्व नीतियों, न्याय व्यवस्था और पुलिस से बहुत सहायता मिलने लगी। रैयतवाड़ी व्यवस्था से किसानों की दरिद्रता बढ़ी और परंपरागत कृषक संरचना नष्ट हुई, जो 1867-1878 के दौरान मद्रास-अकाल का एक महत्वपूर्ण कारण बना।

इस व्यवस्था के अंतर्गत शामिल क्षेत्र

- 1792 में **कर्नल रीड** के द्वारा बड़ामहल जिले में पहली बार रैयतवाड़ी व्यवस्था को लागू किया गया।
- 1820 के बाद इस व्यवस्था के अंतर्गत **मद्रास प्रेसिडेंसी** के अधिकांश क्षेत्रों को शामिल किया गया। इसके सहज क्रियान्वयन के लिए मुनरो को मद्रास का गवर्नर नियुक्त किया गया।
- 1825 में इस व्यवस्था को बॉम्बे में लाया गया और 1858 तक इसे संपूर्ण **दक्कन** में लागू किया गया।

इस प्रकार रैयतवाड़ी व्यवस्था को मद्रास, बॉम्बे, पूर्वी बंगाल, असम और कुर्ग में लागू किया गया। इसमें ब्रिटिश भारत का करीब 51% भाग शामिल हुआ।

महलवारी व्यवस्था (उत्तरी भारत, 1822)

महलवारी व्यवस्था क्या थी?

1801 और 1806 के बीच ब्रिटिश ने लॉर्ड वेलेजली की आक्रामक नीतियों के द्वारा उत्तरी भारत में विशाल क्षेत्रों को जीता। 1836 में इस क्षेत्र के प्रशासनिक विभागों द्वारा उत्तर-पश्चिम प्रांत को स्थापित किया गया।

प्रारंभ में, वेलेजली ने अपने अधिकारियों से जहां तक संभव हो जमींदारों के साथ बंदोबस्त करने की आज्ञा दी, बशर्ते वे उच्च भू-राजस्व का भुगतान करने के लिए सहमत हों। लेकिन यदि जमींदार मौजूद न हो और वे उच्च राजस्व का भुगतान करने के लिए सहमत न हों, तो गांव के साथ समझौता किया जा सकेगा, जिसमें ग्राम-प्रमुख या गांव के किसी सम्मानीय रैयत को प्राथमिकता दी जानी थी। अंततः बंगाल के समान ही बंदोबस्त को स्थाई बनाना था।

तदनुसार, भारी भू-राजस्व अधिरोपित किया गया। इसमें 1803-1804 के दौरान 188 लाख रुपए से 1817-1818 तक 297 लाख रुपए की बढ़ोत्तरी हुई। ऐसी भारी बढ़ोत्तरी ने अनेक जमींदारों को प्रतिरोध के लिए उकसाया और उनमें से अनेक को प्रशासन द्वारा निकाल दिया गया। जो भुगतान नहीं कर सकते थे, उनकी संपत्ति को बेच दिया गया। ऐसी स्थिति में यह आवश्यक हो गया था कि कर का संग्रह मुखिया के माध्यम से सीधे गांव से किया जाए। राजस्व दस्तावेजों में ऐसी वित्तीय इकाई के लिए 'मेहर' शब्द का उपयोग किया गया और गांव-दर-गांव आधारित बंदोबस्त को महलवारी बंदोबस्त नाम से जाना गया। इस प्रकार महल शब्द का अर्थ एक गांव अथवा एक जागीर था। इस व्यवस्था के अंतर्गत प्रत्येक महल के साथ राजस्व निश्चित किया गया, न कि किसान से।

महलवाड़ी व्यवस्था का नकारात्मक प्रभाव

अन्य बंदोबस्त के समान ही इस व्यवस्था के अंतर्गत भी भू-राजस्व की मांग अत्यधिक होती थी, जिससे स्थानीय अधिकारियों को बल प्रयोग और भ्रष्टाचार करने का मौका मिल जाता था। प्रारंभिक वर्षों में उनके द्वारा गैरकानूनी ढंग से भूमि का विशाल क्षेत्र प्राप्त कर लिया गया था और जिसने अनेक ग्रामीण जमींदारों को बर्बादी के मुहाने पर ला दिया था। अनेक जमींदार भी साहूकारों और व्यापारियों के चंगुल में फंस गए थे और वे कर्ज का भुगतान न करने पर जमींदारों को काश्तकार की स्थिति में ला देते थे। इस प्रकार 1830 और 1840 के दशक के दौरान उत्तरी भारत में महलवाड़ी व्यवस्था खेतिहर समुदायों के लिए दरिद्रता और बेदखली के रूप में बर्बादी लेकर आई। उनके उबलते असंतोष को 1857 की क्रांति के दौरान अभिव्यक्ति मिली, जब अनेक ग्रामीणों और जमींदारों ने शासकीय अधिकारियों व साहूकारों पर हमला किया और उनके दस्तावेज़ों व बहीखातों को जला दिया था।

1822 का विनियमन- नियंत्रण मण्डल (Board of Directors) के सचिव होल्ट मैकेंजी ने अपने 1819 के ब्यौरे में पहली बार महलवाड़ी व्यवस्था के सिद्धांत को विकसित किया और उन्होंने उत्तरी भारत में ग्रामीण समुदायों के अस्तित्व पर बल दिया। उन्होंने भूमि सर्वेक्षण, भूमि दस्तावेजों की तैयारी, भू-राजस्व का गांव-दर-गांव बंदोबस्त और ग्रामीण मुखिया के माध्यम से भू-राजस्व के संग्रह का सुझाव दिया।

उपर्युक्त सुझावों को 1822 के विनियमन द्वारा विधिक संस्वीकृति प्राप्त हुई। जब जमींदारों के साथ समझौता किया गया, तो राजस्व को लगान मूल्य के 80% निश्चित किया गया और जब खेतिहरों अथवा किसानों के साथ समझौता किया गया, तो राजस्व लगान मूल्य का 95% निश्चित किया गया। राज्य की भारी मांग से बड़े पैमाने पर कष्ट हुआ और इसकी कठोरता के कारण यह व्यवस्था असफल हुई।

1833 का विनियमन- उपर्युक्त 1822 की योजना की विलियम बेंटिक द्वारा समीक्षा की गई और उसने सुधार करने का प्रयत्न किया एवं लंबे परामर्श के बाद 1833 में एक विनियमन पारित किया। नई योजना के अनुसार राजस्व को लगान मूल्य का 66% निश्चित किया गया। महल को आंतरिक समायोजन करने की शक्ति दी गई और यह समझौता 30 वर्षों के लिए किया गया। इसमें मिट्टी के विभिन्न वर्गों के लिए औसत लगान के उपयोग करने की व्यवस्था का सुझाव दिया और पहली बार कर-निर्धारण के लिए क्षेत्र-मानचित्र (field maps) और क्षेत्र-रजिस्टर (field registers) के उपयोग का सुझाव दिया गया।

इस समझौते के कार्य की शुरुआत रॉबर्ट मार्टिंस बर्ड के नेतृत्व में हुई, उन्हें उत्तरी भारत में भूमि समझौते का जनक भी कहा जाता है और इसका कार्य जेम्स थॉमसन (लेफ्टिनेंट गवर्नर, 1843-1853) के प्रशासन के अधीन पूर्ण हुआ।

यहां तक कि 66% लगान की मांग भी शोषणकारी थी और इसे 1855 में डलहौजी के द्वारा घटाकर 50% कर दिया गया। हालांकि, भ्रष्ट समझौता-अधिकारियों द्वारा इसके कार्य के क्रियांवयन को टाल दिया गया। इस प्रकार इस व्यवस्था ने खेती करने वाले वर्गों का बड़े पैमाने पर शोषण किया और जिनका 1857-1858 के जन-विद्रोह के दौरान असंतोष फूट पड़ा।

इस व्यवस्था के अंतर्गत उत्तर पश्चिम प्रांत (अवध, गंगा घाटी अथवा संयुक्त प्रांत), पंजाब प्रांत और मध्य प्रांत शामिल थे। इसके अंतर्गत ब्रिटिश भारत का 30% क्षेत्र अच्छादित हुआ।

इन भू-राजस्व बंदोबस्त का आर्थिक प्रभाव

ब्रिटिश द्वारा प्रारंभ किए गए इस प्रकार के अनेक भू-राजस्व बंदोबस्तों का अर्थ भूस्वामियों की जमीनों का खोना एवं जमींदारों व किसानों पर भारी करारोपण था। इन सभी व्यवस्थाओं के अंतर्गत भू-राजस्व निर्धारण अत्यधिक शोषणकारी था, जो लगभग उत्पाद का 50% और उससे भी अधिक पहुंच जाता था एवं यहां तक कि फसल के बर्बाद होने के बाद भी कर की उगाही की जाती थी। ऐसी परिस्थितियों में किसानों के पास स्थानीय साहूकारों से कर्ज लेने के अलावा और कोई विकल्प नहीं होता था, जो उनसे अत्यधिक ब्याज लेते थे। स्थिति और बदतर तब बन जाती थी, जब राजस्व संग्रह के लिए अमानवीय विधियों का उपयोग किया जाता था। ब्रिटिश की भू-राजस्व नीति का प्रभाव शोषण, बेदखली, दरिद्रता और कृषक वर्गों के लिए अत्यधिक दयनीय परिस्थिति के रूप में सामने आया। इनमें से अधिकतर ने 1857 की क्रांति में सहभागिता की।

किसानों के शोषण का सीधा परिणाम विकासहीनता और कृषि के ह्रास के रूप में सामने आया। सरकार ने भी उत्तरदायित्व का त्याग कर दिया था और कृषि सुधार, कृषि शिक्षा अथवा लोक निर्माण के कार्यों पर विरले ही खर्च किया।

भारी कर के बोझ ने भूमि से जुड़े बाजार को विकृत कर दिया था। ब्रिटिश ने भूमि को एक वस्तु बना दिया था, जिसे आसानी से खरीदा और बेचा जा सकता था, ऐसा परिवर्तन सरकार की आय को सुरक्षित करने के लिए किया गया था। यदि भूमि को बेचने या गिरवी रखने योग्य नहीं बनाया गया होता, तो सरकार के लिए बाकीदार से राजस्व संग्रह करना बहुत कठिन हो जाता। अब ऐसे बाकीदार किसान अपनी भूमि की जमानत पर उधार लेकर अथवा इसके कुछ भाग को बेचकर राजस्व का भुगतान कर सकते थे। सरकार भी भूमि को नीलाम करके अपनी रकम प्राप्त कर सकती थी। यह भारत की भूमि व्यवस्था में एक बड़ा परिवर्तन था, जिसने ग्रामीण समाज और अर्थव्यवस्था की सम्पूर्ण संरचना को हिला दिया था। समय गुजरने के साथ भूमि ने भी अपना मूल्य खो दिया, क्योंकि अब कोई उसे खरीदना नहीं चाहता था। इसका कारण था कि नए स्वामी को भारी भू-राजस्व का भुगतान करना होता था।

वास्तव में, नई और भ्रष्ट न्यायिक एवं प्रशासनिक व्यवस्था के साथ ईस्ट इंडिया कंपनी की नई भू-राजस्व व्यवस्था ने प्राचीन ग्रामीण समुदायों की संपूर्ण सामाजिक, राजनीतिक एवं आर्थिक संरचना को तोड़ दिया था। सामाजिक रुप से, नए वर्गों

का निर्माण हुआ, भूस्वामी, व्यापारी, साहूकार और भूमि आधारित नए कुलीन वर्ग उभरे। ग्रामीण गरीबों की संख्या में वृद्धि हुई, जिनमें छोटे किसान, उप-काश्तकार और कृषक-श्रमिक शामिल थे। सहयोग के वातावरण का स्थान क्रमशः प्रतियोगिता और व्यक्तिवाद ने ले लिया था। राजनीतिक रूप से, ग्रामीण पंचायतों को उनके मुख्य कार्यों जैसे भूमि का बंदोबस्त, न्यायिक व कार्यकारी कार्यों से वंचित कर दिया गया।आर्थिक रूप से, कृषि एक अलाभकारी आर्थिक गतिविधि बनने लगी और अकाल के बादल भारतीयों के जीवन में छाने लगे। निःसन्देह, भारत में ग्रामीण पिछड़ापन ब्रिटिश औपनिवेशिक शासन की एक विरासत है।

भारत में ब्रिटिश शासन का आर्थिक प्रभाव

ईस्ट इंडिया कंपनी (1755-1857) के अधीन ब्रिटिश शासन के आर्थिक प्रभाव, जिसे भारतीय अर्थव्यवस्था के उपनिवेशीकरण की प्रक्रिया भी कहा जाता है, को निम्न बिंदुओं में समझा जा सकता है।

1. परंपरागत अर्थव्यवस्था का विघटन
2. किसानों और कृषि का विनाश
3. पुराने जमींदारों का नष्ट होना और नए भूमि आधारित वर्गों का उदय
4. दस्तकारों और शिल्पकारों का नष्ट होना, भारतीय अर्थव्यवस्था का वि-औद्योगीकरण और ग्रामीणीकरण
5. कृषि का व्यवसायीकरण
6. धन का निर्गम
7. गरीबी एवं अकाल
8. ब्रिटिश के अधीन आधुनिक उद्योगों का उदय
9. नए भारतीय बुर्जुआ का उदय

1. परंपरागत अर्थव्यवस्था का विनाश

ब्रिटिश सर्वोच्चता का उदय भारतीय अर्थव्यवस्था को अधीनता की ओर ले गया। यह उदय ब्रिटिश शासकों के हितों और आवश्यकताओं के अनुसार था, जिनका उद्देश्य भारतीय संसाधनों का शोषण करना और भारतीय जनता की कीमत पर अपने देश के लोगों को समृद्ध बनाना था। ब्रिटिश आर्थिक नीतियों जैसे नई भू-राजस्व नीतियां, भेदभावपूर्ण व्यापारिक प्रतिबंध, बाजारों के प्रभुत्व और निरंतर विजय का भारतीय जनता के सभी वर्गों पर नकारात्मक प्रभाव पड़ा। ब्रिटिश नीतियों से भारतीय कृषि, व्यापार और उद्योग का विनाश हुआ और परंपरागत आर्थिक संरचना के पूर्ण विघटन के रूप में इसका परिणाम सामने आया।

2. कृषि और किसानों का विनाश

विभिन्न भू-राजस्व बंदोबस्त के आर्थिक प्रभाव को इसके अंतर्गत समझा सकता है।

3. पुराने जमींदारों का विनाश और भूमि आधारित नए वर्गों का उदय

पुराने जमींदारों का स्थान भू-स्वामियों की एक नए वर्ग ने ले लिया था, विशेष तौर पर वॉरेन हेस्टिंग्स की भू-राजस्व व्यवस्था के अंतर्गत। 1815 तक लगभग बंगाल के सभी बड़े जमींदार बर्बाद हो चुके थे और उनका स्थान व्यापारियों व धनी वर्गों ने ले लिया था, जो शहरों में रहते थे और उनका भूमि में कोई स्थाई हित नहीं था और उनका उद्देश्य अपने समझौते के काल के दौरान जितना संभव हो अधिक राजस्व प्राप्त करना था। स्पष्ट रूप से, ऐसी व्यवस्था ने किसानों की दरिद्रता एवं कृषि के ह्रास व विकासहीनता को बढ़ा दिया।

4. शिल्पकार और दस्तकारों का विनाश, वि-औद्योगीकरण एवं भारतीय अर्थव्यवस्था का ग्रामीणीकरण

वि-औद्योगीकरण सतत औद्योगिक पतन की प्रक्रिया को इंगित करता है। भारत के संदर्भ में यह परंपरागत उद्योगों के विनाश को इंगित करता है, जो भारत में ब्रिटिश शासन के प्रारंभिक परिणाम में से एक था। कपास कातने और बुनने के उद्योगों पर सबसे बुरा प्रभाव पड़ा है। आश्चर्यजनक रूप से, जहां एक ओर भारत के परंपरागत निर्माण क्षेत्र कंपनी के अधीन धीरे-धीरे कमजोर हो रहे थे, वहीं दूसरी ओर उसी काल में ब्रिटेन में औद्योगिक क्रांति शुरू हो चुकी थी। भारत से प्राप्त धन की इंगलैंड में पूंजी के संग्रह में एक महत्वपूर्ण भूमिका थी, जिसकी औद्योगीकरण के लिए आवश्यकता थी।

ब्रिटिश शासन के अधीन वि-औद्योगीकरण के निम्नलिखित कारण थे-

- **राजनीतिक शक्ति का दुरुपयोग**- ब्रिटिश राजनीतिक शक्ति का उपयोग बुनकरों और शिल्पकारों को उनके उत्पादों को कम कीमत पर बेचने के लिए डराने धमकाने में करते थे। इसने अनेक को अपना व्यवसाय छोड़ने के लिए मजबूर कर दिया था। खतबंदी व्यवस्था ने वास्तव में बुनकरों को बंधुआ मजदूर की स्थिति में ला दिया था।
- **क्रेता के बाजार का निर्माण**- ब्रिटिश ने क्रेता के लिए बाजार का निर्माण किया, जहां क्रेता कीमत निर्धारित कर सकता था। यह क्रेता से तात्पर्य अंग्रेजी कंपनी और उसके अधिकारी व कर्मचारी से है।
- **क्षेत्रीय शक्तियों और उनके दरबारों का विनाश**- देशी रियासतें हस्तशिल्प के लिए सबसे बड़े क्रेता के रूप में उभरी थीं। उनके पतन ने इन उद्योगों को एक बड़ा झटका दिया।
- **भारतीय शिक्षित मध्यवर्ग का पश्चिमीकरण**- यह वर्ग यूरोपीय शैली की नकल करते थे और प्रत्येक भारतीय वस्तु का तिरस्कार करते थे।
- **आयात प्रतिबंध**- इसने भारतीय शिल्पकारों के विदेशी बाजार को नष्ट कर दिया।
- **भारत के साथ ब्रिटिश की मुक्त व्यापार की बाध्यकारी नीति**- भारतीय उद्योगों को संरक्षण प्रदान करने के स्थान पर ब्रिटिश ने भारतीय बाजार को ब्रिटिश उत्पादित वस्तुओं के लिए खोल दिया था। इस प्रकार भारतीय शिल्पकारों के गृह बाजार को भी नष्ट कर दिया था।
- **रेलवे का विकास**- अन्य वस्तुओं के अलावा सरकार की रेलवे नीति भारतीय वस्तुओं के विरुद्ध में थी। जैसे- भारतीय वस्तुओं का परिवहन ब्रिटिश वस्तुओं की अपेक्षा महंगा था।
- **शासकीय समर्थन का अभाव**- ब्रिटिश सरकार ने भारी अथवा पूंजी आधारित उद्योगों के लिए वित्तीय अथवा किसी प्रकार का समर्थन नहीं दिया। (भारत में पहली स्टील का उत्पादन बहुत देर से 1913 में हुआ।)
- सस्ते कृत्रिम रंजक के आयात ने भारतीय गांवों के रंजक उद्योगों को नष्ट कर दिया था।
- भारत से कच्चे माल का निर्यात।
- भारत में ब्रिटिश निर्माताओं को विशेष अधिकार प्रदान करना।

भारतीय उद्योगों के विनाश को प्रसिद्ध औद्योगिक केंद्रों जैसे ढाका, सूरत और मुर्शिदाबाद के पतन में देखा जा सकता था। हस्तशिल्प उद्योग के विनाश ने गांवों की स्वतंत्रता को नष्ट कर दिया था और शिल्पकारों को उनके व्यवसाय को छोड़कर श्रमिक बनने पर मजबूर कर दिया था, जिसने अर्थव्यवस्था को मुख्य रूप से कृषक अर्थव्यवस्था बना दिया था।

भारतीय जनता के जीवन निर्वाह के लिए कृषि पर बढ़ती निर्भरता, कृषि आधारित वस्तुओं व कच्चे माल को उत्पादित करने व औद्योगिक विकास को नजरअंदाज करने की बढ़ती प्रवृत्ति को अनेक इतिहासकारों ने ग्रामीणीकरण अथवा भारतीय अर्थव्यवस्था के कृषीकरण की ओर एक प्रवाह के रूप मेंवर्णन किया है। सूती वस्त्र उद्योग में इस परिवर्तन को स्पष्ट रूप से देखा जा सकता था, भारत जो शताब्दियों से सूती वस्तुओं का सबसे बड़ा निर्यातक देश था, अब वह कपास से निर्मित वस्तुओं का एक आयातक और कच्चे कपास का निर्यातक बन गया था। यह वि-औद्योगीकरण का एक सीधा परिणाम था।

5. कृषि का व्यवसायीकरण

व्यवसायीकरण का सीधा अर्थ है पारिवारिक उपभोग की अपेक्षा बाजार में विक्रय हेतु कृषि फसलों का उत्पादन। कृषि का व्यवसायीकरण भारतीय शासकों के अधीन भी प्रचलित था, उदाहरण के लिए कृषक भू-राजस्व का भुगतान करने के लिए धन प्राप्ति हेतु अपने उत्पाद बेचते थे। लेकिन ईस्ट इंडिया कंपनी के अधीन व्यवसायीकरण कई तरीके से अलग था-

- **बलपूर्वक व्यवसायीकरण**- कंपनी के शासन के अधीन भारतीय किसानों के लिए व्यवसायीकरण बल पर आधारित एक प्रक्रिया थी। किसानों को अक्सर राज्य की उच्च भू-राजस्व की मांग की पूर्ति और साहूकार के ब्याज का भुगतान करने के लिए शीघ्रता से अपने उत्पाद का एक भाग, जितनी भी कीमत मिले, बेचना पड़ता था।
- **चयनात्मक व्यवसायीकरण**- प्रारंभ में कंपनी भी भारतीय उत्पादों, विशेषकर वस्त्रों, का निर्यात करती थी। लेकिन औद्योगिक क्रांति के बाद ब्रिटेन में कपास मिल उद्योग विकसित हुए। शीघ्र ही, मिल मालिकों ने ईस्ट इंडिया कंपनी के विरुद्ध दावा किया कि भारतीय वस्त्र उनके व्यापार को नुकसान पहुंचा रहे हैं। कंपनी को अब निर्यात के एक अन्य सुरक्षित विकल्प को प्रोत्साहित करने के लिए मजबूर किया गया और कृषि उत्पाद उन्हें एक विकल्प मिला। यह उत्पाद ब्रिटिश उत्पादों के साथ प्रतिस्पर्धा नहीं कर सकते थे और ब्रिटिश उद्योग के लिए कच्चे माल के रूप में भी उनका उपयोग किया जा सकता था। इस प्रकार ईस्ट इंडिया कंपनी ने एक व्यापारिक कंपनी होने के कारण उन फसलों और कृषि उत्पादों का व्यवसायीकरण किया, जो ब्रिटिश उत्पादों के साथ प्रतिस्पर्धा नहीं कर सकते थे और उस समय यूरोपीय बाजार में उनकी मांग होती थी (जैसे नील, कपास, कच्चा रेशम, अफीम, काली मिर्च, चाय, शकर इत्यादि)। इन सबको भारत में खाद्य उत्पादों से अधिक प्राथमिकता से बोया गया।

  साथ ही, ब्रिटिश चीन से चाय खरीदते थे और चीनियों को चांदी का भुगतान करते थे, क्योंकि वे पश्चिमी वस्तुएं नहीं चाहते थे। लेकिन चीनी लोग भारतीय उत्पादों जैसे हाथी दांत, कच्चा कपास और अफीम खरीदते थे। इस प्रकार ब्रिटिश ईस्ट इंडिया कंपनी ने क्रमशः इन वस्तुओं का व्यवसायीकरण किया- भारतीय उत्पादों के बदले चाय प्राप्त की जा सकती थी। इस व्यापार को त्रिभुजीय व्यापार के नाम से जाना गया और इसके मुख्य व्यापारिक केंद्र कलकत्ता, कैंटोन और लंदन थे। जिससे लंदन में धन का संचय हो रहा था।
- **धन का निर्गम**- शुरुआत में भारत में ब्रिटिश वस्तुओं की मांग कम थी। इसलिए कंपनी सोना एवं चांदी से भारतीय वस्तुओं को खरीदती थी। बंगाल की विजय के बाद उसने भारतीय जनता से प्राप्त राजस्व से इन वस्तुओं को खरीदना शुरू कर दिया था। इसका परिणाम भारत से धन के निर्गम के रूप में सामने आया।

> **कौनसी फसलों का व्यवसायीकरण किया गया और क्यों?**
> व्यवसायी फसलों में नील, कपास, कच्चा रेशम, अफीम, काली मिर्च, चीनी और चाय शामिल थे। उन फसलों का व्यवसायीकरण किया गया, जिनकी यूरोपीय बाजार में मांग थी और जो ब्रिटिश उत्पादों के साथ प्रतिस्पर्धा में नहीं थे। कच्चे रेशम और कच्चे कपास को ब्रिटेन में उत्पादित नहीं किया जा सकता था। नील, वस्त्र-रंजक की ब्रिटिश बाजार में आवश्यकता थी। ब्रिटिश ने असम में चाय की खेती का व्यवसायीकरण किया, क्योंकि वे चाय के लिए चीन पर निर्भर नहीं रहना चाहते थे। इनमें से कोई भी वस्तु किसी भी ब्रिटिश उत्पाद के साथ प्रतिस्पर्धा में नहीं थी।

कृषि के व्यवसायीकरण का प्रभाव- ब्रिटिश के द्वारा कृषि के व्यवसायीकरण के कुछ सामान्य प्रभाव इस प्रकार हैं-

- भारतीय किसानों का शोषण- चाय को छोड़कर बाकी सभी फसलों का उत्पादन किराए के श्रमिकों द्वारा नहीं किया जाता था। नील की आपूर्ति के लिए ऐसी व्यवस्था की गई थी कि बहुत कम कीमत पर आवश्यक उत्पाद की आपूर्ति हेतु छोटे किसानों को मजबूर किया जाता था। इस प्रकार छोटे किसान की उत्पादन की तत्कालीन संरचना को ही व्यवसायिक उत्पादन में बदल दियय गया, जिसने किसानों की दरिद्रता को बढ़ाया। यूरोपीय व्यवसायियों ने किराए के

श्रमिकों से सीधे उत्पादन करवाने की अपेक्षा छोटे किसानों से ही काम लेने को लाभदायक पाया। साथ ही, भारतीय किसानों को अक्सर उनकी इच्छा के विरुद्ध ऐसी फसलें उगाने के लिए मजबूर किया जाता था। जिनको कम-से-कम कीमत पर ब्रिटिश को बेचने के लिए भी मजबूर किया जाता था।

- **बाजार अस्थिरता**- भारत में कृषि पहले से ही अनेक समस्याओं से ग्रसित थी, लेकिन कृषि के व्यवसायीकरण ने एक अन्य समस्या- विश्व बाजार के व्यापक उतार-चढ़ाव से जुड़ी अस्थिरता को जन्म दिया। उदाहरणस्वरूप, 1816 के बाद बुंदेलखंड चीन के लिए कपास उगाता था। यह दावा करके कि यह क्षेत्र बहुत समृद्ध हो चुका है, ब्रिटिश अधिकारियों ने भू-राजस्व में वृद्धि कर दी थी। लेकिन जब 1830 के दशक में निर्यात में कमी आई और कीमत में गिरावट हुई, तो करों को कम नहीं किया गया। करों में वृद्धि ने भूस्वामियों और किसानों दोनों को ही गरीबी की तरफ धकेल दिया गया और भूमि का बड़ा क्षेत्र बिना खेती के रह गया, परिणामस्वरूप 1842 में बुंदेला विद्रोह हुआ।
- **अकाल**- कृषि के व्यवसायीकरण के कारण खाद्यान्न फसलों का स्थान व्यवसाय फसलों ने लिया और कई बार लाभ न होने के कारण भूमि को बिना खेती किए हुए छोड़ दिया जाता था, जिससे अकाल की परिस्थिति उत्पंन होने लगी।
- **भारत की निर्धनता**- आप देख चुके हैं कि फसलों को ब्रिटेन निर्यात के लिए बेचा जाता था। इन्हें भारत में ब्रिटिश प्रदेशों से संग्रहित भू-राजस्व से खरीदा जाता था और इसे ब्रिटेन में भेंट के रूप में स्थानांतरित कर दिया जाता था। इस प्रकार ऐसे निर्यात भारत से संसाधनों को प्रेषित करते थे, जबकि भारत बदले में आयात में कुछ भी प्राप्त नहीं करता था। इस प्रकार के स्थानांतरण ने स्वाभाविक रूप से भारत को निर्धन बना दिया।

6. धन का निर्गम

भारत से इंग्लैंड की ओर धन के इस सतत स्थानांतरण को, जिसमें भारत को बदले में पर्याप्त आर्थिक या भौतिक लाभ प्राप्त नहीं हुआ, को भारतीय अर्थशास्त्रियों और राष्ट्रीय नेतृत्वकर्ताओं द्वारा भारत से धन के निर्गम के रूप में परिभाषित किया गया। यह उन सभी भुगतानों को इंगित करता है, जो भारत द्वारा ब्रिटेन को बिना पर्याप्त प्रतिलाभ या उत्तरदायित्व के किए जाते थे। इसे कंपनी की सरकार द्वारा ब्रिटेन को भेजे जाने वाला भारतीय भेंट/उपहार के रूप में वर्णन किया जाता था। निर्गम सिद्धांत का मुख्य बिंदु यह था कि भारत का राष्ट्रीय उत्पाद का एक बड़ा भाग भारतीय जनता के उपभोग के लिए उपलब्ध नहीं होता था, अपितु उसे राजनीतिक अधीनता के कारण इंग्लैंड भेजा जाता था।

ब्रिटिश शासन की विशेष देन- यह धन का निर्गम केवल ब्रिटिश शासन के दौरान हुआ। विदेशी शासकों सहित सभी पूर्ववर्ती भारतीय शासक अंततः भारत में बसे और भारत को अपना घर बनाया। उन्होंने सड़कों और नहरों, मंदिरों और मस्जिदों को, यहां तक कि अपने व्यक्तिगत विलासिता पर खर्च किया, लेकिन धन भारत में ही बना रहा। उन्होंने भारतीय व्यापार और उद्योग को भी प्रोत्साहित किया और भारतीयों को रोजगार भी प्रदान किया, लेकिन ऐसा ब्रिटेन के साथ नहीं था। लगभग सभी अंग्रेजों ने जितना संभव हो धन लेकर भारत से ब्रिटेन वापस जाने की योजना बनाई थी। ब्रिटिश लोग भारत में शाश्वत विदेशी बनकर रहे।

लूट की ब्रिटिश विधियों की तुलना मध्यकालीन आक्रांताओं और शासकों से करते हुए इतिहासकारों ने इस बात पर ध्यान केंद्रित किया है, कि जहां पुराने समय की लूट केवल अमीर व्यक्तियों के घरों तक सीमित थी, वहीं औपनिवेशिक लूट अपने निम्नतम स्तर तक और दूरस्थ स्थानों तक पहुंच गई थी।

धन के निर्गम के स्वरूप- भारत से धन का निर्गम 1757 में तब शुरू होता है, जब कंपनी के अधिकारी व कर्मचारी भारतीय शासकों के साथ-साथ आम जनता से रिश्वत और जबरन वसूली से प्राप्त धन अपने गृह-राज्य ले जाते हैं। इस प्रकार भारत से धन का निर्गम निम्नलिखित तरीकों से जारी रहा-

1. बंगाल से संग्रह किए गए भू-राजस्व का उपयोग निर्यात के लिए वस्तुएं खरीदने में किया जाने लगा था। अन्य शब्दों में, कंपनी ने अपने क्षेत्रीय राजस्व का उपयोग व्यवसाय के लिए धन प्रदान करने और व्यवसायिक राजस्व निर्मित करने में किया। इस प्रकार ईस्ट इंडिया कंपनी ने एक आत्मनिर्भर व्यवस्था बनाई, जिसे अब इंग्लैंड से धन की आवश्यकता नहीं थी।
2. धन का निर्गम इंग्लैंड को कंपनी के विप्रेषण (remittance) के रूप में भी हुआ। इस विप्रेषण में कंपनी के कर्मचारियों के वेतन और पेंशन, इंग्लैंड में कंपनी द्वारा लिए गए कर्ज के ब्याज और कंपनी के स्टॉक होल्डर्स के लाभांश के भुगतान शामिल थे।
3. धन का निर्गम जहाज कंपनियों, बीमा कंपनियों और बैंकों को भुगतान के रूप में भी हुआ।
4. विदेशी पूंजी निवेश पर ब्याज के रूप में भी भारत से धन का निर्गम हुआ। उदाहरण के लिए, रेलवे कंपनियों से जुड़े अंग्रेज निवेशकों को भारतीय करदाताओं के धन से ब्याज का भुगतान किया जाता था।

धन के निर्गम का आर्थिक प्रभाव

- निर्गम ने नकारात्मक रूप से भारत में आय और रोजगार की संभावना को प्रभावित किया।
- इसने भारत में पूंजी के संचय को नियंत्रित किया और इस प्रकार भारत में औद्योगीकरण को धीमा बना दिया।
- भारत से धन का निर्गम इंग्लैंड में पूंजी के संचय की ओर ले गया और वहां औद्योगिक क्रांति में सहभागी बना।
- इस पूंजी का एक भाग वित्तीय पूंजी के रूप में पुनः भारत पहुंचा, जिस पर भारत को ब्याज का भुगतान करना होता था और इस प्रकार उसके धन का पुनः निर्गम हुआ।

7. निर्धनता एवं अकाल

ब्रिटिश के अधीन भारतीय अर्थव्यवस्था अपने निम्नतम स्तर तक पहुंची और जनता के बीच गरीबी और भुखमरी फैली। यद्यपि भारत में अकाल के अनेक कारण थे, जैसे- बारिश का न होना, ब्रिटिश और क्षेत्रीय शक्तियों के बीच निरंतर युद्ध का होना और ब्रिटिश आर्थिक नीतियां। इन कारणों से 18वीं शताब्दी के दूसरे भाग में अनेक अकाल पड़े (बाद में 19वीं शताब्दी में भी ऐसे अकाल पड़े)।

भारत की गरीबी की एक उल्लेखनीय विशेषता यह थी कि यह कृत्रिम थी, न कि प्राकृतिक। ब्रिटिश काल के पहले भारत पश्चिम से अधिक पिछड़ा हुआ नहीं था। यह एक संयोग ही था कि बंगाल की लूट (1757) के बाद ब्रिटेन में औद्योगिक क्रांति (1760) हुई। जहां एक ओर, यूरोप में अगले 100 सालों तक औद्योगीकरण और आधुनिकीकरण को देखा गया, वहीं दूसरी ओर भारत में उपनिवेशवाद का सबसे बुरा स्वरूप देखा गया।

8. ब्रिटिश के अधीन आधुनिक उद्योगों का उदय

ब्रिटिश की भारत में आर्थिक अथवा औद्योगिक विकास लाने की कोई योजना नहीं थी। हालांकि, यह बेहतर साम्राज्य नियंत्रण और भारतीय संसाधनों के पूर्ण शोषण की आवश्यकता ही थी कि उन्होंने सड़कें बनवाई, रेलवे लाइन बिछाई, डाक और टेलीग्राफ को विकसित किया, बंदरगाह, सिंचाई कार्य, बैंकिंग, बीमा की सुविधाएं इत्यादि विकसित की गई और ये सभी भारत में आधुनिक उद्योग के उद्‌भव के भौतिक आधार बने।

सीमित औद्योगिक विकास का एक महत्वपूर्ण सामाजिक परिणाम औद्योगिक पूंजीवादी वर्ग और श्रमिक वर्ग का उद्‌भव होना था। यद्यपि ये वर्ग भारतीय जनसंख्या के एक अति सूक्ष्म भाग से थे, लेकिन वे नई तकनीक, नए सामाजिक संबंधों और नए दृष्टिकोण का प्रतिनिधित्व करते थे, जिसने 19वीं और 20वीं शताब्दी में आर्थिक और राजनीतिक सहयोग किया।

सड़क एवं भारतीय रेलवे- 1850 के दशक तक भारत में यातायात का अर्थ केवल पशुओं द्वारा चलाए जाने वाली बैलगाड़ी तक सीमित था। आंतरिक और बाहरी भय से साम्राज्य की सुरक्षा की आवश्यकता से प्रेरित होकर और भारतीय संसाधनों के पूर्ण शोषण के लिए ब्रिटिश ने सड़क मार्ग, रेल मार्ग और जलमार्ग का विकास करना शुरू किया-

- 1839 में कलकत्ता से दिल्ली तक **ग्रैंड ट्रंक रोड** का कार्य शुरू हुआ और 1850 के दशक में पूर्ण हुआ।
- पहला रेलवे इंजन **जॉर्ज स्टीफनसन** द्वारा बनाया गया। 1814 में पहली बार इसे रेल में लगाया गया।
- 1848 में **लॉर्ड डलहौजी** भारत के गवर्नर जनरल बने और उन्होंने तेजी से रेलवे निर्माण की वकालत की।
- 1853 में ग्रेट इंडियन पेनिनसुला रेलवे के द्वारा **बॉम्बे और ठाणे** के बीच पहली रेलवे लाइन बिछाई गई।
- 1854 में ईस्ट इंडिया रेलवे द्वारा **कलकत्ता और रानीगंज** के बीच 120 मील लम्बी रेलवे लाइन बिछाई गई।

भारतीय रेलवे

डाक व्यवस्था एवं टेलीग्राफ

- संचार के लिए ब्रिटिश ने दक्ष डाक व्यवस्था स्थापित की। डलहौजी ने भारत में पहले डाक टिकिट की शुरुआत की।
- टेलीग्राफ को भी शुरू किया गया।
- **1853** में पहली टेलीग्राफ लाइन कलकत्ता से आगरा के बीच खोली गई।

प्रेस

- सोलवीं शताब्दी में पुर्तगालियों द्वारा भारत में पहली बार प्रेस की शुरुआत हुई।
- समाचार पत्र प्रकाशित करने का पहला प्रयास ईस्ट इंडिया कंपनी के असंतुष्ट कर्मचारियों ने किया।
- 1780 में भारत में पहले समाचार पत्र का प्रकाशन जेम्स ऑगस्टस हिक्की द्वारा किया गया, जिसका शीर्षक **'दी बंगाल गजट'** था।

9. नए भारतीय बुर्जुआ का उदय

कुछ भारतीय व्यापारियों, साहूकारों और बैंकर कुछ धन इकट्ठा करके अंग्रेजी व्यापारियों के कनिष्ठ साझेदार के रूप में उभरे और इस प्रकार एक नए भारतीय मध्यम वर्ग का उदय हुआ। भारतीय व्यापारियों ने भारत के दूरस्थ क्षेत्रों में ब्रिटिश निर्मित वस्तुओं के वितरण में और ब्रिटेन के लिए निर्यात हेतु कच्चे माल के संग्रहण में सहायता की। तनाव के समय साहूकार किसानों को धन उधार देते थे और सरकार द्वारा भू-राजस्व के संग्रह को सुनिश्चित करते थे। बैंकरों ने उनके व्यवसाय और अन्य वित्तीय लेन-देन में सहायता की।

यही वर्ग था जो शुरुआत में पश्चिमीकृत के वफादर बने, लेकिन बाद में शिक्षित भारतीय बुद्धिजीवी के रूप में विकसित हुए और 19वीं सदी के दूसरे भाग में राष्ट्रीय आंदोलन के ध्वज को ऊंचा किया। उनमें से एक कपास व्यापारी दादा भाई नौरोजी (1825-1917) थे, जिन्होंने अपना पूरा जीवन भारत में एक राष्ट्रीय आंदोलन के निर्माण में समर्पित कर दिया था।

फास्ट फॉरवर्ड (Fast Forward)

रेलवे

- 1869 तक 6000 किलोमीटर से भी अधिक रेलवे का निर्माण गारंटीड कंपनी द्वारा किया गया, लेकिन यह व्यवस्था अत्यधिक खर्चीली साबित हुई और 1869 में सरकार ने राज्य उद्यम के रूप में नई रेलवे बनाने का निर्णय लिया। 1880 के बाद उन्होंने निजी उद्यम के माध्यम से भी निर्माण कार्य शुरू किया।
- 1905 तक करीब 45,000 किलोमीटर रेलवे का निर्माण किया गया।

बहुराष्ट्रीय कंपनियां

- अनेक बहुराष्ट्रीय कंपनियों (Multinational Companies) ने भारत में सहायक कंपनियों के रूप में कार्य करना शुरू किया और भारतीय अर्थव्यवस्था के लगभग प्रत्येक क्षेत्र में उन्होंने अपने पैर जमाए।
- इन बहुराष्ट्रीय कंपनियों में हिंदुस्तान लीवर लिमिटेड, डनलप, आई.टी.सी., यूनियन कार्बाइड, अशोक लीलैंड, इंपीरियल केमिकल और अन्य शामिल थे। स्वाधीनता के बाद भी इन बहुराष्ट्रीय कंपनियों ने भारतीय बाजार में अपनी मजबूती को बनाए रखा।

फास्ट फॉरवर्ड (Fast Forward)

भारतीय पूंजीपति वर्ग की उन्नति- भारत में औद्योगीकरण जो 19वीं शताब्दी के दूसरे भाग में शुरू हुआ, वह ब्रिटिश वि-औद्योगीकरण की नीतियों के प्रति एक प्रतिक्रिया के रूप में शुरू हुआ था। राष्ट्रवादी नेताओं ने अनुभव किया था कि देश की आर्थिक प्रगति के लिए औद्योगीकरण पहली शर्त है। स्वदेशी आंदोलन, जिसने भारत में बनी वस्तुओं पर बल दिया था, आधुनिक देशी उद्योग के नींव के लिए आवश्यक समझा गया था।

- महादेव गोविंद रानाडे पहले नेता थे, जिन्होंने देशवासियों से उद्योगों को स्थापित करने की अपील की थी।
- 1870 में के.टी. तेलंग और फिरोजशाह मेहता ने बॉम्बे में एक साबुन का कारखाना शुरू किया और अन्य भारतीयों के सामने एक उदाहरण प्रस्तुत किया।
- पंजाब नेशनल बैंक के निदेशक के रूप में लाला लाजपत राय ने उद्योगों की स्थापना के लिए लोगों की सहायता की थी।

सूती वस्त्र उद्योग- स्थानीय पूंजी की सहायता से 1850 के दशक में इस उद्योग की नींव रखी गई। वस्त्र उद्योग ने सबसे पहले पारसी और गुजराती उद्यमियों का ध्यान आकर्षित किया था। बॉम्बे के पास आवश्यक वातावरण जैसे- कच्चा माल, सस्ते श्रम की उपलब्धता और यहां तक कि वस्तुओं के लिए तैयार बाजार था।

- 1818 में कलकत्ता में एक मिल स्थापित की गई, लेकिन यह एक अपवाद ही था और यह उद्योग बॉम्बे के आसपास ही केंद्रित बना रहा।
- 1853 में पारसी कावसजी नानाभाई डामर द्वारा बॉम्बे में पहला कारखाना स्थापित किया गया। इसके साथ ही इस उद्योग का इतिहास शुरू हुआ।
- 1874 में जे.एन. टाटा ने एंप्रेस मिल नागपुर (Ampress Mill Nagpur) स्थापित की।
- 1853-1880 के दौरान 30 कारखाने खोले गए, जिनमें से 13 कारखाने पारसियों ने स्थापित किए थे।

जूट उद्योग

- 1855 में बंगाल के सेरामपुर के समीप रिसरा में पहला जूट कारखाना स्थापित किया गया।
- 19वीं शताब्दी के अंत में बिरला कलकत्ता गए और सेठ तारा चंद घनश्याम दास बिरला की सहायता से कच्चे जूट व्यापार में प्रवेश किया।
- 1919 में बिरला जूट कंपनी स्थापित की गई।
- 1940 में घनश्याम दास बिरला अंग्रेजों से अनेक कंपनियां लेकर आए और अपने व्यापार को प्रसारित किया, इस प्रकार जूट उद्योग में भारतीयों के प्रभुत्व को स्थापित किया।

लोहा-स्टील उद्योग

- 1907 में जे.एन. टाटा (जमशेदजी टाटा के पुत्र) ने जमशेदपुर, बिहार में पहली टिस्को (TISCO) स्थापित की। इसने 1911 में पिग आयरन (ढलवां लोहा) और 1913 तक स्टील उत्पादन करना शुरू किया।
- बाद में मैसूर (भद्रावती) और बंगाल में भी स्टील कंपनियां स्थापित की गई।

फास्ट फॉरवर्ड

प्रारंभिक राष्ट्रवादियों द्वारा आर्थिक विवेचना- 1857 के बाद भारत का आर्थिक शोषण जारी रहा और अनेक प्रकार से तीव्र भी हुआ। प्रारंभिक राष्ट्रवादी नेताओं (उदारवादी) ने ही औपनिवेशिक शासन की पहली आर्थिक विवेचना विकसित की। यह विवेचना या आलोचना 19वीं शताब्दी के दूसरे भाग में भारतीय राष्ट्रीय आंदोलन के उदय के सहयोग में एक महत्वपूर्ण कारक बना।

प्रारंभ में, शिक्षित भारतीय मध्यमवर्ग ब्रिटिश शासन का समर्थन करते थे, क्योंकि उनका मानना था कि ब्रिटिश शासन से भारत को आधुनिक बनाया जा सकता है। लेकिन 1860 के बाद उनका भ्रम टूट गया, जब भारत और इंग्लैंड के बीच उन्होंने आर्थिक असमानता को समझा। उनमें से अनेक लोग कार्य के लिए अथवा उच्च शिक्षा के लिए इंग्लैंड गए थे और वहां जाकर ब्रिटिश शासकों के कपट को देखकर चकित रह गए थे। एक ओर वे आधुनिक जीवन शैली की सभी सुविधाओं को भोग रहे थे और उनके सामाजिक संबंध समानता और लोकतंत्र के आधुनिक मूल्यों पर आधारित थे, वहीं भारतीय जनता को राजनीतिक, मनोवैज्ञानिक और आर्थिक अधीनता में रखा गया था।

ऐसे ही एक बुद्धिजीवी **दादा भाई नौरोजी** (1825-1917) थे, जिन्हें भारत का वयोवृद्ध (Grand Old Man of India) नाम से जाने जाता है। वे भारत के पहले आर्थिक विचारक थे और उन्होंने पहली बार अपनी किताब 'द पावर्टी एंड अनब्रिटिश रूल इन इंडिया' (The Poverty and Unbritish Rule in India', 1902) में धन के निर्गम का सिद्धांत दिया था। एक अन्य निर्भीक आर्थिक विचारक आर.सी. दत्त थे, जिन्होंने अपनी किताब 'द इकोनामिक हिस्ट्री ऑफ इंडिया' (The Economic History of India', 1902) में 1757 से ब्रिटिश शासन के आर्थिक रिकॉर्ड को विस्तार से समझाया। न्यायधीश महादेव गोविंद रानाडे एक अन्य आर्थिक विचारक थे जिन्होंने आधुनिक औद्योगिक विकास के मूल्य को समझाया।

दादा भाई नौरोजी

जे.वी.जोशी, डी.इ.वाचा, जी. सुब्रमण्यम अय्यर, जी.के. गोखले, पृथ्वीश चंद्र रे और अन्य राजनीतिक कार्यकर्ताओं ने औपनिवेशिक शासन के आर्थिक प्रभाव का विश्लेषण किया। अंततः सभी प्रयास एक बिंदु पर मिले और ब्रिटिश शासन को भारत के अविकास का कारण माना गया। यह समझने में सक्षम हुए कि भारत की निर्धनता प्राकृतिक नहीं थी, बल्कि कृत्रिम या ब्रिटिश द्वारा निर्मित थी।

प्रारंभिक राष्ट्रवादियों ने व्यापार, उद्योग और वित्त को आर्थिक प्रभुत्व के तीन स्तंभ के रूप में दिखाया। उन्होंने रेखांकित करते हुए बताया कि भारत का आर्थिक शोषण लूट और भेंट के निष्ठुर साधनों से नहीं किया जाता, अपितु अब यह कार्य मुक्त व्यापार जैसे परिष्कृत आधुनिक परिप्रेक्ष्य के माध्यम से किया जाता है। उनको भारतीय परंपरागत हस्तशिल्प उद्योग के पतन की विशेष तौर पर चिंता थी। वे विदेशी पूंजी को छिपी हुई बुराई की तरह देखते थे और उनका एकमत था कि भविष्य में भारत का आर्थिक विकास भारतीय पूंजी पर आधारित होना चाहिए, न कि विदेशी पूंजी पर।

धन का निर्गम (Drain of wealth)- दादा भाई नौरोजी ने पहली बार अपने लेख **'इंग्लैंड डेट टू इंडिया' (England Date to India)** में धन के निर्गम को समझाया, जिसे उन्होंने ईस्ट इंडिया एसोसिएशन के सम्मेलन (2 मई, 1867) में पढ़ा था। वे पहले व्यक्ति थे जिन्होंने अपनी किताब 'द पॉवर्टी एंड अनब्रिटिश रूल इन इंडिया' (1901) में धन के निर्गम का सिद्धांत दिया था। नौरोजी ने धन के निर्गम को सभी बीमारियों का मुख्य कारण बताया था। 1896 में कांग्रेस के कलकत्ता अधिवेशन में नौरोजी के धन के निर्गम सिद्धांत को पहली बार स्वीकार किया गया और 1906 में कलकत्ता अधिवेशन में नौरोजी ने इस सिद्धांत के आधार पर स्वशासन की मांग की थी। नौरोजी ने नैतिक निर्गम को भी इंगित किया था, जिसके अनुसार अपने ही देश में उत्तरदायित्व और न्यास की स्थिति से भारतीयों को अलग रखा गया था। उनके कदमों पर चलते हुए आर.सी.दत्त ने 'इकोनामिक हिस्ट्री ऑफ इंडिया' में निर्गम को अपनी मुख्य विषय वस्तु बनाई। अपनी सशक्त चित्रण और स्पष्ट व्याख्या के गुण के कारण निर्गम सिद्धांत को भारतीय जनता विशेषकर किसानों ने आसानी से स्वीकार किया। इसने भारत में ब्रिटिश शासन के नैतिक आधार को समाप्त कर दिया था। इसने यह सुनिश्चित कर दिया था कि प्रारंभिक राष्ट्रवादियों के राष्ट्रवाद का आधार केवल भावना नहीं थी, अपितु उनका राष्ट्रवाद आधुनिक उपनिवेशवाद के जटिल परिप्रेक्ष्य के वैज्ञानिक अध्ययन पर आधारित था।

रोमेश चंद्र दत्त

रोमेश चंद्र दत्त (1848-1909)- वे आई.सी.एस. के एक सदस्य, एक लेखक और 19वीं शताब्दी के भारत के प्रमुख आर्थिक इतिहासकार थे। सेवानिवृत्ति के बाद उन्होंने भारतीय राष्ट्रीय कांग्रेस में 1899 में अध्यक्षता की थी। उन्होंने रामायण और महाभारत का अंग्रेजी में अनुवाद किया था। वे प्रसिद्ध **'ओपन लेटर्स टू कर्जन ऑन फैमिन एंड लैंड एसेसमेंट इन इंडिया'** (Open Letters to Curzon on Famines and Land Assessments in India, 1900) और 'द इकोनामिक हिस्ट्री ऑफ इंडिया' (The Economic History of India, 1902) के लेखक थे।

अध्याय

2

परिवर्तन एवं प्रभावः भारतीय राजव्यवस्था (संवैधानिक विकास भाग-1, 1757-1858)

- रेगुलेटिंग एक्ट, 1773
- पिट्स इंडिया एक्ट, 1784
- 1786 का अधिनियम
- 1793 का चार्टर अधिनियम
- 1813 का चार्टर अधिनियम
- 1833 का चार्टर अधिनियम
- 1853 का चार्टर अधिनियम
- 1858 का भारत का शासन अधिनियम, 1858

अब तक हमने सीखा कि कैसे और क्यों ब्रिटिश ईस्ट इंडिया कंपनी भारत आई? मुख्य रूप से एक व्यापारिक कंपनी के रूप में। कैसे उसने अपने आर्थिक हितों से प्रेरित होकर राजनीतिक शक्ति और राजस्व प्राप्त करने वाले क्षेत्रों को करके और एक साम्राज्य बन गया। ब्रिटिश सरकार ने शीघ्र ही अनुभव किया, कि कंपनी को और अधिक समय तक राज्य की परिधि से बाहर रखने की अनुमति नहीं दी जा सकती।

1773 का रेगुलेटिंग अधिनियम (Regulating Act 1773)

अधिनियम की ओर ले जाने वाले कारक

बंगाल में प्रशासनिक अस्थिरता- जब ईस्ट इंडिया कंपनी बंगाल में सत्ता में आई तो, कंपनी ने स्वयं को नए शासक के रूप में मान्यता देने की अनिच्छा जाहिर की, अतः अधीन जनता के प्रति किसी भी प्रकार के उत्तरदायित्व को लेने से मना कर दिया। कंपनी कैसे उत्तरदायित्व ले सकती थी, जबकि उसका मुख्य हित उनको लूटने में था? इस हित को ध्यान में रखते हुए क्लाइव ने सिद्धांत में एक दोहरी सरकार (1765-1772) स्थापित की, जिसमें कंपनी के दीवान और नवाब को नाजिम बनाया गया। कंपनी द्वारा नियुक्त डिप्टी सूबेदार को कंपनी के हित में काम करना था। इस दोहरी व्यवस्था में उत्तरदायित्व बिल्कुल नहीं था और यह प्रशासन व कानून व्यवस्था के पूर्ण विघटन की ओर ले गया। कंपनी की बढ़ती उच्च भू-राजस्व की मांग किसानों को बदहाली और शोषण की ओर ले गई।

यहां तक कि इंग्लैंड में भी उस धन पर मुख्य ध्यान आकर्षित हुआ, जो बंगाल के राजस्व से कंपनी प्राप्त कर रही थी। सरकार में कुछ लोगों ने तो क्राउन को कंपनी को राज्य के अधिकार में लेने का सुझाव दे दिया था। हालांकि, संसद में उसे उनके शक्तिशाली मित्र और संरक्षक के रूप में राजा जॉर्ज तृतीय का साथ मिला और कंपनी ने स्वयं के लिए लड़ाई लड़ी। लेकिन व्यापक समर्थन के अभाव में 1767 में कंपनी के मुद्दों में ब्रिटिश संसद का पहला हस्तक्षेप बंगाल की लूट में से 400000 पाउंड प्रति वर्ष की मांग के रूप में सामने आया।

ब्रिटेन में सामाजिक-आर्थिक भ्रष्टाचार का फैलना- कंपनी के कर्मचारियों ने अपने नए एकत्रित धन का उपयोग ब्रिटेन में सामाजिक व राजनीतिक भ्रष्टाचार को फैलाने में करना शुरू किया, कंपनी ने यहां तक कि अपने एजेंटों के लिए हाउस ऑफ कॉमंस में सीटें खरीदना शुरू कर दिया था। अनेक विचारकों और राजनेताओं को यह भय सताने लगा कि कंपनी ब्रिटिश सरकार में सर्वोच्चता प्राप्त न कर ले।

ब्रिटेन में अंग्रेजों के बीच ईर्ष्या- कंपनी के अधिकारियों द्वारा लाए गए अपार धन ने ब्रिटेन में ईर्ष्या को बढ़ाना शुरू कर दिया। नए उदित स्वतंत्र उपकर्म भी भारतीय व्यापार से होने वाले लाभ में से एक भाग के लिए आकांक्षा करने लगे। क्यों केवल ईस्ट इंडिया कंपनी को ही सारे लाभ मिलने चाहिए? वे ईस्ट इंडिया कंपनी में एकाधिकार को नष्ट करना चाहते थे और इस बात को दिमाग में रखकर उन्होंने बंगाल में कंपनी के प्रशासन की आलोचना करना शुरू कर दी थी।

ईस्ट इंडिया कंपनी में वित्तीय संकट- 1770 तक कंपनी की प्रसारवादी नीति और निरंतर युद्ध ने उसको दिवालिया होने की कगार पर पहुंचा दिया था। अब कंपनी करीब 6 मिलियन (60 लाख) पाउंड की कर्जदार हो चुकी थी और कर्मचारियों के वेतन का भुगतान करने में भी अक्षम महसूस कर रही थी। कैसी विडंबना थी यह !! जहां एक ओर, कंपनी के अधिकारियों व कर्मचारियों ने अपार धन एकत्रित कर लिया था, वहीं कंपनी स्वयं दिवालियापन का सामना कर रही थी। इसके बाद कंपनी ने लॉर्ड नॉर्थ से गुहार लगाई और उनसे ऋण के लिए विनती की। लॉर्ड नॉर्थ ने भी इस अवसर को भुनाया और कंपनी के कार्यों की जांच-पड़ताल करने व एक रिपोर्ट प्रस्तुत करने के लिए ब्रिटिश संसद में एक प्रवर समिति की नियुक्ति की।

लॉर्ड नॉर्थ, ग्रेट ब्रिटेन के प्रधानमंत्री 1770-1782

समिति की रिपोर्ट के आधार पर **लॉर्ड नॉर्थ** (1770 से 1782 तक ग्रेट ब्रिटेन के प्रधानमंत्री) ने 18 मई 1773 को एक प्रसिद्ध अधिनियम प्रस्तुत किया, जिसे बाद में रेगुलेटिंग एक्ट के नाम से जाना गया। स्वाभाविक रूप से, यह अधिनियम बिना विरोध के पारित नहीं हुआ और उसे कंपनी व उसके समर्थकों के विरोध का सामना करना पड़ा। पारित होते ही रेगुलेटिंग एक्ट भारतीय प्रशासन पर संसदीय विनियमन की ओर एक महत्वपूर्ण कदम बन गया। एक अन्य पृथक अधिनियम द्वारा कंपनी को 4% ब्याज पर 1400000 पाउंड का एक ऋण दिया गया।

रेगुलेटिंग एक्ट के मुख्य प्रावधान

रेगुलेटिंग एक्ट का मुख्य उद्देश्य भारत के साथ-साथ इंग्लैंड में कंपनी की गतिविधियों को विनियमित करना और उसकी कमियों को दूर करना था।

ब्रिटेन में कंपनी के शासन से संबंधित प्रावधान

- इंग्लैंड में कंपनी का प्रशासन दो संस्थाओं के द्वारा देखा जाता था- कोर्ट ऑफ प्रोपराइटर्स और कोर्ट ऑफ डायरेक्टर्स। कोर्ट ऑफ डायरेक्टर्स या निदेशक मंडल इंग्लैंड में कंपनी की कार्यकारी संस्था थीं, जिसमें 24 निदेशक शामिल थे। इन निदेशकों का चुनाव शेयर होल्डरों (साझेदारों) की एक निकाय द्वारा किया जाता था, जिन्हें कोर्ट ऑफ प्रोपराइटर्स

कहा जाता था। कोई भी शेयर होल्डर, जिसका शेयर 500 पाउंड का हो, वह कोर्ट ऑफ प्रोपराइटर्स में मतदान करने का अधिकारी था, जबकि 100 पाउंड की कीमत वाले शेयर को रखने वाला व्यक्ति निदेशक मंडल के लिए निर्वाचित होने हेतु योग्य था। निदेशक का पद भाई-भतीजावाद के लिए बहुत अवसर प्रदान करता था, निदेशक आसानी से भारत में अपने संबंधियों के लिए नौकरी खोज सकते थे। कंपनी के अनेक अधिकारी व कर्मचारी गृह राज्य वापस आने का उद्देश्य रखते थे और भारत में गलत तरीके से कमाए धन का उपयोग करके निदेशक मंडल में स्थान प्राप्त कर लेते थे।

- रेगुलेटिंग एक्ट ने निदेशक मंडल और कोर्ट ऑफ प्रोपराइटर्स के लिए योग्यता (कोर्ट ऑफ प्रोपराइटर्स के लिए 1000 पाउंड और निदेशक मंडल के लिए 2000 पाउंड) को बढ़ाकर इस मुद्दे को सुलझाया।
- इस अधिनियम ने पहली बार निदेशक मंडल पर सीधे संसदीय नियंत्रण को स्थापित किया।

भारत में कंपनी के शासन से संबंधित प्रावधान-

- बंगाल के प्रशासन की मुख्य चिंता कंपनी के अधिकारियों व कर्मचारियों द्वारा किए जाने पर भ्रष्टाचार को नियंत्रित करने की थी।
  - अधिनियम ने बंगाल प्रेसिडेंसी के लिए एक नई कार्यकारी परिषद प्रदान करके इस पर ध्यान केंद्रित किया। इस कार्यकारी परिषद में एक गवर्नर जनरल और चार काउंसलर थे और उनमें बंगाल, बिहार व उड़ीसा की सैन्य और असैन्य शक्तियां निहित थीं। संसद का उद्देश्य गवर्नर पर नियंत्रण रखना था, जिसे अब परिषद के साथ मिलकर कार्य करना था और परिषद का निर्णय उस पर बाध्यकारी था।
  - परिषद में इंग्लैंड से भेजे गए व्यक्ति थे, जो कंपनी के कर्मचारी अथवा अधिकारी नहीं थे।
  - परिषद को बहुमत से निर्णय लेना था, यद्यपि मतों की समानता होने पर गवर्नर जनरल को निर्णायक मत का अधिकार था। परिषद का कार्यकाल 5 वर्ष था और तीन सदस्यों से इसकी गणपूर्ति होती थी।
  - इस अधिनियम में पहले गवर्नर जनरल (**वॉरेन हेस्टिंग्स**) और काउंसलरों (**फिलिप फ्रांसिस, क्लेवरिंग, मौनसन और बारवैल**) के नाम दिए गए थे। इनमें से केवल बारवैल ही हेस्टिंग्स का समर्थक था। फ्रांसिस एक कट्टर विरोधी था।
- कंपनी के अधिकारी व कर्मचारी भी अपना वेतन कम होने के कारण भ्रष्टाचार में लिप्त थे।
  - अधिनियम ने उदार वेतन के भुगतान का प्रावधान किया और अनैतिक गतिविधियों जैसे- निजी व्यापार, रिश्वत लेना या देना, साहूकारी इत्यादि पर प्रतिबंध लगा दिया।
- भारतीय प्रशासन में एक और कमी बंगाल, मद्रास एवं बॉम्बे प्रेसिडेंसियों का प्रथक-प्रथक व एक-दूसरे से स्वतंत्र होना था। प्रत्येक प्रेसिडेंसी का इंग्लैंड में कोर्ट ऑफ डायरेक्टर्स (निदेशक मंडल) से सीधा संबंध था। रेगुलेटिंग एक्ट ने इस कमी को दूर करने और एक केंद्रीय सत्ता की स्थापना की कोशिश की।
  - तदनुसार, बंगाल प्रेसिडेंसी को सर्वोच्च बनाया गया और उसे युद्ध और शांति के मुद्दों पर अधिकार दिया गया एवं अन्य प्रेसिडेंसियों को इसके अधीन बनाया गया।
  - बंगाल के गवर्नर को अब भारत में सभी ब्रिटिश क्षेत्रों का गवर्नर जनरल कहा जाने लगा।
  - मद्रास और बॉम्बे के गवर्नरों को नियमित रूप से शासन, राजस्व इत्यादि से संबंधित जानकारी को गवर्नर जनरल को भेजना था। इस प्रकार इस अधिनियम ने भारत में केंद्रीय प्रशासन की नींव रखी।
  - गवर्नर जनरल को भी निदेशक मंडल के सीधे नियंत्रण में रखा गया।
- इस व्यवस्था में एक और कमी कार्यकारी निकाय पर नियंत्रण के लिए किसी स्वतंत्र न्यायिक निकाय का न होना था।
  - अधिनियम ने कलकत्ता में सुप्रीम कोर्ट ऑफ जस्टिस (1774 में स्थापित) प्रदान करके इस ओर ध्यान केंद्रित किया। इसके क्षेत्राधिकार में दीवानी, फौजदारी, नौवाहन विभाग और ईसाई चर्च संबंधी मुद्दे थे।

- इसमें एक मुख्य न्यायाधीश और अन्य तीन अवर न्यायधीश थे। सर एलिजा इम्पे को मुख्य न्यायाधीश के रूप में नियुक्त किया।
- कंपनी के सभी लोक सेवकों को इसके क्षेत्राधिकार में लाया गया। सभी ब्रिटिश (यूरोपीय एवं भारतीय) अपने उत्पीड़न का निवारण सुप्रीम कोर्ट में प्राप्त कर सकते थे।
- कोर्ट के निर्णय के विरुद्ध अपील केवल इंग्लैंड में राजा की परिषद में ही सुनी जा सकती थीं।

रेगुलेटिंग एक्ट की कमियां

जब इसे लागू किया गया, तो अनेक कमियां सामने आईं

- यह अधिनियम नियंत्रण और संतुलन के सिद्धांत पर आधारित था और इसके अनेक प्रावधानों को जानबूझकर अस्पष्ट बनाया गया था। इसमें न राज्य का कंपनी के ऊपर निश्चित नियंत्रण था, न निदेशकों का उसके अधिकारियों के ऊपर, न गवर्नर जनरल का उसकी परिषद के ऊपर और न ही कलकत्ता प्रेसिडेंसी का मद्रास व बॉम्बे के ऊपर निश्चित नियंत्रण था।
- परिषद सहित गवर्नर जनरल की कार्यप्रणाली बहुत ही अक्षम साबित हुई। गवर्नर जनरल को निरंतर उसके परिषद के सदस्यों के विरोध का सामना करना पड़ा।
- यह अधिनियम विशेष तौर पर इसके संबंध में अस्पष्ट था कि बंगाल प्रेसिडेंसी को अन्य प्रेसिडेंसी के ऊपर कहां तक नियंत्रण रखना है। परिणामस्वरूप, मराठा और मैसूर युद्ध को क्रमशः बॉम्बे और मद्रास प्रेसीडेंसी द्वारा शुरू किया गया, जबकि वॉरेन हेस्टिंग्स दोनों के विरोध में था।
- इस अधिनियम में सुप्रीम कोर्ट और कंपनी कोर्ट के साथ-साथ बंगाल में विभिन्न देशी कोर्टों के संबंधों को परिभाषित नहीं किया था।

रेगुलेटिंग एक्ट का महत्व

अपनी कार्यप्रणाली में रेगुलेटिंग एक्ट एक आपदा से कम न थी। तथापि, कई तरह से इसका महत्व था। भारत में कंपनी के प्रशासन पर संसदीय नियंत्रण की ओर यह पहला मुख्य कदम था। इसने कलकत्ता में प्रशासनिक केंद्र को निश्चित किया। इसने भ्रष्टाचार मुक्त प्रशासन को सुनिश्चित करने का उल्लेखनीय प्रयास भी किया था। कुल मिलाकर, शासन की एक बेहतर कार्यपंणाली को प्रस्तावित करने का यह एक सुनियोजित प्रयास था, लेकिन हेस्टिंग्स के हाथों को मजबूत करने की वजह उसकी समस्याओं को बढ़ा दिया था।

पिट्स इंडिया एक्ट (Pitt's India Act), 1784

प्रधानमंत्री का पदभार संभालने के बाद विलियम पिट (1783-1801 के कार्यकाल के दौरान पद पर रहे) ने एक भारत अधिनियम प्रस्तावित किया, जिसे बाद में पिट्स इंडिया एक्ट के नाम से जाना गया। पिट्स इंडिया एक्ट का उद्देश्य रेगुलेटिंग एक्ट की कमजोरियों का अंत करना और भारत में कंपनी के प्रशासन को ब्रिटिश संसद के सर्वोच्च नियंत्रण में लाना था।

विलियम पिट (1783 में बनने वाले सबसे युवा ब्रिटिश प्रधानमंत्री)

सतर्कता के रूप में पिट ने निदेशक मंडल के विरोध में न जाने का ध्यान रखा और उन्हें जैसे वे चाहें कंपनी के व्यवसायिक मुद्दों का प्रबंधन करने की अनुमति दी। उन्होंने उनके संरक्षण को बनाए रखा, जैसे- कंपनी के अधिकारियों और कर्मचारियों की नियुक्ति और अपदस्थ करने का अधिकार। क्षेत्रीय कब्जों पर कंपनी के अधिकार को भी नहीं छुआ गया।

मुख्य प्रावधान

- इस अधिनियम ने निदेशक मंडल को कंपनी के व्यवसायिक मुद्दों का प्रबंधन करने के लिए अनुमति दी। लेकिन राजनीतिक मुद्दों के लिए छह कमिश्नरों का एक मंडल नियुक्त किया गया, जिसे बोर्ड ऑफ कंट्रोल अथवा नियंत्रक मंडल के नाम से जाना गया। इस मंडल में चांसलर ऑफ एक्सचेकर (Chancellor of the Exchequer), राज्य सचिव और चार प्रिवी काउंसिलर (Privy Councilors) थे। इन सबको राजा द्वारा नियुक्त किया जाना था। इस प्रकार दोहरे शासन का एक स्वरूप बनाया गया। इसका मुख्य उद्देश्य कंपनी को शासन और नियंत्रक मंडल को नियंत्रित करने की अनुमति देना था। नियंत्रक मंडल की शक्ति छिपी हुई थी, उन सभी डाक के लिए जो पूर्णतया व्यवसायिक न हो, उसकी सहमति की आवश्यकता होती थी। इस प्रकार अधिनियम ने इंग्लैंड में सरकार के अधीन रहते हुए कंपनी की सैन्य और असैन्य सरकार स्थापित कर दी थी। यह व्यवस्था 1858 तक जारी रही। नियंत्रण या मंडल बोर्ड का अध्यक्ष अंततः ब्रिटिश भारत की सरकार के प्रति उत्तरदाई था, जब तक की 1858 में भारत सचिव ने उसका स्थान नहीं ले लिया।
- भारत में कंपनी के शासन के संबंध में कुछ परिवर्तन-
  - परिषद सहित गवर्नर जनरल के सदस्यों की संख्या घटाकर 3 कर दी गई, ताकि यदि एक सदस्य भी गवर्नर जनरल का समर्थन करे, तो वह अपना कार्य कर सके।
  - अधीनस्थ प्रेसिडेंसियों के ऊपर परिषद सहित गवर्नर जनरल की शक्ति को बढ़ाते हुए युद्ध, राजनयिक संबंध और राजस्व के सभी मामलों को शामिल किया गया।
  - गवर्नर जनरल और उसकी परिषद को ब्रिटिश सरकार के अधीन बनाया गया। उनको निदेशकों के पूर्व स्वीकृति के बिना युद्ध घोषित करना के लिए मना कर दिया गया।
  - इस अधिनियम ने भारतीय देशी रियासतों के मुद्दों में हस्तक्षेप के सिद्धांत को प्रारंभ किया और इस प्रकार आगे होने वाले युद्धों को समाप्त किया।

पिट्स इंडिया एक्ट का महत्व

पिट्स इंडिया एक्ट नियंत्रण का एक प्रभावशाली साधन था और 1858 तक कुछ परिवर्तन के साथ यह कार्य करता रहा। इस अधिनियम ने ब्रिटिश सरकार को भारत में कंपनी के मुद्दों और उसके प्रशासन के ऊपर सर्वोच्च नियंत्रण प्रदान किया। इस अधिनियम के साथ भारत में ब्रिटिश विजय के इतिहास में एक नया चरण शुरू हुआ, जिसमें ईस्ट इंडिया कंपनी ब्रिटिश साम्राज्यवाद का एक साधन बन गया। अब भारत को ब्रिटेन के सभी शासक वर्ग के हितों की पूर्ति के लिए एक उपनिवेश के रूप में कार्य करना था ।

1786 का अधिनियम

1786 में पिट ने यह अधिनियम कॉर्नवालिस को भारत का गवर्नर जनरल स्वीकार करने के लिए पेश किया। कॉर्नवालिस गवर्नर जनरल और सेनाध्यक्ष दोनों पद ग्रहण करना चाहता था। इस अधिनियम ने इस मांग को स्वीकार किया एवं गवर्नर जनरल एवं सेना अध्यक्ष के पद को एक ही व्यक्ति में समाहित कर दिया गया। गवर्नर जनरल को और सशक्त बनाया गया एवं उसको युद्ध और शांति के मुद्दों पर तथा अपने उत्तरदायित्व पर उसकी परिषद के बहुमत की अवहेलना करने की अनुमति दी गई।

1793 का चार्टर अधिनियम

- इसने कंपनी के व्यापार के विशेषाकाधिकार को 20 वर्षों के लिए बढ़ा दिया।
- सभी विनियमनों के लिए एक संहिता बनाई गई, जिसे बंगाल में लागू किया जा सके।

- इस अधिनियम में यह आवश्यक बनाया कि व्यक्ति और संपत्ति से जुड़े सभी अधिकारों को भारतीय भाषाओं में अनुवाद करके छपवाया जाना चाहिए, ताकि जनता अपने अधिकारों और उन्मुक्तियों के बारे में जान सके। इस प्रकार इस अधिनियम ने ब्रिटिश भारत में लिखित कानूनों के आधार पर शासन की नींव रखी।
- गृह सरकार के सभी सदस्यों को भविष्य में राजकोष से वेतनों का भुगतान न करके भारतीय राजस्व से किया जाना था।

1813 का चार्टर अधिनियम

इस अधिनियम के उत्तरदायी कारक

इस अधिनियम के पारित होने के पहले कंपनी के व्यवसायिक विशेष अधिकारों की निरंतरता पर विस्तार से चर्चा हुई। 1813 तक भारत में कंपनी के क्षेत्रों का बहुत विस्तार हुआ और अब कंपनी के लिए व्यवसायिक निकाय के साथ-साथ राजनीतिक निकाय, दोनों रूपों में कार्य करना लगभग असंभव हो गया था। इतना ही नहीं, अंग्रेजों ने मुक्त व्यापार के सिद्धांत और नेपोलियन के महाद्वीपीय व्यवस्था के अधिरोपण (जिसने ब्रिटिश व्यापार के लिए यूरोपीय बंदरगाहों को बंद कर दिया था) को दृष्टि में रखते हुए भारतीय व्यापार में उनके लिए एक भाग की मांग करना शुरू कर दिया था। उपर्युक्त संदर्भ में कंपनी के व्यापारिक एकाधिकार को समाप्त करने की मांग अब जोर पकड़ने लगी थी।

मुख्य प्रावधान

- इस प्रकार 1813 के चार्टर अधिनियम ने कंपनी के चार्टर को अगले 20 वर्षों के लिए नवीनीकृत किया, लेकिन भारत के साथ कंपनी के व्यापार के एकाधिकार को समाप्त कर दिया। लेकिन चाय के व्यापार और चीन के साथ व्यापार के उसके एकाधिकार को बनाए रखा गया। इस प्रकार भारतीय व्यापार को सभी ब्रिटिश व्यापारियों के लिए खोल दिया गया।
- अधिनियम ने स्पष्ट रूप से कंपनी द्वारा प्राप्त किए गए क्षेत्रों पर क्राउन की संप्रभुता घोषित की। भारत में ब्रिटिश क्षेत्रों की संवैधानिक स्थिति को इस प्रकार पहली बार स्पष्ट रूप से परिभाषित किया गया।
- इसने ईसाई धर्मप्रचारकों को भारत में जाने और एक लाइसेंस के अधीन वहां बसने की अनुमति दी।
- भारतीय जनता के बीच साहित्य और विज्ञान के प्रोत्साहन के लिए इसने 100000 रुपए का वार्षिक धन प्रदान किया। (शिक्षा के लिए राज्य के उत्तरदायित्व के सिद्धांत की घोषणा के साथ यह प्रावधान भारत के संबंध में ब्रिटिश की एक महत्वपूर्ण उद्घोषणा थी।)

1833 का चार्टर अधिनियम

अधिनियम की ओर ले जाने वाले कारक

पिछले 20 वर्षों में इंग्लैंड में महत्वपूर्ण परिवर्तन देखे गए। औद्योगिक क्रांति ने ब्रिटेन को सूती वस्त्रों और अन्य कारखाने द्वारा निर्मित वस्तुओं का उत्पादक बना दिया था। अंग्रेज नए निर्यात बाजारों की खोज कर रहे थे। मुक्त व्यापार की नीति ब्रिटेन में नई औद्योगिक नीति का एक आधारभूत दर्शन बन गया था और एकाधिकार एवं प्रतिबंधों से रहित व्यापार के लिए लोकप्रिय मांग उभर रही थी।

1830 में विग्स पार्टी (जिसे बाद में लिबरल पार्टी के नाम से जाना गया) सत्ता में आई। पहला संसदीय सुधार अधिनियम, जिसे 1832 का महान सुधार अधिनियम भी कहा जाता है, को पारित किया गया और इसने हाउस ऑफ कॉमंस में सुधार किए। दो उदारवादियों मैकाले एवं जेम्स मिल का 1833 के चार्टर पर सीधा प्रभाव था। ब्रिटेन से दासता को समाप्त (1833)

कर दिया गया एवं मानव की गरिमा को मान्यता (1833 का कंपनी अधिनियम) प्रदान की गई। ऐसे सुधार के वातावरण में 1833 चार्टर अधिनियम पारित किया गया।

1833 के अधिनियम में ईस्ट इंडिया कंपनी के मुद्दों को विनियमित करने के लिए व्यापक प्रावधानों को प्रदान किया गया।

मुख्य प्रावधान

- कंपनी के व्यापार के एकाधिकार को पूर्णतया समाप्त कर दिया गया और कंपनी को जितना जल्दी संभव हो, अपने व्यवसायिक कार्यो को समेटने को कहा गया। नियंत्रण बोर्ड का अध्यक्ष भारतीय मुद्दों का मंत्री बन गया। इस अधिनियम ने परिषद सहित गवर्नर जनरल पर ब्रिटिश संसद की पूर्ण शक्ति को घोषित किया।
- भारत में यूरोपियों के अप्रवास एवं उनके द्वारा भूमि व संपत्ति प्राप्त करने के सभी प्रतिबंधों को हटा दिया गया। अधिनियम में यूरोपियों द्वारा भारत के उपनिवेशीकरण पर लगी कानूनी बाधाओं को हटा दिया।
- तदनुसार, मौजूद कानूनों को संहिताबद्ध करने के लिए एक भारतीय कानून आयोग (Indian Law Commission) नियुक्त किया गया। इसके प्रयासों द्वारा भारतीय दंड संहिता (Indian Penal Code) एवं दीवानी व फौजदारी (दंड) प्रक्रिया की संहिता (Codes of Civil and Criminal Procedure) को लागू किया गया।
- अधिनियम ने गवर्नर जनरल की कार्यकारी परिषद में एक चौथा सदस्य जोड़कर परिषद को विस्तारित किया। एक विधि सदस्य गवर्नर जनरल की परिषद में जोड़ा गया जिसका कार्य पूर्णतया विधायी था। उसको परिषद में मत देने का अधिकार नहीं था और वह आमंत्रण पर ही बैठकों में उपस्थित हो सकता था। मैकाले पहले विधि सदस्य और विधि आयोग के अध्यक्ष बने।
- इस अधिनियम का एक उल्लेखनीय प्रावधान धारा 87 में था, जिसमें लोक सेवाओं में भारतीयों के लिए रोजगार एवं शिक्षा का उल्लेख किया गया। लोक सेवकों की हैलीबरी में कंपनी के कॉलेज में प्रशिक्षण के लिए प्रावधान बनाया गया।
- एक अन्य उल्लेखनीय प्रावधान यह था कि इस अधिनियम ने भी गवर्नर जनरल को भारत में दासता के उन्मूलन के लिए कार्य करने हेतु निर्देशित किया था।
- इस अधिनियम ने भारतीय प्रशासन को और केंद्रीकृत किया एवं बंगाल के गवर्नर जनरल को भारत का गवर्नर जनरल बनाया गया। परिषद सहित गवर्नर जनरल की शक्तियों को और विस्तारित किया गया एवं बॉम्बे, मद्रास व अन्य सभी क्षेत्रों को इसके पूर्ण नियंत्रण में लाया गया।
- अधिनियम ने विधायी केंद्रीकरण भी स्थापित किया। परिषद सहित गवर्नर जनरल को भारत में ब्रिटिश क्षेत्रों के लिए विधायी शक्तियां प्रदान की गई, जबकि अन्य सभी प्रेसिडेंसियों की विधायी शक्तियों को समाप्त कर दिया गया। यह कानून कंपनी के अधिकारियों व कर्मचारियों सहित ब्रिटिश अथवा भारतीय सभी व्यक्तियों पर लागू थे।
- इस अधिनियम ने एक नई आगरा प्रेसिडेंसी निर्मित की।

1833 के अधिनियम का महत्व

- इस अधिनियम ने केंद्रीकरण की प्रक्रिया को अपने चरम पर पहुंचाया, जिसे रेगुलेटिंग एक्ट के द्वारा शुरू किया गया था। अब परिषद सहित गवर्नर जनरल के हाथों में संपूर्ण भारतीय प्रशासन की सत्ता थी।
- प्रावधान 87 में कॉर्नवालिस द्वारा शुरू की गई भारत में प्रशासन के यूरोपीयकरण को समाप्त करने का एक उल्लेखनीय प्रयास था।
- व्यापार से घटती आय को देखते हुए कंपनी ने अपने वित्तीय आधार को व्यापार व व्यवसाय से भू-राजस्व की ओर स्थानांतरित करना शुरू कर दिया था। इसने स्वाभाविक रूप से कंपनी को सतत क्षेत्रीय प्रसार के साथ आगे बढ़ने को प्रोत्साहित किया।

1853 का चार्टर एक्ट

- इस समय कंपनी के चार्टर को किसी विशिष्ट काल के लिए नवीनीकृत नहीं किया था। इसके विपरीत इसमें कहा गया कि भारतीय क्षेत्र क्राउन के न्यास रहेंगे, जब तक कि इसके संबंध में संसद द्वारा कुछ न कहा जाए। इस प्रकार स्पष्ट था कि क्राउन किसी भी समय कंपनी के प्रशासन को अपने हाथों में ले सकता था। अब कंपनी एक व्यवसायिक निकाय के रूप में लुप्त हो चुकी थी और क्राउन के लिए एक राजनीतिक एजेंट बन चुकी थी।
- कार्यकारी एवं विधायी कार्य के पृथक्करण को एक कदम और आगे बढ़ाया गया और विधायी कार्यों के लिए परिषद में अतिरिक्त सदस्यों की नियुक्ति की। विधि सदस्य को गवर्नर जनरल की कार्यकारी परिषद का पूर्ण सदस्य बनाया गया। जब यह परिषद विधायी कार्यों के लिए बैठती थी, तो इसमें छह अतिरिक्त सदस्यों को शामिल किया जाता था। जिसमें कलकत्ता सुप्रीम कोर्ट के एक मुख्य न्यायाधीश और एक अधीनस्थ न्यायधीश, बंगाल, मद्रास, बॉम्बे और उत्तर पश्चिम प्रांत से एक-एक सदस्य शामिल होते थे। प्रांतीय प्रतिनिधि को कंपनी का लोक सेवक होना चाहिए, जो 10 वर्ष से अधिक कार्य कर चुका हो।
- इस प्रकार केंद्रीय विधान मंडल बनाया गया। यद्यपि इसमें किसी भी भारतीय को शामिल नहीं किया गया था। विधायी काउंसलर और कार्यकारी काउंसलर के बीच स्पष्ट अंतर किया गया था। विधायन को पहली बार सरकार का एक विशिष्ट कार्य माना गया। परिषद की कार्यप्रणाली ब्रिटिश संसद की तर्ज पर ही थी। प्रश्न पूछे जा सकते थे, कार्यकारी परिषद की नीति पर चर्चा की जा सकती थी, सरकार की त्रुटियों के लिए आलोचना की जा सकती थी व विधेयकों को अवर समिति को सौंपा जा सकता था। कार्यकारी परिषद के पास विधायी परिषद के विधेयक पर निषेधाधिकार की शक्ति को बनाए रखा गया।
- निदेशकों की संख्या घटाकर 24 से 18 कर दी गई, जिसमें छह को क्राउन द्वारा नियुक्त किया जाना था।
- निदेशक मंडल से उसके संरक्षण और नियुक्ति की शक्ति को वापस ले लिया गया, क्योंकि लोक सेवाओं के लिए प्रतियोगी परीक्षाओं का उपयोग होना था, जिसमें किसी भी प्रकार का भेद-भाव नहीं किया जा सकता था। 1854 में मैकाले की अध्यक्षता में इस योजना को लागू करने के लिए एक समिति बनाई गई।
- निदेशक मंडल को नई प्रेसिडेंसी निर्मित करने की अथवा नए क्षेत्रों को समायोजित करने के लिए पहले से निर्मित प्रेसिडेंसी की सीमाओं को बदलने की शक्ति दी गई। इस शक्ति का उपयोग करके 1859 में पंजाब में एक पृथक लेफ्टिनेंट गवर्नर का पद सृजित किया गया।

अधिनियम का महत्व

इस अधिनियम के निर्माताओं के विपरीत, इस नवनिर्मित विधान परिषद ने शुरुआत से ही स्वाधीनता के भाव को व्यक्त किया और शीघ्र ही आंग्ल भारतीय हाउस ऑफ कॉमंस के रूप में विकसित हुई। इसने बाद में चार्ल्स वुड को स्पष्ट करने के लिए मजबूर कर दिया कि 'मैं विधायी परिषद को वैसे नहीं देखता जैसे कि कुछ युवा भारतीय इसे भारत में संवैधानिक संसद की शुरुआत के रूप में देखते हैं।'

स्पष्टीकरण कुछ भी हो यह स्पष्ट था कि अधिनियम के लेखक इस अधिनियम के परिणाम को सीमित करने में असफल हुए और 1853 की विधायी परिषद का प्रावधान 19वीं शताब्दी का सबसे महत्वपूर्ण संवैधानिक प्रावधान साबित हुआ।

1858 का भारत शासन अधिनियम

इस अधिनियम के उत्तरदायी कारण

इस अधिनियम ने क्राउन के लिए स्पष्ट रूप से कंपनी के भारतीय अधिकारों को अपने हाथों में लेने के लिए दरवाजे खुले रखे। 1857 के विद्रोह ने शासन की तत्कालीन अवस्था को गहरा झटका दिया और कंपनी से क्राउन को सत्ता के हस्तांतरण की मांग उठने लगी। भारत सरकार का नियंत्रण ईस्ट इंडिया कंपनी से क्राउन को हस्तांतरित करने का विधेयक पहली बार लॉर्ड पामर्स्टन द्वारा प्रस्तावित किया गया था। हालांकि, विधेयक के पारित होने से पहले ही पामर्स्टन को किसी दूसरे मुद्दे पर त्यागपत्र देना पड़ा। बाद में, एडवर्ड हेनरी स्टैंडली (जो भारत का पहला राज्य सचिव बना) ने मूल रूप से 'भारत के बेहतर शासन के लिए एक अधिनियम' शीर्षक से एक अन्य विधेयक को प्रस्तावित किया और यह में 2 अगस्त 1858 को अगस्त को पारित हुआ।

मुख्य प्रावधान

- इस अधिनियम ने भारत में कंपनी के शासन को समाप्त किया और सत्ता को कंपनी से क्राउन को हस्तांतरित कर दिया।
- निदेशक मंडल और नियंत्रक मंडल को समाप्त कर दिया गया और उनकी शक्ति को भारत के लिए मुख्य राज्य सचिव (भारत सचिव) और भारत परिषद (15 सदस्यों की एक परिषद जो भारत सचिव को सहायता और सुझाव देती थी। 15 सदस्यों में से 8 को क्राउन के द्वारा और 7 को निदेशक मंडल द्वारा नियुक्त किया जाना था) को हस्तांतरित कर दिया गया। उन्हें भारत में क्रॉउन के नाम से शासन करना था। भारत सचिव ब्रिटिश कैबिनेट का एक सदस्य था और वह संसद के प्रति उत्तरदायी था, उसे भारत की नैतिक एवं भौतिक प्रगति की समय-समय पर रिपोर्ट सौंपना आवश्यक था।
- गवर्नर जनरल को वॉयसराय की उपाधि मिली और अब वह क्राउन का सीधा प्रतिनिधि था।
- अधिनियम ने संरक्षण को क्रॉउन, भारत सचिव और भारत में सत्ताधारियों के बीच बांट दिया।
- अधिनियम ने भारत सचिव को एक कॉर्पोरेट निकाय घोषित कर दिया था, जिस पर इंग्लैंड में और भारत में मुकदमा चलाया जा सकता था और वह मुकदमा दायर कर सकता था।

अधिनियम का महत्व

इस अधिनियम ने भारत में कंपनी के शासन को समाप्त कर भारतीय इतिहास में एक नए युग की शुरुआत की। साथ ही, सत्ता का स्थानांतरण आधारभूत होने की अपेक्षा औपचारिक ही था। ऐसी उम्मीद थी कि नाम परिवर्तन होने के तुरंत बाद साम्राज्य को एक नई शुरुआत मिलेगी। वास्तव में, भारत में इससे कोई परिवर्तन नहीं हुआ और इंग्लैंड में केवल कुछ औपचारिक परिवर्तन हुए। 1773 के रेगुलेटिंग एक्ट से शुरू करके ब्रिटिश संसद ने संविधियों की एक श्रृंखला के माध्यम से प्रगतिशील तरीके से निदेशक मंडल की शक्तियों को कम किया और 1858 के द्वारा जो मुख्य नियम पारित किए गए थे, उन्हें पहले ही ब्रिटिश संसद द्वारा पारित किया जा चुका था। अन्य शब्दों में 1858 से पहले ही कंपनी एक मृतप्राय राजनीतिक निकाय बन चुकी थी, केवल उसका शरीर बचा था, जो 1858 में समाप्त हो गया।

इस अधिनियम के कुछ महीने बाद रानी विक्टोरिया की उद्घोषणा सामने आई। शाही उद्घोषणा 1 नवम्बर 1858 को इलाहाबाद के विशाल दरबार में घोषित की गई। इस दस्तावेज को भारत की जनता का मैग्नाकार्टा भी कहा जाता है और इसने भारत में ब्रिटिश शासन के भविष्य की नीति को घोषित किया।

अध्याय

3

परिवर्तन एवं प्रभाव: भारतीय प्रशासन और समाज

- ब्रिटिश के अधीन भारतीय प्रशासन
  1. लंदन में गृह सरकार
  2. भारत सरकार
  3. वित्त एवं राजस्व प्रशासन
  4. लोक सेवाओं का संगठन, सेना एवं पुलिस
  5. न्यायिक सेवाओं का संगठन
  6. आर्थिक नीति
  7. सामाजिक नीति
     - धर्म
       - ईसाई धर्म का प्रसार
     - सामाजिक प्रथाएं
       - कन्या भ्रूण हत्या
       - सती एवं विधवा पुनर्विवाह
       - दासता
  8. शैक्षिक नीति

प्लासी और बक्सर के बाद ईस्ट इंडिया कंपनी एक सर्वोच्च व्यवसायिक सैन्य शक्ति के रूप में उभरी और क्रमश: स्वयं को व्यापारियों से शासकों में रूपांतरित कर लिया था। इस परिवर्तन ने अधिक जनता पर शासन करने के लिए नई विधायी और संस्थागत संरचना को आवश्यक बना दिया था। यह प्रक्रिया शुरुआत में तत्कालीन व्यवस्था पर निर्भरता से शुरू हुई, लेकिन धीरे-धीरे नई व्यवस्थाओं और संस्थाओं को स्थापित किया गया। इस प्रकार भारतीय जीवन के विभिन्न पक्षों में परिवर्तन आना शुरू हुए। राज्य की नीतियों को बनाने के इस कार्य हेतु ब्रिटिश राजनेता इंग्लैंड में हुए आर्थिक एवं बौद्धिक विकास से निर्देशित हो रहे थे।

ब्रिटिश के अधीन भारतीय प्रशासन

ईस्ट इंडिया कंपनी का प्रारंभिक प्रशासन एक व्यापारिक कॉर्पोरेशन (निगम) के रूप में था। कारखानों या व्यापारिक प्रतिष्ठानों को कंपनी के अधिकारियों व कर्मचारियों द्वारा चलाया जाता था। कम महत्वपूर्ण कारखानों का नेतृत्व एक वरिष्ठ व्यापारी अथवा एक फेक्टर द्वारा किया जाता था, जबकि मुख्य कारखाने का नेतृत्व एक अध्यक्ष, जिसे गवर्नर कहा जाता था, द्वारा किया जाता था। मुख्य कारखानों को बाद में प्रेसिडेंसियों जैसे- कलकत्ता, मद्रास, बॉम्बे के नाम से जाना गया।
कंपनी का क्षेत्राधिकार तेजी से बढ़ा और उसी प्रकार प्रशासन भी-

- 1698 में कंपनी को सुतानुती, कलिकाता और गोविंदपुर गांवों की जमींदारी के अधिकार मिले।
- 1757 में कंपनी को कलकत्ता के पास 24 परगना की जमींदारी मिली।
- 1760 में मीर कासिम ने कंपनी को बर्दवान, मिदनापुर और चिटगांव की जमींदारी के अधिकारों से पुरस्कृत किया।

1764 के बाद कंपनी बंगाल में सर्वोच्च शक्ति के रूप में उभरी। हालांकि, कंपनी का बंगाल में कोई नवाचार करने का इरादा नहीं था और वह केवल बंगाल पर ब्रिटिश हुकूमत को जारी रखने, कर संग्रहित करने और लाभदायक व्यापार को जारी रखने की इच्छुक थी। साथ ही बंगाल के सीधे समामेलन ने अनावश्यक जटिलता निर्मित कर दी थी। अत: कंपनी ने सिद्धांत में दोहरे शासन (Dual Government, 1765-1772) के विकल्प को चुना, जिसमें कंपनी दीवान के रूप में और नवाब नाजिम के रूप में स्थापित हुआ। कंपनी द्वारा नियुक्त डिप्टी सूबेदार को कंपनी के हित में काम करना था। भारतीय अधिकारियों को पहले की तरह कार्य करने की अनुमति दी गई, लेकिन उन पर ब्रिटिश अधिकारियों का पूर्ण पर्यवेक्षण रहता था। आरंभ में, राजस्व संग्रह का कार्य नवाब के प्रतिनिधियों ने किया। मुख्य बल कानून और व्यवस्था को बनाए रखने पर दिया गया था, ताकि कंपनी के व्यापार और संसाधनों के शोषण को बिना किसी व्यवधान के जारी रखा जा सके। ब्रिटिश के साथ-साथ भारतीय अधिकारी भी भ्रष्ट थे और बंगाल लूट में से अपना भाग प्राप्त करने में लगे हुए थे, फलस्वरूप बंगाल का प्रशासनिक ढांचा पूर्णतया चरमरा गया।

1772 तक बंगाल में प्रशासनिक विघटन के साथ-साथ ईस्ट इंडिया कंपनी के द्वारा वित्तीय संकट का सामना किया जा रहा था, ऐसे समय में प्रशासन पर नियंत्रण करने के लिए 1773 का रेगुलेटिंग एक्ट पारित किया गया। अधिनियम में भारत के साथ-साथ ब्रिटेन में कंपनी के संविधान को परिवर्तित किया गया। धीरे-धीरे जैसे ही कंपनी जब व्यवसायिक निकाय से एक व्यवसाय-कम-राजनीतिक निकाय में रूपांतरित होने लगी तो ऐसा महसूस किया गया कि प्रशासन को व्यवस्थित करके ही साम्राज्य को एक सूत्र में बांधा जा सकता है। ऐसी व्यवस्था ब्रिटेन में आर्थिक विकास के साथ समय-समय पर विकसित हुई।

1813 तक ब्रिटिश हित निम्नलिखित तक सीमित थे-

- कराधान के माध्यम से वित्तीय संसाधनों को नियंत्रित करना।
- व्यापार के एकाधिकार में ब्रिटिश सर्वोच्चता को बनाए रखना।

इन दोनों हितों को तत्कालीन प्रशासनिक व्यवस्था को अस्त-व्यस्त किए बिना पूरा करना था। अत: वॉरेन हेस्टिंग्स (1772-1785) और कॉर्नवालिस (1786-1793) ने प्रशासन को केवल उच्च स्तर से संशोधित किया और इस प्रकार शेष व्यवस्था को छुए बिना परिवर्तन की प्रक्रिया की पहल की।

1813 के बाद औद्योगिक क्रांति के परिणामस्वरूप ब्रिटिश समाज में वृहद परिवर्तनों का सामना करना शुरू किया। ब्रिटिश का हित भारत को मुख्य रूप से निम्न में रूपांतरित करना था-

- ब्रिटिश निर्माताओं के लिए एक बाजार।
- उनके उद्योगों के लिए कच्चे माल का एक साधन।

इसके लिए भारतीय अर्थव्यवस्था और समाज में गहरे प्रवेश की आवश्यकता थी और आधुनिक कानूनों की सहायता से अनेक आर्थिक लेन-देन को नियमित करने और आधुनिक व्यवसाय को प्रोत्साहित करने के लिए तत्कालीन कानूनी व्यवस्था का कायापलट किया जाना था और इस प्रकार नए प्रशासनिक और विधिक व्यवस्थाओं की आवश्यकता को अनुभव किया गया। व्यापक रूप से, ईस्ट इंडिया कंपनी की संपूर्ण प्रशासनिक संरचना में निम्नलिखित महत्वपूर्ण तथ्य सम्मिलित थे-

1. लंदन में गृह सरकार
2. भारत सरकार
3. वित्तीय एवं राजस्व प्रशासन
4. लोक सेवा, सेना और पुलिस का संगठन
5. न्यायिक सेवाओं का संगठन
6. आर्थिक नीति
7. सामाजिक नीति
8. शैक्षिक नीति

भारतीय प्रशासन को प्रभावित करने वाले विचार- उस समय की बौद्धिक धारा, जिसे उपयोगितावाद कहा गया और जेम्स मिल, जेरिमी बेंथम, डेविड रिकार्डो और जॉन स्टूअर्ट मिल जिसके प्रतिपादक थे, का कंपनी के शासन के अधीन भारत की प्रशासनिक और न्यायिक व्यवस्था पर सर्वाधिक प्रभाव पड़ा। भारतीय समस्याओं और उनके सुझाव पर उनके विचार इस प्रकार हैं-

समस्याएं

- भारतीय समाज पिछड़ा और निरंकुश था। भारतीय जनता विवेकवाद और व्यक्तिवाद के मूल्यों से पूर्णतया रहित थी, जो आधुनिक समाज के लिए अत्यंत आवश्यक समझे जाते थे।
- व्यक्तिगत अधिकारों के लिए सुरक्षा का अभाव था।
- कुछ के द्वारा अनेक का पतन किया गया था, जिसका परिणाम अंधविश्वास, चापलूसी, दरिद्रता और अपराध था।

सुझाव

- ऐसे समाज को उचित विधायन के द्वारा सुधारा जा सकता है, इसमें दैवीय न्याय की अपेक्षा मानवीय न्याय को जोड़ा जाएगा। न्याय एवं एकरूपता पर आधारित प्रशासन भारत को एक प्रगतिशील समाज में बदल सकता था। संक्षेप में, उपयोगितावाद कानून के शासन की वकालत करता था, ऐसे कानून जो वैज्ञानिक रूप से परिभाषित और संहिता के रूप में लिखित हों। इनको स्थानीय न्यायालयों की एक निकाय द्वारा लागू किया जाना था, जो प्रत्येक व्यक्ति के लिए सुलभ हों।

नोट- 1819 में जेम्स मिल को ईस्ट इंडिया कंपनी की कार्यकारी सरकार के एक सदस्य के रूप में शामिल किया गया था।

1. लंदन में गृह सरकार

इंग्लैंड में कंपनी का प्रशासन दो संस्थाओं द्वारा देखा जाता था-निदेशक मण्डल और कोर्ट ऑफ प्रोप्राइटरस निदेशक मंडल इंग्लैंड में कंपनी के कार्यकारी थे और जिसमें 24 निदेशकों को शामिल किया गया था, जिन्हें साझेदारों के एक निकाय द्वारा निर्वाचित किया जाता था, जिन्हें सी.ओ.पी के नाम से जाना जाता था। 1773 के रेगुलेटिंग एक्ट से शुरू करते हुए धीरे-धीरे प्रगतिशील ढंग से निदेशक मंडल की शक्तियों और विशेष अधिकारियों को ब्रिटिश संसद के अधिनियम द्वारा कम किया गया और अंत में 1858 में क्रॉउन द्वारा इसकी शक्ति को पूर्णतया ले लिया गया।

2. भारत सरकार

भारत में कंपनी द्वारा शक्तियों और विशेषाधिकारों को दो स्रोतों से प्राप्त किया गया था- अंशतः ब्रिटिश क्रॉउन और संसद से तथा अंशतः मुगल साम्राज्य और क्षेत्रीय राजाओं से। बंगाल एवं पूर्वी व पश्चिमी तट पर कंपनी के कारखानों को इसके प्रत्येक मुख्य प्रतिष्ठान क्रमशः कलकत्ता, मद्रास और बॉम्बे में अध्यक्ष अथवा गवर्नर और एक परिषद (जिसमें कंपनी के वरिष्ठ सदस्य शामिल होते थे) के द्वारा प्रशासित किया जाता था। शुरुआत में तीनों प्रसिडेंसिया एक-दूसरे से स्वतंत्र थीं और लंदन में निदेशक मंडल के प्रति सीधे उत्तरदायी थीं। ब्रिटिश संसद के एक के बाद एक लाए गए अधिनियमों द्वारा पहले भारत सरकार के प्रशासन को केंद्रीकृत और बाद में विकेंद्रीकृत किया गया।

3. वित्तीय एवं राजस्व प्रशासन

प्लासी एवं बक्सर में विजय के बाद कंपनी व्यवसायिक-सह-सैन्य-सह-राजनीतिक (commercial-cum-military-cum-political) शक्ति के रूप में उभरी। अतः भू-राजस्व इसकी मुख्य आय के रूप में उभरा। अन्य स्रोतों में सीमा शुल्क, उत्पाद शुल्क, भारतीय राज्यों से प्राप्त उपहार, एकाधिकार, अफीम और नमक व्यापार इत्यादि शामिल थे। भारत में कंपनी की भू-राजस्व नीति और उसके प्रभाव को अध्याय "परिवर्तन एवं प्रभावः भारतीय अर्थव्यवस्था" में विस्तार से बताया गया है।

4. लोक सेवाओं, सेना और पुलिस का संगठन

भारत में ब्रिटिश प्रशासन का मुख्य उद्देश्य भारत में ब्रिटिश शासन के स्थायीकरण के लिए कानून व व्यवस्था को बनाए रखना था। इस उद्देश्य को ध्यान में रखते हुए ब्रिटिश प्रशासन तीन स्तंभों, लोक सेवा, पुलिस और सेना पर आधारित था।

लोक सेवा- कंपनी द्वारा लोक सेवा शब्द का उपयोग अपनी सेना और चर्च संबंधी कर्मचारियों व अधिकारियों में अंतर करने के लिए किया गया था। लोक सेवा का मुख्य कार्य कानून को लागू करना और राजस्व कर संग्रह करना। यह लोक सेवा नियमों के अनुसार कार्य करती थी और इस प्रकार कंपनी के प्रशासन में इसने एक विशिष्टता पायी।

प्रारंभ में, निदेशक मंडल अपने संरक्षण या अपनी सरपरस्ती द्वारा लोक सेवकों को नामांकित करता था। निदेशक मंडल अक्सर अपने बेटों और संबंधियों को भारत में नियुक्ति देते थे, क्योंकि भारत में नियुक्ति उन्हें निजी व्यापार करने और रिश्वत द्वारा अधिक धन कमाने का अवसर देती थी।

कॉर्नवालिस ने निजी व्यापार पर प्रतिबंध और वेतन वृद्धि द्वारा इस समस्या को सुलझाने का प्रयास किया। कुछ समय बाद कंपनी की लोक सेवा विश्व में सर्वाधिक वेतन का भुगतान किए जाने वाली सेवा बन गई थी। साथ ही कॉर्नवालिस ने सेवाओं के यूरोपीयकरण की नीति अपनाई थी और कोई भारतीय लोक सेवा में प्रवेश नहीं कर सकता था। लोक सेवाओं के सुधार और आधुनिकीरण करने के उसके प्रयास के कारण कॉर्नवालिस को भारत में लोक सेवा का जनक कहा जाता है।

इस भ्रष्टाचार की समस्या से निपटने के लिए लॉर्ड वेलेजली ने 1798 में लोक सेवकों के लिए प्रशिक्षण शुरू किया। तदनुसार, 1800 में कलकत्ता में फोर्ट विलियम कॉलेज स्थापित किया गया, जिसमें लोक सेवकों को भी भारतीय भाषाओं, साहित्य और विज्ञान में प्रशिक्षित किया जाता था। हालांकि, निदेशक मंडल ने इसका समर्थन नहीं किया और 1806 में इसके स्थान पर इंग्लैंड में हेलीबेरी में ईस्ट इंडिया कॉलेज स्थापित किया गया, जिसमें पूर्व में सेवाओं के लिए नियुक्त युवा अधिकारियों के लिए दो वर्षीय प्रशिक्षण कार्यक्रम होता था। अगले 50 वर्षों तक कंपनी के लोक सेवक हेली बेरी कॉलेज के ही उत्पाद थे।

1833 के चार्टर में लोक सेवक के लिए सीमित प्रतियोगिता को प्रस्तावित किया गया। अब निदेशक मंडल को रिक्तियों के चार गुना को नामांकित करने की आवश्यकता होती थी। उनमें से केवल एक चौथाई को प्रतियोगिता परीक्षा के आधार पर चुना जाता था।

1853 के चार्टर द्वारा लोक सेवकों को नियुक्त करने के निदेशकों के अधिकारों को ले लिया गया और एक खुली सार्वजनिक प्रतियोगिता की शुरुआत की गई। आयु, योग्यता इत्यादि के संबंध में सुझाव देने के लिए मैकाले के नेतृत्व में एक

समिति गठित की गई। इसके बाद हैलीबेरी कॉलेज को समाप्त (1858) कर दिया गया और प्रतियोगी परीक्षाओं को कराने का मुख्य उत्तरदायित्व लोक सेवा आयोग का हो गया। यह प्रतियोगी परीक्षा लंदन में प्रत्येक वर्ष अंग्रेजी भाषा में होती थी और इस प्रकार भाषा के द्वारा भारतीयों के लिए इसे असंभव बना दिया गया था।

यद्यपि 1863 में **सत्येंद्र नाथ टैगोर** (रबीन्द्रनाथ टैगोर के भाई) लोक सेवा में प्रवेश करने वाले पहले भारतीय बने। भारतीयों के लिए रियायत के तौर पर बाद में कंपनी ने डिप्टी कलेक्टर के पदों को सृजित किया, जिसे कलेक्टर और तहसीलदार के बीच रखा गया।

कलेक्टर (एक लोक सेवक) जिले में सबसे वरिष्ठ अधिकारी होता था, जिसका मुख्य उत्तरदायित्व राजस्व का संग्रह करना था। इस कार्य के लिए उसे एक तहसीलदार द्वारा सहायता दी जाती थी, जो एक भारतीय होता था।

भारतीय लोक सेवा विश्व में सर्वाधिक शक्तिशाली सेवा के रूप में विकसित हुई, जिसे स्टील फ्रेम (steel frame) के नाम से ज़ाना गया और इसने ब्रिटिश शासन को बनाए रखा। अत्यधिक शक्ति पाकर लोक सेवक मानने लगे कि भारत पर शासन करना उनका एक दैवीय अधिकार है और वे भारतीयों के जीवन में होने वाले प्रत्येक प्रगति का विरोध करते थे और स्वतंत्रता आंदोलन के दौरान वे भारतीय राष्ट्रवादियों के निशाने पर रहते थे। स्वतंत्रता के बाद भारत ने लोक सेवा की इस व्यवस्था को जारी रखा और अपने मौलिक रूप में आज तक यह जारी है।

सेना- कंपनी के बड़े हिस्से में भारतीय सैनिक (1857 में कंपनी की कुल सेना में 86% भारतीय) शामिल थे। ऐसा मुख्य रूप से इसलिए था, क्योंकि अकेली ब्रिटिश सेना को रखना बहुत ही खर्चीला था। हालांकि, प्रशासन की अन्य शाखाओं के समान ही सेना में सभी अधिकारी ब्रिटिश ही थे और भारतीयों के लिए सबसे ऊंचा पद केवल सूबेदार का ही था। यह आश्चर्यजनक है कि कुछ मुट्ठी भर ब्रिटिश अधिकारी पूर्णतया भारतीय सेना पर नियंत्रण रख सके। इसका कारण भारत में आधुनिक राष्ट्रवाद का अभाव था। सेना का मुख्य कार्य भारत को अधीनता में रखना था। उसका एक गौण कार्य रूस, फ्रांस और अन्य शत्रुओं के विरुद्ध इंग्लैंड की ओर से युद्ध में लड़ना था।

पुलिस- प्रशासन के तीसरे स्तम्भ के रूप में स्थापित पुलिस भी कॉर्नवालिस का ही एक सृजन था। इससे पूर्व पुलिस का कार्य सशस्त्र अनुचरों की सहायता से जमींदारों द्वारा किया जाता था। कॉर्नवालिस ने इन सशस्त्र अनुचरों को विघटित कर उनके स्थान पर कंपनी के सीधे नियंत्रण में एक पुलिस बल संगठित किया। पुलिस बलों को दरोगा के नेतृत्व में थानों में बांटा गया और दरोगा एक भारतीय होता था। पुलिस का मुख्य कार्य अपराध को नियंत्रण में रखना और ब्रिटिश शासन के विरुद्ध षडयंत्र को रोकना था। 20वीं शताब्दी में मुख्य रूप से राष्ट्रीय आंदोलन के बढ़ते ज्वार को नियंत्रित करने के लिए पुलिस को व्यापक स्तर पर तैनात किया गया था।

5. न्यायिक सेवाओं का संगठन

भारत में ब्रिटिश न्यायिक व्यवस्था की स्थापना से पूर्व शास्त्रों पर आधारित हिंदू कानून, कुरान आधारित मुस्लिम कानून के साथ-साथ शासक वर्ग द्वारा पोषित प्रथागत कानूनों का एक मिश्रण था।

प्रारंभिक न्यायिक संरचना- यह वॉरेन हेस्टिंग्स ही था, जिसने मुगल मॉडल के आधार पर प्रारंभिक न्यायिक संरचना स्थापित करने का प्रयास किया और दीवानी अदालत व फौजदार अदालत स्थापित कीं। ये अदालतें हिंदू और मुस्लिम दोनों कानूनों का अनुसरण करतीं थीं।

न्याय व्यवस्था का यूरोपीकरण- लॉर्ड कॉर्नवालिस इस संरचना में नए परिवर्तन लाया और भारतीय न्याय व्यवस्था को एक स्थिर संरचना प्रदान की। उसने जिला फौजदारी अदालतें, जिसमें भारतीय न्यायाधीश की अध्यक्षता होती थी, को समाप्त किया और उसके स्थान पर चार सर्किट कोर्ट स्थापित किए, जिनका यूरोपीय संविदाबद्ध सेवकों द्वारा नेतृत्व किया जाता था और वे काजी व मुफ्ती की सहायता से मुकदमों का निर्णय करते थे। इसी प्रकार मुर्शिदाबाद में सदर निजामत अदालत को समाप्त किया गया और उसके स्थान पर एक कोर्ट कलकत्ता में स्थापित किया गया, जिसमें गवर्नर जनरल और सुप्रीम कोर्ट के सदस्य शामिल थे। इनकी सहायता के लिए एक मुख्य काजी और दो मुफ्ती होते थे।

न्यायिक कार्यों का कार्यकारी कार्यों से पृथक्करण- 1793 में कॉर्नवालिस ने शक्तियों के पृथक्करण के सिद्धांत पर आधारित कॉर्नवालिस संहिता के रूप में उसके न्यायिक सुधारों को संकलित किया। इस संहिता द्वारा कलेक्टर से उसकी सभी न्यायिक शक्तियों को ले लिया गया और उसके पास केवल राजस्व प्रशासन रह गया। न्यायिक शक्तियां अधिकारी के एक नए वर्ग जिला न्यायाधीश को दी गई। इस प्रकार कॉर्नवालिस के अधीन पहली बार कार्यकारी शक्तियों से न्यायिक शक्तियों को पृथक किया गया।

आपराधिक कानून में सुधार- ब्रिटिश के अधीन नए न्यायिक व्यवस्था की एक महत्वपूर्ण विशेषता यह थी कि इसमें तत्कालीन दीवानी व फौजदारी कानूनों के प्रति पर्याप्त सहिष्णुता दिखाई। केवल सबसे महत्वपूर्ण संशोधनों को प्रस्तावित किया गया।

कॉर्नवालिस फौजदारी कानून में संशोधन के साथ आगे बढ़ा, जिसे मुस्लिम ईश्वरीय फरमान मानते थे, और **समानता** के सिद्धांत एवं न्याय के पाश्चात्य विचार के आधार पर एक न्यायिक व्यवस्था स्थापित की। उसने शासक अथवा उसके स्थानीय एजेंट के धार्मिक या व्यक्तिगत कानून के स्थान पर लिखित **धर्मनिरपेक्ष** कानून स्थापित किए और कानून की संप्रभुता की घोषणा की। अंग-भंग जैसी सजाओं का स्थान कारावास अथवा जुर्माने की सजा ने ले लिया। आपराधिक मुकदमों में गैर-मुस्लिमों को मुसलमानों के विरुद्ध गवाही देने की अनुमति दी गई, जिसे इससे पूर्व साक्ष्य के मुस्लिम कानून द्वारा सहमति नहीं दी गई थी।

हालांकि, कॉर्नवालिस द्वारा किए गए सुधारों ने अनेक अवांछनीय प्रभावों को उत्पन्न किया। धर्मनिरपेक्ष या लौकिक संहिता जटिल और आम व्यक्ति के लिए अपरिचित थी। इस प्रकार वकीलों को नियोजित किया जाने लगा, जिसने मुकदमेबाजी की कीमत को और जोड़ दिया। अब जनता वहन करने योग्य न्याय की आशा नहीं कर सकती थी। भारतीय न्यायिक पदाधिकारियों जैसे- पंचायत, जमींदार और काजी का स्थान यूरोपीय न्यायाधीशों ने ले लिया, जो भारतीय जनता की प्रथाओं और व्यवहार से अनभिज्ञ थे। जनता को अब शहरों तक आना होता था, जिसने प्रक्रिया को काफी व्यापक बना दिया था और मुकदमे वर्षों तक चलते रहते थे। इस प्रकार आम व्यक्ति को तीव्र एवं वहन करने योग्य न्याय से वंचित कर दिया गया था। उदाहरणस्वरूप, 1832 में विरासत एवं ऋण से संबंधित विवाद को लेकर एक जमींदार ने मुकदमा किया। इसका निर्णय 1896 में 64 वर्षों बाद आया। अंततः प्रशासन की अन्य शाखाओं के समान ही न्यायिक व्यवस्था ने भी कंपनी के हितों को साधा।

1793 के चार्टर अधिनियम ने भी इस आवश्यकता की ओर इंगित किया था कि व्यक्ति के अधिकारों और संपत्ति से जुड़े सभी कानूनों को भारतीय भाषाओं में अनुवाद के साथ छापा जाना चाहिए, ताकि जनता अपने अधिकारों और उन्मुक्तियों के बारे में जान सके। इस प्रकार इस अधिनियम ने ब्रिटिश भारत में लिखित कानूनों के आधार पर शासन की नींव रखी।

व्यैक्तिक नागरिक कानून को मान्यता- हालांकि, ब्रिटिश ने अनेक भारतीय समुदायों के व्यक्तिगत नागरिक कानूनों से संबंधित दीवानी मामले जैसे- विवाह, तलाक, उत्तराधिकार, विरासत इत्यादि को जारी रखने की अनुमति दी।

कानूनों का संहिताबद्ध किया जाना- विशेष रूप से, ब्रिटिश ने कानून निर्माण और कानून की रक्षा की संपूर्ण प्रक्रिया को व्यवस्थित भी किया। 1833 के चार्टर अधिनियम के द्वारा कानून-निर्माण की शक्ति परिषद सहित गवर्नर जनरल में निहित की। तत्कालीन कानूनों को संहिताबद्ध करने के लिए लॉर्ड मैकाले के नेतृत्व में एक भारतीय कानून आयोग बनाया गया। इसके प्रयासों द्वारा ही भारतीय दंड संहिता और नागरिक व दंड प्रक्रिया संहिता को अधिनियमित किया गया। ये संहिताएं पूरे देश पर लागू हुई और पहली बार सभी भारतीयों को कानूनों की एकल व्यवस्था के अंतर्गत लाया गया। साथ ही, अब कानूनों को न्यायिक व्याख्याओं और आगामी संशोधनों के लिए खोला गया।

कानून का शासन एवं कानून के समक्ष समानता- भारत में कानून के शासन की आधुनिक अवधारणा को प्रारंभ करने के लिए ब्रिटिश को श्रेय जाता है। कानून के शासन का अर्थ था, कि प्रशासन कानूनों के आधार पर चलाया जाएगा, न कि शासक की इच्छा के अनुसार। कानून के समक्ष समानता का अर्थ था, कि भिन्न-भिन्न जाति, धर्म या वर्ग होने के बावजूद सभी भारतीय कानून के समक्ष समान होंगे।

यद्यपि यूरोपियों को इसके परिधि से बाहर रखा गया था और उनके लिए अलग कानून एवं अलग न्यायलय बनाए गए थे, तथापि न्याय की इन दोनों आधुनिक अवधारणाओं ने भारतीयों के बीच समानता की समझ विकसित करने में महत्वपूर्ण भूमिका निभाई। नई न्याय व्यवस्था ने भारत के एकीकरण की प्रक्रिया को प्रारंभ किया, अब भारत कम-से-कम न्यायिक शब्दों में एक इकाई बन गया था।

शासन एवं न्याय व्यवस्था में भारतीय सहभागिता की सीमा- ब्रिटिश द्वारा आरंभ की गई नई न्यायिक एवं प्रशासनिक व्यवस्था में भारतीयों को उच्च पदों से बाहर रखा गया था। ऐसा नीतिगत कारणों से था, क्योंकि ब्रिटिश दृढ़ीकरण का कार्य भारतीयों के हाथों में नहीं छोड़ा जा सकता था। यद्यपि, बाद में संविदाबद्ध सेवाओं (जो केवल अंग्रेजों के लिए थीं) का भारतीयकरण किया गया और ऐसा केवल राज्य के व्यय को कम करने के लिए किया गया था।

6. आर्थिक नीति

इसे विस्तार से "परिवर्तन एवं प्रभाव: भारतीय अर्थव्यवस्था" अध्याय में समझाया गया है।

7. सामाजिक नीति

भारतीय जनता के कल्याण के प्रति ब्रिटिश उत्तरदायित्व का विचार प्लासी और बक्सर के युद्ध के बाद उदित नहीं हुआ, बल्कि इसका उदय द्वैध शासन के काल के दौरान उस समय हुआ जब कंपनी के अधिकारी व कर्मचारी बंगाल की लूट में लिप्त थे।

बंगाल में कंपनी द्वारा की गई लूट और भ्रष्टाचार की ब्रिटिश संसद में बहुत आलोचना हुई और ब्रिटिश संसद पर दबाव बना कि वह कंपनी के मुद्दों को विनियमित करें। इसके बाद ही 1773 का रेगुलेटिंग एक्ट पारित किया गया। इस अधिनियम के द्वारा पहली बार ब्रिटिश सरकार ने कंपनी के प्रशासन के लिए सत्ता और उत्तरदायित्व को स्वीकार किया। अत: यह प्रक्रिया आगामी अधिनियमों के द्वारा जारी रही।

1773-1813 के **दौरान सामाजिक नीति (प्राच्यवाद और राजनीतिक व्यवहारवाद का मिश्रण)**- पहले गवर्नर जनरल वॉरेन हेस्टिंग्स ऐसे प्रशासन के समर्थन में थे, जो भारतीय भाषाओं में हों और भारतीय परंपराओं के प्रति उत्तरदायी हो। उन्होंने व्यक्तिगत रूप से भारतीय विषयों व पाठों के अनुवाद और अध्ययन को प्रेरित किया। उनके संरक्षण में बंगाली पहली देशी भाषा थी, जिसे अंग्रेजों द्वारा व्यवस्थित रूप से पढ़ा गया। हेस्टिंग्स के एक घनिष्ठ साथी नथानील थे, जिन्होंने हिंदू प्रथाओं के धार्मिक कानूनों का संकलन किया और उनका अंग्रेजी में अनुवाद किया, जो 1776 में 'ए कोड ऑफ गेंटू लॉज' के नाम से प्रकाशित हुआ। 1778 में उसने बंगाली भाषा की व्याकरण प्रकाशित की। 1784 में बनारस में चार्ल्स विल्किंस द्वारा भगवत गीता का अंग्रेजी में पहला अनुवाद किया गया। हेस्टिंग्स एशियाटिक सोसाइटी की स्थापना में भी सहयोगी था, जिसने भारतीय परंपराओं की पुनर्खोज में सहायता की थी। 1781 में हेस्टिंग्स ने फारसी एवं अरबी भाषाओं के अध्ययन के लिए **कलकत्ता मदरसा** की स्थापना की। इस प्रकार हेस्टिंग्स की प्रारंभिक सामाजिक नीति ब्रिटिश प्राच्यवाद और राजनीतिक व्यवहारवाद के एक अच्छे समन्वय को प्रदर्शित करती थी।

1813 के बाद सामाजिक नीति (सजग हस्तक्षेप)- 1813 तक ब्रिटिश ने व्यापक रूप से भारतीयों के धार्मिक, सामाजिक एवं सांस्कृतिक जीवन में अहस्तक्षेप की नीति का अनुसरण किया। हालांकि, 1813 के बाद ब्रिटेन में औद्योगिक एवं बौद्धिक क्रांतियों के बाद भारतीय समस्याओं के प्रति ब्रिटिश रवैए में एक परिवर्तन आया। इन क्रांतियों ने अंग्रेजों को मानववाद, स्वतंत्रता, समानता और भ्रातृत्व के आधुनिक उदारवादी विचारों से भर दिया था। 1813 के बाद अनेक अधिकारी जो भारत आए, वे इन विचारों से अत्यधिक प्रभावित थे और उनको आधुनिक तर्ज पर भारतीयों के सामाजिक-सांस्कृतिक जीवन को परिवर्तित करने की इच्छा थी। तत्कालीन अधिकारी भारतीयों को उतना ही आधुनिक बनाना चाहते थे, जिससे कि वह ब्रिटिश वस्तुओं के अच्छे उपभोक्ता बन सकें और ब्रिटिश शासन में सामंजस्य बना सकें। इस प्रकार दोनों बलों के बीच व्यवहारिक संतुलन बनाना चुनौती थी और इस प्रकार भारतीय सामाजिक संस्थाओं में सतर्क या सजग हस्तक्षेप की नीति का उद्भव हुआ।

सामाजिक नीति के अंतर्गत व्यापक रूप से कानून, सामाजिक प्रथाएं, परिवार, शिक्षा, प्रतिष्ठा इत्यादि आते हैं। इन विस्तृत सामाजिक मुद्दों में से कुछ का पहले ही वर्णन किया जा चुका है। अत: हम यहां ईसाई धर्म के प्रसार, भ्रूण हत्या की सामाजिक प्रथा, सती, विधवा पुनर्विवाह, दासता और शिक्षा पर ध्यान केंद्रित करेंगे। यह भी उल्लेखनीय है कि कंपनी के साथ सरकार का मुख्यालय होने के कारण बंगाल एक सामाजिक प्रयोगशाला के रूप में उभरा, जहां ब्रिटिश ने अपने तथा जनता के सामूहिक जीवन को नियमित करने के विचार से प्रारंभिक राज्य नीतियां विकसित की थीं।

धर्म

ईसाई धर्म का प्रसार- ईसाई धर्म प्रचारकों और धार्मिक व्यक्तियों जैसे- चार्ल्स ग्रंट और विलियम विल्बरफोर्स ने दावा किया था कि हिंदू धर्म अंधविश्वास, मूर्ति पूजा और पुजारी वर्गों के प्रभुत्व पर आधारित है। उन्होंने ईसाई धर्म के प्रसार को बढ़ावा दिया, जो उनके विचार में केवल सत्य धर्म था और बाकी सभी असत्य धर्म थे। उन्होंने भारत के आधुनिकीकरण और पश्चिमीकरण की नीति को भी अपना समर्थन दिया, क्योंकि उन्हें आशा थी कि यह ईसाई धर्म में धर्मांतरण की ओर ले जाएगा और अनेक आधुनिक विद्यालयों, महाविद्यालयों और अस्पतालों की स्थापना को प्रेरित करेगा। ईसाई धर्म प्रचारकों की लॉबी के दबाव में ब्रिटिश संसद ने 1813 के चार्टर में एक प्रावधान जोड़ा, जिसमें ईसाई धर्म प्रचारकों को भारत जाने और यहां तक कि एक लाइसेंस के अधीन वहां रुकने की अनुमति दी। लेकिन 1857 की क्रांति के बाद यह नीति परिवर्तित हुई और ब्रिटिश ने जातिवाद और संप्रदायवाद सहित समाज के रूढ़िवादी तत्वों को समर्थन देना शुरू कर दिया था।

सामाजिक प्रथाएं

कन्या भ्रूण हत्या- कन्या भ्रूण हत्या पहली सामाजिक बुराई थी, जिसका ब्रिटिश द्वारा दमन किया गया। यह भारत के अनेक भागों में प्रचलित थी, विशेष रूप से राजपूत, मेवाती और जाटों के बीच। यह समुदाय कन्याओं को आर्थिक बोझ समझते थे, जो कन्या भ्रूण हत्या की कुप्रथा का कारण था।

- बनारस के रेजिडेंट जोनाथन डंकन कन्या भ्रूण हत्या का दमन करने वाले पहले अधिकारी थे।
- 1795 और 1802 के बंगाली विनियमनों द्वारा भ्रूण हत्या पर प्रतिबंध लगा दिया गया। ऐसा केवल तभी किया गया जब ब्रिटिश संतुष्ट हो गए कि ऐसा करने से कोई बड़ा जन-विद्रोह नहीं होगा।

सती एवं विधवा पुनर्विवाह- सती प्रथा अगली सामाजिक बुराई थी, जिसका ब्रिटिश द्वारा दमन गया।

- 1789 में शाहाबाद के कलेक्टर कोलब्रूक ने सती प्रथा को रोका और यह साबित करने का प्रयत्न किया कि सती प्रथा वैदिक संस्कृति के विरुद्ध है।
- 1813 में सरकार ने सती के लिए न्यूनतम आयु 16 वर्ष कर दी। यह भी घोषित किया गया कि एक विधवा जिसका शिशु तीन वर्ष से कम उम्र का होगा, वह तब तक सती नहीं हो सकेगी जब तक कि उसका शिशु किसी दूसरे को सुपुर्द नहीं हो जाता।
- हालांकि, सरकार इस प्रथा को तुरंत दबाने में संकोच कर रही थी, उसी दौरान राजा राम मोहन राय के नेतृत्व में बंगाली बुद्धिजीवियों का एक समूह सक्रिय रूप से सती के उन्मूलन के लिए कार्य कर रहा था। अपनी साली को सती प्रथा के कारण खोने के बाद राममोहन ने इस प्रथा के विरुद्ध एक सशक्त जनमत निर्मित करने के लिए लेखों की एक श्रृंखला लिखी और उनकी पत्रिका **'संवाद कौमुदी'** इस आंदोलन का मुख्य अंग बना। राम मोहन के प्रयासों का विरोध काशीनाथ तर्कवागीश के नेतृत्व में रूढ़िवादियों के एक समूह ने किया और **'समाचार चंद्रिका'** उनका मुख्य माध्यम बना।
- 1829 में गवर्नर जनरल बैंटिक द्वारा पारित एक विधायन से अंतत: बंगाल प्रेसिडेंसी में सती प्रथा को समाप्त कर दिया गया है। वास्तव में, बैंटिक ने सती प्रथा से किसी भी रूप में जुड़ने को एक अपराध बना दिया था। 1830 में विधायन को बॉम्बे और मद्रास प्रेसिडेंसियों में भी विस्तारित किया गया।
- 1856 में हिंदू विधवा पुनर्विवाह अधिनियम पारित करके विधवाओं के पुनर्विवाह को कानूनी बनाया गया।

उल्लेखनीय है कि कन्या भ्रूण हत्या के साथ-साथ सती के उन्मूलन की पहल मुख्य रूप से व्यक्तिगत प्रशासकों द्वारा की गई।

दासता- दासता भारत में व्याप्त श्रमिक शोषण की व्यवस्था थी। एक बार पुनः दासता के प्रति ब्रिटिश रवैया टालमटोल वाला था।

- दासता के विरुद्ध विलियम विल्बरफोर्स के नेतृत्व में इंजीलवादी प्रचार किया गया।
- 1833 के चार्टर अधिनियम ने भारत सरकार को निर्देशित किया कि वह दासता के उन्मूलन के लिए कदम उठाये।
- दासता को अंततः 1843 के भारतीय दासता अधिनियम (Indian Slavery Act of 1843) द्वारा समाप्त कर दिया गया।

यूरोपीय और भारतीय दोनों ही सामाजिक सुधारकों का मानना था कि कोई भी सामाजिक विधायन तब तक सामाजिक बुराइयों को समाप्त नहीं कर सकेगा, जब तक जनता स्वयं कानून की वांछनीयता के बारे में दृढ़ मत न हो और ऐसे परिवर्तन के लिए शिक्षा एक महत्वपूर्ण हस्तक्षेप था। इस प्रकार सामाजिक और धार्मिक संस्थाएं ऐसे क्षेत्र थे, जहां ब्रिटिश ने बहुत सावधानी के साथ हस्तक्षेप किया। यह हस्तक्षेप बहुत टालमटोल और पर्याप्त व्यवहारिक राजनीतिक विचार के बाद सामने आए। साथ ही, इस सीमित सामाजिक हस्तक्षेप की नीति को भी 1857 के विद्रोह के बाद औपनिवेशिक सरकार द्वारा त्याग दिया गया और इसके स्थान पर समाज के रूढ़िवादी तत्वों का समर्थन किया गया।

8. शैक्षिक नीति

ब्रिटिश युग के पूर्व शिक्षा- पूर्व औपनिवेशिक काल में शिक्षा की देसी व्यवस्था में मुसलमानों के लिए मदरसा और मकतब एवं हिंदुओं के लिए टोल और पाठशाला में शामिल थीं। विद्यालयों को अमीर जमींदारों द्वारा दिया जाता था और राज्य विद्यालयीन शिक्षा में बहुत कम भूमिका निभाता था। पाठ्यक्रम में मुख्य रूप से धार्मिक शास्त्रों और दार्शनिक पाठ्यों को पढ़ाया जाता था, जिन्हें समझने की अपेक्षा रटा अधिक जाता था और जांच-पड़ताल व विवेकवाद बहुत कम विकसित होता था। संस्कृत, फारसी जैसी भाषाएं और व्याकरण, कानून, चिकित्सा इत्यादि विषयों को भी पढ़ाया जाता था। इस व्यवस्था में अधिकांश मौखिक परंपरा का अनुसरण किया गया और महिलाओं को औपचारिक शिक्षा से वंचित रखा जाता था। इस व्यवस्था का मुख्य गुण दैनिक जीवन की आवश्यकताओं को पूरा करने के लिए आधारभूत साक्षरता प्रदान करना था, इसकी मुख्य कमी वैज्ञानिक और लौकिक या धर्मनिरपेक्ष शिक्षा का अभाव होना था।

शिक्षा के क्षेत्र में प्रारंभिक यूरोपीय प्रयत्न- भारत में आधुनिक शिक्षा व्यवस्था को प्रारंभ करने का श्रेय पश्चिमी ईसाई धर्म प्रचारकों को जाता है। वे पहले थे, जिन्होंने आधुनिक विद्यालयों को स्थापित किया और साहित्यिक रचनाओं को प्रकाशित करवाया। 1556 में भारत में पहली आधुनिक प्रिंटिंग प्रेस (छापाखाना) गोवा में पुर्तगाली धर्म प्रचारकों द्वारा स्थापित की गई। डेन प्रचारकों ने एक तमिल शब्दकोश प्रकाशित किया। हालांकि, इन प्रयत्नों के पीछे उनका हित जनता को शिक्षित करना नहीं, बल्कि शिक्षा का धर्म प्रचार के एक साधन के रूप में उपयोग करना था।

कंपनी के अधीन शिक्षा- कंपनी के सत्ता में आने के तुरंत बाद उसने अपने अधीन जनता के सामाजिक व धार्मिक जीवन में अहस्तक्षेप की नीति का अनुसरण किया। हालांकि, कंपनी को शिक्षा के प्रोत्साहन का उत्तरदायित्व लेने के लिए विभिन्न वर्गों जैसे- धर्म प्रचारकों और उदारवादियों के बढ़ते दबाव का सामना करना पड़ा। तदनुसार, कंपनी ने आधे मन से प्राच्य शिक्षा को प्रोत्साहित करने का कुछ प्रयास किया।

- 1781 में फारसी और अरबी के अध्ययन के लिए वॉरेन हेस्टिंग्स ने कलकत्ता मदरसा की स्थापना की।
- 1791 में हिंदुओं के लिए कानून, साहित्य और धर्म के संवर्धन के लिए जोनाथन डंकन द्वारा बनारस संस्कृत कॉलेज की स्थापना की गई। इन दोनों संस्थाओं का उद्देश्य कंपनी के प्रशासन की सहायता के लिए योग्य भारतीयों की नियमित आपूर्ति करना था।
- 1784 में विलियम जॉन्स द्वारा एशियाटिक सोसाइटी ऑफ बंगाल (Asiatic Society of Bengal) की स्थापना की गई।
- 1800 में लॉर्ड वेलेजली ने फोर्ट विलियम कॉलेज की स्थापना की, जहां ब्रिटिश अधिकारियों को प्रशिक्षित किया जाता था। यहां प्राच्य ज्ञान को प्राथमिकता दी जाती थी।

कंपनी के चार्टर को प्रत्येक 20 वर्षों में नवीनीकृत किया जाता था। 1813 के चार्टर ने ईसाई धर्म प्रचारकों को भारत में प्रवेश और अपनी गतिविधियों को संचालित करने का लाइसेंस दिया गया था। ईसाई धर्म प्रचारकों की लॉबी के दबाव में ब्रिटिश संसद ने चार्टर में भारतीय जनता के लिए साहित्य व विज्ञान के प्रोत्साहन हेतु 100000 रुपए वार्षिक प्रदान करने का एक प्रावधान जोड़ा गया। यह पहली बार था जब निदेशक मंडल ने भारत में शिक्षा के प्रोत्साहन के लिए राज्य के उत्तरदायित्व को स्वीकार किया। लेकिन यह छोटी रकम भी 1823 तक कंपनी द्वारा नहीं दी गई।

आंग्लवादी नीति 1813 के बाद कंपनी के व्यवसायिक हितों का स्थान औद्योगिक हितों ने ले लिया, जो भारत को अपने उत्पादों के लिए एक बाजार के रूप में देखते थे। एक प्रभावशाली राजनीतिज्ञ चार्ल्स ग्रांट और उनकी लॉबी ने अंग्रेजी शिक्षा की वकालत की और उन्हें आंग्लवादी कहा गया। समय के साथ जैसे ही भारत में ब्रिटिश साम्राज्य प्रसारित हुआ, तो कंपनी के प्रशासन की आवश्यकतायें भी बड़ी और सभी यूरोपीय स्टाफ अब बहुत खर्चीले साबित होने लगे थे। अत: लिपिकीय और मध्यम स्तर, विशेषकर राजस्व एवं न्यायिक विभागों में कार्य के लिए स्थानीय स्टाफ को निर्मित करने की आवश्यकता महसूस की गई। स्वाभाविक रूप से, फारसी एवं देशी भाषाओं के ज्ञान के अतिरिक्त स्टाफ को अंग्रेजी भाषा का ज्ञान होना आवश्यक था। इस प्रकार प्राच्यवाद बनाम आंग्लवाद का वाद-विवाद (Orientalists vs. Anglicists debate) शुरू हुआ।

प्राच्यवाद व आंग्लवाद का विवाद- यह एक लंबे वाद-विवाद को इंगित करता था कि कंपनी को भारतीय और पश्चिमी शिक्षा में से किसे प्रोत्साहित करना चाहिए। 1823 तक 1813 के चार्टर द्वारा आवंटित शैक्षिक धन का उपयोग नहीं किया गया था। 1823 में जब सार्वजनिक शिक्षा की एक सामान्य समिति बनाई गई, तब उसमें सभी 10 सदस्य दो समान समूह में विभाजित हो गए थे। एक समूह प्राच्यवादी (एच.टी. प्रिंसेप के नेतृत्व में) और दूसरा आंग्लवादी (जो अंग्रेजी माध्यम के द्वारा पश्चिमी विषयों के प्रोत्साहन के लिए धन के उपयोग की वकालत करते थे) हुआ।

यह विवाद तब समाप्त हुआ, जब गवर्नर जनरल बैंटिक ने जी.बी. मैकाले को समिति का अध्यक्ष बनाया। यह दोनों ही आंग्लवादी खेमे के थे। मैकाले ने भारतीय परंपरा और साहित्य के प्रति बहुत निंदा दिखाई और उसने एक बार कहा, 'एक अच्छे यूरोपीय पुस्तकालय की एक अलमारी भारतीय और अरब के सम्पूर्ण देशी साहित्य के बराबर है।'

यह विवाद अंतत: आंग्लवादियों के पक्ष में समाप्त हुआ और 2 फरवरी 1835 को मैकाले का ब्यौरा प्रस्तुत किया गया, जिसे औपचारिक रूप से 7 मार्च 1835 को एक प्रस्ताव पारित करके बेंटिक की सरकार द्वारा स्वीकार कर लिया गया। इस ब्यौरे के अनुसार यह निर्णय लिया गया कि सीमित संसाधनों को केवल उच्च वर्गों के लिए अंग्रेजी माध्यम में पश्चिमी शिक्षा के लिए लगाया जाना चाहिए। सीमित संसाधनों से जनता के लिए शिक्षा का प्रयास नहीं किया जा सकता था और इस प्रकार मैकाले ने निस्पंदन सिद्धान्त में विश्वास दिखाया। उसका मानना था कि अंग्रेजी शिक्षित भारतीय देशी भाषा को समृद्ध बनाएंगे और जनता तक पश्चिमी ज्ञान को पहुंचाने में सहायक होंगे। अत: देशी भाषा के विकास को पश्चिमी शिक्षा के प्रसार के सहायक के रूप में देखा गया।

तदनुसार, सरकार ने कुछ अंग्रेजी विद्यालय और महाविद्यालय खोले। 1835 में उच्चतम न्यायालयों में फारसी भाषा के स्थान पर अंग्रेजी को न्यायालय की भाषा बनया गया। 1838 के एक अधिसूचना के द्वारा सरकार ने प्राच्य शिक्षा के लिए निर्धारित सभी राजकीय धन को बंद घोषित कर दिया। 1844 में सरकार ने घोषित किया कि शासकीय नियोजन के लिए आवेदक को अंग्रेजी का ज्ञान होना चाहिए। इस प्रकार शिक्षा की परंपरागत भारतीय व्यवस्था धीरे-धीरे शासकीय समर्थन के अभाव में मुरझाने लगी।

बंगाली बुद्धिजीवियों का प्रभाव- यह व्यापक रूप से माना गया कि आंग्लवादियों के पक्ष में निर्णय आने के पीछे मुख्य कारण आर्थिक था और इस बात को भारतीयों के एक समूह द्वारा रेखांकित किया गया, जो चाहते थे कि शिक्षा व्यवस्था को ऐसा होना चाहिए कि वह उनकी जीविका को कमाने में सहायक हो। उन्होने प्राचीन शिक्षा के मूल्य का सम्मान करते हुए कहा कि अंग्रेजी शिक्षा प्राप्त करना भारतीयों के लिए अधिक लाभकारी होगा। इस दिशा में एक महत्वपूर्ण भूमिका राजा राम मोहन राय द्वारा निभाई गई।

प्राच्यवादी (The Orientalists)- प्राच्यवादी, व्यवहारवादी विचारों से प्रेरित थे और वे भारतीय परंपरागत शिक्षा को भारतीय भाषाओं अथवा देशी भाषाओं में प्रोत्साहित करने के पक्ष में थे और उनका मानना था कि भारतीय लोग सामान्यतया पाश्चात्य ज्ञान के विरुद्ध हैं। कुछ प्राच्यवादी भारतीय सभ्यता का अन्वेषण करने में रुचि रखते थे।

आंग्लवादी (The Anglicists)- दूसरी ओर आंग्लवादी अंग्रेजी भाषा में पाश्चात्य शिक्षा के पक्ष में थे और इसमें इंग्लैंड में अनेक समूह जैसे- इंजीलवादी, उदारवादी और उपयोगितावादी शामिल थे। इंजीलवादी ईसाई विचारों की सर्वोच्चता के प्रति आश्वस्त थे और उनका मानना था कि आधुनिक शिक्षा भारतीयों के तत्कालीन विश्वास को नष्ट कर देगी और उन्हें ईसाई धर्म में धर्मांतरण में सहायता करेगी। उपयोगितावादी आधुनिक पाश्चात्य ज्ञान की सर्वोच्चता के प्रति आश्वस्त थे और वे भारतीय धर्म व संस्कृति के बहुत बड़े आलोचक थे।

आंग्लवादियों का मानना था कि भारतीय लोग पिछड़े हैं और उन्हें आधुनिक पाश्चात्य शिक्षा के द्वारा ही उन्नति की ओर ले जाया जा सकता है। उन्होंने 'अधोगामी निस्पंदन का सिद्धांत' (downward filtration theory) दिया, जिसके अनुसार उनका मानना था कि चूंकि अंग्रेजी शिक्षा बहुत खर्चीली है, इसलिए अभी अभिजात लोगों के एक समूह को शिक्षित कर देना चाहिए और वे आगे शेष समाज को शिक्षित करेंगे। इस प्रकार शिक्षा क्रमशः अभिजात वर्गों से जनता की ओर ओर निस्पंदित होती जाएगी। आंग्लवादियों में चार्ल्स ग्रंट, मैकाले और जेम्स मिल जैसे व्यक्ति शामिल थे। लॉर्ड मैकाले ने अपने प्रसिद्ध ब्यौरे (minute) में लिखा कि 'पाश्चात्य शिक्षा पूर्णतया यूरोपीय शिक्षा से निम्न है।'

राम मोहन राय के नेतृत्व में पाश्चात्य शिक्षित भारतीयों ने भी पाश्चात्य ज्ञान के अध्ययन की वकालत की और इसे आधुनिक पश्चिम के वैज्ञानिक व लोकतांत्रिक विचारों के कोष की एक कुंजी माना। उन्होंने डेविड हेयर के साथ हाथ मिलाया और कलकत्ता में हिंदू कॉलेज (मार्च, 1817) की स्थापना की, जहां मुख्य रूप से अंग्रेजी भाषा में शिक्षा दी जाती थी और पाश्चात्य मानविकी व विज्ञान के विषयों के अध्ययन पर बल दिया जाता था।

चार्ल्स वुड का घोषणा-पत्र (1854)- सर चार्ल्स वुड, नियंत्रक मंडल के अध्यक्ष और बाद में भारत के पहले भारत सचिव, अंग्रेजी नस्ल की सर्वोच्चता के दृढ़ विश्वासी थे और उनका मानना था कि अंग्रेजी संस्थाएं विश्व के लिए उपयोगी साबित होंगी। 1854 में उन्होंने भारत सरकार के लिए भविष्य की शिक्षा की योजना पर एक व्यापक घोषणा पत्र भेजा, जिसे वुड का घोषणा पत्र (Wood's Dispatch) के नाम से जाना गया। इसे भारत में अंग्रेजी शिक्षा का मैग्नाकार्टा माना गया। इसने संपूर्ण ब्रिटिश भारत के लिए प्राथमिक विद्यालय से लेकर विश्वविद्यालय तक शिक्षा की एक स्पष्ट योजना का सुझाव दिया। वुड के घोषणा-पत्र के मुख्य सुझावों को निम्न बिंदुओं में सारगर्भित किया जा सकता है-

- इसने घोषणा की कि सरकार की शिक्षा नीति का उद्देश्य पाश्चात्य शिक्षा का अध्ययन कराना था।
- इसने आगे स्पष्ट किया कि प्राथमिक विद्यालयों में भारतीय भाषाओं और उसके बाद माध्यमिक व उच्चस्तरीय विद्यालयों में आंग्ल व देशी भाषाओं तथा महाविद्यालय व विश्वविद्यालय स्तर पर अंग्रेजी माध्यम में शिक्षा दी जाएगी।
- इसने निम्न सुझाव भी दिए-
  - प्रत्येक प्रांत में जन शिक्षा के एक विभाग का निर्माण।
  - श्रेणीबद्ध विद्यालयों के एक नेटवर्क की स्थापना- प्राथमिक, माध्यमिक और उच्चस्तरीय विद्यालय।
  - लंदन विश्वविद्यालय के मॉडल को आधार बनाकर कलकत्ता, बॉम्बे और मद्रास में विश्वविद्यालयों की स्थापना।
  - तकनीकी विद्यालयों और महाविद्यालयों की स्थापना। (व्यवसायिक शिक्षा पर बल दिया गया।)
  - शिक्षकों के प्रशिक्षण के संस्थानों की स्थापना एवं देशी भाषाओं के विद्यालयों की स्थापना।
  - इस घोषणा-पत्र में महिलाओं की शिक्षा के समर्थन में भी सुझाव दिए गए।

उपर्युक्त सुझावों में से लगभग सभी को लागू किया गया।

- 1857 में कलकत्ता, बॉम्बे और मद्रास में विश्वविद्यालय स्थापित किए गए। बंकिम चंद्र चटर्जी कलकत्ता विश्वविद्यालय के पहले दो स्नातकों में से एक थे।
- बेथुन के प्रयासों से स्थापित कन्याओं के विद्यालयों को अनुदान-सहायता व्यवस्था के अंतर्गत लाया गया।
- धर्मनिरपेक्ष या लौकिक शिक्षा के प्रोत्साहन के लिए कलकत्ता में डेविड हेयर द्वारा हिंदू कॉलेज की स्थापना की गई।
- इसी प्रकार बॉम्बे और मद्रास में भी अनेक मिशनरी विद्यालय स्थापित किए गए।

इस प्रकार 1850 के दशक तक ब्रिटिश द्वारा अंग्रेजी शिक्षा की नींव रखी गई। अगले 50 वर्षों में भारत शिक्षा व्यवस्था के तेजी से पाश्चात्यकरण या पश्चिमीकरण का साक्षी बना और देशी व्यवस्था का स्थान अंग्रेजी व्यवस्था ने ले लिया।

महिला शिक्षा- महिलाओं की शिक्षा के क्षेत्र में पहला कदम ईसाई धर्म प्रचारकों ने उठाया, इसके पीछे उनकी प्रेरणा कुछ भी रही हो।

- 1819 में ईसाई धर्म प्रचारकों द्वारा कलकत्ता फीमेल जुवेनाइल सोसाइटी (Calcutta Female Juvenile Society) की स्थापना की गई।
- काउंसिल ऑफ एजुकेशन के अध्यक्ष जी.ई.डी. बेथुन द्वारा 1849 में कलकत्ता में एक कन्या विद्यालय (जिसका नाम बाद में बेथुन स्कूल रखा गया) खोला गया।
- लॉर्ड डलहौजी पहले गवर्नर जनरल थे, जिन्होंने महिला शिक्षा को आधिकारिक समर्थन दिया।
- 1854 के वुड के घोषणा-पत्र ने भी महिला शिक्षा की आवश्यकता पर बल दिया था।

अंतिम विश्लेषण में हम कह सकते हैं कि भारत में अंग्रेजी शिक्षा के प्रसार के अपने गुण और दोष थे। पाश्चात्य शिक्षा ने ज्ञान के क्षितिज को व्यापक बनाया और युवा पीढ़ी के बीच विवेकवाद की एक नई समझ को विकसित किया। जो कुछ भी ब्रिटिश ने थोड़े प्रयास किए, उसने आधुनिक विचारों के प्रसार में सहायता की, लेकिन वैसे नहीं जैसा ब्रिटिश ने सोचा था। शिक्षित भारतीयों, राजनीतिक दलों और प्रेस के माध्यम से आधुनिक विचार प्रसारित हुए।

वास्तव में, न ही कंपनी और न ही क्रॉउन को भारत में किसी प्रकार की शिक्षा के प्रोत्साहन में रुचि थी। शिक्षा व्यवस्था में परिवर्तन का उद्देश्य ब्रिटिश हितों जैसे- लिपिकों की आपूर्ति, ब्रिटिश सामानों के लिए बाजार का निर्माण और औपनिवेशिक शासन को न्यायसंगत बताने के उद्देश्य से किए गए थे। शैक्षिक गतिविधियों के प्रोत्साहन के लिए बहुत कम धन आवंटित किया गया था। इस धन से कुछ मुट्ठी भर अंग्रेजी विद्यालयों और महाविद्यालयों को स्थापित करने में खर्च किया गया था और जन शिक्षा को नजरअंदाज कर दिया गया था, जिसका प्रभाव यह हुआ कि 1921 में जो साक्षरता थी, वह 1821 से कोई ज्यादा बेहतर नहीं थी। अधोगामी निस्पंदन सिद्धांत व्यवहार में कोई काम नहीं आया बल्कि इसने इसके विपरीत शिक्षित और अशिक्षित जनता के बीच भाषायी व सांस्कृतिक विभाजन को निर्मित किया। वैज्ञानिक व तकनीकी शिक्षा और महिला शिक्षा को भी नजरअंदाज किया गया, क्योंकि यह ब्रिटिश के लिए उपयोगी नहीं था। 1857 तक कलकत्ता, बॉम्बे और मद्रास में देश के केवल तीन चिकित्सीय महाविद्यालय थे और एक अच्छा इंजीनियरिंग महाविद्यालय केवल यूरोपीय और यूरेशियन लोगों के लिए रुड़की में खोला गया था। महाविद्यालय और विद्यालय में अंग्रेजी और उच्च शुल्क पर बल देने से वास्तव में शिक्षा अमीरों का एकाधिकार बन गई थी।

संक्षिप्त में, यह 19वीं शताब्दी ही थी, जिसमें ब्रिटिश ने प्रशासन और न्याय की नई व्यवस्थाओं को स्थापित किया। जहां एक ओर इन व्यवस्थाओं ने भारत पर नियंत्रण प्रदान करके और भारत के कोने-कोने में पहुंच को बढ़ाकर ब्रिटिश को लाभ पहुंचाया, वहीं दूसरी ओर एक समान प्रशासनिक और न्यायिक संरचना ने भारतीयों को एक करके उनके बीच राष्ट्रीय चेतना को विकसित करके भारत को लाभ पहुंचाया।

अध्याय

4 राष्ट्रीय चेतना का उदय और विकास

- भारतीय राष्ट्रवाद के उदय और विकास के लिए उत्तरदायी कारक
  - ब्रिटिश शासन का प्रभाव
    - ब्रिटिश शासन के प्रत्यक्ष परिणाम
      - भारत का आर्थिक शोषण
      - प्रशासन की एकीकृत व्यवस्था
      - यातायात एवं संचार के नए साधन
      - प्रिंटिंग प्रेस की शुरुआत
      - नई शिक्षा नीति
      - निरंतर प्रसार की नीति
      - नस्लीय भेद-भाव
      - ब्रिटिश शासन का विदेशी चरित्र
    - ब्रिटिश शासन के अप्रत्यक्ष परिणाम
      - भारत की राजनीतिक एकता
      - भारत की आर्थिक व प्रशासनिक एकता
      - भारत की मनोवैज्ञानिक एकता
      - भारत में शांत एवं व्यवस्थित सरकार की स्थापना
      - मध्यमवर्गीय बुद्धिजीवी वर्ग का उदय
      - भारतीयों के बीच बौद्धिक चेतना
      - सामाजिक-सांस्कृतिक सुधार आंदोलनों का प्रगतिशील चरित्र
      - भारत के अतीत के पुनर्खोज का प्रभाव
  - भारतीय राष्ट्रवाद के उदय में सहयोग करने वाले अतिरिक्त कारक
    - समकालीन यूरोपीय आंदोलनों का प्रभाव
    - लॉर्ड लिटन की प्रतिक्रियावादी नीतियां
    - इल्बर्ट बिल विवाद

- भारतीय प्रतिक्रिया एवं राष्ट्रीय आंदोलन का उदय
  - किसान एवं जनजातीय आंदोलन
  - मध्यमवर्गीय चेतना
    - साहित्यिक गतिविधियां
    - संगठन एवं समुदाय
- 19वीं शताब्दी के दूसरे भाग में राष्ट्रीय चेतना का विकास

19वीं शताब्दी में राष्ट्रीय चेतना का उदय अंशतः ब्रिटिश शासन का एक परिणाम था और अंशतः इसके द्वारा उत्पन्न हुआ था। ब्रिटिश शासन भारत में राजनीतिक, आर्थिक और सामाजिक परिवर्तन लाया, जिसका परिणाम भारतीय जनता के लगभग सभी वर्गों के शोषण के रूप में सामने आया। साथ ही, यह प्रशासन की एक समान व्यवस्था, रेलवे का विकास, शिक्षा, डाक, टेलीग्राफ और छापाखाने के विकास को लेकर आया। यद्यपि नई प्रशासनिक संरचना का मुख्य उद्देश्य प्रभावशाली प्रशासन प्रदान करना था, लेकिन इसने भारतीय राष्ट्रवाद के उदय व विकास के लिए अनुकूल परिस्थितियां भी प्रदान कीं। अतः भारतीय राष्ट्रवाद अंशतः ब्रिटिश औपनिवेशिक शासन का एक परिणाम और अंशतः इसके प्रति एक प्रतिक्रिया थी।

भारतीय राष्ट्रवाद के उदय और विकास के लिए उत्तरदायी कारण

अपने प्रत्यक्ष व अप्रत्यक्ष परिणामों सहित ब्रिटिश शासन ने राष्ट्रीय चेतना के उदय और विकास के लिए भौतिक, नैतिक और बौद्धिक परिस्थितियां प्रदान कीं।

ब्रिटिश शासन का प्रभाव

ब्रिटिश ने अपने हितों को साधने के लिए भारत में पैर जमाए और उनका शासन एक औपनिवेशिक शासन था। भारत में ब्रिटिश शासन से भारतीय जनता के साथ हितों का टकराव होना अपरिहार्य था।

भारतीय समाज के अधिकांश वर्गों ने क्रमशः खोजा कि ब्रिटिश शासकों के हाथों उनके हितों के साथ खिलवाड़ हो रहा है। किसानों ने अनुभव किया कि सरकार कर के रूप में उनके उत्पाद का एक बड़ा भाग ले जाती है। वह जमींदारों और साहूकारों का समर्थन करते थे, जो उन्हें अनेक तरह से शोषित करते थे। शिल्पकार देख सकते थे कि सरकार ने विदेशी प्रतिस्पर्धा को प्रोत्साहित करके उनके उद्योग नष्ट कर दिए थे। उद्योगों, खानों और बागानों में कार्य कर रहे मजदूर देख सकते थे कि उनकी जीवन निर्वाह की स्थिति दयनीय थी और उनके श्रम का पूर्णतया शोषण किया जा रहा था।

यहां तक कि शिक्षित मध्यम वर्ग और भारतीय पूंजीवादी वर्ग, जो पहले ब्रिटिश शासन में विश्वास रखते थे, का भी धीरे-धीरे मोहभंग होने लगा था। वे भारत में ब्रिटिश औपनिवेशिक शासन के वास्तविक स्वरूप को समझ सकते थे।

भारतीय जनता के प्रत्येक वर्ग से ब्रिटिश शासन के विरुद्ध सशक्त प्रतिक्रिया हुई। (इसमें जमींदार, भू-स्वामी और राजकुमार ही अपवाद थे, जो अंत तक ब्रिटिश शासन के प्रति वफादार बने रहे।) उसने भारतीयों को उनके उभयनिष्ठ शत्रु ब्रिटिश शासन के विरुद्ध एकजुट किया और इस साम्राज्यवाद-विरोधी आंदोलन ने क्रमशः एक पूर्ण राष्ट्रीय आंदोलन का स्वरूप प्राप्त कर लिया।

ब्रिटिश शासन की औपनिवेशिक नीतियों और उनके परिणामों का नीचे वर्णन किया गया है-

ब्रिटिश शासन के प्रत्यक्ष परिणाम

भारत का आर्थिक शोषण- भारत में ब्रिटिश शासन भारतीय कृषि और हस्तकला उद्योगों को विनाश की ओर ले गया, जिसने इस प्रक्रिया में भारतीय किसानों और दस्तकारों को बुरी तरह निर्धन बनाया। भारी भू-राजस्व और कृषि के व्यवसायीकरण के कारण किसान निर्धन हुए। बड़ी संख्या में किसान भूमि रहित श्रमिकों (ये 1901 में जनसंख्या का 20% थे) की स्थिति

में आ गए थे। भारतीय दस्तकारों और उद्योगपतियों को भी कष्ट झेलना पड़ा, क्योंकि ब्रिटेन में भारत से निर्मित वस्तुओं के आयात पर प्रतिबंध था, जबकि ब्रिटिश- निर्मित वस्तुओं को भारतीय बाजारों में स्वतंत्र रूप से प्रवेश करने की अनुमति थी। भारतीय हस्तकला ब्रिटेन से बनी मशीन निर्मित वस्तुओं से प्रतिस्पर्धा नहीं कर सकती थी और वे भी बुरी तरह प्रभावित हुए। भारतीय दस्तकार और उद्योगपति देख सकते थे कि ब्रिटिश लोग भारत का उनके उद्योगों के लिए एक कच्चे माल के एक स्रोत और उनके निर्मित वस्तुओं के लिए एक बाजार के रूप में उपयोग करने का प्रयत्न कर रहे थे।

ब्रिटिश शासन के अधीन भारतीय जनता के सभी वर्गों ने आर्थिक कष्ट उठाया। लेकिन यह असंतोष स्वत: ही राष्ट्रीय चेतना के उदय की ओर नहीं ले जा सकता था। इसके पीछे देश की विशालता, संचार के साधनों और शिक्षा का अभाव, एक उभयनिष्ठ भाषा का अभाव, प्रशासन की एक उभयनिष्ठ व्यवस्था इत्यादि कारक थे। लेकिन ये कारक ब्रिटिश को भी परेशान कर रहे थे, क्योंकि ये देश पर प्रभावशाली ब्रिटिश नियंत्रण का चुनौती दे रहे थे। अत: ब्रिटिश ने शासन को दृढ़ करने के उद्देश्य से अनेक कदम उठाए, जिसने भारतीयों के बीच राष्ट्रीय चेतना के उदय में सहयोग किया।

प्रशासन की एकीकृत व्यवस्था- ब्रिटिश शासन के दौरान शासन और संसाधनों के बेहतर शोषण के लिए भारत के विशाल भागों को एक प्रशासन के अधीन लाया गया। एकरूपता को लाने के लिए भू-राजस्व प्रशासन, पुलिस, कानून और न्याय व्यवस्था से संबंधित अनेक महत्वपूर्ण कदम उठाए गए।

यातायात एवं संचार के नए साधन- प्रशासनिक सुविधा, पूर्ण सुरक्षा एवं आर्थिक पहुंच बढ़ाने के उद्देश्य से प्रेरित होकर ब्रिटिश ने भारत में यातायात के आधुनिक साधनों के विकास की योजना बनाई। सभी महानगरों को बस्ती के क्षेत्रों से जोड़ने के लिए सड़कों का एक नेटवर्क बनाया गया। 1853 के बाद ब्रिटिश ने सभी प्रेंसीडेंसियों को एक-दूसरे से जोड़ने की योजना बनाई।

ब्रिटिश का प्रयोजन वस्तुओं को ले जाने के लिए यातायात के सस्ते साधनों को विकसित करना था, इससे कहीं अधिक रेलवे के विकास ने देश को एक कर दिया। रेलवे देश के कोने-कोने तक पहुंचकर भारत के विभिन्न भागों की जनता को एक-दूसरे के करीब लाई। विभिन्न वर्गों के लोग एक समान टिकट खरीदते थे और एक जैसे कोच में यात्रा करते थे, जिसने उन्हें एक-दूसरे से विचार-विमर्श करने और एक होने का अवसर दिया, जिससे अंतत: भारत एक राष्ट्र के रूप में उभरा।

डाक एवं टेलीग्राफ को भी गति प्रदान की गई। सभी मुख्य शहरों को टेलीग्राफ से जोड़ा गया। पत्रों और समाचार-पत्रों को बहुत कम कीमत पर भारत के किसी भी कोने में भेजा जा सकता था जो भारतीयों के सामाजिक व राजनीतिक जीवन में एक रूपांतरण लाया। राष्ट्रीय साहित्य को अब देश के प्रत्येक कोने तक पहुंचाया जा सकता था। वास्तव में, आधुनिक यातायात व संचार सुविधाओं के अभाव में अखिल भारतीय संगठनों जैसे- भारतीय राष्ट्रीय कांग्रेस की कल्पना नहीं की सकती थी।

छापेखाने का प्रारंभ- भारत में आधुनिक प्रेस भी ब्रिटिश शासन का ही अंकुर था। छापेखाने के आने से बड़ी संख्या में समाचार पत्रों और अन्य कम खर्चीले साहित्यों का विकास संभव हुआ। शिक्षित राष्ट्रवादियों ने इसका उपयोग ब्रिटिश के स्वरूप को उजागर करने और देश में राष्ट्रवादी विचारों के प्रसार में किया।

उस समय के कुछ प्रमुख राष्ट्रवादी लेखकों में बंगाल में बंकिम चंद्र चटर्जी और रबीन्द्रनाथ टैगोर, असमी में लक्ष्मीनाथ बेजबरुआ, मराठी में विष्णु शास्त्री चिपलुणकर, तमिल में सुब्रमण्यम भारती, उर्दू में अल्ताफ हुसैन हाली और हिंदी में भारतेंदु हरिश्चंद्र शामिल थे। उनके अनेक उपन्यास, निबंध, नाटक और कविताओं ने भारतीयों के मनमानस को चमत्कारी ढंग से छुआ।

प्रेस पर समय-समय पर अनेक प्रतिबंध अधिरोपित करने के बावजूद भारतीय पत्रकारिता निरंतर अपने पंख फैलाती रही। शीघ्र ही, प्रेस जन शिक्षा के एक प्राथमिक साधन और भारतीय राष्ट्रवाद के एक दर्पण के रूप में उभरा।

नई शिक्षा नीति- अंग्रेजी शिक्षित भारतीयों के एक वफादार वर्ग, जो लिपिकीय कार्य को कर सके, को निर्मित करने के इरादे से 1835 में ब्रिटिश ने भारत में अंग्रेजी शिक्षा व्यवस्था को प्रारंभ किया। जैसा कि मैकाले का कहना था, 'व्यक्तियों का एक वर्ग जो रक्त व रंग में तो भारतीय होगा, लेकिन अपने स्वाद, विचार, नैतिकता और बुद्धिमत्ता में अंग्रेजी होगा।'

हालांकि, शिक्षा की अंग्रेजी व्यवस्था ने भारतीयों को यूरोपीय उदारवादी विचारों से परिचित कराया। भारतीयों का समानता, स्वतंत्रता, राष्ट्रवाद और लोकतंत्र के आधुनिक यूरोपीय विचारों से परिचय हुआ। अंग्रेजी शिक्षित भारतीय यूरोप के राष्ट्रवादी आंदोलनों से परिचित हुए। वे पश्चिमी उदारवादी विचारकों जैसे- जॉन मिल्टन, बेंथम, जॉन स्टूअर्ट मिल, हरबर्ट स्पेंसर, रूसो, वॉल्टेयर, मैजिनी और गैरीबाल्डी से प्रभावित हुए। इसी शिक्षित भारतीय मध्यवर्ग ने भारतीय राष्ट्रीय आंदोलन के नेतृत्व को अपने हाथों में लिया था।

इतना ही नहीं अंग्रेजी भी भारतीय राष्ट्रवादियों की सार्वजनिक भाषा बन गई थी। ऐसी एक उभयनिष्ठ भाषा के अभाव में राष्ट्रवादियों के लिए एक अखिल भारतीय स्तर का आंदोलन संगठित करना बहुत मुश्किल हो जाता।

निरंतर प्रसार की नीति- ब्रिटिश ने भारत में निरंतर प्रसार की नीति का अनुसरण किया और यहां तक कि उन राज्यों का भी समामेलन किया, जिनसे ब्रिटिश का युद्ध नहीं था। इनमें **सिंध (1843), पंजाब (1849), रंगून और पेगू (1852), एवं अवध (1856)** के समामेलन महत्वपूर्ण थे। झांसी, सतारा और नागपुर को भी कब्जे में लिया गया। इसने भारतीय शासकों को ब्रिटिश के प्रति अत्यधिक भयभीत कर दिया था।

नस्लीय भेदभाव- भारत में ब्रिटिश ने नस्लीय सर्वोच्चता के व्यवहार को अपनाया और सामाजिक व न्यायिक सहित सभी मुद्दों में भारतीयों के विरुद्ध भेद-भाव किया। सभी भारतीयों को चाहे वह किसी जाति या धर्म के हों, को निम्न दृष्टि से देखा जाता था। क्लब, रेलवे और अन्य सार्वजनिक स्थानों पर उनके साथ नस्लीय भेद-भाव और अपमान किया जाता था। इस प्रकार नस्लीय प्रभुत्व और भेद-भाव ने प्रत्येक स्वाभिमानी भारतीय को क्रुद्ध कर दिया था। इसे राष्ट्रीय अपमान के रूप में देखा जाने लगा था और इसने भारतीय जनता को ब्रिटिश के विरुद्ध एकजुट किया।

ब्रिटिश शासन का विदेशी चरित्र- एक विदेशी शासन अपरिहार्य रूप से अधीन जनता को उनके विदेशी शोषणकारी के विरुद्ध एक कर उनमें देशभक्ति की भावना विकसित करता है। भारत में यह ब्रिटिश शासन के मामले में भी सत्य साबित हुआ।

ब्रिटिश शासन के अप्रत्यक्ष परिणाम

उपर्युक्त औपनिवेशिक नीतियों ने निम्न कारकों को जन्म दिया-

भारत की राजनीतिक एकता- यह ब्रिटिश के अधीन ही हुआ कि पहली बार आधुनिक युग में भारत की राजनीतिक एकता को प्राप्त किया जा सका। ब्रिटिश ने उत्तर में हिमालय से लेकर दक्षिण में केप कोमोरिन (Cape Comorin) तक पूरे भारत को जीत लिया था। पूरब में असम से पश्चिम में खैबर दर्रे तक। उन्होंने मौर्य अथवा मुगलों के अधीन राजनीतिक क्षेत्र से भी विशाल राजनीतिक क्षेत्र को निर्मित किया। इतना ही नहीं, सार्वजनिक कानूनों और संस्थाओं ने भारत को एक सार्वजनिक समूह में ढालना शुरू कर दिया था।

भारत की आर्थिक एवं प्रशासनिक एकता- ब्रिटिश द्वारा शुरू की गई शासन की एकीकृत व्यवस्था ने भी भारत को एक राष्ट्र के रूप में पिरोया। स्थानीय आत्मनिर्भर अर्थव्यवस्था के विनाश और अखिल भारतीय स्तर पर औपनिवेशिक अर्थव्यवस्था के आरंभ होने से भी आर्थिक एकता स्थापित हुई। आर्थिक भविष्य पूरे देश में एक-दूसरे से जुड़ गया और एक भाग में कमी का प्रभाव देश के अन्य भागों में कीमतों पर पड़ने लगा।

भारत की मनोवैज्ञानिक एकता- भारतीय जनता के सभी वर्गों के जीवन पर ब्रिटिश औपनिवेशिक शासन के हानिकारक प्रभाव ने उन्हें अपने एक उभयनिष्ठ शत्रु ब्रिटिश शासन के विरुद्ध एक किया। समय के साथ, शोषित लोगों के बीच एकजुटता की भावना उन्हें साम्राज्यवाद विरोधी संघर्ष में एक साथ लाई और धीरे-धीरे एक पूर्ण राष्ट्रीय आंदोलन में बदली।

बाद में ब्रिटिश ने 'विभाजन और शासन करो की नीति' के द्वारा भारत को विभाजित रखने का प्रयत्न किया और उन्होंने साम्राज्यवाद एवं क्षेत्रवाद के बीज बोए। हालांकि, अंत में भारत को एक राष्ट्र के रूप में विकसित करने वाले बल विभाजित करने वाले बलों से अधिक शक्तिशाली साबित हुए।

भारत में शांत और व्यवस्थित सरकार की स्थापना- ब्रिटिश शासन भारत में शांत और व्यवस्थित सरकार लेकर आई, जबकि इससे पूर्व 18वीं शताब्दी में भारत में अस्त-व्यस्त की स्थिति व्याप्त थी। ब्रिटिश ने एक ऐसा प्रशासन स्थापित किया था, जो बहुत ही अधिक केंद्रीकृत और व्यैक्तिक था, जो उच्चस्तरीय प्रशासकों में परिवर्तन के साथ परिवर्तित नहीं होता था। साथ ही, जिला प्रशासन को अत्यधिक प्रशिक्षित एवं पेशेवर भारतीय लोक सेवकों के मजबूत हाथों में रखा गया था। एकीकृत नागरिक एवं न्यायिक प्रशासन ने राजनीतिक एकता को और मजबूत बनाया।

मध्यमवर्गीय बुद्धिजीवियों का उदय- शिक्षा की अंग्रेजी व्यवस्था और प्रशासन ने शहरों में एक नए शहरी मध्यम वर्ग का उदय किया। यह अच्छी तरह से एकीकृत एक अखिल भारतीय वर्ग के रूप में उभरे, जिनके पास ज्ञान और विचारों की एकसमान पृष्ठभूमि थी। इस वर्ग ने अपने अंग्रेजी के ज्ञान और शासक वर्ग के साथ अपनी घनिष्ठता के कारण समाज में प्रमुख स्थान प्राप्त किया। **सुरेंद्रनाथ बनर्जी और अरविंदो घोष** जैसे व्यक्तियों ने नए उभरते राजनीतिक असंतोष के केंद्र को बनाया था। धीरे-धीरे यह वर्ग आधुनिक भारत की नई आत्मा के रूप में उभरा और भारतीय राष्ट्रीय कांग्रेस को इसने नेतृत्व प्रदान किया।

भारतीयों के बीच बौद्धिक जागरण- नई शिक्षा व्यवस्था की पृष्ठभूमि में 19वीं शताब्दी का भारत सामाजिक-सांस्कृतिक हलचल की प्रक्रिया से गुजरा। ऐसे व्यक्ति जिन्होंने आधुनिक शिक्षा से लाभ प्राप्त किया और 19वीं शताब्दी के भारत के प्रमुख बुद्धिजीवी बने, उनमें राजा राम मोहन राय, केशव चंद्र सेन, ईश्वर चंद्र विद्यासागर, एमजी रानाडे और सर सैयद अहमद खान शामिल थे। इन्होंने कला, स्थापत्य, साहित्य, दर्शन और विज्ञान के क्षेत्र में भारतीयों की उपलब्धियों पर प्रकाश डाला और राष्ट्रीय चेतना के विकास में सहभागिता की।

सामाजिक-सांस्कृतिक सुधार आंदोलनों का प्रगतिशील चरित्र- 19वीं शताब्दी में शिक्षित भारतीयों ने नए पाश्चात्य वैज्ञानिक ज्ञान के प्रकाश में अपने सामाजिक-सांस्कृतिक विश्वास का पुनर्परीक्षण करना शुरू किया। इससे हिंदुओं के मध्य अनेक सामाजिक-धार्मिक सुधार आंदोलनों का उदय हुआ। इन आंदोलनों में ब्रह्म समाज, प्रार्थना समाज, आर्य समाज और रामकृष्ण मिशन इत्यादि शामिल थे। इसी प्रकार के आंदोलन मुस्लिम, सिख और पारसियों के मध्य भी हुए।

धार्मिक क्षेत्र में इन आंदोलनों ने धार्मिक अंधविश्वास, मूर्ति पूजा, ईश्वरवाद और वंशानुगत पुरोहिताई पर प्रहार किया। सामाजिक क्षेत्र में, उन्होंने सामाजिक बुराइयों जैसे- जाति व्यवस्था, छुआछूत, सती, बाल विवाह, पर्दा प्रथा इत्यादि पर हमला किया। ये आंदोलन समाज को लोकतंत्र, समानता, स्वतंत्रता और विवेक के आदर्शों के आधार पर प्रगतिशील दिशा में पुनर्संगठित करना चाहते थे। चूंकि इनमें से अनेक भारत के समृद्ध सांस्कृतिक अतीत से प्रेरित थे, अतः उन्होंने उनके अनुयायियों में आत्मसम्मान और देशभक्ति के भाव को भरा।

इस प्रकार बिना किसी राजनीतिक एजेंडे के 19वीं शताब्दी के सुधार आंदोलनों ने राष्ट्रवाद की भावना के साथ अनेक लोगों को प्रेरित किया।

भारत के अतीत की पुनर्खोज का प्रभाव- विदेशी शासन का एक परिणाम भारतीयों के द्वारा आत्मविश्वास का खोना था। विदेशी शासक भी निरंतर यह अवधारणा देते थे कि भारतीय हमेशा से स्वयं पर शासन करने के लिए अयोग्य रहे हैं। उनके पिछड़े धर्म और समाज ने उन्हें लोकतंत्र के लिए अयोग्य बना दिया था। अनेक राष्ट्रीवादियों ने इस प्रचार का प्रत्युत्तर देने के लिए प्राचीन भारतीय शासकों जैसे- अशोक और अकबर की उपलब्धियों की ओर देखा। इस कार्य हेतु उन्होंने प्राचीन भारतीय अतीत पर हुए नए अनुसंधानों की भी सहायता ली।

यूरोपीय विद्वान जैसे- मैक्स मूलर ने प्राचीन भारतीय अतीत पर अनुसंधान किया और भारत की समृद्ध सांस्कृतिक विरासत की पुनर्खोज की। पुरातत्वविद जैसे- मार्शल और कनिंघम ने भारत के प्राचीन अतीत का एक नया चित्र प्रस्तुत किया। ऐसा

अतीत, जो ग्रीस और रोम की प्राचीन सभ्यताओं के समान ही गौरवपूर्ण और महान था। विद्वानों ने वेद और उपनिषद के दर्शन और बुद्धिमत्ता की प्रशंसा की। साथ ही भारतीयों के साथ-साथ यूरोपियों के आर्य-उद्भव के सिद्धांत ने भी भारतीय लोगों के मनोबल को बढ़ाया। इन सभी कारणों ने भारतीयों को राष्ट्रवादी गौरव और देशभक्ति के भाव से प्रेरित कर दिया था।

हालांकि, कुछ नकारात्मक परिणाम भी सामने आए, जब कुछ राष्ट्रवादियों ने भारत के अतीत का अतार्किक ढंग से महिमामंडन करना शुरू कर दिया। गौरव के गलत भाव से जकड़े हुए कुछ भारतीयों ने समकालीन विश्व के अन्य भागों में उदित हुए नए और स्वस्थ विचारों से लाभ लेने से स्वयं को वंचित कर लिया था। इस प्रवृत्ति ने भारत के सामाजिक-सांस्कृतिक पिछड़ेपन के विरुद्ध भारत के संघर्ष को भी कमजोर बना दिया था। एक अन्य नकारात्मक प्रवृत्ति यह हुई कि भारत के प्राचीन इतिहास को मध्यकालीन इतिहास की कीमत पर महिमामंडित किया गया। इसने मुसलमानों को उनके सांस्कृतिक अतीत के लिए अरब और तुर्की की ओर देखने के लिए प्रेरित किया जिससे सांप्रदायिक भावनाओं को बल मिला।

भारतीय राष्ट्रवाद के उदय में सहयोगी अन्य तत्व

उपर्युक्त के अलावा निम्नलिखित कारक भी भारत में राष्ट्रीय चेतना के उदय में सहभागी साबित हुए-

समकालीन यूरोपीय आंदोलनों का प्रभाव- यूरोप में आयरलैंड, इटली और ग्रीस में राष्ट्रवादी स्वतंत्रता आंदोलन ने भी भारत में राष्ट्रवादी भावनाओं को उत्प्रेरित किया। सुरेंद्रनाथ बनर्जी और लाला लाजपत राय जैसे नेता अक्सर अपने भाषणों में मैजिनी और गैरीबाल्डी जैसे राष्ट्रवादी नेताओं का संदर्भ देते थे। इस प्रकार इसमें कोई संदेह नहीं है कि अन्य देशों के राष्ट्रवादी आंदोलनों ने भारत में राष्ट्रवादी नेताओं को प्रेरित किया और भारतीय राष्ट्रवाद को मजबूत बनाया।

लॉर्ड लिटन की प्रतिक्रियावादी नीतियां- लॉर्ड लिटन की अदूरदर्शी नीतियों ने एक उत्प्रेरक का काम किया और ब्रिटिश के विरुद्ध राष्ट्रवादी आंदोलन को त्वरित किया। उसने अपने वॉयसराय रहते आई.सी.एस. परीक्षा के लिए आयु घटाकर 21 वर्ष से 19 वर्ष कर दी थी, इस प्रकार भारतीयों के लिए इसे पूरा करना व्यापक रूप से असंभव बना दिया था। जब देश आकाल से ग्रस्त था, तब उसके कार्यकाल में 1877 में एक विशाल दरबार लगाया गया। उसने दो बहुत अप्रिय अधि नियम वर्नाकुलर प्रेस एक्ट (Vernacular Press Act) और इंडियन आर्म्स एक्ट (Indian Arms Act) प्रस्तावित किया था, जिसने देश में विरोध की एक धारा को उत्तेजित कर दिया था।

इल्बर्ट विधेयक विवाद (The Ilbert Bill Controversy)

लॉर्ड रिपन के कार्यकाल के दौरान इल्बर्ट बिल लाया गया, जिसके द्वारा आई.सी.एस. के भारतीय सदस्यों को उनके यूरोपीय सहयोगियों के समान शक्तियां प्रदान की गई थीं और इस प्रकार भारतीय न्यायधीश यूरोपीय अपराधियों के विरुद्ध मुकदमा सुन सकते थे। इसने यूरोपियों के बीच प्रबल सार्वजनिक विरोध उत्पन्न किया और सभी इस विधेयक के विरुद्ध एकजुट होकर खड़े हुए और इसे 1883 के स्वेत विद्रोह (White Mutiny) के नाम से जाना गया।

जब इस विधेयक का अंग्रेजों द्वारा विरोध किया गया, तो भारतीय बुद्धिजीवियों की आंखें खुल गईं। इससे साबित हो गया था कि न्याय और समानता कि वहां अपेक्षा नहीं कर सकते, जहां यूरोपीय समुदाय का हित शामिल हो। इसने उनके सामने संगठित विरोध के मूल्य को भी प्रदर्शित किया।

भारतीय प्रतिक्रिया और राष्ट्रीय आंदोलन का उदय- भारतीय जनता के विभिन्न वर्गों ने ब्रिटिश शोषण के विरुद्ध प्रतिक्रिया व्यक्त की, जिसने धीरे-धीरे एक राष्ट्रीय आंदोलन का रूप ले लिया। भारतीय प्रतिक्रिया को व्यापक रूप से दो स्वरूपों में बांट सकते हैं-

1. किसानों और जनजातियों के द्वारा विरोध (किसान और जनजाति आंदोलनों के रूप में)
2. यम वर्ग द्वारा विरोध (मध्यम वर्गों के मध्य नवचेतना के रूप में, जो एक संगठित राष्ट्रीय आंदोलन की ओर ले गया।)

इस प्रकार ब्रिटिश शोषण के विरुद्ध भारतीय प्रतिक्रिया पहले जन-विद्रोह के रूप में उभरी, जिसने पहले ब्रिटिश के विरुद्ध भारतीयों को एकजुट किया और फिर भारतीय जनता में राष्ट्रीय चेतना की आधारभूत तरंग को समाविष्ट किया। इस राष्ट्रीय चेतना की भावना को शिक्षित मध्यम वर्ग के द्वारा एक संगठित राष्ट्रवादी आंदोलन के रूप में और मजबूत किया गया।

किसान एवं जनजातीय आंदोलन

19वीं शताब्दी में भारतीय जनता ने ब्रिटिश शासन के विरुद्ध संघर्ष किया। यह उल्लेखनीय है कि प्रारंभिक विद्रोह राष्ट्रवादी विद्रोह नहीं थे, अपितु कुछ समय के बाद उन्होंने राष्ट्रवादी चेतना के उदय में सहयोग किया था। शुरुआत में ये विद्रोह दमनकारी ब्रिटिश नीतियों के विरुद्ध थे। कभी-कभी ये विद्रोह जमींदारों, साहूकारों और राज्य के अधिकारियों के द्वारा हुए शोषण के विरुद्ध भी भड़क उठते थे।

यह 1857 का विद्रोह ही था, जहां हम पहली बार देखते हैं कि राष्ट्रवादी भावनाओं ने जनता को प्रेरित किया था। यद्यपि विद्रोह को क्रूरता से दबा दिया गया था, लेकिन जन-विद्रोह भारत में निरंतर अक्षय बने रहे। जनजातीय आंदोलन सबसे अधिक आक्रामक होते थे। यद्यपि यह सभी विद्रोह असफल साबित हुए, लेकिन उन्होंने ब्रिटिश के विरुद्ध भारतीयों को एक करने में महत्वपूर्ण सहभागिता की थी।

मध्यमवर्गीय चेतना

भारत में ब्रिटिश शासन के संदर्भ में 19वीं शताब्दी में शिक्षित भारतीय मध्यम वर्ग के मध्य नई चेतना के उद्भव को देखा गया। शिक्षित भारतीयों में वकील, शिक्षक, पत्रकार, चिकित्सक, व्यापारी, व्यवसायी इत्यादि शामिल थे। जिन्होंने भारतीय समाज का आलोचनात्मक मूल्यांकन करना शुरू किया और सामाजिक-सांस्कृतिक सुधारों की दिशा में प्रयास करना शुरू किया। इस क्षेत्र में राजा राममोहन राय एक अग्रगामी सुधारक के रूप में सामने आए। अन्य प्रमुख सुधारकों में दयानंद सरस्वती और स्वामी विवेकानंद शामिल थे।

अन्य किसी वर्ग से कहीं अधिक यह वर्ग औपनिवेशिक शासन के वास्तविक स्वरूप को समझने में सक्षम था। प्रारंभ में उन्होंने प्रशासन, शिक्षा और संचार इत्यादि के क्षेत्र में ब्रिटिश द्वारा लाए गए परिवर्तनों का समर्थन किया, क्योंकि उनका मानना था कि इससे जनता को लाभ होगा, लेकिन धीरे-धीरे उन्होंने समझा कि इन सबके पीछे ब्रिटिश का उद्देश्य भारत में शासन को मजबूत करना है।

जहां अन्य भारतीय वर्गों किसान, श्रमिक और जनजातियों ने जन-विद्रोह के रूप में अपना विरोध दर्शाया, वहीं शिक्षित मध्यमवर्ग ने मुख्य रूप से दो रूपों (साहित्य गतिविधियां और संगठन व समुदायों की स्थापना) के माध्यम से अपने विरोध को दर्शाया।

साहित्यिक गतिविधियां- राममोहन राय इस क्षेत्र में भी अग्रणीं थे। 19वीं शताब्दी में मुख्य साहित्यिक गतिविधियों में शामिल थे-

- राममोहन राय ने बंगाली में **संवाद कौमुदी** (1821, बंगाली में) नाम से एक पत्रिका शुरू की।
- दीनबंधु मित्र ने एक नाटक **नील दर्पण** (1859) के द्वारा नील की खेती करने वाले किसानों के दुख को दर्शाया।
- बंकिम चंद्र ने **आनंद मठ** (1882) लिखा, जो राष्ट्रवादी महत्वाकांक्षाओं से भरा हुआ था।

विभिन्न भाषाओं में एक बड़ी संख्या में समाचार पत्र और पत्रिकाएं प्रकाशित हुईं। 1877 तक 169 समाचार-पत्र देशी भाषाओं में प्रकाशित होने लगे थे।

समुदाय एवं संगठन- यह दूसरी विधि थी जिसका उपयोग मध्यमवर्ग द्वारा ब्रिटिश नीतियों के विरुद्ध एक संयुक्त प्रयास के रूप में किया गया। कुछ प्रारंभिक संगठन थे- लैंडहोल्डर्स सोसाइटी (1838), बंगाल ब्रिटिश इंडिया सोसाइटी (1853)। उन्होंने मुख्य रूप से कंपनी के चार्टर में सुधार लाने के लिए कंपनी के विरुद्ध याचिका देने की विधि को अपनाया।

1858 में ब्रिटिश क्राउन ने भारतीय प्रशासन को अपने हाथों में लिया, तो ऐसी आशा थी कि शोषण का अंत हो जाएगा और ब्रिटिश सरकार भारतीय जनता के कल्याण के लिए कार्य करेगी। लेकिन ऐसा कुछ नहीं हुआ और भारतीयों की संगठित गतिविधियां और अधिक तीव्र हुई। इंग्लैंड में लंदन इंडिया एसोसिएशन, महाराष्ट्र में इंडियन एसोसिएशन (1876), बंगाल में इंडियन नेशनल कॉन्फ्रेंस (1883) की स्थापना की गई। प्रारंभिक संगठनों के विपरीत अब गठित संगठनों का स्वरूप राजनीतिक था। उनके राजनीतिक एजेंडे में प्रस्ताव और याचिकाओं के द्वारा ब्रिटिश नीतियों का विरोध करना, जन बैठकों के द्वारा उनकी समस्याओं के लिए समर्थन जुटाना, राष्ट्रीय मुद्दों पर विचारों का आदान-प्रदान करना इत्यादि शामिल था। इन संगठनों ने 1885 में एक अखिल भारतीय संगठन 'भारतीय राष्ट्रीय कांग्रेस' के गठन के लिए पृष्ठभूमि तैयार की।

19वीं शताब्दी के दूसरे भाग में राष्ट्रीय चेतना का विकास

राष्ट्रीय चेतना के पूर्ण संवर्धन को अभी 19वीं शताब्दी के दूसरे भाग तक इंतजार करना था। इसी समय में 1885 में भारतीय राष्ट्रीय कांग्रेस की स्थापना हुई।

ब्रिटिश राज ने ही अपने प्रत्यक्ष और अप्रत्यक्ष परिणाम से भारत में साम्राज्यवाद-विरोधी आंदोलन के विकास के लिए भौतिक, नैतिक और बौद्धिक पृष्ठभूमि प्रदान कर दी थी और यह साम्राज्यवाद-विरोधी आंदोलन धीरे-धीरे एक पूर्ण राष्ट्रवादी आंदोलन के रूप में विकसित हुआ।

समय के साथ जनमानस के और अधिक वर्गों ने अनुभव किया कि भारत में ब्रिटिश हितों के साथ उनके हितों का टकराव है और भारतीय जनता का कल्याण कभी भी ब्रिटिश साम्राज्य के हितों के ऊपर नहीं हो सकता। यहां तक कि वे जो पहले इस आशा से ब्रिटिश शासन का समर्थन करते थे कि यह भारत को आधुनिक बनाएगा, उनका भी मोह भंग हो गया।

ब्रिटिश प्रतिक्रिया

19वीं शताब्दी के दूसरे भाग में भारतीय राष्ट्रवाद के उदय को निश्चित रूप से ब्रिटिश द्वारा पसंद नहीं किया गया। उनकी पहली प्रतिक्रिया अस्वीकार्यता के रूप में सामने आई और उन्होंने भारत के एक राष्ट्र के विचार को ही मानने से इंकार कर दिया।

- 1883 में जे.आर. स्टीले ने भारत का वर्णन मात्र एक **भौगोलिक अभिव्यक्ति** के रूप में किया, इसमें राष्ट्रीय एकता की कोई समझ नहीं थी।
- 1884 में जॉन स्ट्रैची ने कैंब्रिज विश्वविद्यालय के पूर्व छात्रों को संबोधित करते हुए कहा कि जो सबसे पहले और सबसे महत्वपूर्ण बात भारत के बारे में जानना चाहिए वह यह है कि भारत न है और न कभी था।

20वीं शताब्दी की शुरुआत में जब भारतीय राष्ट्रवाद ने अपनी शक्ति को प्रदर्शित करना शुरू किया तब ब्रिटिश ने उनकी प्रतिक्रिया में संशोधन किया।

- मॉन्टफोर्ड रिपोर्ट के लेखकों का दावा था कि ब्रिटिश शासन भारत में राष्ट्रवादी उन्नति का एक अग्रदूत था। भारतीय राजनीतिक दिमाग बौद्धिक रूप से हमारे शिशु हैं।
- आर. कूपलेंड ने लिखा, 'भारतीय राष्ट्रवाद ब्रिटिश राज का शिशु था।'

निष्कर्ष रूप में यह कहना अधिक उचित होगा कि 19वीं शताब्दी में भारतीय राष्ट्रवाद के उदय में अनेक कारकों ने सहभागिता की। यह अंशतः फ्रांसीसी क्रांति द्वारा पहल किए गए राष्ट्रवादी और आत्म निर्णय के विचार के विश्वव्यापी लहर का एक उत्पाद, अंशतः भारत में ब्रिटिश द्वारा शुरू किए गए आधुनिकीकरण का परिणाम, अंशतः भारतीय पुनर्जागरण व जन-विद्रोह का परिणाम और अंशतः भारत में ब्रिटिश औपनिवेशिक नीतियों के विरुद्ध एक सशक्त प्रतिज्ञा के रूप में विकसित हुआ था।

नोट- जन विद्रोह, 19वीं शताब्दी के सामाजिक-सांस्कृतिक सुधार आंदोलन और भारतीय राष्ट्रीय आंदोलन को अगले अध्यायों में विस्तार से पढ़ें।

इकाई 4

जन विद्रोह एवं जन आंदोलन

अध्याय

1

1857 से पूर्व जन-विद्रोह
(Popular Uprisings up to 1857)

प्रस्तावना में आपने भारत में ब्रिटिश शासन की स्थापना एवं भारतीय जीवन के विभिन्न पक्षों पर उसके प्रभावों के बारे में पढ़ा। एक प्रश्न अब महत्वपूर्ण हो जाता है कि उस नए शासन और उसके द्वारा लाए गए बदलावों के प्रति लोगों की क्या प्रतिक्रिया रही?

भारत में ब्रिटिश शासन की स्थापना एकाएक घटित घटना नहीं थी, बल्कि यह एक क्रमिक प्रक्रिया थी, जिसमें अनेक युद्ध एवं विजय का सिलसिला शामिल था। फलत: ब्रिटिश शासकों द्वारा भारतीय लोगों का बलपूर्वक दमन किया गया। स्वाभाविक रूप से, इस प्रक्रिया का प्रत्येक स्तर पर प्रतिरोध किया गया। ब्रिटिश सरकार ने तीव्र गति से परिवर्तन किए, जिनका भारतीय जीवन के विभिन्न पक्षों पर बुरा प्रभाव पड़ा। परिणामस्वरूप, लोगों ने इस शासन के विरुद्ध दो तरह से प्रतिक्रिया की:

1. जन-विद्रोह के रूप में, उदाहरणस्वरुप, किसान एवं जनजाति आंदोलन। (इस इकाई में इनका वर्णन किया गया है।)
2. सामाजिक-सांस्कृतिक सुधार आंदोलन के रूप में (जिसका वर्णन इकाई 2 में किया गया है।)

इस इकाई में यह प्रयास किया गया है कि आपको 1900 तक देश के विभिन्न भागों में हुए जन विद्रोहों से परिचित कराया जा सके। इस अध्याय में औपनिवेशिक शासन के पहले 100 वर्षों (1757-1857) के दौरान हुए विद्रोहों का समावेश किया गया है।

औपनिवेशिक शासन के प्रथम 100 वर्षों में प्रतिरोध की एक श्रृंखला देखी गई। इस काल के दौरान जनता का उबलता हुआ असंतोष तीन रूपों में फूट- नागरिक विद्रोह, आदिवासी/जनजातीय विद्रोह एवं किसान आंदोलन। तात्कालिक कारण कुछ भी हो, यह विद्रोह औपनिवेशिक शासन एवं उनके देशी समर्थकों के द्वारा किए गए उत्पीड़न के सार्वजनिक अनुभव के विरुद्ध निर्देशित हुआ। यद्यपि, एक हद तक ये विद्रोह स्थानीय थे, लेकिन दमनकारी विदेशी शासन के विरुद्ध ये विरोध की एक अभिव्यक्ति के रूप में उभरे और 1857 के विद्रोह {जिसे भारत का प्रथम स्वाधीनता संग्राम (First War of Independence) भी कहा जाता है।} की एक महत्वपूर्ण भूमिका बनाने में सहयोगी साबित हुए।

नागरिक-विद्रोह (Civil Rebellions) इन विद्रोहों का नेतृत्व, सामान्यत: शासकों अथवा उनके वंशजों, अधिकारियों और जीते हुए भारतीय प्रदेशों के प्रतिधारकों के साथ-साथ आर्थिक रूप से दरिद्र भूमिपतियों एवं पोलिगरों (दक्षिण भारत में सैन्य सेवाओं के भूमि-संपन्न प्रभावशाली व्यक्तियों) द्वारा किया गया। इन विद्रोहों को जन-आधार तबाह हुए किसानों, शिल्पकारों एवं सैनिकों द्वारा मिला।

भारतीय किसान

ये कौन थे?

किसान- किसान शब्द एक छोटे किसान, काश्तकार एवं खेत में कार्य करने वाले एक मजदूर को दर्शाता है। किसान भूमि-पुत्र थे। (वे सभी भूमि-पुत्र जो कृषि उत्पादन में सीधे तौर पर कार्य करते थे, किसान शब्द को दर्शाते हैं।)

आदिवासी/जनजाति- 'जनजाति' अथवा 'आदिवासी' शब्द एक क्षेत्र के आरंभिक अथवा मूल वासियों/निवासियों को दर्शाता है। आदिवासी सामान्यत: घने जंगलों अथवा पहाड़ी क्षेत्रों में रहते थे और भूमि, वन एवं वन के स्रोतों से उनका गहरा जुड़ाव होता था। तुलनात्मक रूप से उनकी विलगता एवं संजातीय घनिष्ठता, उन्हें किसानों से अलग करती थी।

शिल्पकार/कारीगर- शिल्पकार श्रमिक थे, जो हाथ से बनी वस्तुओं, जैसे- कपास, लकड़ी एवं लौह उत्पाद, का उत्पादन करते थे। अधिकांशत: ये अपने जातिगत व्यवसाय में ही दक्षता रखते थे। इनके बारे में ऐतिहासिक प्रमाण बहुत सीमित हैं। वे अक्सर किसानों एवं आदिवासियों के साथ जुड़ जाते थे।

1857 से पूर्व विद्रोहों के कारण (Causes of the Pre–1857 Uprisings)

मुगल काल भी विद्रोह से अछूता नहीं रहा था। मुगलकाल के दौरान भी शासकों एवं उनके अधिकारियों के विरुद्ध जन-विद्रोह सामान्य थे। उच्च भू-राजस्व, संग्रह कर्ताओं के कटु व्यवहार और उस समय व्याप्त अन्य भ्रष्ट कार्य-प्रणालियों ने लोगों को विद्रोह करने के लिए मजबूर कर दिया था। परंतु ब्रिटिश शासन की स्थापना का भारतीय जनता के जीवन के विभिन्न पक्षों पर बहुत अधिक नकारात्मक प्रभाव पड़ा, जिसने जनता को ब्रिटिश शासन के विरुद्ध विद्रोह करने के लिए मजबूर कर दिया।

- शासकों एवं जमींदारों पर विनाशकारी प्रभाव:
  - कंपनी की प्रसार की नीति के कारण अनेक राजा और नवाब अपनी रियासतें खो चुके थे। हजारों जमींदारों एवं पोलिगरों का समूलनाश कर दिया गया, औपनिवेशिक राज्य द्वारा उनके अधिकारों को अपहृत कर लिया गया। अक्सर, उच्च राजस्व का भुगतान न करने के कारण उन्हें अपने अधिकारों को बेचने के लिए मजबूर होना पड़ता था।
- किसानों पर विनाशकारी प्रभाव:
  - कंपनी ने प्रशासन व भू-राजस्व व्यवस्था में तेजी से परिवर्तन प्रस्तावित किए, जिससे कृषक समाज नष्ट-भ्रष्ट हो गया।
  - नए भू-बंदोबस्तों (स्थाई, रैयतवाड़ी एवं महालवाड़ी) ने नए प्रकार के भू-स्वामी बनाए। नए भू-स्वामी अपने काश्तकारों के प्रति परंपरागत पैतृकवाद (traditional paternalism) से रहित थे और असहनीय स्तर तक करों को बढ़ाया गया। उदाहरण के तौर पर, बंगाल में ब्रिटिश शासन के 30 वर्षों से भी कम शासन में जो भू-राजस्व संग्रह किया गया, वह मुगलों के अधीन किए गए संग्रह से लगभग दोगुना था।
  - साथ ही, औपनिवेशिक शासक नगद में राजस्व के भुगतान के लिए जोर देते थे, जिससे ऋण लेने की प्रथा को बढ़ावा मिला। इस प्रथा का परिणाम भारी **कृषक-कर्ज** एवं **भूमिहीनता** के रूप में सामने आया।
  - संग्रहित राजस्व का एक भाग भी काश्तकारों/खेतिहरों के कल्याण अथवा कृषि के विकास पर खर्च नहीं किया गया, जिससे स्थिति और बिगड़ गई थी।
  - भूमि के नए बंदोबस्तों ने कुछ निश्चित परंपरागत अधिकारों, जैसे- वन एवं चारागाह के अधिकारों को भी समाप्त कर दिया था।
  - यद्यपि, वर्गों में विभिन्नता कोई नई विशेषता नहीं थी, लेकिन औपनिवेशिक नीतियों ने, जिनके पास भूमि और संपदा थी और जिनके पास नहीं थी, उनके बीच **वर्ग-विभेद को और अधिक स्पष्ट कर दिया**। साथ ही, वर्ग-विभेद ने जाति एवं धर्म के आधार पर ध्रुवीकरण को और अधिक बड़ा दिया था। उदाहरणस्वरूप, यदि किसी क्षेत्र में, भू-स्वामी किसी एक जाति अथवा धर्म से संबंध रखता था, जबकि किसान किसी अन्य जाति अथवा धर्म से, तो उनके **बीच जातीय/सांप्रदायिक तनाव पैदा होने लगता था।**

- औपनिवेशिक नीति के अनुसार, भारत को ब्रिटिश उद्योगों के लिए कच्चा माल उपलब्ध कराना था। अतः कृषि का बलपूर्वक व्यवसायीकरण किया गया। किसानों को अनाज के स्थान पर नगदी फसलें, जैसे- नील एवं कपास उगाने के लिए मजबूर किया जाता था। यहां तक कि अनाज की कमी के वर्षों में भी उनको ऐसा करने के लिए मजबूर किया जाता था, जिसके परिणामस्वरूप किसानों का शोषण बढ़ा और **अकाल** भी पड़ा। वास्तव में, 1770 और 1857 के मध्य 12 बड़े व अनेक लघु अकाल पड़े, जिसने भारतीय कृषि व्यवस्था के पतन की पुष्टि की।
- नए न्यायिक एवं प्रशासकीय व्यवस्थाओं ने भी अमीरों को गरीबों का शोषण करने का मौका दिया। काश्तकारों/खेतिहरों को कर, लगान व ब्याज का भुगतान न करने पर **यातनाएं दी गईं और उनको जेल भेजा गया।**
- न्यायिक एवं प्रशासकीय व्यवस्था के निम्न स्तर पर भ्रष्टाचार ने सामान्य व्यक्ति के जीवन को दयनीय बना दिया था।

• शिल्पकारों/कारीगरों पर विनाशकारी प्रभाव:

- उपनिवेशवाद भारतीय शिल्पकारों के लिए भी विनाशकारी साबित हुआ। औपनिवेशिक नीति के अनुसार भारत को ब्रिटिश वस्तुओं के लिए एक बाजार बनाया जाना था। ये मशीन से निर्मित ब्रिटिश वस्तुएं भारतीय शिल्पकारों द्वारा बनाई गई वस्तुओं की अपेक्षा सस्ती एवं अच्छी थीं। हस्तनिर्मित वस्तुओं की मांग न होने के कारण भारतीय शिल्पकार **बेरोजगार** होने लगे।
- साथ ही जहां एक ओर भारत में ब्रिटेन में निर्मित वस्तुओं की मांग बढ़ने से उनका रोजगार छिन रहा था, वहीं दूसरी ओर ब्रिटेन में भारतीय वस्तुओं के विरुद्ध भेदभावपूर्ण सीमा शुल्क लगाए जा रहे थे। इस प्रकार भारतीय हथकरघा (handloom) एवं हस्तकला (handicraft) उद्योग दोनों तरह से बर्बाद हो रहे थे।
- शिल्पकारों की स्थिति और दयनीय हो गई, जब उनके परंपरागत खरीददार, जैसे- राजकुमार, मुखिया एवं भू-स्वामियों ने उनकी वस्तुओं को खरीदना बंद कर दिया।
- स्वदेशी उद्योग के नष्ट होने पर बड़े स्तर पर उद्योग से कृषि की ओर प्रवास हुआ। (जिसे **कृषिकरण** की प्रक्रिया भी कहा जाता है।) लेकिन, साथ ही कृषि में भी कोई सुधार नहीं हो रहा था। इस प्रक्रिया ने भूमि पर और अधिक दबाव बढ़ा दिया।

• आदिवासियों/जनजातियों पर विनाशकारी प्रभाव:

- औपनिवेशिक प्रशासन ने आदिवासियों की **सापेक्षिक विलगता को समाप्त किया** और उन्हें औपनिवेशिक अर्थव्यवस्था व शोषण के दायरे में लेकर आए।
- इसने आदिवासी राज्यव्यवस्था में दखलंदाजी की, **आदिवासी भूमि पर** अतिक्रमण किया और भूमि व वन के साथ आदिवासियों के संबंधों को रूपांतरित किया।
- इसने आदिवासियों को जमींदारों के रूप में पहचान दी और नई भू राजस्व व्यवस्था को प्रस्तावित किया। साथ ही **आदिवासी उत्पादों पर कर** लगाया।
- आदिवासी परंपरागत रूप से स्थानांतरण खेती अथवा झूम-खेती (shifting cultivation) करते थे। औपनिवेशिक प्रशासन ने नई वन भूमि एवं नए वन उत्पादों का आदिवासियों द्वारा उपयोग को रोककर इस प्रथा को अनुमति नहीं दी।
- औपनिवेशिक प्रशासन बड़ी संख्या में आदिवासियों के बीच **बाहरियों** (outsiders) को लेकर आया। इनमें मध्यस्थ, जैसे- व्यापारी, राजस्व किसान एवं साहूकार शामिल थे, जिन्होने आदिवासियों को औपनिवेशिक शोषण के केंद्र की ओर धकेल दिया।
- साहूकारों ने धीरे-धीरे आदिवासियों को **कर्ज** एवं **भूमिहीनता** की ओर धकेल दिया। परिणामस्वरूप, आदिवासियों की स्थिति उस भूमि पर (जो परंपरागत रूप से उन्हीं की थी) खेतिहर श्रमिक एवं काश्तकार जैसी हो गई थी। इसने **कृषिकरण** की प्रक्रिया को भी तीव्र बनाया।

- राजस्व किसानों (revenue farmers) ने **बेगार** की व्यवस्था को तीव्र किया। पुलिस एवं छोटे अधिकारी बहुत अधिक भ्रष्ट एवं सभी के प्रति (जिसमें आदिवासी भी शामिल थे) असंवेदनशील थे।
- औपनिवेशिक प्रशासन ने ईसाई धर्म प्रचारकों के आदिवासी क्षेत्रों में अंत:प्रवाह (influx) को भी प्रेरित किया।

- विद्वान एवं पुरोहित वर्ग पर प्रभाव:
  - परंपरागत शासक अपने दरबार में पंडितों एवं मौलवियों के साथ-साथ कला एवं साहित्य के विद्वानों को संरक्षण प्रदान करते थे। ब्रिटेन द्वारा भारतीय रियासतों पर विजय के साथ इस तरह के **संरक्षण का अंत** हुआ। परिणामस्वरूप, ये विद्वान एवं पुरोहित वर्ग बड़े स्तर पर विस्थापित होने लगे और जिससे उनकी दरिद्रता बढ़ने लगी। इन लोगों ने भी विदेशी शासकों के विरुद्ध नफरत की भावना भड़काने एवं विद्रोह करने में सक्रिय भूमिका निभाई थी।
- कंपनी के शासन का औपनिवेशिक स्वरूप (Colonial Nature of the Company's Rule):
  - जन विद्रोह का एक अन्य मुख्य कारण कंपनी के शासन का विदेशी चरित्र का होना था। कंपनी के अधिकारी **शाश्वत रूप से विदेशी** बने रहे। जहां तक संभव हो, धन एकत्रित करना और इंग्लैंड लौटना, उनका एकमात्र उदेश्य होता था।
  - भारतीय जनता ने अनुभव करना शुरू किया कि बहुत दूर से विदेशी उन पर शासन कर रहे थे और वे हमारी भूमि से धन का निर्गमन कर अपने साथ ले जा रहे थे। जिसका प्रभाव यह हुआ कि ब्रिटिश लोग उत्पादन के फल का आनंद लेने लगे, जबकि भारतीय जनता गरीबी के रूप में सबसे बुरे स्वरूप को झेल रही थी।

इस प्रकार स्पष्ट है कि भारतीय जनता के लगभग सभी वर्गों के जीवन पर कंपनी के शासन का बुरा प्रभाव पड़ा। शोषणकारी औपनिवेशिक नीतियां भारतीय किसानों को दरिद्रता की ओर ले गईं और आदिवासियों के मध्य असंतोष व्याप्त हो गया। जिससे उन्हें मजबूर होकर ब्रिटिश प्रशासन के विरुद्ध विद्रोह के लिए उठना पड़ा।

प्रमुख जन-विद्रोह (Important Popular Uprisings)

कंपनी के शासन के दौरान **एक के बाद एक अनेक क्षेत्रों में विद्रोह प्रारंभ हुए, जिनकी शुरुआत बंगाल से हुई। 1757 से 1857 के बीच 100 वर्षों में 40 से अधिक मुख्य विद्रोह एवं अन्य अनेक छोटे विद्रोह हुए।** ये विद्रोह **फितूरिस, मेलिस, हूल्स व उलगुलन** जैसे विभिन्न नामों से जाने जाते हैं।

बंगाल एवं उत्तरी भारत में विद्रोह

संयासी-फकीर विद्रोह (बंगाल-बिहार, 1763-1800)

1757 में बंगाल में ब्रिटिश शासन की स्थापना के साथ ही ईस्ट इंडिया कंपनी ने बड़े स्तर पर लूट मचाना शुरू कर दी थी। किसान, शिल्पकार/कारीगर एवं जमींदार समान रूप से बर्बाद हुए। 1770 में बंगाल में पड़े अकाल को विदेशी शासन व उसकी निष्ठुरता के सीधे परिणाम की तरह देखा गया।

संयासी एवं फकीरों (पवित्र हिंदू व मुस्लिम व्यक्ति) ने अन्याय के साथ लड़ने की अपनी परंपरा को आगे बढ़ाते हुए जनता की समस्याओं को उठाया और कंपनी के कारखानों व कोषागारों/खजानों पर छापामार की कार्रवाई की। कभी-कभी वे इस लूटे हुए धन को गरीबों में बांट देते थे। उन्होंने यहां तक कि बोगरा एवं मेमेनसिंघ में स्वतंत्र सरकारें स्थापित कीं। हिंदू एवं मुसलमानों का समान रूप से सहभागिता करना, इस आंदोलन की एक अन्य उल्लेखनीय विशेषता थी।

बंगाल के अकाल के बाद, तबाह हो चुके जमींदार, विघटित हुए सैनिक और बेदखल हुए किसान व गरीब लोग बड़ी संख्या में संयासियों के साथ शामिल हुए। वे पांच से सात हजार के समूह में बंगाल व बिहार के भागों के आस-पास घूमते थे और उन्होंने आक्रमण की गोरिल्ला तकनीक को अपनाया।

प्रमुख नेता- मूसाशाह, मजनूशाह, भवानी पाठक एवं **देवी चौधरानी।**

दमन- संयासियों एवं ब्रिटिश सेना के मध्य बंगाल एवं बिहार में 1800 तक निरंतर रूप से संघर्ष होता रहा। अंततः ब्रिटिश सरकार **वॉरेन हेस्टिंग्स** के नेतृत्व में लंबी सैन्य कार्रवाई के बाद संयासियों को घेरने में सफल हुई।

संयासी विद्रोह को बंकिम चंद्र चटर्जी ने अपने उपन्यास **आनंदमठ** के द्वारा लोकप्रिय बनाया।

चुआर विद्रोह (मिदनापुर, 1766-1772, 1795-1816)

अकाल एवं बढ़ती भू-राजस्व की मांग के चलते मिदनापुर जिले के आदिवासी अनेक बार विद्रोह के लिए खड़े हुए।

रंगपुर एवं दिनाजपुर का किसान-विद्रोह (बंगाल, 1783)

रंगपुर एवं दिनाजपुर उत्तरी बंगाल के दो जिले थे, जहां की जनता को ईस्ट इंडिया कंपनी एवं उसके राजस्व से जुड़े ठेकेदारों द्वारा किए गए दमन के सभी प्रकारों का सामना करना पड़ा। ऐसा ही एक ठेकेदार देवी सिंह था, जो अपने एजेंटों (साथियों) के साथ मिलकर रंगपुर एवं दिनाजपुर जिलों में आतंक का शासन कायम किए हुए था। कर प्राप्ति के लिए वे अक्सर किसानों को मारते-पीटते थे और यहां तक कि उनके घरों को जला देते थे।

जब कंपनी के अधिकारियों से सहायता मांगने पर उनको अनसुना कर दिया गया, तो उन्होंने कानून अपने हाथों में लेने का निर्णय लिया। उन्होंने दिरजीनारायण को अपना नेता निर्वाचित किया, स्वयं को तलवार, दरांती, तीर व कमान से सज्जित किया और ठेकेदारों के एजेंटों पर आक्रमण किया व उनके धान्यागारों (अनाज रखने का स्थान) को लूटा। उन्होंने यहां तक की स्वयं की सरकार बनाई, सरकार को सभी प्रकार के राजस्वों के भुगतान रोक दिया। इतना ही नहीं अपने विद्रोह के खर्च को उठाने के लिए उन्होंने बगावत-कर (insurrection charges) अथवा **ढिंग खर्चा** आरोपित किया। हिंदू व मुसलमान दोनों ने इस विद्रोह में समान रूप से सहभागिता की।

प्रमुख नेता- दिरजी नारायण

दमन- अन्ततः ब्रिटिश सरकार ने सैन्य बल के उपयोग द्वारा इस विद्रोह को दबा दिया।

हो एवं मुंडा विद्रोह (छोटा नागपुर एवं सिंहभूम, 1820-1837)

हो एवं मुंडा आदिवासियों ने 1820-1837 के दौरान अनेक बार कंपनी के ताकत को चुनौती दी।

कोल-विद्रोह (छोटा नागपुर पठार, 1820-1837)

सिंहभूम के कोल आदिवासी लंबे समय से अपने आदिवासी मुखिया के अधीन स्वतंत्र अस्तित्व का आनंद उठा रहे थे। सिंहभूम पर ब्रिटिश अधिकार होने के साथ ब्रिटिश सरकार ने कोल आदिवासियों के जीवन में दखलअंदाजी करना शुरू किया। उन्होंने न केवल उनके क्षेत्राधिकार को बलपूर्वक थोपने का प्रयास किया, बल्कि यहां तक की बाहरी लोगों (जिसमें सिख एवं मुस्लिम किसान शामिल थे) ने इस क्षेत्र में बसना शुरू किया। परिणामस्वरूप, बाहरी लोगों द्वारा आदिवासी-भूमि पर अधिकार होने लगा।

कोल आदिवासियों द्वारा इन गतिविधियों के प्रति नाराजगी जाहिर की गई और 1831 में बाहरी लोगों के विरुद्ध उनका असंतोष एक विद्रोह के रूप में फूट पड़ा। विद्रोहियों ने करीब एक हजार बाहरी लोगों को मार डाला, उनके घरों को जला दिया और उनकी संपत्ति लूट ली। यह बगावत शीघ्र ही समीपवर्ती रांची, हजारीबाग, पलामू एवं मानभूम में फैल गई और अंततः ब्रिटिश बल के एक बृहद स्तरीय सैन्य ऑपरेशन (कार्रवाई) के द्वारा इसका दमन कर दिया गया। ब्रिटिश सत्ता की

पूर्ण बहाली होते-होते हजारों कोल का जनसंहार हो चुका था।

पागल पंथी विद्रोह (बंगाल, 1825)

पागलपंथी एक अर्द्ध-धार्मिक संप्रदाय था, जिसकी स्थापना उत्तरी बंगाल के करमशाह ने की थी। उसके पुत्र एवं इस संप्रदाय के **उत्तराधिकारी टीपू शाह** ने धार्मिक एवं राजनीतिक प्रायोजन से प्रेरित होकर शोषणकारी जमींदारों के विरुद्ध काश्तकारों (छोटे किसानों) के विषय को उठाया। 1825 में टीपू ने शेरपुर जीत लिया और राजशाही शक्ति प्राप्त की। यह विद्रोह शीघ्र ही सीमावर्ती क्षेत्रों में भी फैल गया और यह क्षेत्र 1830 व 1840 के दशक तक अशांत बना रहा।

अहोम विद्रोह (असम, 1828)

आंग्ल-बर्मा युद्ध की समाप्ति के बाद असम के अहोम कुलीन-वर्ग ने ब्रिटिश कंपनी पर अपना वादा तोड़ने व उनके क्षेत्र से वापस न लौटाने का आरोप लगाया। इस भावना से डरे हुए कि कहीं कंपनी का इरादा अहोम क्षेत्र को अपने प्रभुत्व में लाना तो नहीं है, अहोम लोग विद्रोह के लिए उठ खड़े हुए। 1828 में अहोम लोगों ने गोमधर कोनवार को अपना राजा घोषित किया और रंगपुर की ओर कूच (मार्च) करने की योजना बनाई।

प्रमुख नेता- गोमधर कोनवार

दमन- कंपनी के उत्कृष्ट सैन्य शक्ति के सामने यह विद्रोह टिक नहीं सका। लेकिन बाद में कंपनी ने शांतिपूर्ण नीति अपनाई और 1833 में ऊपरी असम को महाराजा पुरंदर सिंह नरेंद्र को सुपुर्द कर दिया व राज्य का कुछ भाग असम के राजा को लौटा दिया गया।

खासी विद्रोह (खासी पहाड़ियां, 1829)

ईस्ट इंडिया कंपनी ने जयंतिया और गारो पहाड़ियों के बीच स्थित खासी पहाड़ियों पर अधिकार कर लिया था। ब्रह्मपुत्र घाटी से सिलहट को जोड़ने के लिए एक सैन्य सड़क के निर्माण की भी उनकी योजना थी और इस योजना को पूरा करने के लिए बड़ी संख्या में बाहरियों, जिनमें अंग्रेज, बंगाली और मजदूर शामिल थे, को यहां लाया गया। ननक्लो (Nunklow) के शासक व खासी के राजा तीरथ सिंह ने ब्रिटिश सरकार द्वारा किए जा रही इस दखलअंदाजी के विरुद्ध अपनी नाराजगी जाहिर की और ब्रिटिश सैन्य-दुर्ग (मोर्चे पर खड़ी रक्षक सेना) पर हमला शुरू किया, जो जल्द ही उस क्षेत्र में ब्रिटिश शासन के विरुद्ध एक पूर्ण विद्रोह के रूप में विकसित हो गया।

मुख्य नेता- तीरथ सिंह

दमन- ब्रिटिश सरकार ने 1833 में सफलतापूर्वक इस विद्रोह को दबा दिया।

फरायजी उपद्रव (विद्रोह) (पूर्वी बंगाल, 1838-1851)

फरायजी संप्रदाय की स्थापना पूर्वी बंगाल में **फरीदपुर के हाजी शरीयतुल्लाह** के द्वारा की गई। फरायजी आंदोलन मूल रूप से एक किसान आंदोलन था, जो भू-स्वामियों एवं ब्रिटिश शोषणकारियों के विरुद्ध चलाया गया था। हालांकि, दुदू मियां (संस्थापक के पुत्र) के नेतृत्व में फरायजी आंदोलन एक धार्मिक संप्रदाय में बदल गया था, जिसने उग्र धार्मिक, सामाजिक व राजनीतिक परिवर्तनों की वकालत की। दुदू मियां ने समतावादी विचारधारा का प्रचार किया, जिसके अनुसार सभी व्यक्ति समान हैं व सारी भूमि ईश्वर की है और किसी को इस पर कर लगाने का अधिकार नहीं है। ब्रिटिश घुसपैठियों को बंगाल से बाहर निकालने का कार्य उन्होंने स्वयं अपने हाथों में लिया। फरायजियों ने जमींदारों के कर संग्रहित करने के अधिकार का विरोध किया। यहां तक कि बंगाल के कुछ भागों में समानांतर सरकारें बनाईं और ग्रामीण न्यायालयों की भी स्थापना की।

मुख्य नेता- दुदू मियां

दमन- इस आंदोलन को भी अंततः सरकार द्वारा कुचल दिया गया और दुदू मियां की गिरफ्तारी से इसकी समाप्ति हुई। फरायजी उपद्रव 1857 तक निरंतर चलता रहा और अधिकतर फरायजी बाद में वहाबी आंदोलन में शामिल हुए।

खोंड विद्रोह (उड़ीसा, 1837-1856)

ब्रिटिश सरकार ने खोंडों में प्रचलित मानव-बलि (मारिह) प्रथा को समाप्त करने का प्रयास किया। पहले ब्रिटिश सरकार ने समझा-बुझाकर प्रयास किया और बाद में बल का प्रयोग किया। खोंडो द्वारा **चक्र बिसोई** के नेतृत्व में इसका विरोध किया गया। यह विद्रोह कालाहांडी, पटना, घुमसर और चीन-की-मेडी के क्षेत्रों में फैल गया। बिसोई को कभी गिरफ्तार नहीं किया जा सका।

सवारा विद्रोह (उड़ीसा 1856-1857)

परलियाखेमेड़ी के सवारा आदिवासियों ने **राधाकृष्ण दंडसेना** के नेतृत्व में बगावत की। औपनिवेशिक प्रशासन को चक्र बिसोई एवं सवारा विद्रोहियों के बीच संबंध नजर आया, जिसे 1857 में दंडसेना को फांसी दिए जाने के साथ कुचल दिया गया।

संथाल विद्रोह (राजमहल पहाड़ियां, 1855-1856)

सभी आदिवासी/जनजातीय विद्रोहों में संथाल विद्रोह सबसे विशाल/भीमकाय था। संथाल जनजाति के लोग भागलपुर एवं राजमहल के मध्य के क्षेत्र (जिसे **दामन-ए-कोह** के नाम से जाना जाता है।) में निवास करते थे, जिसमें बीरभूम, बांकुरा, सिंहभूम, हजारीबाग, मुर्शिदाबाद, पाकुर, पूर्णिया, दुमका, भागलपुर एवं मुंगेर जिले आते थे।

1793 में बंगाल में स्थाई बंदोबस्त की शुरुआत की गई। इस व्यवस्था के अंतर्गत आदिवासियों की जमीन (जिस पर वे सैकड़ों वर्षों से खेती करते आ रहे थे) जमींदारों को सौंप दी गई। इन जमींदारों ने लगान को अत्यधिक बढ़ा दिया था। साहूकारों ने (जो मुख्यतः बंगाल एवं उत्तरी भारत से थे) ने अपनी सूदखोरी शुरू की। इस प्रकार बाहरी लोगों ने (जिन्हें संथाली **दिकू** कहते थे) संथाल क्षेत्र में घुसपैठ करना शुरू किया और उनकी परंपरागत जीवन-शैली में विघ्न डाला, जिससे संथालियों को राजमहल पहाड़ियों की ओर पीछे हटने पर मजबूर होना पड़ा।

संथालियों की नाराज़गी मुख्यतया बंगाल के सूदखोर लोगों से थी, लेकिन जब उन्होंने देखा कि सरकारी अधिकारी उनके शोषणकारियों से मिले हुए हैं, तो उनकी नाराजगी सरकार के विरुद्ध हो गई। भू-स्वामी, साहूकार व व्यापारियों ने राजस्व अधिकारियों एवं पुलिस के साथ मिलकर संथालियों का सभी प्रकार से शोषण किया, जिसमें गैरकानूनी रंगदारी (जबरदस्ती वसूली), संपत्ति से बेदखली और यहां तक कि व्यक्तिगत हिंसा शामिल थी।

डरे व सहमे संथालियों ने बाहरी लोगों द्वारा किए जा रहे व्यवहार का कठोरता से विरोध किया। उनका बढ़ता हुआ असंतोष सिद्धू व कान्हू भाइयों के नेतृत्व में एक खुली बगावत के रूप में फूट पड़ा। इन नेताओं ने दावा किया कि ठाकुर (ईश्वर) का उनसे संपर्क हुआ है और उन्होंने बाहरी लोगों के विरुद्ध हथियार उठाने और सतयुग (सत्य के शासन) लाने का आदेश दिया है। ये नेता करीब 60000 संथालियों को लामबंद करने में सक्षम हो गए थे और शीघ्र ही यह विद्रोह समीपवर्ती क्षेत्रों में फैल गया। लोकप्रिय आदिवासी धारणा के अनुसार यह 'बुराई' के विरुद्ध 'अच्छाई' की लड़ाई थी।

संथालियों ने भागलपुर एवं राजमहल के बीच डाक व रेल संचार को ठप्प कर दिया था। उन्होंने कंपनी के शासन के अंत का ऐलान (घोषणा) कर दिया था।

जैसे ही सरकार ने विद्रोह की व्यापकता का अनुभव किया, उन्होंने एक **विशाल सैन्य अभियान** चलाया और विद्रोहियों का

50 सिपाहियों की टुकड़ी पर 600 संथालियों द्वारा हमला

बहुत ही निर्दयता के साथ दमन कर दिया। इस बगावत के हिंसक दमन ने उन्हें और उग्र बना दिया। उन्होंने कंपनी के शासन की समाप्ति की घोषणा की और स्वयं को स्वतंत्र घोषित किया।

मुख्य नेता- सिद्धू व कान्हू

दमन- ब्रिटिश शोषण के विरुद्ध संथालियों के वीरतापूर्ण संघर्ष को 1856 में व्यापक सैन्य अभियान के बाद ही नियंत्रित किया जा सका। 15000 से भी अधिक संथालियों को मार दिया गया और अनेक गांवों को नष्ट कर दिया गया था। सिद्धू को धोखे से पकड़कर उसे मार दिया गया, जबकि कान्हू को बगावत के अंतिम पड़ाव में गिरफ्तार कर लिया गया था। इस बगावत के पश्चात सरकार ने संथालियों के प्रति शांतिपूर्ण नीति अपनाई और एक पृथक जिला **'संथाल परगना'** बनाया।

पश्चिमी भारत में विद्रोह (Revolts in Western India)

भील विद्रोह या बगावत (खानदेश, 1818, 1825, 1831 व 1846)

भील एक आदिम जनजाति थी, जो **पश्चिमी घाट** में निवास करती थी। इनका प्रमुख गढ़ खानदेश था। 1817-1819 के दौरान अंग्रेजी कंपनी ने खानदेश पर अधिकार कर लिया था, जिससे क्रोधित हुए भील आदिवासियों ने बाहरी लोगों के विरुद्ध विद्रोह कर दिया था। कंपनी के अधिकारियों का आरोप था कि भीलों को ब्रिटिश सरकार के विरुद्ध पेशवा बाजीराव द्वितीय व उनके मंत्री त्र्यम्बकजी डेंगले ने उकसाया था। इस विद्रोह को कठोरता से दबा दिया गया।

1825 में **सेवराम** के नेतृत्व में भीलों ने पुन: विद्रोह किया। बाद में, पश्चिमी घाट में घुसपैठ होने के बाद भीलों ने छोटे-छोटे समूह बनाकर मैदानी भागों को उजाड़ना शुरू किया और अनेक वर्षों तक ब्रिटिश सेना से उनका टकराव होता रहा। अंततः दमन से पहले उन्होंने असंतोष के जनवादी चरित्र के महत्व को इंगित किया।

बघेरा विद्रोह (ओखा मंडल, 1818-1819)

ओखा मंडल के वघेराओं ने भी कंपनी के शासन के थोपे जाने का विरोध किया। कंपनी ने बड़ौदा के गायकवाड द्वारा की जाने वाली बलपूर्वक वसूली (अपकर्षण) का समर्थन किया, जिससे बघेरा के मुखिया को मजबूर होकर विद्रोह करना पड़ा। बघेराओं ने ब्रिटिश क्षेत्र पर हमला किया और जिसकी समाप्ति नवंबर, 1820 में एक शांति संधि के साथ हुई।

कच्छ विप्लव/विद्रोह (कच्छ एवं काठियावाड़ अथवा सौराष्ट्र, 1819 और 1831)

1819 में कंपनी की सेना ने कच्छ के शासक राव भारमल को उसके ही नवजात पुत्र के समर्थन में हरा दिया, इससे कच्छ का वास्तविक प्रशासन एक ब्रिटिश रेजीडेंट के हाथों में आ गया। ऐसे प्रशासनिक नवाचारों के साथ-साथ कंपनी द्वारा निर्धारित उच्च भू-राजस्व आंकलन ने बहुत अधिक नाराजगी उत्पन्न की। कच्छ के मुखियाओं ने बगावत की और भारमल को पुन: शासन सौंपने की मांग की। 1831 में पुन: अशांति उत्पन्न हुई, जिसके कारण कंपनी को मैत्रीपूर्ण नीति अपनाने के लिए मजबूर होना पड़ा।

रामोसी विद्रोह (पश्चिमी घाट, 1822)

रामोसी भी पश्चिमी घाट की पहाड़ी जनजातियां थीं, जिन्होंने ब्रिटिश हस्तक्षेप का विरोध किया था। 1822 में रामोसी जनजातियों ने **चित्तूर सिंह** के नेतृत्व में बाहरियों (बाहरी लोगों) के विरुद्ध विद्रोह किया और सतारा के आसपास के क्षेत्र में लूटपाट मचाई। यह क्षेत्र 1829 तक अशांत बना रहा।

1839 में पुन: ब्रिटिश सरकार ने सतारा के राजा प्रताप सिंह को अपदस्थ किया, जिसका व्यापक स्तर पर विरोध हुआ। इस कदम ने उपद्रवों की एक श्रृंखला बना दी, जिससे मजबूर होकर ब्रिटिश सरकार को बल का उपयोग करके व्यवस्था को बहाल करना पड़ा।

कोली विद्रोह (गुजरात; 1824-1829, 1839 और 1844-1848)

कोली भीलों के समीपवर्ती क्षेत्र में रहते थे और इन्होंने भी समान रूप से ब्रिटिश शासन के थोपे जाने का विरोध किया। विदेशियों ने उनके किलों को नष्ट कर दिया था और प्रशासन के नए तरीके लागू किए थे, जिससे बड़े स्तर पर बेरोजगारी फैलने लगी थी। उन्होंने 1824 व 1848 के मध्य अनेक बार बाहरियों के विरुद्ध विद्रोह किए।

सूरत नमक आंदोलन (1844-1848)

1844 में कंपनी की सरकार ने नमक कर को बढ़ाकर 50 पैसे से एक रुपया कर दिया था, जिससे सूरत की जनता में असंतोष बढ़ा। सूरत, जिसे अलोकप्रिय तरीकों के विरोध करने की एक लंबी परंपरा के लिए जाना जाता था, विरोध में उठ खड़ा हुआ। ब्रिटिश विरोधी भावनाएं तेजी से फैलीं और कुछ यूरोपीय लोगों पर हमला भी किया गया। विद्रोह की जनवादी प्रकृति को देखकर सरकार ने मजबूर होकर नमक कर में की गई वृद्धि को वापस ले लिया। 1848 में पुनः सरकार ने बंगाल स्टैंडर्ड ऑफ वेट एंड मेजर्स (Bengal Standard of Weights and Measures) प्रस्तावित करने का निर्णय लिया, जिसे जनवादी विरोध के बाद वापस लेना पड़ा।

कोल्हापुर एवं सावंतवाडी विद्रोह (1844)

पेशवा की अंतिम हार के बाद महाराष्ट्र लगातार विद्रोह की आग में झुलस रहा था। मुख्य विद्रोहों में 1818 में भील विद्रोह, 1824 में चिन्नवा के नेतृत्व में कित्तूर विद्रोह, 1841 में सतारा विद्रोह और 1844 में गडकरी विद्रोह शामिल थे।

1844 के बाद कोल्हापुर में प्रशासनिक पुनर्गठन किया गया, जिससे व्यापक स्तर पर असंतोष हुआ। **गडकरी** (एक वंशानुगत सैन्य वर्ग) जो मराठा किलों की मोर्चाबंदी करते थे, को छिन्न-भिन्न कर दिया गया। बेरोजगारी से ग्रस्त गडकरियों ने विद्रोह का रास्ता अपनाया। इसी मुद्दे पर सावंतवाडी में भी एक विद्रोह हुआ।

दक्षिण भारत में विद्रोह (Revolts in South India)

विजयनगरम के राजा का विद्रोह (1794)

1765 में अंग्रेजी कंपनी ने उत्तरी वृत्त (northern circle) पर अधिकार प्राप्त कर लिया और मनमाना रवैया अपनाया। राजा की सेनाओं को भंग कर दिया गया और 3 लाख रुपये की अनुचित मांग की गई। राजा के अस्वीकार करने पर उसके राज्य को हड़प लिया गया। राजा ने अपनी जनता और सेनाओं के पूर्ण समर्थन से एक विद्रोह के रूप में पलटवार किया। यद्यपि 1794 के युद्ध में राजा को अपनी जान गंवानी पड़ी, लेकिन उसके बाद भी कंपनी को मैत्रीपूर्ण नीति अपनाने के लिए मजबूर होना पड़ा। कंपनी ने मृतक राजा के पुत्र को राज्य लौटा दिया और यहां तक कि धन एवं भेंट की मांग में भी कमी कर दी।

दीवान वेलु थंपी का विद्रोह (त्रावणकोर, 1805)

1805 में वेलेजली (वैलेस्ली) द्वारा त्रावणकोर के शासक पर सहायक संधि आरोपित की गई। शासक सहायिकी (सब्सिडी) चुकाने में असमर्थ था, जिससे उस पर बकाया बढ़ गया था। ब्रिटिश रेजिडेंट के क्रूर व्यवहार से भी नाराजगी उत्पन्न हुई और दीवान वेलु थंपी ने नायर बटालियन (सैन्य दल) के समर्थन से एक वीरता पूर्ण विद्रोह किया। एक उत्कृष्ट ब्रिटिश बल ने बाद में इस क्षेत्र में शांति स्थापित की। लोगों में डर भरने के लिए वेलु थंपी को सार्वजनिक रूप से फांसी पर लटका दिया गया।

मैसूर में विद्रोह/बगावत (1830-1831)

चौथे आंग्ल मैसूर युद्ध में ब्रिटिश विजय के बाद ब्रिटिश सरकार ने मैसूर को वाडियार शासक को लौटा दिया और उसके ऊपर एक विशिष्ट सहायक संधि अधिरोपित की। कंपनी की वित्तीय मांगों ने मैसूर के शासक को इस वित्तीय बोझ को जमींदारों और अंततः किसानों पर डालने के लिए मजबूर कर दिया। किसानों का उबलता हुआ असंतोष अंततः नगर प्रांत (मैसूर के चार संभागों में से एक) में खुले तौर पर फूट पड़ा। बागी किसानों ने मैसूर के शासक के अधिकार (सत्ता) की अवहेलना की।

मुख्य नेता- सरदार मल्ला

दमन- ब्रिटिश बलों द्वारा इस विद्रोह का दमन कर दिया गया और इस क्षेत्र का प्रशासन अंततः ब्रिटिश हाथों में आ गया।

मापिला (मोपला) विद्रोह (मालाबार, 1836-1854)

दक्षिण मालाबार के मुस्लिम किसानों/खेतिहरों को मोपला नाम से जाना जाता था। ये मुख्यतः निम्न जाति के हिंदुओं से इस्लाम में परिवर्तित हुए थे, इनमें से कुछ मालाबार तट में अरब से आकर बसे लोगों के वंशज भी थे। मोपला मुख्य रूप से कृषि कार्य में संलग्न थे और वे अधिकतर उच्च जाति के हिंदू जमींदारों (नंबूदरी या नायर) के यहां **बंधुआ मजदूर (जेमिस अथवा जनमि)** के रूप में कार्य करते थे।

18वीं शताब्दी के अंतिम दशक में मालाबार पर ब्रिटिश अधिकार का मोपला पर प्रतिकूल प्रभाव पड़ा। तत्पश्चात, मोपलाओं के कृषि से जुड़े परेशानियों, जैसे- सरकारी अधिकारियों का कठोर रवैया, उच्च भू-राजस्व की मांग, भूमि को जोतने की अवधि की असुरक्षा और भू-स्वामियों द्वारा जबरन वसूली ने उनको ब्रिटिश सरकार एवं हिंदू भू-स्वामियों के विरुद्ध विद्रोह के लिए मजबूर कर दिया।

धार्मिक नेताओं ने मोपलाओं को सक्रिय करने एवं उनके मन में ब्रिटिश विरोधी भावनाओं को उत्तेजित करने में महत्वपूर्ण भूमिका निभाई। 1836 व 1854 के मध्य मालाबार में **22 से अधिक मोपला-विद्रोह** हुए, जिसने ब्रिटिश शासन को एक गंभीर चुनौती दी। उपद्रवियों ने अनेक शासकीय अधिकारियों एवं हिंदू भू-स्वामियों को मार डाला।

चूंकि अधिकतर भू-स्वामी उच्च हिंदू जाति के थे और मोपला मुस्लिम थे, जो निम्न हिंदू जाति से परिवर्तित हुए थे। इसलिए इस विद्रोह ने धार्मिक तर्ज पर एक वर्ग-संघर्ष का रूप धारण कर लिया था। अनेक मोपला विश्वास करते थे कि ऐसे शोषणकारी भू-स्वामियों, जो काफिर (अविश्वासी) थे, को मारना धार्मिक आचरण है, चाहे उसके लिए शहादत ही क्यों न मिले।

ब्रिटिश शासकों ने हमेशा इसे सांप्रदायिक उपद्रव की तरह प्रस्तुत किया और उपद्रवियों का दमन किया।

इसी प्रकार 1790 के दशक में **दक्षिण भारत के पोलिगरों** (डिंडीगुल, मालाबार एवं नॉर्थ आरकोट) ने सबसे पहले कंपनी के भू-राजस्व व्यवस्था के विरुद्ध विद्रोह शुरू किया था। छिटपुट पोलिगर विद्रोह 1856 तक जारी रहे।

उत्तरी भारत में विद्रोह (Revolts in Northern India)

उत्तरी भारत में भी कम विद्रोह नहीं हुआ था, इनमें कुछ महत्वपूर्ण विद्रोह- बिलासपुर विद्रोह (1805), अलीगढ़ तालुकदारों के विद्रोह (1814-1817), वर्तमान पश्चिमी उत्तर प्रदेश एवं हरियाणा में बगावतें (1824) और जबलपुर में बुंदेलाओं के विद्रोह (1842) तथा तृतीय पंजाब युद्ध (1848-1849) भी एक जनवादी विद्रोह की प्रकृति का था।

कूका अथवा नामधारी आंदोलन (पश्चिमी पंजाब, 1840)

नामधारी आंदोलन 1840 में पश्चिमी पंजाब में **भगत जवाहर मल** (सियान/सेन साहब) व **बाबा बालक सिंह** द्वारा शुरू किया गया था। इसे लोकप्रिय रूप से कूका कहा जाने लगा, क्योंकि इसके अनुयायी उल्लास के समय किलकारी (कूक करना) करते थे। **बाबा राम सिंह** के नेतृत्व में यह सिखों के बीच सामाजिक-धार्मिक सुधार का एक सशक्त साधन बना। उन्होंने एक ईश्वर की पूजा करने की शिक्षा दी एवं सामाजिक बुराइयों जैसे- जाति प्रथा, कन्या भ्रूण हत्या, बाल विवाह एवं शादी में बेटियों के लेन-देन पर प्रहार किया। उन्होंने साधारण एवं कम खर्चीले आनंद विवाह को लोकप्रिय बनाया।

हालांकि, बाबा राम सिंह के कुछ अनुयायी अनियंत्रित हुए और उन्होंने जरूरत से ज्यादा धार्मिकता दिखानी शुरू की। उदाहरण के तौर पर, कुछ कट्टरपंथी गायों को मार दिए जाने से बहुत क्रोधित हुए और अमृतसर व राजकोट जैसे स्थानों पर उन्होंने कसाइयों की हत्या कर दी। परिणामस्वरूप, सरकार से उनकी मुठभेड़ हुई और उनमें से अनेक हिंसात्मक तरीके से

कुचल दिए गए। बाद में, 1872 में राम सिंह को रंगून निर्वासित कर दिया गया।

यद्यपि इतिहासकारों के बीच आंदोलन की प्रकृति (धार्मिक अथवा राजनीतिक) को लेकर मतभेद थे, लेकिन कूकाओं के हिंसात्मक दमन ने निश्चित रूप से पंजाब में जनता के मन में ब्रिटिश शासन के विरुद्ध नफरत पैदा कर दी थी।

1857 के पूर्व जन-विद्रोह की प्रकृति (Nature of the Pre-1857 Uprisings)

1857 के पूर्व के विद्रोहों की विभिन्न इतिहासकारों द्वारा विभिन्न प्रकार से व्याख्या की जाती है। ब्रिटिश इतिहासकार इन विद्रोहों को केवल कानून व व्यवस्था की समस्या मानते थे और उपद्रवियों को सामाजिक विकास (सभ्यता) का प्रतिरोध करने वाले आदिम असभ्य की तरह प्रस्तुत करते थे। जबकि उन्होंने अपनी व्याख्या में किसानों व जनजातियों द्वारा सामना की जाने वाली संभव समस्याओं को नजरअंदाज कर दिया था। इस प्रकार, इन विद्रोहों की प्रकृति को निम्नलिखित विशेषताओं का अध्ययन करके समझा जा सकता है-

- **तात्कालिक अत्याचारों को समाप्त करने का लक्ष्य-** विद्रोहियों का उद्देश्य तात्कालिक अत्याचारियों को समाप्त करना था, चाहे वे अत्याचारी जमींदार हों, साहूकार हों अथवा यहां तक कि औपनिवेशिक ब्रिटिश सरकार हो। उदाहरणस्वरूप, आदिवासियों ने सभी बाहरियों पर शत्रुओं की तरह प्रहार नहीं किया। गैर-आदिवासी ग्रामीण गरीब लोगों को न केवल बख्शा, बल्कि उन्होंने भी आदिवासियों साथ मिलकर अत्याचारियों के विरुद्ध लड़ाई लड़ी।
- **पुरानी स्थितियों को पुनःस्थापित करने की उत्सुकता-** विद्रोही किसान एवं आदिवासी सुनहरे पुराने समय को पुनः स्थापित करना चाहते थे। वह समय जो बाहरियों के नियंत्रण में आने से पहले था और उनका मानना था कि बुरा समय उन्हीं के आने के बाद आया। इसका यह अर्थ नहीं है कि वे पिछड़ापन पसंद करते थे। यह केवल दर्शाता है कि उन्होंने उन स्थितियों को पुनः प्राप्त करने का प्रयास किया, जिसे वे आदर्श मानते थे।
- **सामाजिक-राजनीतिक चेतना-** इस काल के किसान एवं जनजातीय आंदोलन एक निश्चित स्तर की सामाजिक-राजनीतिक चेतना को दर्शाते थे। विद्रोहियों के निशाने पर उनके अत्याचार के राजनीतिक स्रोत जैसे- भू-स्वामी, राजस्व संग्रहकर्ता और यहां तक कि ब्रिटिश शासन स्वयं होता था। साथ ही उन्होंने सामाजिक सुधार लाने का प्रयत्न भी किया। (उदाहरण के लिए, मोपला एवं फरायजी नेता विद्रोह के साथ ही सामाजिक-धार्मिक सुधारों के लिए भी आह्वान करते थे।)
- **जनवादी चरित्र-** यद्यपि ब्रिटिश सरकार ने इन विद्रोहों को आपराधिक कार्यकलाप बताने का प्रयत्न किया था, लेकिन वास्तव में ये विद्रोह एक जनवादी चरित्र के राजनीतिक कार्यकलाप थे। इन विद्रोहियों ने जनता से अपनी वैधानिकता प्राप्त की और जनता की मदद से ही बैठकें, योजनाएं और हमलों को संभव बनाया। जनजातीय विद्रोह विशेषरूप से बृहद स्तरीय थे और अक्सर एक क्षेत्र की सभी जनजातीय जनसंख्या इसमें शामिल होती थी।

  वास्तव में, प्रारंभिक चरण में ये विद्रोह अक्सर आपराधिक कार्यों (जैसे- लूट से लेकर हत्या तक), जिनका उद्भव ग्रामीण जीवन की अत्यधिक कठिन परिस्थितियों से हुआ था, से शुरू हुए थे और इस आपराधिक प्रवृत्ति से विद्रोह की ओर परिवर्तन का सरकार द्वारा नजरअंदाज किया गया था। उदाहरण के लिए, संथाल विद्रोह साहूकारों के विरुद्ध अनेक डकैतियों के साथ शुरू हुआ था, लेकिन बाद में संथाली नेताओं ने इसे साहूकारों के विरुद्ध जनजातियों की समस्याओं का निदान करने में सरकारी अधिकारियों की असफलता के कारण उत्पन्न हुआ बताकर उचित ठहराया।
- **स्थानीय नेतृत्व-** इन आंदोलनों ने उन नेताओं की ओर लोगों का ध्यान आकर्षित कराया, जिन्होंने आंदोलनों के तात्कालिक संदर्भ से स्वयं को जोड़ा था। ये स्थानीय नेता थे, जो स्वयं विदेशी घुसपैठ से प्रभावित हुए थे, जबकि राष्ट्रीय आंदोलन के नेता अक्सर बाहरी होते थे, जो आवश्यकता होने पर किसान एवं जनजातीय आंदोलन में हस्तक्षेप करते थे।
- **क्षेत्रीय विस्तार-** इन विद्रोहों का विस्तार उन क्षेत्रों तक सीमित था जहां तक प्रभावित समुदाय निवास करते थे। उदाहरणस्वरूप, संथालियों ने अपनी पैतृक भूमि के लिए लड़ाई लड़ी, जिसे बाहरियों ने छीन लिया था।
- **जातीय/नस्लीय एकता से शक्ति प्राप्त करना-** बहुत हद तक विद्रोहियों ने जातीय एकता, धार्मिक भावनाओं एवं मसीहाई नेतृत्व से अपनी शक्ति प्राप्त की।

- **युद्ध की असमान प्रकृति**- विद्रोहियों एवं ब्रिटिश ताकतों के बीच युद्ध अत्यधिक असमान प्रकृति का था। जहां एक ओर किसान एवं जनजातियां अपने आदिम (परंपरागत) हथियारों, जैसे- पत्थर, कुल्हाड़ी, भाला, तीर व कमान से लड़ रहे थे, वहीं दूसरी ओर ब्रिटिश बल उस समय के अत्यधिक आधुनिक हथियारों से सज्जित/लैस थे। परिणामस्वरूप, इस असमान युद्ध में लाखों विद्रोही मारे गए।

1857 से पूर्व विद्रोहों की सीमाएं (Limitations of the Pre-1857 Uprisings)

- **स्थानीय एवं एक-दूसरे से पृथक (Localised and Isolated)**- यद्यपि विद्रोह सतत एवं व्यापक थे, लेकिन वे एक-दूसरे से पृथक एवं मुख्य रूप से स्थानीय प्रकृति के थे। वे न केवल स्थानीय समस्याओं से उत्पन्न हुए थे, बल्कि वे अपने विस्तार एवं प्रभाव में भी स्थानीय थे, जिसने राष्ट्रीय स्तर पर उनके प्रभाव को सीमित कर दिया था।
- **परंपरागत दृष्टिकोण (Traditional Outlook)**- विद्रोहियों के नेता पिछड़े एवं परंपरागत दृष्टिकोण के थे, जो आधुनिक वैज्ञानिक विश्व से पूर्णत: कटे हुए थे। उनका मुख्य उद्देश्य सामाजिक-राजनीतिक व्यवस्था के पूर्ववर्ती स्वरूप को पुन: स्थापित करना था और उन्होंने आधुनिक विकल्पों की ओर नहीं देखा। जनजातीय नेता अक्सर स्वयं को ईश्वर के संदेश-वाहक अथवा दूत के रूप में प्रस्तुत करते थे, जिन्हें ईश्वर ने अत्याचारियों के विरुद्ध हथियार उठाने का आदेश दिया था।
- **विदेशी शासन को समाप्त करने के लक्ष्य को प्राप्त करने में असफल हुए**- ऐसे स्थानीय, बिखरे हुए व पिछड़ेपन से ग्रसित विद्रोहों का विदेशी अत्याचारों को समाप्त करने में असफल होना तय था।

  उपरोक्त कमियों के परिणामस्वरूप, ये विद्रोह भारतीय भूमि पर ब्रिटिश कूच को नियंत्रित करने में असफल हुए। दूसरी ओर, ब्रिटिश सरकार एक के बाद एक इन विद्रोहों को नियंत्रित करने में सफल रही। कम उग्र विद्रोही मुखियाओं को भूमि की बहाली, राजस्व आंकलन में कमी इत्यादि के रूप में रियायतें दी गईं, जबकि उग्र विद्रोहियों को भौतिक रूप से मिटा दिया गया। इन विद्रोहों का कठोरतापूर्ण दमन एक मुख्य कारण था, जिसकी वजह से 1857 का विद्रोह भारत के पूर्व, पश्चिम एवं दक्षिण में नहीं फैल पाया था।

1857 के पूर्ववर्ती विद्रोहों का महत्व (Significance of the Pre-1857 Uprisings)

- यह औपनिवेशिक शासन के विरुद्ध पहली अभिव्यक्ति थी।
- इन विद्रोहों ने ब्रिटिश शासन के प्रतिरोध की एक परंपरा स्थापित की। बाद में भारतीय नेताओं ने राष्ट्रीय आंदोलन के दौरान इन परंपराओं से प्रेरणा ग्रहण की।
- इन्होंने 1857 के ऐतिहासिक विद्रोह के लिए एक अहम भूमिका बनाई।

सारांश में, इस अध्याय में हमने देखा कि 1757 के बाद की शताब्दी बड़ी संख्या में जनवादी-लहरों एवं औपनिवेशिक शासन के विरुद्ध विद्रोह व उससे जुड़ी बुराइयों का साक्षी रहा। भारत के विभिन्न क्षेत्रों में अलग-अगल समय पर स्वाधीनता में ह्रास, अत्यधिक भू-राजस्व की मांग, प्रशासनिक नवाचार से कष्ट, स्थानीय स्वायत्ता में विदेशी घुसपैठ एवं ग्रामीण अर्थव्यवस्था के विनाश को अनुभव किया गया, जिसका असंतोष किसान एवं जनजातीय विद्रोह के रूप में सामने आया।

यद्यपि इन विद्रोहों में अनेक कमियां थीं और अंतत: उच्च ब्रिटिश शक्ति के द्वारा इनका दमन कर दिया गया, इसके बावजूद ये विद्रोह महत्वपूर्ण थे, क्योंकि औपनिवेशिक काल में अत्याचार के विरुद्ध विरोध की यह पहली अभिव्यक्ति थी। इसने ब्रिटिश शासन के प्रतिरोध की परंपरा स्थापित की और 1857 के विद्रोह के लिए एक ऐतिहासिक पृष्ठभूमि तैयार की।

प्रीलिम कैप्सूल

1857 तक जन-विद्रोह
बंगाल व पूर्वी भारत

विद्रोह	काल	महत्वपूर्ण विवरण
संयासी-फकीर विद्रोह	1763-1800	कारण- ईस्ट इंडिया कंपनी द्वारा लूट, 1770 का अकाल। नेतृत्व- **मूसा शाह, मंजू शाह, भवानी पाठक** एवं **देवी चौधरानी**। दमन किया गया- **वॉरेन हेस्टिंग्स** द्वारा बंकिम चन्द्र चटर्जी द्वारा अपने उपन्यास **आनंद मठ** में इसे लोकप्रिय बनाया।
चुआर विद्रोह (मिदनापुर)	1766-1772, 1795-1816	कारण- चुआर आदिवासी अकाल एवं बढ़ी हुई भू-राजस्व की मांगों के विरुद्ध उठ खड़े हुए।
रंगपुर एवं दिनाजपुर में किसान विद्रोह	1783	कारण- ईस्ट इंडिया कंपनी एवं इसके राजस्व संग्रहकर्ताओं द्वारा अत्याचार। नेतृत्व- **दिरजी नारायण**
हो एवं मुंडा विद्रोह	1820-1837	कंपनी के बलों को छोटा नागपुर एवं सिंहभूम क्षेत्र में अनेक बार चुनौती दी।
कोल विद्रोह (छोटा नागपुर पठार)	1820-1837	कारण- कोल आदिवासी सिंहभूम पर ब्रिटिश अधिकार एवं कोलियों के जीवन में घुसपैठ के विरुद्ध उठ खड़े हुए।
पागल-पंथी विद्रोह	1825	कारण-जमींदारों द्वारा काश्तकारों पर अत्याचार नेतृत्व- **टीपू शाह**
अहोम विद्रोह (असम)	1828	कारण- अहोम जनजाति ने सरकार द्वारा असम पर निरंतर अधिकार का विरोध किया। नेतृत्व- गोमधर कोनवार परिणाम- राज्य का कुछ भाग असम के राजा को वापस कर दिया गया।
खासी विद्रोह (खासी पहाड़ियां)	1829	कारण- ब्रिटिश सरकार द्वारा खासी पहाड़ियों पर अधिकार। नेतृत्व- **तीरथ सिंह**
फरायजी विद्रोह	1838-1851	कारण- भू-स्वामी एवं ब्रिटिश सरकार द्वारा किसानों का शोषण। नेतृत्व- **दुदू मियां** 1857 में अधिकतर फरायजियों ने वहाबी को अपनाया।

विद्रोह	काल	महत्वपूर्ण विवरण
खोंड विद्रोह (उड़ीसा)	1837-1856	कारण- मानव बलि की खोंड प्रथा को समाप्त करने का ब्रिटिश प्रयत्न। नेतृत्व- **चक्र बिसोई**
सवारा विद्रोह	1856-1857	नेतृत्व- **राधाकृष्ण दंडसेना**
संथाल विद्रोह (राजमहल पहाड़ियां)	1855-1856	कारण- स्थाई बंदोबस्त के कारण भूमि से हुए अलगाव, अत्यधिक लगान, साहूकारों द्वारा सूदखोरी एवं **दिकूओं** द्वारा घुसपैठ के विरुद्ध संथाल आदिवासी उठ खड़े हुए। संथाल जनजाति के लोग भागलपुर एवं राजमहल के मध्य के क्षेत्र में निवास करते थे, जिसे **दामन-ए-कोह** के नाम से जाना जाता था। इसे संथाल **हूल** अथवा विद्रोह के नाम से जाना जाता है। नेतृत्व- **सिद्धू** एवं **कान्हू** परिणाम- सरकार ने एक पृथक जिला **'संथाल परगना'** निर्मित किया।

पश्चिमी भारत

विद्रोह	काल	महत्वपूर्ण विवरण
भील विद्रोह (खानदेश, पश्चिमी घाट)	1818, 1825, 1831 और 1846	कारण- खानदेश पर ब्रिटिश अधिकार एवं बाहरियों द्वारा घुसपैठ। नेतृत्व- **सेवराम**
वघेरा विद्रोह (ओखा मंडल)	1818-1819	कारण- कंपनी के शासन का आरोपण एवं बड़ौदा के गायकवाड द्वारा की जाने वाली जबरन वसूली को कंपनी का समर्थन।
कच्छ विद्रोह (कच्छ एवं काठियावाड़)	1819 एवं 1831	कारण- कंपनी के बलों ने कच्छ शासक राव भारमल को उसके नवजात पुत्र के पक्ष में हराया, जबकि कच्छ का वास्तविक शासन ब्रिटिश रेजिडेंट के हाथों में चला गया। कच्छ के मुखिया विद्रोह के लिए उठ खड़े हुए और भारमल को पुनः स्थापित करने की मांग की।
रामोसी विद्रोह (पश्चिमी घाट)	1822, 1839	कारण- पश्चिमी घाट पर ब्रिटिश हस्तक्षेप, 1839 में सतारा के राजा प्रताप सिंह को अपदस्थ करना। नेतृत्व- **चित्तूर सिंह**
कोली विद्रोह (गुजरात)	1824-1829, 1839 एवं 1844-1848	कारण- कोली आदिवासी ब्रिटिश शासन के अधिरोपण के विरुद्ध उठ खड़े हुए। ब्रिटिश सरकार ने उनके किलों को नष्ट कर दिया था और प्रशासन की नई व्यवस्था लागू कर दी थी, जिससे बड़े स्तर पर बेरोजगारी फैल गई थी।

विद्रोह	काल	महत्वपूर्ण विवरण
सूरत नमक आंदोलन	1844-1848	कारण- ब्रिटिश सरकार द्वारा नमक-कर 50 पैसे बढ़ाकर एक रुपया कर दिया गया था। परिणाम- सरकार को नमक कर में वृद्धि को वापस लेने के लिए मजबूर होना पड़ा।
कोल्हापुर एवं सावंतवाड़ी विद्रोह	1844	कारण- कोल्हापुर में प्रशासनिक पुनर्स्थापना एवं **गडकरियों** (वंशानुगत सैन्य वर्ग, मराठा किलों के रक्षक थे) को विघटित कर दिया जाना।

दक्षिण भारत

विद्रोह	काल	महत्वपूर्ण विवरण
विजयनगरम के राजा का विद्रोह	1794	कारण- ब्रिटिश द्वारा राजा की जागीर का समामेलन। परिणाम- कंपनी ने मृतक राजा के पुत्र को जागीर लौटा दी और यहां तक कि धन एवं उपहारों की मांग में भी कमी कर दी।
दीवान वेलु थंपी का विद्रोह (त्रावणकोर)	1805	कारण- सब्सिडी की भारी मांग व ब्रिटिश रेजिडेंट का क्रूर व्यवहार। परिणाम- जनता में भय उत्पन्न करने के लिए वेलु थंपी को सार्वजनिक रूप से फांसी पर लटका दिया गया।
मैसूर में बगावत	1830-1831	कारण- भारी राजस्व मांग के विरुद्ध किसान उठ खड़े हुए। नेतृत्व - **सरदार मल्ला**
मोपला विद्रोह (मलाबार)	1836-1854	कारण- मोपला किसान कृषि संबंधी शिकायतों, जैसे सरकारी अधिकारियों का कटु व्यवहार, उच्च भू-राजस्व मांग, पट्टेदारी के समयावधि की असुरक्षा व भू-स्वामियों की वसूली के कारण विद्रोह के लिए उठ खड़े हुए।

उत्तरी भारत

विद्रोह	काल	महत्वपूर्ण विवरण
कूका अथवा नामधारी आंदोलन (पश्चिमी पंजाब)	1840	पहले **भगत जवाहर मल** एवं **बाबा बालक सिंह** द्वारा नेतृत्व तथा बाद में **बाबा राम सिंह** द्वारा नेतृत्व। 1872 में राम सिंह को रंगून निर्वासित कर दिया गया।

अध्याय

2

1857 का विद्रोह (Revolt of 1857)

1857 का विद्रोह अचानक नहीं हुआ था, बल्कि यह जन-प्रतिरोध के एक शताब्दी लंबी परंपरा का परिणाम था। यह न तो केवल सैनिक असंतोष का एक परिणाम था, अपितु यह विदेशी शासन एवं इसके प्रशासन के विरुद्ध जनता की शिकायतों का एक परिणाम था।

पिछले 100 वर्षों में ईस्ट इंडिया कंपनी ने थोड़ा-थोड़ा करके देश को जीता और इसके बाद तब तक लूटा और शोषण किया, जब वह तक यह पूरी तरह बर्बाद नहीं हो गया। ब्रिटिश शासन का प्रभाव भारतीय जीवन के सभी क्षेत्रों, जैसे- राजनीति, अर्थव्यवस्था, प्रशासन, संस्कृति व धर्म पर पड़ा। इसका सभी वर्गों की स्थिति पर प्रतिकूल प्रभाव पड़ा, जिसमें देशी रियासतों के शासक, सैनिक, भू-स्वामी, किसान, व्यापारी, पंडित, मौलवी एवं अन्य शामिल थे। इसका अपवाद केवल अंग्रेजी शिक्षा प्राप्त मध्यम वर्ग था, जिसका उद्भव ब्रिटिश शासन के कारण ही हुआ था। परिणामस्वरूप, 18वीं शताब्दी के मध्य से 19वीं शताब्दी के मध्य तक अनेक बार औपनिवेशिक शासन के विरुद्ध प्रतिरोध दर्ज किया गया। लेकिन 1857 का विद्रोह, जिसे प्रथम स्वाधीनता संग्राम भी कहा जाता है, ने भारत में ब्रिटिश सर्वोच्चता को एक गंभीर चुनौती दी और ब्रिटिश साम्राज्य की नींव को हिला दिया।

यह विद्रोह पहले एक सैनिक बंगावत के रूप में प्रारंभ हुआ, लेकिन शीघ्र ही हजारों किसान एवं असैन्य जनता इसमें शामिल हुई और यह उत्तर व मध्य भारत में व्यापक रूप से फैल गया। जनता के साथ सेना का संबंध स्वाभाविक रूप से औपनिवेशिक शासकों के लिए खतरा साबित हुआ।

विद्रोह के कारण (Causes of the Revolt)

ब्रिटिश इतिहासकार चर्बी लगे कारतूस के मुद्दे को 1857 के विद्रोह का मुख्य कारण बताने पर बल देते हैं, लेकिन आधुनिक भारतीय इतिहासकारों के मतानुसार इस विद्रोह के कारण अधिक गहरे थे और 1757 में प्लासी से लेकर 1857 में मंगल पांडे की बगावत तक ब्रिटिश शासन के 100 वर्षों में इसके कारणों को खोजा जा सकता है। चर्बी वाले कारतूस के मुद्दे ने वर्षों से व्याप्त में सामाजिक, राजनीतिक एवं आर्थिक समस्याओं से उत्पन्न हुए असंतोष को सुलगा दिया।

राजनीतिक कारण (Political Causes)

देशी रियासतों का समामेलन/कब्जे में लेना (Annexations of Princely States)

लॉर्ड डलहौजी (1848 से 1856 तक भारत के गवर्नर-जनरल) ने हड़प नीति को प्रकल्पित किया।

कंपनी ने **वेलेजली की सहायक संधि** (subsidiary alliance) एवं **डलहौजी की व्यपगत के सिद्धांत या हड़प नीति** (doctrine of lapse) के अंतर्गत अनेक समामेलन किए, जैसे- 1848 में सतारा, 1849 में जैतपुर, 1849 में संभलपुर, 1850 में बघत, 1852 में उदयपुर, 1853 में झांसी एवं 1854 में नागपुर। भारतीयों

को भय था कि सभी राज्यों का समामेलन केवल अब समय की बात है। ऐसा भी माना गया कि समामेलन का कारण व्यपगत का सिद्धांत नहीं, अपितु ईस्ट इंडिया कंपनी की ओर से 'नैतिकता के व्यपगत' (lapse of morals) के कारण हुआ। इस प्रकार कंपनी द्वारा अपनाई गई प्रसार-नीति ने भारतीय रियासतों के शासकों के मन में कटुता पैदा की और वे विद्रोह के लिए उठ खड़े हुए, जो निम्न उदाहरणों से समझा जा सकता है-

झांसी- झांसी बुंदेलखंड में मराठा शासित एक देशी रियासत थी। 1853 में झांसी को जैविक पुत्र के रूप में उत्तराधिकारी को प्रदान किए बिना राजा गंगाधर राव का देहांत हो गया। इसी वर्ष डलहौजी ने अपनी **हड़प/व्यपगत नीति** को लागू करते हुए राजगद्दी के लिए दामोदर राव (रानी व उनके स्वर्गीय गंगाधर राव का दत्तक पुत्र) के दावे को अस्वीकार कर दिया। बाद में, मार्च 1854 में रानी को 60000 की पेंशन दी गई और उन्हें महल एवं किला छोड़ने का आदेश दिया गया। असंतुष्ट रानी ने विद्रोह का झंडा उठाने का निर्णय लिया और ब्रिटिश शासन के विरुद्ध 1857 के महान विद्रोह में शामिल हुई।

रानी लक्ष्मी बाई

अवध- 1856 में **कुशासन** के आधार पर अवध पर कब्जा कर लिया गया और नवाब वाजिद अली शाह को राजगद्दी से हटा दिया गया। बाद में उन्हें कलकत्ता निर्वासित कर दिया गया था। डलहौजी द्वारा इसका कारण बताया गया कि वह जनता को नवाब के कुप्रबंधन एवं तालुकदार के अत्याचार से मुक्त कराना चाहता था। ब्रिटिश सरकार पहले से ही 1765 से अवध अर्थव्यवस्था का निर्गमन/निष्कासन कर रही थी, इस प्रकार प्रशासनिक कार्य क्षमता का भी निर्गमन हो रहा था। समामेलन के इस अंतिम कदम से अवध की जनता के आत्मसम्मान को धक्का लगा, विशेषकर ब्रिटिश सेना के सैनिकों पर इसका प्रभाव पड़ा, जिनमें से अधिकतर अवध से ताल्लुक रखते थे। दरबार की बर्खास्तगी का अर्थ अनेक दरबारियों, कलाकारों एवं सैनिकों के लिए बेरोजगारी थी। तालुकदारों को उनकी जागीरों से बेदखल कर दिया गया और उनके किले को ध्वस्त कर दिया गया। समामेलन के बाद अवध में भू-राजस्व बंदोबस्त प्रस्तावित किया गया, जिसने वहां की जनता के असंतोष को और तीव्र कर दिया। इसका परिणाम यह हुआ कि 1857 के विद्रोह में अवध की तीन-चौथाई वयस्क जनसंख्या ने सहभागिता की।

नवाब वाजिद अली शाह

नाना साहिब- अंतिम **पेशवा बाजीराव द्वितीय के दत्तक पुत्र** नाना ने ब्रिटिश सरकार द्वारा बाजीराव को दी जाने वाली पेंशन को लेने से मना कर दिया। नाना को पुणे, उनका पारिवारिक स्थान, छोड़ने और कानपुर से दूर रहने के लिए मजबूर किया गया। इस प्रकार 1857 में विद्रोह फूटा, तो नाना ने ही कानपुर में विद्रोह का झंडा उठाया।

शाही उपाधियों का अंत

मुगल सम्राट बहादुर शाह द्वितीय वृद्ध एवं कमजोर हो चुके थे। लॉर्ड डलहौजी ने मुगल राजकुमार फकीरुद्दीन के उत्तराधिकार को मान्यता प्रदान की, लेकिन वह **साम्राज्य के अंदर एक साम्राज्य** बनाए रखने के पक्ष में नहीं था और उसके ऊपर कठोर शर्तें अधिरोपित कीं। 1856 में फकीरुद्दीन की मृत्यु हुई और **लॉर्ड कैनिंग** (जो 1857 के विद्रोह के दौरान गवर्नर-जनरल भी था) ने घोषित किया कि उत्तराधिकारी के रूप में अगले राजकुमार को शाही उपाधि व पैतृक मुगल महलों का त्याग करना होगा। इससे मुस्लिम प्रजा की भावनाओं को आहत पहुंची और उन्होंने अनुभव किया कि ब्रिटिश सरकार तैमूर वंश के प्रति विनम्र होना चाहती थी। मुगल सम्राट के साथ ही ब्रिटिश सरकार ने कर्नाटक एवं तंजौर नवाबों की शाही उपाधियों का भी अंत कर दिया।

लॉर्ड कैनिंग, विद्रोह के दौरान गवर्नर जनरल

ब्रिटिश सरकार का विदेशी शासन/हुकूमत

भारत में विदेशी आक्रमणों का एक लंबा इतिहास रहा था और ब्रिटिश के आने के पहले देश के अनेक भागों में अनेक विदेशियों ने शासन किया था। उदाहरण के तौर पर, अफगान एवं मुगलों ने भारत को जीता, लेकिन कुछ समय बाद वे यहां बसे और भारत को उन्होंने अपना घर बनाया। वे भारत की जनता से जो भी राजस्व इकट्ठा करते थे, उसे भारत में ही व्यय करते थे। लेकिन ब्रिटिश के समय में ऐसा नहीं हुआ। ब्रिटिश शासकों ने भारत में बसने और इसे अपना घर बनाने के बारे में कभी नहीं सोचा। कंपनी के अधिकारी जितना संभव हो धन कमाकर शीघ्रता से इंग्लैंड लौटना चाहते थे। परिणामस्वरूप, भारत में ब्रिटिश लोग शाश्वत विदेशी ही बनी रहे।

साथ ही, **अनुपस्थित संप्रभुता/प्रभुसत्ता** अर्थात दूरस्थ स्थान से विदेशियों द्वारा किए जा रहे शासन ने ब्रिटिश के विरुद्ध भारतीयों में कड़वाहट भर दी। उन्होंने अनुभव करना शुरू किया कि उन्हें इंग्लैंड से अधिकारियों द्वारा शासित किया जा रहा है, जो उनके धन का निर्गमन कर रहे हैं।

आर्थिक एवं प्रशासनिक कारण (Economic and Administrative Causes)

ब्रिटिश द्वारा शोषणकारी भू-राजस्व बंदोबस्तों को लागू करना

ब्रिटिश द्वारा अनेक भू-राजस्व बंदोबस्तों (स्थाई, रैयतवाड़ी एवं महालवाड़ी बंदोबस्त) को लागू किया गया, जिसका अर्थ भू-स्वामी द्वारा भूमि की हानि एवं जमींदारों व किसानों/खेतिहर पर भारी कर था। इन सभी व्यवस्थाओं के अंतर्गत भू-राजस्व आंकलन बहुत अधिक एवं शोषणकारी था, जो उत्पाद का 50% पहुंच चुका था और साथ ही फसल के बर्बाद होने के बावजूद कर की पूरी वसूली की जाती थी। ऐसी परिस्थिति में किसानों के पास साहूकारों से उधार लेने के अलावा कोई विकल्प नहीं होता था, जो उनसे असाधारण रूप से अधिक ब्याज मांगते थे। इससे किसान बहुत अधिक कर्ज में डूबने लगे थे। इनमें से अधिकतर ने बाद में, 1857 के विद्रोह में सहभागिता की ओर सरकारी अधिकारियों को भगाया और साहूकारों के दस्तावेजों में आग लगा दी।

किसानों का आर्थिक पतन 1770 से 1857 के मध्य पड़े **12 मुख्य और अनेक छोटे अकालों** में भी अभिव्यक्त हुआ। **जटिल न्याय व्यवस्था** भी गरीबों के अत्याचार में अमीरों की सहयोगी बनी। बकाया/ऋणशेष की वसूली के लिए किसानों को जेल भेजना और पीटना आम बात हो गई थी। किसानों की दयनीय स्थिति ने उन्हें अत्याचारों के विरुद्ध विद्रोह में शामिल होने के लिए उतावला बना दिया था।

भारतीय व्यापार, हस्तकला एवं उद्योग का नष्ट होना

भारत में ब्रिटिश की आर्थिक नीतियों ने भारतीय व्यापारी, कारीगर एवं उद्योगपतियों को नष्ट कर दिया। कंपनी के व्यापारियों को अनेक विशेषाधिकार थे, जैसे- कर-रहित व्यापार, जिसने उनकी वस्तुओं को भारतीय व्यापारियों (जिन्हें पूरा कर देना होता था) की वस्तुओं की तुलना में सस्ते बना दिए थे। इससे भारतीय व्यापारियों की वस्तुएं अप्रतिस्पर्धी होने लगी थीं। इसी प्रकार, कंपनी ने भारतीय हस्तकला एवं उद्योगों को नष्ट किया, जो ब्रिटेन में बने उत्पाद के लिए भारत को एक बाजार में परिवर्तित करने का प्रयास था।

इस प्रकार स्व-हित से प्रेरित होकर ब्रिटिश ने देश की विशाल जनसंख्या के रोजगार के दो मुख्य स्रोतों- कृषि एवं हस्तकला को नष्ट कर दिया था।

उच्च एवं मध्य वर्गों का अलगाव (Alienation of the Upper and Middle Classes)

स्थानीय राजकुमार एवं मुखियाओं के प्रशासन के अंतर्गत भारतीयों ने सभी पदों, उच्च एवं निम्न दोनों, पर सेवा दी थी, लेकिन ब्रिटिश प्रशासन के अंतर्गत सभी उच्च पदों को यूरोपीय लोगों के लिए आरक्षित किया गया था। **भारतीय केवल अधीनस्थ पदों पर सेवा दे सकते थे** और उन्होंने सभी छोटे पदों को प्राप्त किया। देशी दरबारों के विघटित होने का मतलब

सांस्कृतिक व्यक्तियों, जैसे- कवि, रंगकर्मी, लेखक एवं संगीतकारों, को रोजगार का नुकसान था, जिन्हें राजकुमारों द्वारा संरक्षण दिया जाता था।

साथ ही, कुछ प्रांतों में ब्रिटिश सरकार ने किसानों के साथ प्रत्यक्ष रूप से भू-राजस्व बंदोबस्त किया था। इस व्यवस्था ने अनेक भू-स्वामियों एवं तालुकदारों को उनकी भूमि एवं प्रतिष्ठा से बेदखल कर दिया था। इस संकट से उभर पाते, तभी एक ब्रिटिश अधिकारी **क्वेरली जैक्सन** ने अवध के तालुकदारों की उपाधियों की कठोर जांच की मांग की, जो अब तक का सबसे कठोर प्रहार था, जिसने अवध को विद्रोह के भंवर में फंसा दिया। 1852 में बॉम्बे में **इनाम कमीशन (आयोग)** नियुक्त किया गया और करीब 20,000 जागीरों को जब्त किया गया। इस प्रकार यह स्पष्ट है कि ब्रिटिश द्वारा लागू किए गए भू-राजस्व बंदोबस्त का भारतीय अभिजात तंत्र (कुलीन तंत्र) पर भी प्रतिकूल प्रभाव पड़ा और किसानों को लाभ पहुंचाए बिना उन्हें भी गरीबी की ओर धकेल दिया।

सामाजिक एवं धार्मिक कारण (Social and Religious Causes)

ब्रिटिश का अभिमानी/दंभी रवैया एवं जातीय/नस्लीय भेदभाव (Arrogant attitude of the British and Racial Discrimination)

सभी विजयी शासकों के समान ब्रिटिश भी अपनी प्रजा के प्रति दंभी एवं रूखा रवैया अपनाते थे। वे नस्लीय सर्वोच्चता अनुभव करते थे व भारतीयों के साथ तिरस्कारपूर्ण व्यवहार करते थे और अक्सर उनका **बर्बर** अथवा असभ्य के रूप में वर्णन करते थे। अंग्रेजी अधिकारियों का व्यवहार तिरस्कारपूर्ण होता था, वे भारतीयों को **'काला आदमी'** बोलते थे और उनके साथ बुरा बर्ताव करते थे। अंग्रेजों द्वारा भारतीयों पर आपराधिक हमले भी आम थे और अंग्रेजों को कभी-कभार ही सजा मिलती थी, क्योंकि उनकी सुनवाई यूरोपियन न्यायाधीशों द्वारा होती थी, जो उन्हें बहुत कम अथवा बिना सजा के दोष मुक्त कर देते थे। इस प्रकार के अपमान ने लोगों के दिलों में नफरत भरना शुरू कर दिया।

धर्म एवं संस्कृति में ब्रिटिश हस्तक्षेप

राजनीतिक एवं आर्थिक शोषण को सहन करना अब भी आसान होता, लेकिन धार्मिक उत्पीड़न ने शासित जनता की आत्मा में कड़वाहट भर दी। **भारतीयों का ईसाई धर्म में परिवर्तन** ब्रिटिश का एक स्पष्ट लक्ष्य था, जो ईस्ट इंडिया कंपनी के निदेशकों के अध्यक्ष (Chairman of the Directors of East India Company) **मंगल्स** के वक्तव्य से निश्चित होता है, जिन्होंने हाउस ऑफ कॉमंस में घोषणा की- 'विधाता ने हिंदुस्तान के विशाल साम्राज्य को इंग्लैंड को सौंपा है, ताकि यीशु के ध्वज को भारत के एक छोर से दूसरे छोर तक विजय के साथ लहराया जा सके।'

1813 के चार्टर ने मिशनरियों (धर्म प्रचारकों) को भारत में जाने एवं एक लाइसेंस के अधीन वहां निवास करने की अनुमति दी थी। ईसाई धर्म प्रचारकों एवं धार्मिक व्यक्तियों, जैसे- चार्ल्स ग्रांट (कोर्ट ऑफ डायरेक्टर्स/निदेशक मंडल के अध्यक्ष) ने अनुभव किया कि पश्चिमीकरण ईसाइयत को फैलाने में सहायक होगा और इस आशा से उन्होंने अनेक आधुनिक विद्यालय, महाविद्यालय एवं अस्पताल खोले। वीर सावरकर के अनुसार सैनिक अधिकारी सैनिकों के सामने राम एवं मोहम्मद के नाम को अपशब्द कहते थे और पदोन्नति के वादों द्वारा ईसाइयत को अंगीकार करने का लालच देते थे।

ब्रिटिश ने देश के सामाजिक व सांस्कृतिक मुद्दों में भी हस्तक्षेप करना शुरू किया। उदाहरणस्वरूप, कन्या भ्रूण-हत्या, सती, दासता को निषेध करने संबंधी विधायन पारित किए गए और विधवा पुनर्विवाह संबंधित विधायन भी पारित किया गया। 1850 में **धार्मिक अयोग्यता अधिनियम (Religious Disabilities Act)** पारित किया गया, जिसने हिंदू परंपराओं में बदलाव किया। उदाहरण के लिए, इसमें कहा गया कि धर्म-परिवर्तन एक पुत्र को उसके पिता की संपत्ति के उत्तराधिकार से नहीं रोकेगा।

इस प्रकार **भारतीयों ने अनुभव करना शुरू किया कि उनका धर्म व संस्कृति खतरे में है।** उस समय वातावरण संदेह से इतना भर चुका था कि लोगों ने **रेल एवं टेलीग्रांफ** (तार-संचार) को भी **धर्म-परिवर्तन** के एक साधन की तरह देखना

शुरू कर दिया था। विद्रोहियों ने टेलीग्राफ को 'एक शापग्रस्त रस्सी/तार, जो उनका दम घोटने के लिए है' और शिक्षा के दफ्तरों को 'शैतानी दफ्तर' की संज्ञा दी। ऐसे संदर्भ में, चर्बी लगे कारतूस की घटना आग भड़काने के लिए एक चिंगारी साबित हुई और हिंदू व मुसलमान दोनों समझ गए कि ब्रिटिश योजनाबद्ध रूप से उनके धर्म को नष्ट करने का प्रयास कर रहे हैं।

सैन्य कारण (Military Causes)

सिपाहियों की शिकायतें

अनेक वर्षों से ब्रिटिश सेना में भारतीय सिपाहियों की शिकायतें एकत्रित हो रही थीं। लेकिन इससे पहले आवश्यकता है कि हम समझे कि ये सिपाही कौन थे और कहां से उनका नाता था।

ब्रिटिश सेना में जो सिपाही थे, वे वास्तव में **'गणवेश पहने हुए किसान'** थे। नई भू-राजस्व बंदोबस्तों के द्वारा उत्पन्न हुई दरित्रता के कारण अनेक किसान अपनी कृषक आय के एक पूरक के रूप में सैन्य सेवा में शामिल हुए। बंगाल सेना में सैन्य सेवा वंशानुगत थी और करीब 3/5 सिपाही **अवध** की किसान जनता एवं उत्तर-पश्चिम सीमांत प्रांत के **उच्च जाति ब्राह्मण व राजपूत परिवारों** से आते थे। स्वाभाविक रूप से, ये सिपाही अवध की असैन्य जनता के साथ-साथ उच्च जाति व शाही परिवारों की शिकायतों को प्रतिबिंबित करते थे।

विशेषकर जब अवध को कब्जे में लिया गया, तो उन्होंने अचानक अनुभव किया कि कंपनी उनकी सेवा का उपयोग उनके ही राजा को समाप्त करने में कर रही है।

सिपाहियों के बीच बढ़ती नाराजगी के अन्य कारणों को निम्न बिंदुओं के अंतर्गत समझा जा सकता है-

व्यवसायिक शिकायतें (Professional Grievances)

- एक भारतीय सिपाही को एक यूरोपियन सिपाही के वेतन की अपेक्षा एक-तिहाई ही भुगतान किया जाता था। (7-9 महीने)
- पदोन्नति एवं पेंशन के मामलों में नस्लीय/जातीय भेद-भाव था।
- भारतीय सिपाहियों के साथ कठोर व्यवहार किया जाता था व उनके साथ दुर्व्यवहार होता था और उनको अपमानित किया जाता था।
- उनको दूरदराज के क्षेत्रों में बिना किसी अतिरिक्त भत्ते के सेवा करने हेतु मजबूर किया जाता था।
- अब उन्हें उनके सराहनीय कार्यों के लिए जागीरें अथवा अन्य तोहफे नहीं दिए जाते थे जैसा कि भारतीय शासकों के समय होता था।
- 1854 में **पोस्ट ऑफिस अधिनियम (Post Office Act)** पारित हुआ, जिसने सिपाहियों के मुफ्त डाक टिकट के विशेषाधिकार को वापस ले लिया।

धार्मिक शिकायतें (Religious Grievances)

उपर्युक्त के अलावा उच्च जाति के सिपाहियों ने पाया कि उनकी सेवा शर्तें बार-बार उनके धार्मिक विश्वास के आड़े आती हैं।

- उच्च जाति के सिपाहियों को सेना-अनुशासन के उस भाग से नाराजगी थी, जिसके अनुसार उनके साथ निम्न जाति के सिपाहियों के समान व्यवहार किया जाता था।
- **1806 में वेल्लोर में पगड़ी** का स्थान एक चमड़े की टोपी ने लिया। इसके कारण सिपाही विद्रोह के लिए उठ खड़े हुए।
- 1824 में बैरकपुर में सिपाहियों ने बर्मा जाने से मना कर दिया, क्योंकि समुद्र पार करने का अर्थ उनके लिए जाति का ह्रास था। इस रेजिमेंट को विघटित कर दिया गया और कुछ नेताओं को मृत्युदंड दिया गया।
- 1844 में बंगाल सेना के सिपाहियों ने सिंध को पार करने से मना कर दिया, क्योंकि पुनः सिंधु को पार करना उनके लिए जाति की हानि थी।

- **1856** में कैनिंग सरकार द्वारा **जनरल सर्विस एनलिस्टमेंट एक्ट** (General Service Enlistment Act) पारित किया गया, जिसमें कहा गया कि बंगाल सेना में भविष्य की सभी भर्तियों में एक वचन-पत्र देना होगा। इस वचन-पत्र में सरकार द्वारा आवश्यकता पड़ने पर कहीं भी सेवा देने हेतु स्वीकृति देने का वचन था। इस अधिनियम ने बड़े स्तर पर बैर-भाव को फैलाया, क्योंकि 1839-1842 के अफगान आक्रमण में, जो सिपाही अफगानिस्तान गए थे, उन्हें वापस लौटने पर उनकी जाति में शामिल नहीं किया गया था।
- 1857 के आसपास आटे के राशन में पिसी हुई हड्डी होने की रिपोर्ट सामने आई।

ब्रिटिश शासन की अजेयता का नष्ट होना

विद्रोह के प्रारंभ होने के कुछ वर्षों में ब्रिटिश सेना को अनेक युद्धों में पीछे हटना पड़ा, जैसे- प्रथम अफगान युद्ध (1838-1842), पंजाब युद्ध (1845-1849) व क्रीमिया युद्ध (1854-1856)। 1855-1856 में शक्तिशाली संथाल विद्रोह हुआ और थोड़े दिन के लिए ब्रिटिश को उनके क्षेत्र से बाहर कर दिया। इन घटनाओं ने ब्रिटिश सैनिकों के मनोबल को कम किया, लेकिन भारतीय जनता विशेषकर सैनिकों के आत्मविश्वास को अत्यधिक बढ़ा दिया, जिन्होंने अब अनुभव करना शुरू कर कि यदि उन्होंने इस समय हमला कर दिया, तो विदेशी के विरुद्ध उनके सफल होने के अधिक मौके हैं। अब वे केवल सही अवसर का इंतजार कर रहे थे और चर्बी लगे कारतूस की घटना ने यह मौका प्रदान कर दिया।

तात्कालिक कारण (Immediate Cause)

1857 में पुरानी ब्राउन बेस बंदूक का स्थान नई एनफील्ड राइफल बंदूक द्वारा ले लिया गया। इसके कारतूस के बाहरी आवरण पर एक चर्बी वाला पेपर होता था, जिसे बंदूक की नली में भरने से पहले दांत से काटकर खोलना होता था। बंगाल सेना में एक अफवाह तेजी से फैल रही थी कि इस चर्बी में गाय व सूअर का मांस मिला हुआ है। इसने हिंदू एवं मुस्लिम सिपाहियों, दोनों की धार्मिक भावनाओं को पूर्णतया क्षुब्ध (नाराज) कर दिया था और अब वे इस बात को समझ चुके थे कि ब्रिटिश योजनाबद्ध तरीके से उनके धर्म को नष्ट करने का प्रयास कर रहे हैं। एनफील्ड राइफल (Enfield Rifles) का यह मुद्दा 1857 के विद्रोह का तात्कालिक कारण बन गया।

बगावत का प्रारंभ एवं विद्रोह (The Beginning of the Mutiny and the Revolt)

सेना का विद्रोह

प्रारंभिक चरण

10 मई को मेरठ की घटना के पहले ही अनेक छावनियों में नाराजगी की गड़गड़ाहट थी। **2 फरवरी 1857** को 19वीं बंगाल नेटिव इंफेंट्री (Bengal Native Infantry) ने बेरहमपुर में नई बंदूक के उपयोग को मना कर दिया और इसी वर्ष मार्च में इस इंफैंट्री (पैदल सेना) को विघटित कर दिया गया। पुन: **29 मार्च 1857** को कलकत्ता के समीप बैरकपुर में 34वीं नेटिव इंफेंट्री के सिपाहियों ने चर्बी लगे कारतूस का उपयोग करने से इंकार कर दिया। एक युवा ब्राह्मण सिपाही **मंगल पांडे** ने एक कदम आगे बढ़कर अपने एक अंग्रेज अधिकारी की हत्या कर दी। पांडे को पद से हटाकर फांसी पर चढ़ा दिया गया और उनकी रेजिमेंट को भी विघटित कर दिया गया।

बहादुर शाह जफर

विद्रोह का आरंभ (मेरठ, 10 मई 1857)

10 मई 1857 में मेरठ में तीसरी घुड़सवार सेना (अश्वरोही सेना) रेजिमेंट के 85 सिपाहियों द्वारा चर्बी लगे कारतूस के उपयोग करने से मना करने पर उनका कोर्ट मार्शल हुआ और उन्हें आजीवन कारावास का दंड दिया गया। इसके बाद 10 मई 1857 को मेरठ में सिपाहियों ने खुला विद्रोह कर दिया। उन्होंने कुछ यूरोपियन अधिकारियों को मार दिया व अपने कुछ साथी

सिपाहियों को रिहा कर दिया। इस विद्रोह का नेतृत्व करने और उनकी समस्याओं को वैधानिकता दिलवाने के लिए बहादुर शाह द्वितीय (मुगल सम्राट एवं ब्रिटिश का एक पेंशन प्राप्तकर्ता) से अपील करने हेतु उन्होंने दिल्ली की ओर मार्च किया। यद्यपि इस समय बहादुर शाह के पास कुछ नहीं था, लेकिन उनके साथ शक्तिशाली मुगल साम्राज्य का नाम जुड़ा हुआ था।

मई, 1857 को दिल्ली के कमांडिंग ऑफिसर (प्रधान अधिकारी) लेफ्टिनेंट विलोबी को हराने के बाद विद्रोहियों द्वारा दिल्ली पर कब्जा कर लिया गया था। दिल्ली के कुछ यूरोपीय निवासियों की गोली मारकर हत्या कर दी गई। महल पर अधिकार कर लिया गया और बहादुर शाह जफर को सम्राट घोषित किया गया। दिल्ली को गंवाना ब्रिटिश सरकार की प्रतिष्ठा के लिए एक गंभीर झटका था।

◗ जनता का विद्रोह (The Revolt of the People)

अगले 24 घंटों में यह विद्रोह, जो एक सिपाही बगावत के रूप में शुरू हुआ था, बढ़कर एक वृहद स्तरीय राजनीतिक विद्रोह में परिवर्तित हो गया था। जैसे ही ब्रिटिश अधिकारियों के ऊपर बंदूक चलाने की आवाज़ सुनाई दी, समीपवर्ती क्षेत्रों की जनता भी इस विद्रोह में शामिल होना शुरू हो गई, जिसमें किसान, कारीगर, दुकानदार, व्यापारी, मजदूर, जमींदार, पंडित, मौलवी एवं अन्य शामिल थे। उन्होंने ब्रिटिश लोगों के बंगलों को जला दिया, सैनिक बाजारों को लूटा, टेलीफोन के तारों को काट दिया और दिल्ली की ओर संदेश ले जाने वाले घुड़सवारों को रोक दिया। जैसे ही सिपाही दिल्ली पहुंचे उन्होंने वृद्ध बहादुर शाह को भारत का सम्राट घोषित कर दिया।

अगले एक महीने (11 से 30 मई) पूरी बंगाल सेना विद्रोह के लिए उठ खड़ी हुई। इस विद्रोह में कंपनी के लगभग आधे सिपाही शामिल हुए, जिनमें अधिकांश उच्च जाति के हिंदू थे और करीब एक-तिहाई अवध से आते थे। शीघ्र ही विद्रोह **उत्तर व मध्य भारत के लखनऊ, इलाहाबाद, कानपुर, बरेली, बनारस, बिहार** के कुछ भागों, **झांसी** एवं अन्य स्थानों में फैल गया। सबसे अधिक प्रभावित क्षेत्रों में पश्चिमी बिहार, अवध, रुहेलखंड, दिल्ली एवं चंबल व नर्मदा के मध्य के क्षेत्र थे। ब्रिटिश का किस्मत ने साथ दिया और अधिकांश भारतीय शासक ब्रिटिश सरकार के प्रति वफादार बने रहे व विद्रोह का दमन करने में अपना महत्वपूर्ण समर्थन दिया। वास्तव में, नर्मदा के दक्षिण में पूरा भारत शांत बना रहा।

दिल्ली और कलकत्ता के बीच जहां भी भारतीय सेनाएं थीं, उन्होंने विद्रोह किया। शहर और आसपास के क्षेत्रों की जनता शीघ्रता से इसमें शामिल हुई। भारतीय सेनाओं ने बैरक एवं अदालतों को जला दिया, जेलों के दरवाजे खोले और शासकीय कोष को लूटा। शहर में जनता ने ब्रिटिश द्वारा स्थापित संस्थाओं, जैसे- राजस्व दफ्तर, अदालत एवं थानों पर हमला किया। ग्रामीण क्षेत्रों में जनता ने जमींदारों एवं साहूकारों को घेरा, उनकी बहीखाता की किताबों व सरकारी दस्तावेजों को नष्ट कर दिया। इस तरह विद्रोहियों ने ब्रिटिश शक्ति के प्रत्येक प्रतीक को नष्ट करने का प्रयास किया।

यहां तक कि उन स्थानों पर जहां जनता ने प्रत्यक्ष रूप से विद्रोह में सहभागिता नहीं की थी, जनता ने विद्रोहियों के प्रति सहायता और सहानुभूति दिखाई। उन्होंने विद्रोहियों को भोजन एवं आश्रय प्रदान किया और ब्रिटिश सेना को गलत जानकारी देकर भ्रमित किया। हिंदू एवं मुसलमान सिपाहियों ने दृढ़ एकता को प्रदर्शित किया।

विद्रोह के दौरान हिंदू-मुस्लिम एकता

विद्रोह को हिंदू-मुस्लिम एकता से अधिक शक्ति प्राप्त हुई, जो 1857 में चरम पर पहुंच चुकी थी। विद्रोहियों ने एकमत होकर बहादुर शाह जफर, एक मुस्लिम, को अपना नेता घोषित किया। हिंदू एवं मुस्लिम सिपाही एक दूसरे की धार्मिक भावनाओं का सम्मान करते थे। उदाहरण के लिए, अनेक प्रभावित क्षेत्रों में तात्कालिक रूप से गौ-हत्या को प्रतिबंधित कर दिया गया, जो एकता का एक प्रतीक थी। एक ब्रिटिश अधिकारी एचीसन ने कहा कि इस दौरान हम मुसलमानों को हिंदुओं के विरुद्ध नहीं भिड़ा सके थे। 1857 की घटनाएं स्पष्ट रूप से दिखाती हैं कि 1858 के पहले भारत की जनता और राजनीति वास्तव में सांप्रदायिक नहीं थीं।

विद्रोह के केंद्र एवं नेतृत्वकर्ता (The Storm Centers and the Leaders)

उत्तरी भारत में विद्रोह के अनेक केंद्र उभरे, जिनमें वर्तमान उत्तर प्रदेश एवं बिहार भी आते हैं। इन केंद्रों में दिल्ली, कानपुर, लखनऊ, बरेली, झांसी एवं आरा शामिल थे। इन केंद्रों के अपने नेता थे, जिन्होंने बहादुर शाह को भारत के सम्राट के रूप में स्वीकार किया, लेकिन सभी व्यवहारिक उद्देश्यों के लिए वे स्वतंत्र बने रहे। अपनी श्रेणी के नेता न मिलने के अभाव में, विद्रोहियों को परंपरागत नेताओं अर्थात राजकुमारों व भूमि से जुड़े अभिजात वर्गों के लोगों, जो ब्रिटिश सरकार के हाथों उत्पीड़ित थे, की ओर देखना पड़ा।

दिल्ली (12 मई 1857, बहादुर शाह व बख्त खान के नेतृत्व में)

12 मई 1857 को **लेफ्टिनेंट विलोबी** (दिल्ली का प्रधान अधिकारी) को हराने के बाद विद्रोहियों द्वारा दिल्ली को कब्जे में कर लिया गया। दिल्ली के कुछ अंग्रेजों की गोली मारकर हत्या कर दी गई, उनके महलों पर अधिकार कर लिया गया और बहादुर शाह को सम्राट घोषित किया गया। हालांकि, वास्तविक शक्ति बख्त खान के नेतृत्व में सैनिकों के एक दल (इसमें 10 सदस्य शामिल थे, जिसमें से 6 सेना के सदस्य थे) के हाथों में थी। इससे पूर्व बख्त खान ब्रिटिश सेना में तोपखाने के एक सूबेदार के रूप में कार्य कर चुके थे। बरेली में सिपाहियों के विद्रोह का नेतृत्व करते हुए वे इसे दिल्ली तक लेकर आए, जहां वे एक लोकप्रिय नेता के रूप में उभरे।

लखनऊ (4 जून 1857, अवध की बेगम, बेगम हजरत महल के नेतृत्व में)

लखनऊ में **बेगम हजरत महल** द्वारा विद्रोह का नेतृत्व किया गया, जिन्होंने अपने पुत्र बिरजिस कादर को अवध का नवाब घोषित किया। बेगम को सिपाहियों, किसानों और अवध के जमींदारों का समर्थन मिला और ब्रिटिश (जिसमें ब्रिटिश **रेजिडेंट हेनरी लॉरेंस** शामिल थे) को इनकी सहायता से बाहर निकाल दिया, जिन्हें रेजीडेंसी भवन में आश्रय लेना पड़ा। विद्रोहियों ने शीघ्र ही रेजीडेंसी पर भी हमला किया और सर हेनरी को मार डाला। ब्रिटिश अधिकारी हैवलॉक एवं आउट्रम ने लखनऊ को पुनः अधिकार में लेने का प्रयत्न किया, जो व्यर्थ रहा। अन्ततः नवम्बर, 1857 में ही इंग्लैंड से भेजे गए कॉलिन कैम्पबेल ने गोरखा रेजिमेंट की सहायता से लखनऊ को पुनः अधिकार में लिया और रेजीडेंसी को खाली कराया।

कानपुर (5 जून 1857, नाना साहिब व तात्या टोपे के नेतृत्व में)

5 जून को कानपुर में सिपाही विद्रोह के लिए उठ खड़े हुए और पेशवा बाजीराव द्वितीय के दत्तक पुत्र नाना साहिब को पेशवा घोषित किया। जनरल **सर ह्यूग व्हीलर**, जिनके हाथों में छावनी की कमान थी, ने अंततः 27 जून को आत्म-समर्पण किया। हालांकि, अधिकांश लड़ाइयां नाना साहिब की ओर से उनके योग्य एवं अनुभवी लेफ्टिनेंट तात्या टोपे द्वारा लड़ी गई। यह तात्या टोपे ही थे, जो अपनी देशभक्ति और गोरिल्ला युद्ध कौशल से अमरता की ओर बढ़े। अजीमुल्लाह नाना साहिब के अन्य वफादार थे, जिन्हें राजनीतिक अधिप्रचार (प्रोपगेंडा) में दक्षता हासिल थी।

कानपुर को वापस प्राप्त करने के लिए जो काउंटर ऑपरेशन (विद्रोह के विरुद्ध की गई कार्रवाई) चलाया गया था, वह लखनऊ को पुनः प्राप्त करने के ऑपरेशन से घनिष्ठता से जुड़ा हुआ था। 6 दिसंबर को सर कैम्पबेल ने कानपुर पर पुनः अधिकार प्राप्त किया। तात्या टोपे वहां से बच निकलने में सफल हुए और झांसी में रानी लक्ष्मीबाई के साथ जा मिले।

झांसी (जून, 1857, रानी लक्ष्मीबाई के नेतृत्व में)

1853 में डलहौजी ने **व्यपगत/हड़प** के सिद्धांत को लागू कर झांसी को कब्जे में लिया और रानी व उनके स्वर्गीय पति गंगाधर राव के दत्तक पुत्र के राजगद्दी पर दावे को अस्वीकार कर दिया। जैसे ही 1857 में विद्रोह फूटा, झांसी शीघ्र ही एक प्रमुख केंद्र बन गया। रानी लक्ष्मीबाई के नेतृत्व में झांसी की सेनाओं ने विद्रोह के ध्वज को बुलंद किया और उन्हें राज्य का शासक घोषित किया। यद्यपि शुरुआत में रानी ने थोड़ा संकोच किया, लेकिन जैसे ही वे विद्रोहियों की श्रेणी में शामिल हुईं,

वीरतापूर्ण तरीके से लड़ीं। वास्तव में, उन्हें विद्रोह का सबसे उत्कृष्ट नेता माना जाता है, जो बाद में भारतीय राष्ट्रीयवादियों के लिए ब्रिटिश शासन के प्रतिरोध के एक प्रतीक के रूप में उभरी।

ब्रिटिश शासन से स्वतंत्रता प्राप्त करने के लिए युद्ध करने की निर्णय लेने के साथ ही रानी ने झांसी का प्रशासन अपने हाथों में लिया। 23 मार्च 1858 को जब **सर ह्यूग रोज** के नेतृत्व में ब्रिटिश सेना ने झांसी को घेरा लिया, तब रानी ने साहसपूर्ण तरीके से झांसी की रक्षा की। रानी ने **'मेरा झांसी, दूंगी नहीं'** का युद्ध-घोष बुलंद किया और दो सप्ताह तक संघर्ष चलता रहा। इसी बीच कानपुर पर ब्रिटिश का पुनः अधिकार होने पर तात्या टोपे वहां से पलायन कर झांसी की रानी के साथ युद्ध में शामिल हुए। शीघ्र ही झांसी ने भी घुटने टेक दिए, लेकिन एक पुरुष के वेष (रूप) में दामोदर राव को पीठ पर लादकर रानी भागने में सफल हुई और ग्वालियर में तात्या टोपे की सेना में शामिल हुई। ग्वालियर के सिंधिया शासकों ने अंग्रेजों के प्रति वफादार बने रहने का निर्णय लिया और आगरा में आश्रय लिया।

बरेली (खान बहादुर खान के नेतृत्व में)

खान बहादुर खान रुहेलखंड के पूर्व शासक के वंशज थे। वे ब्रिटिश द्वारा दी जाने वाली पेंशन से असंतुष्ट थे और विद्रोह में शामिल हो गए। उन्होंने 40000 सैनिकों की एक सेना बनाई और स्वयं को नई सरकार का नवाब नाजिम घोषित किया।

आरा (25 जुलाई 1857, बिहार, कुंवर सिंह के नेतृत्व में)

कुंवर सिंह **जगदीशपुर** के एक तबाह हुए जमींदार थे। वे 70 साल के एक वृद्ध व्यक्ति थे और ब्रिटिश सरकार, जिसने उनको जागीर से बेदखल कर दिया था, के विरुद्ध मन में ईर्ष्या से भरे हुए थे। वे बेधड़क सिपाहियों के साथ शामिल हुए और क्रांति के सबसे उत्कृष्ट सैन्य नेता के रूप में उभरे, जिससे ब्रिटिश सरकार सबसे अधिक भयभीत थी।

अन्य लोकप्रिय नेता **फैजाबाद के मौलवी अहमदुल्लाह** थे। वे मूल रूप से मद्रास के थे और फैजाबाद आ गए थे, जहां उन्होंने सशस्त्र विद्रोह की शिक्षा दी। इन्हें अवध में विद्रोह के प्रमुख नेताओं में से एक माना जाता है।

उपर्युक्त के अलावा विद्रोह के अनेक अनाम वीर एवं शहीद थे। ये सैनिक, किसान और छोटे जमींदार थे, जो अपनी जाति, वर्ग और धर्म के भेदभाव को भूलकर एक हुए थे और ब्रिटिश शासन के विरुद्ध आवाज बुलंद की थी।

विद्रोहियों की पराजय (The Defeat of the Rebels)

दिल्ली पर पुनः अधिकार होना (20 सितंबर 1857, जॉन निकोल्सन के नेतृत्व में)

दिल्ली को पुनः अधिकार में लेना, ब्रिटिश सरकार के लिए मनोवैज्ञानिक रूप से अत्यधिक महत्व का था और उन्होंने अपनी सभी ऊर्जा इस दिशा में लगा दी थी। दिल्ली सबसे पहले पराजित हुई, यद्यपि एक लंबे युद्ध के बाद। अन्ततः 20 सितंबर 1857 को पंजाब से बुलाई गई बलों की सहायता से दिल्ली को पुनः अधिकार में ले लिया गया। हालांकि, जॉन निकोल्सन (प्रमुख ब्रिटिश अधिकारी) गंभीर रूप से घायल हुआ और बाद में उसकी मृत्यु हो गई थी। दिल्ली के निवासियों के ऊपर प्रतिशोध की ज्वाला भड़क उठी। सम्राट बहादुर शाह जफर, जो हुमायूं के मकबरे में छिपे हुए थे, को जेल ले जाया गया और **रंगून** निर्वासित कर दिया गया, जहां बाद में 1862 में उनकी मृत्यु हुई। सम्राट के दो नाबालिग पुत्र एवं एक पौत्र को भी पकड़ लिया गया और उन्हें जनता के सामने **लेफ्टिनेंट हडसन** के द्वारा गोली मार दी गई। इस प्रकार मुगलों का अंतिम चिराग भी बुझ गया और दिल्ली को पुनः प्राप्त कर लिया गया, जो विद्रोह का मुख्य केंद्र था।

20 सितंबर 1857 को विलियम हडसन द्वारा बहादुर शाह जफर व उनके पुत्रों को हुमायूं के मकबरे से पकड़ना।

दिल्ली के पराजित होने के साथ ही विद्रोह का आधार समाप्त हो गया और एक के बाद एक विद्रोह के अन्य मुख्य नेता भी पराजित होने लगे-

कानपुर पर पुनः अधिकार होना (6 दिसम्बर 1857, सर कॉलिन कैंपबेल द्वारा)

6 दिसंबर 1857 को सर कॉलिन कैंपबेल द्वारा कानपुर पर अधिकार कर लिया गया। नाना साहिब पराजित हुए और बाद में वे नेपाल पलायन कर गए। तात्या टोपे भी बच निकलने में सफल हुए और बाद में वे रानी लक्ष्मी बाई के साथ युद्ध में शामिल हुए।

लखनऊ पर पुनः अधिकार (मार्च, 1858, सर कॉलिन कैम्पबेल के नेतृत्व में)

लखनऊ पर पुनः ब्रिटिश आधिपत्य होने के बाद बेगम हजरत महल नेपाल की ओर पलायन कर गईं।

झांसी पर पुनः आधिपत्य (3 अप्रैल 1858, सर ह्यूग रोज के नेतृत्व में)

झांसी में पराजित होने के बाद रानी एक पुरुष के वेष में दामोदर राव को अपनी पीठ पर लादकर वहां से बच निकलने में सफल हुईं और ग्वालियर में तात्या टोपे के बलों में शामिल हुई। 17 जून 1858 को किले के परकोटे में एक सैनिक की गणवेश पहने हुए ब्रिटिश सेना से लड़ते हुए उनकी मृत्यु हुई। जनरल ह्यूग रोज, जिन्होंने उन्हें पराजित किया था, ने उनकी प्रशंसा की और उनकी याद में कहा, 'यह महिला सभी विद्रोहियों में इकलौती पुरुष थी।'

तात्या टोपे मध्य भारत के जंगलों में भाग गए और कठोर गोरिल्ला युद्ध लड़ा। अप्रैल, 1859 में उन्हें एक मित्र द्वारा धोखा दिया गया और सोते समय ब्रिटिश द्वारा उन्हें पकड़ लिया गया। उन पर मुकदमा चलाया गया और शीघ्रता से उसी वर्ष उन्हें मृत्युदंड दिया गया।

मई, 1858 में अंग्रेजों ने बरेली एवं जगदीशपुर पर पुनः अधिकार प्राप्त कर लिया। 1859 तक जगदीशपुर के कुंवर सिंह, बरेली के खान बहादुर खान, दिल्ली के बख्त खान और फैजाबाद के मौलवी अहमदुल्लाह सभी मारे गए। बनारस में एक विद्रोह को **कर्नल नील** ने निर्दयतापूर्ण तरीके से दबा दिया और सभी विद्रोहियों को, जिन पर भी शक था उनको भी मौत के घाट उतार दिया।

इस प्रकार, जुलाई, 1858 तक विद्रोह का लगभग पूर्णतया दमन कर दिया गया और 1859 के अंत तक भारत में ब्रिटिश सत्ता दृढ़ता से पुनः स्थापित हुई। इस विद्रोह का दमन करने के लिए ब्रिटिश सरकार ने देश के ही जन व संसाधन झोंक दिए और अपने ही दमन के व्यय की कीमत भी भारतीयों को ही चुकानी पड़ी।

प्रीलिम कैप्सूल

1857 तक विद्रोह

दिनांक	स्थान	प्रमुख घटनाएं
2 फरवरी 1857	बेरहमपुर	बेरहमपुर (उड़ीसा) में 19वीं बंगाल नेटिव पैदल सेना (Bengal Native Infantry) ने नई प्रस्तावित राइफल का उपयोग करने से मना कर दिया।

दिनांक	स्थान	प्रमुख घटनाएं
29 मार्च 1857	बैरकपुर	34वीं नेटिव पैदल सेना ने चर्बी लगे कारतूस का उपयोग करने से मना कर दिया। एक ब्राह्मण सिपाही **मंगल पांडे** ने अपने एक अंग्रेज अधिकारी को मार दिया। पांडे को फांसी दी गई और उनकी रेजिमेंट विघटित कर दी गई।
10 मई 1857	मेरठ	सिपाहियों की तीसरी घुड़सवार रेजिमेंट में चर्बी लगे कारतूस के विरुद्ध खुले तौर पर बगावत फूट पड़ी और बहादुर शाह द्वितीय से विद्रोह का नेतृत्व करने के लिए अपील करने हेतु दिल्ली की ओर मार्च किया।
12 मई 1857	दिल्ली	विद्रोहियों ने महल पर अधिकार किया और **बहादुर शाह** को सम्राट घोषित किया। हालांकि, वास्तविक कमान **बख्त खां** के हाथों में थी।
4 जून 1857	लखनऊ	बेगम हजरत महल ने अपने पुत्र बिरजिस कादर को अवध का नवाब घोषित किया।
5 जून 1857	कानपुर	सिपाहियों ने पेशवा बाजीराव द्वितीय के दत्तक पुत्र **नाना साहिब** को पेशवा घोषित किया। हालांकि, अधिकांश लड़ाइयां **तात्या टोपे** द्वारा लड़ी गई।
जून, 1857	झांसी	झांसी की सेनाओं ने **रानी लक्ष्मीबाई** के नेतृत्व में विद्रोह का झंडा बुलंद किया और उन्हें राज्य का शासक घोषित किया।
–	बरेली	**खान बहादुर खान** ने 40000 सैनिकों कि एक सेना बनाई और स्वयं को अपनी नई सरकार का नवाब नाजिम घोषित किया।
25 जुलाई 1857	आरा	इस विद्रोह का नेतृत्व **जगदीशपुर** के बर्बाद हुए जमींदार कुवंर सिंह ने किया।
पुनर्ग्रहण		
20 सितंबर 1857	दिल्ली	पंजाब से ली गई बलों की सहायता से **जॉन निकोल्सन** ने इस पर पुनः आधिपत्य स्थापित किया। बहादुर शाह को गिरफ्तार कर लिया गया और उन्हें रंगून निर्वासित कर दिया गया। उनके दो पुत्रों को **लेफ्टिनेंट हडसन** ने सार्वजनिक रूप से गोली मार दी।
6 दिसम्बर 1857	कानपुर	**कॉलिन कैंपबेल** ने इस पर पुनः अधिकार प्राप्त किया। नाना साहिब की पराजय हुई और बाद में वे नेपाल पलायन कर गए। तात्या टोपे भी बच निकलने में सफल हुए और झांसी में वे रानी लक्ष्मीबाई के साथ शामिल हुए।
मार्च, 1858	लखनऊ	कॉलिन कैंपबेल द्वारा पुनः आधिपत्य स्थापित किया गया। बेगम हजरत महल ने नेपाल पलायन किया।

दिनांक	स्थान	प्रमुख घटनाएं
3 अप्रैल 1858	झांसी	सर **ह्यूग रोज** द्वारा पुनः कब्जे में लिया गया। दामोदर राव को अपनी पीठ पर लादकर एक पुरुष के वेश में रानी बचकर निकलने में सफल हुई और ग्वालियर में वे तात्या के बलों में शामिल हुई। किले के परकोटे में सैनिक की गणवेश पहने हुए ब्रिटिश सेना से लड़ते हुए रानी की मृत्यु हुई।
मई, 1858	बरेली व जगदीशपुर	पुनः आधिपत्य स्थापित हुआ।

विद्रोह के असफल होने के कारण (Causes of Failure of the Revolt)

विद्रोह में संपूर्ण देश समाविष्ट नहीं हुआ

यद्यपि विद्रोह ने विशाल क्षेत्र को अपने आगोश में ले लिया था और व्यापक स्तर पर इसे सहानुभूति मिली थी, लेकिन इसके बाद भी संपूर्ण देश इसमें शामिल नहीं हो सका था। नर्मदा के दक्षिण की ओर भारत लगभग अप्रभावित बना रहा। जॉन लॉरेंस के अधीन पंजाब पर अच्छा नियंत्रण बना रहा। राजस्थान एवं सिंध शांत बने रहे। दोस्त मोहम्मद के अधीन अफगानिस्तान ब्रिटिश सरकार से मित्रतापूर्ण बन रहा और ब्रिटिश सरकार को नेपाल से भी आवश्यक सहायता मिलती रही।

भारतीयों के मध्य एकता का अभाव

असफलता का सबसे बड़ा कारण भारतीयों के मध्य अत्यधिक विभेद व फूट का होना था। लगभग आधे भारतीय सैनिकों ने विद्रोह में सहभागिता ही नहीं की, बल्कि अपने ही देशवासियों के विरुद्ध लड़ाई लड़ी। दिल्ली को पुनः अधिकार में लाने हेतु ब्रिटिश सेना के 1700, जबकि भारतीय सेना के 3200 सैनिकों ने सहयोग किया था।

जहां एक ओर बंगाल में सिपाही विद्रोह कर रहे थे, वहीं दूसरी ओर पंजाब एवं दक्षिण भारत में सैनिक विद्रोह को दबाने में ब्रिटिश का साथ दे रहे थे।

जनता के विभिन्न वर्गों से समर्थन का अभाव

विद्रोह को भारतीय जनता के एक बड़े वर्ग से, जिसमें भारतीय शासक, व्यापारी, जमींदार एवं शिक्षित बुद्धिजीवी शामिल थे, का समर्थन नहीं मिला।

ऐसे अनेक समूह थे, जिन्होंने अपने स्वार्थ के लिए ब्रिटिश के प्रति वफादार बने रहने का विकल्प चुना। उदाहरण के तौर पर, सिखों को मुगलों के पुनरुत्थान, तो राजपूत प्रधानों व हैदराबाद के निजाम को मराठों के पुनरुत्थान का भय था। बंगाल के जमींदारों को ब्रिटिश शासन के द्वारा ही नियुक्त किया गया था। बड़े व्यापारी एवं किसानों के कुछ वर्ग ब्रिटिश सरकार के अधीन लाभ प्राप्त कर रहे थे। अवध के तालुकदारों (बड़े जमींदारों) को जब ब्रिटिश सरकार ने उन्हें उनकी जागीरें लौटाने का आश्वासन दे दिया, तो उन्होंने भी विद्रोह का परित्याग कर दिया था।

साथ ही, विद्रोह को भारतीय शिक्षित प्रबुद्धजनों का समर्थन नहीं मिला। नए शिक्षित मध्यम वर्ग ब्रिटिश व्यवस्था के ही उत्पाद थे और वे भूलवश ऐसा विश्वास करते थे कि भारत को आधुनिकता की ओर ले जाने के लिए ब्रिटिश प्रभाव आवश्यक है। उनको उपनिवेशवाद की बुराइयों की समझ कम थी और वे अनुमान नहीं लगा सके कि औपनिवेशिक शासन भारत को आधुनिक बनाने में अक्षम था।

भारतीय शासकों के लगभग 1% ने ही विद्रोह में सहभागिता की थी। अधिकांश भारतीय शासकों ने विद्रोह को दमन करने में ब्रिटिश सरकार का सक्रियता से समर्थन किया और इनमें **सिंधिया, होलकर, हैदराबाद के निजाम, भोपाल के नवाब, कश्मीर के महाराजा, नेपाल के राणा** शामिल थे। **रामपुर, पटियाला, जिंद** एवं **बड़ौदा** जैसी रियासतें भी ब्रिटिश के प्रति वफादार बनी रही। विद्रोह के दौरान ब्रिटिश के लिए इनकी भूमिका कितनी महत्वपूर्ण थी, इसका प्रमाण **विद्रोह के दौरान गवर्नर जनरल रहे लॉर्ड कैनिंग** के इस कथन से समझा जा सकता है- 'यदि सिंधिया विद्रोह में शामिल हो गए, तो मुझे कल ही यहां से लौटना पड़ेगा।' भारतीय प्रधानों/मुखियाओं की भूमिका के बारे में टिप्पणी की, ''उन्होंने **धारा के सामने एक बांध** की तरह कार्य किया, नहीं तो एक बड़ी लहर में हम सब बह जाते।''

◗ एक संयुक्त कार्यक्रम एवं विचारधारा का अभाव (Lack of a Unified Programme and Ideology)

सभी विद्रोहियों का ब्रिटिश सरकार के विरुद्ध विद्रोह करने का अपना उद्देश्य था, जैसे- झांसी की रानी अपनी झांसी के लिए लड़ीं और नाना साहिब अपनी पेशवाई के लिए। खान बहादुर खान ने रुहेलखंड के लिए और अवध की बेगम ने अपने नाबालिग पुत्र के अधिकारों के लिए लड़ाई लड़ी। सिपाही अपने विशेष व्यवसायिक एवं धार्मिक समस्याओं के चलते संघर्ष के भंवर में पड़े। इस प्रकार स्पष्ट है कि विद्रोही अपने संकीर्ण एवं स्वार्थी कारणों से प्रेरित थे, जिसने आंदोलन को इसकी शक्ति एवं व्यापकता में पूर्णतया कमजोर बना दिया था।

◗ एक दूरदर्शी योजना का अभाव (Lack of a Forward-Looking plan)

विद्रोहियों ने ब्रिटिश सत्ता के विरुद्ध विद्रोह किया था, लेकिन वे यह नहीं जानते थे कि उसके स्थान पर क्या निर्मित करना है। बहादुर शाह एवं नाना साहिब जैसे नेताओं पर निर्भर थे, जो पुराने सामंती व्यवस्था से आते थे और जिन्हें ब्रिटिश द्वारा पराजित कर दिया गया था। वे यह नहीं समझ सके कि देश का विकास सामंती राजतंत्र की ओर लौटने में नहीं, बल्कि आधुनिक समाज एवं राज व्यवस्था की ओर बढ़ने में है।

केवल आधुनिक राष्ट्रवाद की भावना ही ब्रिटिश शासन का एक व्यवहार्य विकल्प प्रदान कर सकती थी, जिसका अभी उद्भव होना था। हिंदू एवं मुस्लिम एक संयुक्त शत्रु के विरुद्ध एक तो हो गए थे, लेकिन उनके मतभेद अभी समाप्त नहीं हुए थे। बॉम्बे एवं मद्रास के अधिकांश सैनिक निम्न जाति से आते थे और वे वफादार बने रहे। इस प्रकार हम देखते हैं कि विद्रोही ब्रिटिश शासन से घृणा के कारण एकजुट हुए थे, लेकिन भविष्य के लिए उनके परिदृश्य में विभाजन था और उनके समक्ष कोई संयुक्त विचार नहीं था।

◗ कमजोर नेतृत्व एवं विद्रोह का कमजोर संगठन (Poor Leadership and Poor Organisation of the Revolt)

एक ओर वृद्ध बहादुर शाह जफर को विद्रोह का नेता घोषित किया गया, जिनके कमजोर व्यक्तित्व, वृद्ध आयु और नेतृत्व कौशल के अभाव ने विद्रोह के प्रमुख केंद्र में राजनीतिक दुर्बलता को निर्मित किया। दूसरी ओर, कंपनी की सेना का नेतृत्व असाधारण योग्यता और अनुभव के धनी व्यक्तियों, जैसे- निकोल्सन, आउट्रम, हैवलॉक, एडवर्डस एवं लॉरेंस बंधुओं द्वारा किया गया।

यह विद्रोह कमजोर ढंग से संगठित था एवं इसमें एक कार्य-योजना का अभाव था। विद्रोह के दमन के बाद विद्रोह की योजना का पता लगाने के लिए अनेक समितियां नियुक्त की गई, लेकिन कुछ नहीं पता चल सका। यद्यपि विद्रोहियों में साहस की कोई कमी नहीं थी, लेकिन उनके पास अनुभव और आयोजन-योग्यता का अभाव था।

◗ ब्रिटिश संसाधनों की उत्कृष्टता (Superiority of the British Resources)

ब्रिटिश बल, विद्रोही बलों की अपेक्षा निर्णायक रूप से उत्कृष्ट थे। ब्रिटिश युद्ध के आधुनिक हथियारों से सज्जित थे, जबकि भारतीयों ने भाले और तलवारों से लड़ाई लड़ी। ब्रिटिश बेहतर ढंग से संगठित थे, जबकि विद्रोही उपद्रवी भीड़ के समान व्यवहार कर रहे थे। ब्रिटिश एक शक्तिशाली केंद्रीय नियंत्रण, सैन्य कार्रवाई की एक योजना और व्यक्ति, धन व संसाधन

की निरंतर आपूर्ति से सशक्त बने हुए थे, जबकि विद्रोहियों के पास ऐसा समर्थन-तंत्र नहीं था। ब्रिटिश बलों की शक्ति को इस तथ्य से भी आंका जा सकता है कि ब्रिटिश सेना की पहली झलक से अनेक विद्रोही हतोत्साहित हो गए थे और अपने गांवों की ओर भागने लगे थे।

विद्रोह का महत्व (Significance of the Revolt)

1857 का विद्रोह यद्यपि असफल रहा, लेकिन विदेशी शासन को समाप्त करने का यह एक वीरतापूर्ण प्रयास था, जो **आधुनिक भारतीय इतिहास में मील का पत्थर** साबित हुआ। परंपरागत नेतृत्व के अधीन भारत को बचाने का यह अंतिम निराशाजनक प्रयास था और विदेशी शासन से भारत को मुक्त करने का यह पहला बड़ा जनवादी प्रयास था। 1857 के विद्रोह ने ब्रिटिश शासन की अपराजेयता को ध्वस्त कर दिया और आधुनिक राष्ट्रीय संघर्ष के उदय के लिए मार्ग प्रशस्त किया।

वास्तव में, विद्रोह का महत्व इसकी तात्कालिक उपलब्धियों तक सीमित नहीं था, अपितु असफल होने के बावजूद इसने एक महत्वपूर्ण उद्देश्य को पूरा किया। इस विद्रोह ने, अपने पूर्ववर्ती सभी विद्रोहों सहित, ब्रिटिश शासन के प्रतिरोध की एक मूल्यवान परंपरा बनाई और इस विद्रोह के नेता पहले राष्ट्रवादी नेताओं के रूप में उभरे, जो आने वाले अनेक वर्षों तक राष्ट्रवाद की भावनाओं को प्रेरित करते रहे।

1857 के विद्रोह की प्रकृति के संबंध में वाद-विवाद (Debate Regarding the Nature of the Revolt of 1857)

1857 के विद्रोह की प्रकृति को लेकर काफी वाद-विवाद रहा है। विभिन्न इतिहासकार विभिन्न तरीके से इसका वर्णन करते हैं, जैसे- एक सिपाही विद्रोह के रूप में, ईसाइयत के विरुद्ध एक धार्मिक युद्ध के रूप में और यहां तक कि सर्वोच्चता के लिए जातीय संघर्ष के रूप में। कुछ अन्य इसे प्राच्य एवं पश्चिमी सभ्यता व संस्कृति के बीच एक संघर्ष की तरह अथवा ब्रिटिश सरकार को समाप्त करने के लिए एक हिंदू-मुस्लिम षड्यंत्र के रूप में वर्णन करते हैं। कुछ भारतीय राष्ट्रवादी इसे 'भारतीय स्वाधीनता का प्रथम युद्ध' भी कहते हैं।

1857 का विद्रोह: एक सैनिक-विद्रोह अथवा एक राष्ट्रीय संघर्ष?

क्या यह एक सैनिक विद्रोह (Sepoy Mutiny) था?

ब्रिटिश इतिहासकार जैसे- सर जॉन लॉरेंस एवं सर जॉन सीले इस विद्रोह को परिभाषित करते हुए इसे एक सैनिक विद्रोह से अधिक कुछ नहीं मानते। उनके वर्णन में बगावती सिपाहियों के कार्यों पर अधिक ध्यान दिया गया, जबकि नागरिक-विद्रोह को नजरअंदाज किया गया है। भारतीय शिकायतों और समस्याओं को कम करके बताना एवं औपनिवेशिक संदर्भ, जिसमें विद्रोह उत्पन्न हुआ, को अनदेखा करना एक सुस्पष्ट प्रवृत्ति रही है। कुछ समकालीन भारतीय भी इस विचार से सहमत थे। इनमें **सर सैयद अहमद खान** (1857 में बिजनौर में सदर अमीन) मुंशी जीवन लाल, मुइनुद्दीन (दिल्ली में प्रत्यक्षदर्शी) एवं दुर्गादास बंदोपाध्याय (बरेली में प्रत्यक्षदर्शी) शामिल थे।

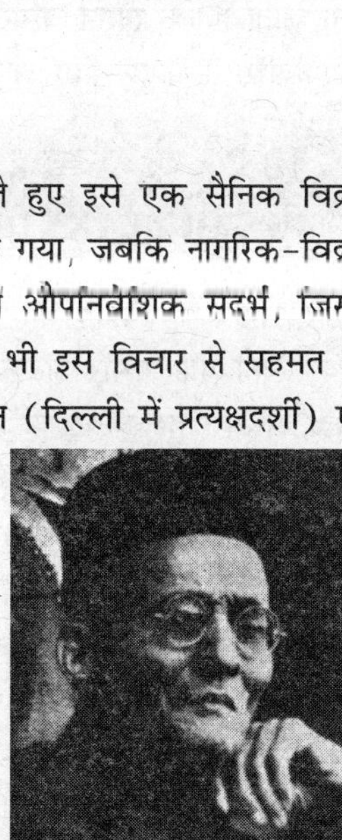

वी डी सावरकर

बाद में, ब्रिटिश इतिहासकार जैसे- **जुडिथ ब्राउन** ने इस साम्राज्यवादी पूर्वाग्रह (पक्षपात) को स्वीकार किया और कहा, 'अनेक ब्रिटिश लोग इस घटना को एक सैन्य-विद्रोह की तरह देखना पसंद करते हैं, जाहिर है कि इसकी विस्तृत व्याख्या ब्रिटिश राज की प्रकृति पर संदेह उत्पन्न कर सकती है।'

क्या यह राष्ट्रीय संघर्ष था?

यह विचार 1902 में **वी.डी. सावरकर** द्वारा अपनी किताब, '1857 का स्वाधीनता का भारतीय युद्ध' (The Indian War of Independence of 1857) में दिया। इस समय तक

राष्ट्रवादी आंदोलनों का उद्‌भव हो चुका था और 1857 की घटनाओं को संघर्ष के भाग के रूप में देखा जाने लगा था। इस कारण से अब ध्यान सिपाही विद्रोह से औपनिवेशिक संदर्भ की ओर स्थांतरित हो गया।

हालांकि, आलोचक इस ओर ध्यान केंद्र करते हैं कि विद्रोहियों में **आधुनिक राष्ट्रवाद की भावना एवं भविष्य के लिए एक संयुक्त परिदृश्य का अभाव** होने के कारण इसे एक स्वाधीनता संघर्ष के रूप में नहीं देखा जा सकता।

1857 के विद्रोह की प्रकृति पर अन्य विचार

- एल.आर. रीस- यह विद्रोह ईसाइयत के विरुद्ध कट्टरपंथी धर्मपंथियों का एक युद्ध था।
- टी.आर. होम्स- यह विद्रोह सभ्यता एवं बर्बरता के बीच संघर्ष था।
- सर जेम्स आउट्रम व डब्ल्यू. टेलर- यह विद्रोह हिंदू-मुस्लिम षड्यंत्र का परिणाम था।
- बेंजामिन डिजरायली (ब्रिटेन के पूर्व प्रधानमंत्री एवं बाद में इंग्लैंड में एक समकालीन नेता)- यह एक 'राष्ट्रीय विद्रोह' था।
- **मार्क्सवादी व्याख्या**- यह विदेशी के साथ-साथ सामंती दासत्व के विरुद्ध सैनिक-किसान के लोकतांत्रिक संयोजन का संघर्ष था।
- **पंडित जवाहरलाल नेहरू**- मुख्य रूप से सामंती प्रधानों एवं उनके अनुयायियों के नेतृत्व में यह एक सामंती उपद्रव था, जिसे विदेशी-विरोधी भावनाओं द्वारा सहायता मिली।
- **एस.एन. सेन**- एक ऐसा विद्रोह, जो धर्म के लिए लड़ाई के साथ शुरू हुआ और इसका अंत स्वाधीनता के युद्ध के साथ हुआ।

वर्तमान शोध इस विचार का समर्थन करते हैं कि यद्यपि यह एक सैन्य-विद्रोह के रूप में शुरू हुआ था, लेकिन शीघ्र ही इसने एक जनवादी विद्रोह के चरित्र को प्राप्त कर लिया था। विद्रोह की प्रकृति कैसी भी हो, यह ब्रिटिश शासन के विरुद्ध संघर्ष का एक प्रतीक बन गया था और स्वतंत्रता संघर्ष के दौरान 1857 की वीरतापूर्ण कहानियों से लोगों ने प्रेरणा प्राप्त की।

1857 का विद्रोह: योजनाबद्ध अथवा स्वाभाविक/स्वतः स्फूर्त

ऐसा प्रतीत होता है कि यह विद्रोह योजनाबद्ध था, लेकिन विद्रोह प्रारंभ होते ही यह पर्याप्त रूप से परिपक्व नहीं थी। ऐसा माना जाता है कि **लाल कमल** और **रोटियों** को स्वतंत्रता के प्रतीकों के रूप में उपयोग किया गया था। घुमक्कड़ संयासियों एवं फकीरों ने भाषण दिए और औपनिवेशिक विरोधी तत्वों को सक्रिय किया। इन सभी ने विद्रोह को भड़काने में सहायता की।

1857 के विद्रोह के परिणाम अथवा प्रभाव (Consequences or Impact of the Revolt of 1857)

यद्यपि 1857 के विद्रोह का दमन कर दिया गया था और ब्रिटिश सत्ता पुनः स्थापित हो गई थी, तथापि विद्रोह ने ब्रिटिश सरकार को एक गंभीर झटका दिया। यह एक मील का पत्थर, आंख खोल देने वाली, ब्रिटिश राज के लिए चेतावनी और सीखों से भरी हुई घटना के रूप में उभरी।

पुनर्स्थापित ब्रिटिश राज की संरचना और नीतियां अनेक मायनों में परिवर्तित हुईं और भारत में उपनिवेशवाद के एक नए युग की शुरुआत थी। 19वीं शताब्दी के मध्य का समय अन्य देशों में औद्योगिक क्रांति के प्रसार का साक्षी बना। यूरोपीय देश, अमेरिका और जापान औद्योगीकरण से गुजरे। इसी के साथ, नए बाजारों एवं उपनिवेशों के लिए संघर्ष शुरू हुआ। परिणामतः ब्रिटेन ने अपने वर्तमान साम्राज्य को बनाए रखने के लिए अत्यधिक प्रयास करना शुरू किया। इस प्रकार विद्रोह के बाद के वर्षों में अनेक परिवर्तन लाए गए, जो **नवीकृत साम्राज्यवादी विचारधारा के द्वारा निर्देशित** थे। यह विचारधारा वॉयसरायों, जैसे- लिटन, डफरिन और कर्जन की प्रतिक्रियावादी नीतियों में स्पष्ट हुई। सामंती एवं निहित स्वार्थों को संरक्षित किया गया, 'बांटो और राज करो' की नीति को शक्तिपूर्वक अपनाया गया और प्रमुख क्षेत्रों पर यूरोपियन नियंत्रण को मजबूत किया गया।

सत्ता/शक्ति परिवर्तन (Change of Power)

1857 के विद्रोह के बाद ब्रिटिश सरकार को भारत शासन अधिनियम, 1858 पारित करने के लिए मजबूर होना पड़ा, जिसका उद्देश्य ब्रिटिश ईस्ट इंडिया कंपनी का परिसमापन करना और भारत पर शासन करने की शक्ति कंपनी से क्राउन को स्थानांतरित कर देना था।

नोट- 1858 के अधिनियम और इसके महत्व की चर्चा अध्याय 3.2 में विस्तार से की गई है।

सैन्य नीति में परिवर्तन (Changes in Military Policy)

भारतीय सेना 1857 के संकट के लिए मुख्य रूप से जिम्मेदार थी और इसे पूर्णतया पुनर्सगठित किया गया। भविष्य में विद्रोह को रोकने के लिए अनेक कदम उठाए गए-

- **यूरोपीय सैनिकों की संख्या बढ़ाई** गई। बंगाल में दो भारतीय सैनिकों पर एक यूरोपियन सैनिक का अनुपात (1:2) तय किया गया। बॉम्बे व मद्रास सेनाओं में अनुपात 1:3 और 2:5 तय किया गया।
- यूरोपियन सेनाओं को रणनीतिक रूप से विशेष क्षेत्रों में तैनात किया गया, सेना एवं तोपखानों में सभी बड़े पद यूरोपियों के लिए आरक्षित किए गए।
- यूरोपीय सेनाओं को मुख्य शाखाओं, जैसे- तोपखाना का पूर्णरूपेण प्रभार सौंपा गया।
- अवध, बिहार एवं मध्य भारत के सैनिकों को **गैर-सामरिक (non-martial)** घोषित किया गया, जबकि पंजाबी, गोरखा एवं पठानों (जो ब्रिटिश के लिए लड़े थे) को सामरिक (martial) घोषित किया गया और बड़ी संख्या में उन्हें भर्ती किया गया। 1875 तक ब्रिटिश भारतीय सेना के आधे सैनिकों को पंजाब से भर्ती किया गया।
- भारतीय सेनाओं को **'बांटो और राज करो'** अथवा **'संतुलन एवं प्रति संतुलन'** की नीति के आधार पर संगठित किया गया। जाति, समुदाय एवं क्षेत्र की तर्ज पर रेजीमेंटे बनाई गईं, ताकि राष्ट्रवाद एवं एकता की भावना के विकास को रोका जा सके।

> 1861 में चार्ल्स वुड (भारत-सचिव) ने कैनिंग को बताया कि 'यदि एक रेजिमेंट विद्रोह करती है, तो मेरे पास दूसरी रेजिमेंट इतनी अलगाव वाली होगी कि वह उन पर गोली दागने को तैयार होगी।'

भारतीय सेना के ब्रिटिश भाग ने व्यवसायिक सेना की तरह सेवा दी और भारत पर ब्रिटिश पकड़ की गारंटी बने। एशिया व अफ्रीका में ब्रिटिश साम्राज्यवाद को आगे बढ़ाने में भी ब्रिटिश भारतीय सेना का उपयोग किया गया।

कुछ वर्गों के प्रति नीति में परिवर्तन (राजकुमार एवं भू-स्वामी)

- **समामेलन/कब्जे में लेने की नीति का त्याग**- विद्रोह से पूर्व ब्रिटिश ने देशी रियासतों को कब्जे में लेने के प्रत्येक अवसर को भुनाया। यद्यपि 1% से भी कम देशी रियासतों ने विद्रोह में सहभागिता की थी। अधिकांशतः ब्रिटिश के प्रति वफादार बने रहे और विद्रोह का दमन करने में सक्रियता से सहभागिता की। वॉयसराय कैनिंग ने बाद में घोषित किया कि उन्होंने **'धारा में बांध'** की तरह कार्य किया।
- महत्वपूर्ण मित्रों के रूप में उनकी उपयोगिता का अनुभव करते हुए ब्रिटिश सरकार ने समामेलन की नीति (Policy of Annexations) का त्याग कर दिया। रानी ने 1858 की अपनी उद्घोषणा में घोषित किया कि अब आगे और समामेलन नहीं होगा, राज्यों को उनके उत्तराधिकारियों को अपनाने की अनुमति होगी। **कैनिंग ने हड़प/व्यपगत** की नीति (जिसने झांसी की रानी, नाना साहिब एवं बेगम हजरत महल को व्यथित कर दिया था) का त्याग किया। राजकुमारों, जमींदारों एवं भू-स्वामियों को अब राष्ट्रवादियों के विरुद्ध प्रति संतुलन की तरह उपयोग किया जाना था।

- **राजकुमार एवं भू-स्वामियों को पुरस्कार और उनसे मित्रता**- तालुकदारों को गांव वापस कर दिए गए, लेकिन इसके साथ वफादारी एवं सूचना के संचार की शर्त थी। विद्रोह के दौरान ब्रिटिश के प्रति वफादार बने रहे राजकुमारों को पुरुस्कृत किया गया (इनमें **ग्वालियर, रामपुर पटियाला** एवं **जिंद** शामिल थे)। उन्हें विशेष अधिकार प्राप्त आश्रितों के एक मंडल के रूप में संगठित किया गया। 1861 में नाइटहुड की एक विशेष श्रेणी 'भारत के सितारे' शुरू की गई और इसके प्राप्तकर्ता शासक **भोपाल, बड़ौदा, ग्वालियर, पटियाला** एवं **रामपुर** के शासक थे।
- **ब्रिटेन सर्वोच्च शक्ति के रूप में**- साथ ही, भारतीय रियासतों को ब्रिटेन को एक सर्वोच्च शक्ति के रूप में स्वीकार करना था। (1857 के पहले सिद्धांत में ही सही देशी रियासतें संप्रभु तो नहीं, अपितु सहायक समझी जाती थीं) 1876 में रानी विक्टोरिया ने **भारत की साम्राज्ञी** (The Empress of India) की उपाधि धारण की। कर्जन ने भी घोषित किया कि देशी रियासतें ब्रिटिश क्राउन के केवल एजेंट हैं।

इस प्रकार, ब्रिटिश सरकार ने भारतीय समाज के मजबूत तत्वों, जैसे- देशी रियासतों एवं भू-स्वामियों को मित्र बनाना उद्देश्य रखा, ताकि वे अपनी स्थिति को मजबूत कर सकें।

शिक्षित भारतीयों के प्रति व्यवहार में परिवर्तन

उच्च शिक्षा के प्रति दुर्भावना

यद्यपि शिक्षित भारतीयों ने विद्रोह में सहभागिता नहीं की थी, लेकिन उनमें से कुछ ने औपनिवेशिक शासन की वास्तविक प्रकृति को समझना शुरू कर दिया था। ब्रिटिश अब भारत में **उच्च शिक्षा के विरोधी** हो गए थे और 1885 में भारतीय राष्ट्रीय कांग्रेस की स्थापना के बाद इसमें कटौती करने के कदम उठाए गए।

भारतीय लोक सेवा अधिनियम, 1861 (Indian Civil Service Act, 1861)

महारानी की उद्घोषणा (Queen's Proclamation) में एक आश्वासन था, जिसके अनुसार, 'हमारी प्रजा, किसी भी जाति अथवा संप्रदाय की हो, को हमारी सेवा में स्वतंत्र एवं निष्पक्ष रूप से पद दिए जाएंगे।' इस वादे को निभाते हुए 1861 में भारतीय लोक सेवा अधिनियम पारित किया गया, जिसमें **लंदन** में एक वार्षिक प्रतियोगिता परीक्षा का प्रावधान किया गया। हालांकि, नियमों को इस तरह से बनाया गया था कि इन सेवाओं में अंग्रेजों को प्राथमिकता मिलती रहे और उनका प्रभुत्व बना रहे।

1861 का भारतीय परिषद अधिनियम (Indian Councils Act, 1861)

ब्रिटिश ने अनुभव किया कि विद्रोह का एक मुख्य कारण शासक और शासितों के बीच गलतफहमी का होना था। हेनरी बार्टले फ्रेर ने 1860 के अपने प्रसिद्ध विवरण में विधायी परिषदों में भारतीयों के प्रतिनिधित्व के लिए बात रखी। ऐसा अनुभव किया गया कि विधायन में भारतीयों का सहयोग जनवादी भावनाओं से शासकों को परिचित कराएगा और भविष्य में किसी भी गलतफहमी को रोकेगा। इस प्रकार 1861 के अधिनियम ने भारत में प्रतिनिध्यात्मक संस्थाओं के प्रारंभ की एक विनम्र शुरुआत की।

आम जनता के प्रति नीति में परिवर्तन (Change in Policy Towards the Common Masses)

सामाजिक-धार्मिक सुधार

महारानी की उद्घोषणा में घोषित किया गया था कि 'हम अपनी किसी भी प्रजा पर हमारे विश्वास (धार्मिक) आरोपित करने की इच्छा को अस्वीकार करते हैं।' सामाजिक एवं धार्मिक संस्थाएं ऐसे क्षेत्र थे, जहां ब्रिटिश सरकार ने बहुत ही सावधानी से हस्तक्षेप किया। अब 1857 के विद्रोह के बाद यहां तक कि इस सीमित **सामाजिक हस्तक्षेप की नीति को भी औपनिवेशिक सरकार द्वारा त्याग** दिया गया। अब खुले तौर पर यह प्रतिपादित किया गया कि भारतीय समाज में अनेक सामाजिक एवं सांस्कृतिक कमियां हैं, जो भारतीयों को स्वयं पर शासन करने के लिए अयोग्य बनाती हैं। अत: एक अनिश्चित काल के लिए इनको ब्रिटिश द्वारा ही शासित किया जाना चाहिए।

पर्सिबल स्पीयर के अनुसार, 'प्रगति के साथ भारतीय सरकार का हनीमून अब समाप्त हुआ।'

बांटो और राज करो

गैर-सैन्य जनता के बीच एकता एवं राष्ट्रीयता की भावना को रोकने के लिए, अब जनता के बीच भी **'बांटो और शासन करो की नीति'** अपनाई गई। विद्रोह के दौरान हिंदू एवं मुसलमानों के द्वारा दिखाई गई एकता ने औपनिवेशिक शासकों को विचलित कर दिया था और अब उन्होंने इस एकता को तोड़ने का दृढ़ निश्चय कर लिया था।

विद्रोह के तुरंत बाद मुसलमानों को दबाया गया। (चूंकि बहादुर शाह द्वितीय से विद्रोह का नेतृत्व करने के लिए अपील की गई थी और ब्रिटिश मानते थे कि यह विद्रोह एक मुस्लिम षड्यंत्र था।) बाद में, इस नीति को बदला गया और मुसलमानों के तुष्टीकरण की नीति अपनाई गई, जिसने भारत में **संप्रदायिकता के बीज** बोए और राष्ट्रीय आंदोलन को विच्छिन्न किया।

जातीय/नस्लीय भेदभाव (Racial Discrimination)

जातीय कड़वाहट इस संकट की सबसे खराब विरासत के रूप में उभरी। ब्रिटिश पहले से ही भारतीयों से दूर रहते थे, लेकिन 1857 के विद्रोह ने नस्लीय विभाजन को और बढ़ा दिया। ब्रिटिश ने जातीय सर्वोच्चता के सिद्धांत का जोरों से दावा करना शुरू किया, ताकि उनकी सत्ता को दृढ़ता पूर्वक बनाए रख सकें और भारतीयों को अपमानित करना आरंभ कर दिया। 'केवल यूरोपीयों के लिए' (Europeans only) वाले नोटिस (सूचना) रेलवे कोच, उद्यान, रेस्तरां इत्यादि में दिखाई देने लगे। हास्य एवं व्यंग्य के एक ब्रिटिश साप्ताहिक पत्रिका, 'द पंच' (The Punch), में भारतीयों को आधे गोरिल्ला व आधे नीग्रो के रूप में चित्रित किया (कार्टून शैली में) गया, जिन्हें एक उच्च जाति के द्वारा ही नियंत्रित किया जा सकता है। इस प्रकार ब्रिटिश शासन को 'श्वेत लोगों के बोझ' **(Whiteman's burden)** (अर्थात अस्वेतों को सभ्य बनाने का बोझ) के दर्शन द्वारा न्यायोचित ठहराया गया।

इस प्रकार 1857 के विद्रोह ने भारत में ब्रिटिश शासन के एक नए चरण का प्रतिपादन किया। ब्रिटिश के लिए सामंती भारत से खतरा समाप्त हुआ और अंग्रेजी से शिक्षित मध्यम वर्ग के रूप में एक नई चुनौती का उद्भव हुआ।

इतिहासकारों के विचार

- **ताराचंद**- '1857 का विद्रोह अपनी मृत प्रतिष्ठा को पुनः प्राप्त करने का अंतिम अशक्त प्रयास था।'
- **एस. बी. चौधरी**- 'यह निश्चित रूप से स्वाधीनता का प्रथम युद्ध था। भारत के लिखित इतिहास के पूरे कैनवास में ऐसा विशाल विदेशी-विरोधी युद्ध खोजना कठिन है, जिसमें भारत के अनेक प्रांत एवं सभी वर्गों के लोग शामिल थे। भारत में ऐसा कोई युद्ध नहीं हुआ था, जो विदेशी शासकों को निष्कासित करने के उद्देश्य से एक वर्ष से भी अधिक समय तक जारी रहा हो और समानांतर रूप से अनेक क्षेत्रों में फैला हो।' (भारतीय सिपाही विद्रोह के सिद्धांत, Theories of the Indian Mutiny)
- **आर. सी. मजूमदार**- 'कुछ एक व्यक्तिगत उदाहरणों को छोड़कर ऐसा कोई प्रमाण नहीं मिलता, जो इस विचार का समर्थन करे कि जनता के इस विद्रोह की मुख्य प्रेरणा देश को आजाद कराने की भावना से उत्प्रेरित देशभक्ति थी... इस निष्कर्ष को नकारना कठिन है कि तथाकथित 1857 का यह युद्ध न ही पहला, न ही राष्ट्रीय और न ही स्वतंत्रता का युद्ध था।' (ब्रिटिश पैरामाउंटसी और इंडियन रेनैस्संस, British Paramountcy and Indian Renaissance, पेज 644)
- **एस. एन. मजुमदार**- 'विद्रोह अपरिहार्य था। कोई परतंत्र राष्ट्र कभी विदेशी प्रभुत्व के विरुद्ध एकजुट नहीं हो सकता है। एक निरंकुश सरकार तलवार के द्वारा ही अंततः शासन करती है, चाहे वह तलवार मखमली म्यान में ही क्यों न हो। भारत में तलवार आभासी रूप से सिपाही सेना के संरक्षण में थी। सिपाही एवं उनके विदेशी मालिकों के बीच जाति, भाषा और क्षेत्र का कोई जुड़ाव नहीं था... साम्राज्य के संघटन में ही विद्रोह निहित था।'

अध्याय

3 1857 के बाद जन-विद्रोह (1857-1900) (Popular Uprisings After 1857)

यद्यपि 1857 के विद्रोह का दमन कर दिया गया था, लेकिन जनता, विशेषकर किसान, जनजाति एवं कारीगरों (जिन्होंने औपनिवेशिक शोषण के सबसे बुरे रूप का सामना किया था), के दिल और दिमाग में ब्रिटिश-विरोधी भावनाएं सतत रूप से उबल रही थीं। वे औपनिवेशिक राज्य के साथ-साथ भारतीय समाज के सामंती तत्वों (जैसे भू-स्वामी और साहूकार) के दोहरे अत्याचार का सामना कर रहे थे।

ऐसे शोषण का विरोध जन-विद्रोह के रूप में निरंतर अभिव्यक्त होता रहा। आधिकारिक भाषा में इन्हें बगावत, डकैती, आपराधिक गतिविधियां और यहां तक कि ब्रिटिश द्वारा संप्रदायिकता अथवा जातिवाद के प्रदर्शन के रूप में वर्णित किया जाता था।

वास्तव में, ये अत्याचार के विरुद्ध अभिव्यक्ति थी, जो संपन्न और विपन्न के बीच संघर्ष था। यद्यपि ये विद्रोह अपने अत्याचारियों को समाप्त करने के प्रयास में असफल हुए, लेकिन उन्होंने आने वाले युग के जन-संघर्षों के लिए पृष्ठभूमि तैयार कर दी थी।

भारत में ब्रिटिश शासन का एक अन्य प्रभाव एक नए वर्ग अर्थात मजदूर वर्ग का उद्भव होना था। ब्रिटिश पूंजीपतियों ने भारत में अपनी पूंजी निवेश की थी और कुछ आधुनिक उद्योग स्थापित किए थे। रेलवे एवं बागानों को प्रस्तावित किया था, जिससे एक नए मजदूर-वर्ग का उदय हुआ। इस नए वर्ग का भी उनके मालिकों द्वारा शोषण किया जाने लगा था। यह वर्ग संगठित नहीं था, लेकिन 19वीं शताब्दी के दूसरे भाग में पृथक-पृथक हड़तालों की शुरुआत हुई। यहां तक कि भारतीय मालिकों द्वारा स्थापित कारखानों में भी हड़तालें हुईं। बेहतर वेतन और कार्य करने की बेहतर स्थिति मजदूरों की प्रमुख मांगें थीं।

इस प्रकार इस चरण में भविष्य में होने वाले श्रमिक वर्ग के आंदोलनों के लिए नींव तैयार हुई, जिसने राष्ट्रीय आंदोलन में भी एक महत्वपूर्ण भूमिका निभाई थी।

अत: इस अध्याय में आप 1857-1900 के मध्य उपनिवेशवाद के साथ-साथ भारतीय समाज के स्वदेशी शोषणकारियों के विरुद्ध किसान, जनजाति, कारीगर और मजदूरों द्वारा किए गए जन-विद्रोहों के बारे में पढ़ेंगे।

1857 के बाद जन-विद्रोह (Popular Uprisings after 1857)

नील विद्रोह (Indigo Revolt) (बंगाल, 1859–1860)

1770 के आस-पास ईस्ट इंडिया कंपनी द्वारा नील बागानों को स्थापित किया गया। यूरोप में **नीले रंग की डाई** की मांग बढ़ने से नील बागान अत्यधिक लाभदायक होने लगे थे। परिणामस्वरूप, नील बागानों के मालिकों (अधिकांश यूरोपीय) ने खाद्यान्नों (जीवन निर्वाह के लिए आवश्यक) के स्थान पर किसानों को नील की खेती करने के लिए मजबूर किया। बागान मालिक अपने आतंक को बनाए रखने के लिए लठैतों और यहां तक कि कानूनी जोड़-तोड़ का भी इस्तेमाल करते थे। वास्तव में, बागान मालिक कानून से भी ऊपर थे। 1857 में 29 बागान मालिकों को अवैतनिक मजिस्ट्रेट के रूप में नियुक्त किया गया और लोगों ने कहना शुरू कर दिया कि 'जो रक्षक, वही भक्षक'। सरकार के इस कार्य ने किसानों में अत्यधिक नफरत को पैदा की।

अप्रैल, 1860 में पहला विद्रोह बिष्णुचरण बिस्वास एवं दिगंबर बिस्वास के नेतृत्व में **गोविंदपुर** (नदिया जिला) गांव से प्रारंभ हुआ। नील उगाने वाले किसानों ने नील बोने से मना कर दिया, जिसे हम **भारतीय कृषक इतिहास की पहली आम हड़ताल** कह सकते हैं। जल्द ही यह हड़ताल बंगाल के अन्य स्थानों, जिनमें पाबना, खुलना, बीरभूम, बर्दवान एवं मुर्शिदाबाद शामिल थे, में फैल गई।

नील-विद्रोह की प्रमुख विशेषताएं (Special Features of Indigo Revolt)

नील किसानों की एकता- नील विद्रोह की सफलता का एक प्रमुख कारण किसानों द्वारा दिखाई गई एकता एवं संगठन था। हिंदू एवं मुसलमान किसानों में भी पूर्ण एकता थी।

बंगाली मध्यम वर्ग का समर्थन- नील विद्रोह के नाम से प्रसिद्ध इस आंदोलन को बंगाली प्रबुद्ध-वर्ग का पूरा समर्थन मिला। इसे समकालीन समाचार पत्र **'द बंगाली'** (The Bengalee) में विधिवत तरीके से स्थान दिया गया। हिंदू पैट्रियट (Hindu Patriot) के संपादक **हरीश चंद्र मुखर्जी** द्वारा विशेष भूमिका निभाई गई, जिन्होंने किसानों के कष्ट एवं उनके प्रतिरोध की रिपोर्ट को नियमित रूप से प्रकाशित किया। दीनबंधु मित्र ने अपने बंगाली नाटक **नील दर्पण** में किसानों की दुर्दशा को दर्शाया। इस नाटक से काफी विवाद उत्पन्न हुआ और कंपनी की सरकार द्वारा इसे प्रतिबंधित कर दिया गया।

उभरते राष्ट्रवादियों पर प्रभाव- प्रबुद्धजनों के समर्थन ने युवा राष्ट्रवादियों पर एक महत्वपूर्ण प्रभाव छोड़ा। उनके लिए नील विद्रोह ने विदेशी शासकों द्वारा किए जा रहे उत्पीड़न के विरुद्ध प्रतिरोध की एक मूल्यवान परंपरा का सूत्रपात किया।

प्रमुख नेता-**बिष्णुचरण बिस्वास** व **दिगंबर बिस्वास।**

शासकीय प्रतिक्रिया: किसी बड़े कृषक विद्रोह के डर से सरकार ने जांच का आदेश दिया और एक नील कमीशन (1860) नियुक्त किया। जांच ने नील की खेती की पूरी व्यवस्था में हो रहे भ्रष्टाचार को उजागर किया। परिणामस्वरूप, सरकार ने एक अधिसूचना जारी करके कहा कि किसानों को नील उगाने के लिए मजबूर नहीं किया जा सकता। इन सुझावों को 1862 के अधिनियम में समाविष्ट किया गया।

मापिला (मोपला) विद्रोह (मालाबार, 1850-1900)

बंगाल में नील की ढाई का कारखाना, 1867

1850-1900 के दौरान मालाबार में मोपला विद्रोह की एक श्रृंखला देखी गई। मोपला किसान अपने **जेनमी** भू-स्वामियों के उत्पीड़न के विरुद्ध उठ खड़े हुए। इन जेनमी भू-स्वामियों को ब्रिटिश प्रशासन (पुलिस, अदालत, राजस्व अधिकारियों) का समर्थन मिला हुआ था। मूल रूप से यह मोपला विद्रोह एक अमीर-गरीब के बीच संघर्ष था, जिसे औपनिवेशिक राज्य द्वारा **सांप्रदायिक रंग** दिया गया, क्योंकि मोपला मुस्लिम थे, जबकि भू-स्वामी हिंदू। भू-स्वामियों ने स्वयं को पुनर्स्थापित करने के लिए निर्दयतापूर्वक दमन किया, जिसमें विद्रोही संस्थाओं को जलाना शामिल था, ताकि भय उत्पन्न किया जा सके। हालांकि, इसने किसानों को और आक्रामक बना दिया, जिन्होंने बदले में संपत्ति लूटी, भू-स्वामियों के घर जला दिए और यहां तक कि हिंदू मंदिरों को अपवित्र कर दिया। 1896 तक आते-आते मोपला-विद्रोह सांप्रदायिक रंग में ढल चुका था।

पाबना विद्रोह (पूर्वी बंगाल, 1873-1885)

पाबना विद्रोह का मुख्य कारण जमींदारों का भ्रष्टाचार था। उन्होंने लगान की दरें कानूनी सीमा से भी ज्यादा बढ़ा दी थीं और साथ ही वे काश्तकारों को मिली जमीन पर कब्जे के नए अधिकार को समाप्त कर रहे थे। काश्तकारों को उनके कब्जे के

अधिकार को छोड़ने के लिए मजबूर किया गया और एक जबरन लिखित समझौते द्वारा उन्हें गैर-मौरूसी काश्तकार (ऐसा काश्तकार, जिसे बिना सूचना के निकाला जा सकता हो) में बदल दिया गया।

पाबना विद्रोह की मुख्य विशेषताएं

कृषक लीगों की स्थापना (Formation of Agrarian Leagues)- जैसे ही पाबना किसान नए कानूनों के बारे में जागरूक हुए, उन्होंने 1873 में एक कृषक लीग बनाई। यह संघर्ष पूर्वी बंगाल के अन्य जिलों में फैला और प्रत्येक स्थान पर कृषक लीगों की स्थापना हुई। लीग की स्थापना का भू-स्वामी समर्थक समाचार पत्रों द्वारा विरोध किया गया। ऐसे समाचार पत्रों में **'अमृत बाजार पत्रिका'** भी शामिल था।

कानूनी प्रतिरोध- यह आंदोलन कानून के दायरे में रहकर हुआ और कुछ ही गैर-मामूली घटनाएं घटीं। जनता को लामबंद करने के तरीकों में ढोल पीटना, शंख बजाना और रात में कोलाहल मचाना शामिल थे। लीगों ने लगान हड़तालें आयोजित कीं और जमींदारों को अदालत में चुनौती दी। किसानों ने अपने कानूनी अधिकारों की एक सशक्त जागरूकता और शांतिपूर्ण प्रतिरोध की क्षमता विकसित की।

न जमींदारी व्यवस्था के विरोधी और न ही उपनिवेश-विरोधी- एक उल्लेखनीय विशेषता यह थी कि किसानों का उद्देश्य तात्कालिक शिकायतों के निवारण तक सीमित था। किसी भी स्तर पर न ही यह जमींदार-विरोधी और न ही उपनिवेश-विरोधी था। किसानों ने ब्रिटिश सत्ता की अवहेलना नहीं की, अपितु उन्होंने घोषित किया कि उनका उद्देश्य है कि **'वे महारानी और सिर्फ महारानी के रैयत होना चाहते हैं।'**

भारतीय बुद्धिजीवियों का समर्थन- एक बार पुनः बड़ी संख्या में युवा भारतीय बुद्धिजीवी किसानों की समस्याओं के समर्थन में आये। इनमें बंकिम चंद्र चटर्जी एवं आर.सी. दत्त जैसे बुद्धिजीवी शामिल थे। सुरेंद्रनाथ बनर्जी, आनंद मोहन बोस एवं द्वारकानाथ गांगुली के नेतृत्व में इंडियन एसोसिएशन ने काश्तकारों के अधिकारों के लिए अभियान चलाया।

हिंदू-मुस्लिम एकता- एक बार पुनः बंगाल के किसानों ने पूर्ण हिंदू-मुस्लिम एकता दिखाई जैसा कि उन्होंने नील विद्रोह के समय किया था। भू-स्वामियों ने इसे एक सांप्रदायिक आंदोलन का रंग देने का प्रयास किया, क्योंकि पाबना में दो-तिहाई किसान और करीब जनसंख्या के 70% लोग मुस्लिम थे। हालांकि, उल्लेखनीय है कि पाबना किसानों के दो अग्रगामी नेता केशब चंद्र सेन एवं शंभूनाथ पाल हिंदू थे।

प्रमुख नेता- **केशब चंद्र सेन** एवं **शंभूनाथ पाल**

सरकार की प्रतिक्रिया- विद्रोह की शुरुआत में औपनिवेशिक प्रशासन द्वारा किसानों के प्रति सहानुभूतिपूर्ण रवैया अपनाया गया। लेकिन जब कभी हिंसा हुई, तब सरकार ने जमींदारों का संरक्षण किया। जहां तक कानूनी-लड़ाई अथवा शांतिपूर्ण आंदोलन की बात है, सरकार तटस्थ रहती थी। काश्तकारों को जमींदारों के उत्पीड़न से संरक्षित करने के लिए **1885** में **बंगाल टेनेंसी एक्ट** पारित किया गया।

दक्कन उपद्रव (Deccan Riot, 1875)

दक्कन उपद्रव दक्कन के किसानों का एक विद्रोह था, जो मुख्य रूप से मारवाड़ी एवं गुजराती साहूकारों के शोषण के विरुद्ध हुआ था। इस विद्रोह के पीछे अनेक कारण थे, जिनमें दक्कन में रैयतवाड़ी व्यवस्था का शुरू होना (1858), अमेरिकी गृह युद्ध (1864) की समाप्ति के बाद विश्व में कपास की कीमतों में गिरावट आना और 1867 में सरकार द्वारा भू-राजस्व में 50% तक वृद्धि करना शामिल थे। उत्तरोत्तर खराब पैदावार ने स्थिति को और अधिक बिगाड़ दिया।

रैयतवाड़ी व्यवस्था के अंतर्गत भू-राजस्व को प्रत्यक्ष रूप से किसान, जिसे उसकी भूमि का मालिक भी माना जाता था, से लिया जाता था। अन्य किसानों के समान ही रैयतवाड़ी व्यवस्था के अंतर्गत दक्कन के किसानों को साहूकारों के चक्रव्यूह में फंसे बिना उच्च राजस्व का भुगतान करना कठिन था। इससे किसानों एवं साहूकारों के बीच नफरत बढ़ी और इनमें से अधिकतर साहूकार बाहरी अर्थात मारवाड़ी अथवा गुजराती थे।

साहूकार, जो बाहर से आते थे, लालची थे और अक्सर दक्कन के अशिक्षित किसानों से लाभहीन अनुबंधों पर हस्ताक्षर कराके बेवकूफ बनाते थे। दीवानी अदालतें भी हमेशा सूदखोर साहूकारों का पक्ष लेते हुए किसानों को बेदखली का आदेश देती थीं। इसका स्वाभाविक परिणाम यह हुआ कि भू-स्वामित्व का स्थानांतरण किसानों से साहूकारों की ओर हुआ, जिसने **वानी** (साहूकार) और **कुनबी** (खेतिहर किसानों की जाति) के बीच तनाव बढ़ा दिया।

दिसम्बर, 1874 में शिरूर तालुका के करदा गांव में पहला उपद्रव शुरू हुआ, जब एक मारवाड़ी साहूकार ने एक खेतिहर किसान बाबा साहब देशमुख, जिन पर उसका 150 रुपए बकाया था, के विरुद्ध बेदखली/निष्कासन का आदेश प्राप्त कर लिया। देशमुख के घर को बलपूर्वक ढहा दिया गया, जिससे ग्रामीणों का गुस्सा फूट पड़ा। बाहरी साहूकारों का सामाजिक बहिष्कार किया गया और यहां तक कि बुलोटीदारों (ऐसे ग्रामीण सेवक और किसान जो बहिष्कार में शामिल नहीं होंगे) पर भी सामाजिक प्रतिबंध लगाए गए।

जब सामाजिक बहिष्कार प्रभावी साबित नहीं हुआ, तो किसानों ने कृषक उपद्रव की ओर रुख किया। जून, 1875 तक किसानों द्वारा साहूकारों के घरों एवं दुकानों पर हमला करने व जला देने के साथ **पूना** एवं **अहमदनगर** जिले दहकने लगे। मुख्य लक्ष्य गिरवी अनुबंधों को बनाया गया, जिन्हें किसान उत्पीड़न का साधन मानते थे। इस वर्ग-संघर्ष को भी जातिगत संघर्ष का रंग दिया गया।

दक्कन उपद्रव की मुख्य विशेषताएं

उपनिवेश-विरोधी चेतना का अभाव- पाबना विद्रोह के समान ही दक्कन उपद्रव भी उपनिवेश-विरोधी चेतना से रहित था।
राष्ट्रवादी बुद्धिजीवियों का समर्थन- यहां भी पुनः महाराष्ट्र के आधुनिक बुद्धिजीवियों ने किसानों का समर्थन किया। जस्टिस रानाडे के नेतृत्व में पूना सार्वजनिक सभा एवं राष्ट्रवादी समाचार पत्रों ने उल्लेखनीय भूमिका निभाई।

सरकार की प्रतिक्रिया- सैन्य सहायता से पुलिस ने तेजी से कार्रवाई की। हजारों किसानों को गिरफ्तार किया गया और विद्रोह को पूर्णतया दबा दिया गया। हालांकि, सरकार को किसानों के विरुद्ध कोई प्रमाण नहीं मिल सका। विद्रोह के कारणों की जांच के लिए सरकार को एक **दक्कन उपद्रव समिति (Deccan Riots Commission)** की नियुक्ति के लिए मजबूर होना पड़ा। बाद में, 1879 में **दक्कन कृषक राहत अधिनियम (Deccan Agriculturalists' Relief Act, 1879)** पारित किया गया, जिसने कर्ज न चुकाने में असफल होने की स्थिति में किसानों की भूमि को छीनने और गिरफ्तार करने पर रोक लगा दी।

कोया विद्रोह (पूर्वी गोदावरी क्षेत्र, 1879-1880)

यह विद्रोह वर्तमान आंध्र प्रदेश के पूर्वी गोदावरी क्षेत्र में हुआ और मल्कानगिरी (कोरापुट जिला, उड़ीसा) के कुछ क्षेत्रों को भी इसने प्रभावित किया। कोया विद्रोह के मूल कारण जनजातीय शिकायतें, जैसे- वन संबंधी अधिकारों का उन्मूलन, साहूकारों द्वारा शोषण इत्यादि थे।

यह विद्रोह कोया नेता तोम्मा डोरा (जिन्हें मल्कानगिरी का राजा पुकारा जाता था) के नेतृत्व में शुरू हुआ। ऐसा माना जाता है कि विद्रोहियों ने एक पुलिस स्टेशन को कब्जे में ले लिया था, जिसके बाद डोरा को गोली मार दी गई और इस तरह इस आंदोलन का अंत हुआ।

मुख्य नेता- **तोम्मा डोरा**

मुंडा विद्रोह (छोटा नागपुर, 1874-1901)

यह एक जनजातीय आंदोलन था, जो 1874 व 1901 के बीच विकसित हुआ और 1895 से बिरसा मुंडा ने इसका नेतृत्व किया। इसने दक्षिण बिहार के छोटा नागपुर क्षेत्र में करीब 400 वर्ग मील क्षेत्र को प्रभावित किया। यह आंदोलन औपनिवेशिक

काल में आदिवासी लोगों को प्रभावित करने वाली आधारभूत समस्याओं के कारण पैदा हुआ। जागीरदारों, राजस्व किसानों एवं व्यापारी साहूकारों के दखलंदाजी के कारण सार्वजनिक भू-स्वामित्व की मुंडा-व्यवस्था नष्ट हो गई थी।

बिरसा मुंडा

उल्लेखनीय है कि अपने प्रारंभिक चरण में **ईसाइयत से इस आंदोलन का स्पष्ट संबंध** था। मुंडा जनजाति के लोगों ने इस उम्मीद में ईसाई धर्म स्वीकार किया कि जर्मन धर्म-प्रचारक उन्हें जमींदारों के शोषण के विरुद्ध सहायता करेंगे। हालांकि, जर्मन ईसाई धर्म प्रचारकों से असंतुष्ट होने के बाद वे कैथोलिक मिशन की ओर मुड़े, लेकिन औपनिवेशिक अधिकारियों और जमींदारों के बीच औपनिवेशिक गठजोड़ को देखकर मुंडा सरदार सभी बाहरी लोगों के विरुद्ध हो गए और अंततः बिरसा मुंडा के नेतृत्व में विद्रोह **(उलगुलन)** के लिए उठ खड़े हुए। लेकिन इससे पूर्व बिरसा मुंडा ने स्वयं को ईश्वर का संदेश-वाहक घोषित किया। सरदारों के प्रभाव के अधीन उनके धार्मिक आंदोलन ने कृषक एवं राजनीतिक विषय-वस्तु को प्राप्त करना प्रारंभ किया।

1899 में बिरसा मुंडा ने मुंडा शासन स्थापित करने के लिए एक विद्रोह का ऐलान किया और जागीरदारों, राजाओं, हकीमों व ईसाइयों को मारने के लिए मुंडाओं को प्रेरित किया। बिरसा ने सफलतापूर्वक तलवार व भाला, तीर और कमान से लैस करीब 6000 मुंडाओं को सक्रिय किया। इस आंदोलन में महिलाओं की सक्रिय सहभागिता रही। आर्थिक रूप से कमजोर गैर-जनजातीय लोगों पर हमला नहीं किया गया।

मुख्य नेता- **बिरसा मुंडा**

दमन- इस विद्रोह को ब्रिटिश बलों द्वारा कठोरता से दबा दिया गया। बिरसा को 1900 में गिरफ्तार कर लिया गया और उसी वर्ष जेल में उनकी मृत्यु हुई।

रंपा विद्रोह (आंध्रा, 1879 और 1922)

1879 में रंपा विद्रोह तटीय आंध्र में रंपा क्षेत्र के पहाड़ी जनजातियों द्वारा ब्रिटिश प्रशासन, विशेषकर मनसबदार समर्थित सरकार द्वारा किए जा रहे उत्पीड़न और वन-विनियमन, के विरुद्ध हुआ। इस विद्रोह को वृहद स्तरीय सैन्य ऑपरेशन (अभियान) के बाद ही दबाया जा सका। अनेक रंपा क्रांतिकारियों को गिरफ्तार किया गया और अंडमान निर्वासित कर दिया गया।

1922 का रंपा विद्रोह (जिसे दूसरा रंपा विद्रोह भी कहा जाता है) मद्रास प्रेसीडेंसी के गोदावरी एजेंसी में **अल्लूरी सीताराम राजू** के नेतृत्व में एक जनजातीय विद्रोह था। रंपाओं ने ब्रिटिश कानूनों, वन अधिकारों के छिनने, **'पोडू'** व्यवस्था (झूमकृषि) पर प्रतिबंध और सड़क निर्माण में जबरन मजदूरी के विरुद्ध विद्रोह किया। विद्रोह ने गोरिल्ला संघर्ष का स्वरूप लिया और मई, 1924 में राजू को गोली लगने के साथ समाप्त हुआ।

अन्य किसान विद्रोह में शामिल थे

- **कूकाविद्रोह (पंजाब, 1872)- बाबा राम सिंह** के नेतृत्व में यह एक मसीहाई आंदोलन था।
- **रामोसी विद्रोह (महाराष्ट्र, 1879)**- इस विद्रोह का नेतृत्व **वासुदेव बलवंत फड़के** ने किया, जिन्होंने बड़े स्तर पर सामाजिक डाका (लूट) आयोजित किया।
- **असम (1893)**- उच्च भू-राजस्व के विरोध में असम में किसान-उपद्रवों की एक शृंखला देखी गई। इनमें से अधिकांश विद्रोहों का निर्दयता से दमन कर दिया गया।

प्रीलिम कैप्सूल

1857 के बाद विद्रोह

विद्रोह	काल	महत्वपूर्ण विवरण
नील विद्रोह (बंगाल)	**1859-1860**	कारण- यूरोपियन बागान मालिक किसानों को जीवन-निर्वाह के लिए आवश्यक खाद्यान्न के स्थान पर नील की खेती करने के लिए मजबूर करते थे। पहले विद्रोह **गोविंदपुर** गांव से शुरू हुआ। नील की खेती करने वाले किसानों ने नील उगाने से मना कर दिया, जिसे हम भारतीय इतिहास की **पहली सामान्य हड़ताल** कह सकते हैं । इस आंदोलन को **नील विद्रोह** के नाम से भी जाना जाता है। इस मुद्दे को समकालीन समाचार-पत्र **द बंगाली** में विधिवत रूप से प्रकाशित किया गया। दीनबंधु मित्र ने अपने बंगाली नाटक **नीलदर्पण** में किसानों की दुर्दशा को दर्शाया। नेतृत्व- **बिष्णुचरण बिस्वास व दिगंबर बिस्वास** परिणाम- 1860 में नील कमीशन की नियुक्ति की गई।
मोपला विद्रोह (मालाबार)	**1850-1900**	कारण- मोपला किसान **जेनमी** भू-स्वामी, जिनको ब्रिटिश प्रशासन का समर्थन था, के अत्याचार के विरुद्ध उठ खड़े हुए । इस विद्रोह को औपनिवेशिक राज्य द्वारा **सांप्रदायिक रंग** दिया गया क्योंकि मोपला मुस्लिम थे, जबकि भू-स्वामी हिंदू।
पाबना विद्रोह (पूर्वी बंगाल)	**1873-1885**	कारण- जमींदारों के भ्रष्टाचार जैसे लगान को कानूनी सीमा से अधिक बढ़ाना और काश्तकारों के कब्जे के नए अधिकारों को नष्ट करना। इस विद्रोह का विरोध भू-स्वामी समर्थित समाचार-पत्र **अमृत बाजार पत्रिका** द्वारा किया गया। किसानों ने अपना लक्ष्य घोषित करते हुए कहा कि 'वे इंग्लैंड की महारानी के रैयत हैं और केवल उनके ही हैं।' समर्थन- बंकिम चंद्र चटर्जी, आर.सी. दत्त एवं इंडियन एसोसिएशन (आनंद मोहन बोस, सुरेंद्रनाथ बनर्जी एवं द्वारकानाथ गांगुली के नेतृत्व में) नेतृत्व- **केशव चंद्र सेन एवं शंभूनाथ पाल** परिणाम- **बंगाल टेनेंसी एक्ट (The Bengal Tenancy Act, 1885)** पारित किया गया।

विद्रोह	काल	महत्वपूर्ण विवरण
दक्कन उपद्रव	**1875**	कारण- मारवाड़ी एवं गुजराती साहूकारों के शोषण के विरुद्ध दक्कन के किसानों ने विद्रोह किया। अन्य कारणों में शामिल थे- दक्कन में रैयतवाड़ी व्यवस्था को प्रस्तावित करना (1858), अमेरिकी गृह युद्ध (1864) की समाप्ति के बाद कपास की कीमतों में विश्व भर में गिरावट आना और 1867 में सरकार द्वारा भू-राजस्व में 50% तक वृद्धि करना। समर्थन- जस्टिस रानाडे के नेतृत्व में **पूना सार्वजनिक सभा** द्वारा। परिणाम- विद्रोह के कारणों की जांच करने के लिए **दक्कन उपद्रव समिति** नियुक्ति की गई। **1879** का **दक्कन कृषि राहत अधिनियम** पारित किया गया।
कोया विद्रोह (पूर्वी गोदावरी क्षेत्र)	**1879-1880**	कारण- जनजातीय शिकायतें जैसे- वनों से जुड़े अधिकारों को छीनना और साहूकारों द्वारा शोषण इत्यादि। नेतृत्व- **तोम्मा डोरा**
मुंडा विद्रोह (छोटा नागपुर)	**1874-1901**	कारण- जगीदारों, राजस्व-किसानों और व्यापारी-साहूकारों के घुसपैठ ने सार्वजनिक भू-स्वामित्व की मुंडा व्यवस्था को नष्ट कर दिया गया था। इस विद्रोह को **उलगुलन** नाम से जाना गया। नेतृत्व- **बिरसा मुंडा**
रम्पा विद्रोह (आंध्रा)	**1879-1922**	कारण- ब्रिटिश प्रशासन और वन-विनियमन के विरुद्ध रंपा जनजातियां विद्रोह के लिए उठ खड़ी हुई। नेतृत्व- **अल्लूरी सीताराम राजू** (द्वितीय रंपा विद्रोह)

1857 के बाद जन-विद्रोह की प्रकृति एवं चरित्र (Nature and Characteristics of Popular Uprisings After 1857)

1857 के बाद के जन-विद्रोहों के चरित्र एवं प्रकृति में बड़ा अंतर आया, जिसे निम्नलिखित शीर्षकों में समझा जा सकता है-

किसानों का मुख्य बल के रूप में उद्भव

चूंकि अधिकांश राजकुमार, मुखिया और भू-स्वामियों को या तो दबाया जा चुका था या उन्हें सहयोजित कर लिया गया था, इसलिए अब किसान इन विद्रोहों के पीछे मुख्य बल के रूप में उभरे। अब किसान अपनी मांगों के लिए प्रत्यक्ष रूप से लड़े और उन्होंने अतुलनीय बलिदान और एकता का परिचय दिया, जो जाति व धर्म के बंधनों से परे था।

लक्ष्य, धर्म और संगठन में सीमित

किसान एवं आदिवासियों का उद्देश्य अपनी तात्कालिक शिकायतों, जो अधिकांश आर्थिक प्रकृति की थी, का निवारण करने तक सीमित था। उनका उद्देश्य उपनिवेशवाद अथवा सामंतवाद के विरुद्ध लड़ना नहीं था, बल्कि उनका उद्देश्य केवल अप्रिय प्रथाओं, जैसे- अतार्किक निष्कासन और लगान वृद्धि के विरुद्ध लड़ना था। ये आंदोलन निकटतम उत्पीड़कों, जैसे- बागान

मालिकों, जमींदारों और साहूकारों के विरुद्ध निर्देशित था, न कि साम्राज्यवादी शासकों के विरुद्ध। इसके विपरीत हमं कुछ मुद्दों, जैसे- मुंडा विद्रोह में भू-स्वामियों और साहूकारों के विरुद्ध संघर्ष में साम्राज्यवाद के साथ संबंध भी देखते हैं।

ये आंदोलन क्षेत्रीय प्रभाव की दृष्टि से भी स्थानीय थे और एक-दूसरे से पृथक थे। इनमें निरंतरता और दीर्घकालीन संगठन का भी अभाव था। नेता आंदोलन के साथ उठे व समाप्त हुए और अपने पीछे कोई उत्तराधिकारी नहीं छोड़कर गए।

एक निष्पक्ष व न्यायपूर्ण व्यवस्था की परिकल्पना

ये विद्रोह न्याय एवं निष्पक्षता के दृढ़विचार से संचालित थे। किसान एवं आदिवासियों ने शोषण से रहित एक न्यायपूर्ण व्यवस्था की परिकल्पना की, जिसमें सभी सुखद एवं गरिमामय जीवन व्यतीत कर सकें। उन्होंने अपने कानूनी अधिकारों की जागरूकता का प्रदर्शन किया।

भारतीय बुद्धिजीवी वर्ग की भूमिका

1857 के विद्रोह के विपरीत इन आंदोलनों में भारतीय बुद्धिजीवी-वर्ग के समर्थन की शुरुआत को देखा गया, जिनकी किसान समर्थित सहानुभूति को कुछ समाचार पत्रों एवं समकालीन साहित्यक कार्यों, जैसे- नील दर्पण, में अभिव्यक्त किया गया।

धर्म एवं जाति के साथ संबंध

यह इन विद्रोहों की एक उल्लेखनीय विशेषता थी। भारत में जाति एवं धर्म की बहुलता के कारण अनेक अवसरों पर इन वर्ग संघर्षों को सांप्रदायिक अथवा जातीय रंग दिया गया जैसा कि मापिला और पाबना किसान संघर्ष के दौरान हुआ।

उपनिवेशवाद की पर्याप्त समझ का अभाव

19वीं शताब्दी के किसान आंदोलनों की यह एक मुख्य कमजोरी थी। पूर्ववर्ती जनजातीय विद्रोह एवं 1857 के विद्रोह के विपरीत 1857 के बाद के किसान विद्रोह ने प्रत्यक्ष रूप से औपनिवेशिक राज्य को चुनौती नहीं दी। परिणामस्वरूप, विद्रोहियों के प्रति ब्रिटिश सरकार का व्यवहार गुणात्मक रूप से अलग था और राज्य एक निश्चित दूरी से उनकी समस्याओं को कम करने के इच्छुक था।

पीछे की ओर देखने की प्रवृत्ति

पिछले विद्रोह के समान इन विद्रोहियों ने भी बीते हुए समय की ओर देखने का प्रयास किया, जिसे वे बेहतर मानते थे। इस प्रकार वे पुनरुत्थानवादी चरित्र के थे और एक पूर्ववर्ती व्यवस्था को स्थापित करना चाहते थे। उन्होंने कोई नई विचारधारा अथवा वैकल्पिक सामाजिक-आर्थिक, राजनीतिक व्यवस्था नहीं सुझाई। समाज के लिए नए दृष्टिकोण और आधुनिक सोच के अभाव में ब्रिटिश सरकार के लिए एक के बाद एक इन आंदोलनों का दमन करना आसान हुआ। समाज की अग्रगामी सोच, आधुनिक बुद्धिजीवियों द्वारा ही बनाई जा सकती थी, जो स्वयं विकसित होने की प्रक्रिया में थे। (अगली इकाई में 19वीं शताब्दी की सामाजिक-आर्थिक चेतना के बारे में पढ़ें)।

20वीं शताब्दी में इनमें से अधिकांश समस्यों का समाधान निकाल लिया गया और किसान आंदोलन साम्राज्यवादी-विरोधी बड़े संघर्ष के साथ जुड़ गए।

(इकाई-6 में 1920 व 1930 के दशक में हुए किसान आंदोलनों के बारे में पढ़ें।)

मजदूर वर्ग के आंदोलन (Working Class Movements, 1850–1900)

1850 के बाद के समय में भारत में मजदूर वर्ग के प्रारंभिक आंदोलनों के उद्‌भव को देखा गया। कुछ समय मजदूर वर्ग में मुख्य रूप से किसान एवं कारीगर शामिल थे, जिनको औपनिवेशिक शासन के प्रभाव के अंतर्गत अपना व्यवसाय खोना पड़ा था और जो उभरते आधुनिक औद्योगिक क्षेत्र के भाग बन चुके थे। भारत में यह क्षेत्र, जो 1840 के दशक से भारत में उन्नत हो रहा था, ब्रिटिश पूंजी के निवेश का परिणाम था और पूरी तरह से ब्रिटिश पूंजीपतियों के हाथों में था।

ब्रिटिश पूंजीपति चाय बागानों (1839 से), जूट, कोयला, खनन एवं रेलवे में निवेश करने हेतु आकर्षित हुए थे और कुछ समय बाद पोत-निर्माण में भी प्रमुख निवेश किया जाने लगा। केवल कपड़ा/वस्त्र उद्योग ही था, जिससे भारतीय व्यापारी मुख्य रूप से जुड़े हुए थे। ये उद्योग 1850 से शुरू हुए और मुख्य रूप से बॉम्बे व अहमदाबाद में स्थित थे।

यहां इस बात पर बल देने की आवश्यकता है कि औपनिवेशिक अर्थव्यवस्था के अंतर्गत जन्मे इस तथाकथित आधुनिक क्षेत्र का उद्देश्य भारत और इसकी जनता का विकास करना नहीं था। साथ ही, कार्य की परिस्थितियां दयनीय थीं और मजदूरों (महिला व बच्चे भी शामिल थे) के साथ लगभग दास के समान व्यवहार किया जाता था। वे एक दिन में 15 से 16 घंटे कार्य करते थे और सप्ताह में कोई अवकाश भी नहीं मिलता था। उन्हें बहुत ही कम वेतन दिया जाता था और साथ ही पीटा जाता था और यातनाएं भी दी जाती थीं। ऐसी कष्टप्रद स्थितियों में मजदूरों का संगठित होना बहुत मुश्किल था और जो कुछ थोड़ी बगावत होती थी, वह उनके कार्य की बदतर परिस्थितियों के विरुद्ध प्रतिक्रिया के रूप में सामने आती थी।

शिक्षित वर्ग के प्रारंभिक प्रयास (1850-1900)

इस काल के दौरान शिक्षित कुलीन-वर्ग ने श्रमिक वर्ग की समस्याओं पर ध्यान केंद्रित किया और उन्हें उठाया। वे सामाजिक-धार्मिक सुधार आंदोलनों द्वारा प्रसारित किए जा रहे मानवीय विचारों और विश्व के विभिन्न भागों में हो रहे अन्य समकालीन मजदूर आंदोलनों से आकर्षित हुए थे। बुद्धिजीवियों के प्रारंभिक प्रयास मजदूरों को संगठित करने की ओर निर्देशित थे, जो इस प्रकार हैं-

- **वर्किंग मेंस क्लब (Working Men's Club, 1870)**- इसकी स्थापना एक ब्रह्म समाजी **शशिपाद बनर्जी** ने की।
- **वर्किंग मेंस मिशन (Working Men's Mission, 1878)**- इसकी स्थापना कलकत्ता ब्रह्म समाज द्वारा की गई, ताकि मजदूरों के बीच धार्मिक नैतिकता को प्रचारित किया जा सके।
- **1884 का मेमोरेंडम (Memorandum of 1884)**- इसका प्रारूप **सोराबजी सपूर्जी बंगाली** एवं **नारायण मेघाजी लोखंडे** द्वारा बनाया गया और इस पर बॉम्बे में कपास कारखाने के 5000 मजदूरों द्वारा हस्ताक्षर किया गया। इसमें प्रत्येक रविवार को अवकाश, दोपहर में डेढ़ घंटे का आराम, सुबह 6:30 से शाम तक कार्य दिवस की अवधि, घायल होने पर पूरा वेतन व अक्षम होने पर पेंशन देने जैसी मांगे की गई। इस मेमोरेंडम को बॉम्बे की सरकार द्वारा नियुक्त 1884 के आयोग के सामने प्रस्तुत किया गया एवं इसका प्रभाव 1891 के **पहले भारतीय कंपनी अधिनियम (Indian Factories Act, 1891)** में भी देखा गया।
- 10 जून 1890 में बॉम्बे मिल ओनर्स एसोसिएशन (Bombay Mill Owners' Association) द्वारा साप्ताहिक अवकाश के लिए मजदूरों के निवेदन को स्वीकार कर लिया गया, लेकिन इसके लिए कोई कानूनी प्रावधान नहीं बनाया गया था, जिससे इसे लागू नहीं किया जा सका।

हड़तालें (Strikes)

उपर्युक्त प्रयासों के अलावा, जो मजदूरों को संगठित करने की ओर निर्देशित थे, अनेक तात्कालिक हड़तालें भी हुई। अनेक स्थानों में मजदूरों का नेतृत्व जोबर अथवा सरदारों (जो मजदूरों को भर्ती करते थे) द्वारा किया गया था। 1862 में हावड़ा

रेलवे स्टेशन पर 8 घंटे के कार्य दिवस की मांग के लिए एक बहुत बड़ी हड़ताल हुई, जिसमें करीब 1200 मजदूर शामिल हुए। यह उल्लेखनीय है कि यह कार्यवाही शिकागो के मजदूरों के ऐतिहासिक मई-दिवस आंदोलन के 24 घंटे बाद हुई थी।

यह स्पष्ट है कि अपने प्रारंभिक संघर्षों में मजदूरों का नेतृत्व बाहरी लोगों (बुद्धिजीवी वर्ग अथवा जोबरों) द्वारा किया गया था। मजदूरों के संगठन और उनकी चेतना को गंभीर रूप से प्रभावित करने में ये प्रारंभिक प्रयास असफल रहे। महिला एवं बाल मजदूरों की दयनीय स्थिति को पूर्णतया नजरअंदाज कर दिया गया था, जो उस समय के सामंती मनोदशा को दिखाता है। परिणामस्वरूप, किसान आंदोलन के समान ये प्रारंभिक मजदूर वर्गों के आंदोलन अपनी तात्कालिक समस्याओं तक सीमित रहे।

सारांश में, इस अध्याय में हमने 1857-1900 के दौरान हुए किसान, जनजाति और मजदूरों के जन-विद्रोह के बारे में पढ़ा। यह वर्ग दोहरे उत्पीड़न से पीड़ित थे- औपनिवेशिक राज्य के साथ-साथ स्वदेशी शोषणकारियों, जैसे- जमींदार और साहूकारों, का उत्पीड़न। किसान एवं मजदूर स्वाभाविक रूप से अपने अत्याचारियों के विरुद्ध विद्रोह के लिए उठ खड़े हुए थे। इन विद्रोहों की एक महत्वपूर्ण विशेषता यह थी कि ये अपने लक्ष्य, प्रसार और संगठन में सीमित थे। यद्यपि मूल रूप से ये वर्ग-संघर्ष से उत्पन्न हुए थे, लेकिन भारत की जाति व धर्म की विविधता के कारण इनको अक्सर सांप्रदायिक अथवा जातीय रंग दिया जाता था। सार रूप में, इन संघर्षों को अमीर और गरीब के बीच संघर्ष के रूप में देखा जा सकता है। यद्यपि ये अपने प्रभाव में सीमित थे, लेकिन इन आंदोलनों ने राष्ट्रीय स्तर पर भविष्य के किसान व मजदूर वर्ग के जन-आंदोलनों के लिए एक पृष्ठभूमि तैयार की और राष्ट्रीय आंदोलन को अत्यधिक बल दिया।

इकाई 5

सामाजिक-धार्मिक सुधार आंदोलन

अध्याय 1

सामाजिक-धार्मिक आंदोलन (भाग-1) (पूर्वी, पश्चिमी, उत्तरी व दक्षिणी भारत में जागृति)

वे बल जो भारतीयों को ब्रिटिश सरकार के विरुद्ध विद्रोह की ओर ले जार हे थे, वही उन्हें उनके सामाजिक व धार्मिक जीवन में सुधार की ओर ले भी जा रहे थे। कुछ चंद ब्रिटिशों द्वारा भारत जैसे विशाल देश पर जीत व पश्चिमी संस्कृति के प्रसार ने भारतीय समाज की गंभीर कमियों को उजागर किया और एक नई जागृति का अवसर दिया। जहां एक ओर बड़ी संख्या में भारतीयों ने पश्चिमी विचारों को अस्वीकार कर दिया था, वहीं दूसरी ओर अन्य ऐसे भारतीय भी थे जिन्होंने अनुभव किया कि भारत सभ्यता की दौड़ में पिछड़ रहा है और भारतीय समाज के पुनरुत्थान के लिए पश्चिमी ज्ञान को आत्मसात करना होगा।

इस प्रकार, ब्रिटिश विजय ने भारतीय समाज में विविध प्रतिक्रियाओं को जन्म दिया, जिन्हें निम्नलिखित रूप में समझा जा सकता है-

1. **हिंदू धर्म एवं संस्कृति से विकर्षण/घृणा**- उदाहरण के तौर पर, डिरोजिओ के अनुयायियों (अंग्रेजी शिक्षा प्राप्त बंगाली युवा) ने पुराने धार्मिक विचारों और परंपराओं को त्याग दिया एवं उन बातों को अपनाया जो हिंदू भावनाओं के लिए अपमानजनक थीं, जैसे- शराब पीना व मांस का सेवन करना।
2. **प्राच्य एवं पश्चिमी सभ्यता के उत्कृष्ट भाग को स्वीकार करना**- उदाहरण के लिए राममोहन राय के नेतृत्व में कुछ लोगों ने काफी परिपक्व प्रतिक्रिया दी। वे निश्चित रूप से पश्चिमी विचार एवं मूल्यों से प्रभावित थे, लेकिन साथ ही उन्होंने अपने धर्म से नाता नहीं तोड़ा। वे अपने धर्म और समाज में सुधार करना चाहते थे, जैसा कि यूरोपीय लोगों ने किया था।
3. **नव-हिंदूवाद का उदय**- एक अन्य प्रतिक्रिया पश्चिमी उत्कृष्टता के अस्वीकार करने की थी और जो भारत के आध्यात्मिक अतीत पर बल देते थे, जिससे पश्चिम को भी अभी बहुत कुछ सीखना था।

इस प्रकार अनेक लोगों एवं समूहों ने आधुनिक तरीके से समाज में सुधार लाने का प्रयत्न किया। इन प्रयत्नों को सामूहिक रूप से **भारतीय पुनर्जागरण (Indian Renaissance)** के नाम से जाना जाता है।

वस्तुतः 19वीं शताब्दी का भारत देश के विभिन्न भागों में सामाजिक-सांस्कृतिक सुधार आंदोलनों का साक्षी बना। भारतीय जीवन के लगभग सभी सामाजिक, सांस्कृतिक, धार्मिक, आर्थिक एवं राजनीतिक पक्षों में अनेक बौद्धिक धाराओं का उद्भव हुआ।

भारत में सामाजिक सांस्कृतिक सुधारः पश्चिम का एक प्रभाव? (Socio-Cultural Reform in India: An Impact of the West?)

यद्यपि भारतीय पुनर्जागरण पर पश्चिमी प्रभाव को नकारा नहीं जा सकता, लेकिन संपूर्ण परिप्रेक्ष्य को पूरी तरह से पश्चिमी प्रभाव मान लेना भी गलत होगा।

इन सुधार आंदोलनों को ब्रिटिश प्रभुत्व द्वारा उत्पन्न चुनौती के विरुद्ध एक प्रतिक्रिया और उभरती उपनिवेश-विरोधी चेतना के एक अभिन्न अंग के रूप में देखा जाना चाहिए। इन आंदोलनों को समझने का एक अन्य दृष्टिकोण, इन सुधारों

को औपनिवेशिक भारत में उभरते हुए नए शिक्षित मध्यम वर्ग की सामाजिक महत्वाकांक्षाओं की एक अभिव्यक्ति के रूप में देखता है। कुछ इतिहासकारों का विचार है कि ब्रिटिश सरकार का जनता के पुनरुद्धार में सहायक बनने की अपेक्षा अवरोध बनना निश्चित था।

इन सुधारों का एक नकारात्मक पक्ष पुनरुत्थानवाद (revivalism) की प्रवृत्ति थी अर्थात भारत के स्वर्णिम इतिहास की ओर देखने और भारतीय संस्कृति को संरक्षित करने की प्रवृत्ति। यद्यपि इस प्रवृत्ति ने आंदोलनों को एक प्रतिगामी (regressive) चरित्र प्रदान किया, फिर भी भारतीय जनता में **गर्व** एवं **आत्मविश्वास** के भाव को उत्पन्न करने में इसने एक महत्वपूर्ण भूमिका निभाई थी।

बिपिन चन्द्र- '19वीं शताब्दी में भारत में सामाजिक-सांस्कृतिक पुनरुत्थान औपनिवेशिक उपस्थिति के कारण हुआ, लेकिन इसके द्वारा निर्मित नहीं किया गया था।'

19वीं शताब्दी में भारतीय समाज (Indian Society in the 19th Century)

धार्मिक स्थितियां

19वीं शताब्दी में भारतीय समाज धार्मिक एवं सामाजिक कुरीतियों के भंवर में फंसा हुआ था। अंधविश्वास ने आस्था का और अनुष्ठान व बलि चढ़ाने कि प्रथा ने ईश्वर की पूजा का स्थान लिया था। धर्म पर ब्राह्मणों का एकाधिकार हो गया था, जो जनता के मस्तिष्क पर अस्वस्थ प्रभाव डाल रहे थे। वे अपनी स्थिति को बनाए रखने के लिए मूर्तिपूजा और बहु-ईश्वरवाद को प्रेरित करते थे। यहां तक कि धर्मग्रंथों की गलत व्याख्या इस तरह से की जाती थी कि उनका वर्ग-हित बना रहे। आम भारतीय लोग पुरोहितों/पुजारियों/धर्माचार्यों के जाल में पूर्णतः फंसे हुए थे। वास्तव में, धर्म उस समय की प्रभुत्वशाली विचारधारा थी और धर्म के नाम पर भारतीयों से कुछ भी कराया जा सकता था।

सामाजिक स्थितियां

सामाजिक स्थितियां अत्यंत दयनीय थीं। महिलाओं एवं बालिकाओं की स्थिति अधिक कष्टप्रद थी। बालिका के जन्म पर शायद ही कोई खुशी मानता हो। यदि वह कन्या भ्रूण-हत्या के दंश से बच निकलती, तो फिर उसे भोजन एवं पोषण, स्वास्थ्य एवं शिक्षा में भेद-भाव झेलना पड़ता था। अनेक बालिकाओं का विवाह कम आयु में ही करा दिया जाता था और ऐसा अक्सर उनकी सहमति के बिना होता था और साथ ही उनका विवाह कई गुना बड़े पुरूष से करा दिया जाता था। हिंदू एवं मुसलमान दोनों में ही बहुपत्नी प्रथा (Polygamy) प्रचलित थी।

इतनी ही दुःखद स्थिति निम्न जाति के लोगों विशेषकर अछूतों की थी। पवित्रता एवं अपवित्रता के कठोर नियमों का अनुसरण किया जाता था। कौन किसके साथ भोजन कर सकता है और कौन किसके साथ विवाह, इत्यादि के संबंध में नियम थे। जातिगत कानूनों की अवहेलना करने का प्रयत्न करने वाले को सामाजिक बहिष्कार का सामना करना पड़ता था। जाति व्यवस्था ने समाज में विविध विभाजन निर्मित कर दिए थे और निम्न जाति के लोगों का जीवन नितांत अपमानजनक हो गया था।

19वीं शताब्दी के सुधार आंदोलनों के उदय के सहायक कारक (Factors Contributing to the Rise of 19th Century Reform Movements)

भारत पर ब्रिटिश जीत

कुछ मुट्ठी भर ब्रिटिश लोगों द्वारा भारत जैसे विशाल देश पर जीत ने भारतीय समाज की गंभीर कमियों को उजागर किया और एक नई जागृति का मौका दिया। जहां एक ओर बड़ी संख्या में भारतीयों ने पश्चिमी विचारों को अस्वीकार कर दिया था, वहीं दूसरी ओर अन्य ऐसे भारतीय भी थे जिन्होंने अनुभव किया कि भारत सभ्यता की दौड़ में पिछड़ रहा है और भारतीय समाज के पुनरुत्थान के लिए पश्चिमी ज्ञान को आत्मसात करना होगा।

औपनिवेशिक संस्कृति का प्रचार

भारत में औपनिवेशिक शासन की स्थापना के साथ ही ब्रिटिश द्वारा उनकी संस्कृति व विचारों को एक प्रभावशाली सांस्कृतिक धारा के रूप में प्रसारित करने का प्रयत्न किया गया। विदेशी हस्तक्षेप की चुनौती का सामना करते हुए भारतीयों ने अपनी स्वदेशी संस्कृति को पुनर्जीवित और संरक्षित करने का प्रयास किया।

धार्मिक एवं सामाजिक स्थितियां सुधार के लिए परिपक्व थीं

एक ओर 18वीं शताब्दी के यूरोप ने प्रबुद्धता का युग देखा था, जिसने यूरोपीय जीवन के हर पहलू को प्रभावित किया था- राजनीतिक, आर्थिक, सामाजिक और धार्मिक। लोकतंत्र, राष्ट्रवाद, तर्कसंगतता और वैज्ञानिक दृष्टिकोण के आधुनिक विचारों ने यूरोप को एक उत्कृष्ट सभ्यता के रूप में विकसित किया। वहीं दूसरी ओर, भारत ने पतनशील समाज और गतिहीन सभ्यता की तस्वीर प्रस्तुत की, जिसके कारण भारत में ब्रिटिश शासक स्वयं को सांस्कृतिक रूप से उन्नत और नस्लीय रूप से श्रेष्ठ मानते थे। इस संदर्भ में, विचारशील भारतीयों ने अपनी सभ्यता में गर्व और विश्वास को फिर से स्थापित करने की आवश्यकता महसूस की।

प्रबुद्ध भारतीयों की भूमिका

भारत पर ब्रिटिश जीत ने अनेक कारकों को जन्म दिया, जैसे- राष्ट्रवादी भावनाओं का विकास, नए आर्थिक बलों का उद्‌भव, शिक्षा का प्रसार, आधुनिक पश्चिमी विचारों एवं संस्कृति का प्रभाव तथा विश्व के विभिन्न मुद्दों के प्रति जागरूकता, जिसने 19वीं शताब्दी के सुधार आंदोलनों के उदय में महत्वपूर्ण योगदान दिया।

सुधार आंदोलनों का उद्देश्य (Aim of the Reform Movements)

सुधार आंदोलनों का मुख्य उद्देश्य **व्यक्ति एवं समाज** के साथ-साथ **राष्ट्रीय प्रगति** को प्राप्त करना था। नए भारत के आविर्भाव हेतु सत्य, समता व न्याय शासन के मूल्यों के रूप में उभरने लगे थे।

सुधार आंदोलनों का वर्गीकरण (Classification of Reform Movements)

शिक्षित भारतीय मुख्य रूप से विवेकवाद और मानववाद (Rationalism and Humanism) से आकर्षित हुए। उन्होंने सभी धार्मिक एवं सामाजिक प्रथाओं को विवेक के सिद्धांत के आधार पर परखना शुरू कर दिया और जो इस आधुनिक ज्ञान के परीक्षण के अनुसार नहीं मिलता, उसे वे अस्वीकार कर देते थे। उन्होंने पाया कि प्रथाएं, जैसे- पवित्रता-अपवित्रता, मूर्ति

पूजा, तीर्थ-यात्रा, विस्तृत कर्मकांड इत्यादि का अब कोई उपयोग नहीं रह गया है। उन्होंने यह भी खोज निकाला कि गीता और वेदों का ज्ञान आज भी उतना ही प्रासंगिक है, जितना की पहले था। परिणामस्वरुप, अनेक सामाजिक-धार्मिक सुधार करने वाले आंदोलनों का जन्म हुआ, जिन्हें दो समूहों में वर्गीकृत किया जा सकता है-

1. **सुधार आंदोलन (The Reformist Movements)**- उदाहरणस्वरूप, ब्रह्म समाज, प्रार्थना समाज, अलीगढ़ आंदोलन आदि का उद्देश्य वर्तमान व्यवस्था के अंदर क्रमिक सुधार के द्वारा समाज की आधारभूत व्यवस्था और संरचना में परिवर्तन करना था।
2. **पुनरुत्थानवादी आंदोलन (The Revivalist Movements)**- पुनरुत्थानवादी आंदोलनों, जैसे- आर्य समाज, रामकृष्ण मिशन और देवबंद आंदोलन का उद्देश्य अतीत की सामाजिक व्यवस्था की ओर लौटना था, जिसे वे वर्तमान व्यवस्था की अपेक्षा उत्कृष्ट मानते थे।

दोनों ही प्रकार के आंदोलन धर्म में व्याप्त अशुद्धियों को दूर करना चाहते थे। यह वर्गीकरण मुख्यत: इस आधार पर किया गया है कि आंदोलन परंपरा अथवा विवेक में से किस पर अधिक निर्भर रहा था।

सुधार के सामाजिक एवं वैचारिक आधार (Social and Ideological Bases of Reform)

सामाजिक आधार

भारतीय पुनर्जागरण को सामाजिक आधार, उभरते हुए नए **मध्यम-वर्ग** के साथ-साथ भारतीय व पाश्चात्य विचारों में शिक्षित हुए बुद्धिजीवी-वर्ग के द्वारा प्रदान किया गया।

वैचारिक आधार

विवेकवाद एवं **धार्मिक सार्वभौमिकता (religious universalism)** ऐसे दो महत्वपूर्ण विचार थे, जिन्होंने 19वीं शताब्दी के सुधार आंदोलनों व उनके नेताओं को प्रभावित किया।

सुधार की विधियां (Methods of Reform)

अंदर से सुधार

बुद्धिजीवियों का मानना था कि कोई सुधार तभी प्रभावी होता है, जब व्यक्तियों द्वारा स्वयं के अंदर से परिवर्तन के लिए प्रयास किया जाता है। परिणामत: उनका मुख्य विश्वास जनता में जागरूकता लाना था और वे इसे साहित्यक कार्यों के प्रकाशन व अनेक सामाजिक समस्याओं पर वार्तालाप व वाद-विवाद के आयोजन के द्वारा प्राप्त करना चाहते थे।

विधायन/कानून-निर्माण के द्वारा सुधार

अनेक बुद्धिजीवियों का मानना था कि राज्य के समर्थन के बिना सुधारों को प्रभावी नहीं बनाया जा सकता। अत: उन्होंने सुधारों, जैसे- विधवा पुनर्विवाह एवं सहमति की आयु (Age of Consent) में वृद्धि के लिए विधायी संस्वीकृति प्राप्त करने का प्रयास किया।

परिवर्तन के प्रतीकों द्वारा सुधार

कुछ सुधारकों ने परंपरा-विरोधी व्यक्तियों अथवा सामूहिक गतिविधियों के माध्यम से बदलाव के प्रतीकों को निर्मित करने का प्रयास किया। उदाहरण के लिए, निम्न जाति के लोगों द्वारा बनाए गए भोजन को खाना और अन्य जाति नियमों की अवहेलना करना।

बौद्धिक कार्यों द्वारा सुधार

1. **शिक्षा का प्रसार**- अज्ञानता एवं अशिक्षा को भारतीय पिछड़ापन के मुख्य कारणों के रूप में देखा जाता था। अतः लगभग सभी बुद्धिजीवी शिक्षा को सुधार का **एक मुख्य एजेंट (घटक)** मानते थे। भारतीय समाज के सभी वर्गों (विशेषकर गैर-ब्राह्मण व महिलाओं) के लिए शिक्षा प्रदान करने पर विशेष बल दिया गया। विज्ञान एवं तकनीक के ज्ञान (जिसे औपनिवेशिक शिक्षा व्यवस्था में नजरअंदाज कर दिया गया था) पर भी बल दिया गया।
2. **भारतीय भाषाओं की भूमिका**- बुद्धिजीवियों ने शिक्षा के प्रसार में देशी/भारतीय भाषाओं की भूमिका पर बल दिया। उनका मानना था कि यदि जन-शिक्षा के लक्ष्य को प्राप्त करना है, तो शिक्षा का माध्यम भारतीय भाषाएं ही होना चाहिए। अंग्रेजी भाषा सहायक हो सकती थी, लेकिन सामाजिक परिवर्तन का साधन नहीं बन सकती थी।
3. **विवेक अथवा तर्कसंगतता का उपयोग**- सुधारकों ने सामाजिक-धार्मिक यथार्थ की एक विवेकवादी आलोचना विकसित की। आस्था के स्थान पर विवेक का अनुसरण करना था और सामाजिक-धार्मिक प्रथाओं का मूल्यांकन सामाजिक यथार्थ के नजरिए से करना था। उदाहरण के लिए, ब्रह्म समाज ने वेदों की अमोघता (infallibility, जिससे गलती नहीं होती) को अस्वीकार कर दिया था। अलीगढ़ आंदोलन ने आधुनिक युग की आवश्यकता के अनुरूप इस्लाम में शिक्षा की वकालत की। कुछ कुरीतियों, जैसे- बाल-विवाह के विरुद्ध वैज्ञानिक एवं चिकित्सीय कारण बताए गए।
4. **धर्म ग्रंथों का उपयोग**- 19वीं शताब्दी के बुद्धिजीवियों ने धार्मिक ग्रंथों की संस्वीकृति का भी उपयोग किया और सुधार के पक्ष में अपने तर्कों का समर्थन करने के लिए वे अक्सर इन ग्रंथों के कथनों का हवाला देते थे।
5. **सार्वभौमिकता की अपील**- बड़ी संख्या में सुधारकों ने सभी धर्मों की सार्वभौमिकता की अपील की अर्थात आधारभूत रूप से सभी धर्म समान हैं। (हालांकि, औपनिवेशिक नीति के अंतर्गत, बाद में जो विकास हुए, उससे यह पता चलता है कि कैसे सार्वभौमिकतावाद धर्मनिरपेक्षता को आधार प्रदान करने के स्थान पर धार्मिक मतानुराग (particularism) में बदल गया था।)

सामाजिक कार्य के द्वारा सुधार

अनेक सुधारकों ने स्पष्ट रूप से माना कि सहायक सामाजिक कार्यों के बिना पूर्णतया बौद्धिक कार्यों के प्रभाव की एक सीमा है। उदाहरणस्वरूप, विद्यासागर ने स्वयं को लेख लिखने अथवा विधवा पुनर्विवाह के समर्थन में वक्तव्य देने तक सीमित नहीं रखा, अपितु उन्होंने अपना संपूर्ण जीवन, ऊर्जा और धन भारतीय विधवाओं की स्थिति को सुधारने में लगा दिया। इसी तरह आर्य समाज और रामकृष्ण मिशन ने भी अनेक आधारभूत सामाजिक कार्य किए।

प्रमुख सामाजिक एवं धार्मिक मुद्दे (Major Social and Religious Issues)

सामाजिक मुद्दे

अज्ञान एवं अशिक्षा

अज्ञान एवं अशिक्षा को भारतीय पिछड़ेपन का मुख्य कारण माना गया था और इसलिए लगभग सभी बुद्धिजीवियों ने भारतीय भाषाओं में जन-शिक्षा पर बल दिया। भौतिक विकास के एक प्रवेश द्वार के रूप में विज्ञान एवं तकनीक के ज्ञान पर विशेष बल दिया गया था।

ब्राह्मण धर्मांधता

सुधारकों ने ब्राह्मण धर्मांधता (bigotry) की कटु आलोचना की। लोगों को अज्ञान एवं शाश्वत सामाजिक अवनति की ओर रखने के लिए उन्होंने ब्राह्मणों को दोषी ठहराया। ब्राह्मण-प्रभुत्व की निंदा करते हुए सुधारकों, जैसे- फुले एवं चंदावरकर ने

निम्न जाति एवं दलित वर्गों के उत्थान की वकालत की। ब्राह्मणों पर यह हमला विरोधी प्रकृति का नहीं था, साथ ही किसी भी प्रकार के जातिगत वैमनस्य से बचने के प्रयास भी किए गए थे।

जाति व्यवस्था

बुद्धिजीवियों ने जाति के आधार पर भेद-भाव (छुआ-छूत) और जाति व्यवस्था पर कठोरता से प्रहार किया। इसे एक अमानवीय प्रथा की तरह देखा गया, जो भारतीय समाज को पतन की ओर ले जा रही थी। इसे भारतीय समाज को विभाजित रखने के लिए जिम्मेदार ठहराया गया। अत: जाति व्यवस्था को भारत की सामाजिक-राजनीतिक प्रगति के मार्ग में बाधक माना गया।

महिलाओं की स्थिति

भारतीय समाज में महिलाओं की दयनीय स्थिति को एक व्यापक समस्या के रूप में देखा जाता था। सुधारकों ने महिलाओं की अधीनता को समाप्त करने का प्रयास किया और कन्या भ्रूण हत्या, बाल विवाह, पर्दाप्रथा, सतीप्रथा, जबरन विधवापन, बहुपत्नी प्रथा और वेश्यावृत्ति जैसी अपमानजनक प्रथाओं की कटु आलोचना की।

हिंदू एवं मुस्लिम महिलाओं, दोनों को शिक्षा से वंचित और सामाजिक व आर्थिक रूप से निर्भर रखा जाता था। हिंदू महिलाओं को संपत्ति के उत्तराधिकार का अधिकार नहीं था, जबकि मुस्लिम महिलाएं पुरुष की संपत्ति का आधा उत्तराधिकार ले सकती थीं। तलाक के मामले में दोनों ही समुदायों में महिला व पुरुष के बीच समानता नहीं थी। लगभग सभी सुधारकों ने शिक्षा को महिला-मुक्ति के लिए एक आवश्यक आधार माना। लोकहितवादी एवं जांभेकर ने भी पुरुषों के बराबर महिलाओं के लिए समान अधिकारों की मांग की, जो 19वीं शताब्दी के विचारों के सभी असाधारण पक्षों में से एक का प्रतिनिधित्व करता था।

महिला-मुक्ति के प्रश्न को मानववादी दृष्टिकोण से देखा गया। उनके उत्थान का प्रश्न केवल महिलाओं के उत्थान का प्रश्न नहीं, अपितु पूरी मानवता का था। इस बात की स्पष्ट समझ थी कि कोई भी समाज तब तक प्रगति की आशा नहीं कर सकता जब तक कि उसकी आधी आबादी अज्ञानता, अपमान व अनादर का जीवन व्यतीत कर रही हो। स्पष्ट रूप से एक बदले हुए समाज का उद्‌भव बदले हुए पुरुषों के द्वारा ही होगा और बदले हुए पुरुषों का जन्म बदले हुए घर से होगा, जहां व्यक्ति का प्रारंभिक सामाजीकरण होता है और जहां महिलाओं द्वारा महत्वपूर्ण भूमिका निभाई जाती है।

धार्मिक मुद्दे

मूर्ति पूजा एवं बहु-ईश्वरवाद

19वीं शताब्दी के विचारकों ने मूर्ति पूजा एवं बहु-ईश्वरवाद (polytheism) की निंदा की। हालांकि, हिंदू धर्म पर उनका प्रहार ईसाई धर्म प्रचारकों द्वारा किए जा रहे प्रहार से अलग था। राममोहन राय का तर्क था कि यदि हिंदू धर्म विवेक की कमी से जूझ रहा है, तो ईसाई धर्म में भी ऐसा ही हो रहा है। उन्होंने भी उपनिषद एवं वेदांत के ज्ञान को एक उत्कृष्ट मार्ग बताया। उनकी शिक्षा एक ईश्वर की आराधना पर आधारित थी, जो सर्वव्यापी, सर्व-शक्तिशाली एवं सर्वज्ञ है।

धार्मिक कर्मकांड, रीति-रिवाज एवं समारोह

सुधारकों ने अंधविश्वासों एवं पुरोहित वर्गों की मध्यस्थता पर आधारित अर्थहीन कर्मकांड एवं धार्मिक रीति-रिवाजों की निंदा की, क्योंकि ये स्वस्थ व सशक्त व्यक्ति एवं समाज के विकास में बाधक थे।

सुधार आंदोलनों एवं उनके नेतृत्वकर्ताओं का एक सर्वेक्षण (A Survey of Reform Movements and Their Leaders)

पूर्वी भारत (Eastern India)

राजा राममोहन राय, भारतीय पुनर्जागरण के जनक (नए युग के अग्रदूत के नाम से भी जाना जाता है।)

बंगाल में पाश्चात्य विचारों का प्रभाव भारत के अन्य भागों से काफी पहले ही अनुभव किया गया।

राजा राममोहन राय (1774-1833) एवं ब्रह्म समाज (1828)

राजा राममोहन राय (1774-1833) देश में सुधार आंदोलन के **प्रवर्तक** एवं आधुनिक भारत के महान नेता थे, जिन्होंने भारतीय जीवन के लगभग सभी पक्षों में अपना योगदान दिया। वे अपने समय के एक बहुत ही विद्वान व्यक्ति थे। प्राच्य व यूरोपियन, दोनों ही क्षेत्रों की अनेक भाषाओं जैसे- संस्कृत, अरबी, पर्शियन, अंग्रेजी, फ्रेंच, लैटिन, ग्रीक इत्यादि में उनकी दक्षता थी। उनके अत्यधिक अध्ययन ने उन्हें ज्ञान की ओर अग्रसर किया और वे धर्मांधता से मुक्त हुए। ऐसे समय में जब अन्य अंग्रेजी से शिक्षित बंगाली युवा ईसाई धर्म की ओर आकर्षित हो रहे थे, उन्होंने पूर्व व पश्चिम के स्वस्थ्य संश्लेषण (synthesis) पर बल दिया।

पूर्व एवं पश्चिम का संश्लेषण- राजा राममोहन राय को पूर्व (प्राच्य देशों) की परंपरागत दार्शनिक व्यवस्था विशेषकर वेद और उपनिषद के ज्ञान के प्रति बहुत सम्मान व प्रेम था। साथ ही साथ, वे विश्वास करते थे कि भारतीय समाज का पुनरुत्थान केवल आधुनिक विचारों से ही हो सकता है। इस प्रकार वे चाहते थे कि देशवासियों को पाश्चात्य विचारों विशेषकर विवेक व मानववाद को आत्मसात करना चाहिए।

हिंदू धर्म की आलोचना- राममोहन राय ने हिंदू धर्म में व्याप्त कुरीतियों जैसे- मूर्ति पूजा, जातिवाद एवं अर्थहीन धार्मिक कर्मकांडों का कड़ा विरोध किया। उन्होंने ब्राह्मणों को ऐसी कुरीतियों को प्रेरित करने व शास्त्रों की वास्तविक शिक्षा से लोगों को वंचित रखने के लिए ब्राह्मणों की निंदा की।

उन्होंने कहा कि हिंदुओं के सभी मुख्य शास्त्रों, जैसे- **वेद एवं उपनिषद्**, में एकेश्वरवाद (monotheism) अथवा एक ईश्वर की पूजा की शिक्षा दी गई है। उन्होंने अपने मत के समर्थन के लिए स्वयं इन शास्त्रों के बंगाली अनुवाद प्रकाशित किए। देशी भाषाओं में अनुवाद एवं लेखों ने बंगाली साहित्य के विकास को भी प्रोत्साहित किया।

1805 में उन्होंने अपना पहला दार्शनिक कार्य पर्शियन भाषा में **'तुफत अल-मुवाहिदीन'** (एकेश्वरवादियों को पुरस्कार) प्रकाशित किया, जिसमें उन्होंने विवेक के आलोक में विश्व के सभी प्रमुख धर्मों का मूल्यांकन किया व एक ईश्वर की आराधना के समर्थन में तर्क प्रस्तुत किए। 1820 में उन्होंने **प्रीसेप्ट्स ऑफ जीसस** (Precepts of Jesus) प्रकाशित की, जिसमें उन्होंने ईसाई धर्म में भी विवेकवाद को लागू करने का प्रयास किया। यद्यपि वे हमेशा विवेकवादी बने रहे, लेकिन तुफत में उनका विवेकवाद अपने चरम पर था।

राममोहन राय के मतानुसार किसी भी सिद्धांत को परखने के लिए मानव विवेक ही अंतिम सत्ता होती है। किसी को भी ऐसे पवित्र ग्रंथों व पुस्तकों से दूर हटने में हिचकिचाना नहीं चाहिए, जो मानव विवेक की कसौटी पर खरा न उतरे। साथ ही ऐसी परंपराओं का भी त्याग कर देना चाहिए, जो व्यक्ति व समाज के लिए अहितकर हों।

राममोहन के साहसिक धार्मिक दृष्टिकोण ने अनेक लोगों से उनकी शत्रुता पैदा कर दी थी। रूढ़िवादी तत्वों ने एक विधर्मी की तरह उनकी निंदा की और सामाजिक बहिष्कार के द्वारा उनको जाति से बाहर कर दिया गया। बाद में, यहां तक की उनकी मां भी इस सामाजिक बहिष्कार में शामिल हो गई थीं।

आत्मीय सभा- 1814 में वे कलकत्ता में रहने लगे और सुधार से जुड़ी अनेक गतिविधियां की। उन्होंने आत्मीय सभा स्थापित की और उसके बाद बंगाल में हिंदुओं के बीच व्याप्त धार्मिक कुरीतियों के विरुद्ध एक दृढ़ संघर्ष किया।

ब्रह्म समाज (ईश्वर का समाज)- 1828 में राममोहन राय ने **ब्रह्म सभा** की स्थापना की, जिसका बाद में नाम बदलकर ब्रह्म समाज कर दिया गया था। ब्रह्म समाज ने उस समय के हिंदू समाज, धर्म व राजनीति में अनेक सुधार आंदोलनों का सूत्रपात किया। आधुनिक पाश्चात्य विचारों पर आधारित यह **भारत का पहला सुधार आंदोलन** था।

महिला मुक्ति- महिला मुक्ति (emancipation) के क्षेत्र में राममोहन का योगदान विशेष उल्लेखनीय है। उन्होंने महिलाओं की अधीनता और उनकी निम्न स्थिति की निंदा की। उन्होंने बहुपत्नी प्रथा, शीघ्र विवाह और सती (विधवा को उसके पति की चिता पर जला देना) जैसी कुरीतियों की निंदा की। एक बच्चे के रूप में, राममोहन ने अपनी 17 वर्षीय भाभी को अपने भाई की चिता की आग में घसीटते हुए देखा था। इस हृदय विदारक दृश्य ने राममोहन के हृदय पर गहरा प्रभाव डाला। बाद में उन्होंने सती प्रथा जैसी बुराई के विरुद्ध एक ऐतिहासिक संघर्ष किया, जिसकी परिणति 1829 में विलियम बेंटिक द्वारा पारित सती उन्मूलन विधायन के रूप में हुई। हालांकि, राममोहन द्वारा विधवाओं के लिए **विधवा पुनर्विवाह** (widow remarriage) के स्थान पर सन्यासी विधवापन (ascetic widowhood) का विकल्प प्रस्तुत किया गया था।

शिक्षा- राममोहन राय भारतीय समाज में आधुनिक शिक्षा के समर्थक थे। उनकी इच्छा थी कि भारतीयों को पाश्चात्य वैज्ञानिक ज्ञान एवं प्रगति से लाभ लेना चाहिए। उनका मानना था कि पूर्व और पश्चिम में जो उत्कृष्ट है, उसे ग्रहण किया जाना चाहिए। 1817 में उन्होंने कलकत्ता में हिंदू कॉलेज की स्थापना के लिए डेविड हरे का उत्साह से समर्थन किया। डेविड हरे भारत में एक घड़ी-निर्माता के रूप में आए थे, लेकिन उन्होंने यहां आधुनिक शिक्षा के प्रोत्साहन के लिए अपना पूरा जीवन बिता दिया। राममोहन ने भी इसी वर्ष कलकत्ता में एक अंग्रेजी विद्यालय खोला, जिसका प्रबंधन वे अपने धन से ही करते थे। 1825 में उन्होंने **वेदांता कॉलेज** स्थापित किया, जिसमें भारतीय शिक्षा के साथ-साथ पाश्चात्य शिक्षा भी दी जाती थी।

अर्थव्यवस्था एवं राजव्यवस्था- राममोहन राय ने न केवल सामाजिक-सांस्कृतिक समस्याओं, बल्कि आर्थिक एवं राजनीतिक समस्याओं के मुद्दों को भी उठाया। उन्होंने बंगाली जमींदारों के दमनकारी पेशे की निंदा की और कंपनी के व्यापारिक अधिकारों के उन्मूलन व भारतीय वस्तुओं पर लगे भारी निर्यात करों को हटाने की मांग की। उन्होंने सेवाओं के भारतीयकरण, प्रेस की स्वतंत्रता, न्यायपालिका से कार्यपालिका के पृथक्करण, जूरी द्वारा सुनवाई एवं भारतीय व यूरोपीय न्यायाधीशों के बीच समानता की वकालत की।

राष्ट्रवाद- राममोहन राय ने भारत में **राष्ट्रवादी चेतना** की **पहली झलक** प्रस्तुत की। उनके प्रत्येक प्रयास में राष्ट्र-निर्माण का उद्देश्य निहित रहता था। उन्होंने समाज में असमानता निर्मित करने और भारतीयों को देशभक्ति की भावना से वंचित रखने के लिए जाति-व्यवस्था को दोषी ठहराया।

राममोहन राय भारतीय पत्रकारिता (journalism) के साथ-साथ जन-आंदोलन के भी अग्रदूत थे। उन्होंने अपने संदेश को लोगों के बीच प्रसारित करने, समकालीन हितों के मुद्दों पर जनमत निर्मित करने और सरकार के समक्ष जनवादी मांगों व शिकायतों को प्रस्तुत करने के लिए अनेक पत्रिकाएं निकलीं।

अंतर्राष्ट्रीयतावाद- राममोहन राय एक उत्साही अंतर्राष्ट्रीयवादी (internationalist) थे, जिन्होंने विश्व के मुद्दों में उत्सुकता दिखाई और वे सभी राष्ट्रों के बीच मित्रता एवं सहयोग चाहते थे। उन्होंने विश्व में प्रत्येक स्थान पर स्वतंत्रता, लोकतंत्र एवं राष्ट्रवाद का समर्थन किया।

निःसंदेह राममोहन राय 19वीं शताब्दी के सामाजिक-सांस्कृतिक पटल पर प्रथम चमकते सितारे और अपने देश के एक महान मार्गदर्शक थे। उन्हें समुचित ही **भारतीय पुनर्जागरण एवं आधुनिक भारत के जनक** के रूप में जाना जाता है। 1833 में इस महान भारतीय का देहावसान हुआ और वे अपने पीछे अन्य लोगों को प्राप्त करने हेतु आधुनिकीकरण के विचार एवं संदेश छोड़ गए।

ब्रह्म समाज (ईश्वर का समाज)

1828 में राजा राममोहन राय द्वारा मूलतः **ब्रह्म सभा** के नाम से स्थापित ब्रह्म समाज आधुनिक पाश्चात्य विचारों पर आधारित भारत का पहला सुधार आंदोलन था। इसका मुख्य उद्देश्य **एकेश्वरवाद को सिखाना** और **हिंदू धर्म की बुराइयों** को दूर करना था। अन्य धर्मों की श्रेष्ठ शिक्षाओं को सम्मिलित करते हुए ब्रह्म समाज मानववाद और सामाजिक पुनरुत्थान के लिए एक सशक्त मंच बनकर उभरा।

ब्रह्मसमाज की शिक्षाएं एवं गतिविधियां (Teachings and Activities of Brahmo Samaj)

धार्मिक सुधार- ब्रह्म समाज ने हिंदू धर्म की कुरीतियों को समाप्त करने का एक उल्लेखनीय प्रयास किया।

- यह अंधविश्वास एवं कर्मकांड पर आधारित संपूर्ण ब्राह्मणवादी व्यवस्था का विरोधी था।
- इसने धार्मिक ग्रंथों की ''अमोघता'' मूर्ति पूजा, बहु-ईश्वरवाद एवं अवतारों की अवधारणा को नकारा।
- इसने पुरोहित-वर्ग की आवश्यकता की भी आलोचना की, लेकिन कर्म और आत्मा के देहांतरण पर कोई निश्चित निर्णय नहीं लिया।
- ब्रह्म समाज ने स्वयं को एक ईश्वर की पूजा (पुरोहितों के मध्यस्थता के बिना) एवं वेद व उपनिषद की शिक्षाओं (लेकिन वे इन्हें अमोघ नहीं मानते थे) पर आधारित बनाया।
- इसने आधुनिक पाश्चात्य विचार की श्रेष्ठ परंपरओं को सम्मिलित करने का प्रयास किया। सामाजिक-धार्मिक परंपराओं में किसे अपनाना है और किसे नकारना है, का निर्णय मानव विवेक पर आधारित होना चाहिए। इस प्रकार प्रत्येक व्यक्ति का यह अधिकार है कि वह निर्णय ले कि किस धार्मिक ग्रंथ अथवा सिद्धांत में क्या सही और क्या गलत है।

सामाजिक सुधार- ब्रह्म समाजी महान समाज सुधारक भी थे और उन्होंने भारतीय समाज में उस समय व्याप्त सामाजिक बुराइयों पर कड़ा प्रहार किया।

- उन्होंने जाति व्यवस्था व छुआछूत की निंदा की और महिलाओं के उत्थान का समर्थन किया।
- उन्होंने सक्रिय रूप से सतीप्रथा, पर्दाप्रथा, बालविवाह एवं बहुपत्नी प्रथा का विरोध किया।
- उन्होंने विधवा पुनर्विवाह एवं महिला के लिए आधुनिक शिक्षा के क्षेत्र में अथक प्रयत्न किया।

राजा राममोहन राय के बाद ब्रह्म समाजः 1833 में राजा राममोहन राय की मृत्यु के बाद ब्रह्म समाज की परंपरा को देवेंद्र नाथ टैगोर द्वारा आगे बढ़ाया गया।

देवेंद्र नाथ टैगोर

देवेंद्र नाथ टैगोर (1817-1905) एवं ब्रह्म समाज- देवेंद्र नाथ टैगोर (रबीन्द्रनाथ टैगोर के पिता) के व्यक्तित्व में भारतीय के साथ-साथ पाश्चात्य ज्ञान का एक अच्छा समन्वय था। 1839 में उन्होंने राममोहन के विचारों को प्रसारित एवं आध्यात्मिक सत्य को खोजने के उद्देश्य से **तत्वबोधिनी सभा** स्थापित की। इसका उद्देश्य वेदांत एवं स्वदेशी संस्कृति के उत्साहपूर्वक समर्थन द्वारा भारत में तीव्र गति से हो रहे ईसाई धर्म के प्रभाव का प्रतिकार करना था।

सभा ने अपने विचारों को प्रचारित करने के लिए एक तत्वबोधिनी प्रेस स्थापित की एवं **तत्वबोधिनी पत्रिका** (1843) प्रकाशित करना शुरू किया। इसने भारत के इतिहास के अध्ययन को बंगाली भाषा में प्रोत्साहित किया और बंगाली में अनेक विषयों पर पुस्तकें प्रकाशित कीं।

1843 में देवेंद्र नाथ टैगोर ब्रह्म समाजी बने और उसी वर्ष उन्होंने ब्रह्म समाज को पुनर्संगठित करके उसे नया जीवन दिया। उनके नेतृत्व में समाज का प्रभाव बड़ा, अनेक नई शाखाएं स्थापित की गई और समाज का संदेश बंगाल के ग्रामीण क्षेत्रों तक फैला।

केशव चंद्र सेन (1838-1884) एवं ब्रह्म समाज- 1858 में केशव चंद्र सेन ब्रह्म समाज में शामिल हुए। जल्द ही उन्हें देवेंद्र नाथ टैगोर द्वारा समाज का आचार्य नियुक्त किया गया। केशव के आने से समाज को नई ऊर्जा व उत्साह मिला और समाज का प्रभाव बंगाल के बाहर भी विस्तारित हुआ। संयुक्त प्रांत, पंजाब, बॉम्बे, मद्रास एवं अन्य शहरों में शाखाएं खोली गई। केशव ने महिला शिक्षा पर बल दिया। उन्होंने देवेंद्र नाथ के राष्ट्रीय हिंदू पहचान पर बल दिए जाने के विपरीत सार्वभौमिकतावाद पर बल दिया।

केशव चंद्र सेन

ब्रह्म समाज में फूट- केशव के अधीन समाज अपनी हिंदू विरासत से दूर जाने लगा और ईसाई, मुस्लिम, पारसी इत्यादि के धार्मिक ग्रंथों को ब्रह्म समाज की बैठकों में पढ़ा जाने लगा। केशव के इस उदारवादी व विश्ववादी दृष्टिकोण को टैगोर द्वारा अत्यधिक अतिवादी रूप में देखा गया और उन्होंने केशव को 1865 में आचार्य के पद से हटा दिया। यह घटना ब्रह्म समाज को विभाजन की ओर ले गई और 1865 में केशव और उनके अनुयायियों ने मूल संस्था को छोड़ा व **ब्रह्म समाज ऑफ इंडिया** (Brahmo Samaj of India) की स्थापना की। इस प्रकार टैगोर का समाज **आदि ब्रह्म समाज** के नाम से जाना गया।

अपने मतभेदों के बावजूद ब्रह्म समाजियों ने सामूहिक रूप से राममोहन राय के विचारों को प्रसारित किया।

केशव की संस्था को अभी एक और फूट देखनी थी। उनकी संस्था में भी असंतोष व्याप्त होने लगा था। केशव पर अधिनायकवादी होने का आरोप लगने लगा। इतना ही नहीं, कुछ अनुयायियों ने केशव को एक अवतार की तरह पूजना शुरू कर दिया था, जिसे उनके अन्य अनुयायी पसंद नहीं करते थे। असंतोष तब चरम पर पहुंच गया, जब केशव, जो हमेशा शादी के लिए न्यूनतम आयु की वकालत करते थे, ने अपनी 13 साल की पुत्री का विवाह सभी हिंदू रीति-रिवाजों से कूच-बिहार के महाराजा से कर दिया। केशव के अनेक अनुयायियों ने घृणा अनुभव की और एक नए संगठन **साधारण ब्रह्म समाज** की स्थापना की।

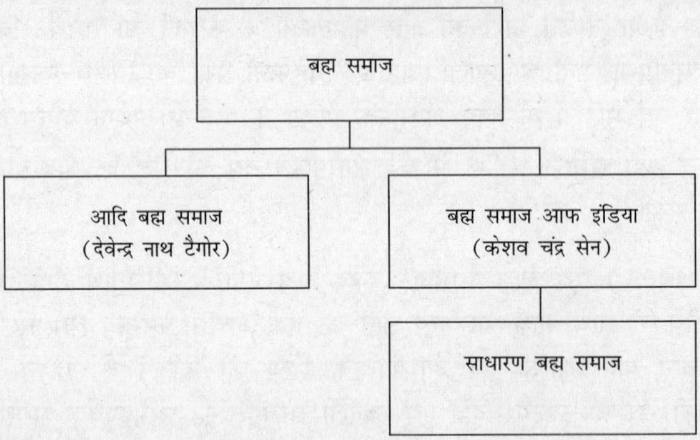

ब्रह्म समाज के पतन के कारण (Reasons for Decline of Brahmo Samaj)

- ब्रह्म समाज का प्रभाव अधिकांशत: शिक्षित बंगालियों तक सीमित रहा।
- 19वीं शताब्दी के दूसरे भाग में आंतरिक मतभेद के कारण भी समाज कमजोर हुआ।
- ब्रह्म समाज की गतिविधियों का विरोध **राजा राधाकांत देब** के नेतृत्व में हिंदू रूढ़िवादियों द्वारा स्थापित **धर्म सभा** द्वारा किया गया।
- 1833 में राममोहन राय की समय से पूर्व मृत्यु ने ब्रह्म समाज को एक मुख्य मार्गदर्शक से विरक्त कर दिया था और धीरे-धीरे इसका पतन होने लगा था।

उपर्युक्त के बावजूद ब्रह्म समाज ने बंगाल एवं भारत के अन्य क्षेत्रों के सामाजिक, धार्मिक एवं राजनीतिक जीवन को पर्याप्त रूप से प्रभावित किया।

डिरोजिओ (1809–1831) एवं यंग बंगाल आंदोलन (1820s–30s)

हेनरी लुई विवियन डिरोजिओ

हेनरी लुई विवियन डिरोजिओ हिंदू कॉलेज के एक आंग्ल-भारतीय शिक्षक थे। फ्रांसीसी क्रांति से प्रेरित होकर उन्होंने अपने समय के सबसे अतिवादी विचारों का अनुसरण किया। उन्होंने अपने विद्यार्थियों को आलोचनात्मक दृष्टिकोण विकसित करने, सभी प्रकार की सत्ता से प्रश्न करने, प्रेम, स्वतंत्रता और समानता के बारे में सिखाया। डेरोजिओ संभवत: आधुनिक भारत के पहले राष्ट्रवादी कवि थे।

उनके अनुयायियों (जिन्हें **डिरोजियन या युवा बंगाल** के नाम से जाना जाता था) ने हिंदू समाज व धर्म के पुरानी और पतनशील परंपराओं पर प्रहार किया। उन्होंने महिलाओं के अधिकारों का समर्थन किया और महिला शिक्षा पर विशेष बल दिया। उन्होंने साथ मिलकर 1820 व 1830 के दशक में एक अतिवादी प्रवाह (जिसे युवा बंगाल आंदोलन के नाम से जाना गया) को प्रस्तुत किया। उन्होंने असंख्य जनवादी मुद्दों के समर्थन में आंदोलन किए। इन मुद्दों में कंपनी के चार्टर में परिवर्तन, ब्रिटिश उपनिवेशों में भारतीय श्रमिकों के साथ अच्छा व्यवहार, प्रेस की स्वतंत्रता, अधिकारों का संरक्षण एवं सेवाओं का भारतीयकरण शामिल थे।

अपने उन्नत विचारों के साथ-साथ अव्यवहारिक अतिवाद के कारण इस आंदोलन को अधिक समर्थन नहीं मिला और इसे बहुत सीमित सफलता मिली।

1831 में डिरोजियो को अपने अतिवाद के कारण हिंदू कॉलेज से अपदस्थ कर दिया गया और हैजा के कारण 22 साल की उम्र में ही उनकी मृत्यु हो गई थी। इसके बाद भी डिरोजियो को अग्रिम सुधारकों में से एक और बंगाल की आधुनिक सभ्यता के अग्रदूत के रूप में याद किया जाता है।

ईश्वर चंद्र विद्यासागर (1820-1891)

ईश्वर चन्द्र विद्यासागर, बंगाली पुनर्जागरण के एक प्रमुख व्यक्ति

पंडित ईश्वर चंद्र विद्यासागर एक महान विद्वान व सुधारक थे। 1820 में एक गरीब परिवार में उनका जन्म हुआ, स्वयं को शिक्षित करने के लिए उन्होंने बहुत संघर्ष किया और कलकत्ता के संस्कृत कॉलेज में एक छात्रवृत्ति प्राप्त करने में सफल रहे। महाविद्यालय से स्नातक होने के बाद उन्हें विद्यासागर की उपाधि प्राप्त हुई और 1851 में **संस्कृत कॉलेज के प्राचार्य** बने। उन्होंने इस महाविद्यालय के द्वार पाश्चात्य विचारों के साथ-साथ गैर-ब्राह्मण विद्यार्थियों के लिए खोले।

विद्यासागर एक महान मानवतावादी थे और गरीब व पीड़ितों के प्रति उनके मन में बहुत सहानुभूति थी। वे निडर थे और जो विश्वास करते थे, उसको करते थे। उन्होंने संस्कृत पढ़ाने की एक नई विधि विकसित की। सामान्यत: सुधारकों ने सुधार के वाहक के रूप में भारतीय भाषाओं को चुना था। इसलिए उन्होंने भाषायी प्राइमर भी तैयार की, ताकि ये देशी भाषाएं सफलतापूर्वक कार्य कर सकें। विद्यासागर व रबीन्द्रनाथ टैगोर, दोनों ने **बंगाली प्राइमर** (Bengali Primers) लिखीं।

हालांकि, उनका सबसे महत्वपूर्ण योगदान महिला-मुक्ति के क्षेत्र में रहा। वास्तव में, विधवा पुनर्विवाह (राममोहन राय के सन्यासी विधवापन से एक कदम आगे) के लिए उन्होंने अपना पूरा जीवन समर्पित कर दिया था। उन्होंने प्राचीन संस्कृत ग्रंथों की सहायता से साबित किया कि वैदिक ग्रंथ विधवा पुनर्विवाह की संस्वीकृति देते हैं। विधवा पुनर्विवाह को कानूनी बनाने के समर्थन में किए गए उनके आंदोलन को 1856 में **हिंदू विधवा पुनर्विवाह अधिनियम** (Hindu Widows Remarriage Act, 1856) के पारित होने से सफलता मिली। इस प्रकार 1856 में विद्यासागर के निरीक्षण में उच्च जाति में पहला वैधिक/कानूनी हिंदू विधवा पुनर्विवाह हुआ। बाद में, 1856-1860 के दौरान लगभग 25 विधवा पुनर्विवाहों को विधिपूर्वक संपादित

किया गया। यह भारत में सामाजिक सुधारों के इतिहास में मील का पत्थर साबित हुआ और यह राममोहन राय के संयासी विधवापन की स्थिति से आगे बढ़कर एक महत्वपूर्ण प्रगति थी।

विद्यासागर ने महिलाओं के लिए उच्च शिक्षा को भी प्रोत्साहित किया। **बेथुन स्कूल** (1849 में कलकत्ता में स्थापित) के सचिव के रूप में उन्होंने महिलाओं की शिक्षा के लिए आंदोलन किए। उन्होंने बाल विवाह व बहुपत्नी प्रथा के विरुद्ध संघर्ष किया। उनके मुख्य साहित्यिक कार्यों में **बहुविवाह** एवं **विधवा विवाह** जैसी कृतियां शामिल हैं। उन्होंने एक बंगाली समाचार पत्र **सोमप्रकाश** (1858) प्रकाशित किया।

राम कृष्ण परमहंस (1834-1886) एवं स्वामी विवेकानंद (1863-1902)

राम कृष्ण परमहंस- राम कृष्ण परमहंस कलकत्ता के समीप दक्षिणेश्वर के काली मंदिर में एक गरीब पुरोहित/पुजारी थे। वे संत प्रवृत्ति के व्यक्ति थे और ईश्वर की खोज के लिए वे अन्य संप्रदायों/धर्मों (जिमसें मुस्लिम व ईसाई भी शामिल थे) के संतों के साथ रहते थे। उनकी प्रमुख शिक्षाएं हैं-

- रामकृष्ण ने धार्मिक मतानुराग की निंदा की और धार्मिक सारभौमिकतावाद पर बल दिया। उनके स्वयं के विचार भारतीय विचारधारा व संस्कृति में निहित थे और उन्होंने सभी धर्मों में सत्य की पहचान की। उन्होंने शिक्षा दी कि हिंदू, मुस्लिम व ईसाई विभिन्न मार्ग हैं, जो एक ही ईश्वर की ओर ले जाते हैं।
- उन्होंने आध्यात्मिक भावना को उत्प्रेरित करने व भक्तों में उत्साह भरने में मूर्तिपूजा की उपयोगिता को स्वीकार किया। उन्होंने अंतिम लक्ष्य व भावना पर बल दिया, न कि प्रतीकों और कर्मकांडों पर।
- उनके मन में मानव पीड़ा के प्रति अत्यधिक सहानुभूति थी और वे अपने शिष्यों को **'यत्र जीव, तत्र शिव'** (जहां प्राणी हैं, वहां ईश्वर हैं) के बारे में सिखाते थे। उन्होंने सिखाया कि प्राणियों के प्रति कृपा मत दिखाओ, अपितु उनको शिव (ईश्वर) मानकर उनकी सेवा करो।
- हालांकि, रामकृष्ण का मुख्य बल धार्मिक मुक्ति पर रहा, न कि सामाजिक।

रामकृष्ण के सबसे प्रसिद्ध शिष्य स्वामी विवेकानंद थे, जिन्होंने अपने गुरु के संदेश को भारत के साथ-साथ विदेशों में प्रसारित किया और लोकप्रिय बनाया।

स्वामी विवेकानंद

स्वामी विवेकानंद (1863-1902) एवं रामकृष्ण मिशन (1897)- 19वीं शताब्दी में बंगाल में महान विचारकों में से अंतिम नरेंद्र दत्त (जिन्हें स्वामी विवेकानंद के नाम से जाना गया) थे, जिन्होंने हिंदू समाज को एक नया आयाम प्रदान किया। उनके आध्यात्मिक गुरु रामकृष्ण परमहंस थे।

1893 में स्वामी विवेकानंद को शिकागो में आयोजित हुए **धर्म संसद** से प्रसिद्धि मिली, जहां उन्होंने हिंदू धर्म का प्रतिनिधित्व किया था। अपने आधार अभिभाषण (keynote address) में उन्होंने **आध्यात्मिकता एवं भौतिकता** (spiritualism and materialism) के मध्य **स्वस्थ संतुलन** की आवश्यकता पर बल दिया था। प्राच्य एवं पाश्यात्य संस्कृति पर उनके विशाल ज्ञान, उनकी वाक्पटुता, मानव के प्रति उनकी सहानुभूति एवं उनके द्वारा की गई बौद्धिक व्याख्या ने अंतर्राष्ट्रीय श्रोताओं के मन में गहरा प्रभाव छोड़ा।

विवेकानंद की शिक्षाएं-

- विवेकानंद **नव-हिंदूवाद** (Neo-Hinduism) के एक प्रचारक के रूप में उभरे। उन्होंने एक नई संस्कृति की कल्पना की, जहां पश्चिम के भौतिकतावाद और पूर्व की आध्यात्मिकता को मानव समाज की प्रसन्नता के लिए सौहार्दपूर्वक मिश्रित किया जाएगा।
- उन्होंने उस समय व्याप्त सामाजिक कुरीतियों जैसे- जाति व्यवस्था, कर्मकांड एवं अंधविश्वास की निंदा की। उन्होंने अमीर द्वारा गरीब के उत्पीड़न की मौन सहमति पर प्रहार किया।

- यद्यपि विवेकानंद ने कोई राजनीतिक संदेश नहीं दिया, तथापि उन्होंने व्याख्यान एवं लेखों के द्वारा युवाओं के मन में भारत के अतीत में गर्व के भाव एवं भारत की संस्कृति में आस्था को भरा। इस प्रकार उन्होंने औपनिवेशिक भारत में **राष्ट्रवाद** की अवधारणा को निर्मित करने में महत्वपूर्ण योगदान दिया।
- उन्होंने विश्व के साथ भारतीयों के संपर्क खोने की आलोचना की। उन्होंने कहा कि गति जीवन का प्रतीक है, अकर्मण्यता का परिणाम अवनति है।
- वे अपने गुरु की इस शिक्षा से अत्यधिक प्रभावित थे कि सभी प्राणी ईश्वर के ही मूर्त रूप हैं और इस प्रकार ईश्वर की सेवा करने का श्रेष्ठ तरीका है कि **मनुष्य की सेवा** की जाए। इस प्रकार उन्होंने हिंदूवाद (हिंदू धर्म) को एक नया सामाजिक उद्देश्य दिया।
- उनकी प्रसिद्ध साहित्यिक कृतियां थीं-
  - वर्तमान भारत
  - कोलम्बो से अल्मोड़ा तक व्याख्यान (Lectures from Colombo to Almora)
  - पूर्व व पश्चिम (The East and the West)

रामकृष्ण मिशन, 1897- 1897 में विवेकानंद ने अपने आध्यात्मिक गुरु रामकृष्ण परमहंस की मृत्यु के 11 वर्ष बाद उनके मानवीय एवं सामाजिक कार्यों को कार्यान्वित करने के लिए रामकृष्ण मिशन की स्थापना की। अपने उद्देश्यों की प्राप्ति के लिए मिशन ने देश के विभिन्न भागों में अनेक धर्मार्थ विद्यालय, अस्पताल, अनाथालय, पुस्तकालय इत्यादि खोले।

सुभाष चंद्र बोस- जहां तक बंगाल का संबंध है विवेकानंद को **आधुनिक राष्ट्रवादी आंदोलन के आध्यात्मिक जनक** के रूप में माना जा सकता है।

रबीन्द्रनाथ टैगोर पर विशेष लेख (1861-1941)- गुरुदेव नाम से भी विख्यात रबीन्द्रनाथ टैगोर एक बहुज्ञ, राष्ट्रवादी एवं बंगाली पुनर्जागरण के एक प्रतिपादक थे। वे एक लेखक एवं उत्कृष्ट कलाकार थे और 1913 में साहित्य के क्षेत्र में **नोबेल पुरस्कार** प्राप्त करने वाले पहले गैर-यूरोपीय व्यक्ति बने। उनकी की दो रचनाएं 'जन गण मन' एवं 'आमार सोनार बांग्ला' क्रमशः भारत और बांग्लादेश के राष्ट्रगान बने।

रबीन्द्रनाथ टैगोर

टैगोर ने अपनी **राष्ट्रवादी रचनाओं** के द्वारा भारत के स्वाधीनता संघर्ष को समर्थन दिया, जिनमें से अनेक को राष्ट्रीय आंदोलनों के दौरान नारों के रूप में अपनाया गया। 'जहां मन भयभीत न हो' और 'एकला चलो रे' बहुत लोकप्रिय हुए, दूसरे नारे को तो गांधी ने भी पसंद किया। यद्यपि वे कुछ गांधीवादी गतिविधियों विशेषकर विदेशी वस्त्रों को जलाना और चरखे की वकालत के प्रति आलोचनात्मक दृष्टिकोण रखते थे, इसके बावजूद उन्होंने दलितों के लिए पृथक निर्वाचन व्यवस्था के मुद्दे पर गांधी-अंबेडकर विवाद को सुलझाने में महत्वपूर्ण भूमिका निभाई थी। स्वतंत्रता प्राप्ति के लिए टैगोर ने किसी अंधी क्रांति की अपेक्षा स्व-सहायता एवं नियमित उद्देश्यपूर्ण शिक्षा की वकालत की। जलियांवाला बाग हत्याकांड के विरुद्ध अपना विरोध दर्ज करने के लिए उन्होंने अपनी **नाइटहुड** (knighthood) की उपाधि का त्याग कर दिया था।

1918 में उन्होंने **विश्व भारती** नाम से एक विद्यालय स्थापित किया, जिसमें रटकर सिखाने की अपेक्षा समग्र शिक्षा पर बल दिया जाता था। उनके भाई सत्येंद्रनाथ टैगोर पहले ऐसे भारतीय थे, जो भारतीय सिविल सेवा (जून, 1863) में नियुक्त हुए।

प्रीलिम कैप्सूल

सुधार आंदोलन (पूर्वी भारत)

नेतृत्वकर्ता एवं आंदोलन	महत्वपूर्ण घटनाएं
राजा राममोहन राय (1774-1833) एवं ब्रह्म समाज (1828)	राममोहन राय को सुधार आंदोलन के **चमकते सितारे** के रूप में जाना जाता है। वह पूर्व एवं पश्चिम के संश्लेषण में विश्वास करते थे। उन्होंने बताया कि सभी मुख्य हिंदू धर्म ग्रंथ एकेश्वरवाद अथवा एक ईश्वर की पूजा की शिक्षा देते हैं। 1805 में उन्होंने अपना पहली दार्शनिक कृति **तुफत अल-मुवाहिदीन** पारसी भाषा में प्रकाशित की। 1820 में उन्होंने पर **परसेप्ट्स ऑफ जीसस** प्रकाशित की। 1814 में उन्होंने सामाजिक-धार्मिक सुधार करने के लिए कलकत्ता में **आत्मीय सभा** की स्थापना की। 1825 में उन्होंने **वेदांता कॉलेज** स्थापित किया, जिसमें भारतीय शिक्षा के साथ-साथ पाश्चात्य शिक्षा को सम्मिलित किया गया।
	1828 में उन्होंने **ब्रह्म सभा** की स्थापना की। बाद में इसका नाम ब्रह्म समाज कर दिया गया। उनके संघर्ष के परिणामस्वरुप 1829 में विलियम बेंटिक द्वारा एक कानून पारित करके **सती प्रथा** का उन्मूलन किया गया। उन्होंने भारत में राष्ट्रवादी चेतना की पहली झलक प्रस्तुत की। उन्हें आधुनिक भारत और **भारतीय पुनर्जागरण का जनक** कहा जाता है।
ब्रह्म समाज	इसका मुख्य उद्देश्य एकेश्वरवाद का प्रसार और हिंदू धर्म को उसकी कुरीतियों से दूर करना था। राधाकांत देब द्वारा स्थापित **धर्म सभा** ने ब्रह्म समाज की गतिविधियों का विरोध किया।
देवेंद्रनाथ टैगोर (1817-1905)	देवेंद्रनाथ टैगोर रबीन्द्रनाथ टैगोर के पिता थे। 1839 में राममोहन राय के विचारों को प्रचारित करने के लिए उन्होंने **तत्वबोधिनी सभा** की स्थापना की। सभा ने **तत्वबोधिनी पत्रिका** (1843) प्रकाशित की। 1843 में देवेंद्रनाथ टैगोर ब्रह्म समाज में शामिल हुए और इसे एक नया जीवन दिया।

नेतृत्वकर्ता एवं आंदोलन	महत्वपूर्ण घटनाएं
केशव चंद्र सेन (1838-1884)	केशव चंद्र सेन 1858 में ब्रह्म समाज में शामिल हुए। देवेंद्रनाथ टैगोर द्वारा इन्हें समाज का आचार्य नियुक्त किया गया। इनके नेतृत्व में संयुक्त प्रांत, पंजाब, बॉम्बे, मद्रास इत्यादि में समाज की शाखाएं खोली गई। देवेंद्रनाथ के राष्ट्रीय हिंदू पहचान पर बल दिए जाने के विपरीत सार्वभौमिकतावाद पर बल दिया, जो ब्रह्म समाज को विभाजन की ओर ले गया। केशव और उनके अनुयायियों ने मूल संस्था को छोड़कर 1865 में **ब्रह्म समाज ऑफ इंडिया** की स्थापना की। इस प्रकार टैगोर का समाज **आदि ब्रह्म समाज** के नाम से जाना गया। केशव ने अपनी 13 वर्षीय पुत्री का विवाह कूच-बिहार के महाराजा से किया। इससे असंतुष्ट होकर केशव के अनेक अनुयायियों ने एक नए संगठन **साधारण ब्रह्म समाज** की स्थापना की।
डिरोजियो (1809-1831) एवं युवा बंगाल आंदोलन (1820-1830 के दशक)	हेनरी विवियन डिरोजियो हिंदू कॉलेज के एक आंग्ल भारतीय शिक्षक थे। वे फ्रांसीसी क्रांति से प्रेरित थे और उन्होंने उस समय के सबसे अतिवादी विचारों को अपनाया। इनके अनुयायी **डिरोजियन अथवा युवा बंगाल** के नाम से जाने गए, जिन्होंने हिंदू समाज और धर्म के पुरानी व पतित परंपराओं पर प्रहार किया। 1831 में अपने अतिवाद के कारण डिरोजियो को हिंदू कॉलेज से अपदस्थ कर दिया गया।
ईश्वर चंद्र विद्यासागर (1820-1891)	वे संस्कृत के विद्वान थे और **कलकत्ता** के **संस्कृत कॉलेज** में प्राचार्य के पद तक पहुंचे। उन्होंने महाविद्यालय के द्वार पाश्चात्य विचारों के साथ-साथ गैर-ब्राह्मण विद्यार्थियों के लिए खोले। विद्यासागर एवं रबीन्द्रनाथ टैगोर दोनों ने **बंगाली प्राइमर (वर्णमाला की पुस्तकें, Bengali Primers)** लिखे। उन्होंने विधवा पुनर्विवाह के लिए अपना संपूर्ण जीवन समर्पित कर दिया था। उनका प्रयास 1856 में **हिंदू विधवा पुनर्विवाह अधिनियम** के पारित होने से चरम पर पहुंचा। बेथुन विद्यालय के सचिव के रूप में उन्होंने महिला शिक्षा के लिए आंदोलन का नेतृत्व किया। उन्होंने बाल विवाह एवं बहुपत्नी प्रथा के विरुद्ध संघर्ष किया। उनकी प्रमुख साहित्यिक कृतियां **बहुविवाह** एवं **विधवा विवाह** थीं। उन्होंने एक बंगाली समाचार पत्र **सोमप्रकाश** (1858) भी निकाला।
रामकृष्ण परमहंस (1834-1886)	वे कलकत्ता के समीप दक्षिणेश्वर में काली मंदिर के एक गरीब पुजारी थे। उनके मन में मानव पीड़ा के प्रति बहुत सहानुभूति थी और उन्होंने अपने शिष्यों को 'यत्र जीव: तत्र शिव:' की शिक्षा दी। रामकृष्ण ने सामाजिक मुक्ति की अपेक्षा धार्मिक मुक्ति पर बल दिया

नेतृत्वकर्ता एवं आंदोलन	महत्वपूर्ण घटनाएं
स्वामी विवेकानंद (1863-1902)	1893 में शिकागो में आयोजित **धर्म संसद** से विवेकानंद को प्रसिद्धि प्राप्त हुई। उन्होने आध्यात्मिकता एवं भौतिकता के मध्य स्वस्थ संतुलन की आवश्यकता पर बल दिया। उनकी शिक्षाओं को **नव-हिंदूवाद** कहा गया। उन्होंने औपनिवेशिक भारत में **राष्ट्रवाद** की अवधारणा को विकसित करने में महत्वपूर्ण योगदान दिया। गुरु के समान उनका भी विश्वास था कि ईश्वर की सेवा करने का श्रेष्ठ तरीका है कि **मानव सेवा** की जाए। इस प्रकार उन्होंने हिंदू धर्म को एक नया सामाजिक उद्देश्य दिया। 1897 में मानवीय एवं सामाजिक कार्यों को करने के लिए उन्होंने रामकृष्ण मिशन की स्थापना की। उनकी प्रसिद्ध कृतियों में **वर्तमान भारत**, **कोलंबो से अल्मोड़ा तक व्याख्यान** एवं **पूर्व व पश्चिम** शामिल थीं।

पश्चिमी भारत (Western India)

सामाजिक स्थिति के दृष्टिकोण से महाराष्ट्रीयन समाज वर्णाश्रम व्यवस्था के अनुसार एक असमान पदानुक्रम, जिसमें ब्राह्मण, क्षत्रिय, वैश्य और शूद्र शामिल थे, में बंटा हुआ था। समाज में विभिन्न जातियों के बीच पारस्परिक व्यवहार को पवित्रता और अपवित्रता के कठोर नियम द्वारा नियंत्रित किया जाता था। शूद्रों को शिक्षा सहित सभी अधिकारों से वंचित किया गया था। दूसरी ओर, ब्राह्मणों का धर्म एवं शिक्षा के मुद्दों पर एकाधिकार के कारण अन्य सभी जातियों पर प्रभुत्व था। ब्रिटिश काल के दौरान ब्राह्मणों ने सफलतापूर्वक अंग्रेजी शिक्षा प्राप्त की और औपनिवेशिक प्रशासन पर अपना प्रभुत्व जमाया। उन्होंने प्रमुख पदों, जैसे- अधिकारी वर्ग, वकील, शिक्षक, लेखक, संपादक इत्यादि को प्राप्त किया। इस प्रकार गैर-ब्राह्मणों के मन में भय उत्पन्न हुआ। इस दशा की ईसाई धर्म प्रचारकों के साथ-साथ राष्ट्रवादी बुद्धिजीवियों में कठोरतापूर्ण आलोचना की।

पश्चिमी भारत में सुधार आंदोलनों का मुख्य केंद्र बिंदु सामाजिक सुधार था, जबकि बंगाल में मुख्य केंद्र धार्मिक सुधार था। अतः महाराष्ट्र के प्रारंभिक बुद्धिजीवियों का दृष्टिकोण धार्मिक अथवा दार्शनिक पक्षों से अधिक संबंधित न होकर व्यवहारिक था।

महाराष्ट्र में सुधारों को दो प्रमुख धाराओं में विभाजित किया जा सकता है-

1. प्रारंभिक अतिवादी सुधारक, जैसे- ज्योतिबा फुले, जो समानता एवं विवेक के आधार पर परंपरागत समाज को क्रांतिकारी ढंग से पुनर्सगठित करना चाहते थे। (उनके प्रयासों से विभिन्न प्रकार के भेद-भाव के बारे में निम्न जातियों के बीच एक सामान्य जागरूकता का उद्‌भव हुआ और इसने महाराष्ट्र में गैर-ब्राह्मण आंदोलन को जन्म दिया। इसके बारे में अगले अध्याय में चर्चा की गई है।)
2. बाद के उदारवादी सुधारक, जैसे- एम.जी. रानाडे, जो कुछ परिवर्तनों के साथ प्राच्य समाज की ओर लौटना चाहते थे।

पश्चिमी भारत में सुधार आंदोलन का प्रारंभिक चरण (Early Phase of Reform Movement in Western India)

बालशास्त्री जांभेकर (1812-1846)

जांभेकर महाराष्ट्र में बौद्धिक आंदोलन के अग्रदूत थे। उन्होंने ब्राह्मणवादी रूढ़िवाद पर प्रहार किया। 1832 में उन्होंने एक साप्ताहिक पत्रिका **'दर्पण'** शुरू की और 1930 के दशक में अपने अनेक लेखों के माध्यम से सुधार आंदोलन की पहल की।

दादोबा पांडुरंग तर्खडकर एवं परमहंस मंडली (1814-1882)

आगे यह बौद्धिक आंदोलन दाबोदा के प्रयासों से विकसित हुआ। 1849 में उन्होंने 19वीं शताब्दी के महाराष्ट्र के पहले सुधार संगठन **परमहंस मंडली** का नेतृत्व अपने हाथों में लिया। इस मंडली का मुख्य उद्देश्य सभी प्रकार के जातीय भेद-भावों को समाप्त करना था। प्रत्येक सदस्य को यह प्रतिज्ञा लेनी होती थी कि वह जाति अथवा धर्म पर आधारित किसी भी भेद-भाव का अनुसरण नहीं करेगा। इस संगठन की बैठक में सदस्यों को निम्न जाति के लोगों द्वारा बनाए गए भोजन को खाना होता था। हालांकि, रूढ़िवादी वर्गों के आक्रोश का सामना करने के भय से इस मंडली को एक **गुप्त समाज** के रूप में कार्य करना पड़ता था।

भास्कर पांडुरंग (1816-1847)

भास्कर पांडुरंग भारत में औपनिवेशिक शासन के एक आक्रामक आलोचक के रूप में उभरे। 1841 में उन्होंने बॉम्बे राजपत्र में अनेक पत्र लिखकर औपनिवेशिक प्रभुत्व के लगभग सभी पक्षों को उजागर किया।

ज्योतिबा फुले (1827-1890)

फुले का जन्म एक निम्न जाति के माली परिवार में हुआ और वे महाराष्ट्र में गैर-ब्राह्मणों की अपमानजनक स्थिति के बारे में जागरूक थे। अपने संपूर्ण जीवन में उन्होंने उच्च जाति के प्रभुत्व के विरुद्ध तीव्र प्रचार किया और 1854 में **अछूतों के लिए एक विद्यालय शुरू करने वाले वे पहले भारतीय** बने।

फुले ने भारतीय महिलाओं की मुक्ति के लिए भी प्रचार किया। महाराष्ट्र में वे विधवा पुनर्विवाह आंदोलन के अग्रदूत थे। 1851 में उन्होंने अपनी पत्नी के साथ पुणे में **कन्याओं के लिए विद्यालय** शुरू किया।

स्टूडेंट्स लिटरेरी एंड साइंटिफिक सोसाइटी (Students' Literary and Scientific Society) (1848)

1848 में इसकी स्थापना अनेक शिक्षित युवाओं ने की और इसकी दो शाखाएं थीं, जिन्हें क्रमश: मराठी व गुजराती **ज्ञान प्रकाशक मंडली** के नाम से जाना गया। यह संस्था विज्ञान एवं सामाजिक विषयों से संबंधित प्रश्नावली आयोजित करती थी। इसका उद्देश्य महिला शिक्षा के लिए विद्यालय खोलने का भी था।

करसनदास मुलजी

विधवा पुनर्विवाह के क्षेत्र में ये एक अन्य कार्यकर्ता थे। उन्होंने इस दिशा में पहल हेतु गुजराती में **'सत्य प्रकाश'** शुरू किया।

'लोकहितवादी' गोपाल हरी देशमुख (1823-1882)

1848-1850 के दौरान देशमुख (अपने उपनाम **लोकहितवादी** नाम से अधिक विख्यात) ने एक मराठी साप्ताहिक **प्रभाकर** में अपने प्रसिद्ध 100 पत्रों, **'शतपत्रें'** को लिखा। यह महाराष्ट्र में आरंभिक बौद्धिक कार्यों की एक महान कृति थी। इन पत्रों में लगभग सभी आयाम समाहित थे और समकालीन समाज के लगभग प्रत्येक पक्ष को इसमें लिया गया था। उन्होंने भारतीय समाज को आधुनिक मानववादी तर्ज पर पुनर्सगठित करने की वकालत की।

उनका मानना था कि समाज सुधारों के लिए धर्म की संस्वीकृति होना या न होना सारहीन है। यदि कोई धर्म इन सुधारों को स्वीकृति नहीं देता, तो ऐसे धर्म को परिवर्तित करना चाहिए और जो कुछ धर्म ग्रंथों में लिखा हुआ है, जरूरी नहीं कि उसकी समकालीन समाज में प्रासंगिकता हो।

विष्णु भिकाजी गोखले (1825-1873)

विष्णु भिकाजी गोखले को **विष्णुबुवा ब्रह्मचारी** के नाम से भी जाना जाता है, क्योंकि वे आजीवन ब्रह्मचारी रहे। उन्होंने जाति व्यवस्था की निंदा और समाज में जातीय एकरूपता की वकालत की। यद्यपि वे एक ब्राह्मण थे, उन्होंने एक मुस्लिम रसोइये को नियुक्त किया था और वे किसी के भी हाथ से परोसे गए भोजन को ग्रहण कर लेते थे। इस प्रकार उन्होंने खुले तौर पर जाति नियमों की अवहेलना की और समान व न्याय-पूर्ण समाज के लिए कार्य किया।

पश्चिम भारत में सुधार आंदोलन के बाद का चरण (Later Phase of Reform Movement in Western India)

विष्णु परशुराम शास्त्री पंडित (1827-1876)

महिला मुक्ति के लिए आंदोलन के क्षेत्र में पंडित एक प्रमुख व्यक्ति थे। उन्होंने अपना सार्वजनिक जीवन विधवा पुनर्विवाह की वकालत के साथ शुरू किया। उन्होंने 1850 के दशक में **विधवा पुनर्विवाह एसोसिएशन** (Widow Remarriage Association) और 1865 में **विधवा विवाह उत्तेजक मंडल** स्थापित किया। उन्होंने 1875 में स्वयं एक विधवा से विवाह करके उदाहरण प्रस्तुत किया।

महाराष्ट्र में ब्रह्म समाज के कार्यकर्ता (प्रार्थना समाज, बॉम्बे, 1867)

1867 में केशव चंद्र सेन के मार्गदर्शन में बॉम्बे में प्रार्थना समाज की स्थापना की गई। समाज के सदस्य स्वयं को एक सामान्य हिंदू संस्था के अंतर्गत मानते थे। आप पहले ही पढ़ चुके हैं कि पश्चिमी भारत में बंगाल (जहां धार्मिक सुधार मुख्य था) के विपरीत सुधार आंदोलनों का मुख्य केंद्र बिंदु सामाजिक सुधार था। अत: वे विश्वास करते थे कि ईश्वर से सच्चा प्रेम ईश्वर की संतानों की सेवा में निहित है।

समाज के सदस्यों ने विधवा पुनर्विवाह, महिलाओं की शिक्षा, महिला एवं पुरुष दोनों के लिए विवाह की आयु में वृद्धि एवं जाति व्यवस्था की भर्त्सना जैसे क्षेत्रों में कार्य किया। समाज ने एकेश्वरवाद की शिक्षा दी और पुरोहितों के प्रभुत्व पर प्रहार किया।

प्रार्थना समाज के मुख्य नेताओं में आर.जी. भंडारकर (1837-1925), जस्टिस महादेव गोविंद रानाडे (1842-1901) एवं एन.जी. चंदावरकर (1855-1923) शामिल थे। प्रार्थना समाज के नेताओं द्वारा संचालित **दलित वर्ग मिशन** (Depressed Classes Mission), **सोशल सर्विस लीग** (Social Service League) एवं **डक्कन एजुकेशन सोसाइटी** (Deccan Education Society) ने भी सामाजिक सुधार के क्षेत्र में महत्वपूर्ण कार्य किए। तेलुगू सुधारक कंदुकूरि वीरेशलिंगम् के प्रयासों के द्वारा ब्रह्म समाज की गतिविधियां दक्षिण भारत में भी प्रसारित हुई।

रामकृष्ण गोपाल भंडारकर (1837-1925)

अपनी अत्यधिक विद्वता के कारण भंडारकर को **महर्षि** की उपाधि मिली। 1891 में अत्यधिक विरोध के बावजूद उन्होंने अपनी विधवा पुत्री के विवाह की व्यवस्था की। वे हिंदू-मुस्लिम एकता के प्रबल समर्थक थे।

नारायण महादेव परमानंद (1838-1893)

परमानंद एक महान समाज सुधारक एवं ब्रिटिश प्रशासन के एक रचनात्मक आलोचक थे। वे **'राजनीतिक बैरागी'** (Political recluse) उपनाम से लिखते थे।

महादेव गोविंद रानाडे (1842-1901)

रानाडे एलफिंस्टन कॉलेज, बॉम्बे से पढ़े और 1891-1901 के दौरान बॉम्बे उच्च न्यायालय के एक न्यायाधीश बने। उनका मानना था कि जाति व्यवस्था भारतीय समाज पर एक धब्बा है और समाज सुधार के लिए धार्मिक-सुधार एक पूर्व आवश्यकता है। 1867 में उन्होंने महाराष्ट्र में परमहंस मंडलियों को पुनर्सगठित कर **प्रार्थना समाज** (महाराष्ट्र में एक ब्रह्म आंदोलन) की स्थापना में सहायता की। वे जीवनपर्यंत महाराष्ट्र में इस आंदोलन का मार्गदर्शन करते रहे। 1870 में उन्होंने **पूना सार्वजनिक सभा** की स्थापना में सहायता की और अपनी विचारधारा पर शुरू किया गया बॉम्बे दैनिक **'इंदु प्रकाश'** का संपादन किया। 1887 में उन्होंने रघुनाथ राव के साथ मिलकर **भारतीय राष्ट्रीय सामाजिक सम्मेलन** (Indian National Social

Conference) की स्थापना की। इसके द्वारा बाल विवाह रोकने के लिए लोगों को संकल्प लेने के लिए प्रेरित करने हेतु प्रसिद्ध **'प्रतिज्ञा आंदोलन'** (Pledge Movement) प्रारंभ किया गया। अपनी पहली पत्नी की मृत्यु के बाद उनके सुधारक मित्रों को उनसे अपेक्षा थी कि वे एक विधवा से शादी करेंगे, लेकिन इसके स्थान पर उन्होंने एक बाल वधू, रमाबाई रानाडे, से विवाह किया। रमाबाई रानाडे भी एक प्रमुख समाज सुधारक बनीं।

विष्णु शास्त्री चिपलूनकर (1850-1882) एवं डेक्कन एजुकेशन सोसाइटी (पुणे, 1884)

1874 में चिपलूनकर ने सामाजिक सुधार के लिए समर्पित एक प्रसिद्ध मासिक मराठी पत्रिका **निबंधमाला** शुरू की। 1880 में विष्णु शास्त्री चिपलूनकर व बाल गंगाधर तिलक ने पुणे में न्यू इंग्लिश स्कूल (New English School) स्थापित किया, जो पाश्चात्य शिक्षा के लिए भारतीयों द्वारा स्थापित पहले विद्यालयों में से एक था। 1884 में दोनों ने गोपाल गणेश आगरकर, महादेव बल्लाल नामजोशी एवं अन्य के साथ मिलकर **डक्कन एजुकेशन सोसाइटी** (Deccan Education Society) बनाई। शीघ्र ही उन्होंने फर्गुसन कॉलेज स्थापित किया, जिसमें तिलक एवं आगरकर प्रारंभिक व्याख्याता थे। 32 वर्ष की अल्पायु में चिपलूनकर का देहावसान हुआ।

जस्टिस महादेव गोविंद रानाडे (1842-1901)- एक भारतीय विद्वान, सामाजिक सुधारक एवं भारतीय राष्ट्रीय कांग्रेस के संस्थापक सदस्य थे।

के. टी. तेलंग (1850-1893)

बॉम्बे में **अनिवार्य प्राथमिक शिक्षा** प्रस्तावित करने में तेलंग ने महत्वपूर्ण भूमिका निभाई थी। वे पहले **भारतीय कुलपति** थे।

गणेश वासुदेव जोशी (1851-1911)

जोशी ने ब्रिटिश सरकार की आर्थिक नीति की एक महत्वपूर्ण आलोचना प्रस्तुत की। वे अपने समय के एक महान बुद्धिजीवी थे और उन्होंने सामाजिक परिवर्तन के एक प्रभावी साधन के रूप में शिक्षा पर अत्यधिक बल दिया।

नारायण गणेश चंदावरकर (1855-1923)

चंदावरकर मुख्य रूप से एक दार्शनिक थे और प्रार्थना समाज के एक महान नेता के रूप उभरे।

गोपाल गणेश आगरकर (1856-1895)

आगरकर मूर्ति पूजा के विरोधी एवं विवेकवादी थे। उन्होंने परंपराओं पर निर्भरता और भारत के अतीत का असत्य गुणगान (महिमामंडन) की कटु निंदा की।

प्रोफेसर डी.के. कार्वे (1858-1962)

प्रोफेसर धोंडो केशव कार्वे ने एक सामाजिक सुधारक के रूप में महिलाओं के कल्याण के क्षेत्र में महत्वपूर्ण कार्य किया। उन्होंने बॉम्बे में एक कन्या विद्यालय में शिक्षक के रूप में अपना व्यवसायिक जीवन शुरू किया और बाद में फर्गुसन कॉलेज (Fergusson College) में प्राध्यापक बने। अपनी पत्नी को खोने के बाद उन्होंने 1893 में एक ब्राह्मण विधवा से पुनर्विवाह किया और अपना शेष जीवन हिंदू विधवाओं के उत्थान में लगा दिया। 1899 में **पुणे** में **विधवा गृह** (Widow's Home) स्थापित किया, जहां उच्च जाति की विधवाओं को शिक्षा, नर्सिंग व चिकित्सा को अपने व्यवसाय के रूप में अपनाने के लिए प्रेरित किया जाता था। **1916** में **बॉम्बे** में **भारतीय महिला विश्वविद्यालय** (Indian Women's University) की स्थापना द्वारा उन्होंने अपने कार्य को पराकाष्ठा पर पहुंचाया।

बेहरामजी एम. मलाबरी (1853-1912) और सेवा सदन (1885)

बेहरामजी मलाबरी एक पारसी समाज सुधारक थे, जिन्हें महिला अधिकारों के उत्साही समर्थन, बाल-विवाह व जबरन विधवापन के विरुद्ध प्रचार करने के लिए जाना जाता है। 1885 में उन्होंने सेवा सदन स्थापित किया, जहां ऐसी महिलाओं की देख-भाल की जाती थी, जिनका शोषण हुआ हो और समाज द्वारा जिनकी उपेक्षा की गई हो। उनके प्रयासों को सफलता 1891 में **सहमति की आयु अधिनियम** (Age of Consent Act, 1891) के लागू होने के साथ मिली। इस अधिनियम द्वारा 12 वर्ष से कम आयु की कन्याओं के विवाह को निषेध कर दिया।

गोपाल कृष्ण गोखले (1866-1915) एवं सर्वेंट ऑफ इंडिया सोसाइटी (पुणे, 1905)

गोखले भारतीय राष्ट्रीय आंदोलन के दौरान एक प्रमुख सामाजिक एवं राजनीतिक नेता थे। वे एम. जी. रानाडे के एक शिष्य के रूप में भारतीय राष्ट्रीय कांग्रेस में शामिल हुए और उदारवादियों के एक नेता के रूप में उभरे व संवैधानिक साधनों के द्वारा सुधारों की वकालत की। 1905 में गोखले भारतीय राष्ट्रीय कांग्रेस के अध्यक्ष निर्वाचित हुए और अपनी राजनीतिक शक्ति के चरम पर पहुंचे।

1905 में ही उन्होंने डक्कन एजुकेशन सोसाइटी छोड़कर भारतीय शिक्षा, जो उनके हृदय के करीब थी, को और अधिक प्रसारित करने के लिए सर्वेंट ऑफ इंडिया सोसाइटी (Servants of India Society) स्थापित की। इस संस्था का उद्देश्य **भारत की सेवा** के लिए **राष्ट्रीय प्रचारकों** को **प्रशिक्षित** करना था। सोसाइटी ने शिक्षा और स्वास्थ्य को प्रोत्साहित करने के लिए कार्य किया और गरीबी, छुआछूत, शराब के नशे, महिलाओं के उत्पीड़न और घरेलू हिंसा जैसी सामाजिक बुराइयों से लड़ने के लिए अनेक अभियानों का आयोजन किया। 1911 में सोसाइटी ने नागपुर से अंग्रेजी में सोसाइटी के एक अंग **'हितवाद'** का प्रकाशन शुरू किया।

विट्ठल रामजी शिंदे (1873-1944) एवं डिप्रेस्ड क्लास मिशन (बॉम्बे, 1906)

शिंदे महाराष्ट्र के एक प्रमुख सामाजिक सुधारक थे। 1901 में प्रार्थना समाज द्वारा उन्हें इंग्लैंड में तुलनात्मक धर्म की अध्ययन करने के लिए चुना गया। वे 1903 में लौटे और अपना संपूर्ण जीवन सामाजिक-धार्मिक सुधार में समर्पित कर दिया। दलितों को शिक्षा प्रदान करने, छुआ-छूत को हटाने और उनकी सामाजिक समस्याओं को सुलझाने के लिए उन्होंने 1906 में **डिप्रेस्ड क्लास मिशन** (Depressed Class Mission) की स्थापना की।

नारायण मल्हार जोशी (1879-1955) एवं सोशल सर्विस लीग (बॉम्बे, 1911)

एन. एम. जोशी गोखले के एक अनुयायी और भारतीय व्यापार संघ के एक नेता थे। 1911 में जोशी ने जनता के लिए जीवन एवं कार्य की बेहतर व उचित स्थितियां सुरक्षित करवाने के उद्देश्य से बॉम्बे में सोशल सर्विस लीग (Social Service League) की स्थापना की। लीग ने आपदाओं जैसे- अकाल, महामारी एवं बाढ़ के दौरान राहत कार्य एवं गरीबों के लिए लोक कल्याणकारी कार्य करने के लिए स्वयंसेवियों को प्रशिक्षित किया। 1921 में जोशी ने लाला लाजपत राय के साथ मिलकर **ऑल इंडिया ट्रेड यूनियन कांग्रेस** (All India Trade Union Congress, AITUC) शुरू की और उन्होंने 1925 से 1929 व पुन: 1940 से 1948 तक इसके महासचिव के रूप में कार्य किया। 1931 में उन्होंने ऑल इंडिया ट्रेड यूनियन कांग्रेस को छोड़ा और ऑल इंडिया ट्रेड यूनियन फेडरेशन (All India Trade Union Federation) शुरू किया।

प्रीलिम कैप्सूल

सुधार आंदोलन (पश्चिमी भारत)

नेतृत्वकर्ता एवं आंदोलन	महत्वपूर्ण घटनाएं
बालशास्त्री जाम्भेकर	जाम्भेकर महाराष्ट्र के बौद्धिक आंदोलन के अग्रदूत थे। 1832 में उन्होंने एक साप्ताहिक **दर्पण** प्रारंभ किया।
दादोबा पांडुरंग तर्खडकर	1849 में इन्होंने **परमहंस मंडली** का नेतृत्व अपने हाथों में लिया, जो महाराष्ट्र का 19वीं शताब्दी का पहला सुधार संगठन था। इसने गुप्त संस्था के रूप में काम किया। इस मंडली का मुख्य उद्देश्य सभी जातिगत भेद-भावों को समाप्त करना था।
ज्योतिबा फुले	फुले का जन्म एक निम्न जाति के माली परिवार में हुआ। 1854 में अछूतों के लिए एक विद्यालय शुरू करने वाले पहले भारतीय बने। वे महाराष्ट्र में विधवा पुनर्विवाह आंदोलन के एक अग्रदूत थे। 1851 में ज्योतिबा और उनकी पत्नी ने पुणे में एक कन्या विद्यालय शुरू किया।
स्टूडेंट्स लिटरेरी एंड साइंटिफिक सोसाइटी	इनको **ज्ञान प्रकाशक मंडलियों** के नाम से भी जाना गया।
करसनदास मुलजी	1852 में इन्होंने विधवा पुनर्विवाह को प्रोत्साहित करने के लिए गुजराती में **सत्य प्रकाश** शुरू की।
'लोकहितवादी' गोपाल हरी देशमुख	इन्हें अपने उपनाम 'लोकहितवादी' से बेहतर जाना जाता है। इन्होंने एक मराठी **साप्ताहिक प्रभाकर** में अपने प्रसिद्ध 100 पत्र **'शतपत्रें'** लिखीं।
विष्णु परशुराम शास्त्री पंडित	1850 के दशक में इन्होंने **विडो रिमैरिज एसोसिएशन** (Widow Remarriage Association) स्थापित किया। 1865 में इन्होंने विधवा विवाह उत्तेजक मंडल बनाया।
महाराष्ट्र में ब्रह्म समाजी	1867 में केशव चंद्र सेन के मार्गदर्शन में बॉम्बे में **प्रार्थना समाज** स्थापित किया गया। इस संस्था के मुख्य नेता थे- आर.जी. भंडारकर, जस्टिस एम.जी. रानाडे एवं एन.जी. चंदावरकर।
नारायण महादेव परमानंद	एक महान सामाजिक सुधारक थे और **'राजनीतिक बैरागी'** उपनाम से लिखते थे।
महादेव गोविंद रानाडे	1867 में इन्होंने परमहंस मंडली के पुनर्सगठन द्वारा प्रार्थना समाज की स्थापना में सहायता की। 1870 में इन्होंने **पूना सार्वजनिक सभा** की स्थापना में सहायता की। अपनी विचारधारा पर आधारित बॉम्बे दैनिक **'इंदु प्रकाश'** का संपादन किया। 1887 में इन्होंने **भारतीय राष्ट्रीय सामाजिक सम्मेलन** (कांग्रेस की एक सुधार विंग) की स्थापना की। इसने बाल विवाह निषेध के लिए लोगों को संकल्प दिलवाने के लिए प्रसिद्ध 'प्रार्थना आंदोलन' प्रारंभ किया।

नेतृत्वकर्ता एवं आंदोलन	महत्वपूर्ण घटनाएं
विष्णु शास्त्री चिपलूनकर	1874 में सामाजिक सुधार को समर्पित एक मासिक पत्रिका **'निबंधमाला'** शुरू की। उन्होंने 1880 में विष्णुशास्त्री चिपलूनकर और बाल गंगाधर तिलक ने पुणे में **न्यू इंग्लिश स्कूल** स्थापित किया। 1884 में जी.जी. आगरकर, एम.बी. नामजोशी एवं अन्य के साथ मिलकर दोनों ने **डक्कन एजुकेशन सोसाइटी** बनाई। इसके बाद शीघ्र ही इन्होंने फर्गुसन कॉलेज स्थापित किया, जिसमें तिलक व आगरकर आरंभिक व्याख्याता बने।
के.टी. तेलंग	इन्होंने बॉम्बे में अनिवार्य प्राथमिक शिक्षा शुरू करने में महत्वपूर्ण भूमिका निभाई। वे **पहले भारतीय कुलपति** थे।
प्रो. डी.के. कार्वे	प्रो. धोन्डो केशव कार्वे ने अपना व्यवसायिक जीवन कन्या विद्यालय में एक शिक्षक के रूप में शुरू किया। 1899 में इन्होंने पुणे में **विधवा गृह** (Widow's Home) शुरू किया। **1916 में बॉम्बे में भारतीय महिला विश्वविद्यालय** (Indian Women's University) की स्थापना द्वारा उन्होंने अपने कार्य को पराकाष्ठा तक पहुंचाया।
बेहरामजी एम मलाबरी	बेहरामजी मलाबरी एक पारसी समाज सुधारक थे, जिन्हें महिला अधिकारों के समर्थन के लिए विशेष रूप से जाना जाता है। 1885 में शोषित महिलाओं की देख-भाल के लिए उन्होंने **सेवा सदन** नाम से संगठन बनाया। इन्हीं के प्रयासों से 1891 में **सहमति की आयु अधिनियम** पारित हुआ, जिसके द्वारा 12 से कम आयु की बालिकाओं के विवाह पर रोक लगा दी गई।
गोपाल कृष्ण गोखले	1905 में इन्होंने डक्कन एजुकेशन सोसाइटी छोड़ी और **सर्वेंट ऑफ इंडिया सोसाइटी** स्थापित की। इस संस्था का मुख्य उद्देश्य भारत की सेवा के लिए राष्ट्रीय प्रचारकों को प्रशिक्षित करना था। 1911 में संस्था में नागपुर से अंग्रेजी में **'हितवाद'** का प्रकाशन शुरू किया।
विट्ठल रामजी शिंदे	1906 में इन्होंने **डिप्रेस्ड क्लास मिशन** स्थापित किया।
नारायण मल्हार जोशी	1911 में राहत एवं कल्याणकारी कार्य करने के लिए बॉम्बे में इन्होंने **सोशल सर्विस लीग** स्थापित की। 1921 में लाला लाजपत राय के साथ मिलकर इन्होंने **ऑल इंडिया ट्रेड यूनियन कांग्रेस** (एआईटीयूसी) शुरू की और इसके महासचिव के रूप में कार्य किया। 1931 में इन्होंने एआईटीयूसी छोड़ी और ऑल इंडिया ट्रेड यूनियन फेडरेशन शुरू किया।

उत्तरी भारत (Northern India)

स्वामी दयानंद सरस्वती (1824-83) एवं आर्य समाज (1875)

आर्य समाज आंदोलन का उद्‌भव पाश्चात्य प्रभाव की एक **प्रतिक्रिया** के रूप में हुआ। इसके संस्थापक स्वामी दयानंद ने पाश्चात्य विचारों की निंदा की और आर्यों के प्राचीन धर्म को पुनर्जीवित करने का प्रयास किया। उनके नारे **'पुनः वेदों की ओर लौटो'** का अर्थ वैदिक शिक्षा व धर्म की वैदिक सुचिता के पुनरुत्थान से था, न कि वैदिक समय के पुनरुत्थान से। अतः उनका आंदोलन अपने स्वरूप में **पुनरुत्थानवादी** था, न की विषय वस्तु में। उन्होंने अनेक पक्षों में आधुनिकता व्यक्त की और राष्ट्रीय समस्याओं पर देशभक्ति के विचार दिए।

स्वामी दयानंद का जन्म **गुजरात** के पुरानी प्राचीन मोर्वी राज्य में एक ब्राह्मण परिवार में हुआ। उनका मूल नाम **मूलशंकर** था। उन्होंने अपने पिता, जो स्वयं भी एक महान वैदिक विद्वान थे, से वैदिक साहित्य, दर्शन एवं नीतिशास्त्र की अंतर्दृष्टि प्राप्त की। 1845 में दयानंद ने अपने गृह का त्याग किया और अगले 15 वर्षों तक एक सन्यासी के रूप में देश भर में घूमते रहे। इस दौरान उन्होंने योग का अध्ययन किया।

1875 में स्वामी दयानंद ने **आर्य समाज की पहली इकाई बॉम्बे** में स्थापित की। कुछ वर्षों बाद आर्य समाज का मुख्यालय **लाहौर** में स्थापित किया गया। इस प्रकार अपने विचारों को प्रचारित करने के उद्देश्य से दयानंद ने बड़े स्तर पर भारत का भ्रमण किया।

दयानंद सरस्वती के विचार एवं शिक्षाएं (Ideas and Teachings of Dayanand Saraswati)

- दयानंद का उद्देश्य भारत को **धार्मिक, सामाजिक** एवं **राष्ट्रीय रूप से एक** करना था, जिसमें आर्य धर्म सार्वजनिक धर्म होगा, समाज जाति-रहित व वर्ग-रहित होगा एवं भारत सभी विदेशी प्रभुत्वों से मुक्त होगा।
- उन्होंने **'पुनः वेदों की ओर लौटो'** का नारा दिया, क्योंकि वे वेदों को हिंदू धर्म का मूल बीज मानते थे। हालांकि, वे वेदों को अमोघ मानते थे और उनकी शिक्षाओं में रूढ़िवादी रंग होता था।
- उन्होंने पुराणों (बाद के हिंदू धर्मग्रंथ) की सत्ता को नकारा और हिंदू धर्म में कुरीतियों जैसे- मूर्ति पूजा व अंधविश्वासों को फैलाने के लिए इन्हें दोषी माना।
- उन्होंने स्वयं वेदों की व्याख्या की और अपने विचारों को अपनी प्रसिद्ध कृति **सत्यार्थ प्रकाश** (The True Exposition) में प्रकाशित किया।
- दयानंद ने 19वीं शताब्दी में हिंदू धर्म में व्याप्त बुराइयों जैसे- मूर्ति पूजा, बहु-ईश्वरवाद, अंधविश्वास एवं बलिप्रथा इत्यादि पर प्रहार किया। वे ईश्वर की एकता में विश्वास करते थे।
- उन्होंने माया के दर्शन को अस्वीकार किया, जिसके अनुसार मनुष्य की आत्मा केवल ईश्वर का भाग है और मनुष्य का उद्देश्य इस संसार, जहां अनेक बुराइयां व्याप्त हैं, से संबंध विच्छेद कर ईश्वर से संबंध जोड़ना है। इसके स्थान पर उन्होंने कहा कि ईश्वर, आत्मा और पदार्थ भिन्न और शाश्वत इकाई हैं।
- उन्होंने नियति के सिद्धांत को भी अस्वीकार किया और कर्म के सिद्धांत का समर्थन किया। उनके अनुसार यह संसार एक युद्ध क्षेत्र है, जहां प्रत्येक व्यक्ति को अपने अच्छे कर्म द्वारा स्वयं मुक्ति प्राप्त करनी है।
- दयानंद ने हिंदुओं के धार्मिक एवं सामाजिक जीवन पर ब्राह्मण/पुरोहित वर्ग के प्रभुत्व को अस्वीकार किया। उन्होने बलपूर्वक कहा कि **प्रत्येक हिंदू को वेदों को पढ़ने** और **उनकी व्याख्या** करने का अधिकार है।

- उन्होंने जन्म आधारित जाति व्यवस्था को भी अस्वीकार किया, लेकिन वे **व्यवसाय पर आधारित वर्ण व्यवस्था** के वैदिक विचार को मानते थे।
- उन्होंने बाल विवाह की निंदा की और वे विधवा पुनर्विवाह के साथ-साथ महिला व पुरुष के लिए समान अधिकारों के उत्साही समर्थक थे।

योगदान

- आर्य समाज का सबसे अभूतपूर्व योगदान सामाजिक सुधार एवं शिक्षा के क्षेत्र में था। समाज में बंधुत्व, लिंगों के बीच समानता, न्याय, सब के प्रति प्रेम एवं परोपकार पर अत्यधिक बल दिया। समाज में प्राच्य एवं पाश्चात्य शिक्षा के सर्वश्रेष्ठ भाग को प्रदान करने के लिए देशभर में **दयानंद एंग्लो वैदिक (Dayanand Anglo-Vedic, D.A.V.) संस्थाएं** स्थापित की। 1886 में लाहौर में स्थापित एंग्लो वैदिक स्कूल द्वारा डी.ए.वी. आंदोलन को गति मिली। 1902 में समाज के रूढ़िवादी तत्वों ने हरिद्वार में गुरुकुल पाठशाला खोली।
- एक अनुशासित हिंदू संगठन के रूप में समाज ने ईसाई एवं इस्लाम धर्म के हमले से हिंदू समाज को संरक्षित करने में सफलता प्राप्त की।
- समाज ने गैर-हिंदुओं को हिंदू धर्म में परिवर्तित करने के लिए **शुद्धि आंदोलन** प्रारंभ किया।
- राजनीतिक क्षेत्र में इसने ***'भारत, भारतीयों के लिए'*** नारा बुलंद किया और देशभक्ति की तीव्र भावना जागृत की। समाज के द्वारा अनेक प्रमुख राष्ट्रीय नेता जैसे- लाला हंसराज, पंडित गुरुदत्त और लाला लाजपत राय प्रदान किए।
- आर्य समाज आंदोलन को श्वेत-नस्ल की सर्वोच्चता को कमजोर करने और हिंदुओं में गर्व का भाव पुनर्जीवित करने में सफलता मिली।

जहां एक ओर ब्रह्म समाज एवं थियोसोफिकल सोसाइटी अंग्रेजी शिक्षित अभिजन वर्ग तक सीमित थे, वही दयानंद सरस्वती के संदेश भारतीय जनता के लिए थे और उनका आंदोलन देश के विभिन्न भागों, विशेषकर पंजाब, हरियाणा, संयुक्त प्रांत, बिहार एवं राजस्थान में फैला।

शिव नारायण अग्निहोत्री (1850-1929) एवं देव समाज (लाहौर, 1887)

1875 में अग्निहोत्री ब्रह्म समाज के एक सक्रिय सदस्य थे और समाज द्वारा किए गए अनेक आंदोलनों में अथक परिश्रम से कार्य किया था। 1887 में उन्होंने धर्म समाज से त्यागपत्र दिया और एक नई संस्था देव समाज स्थापित की। देव समाज मूल रूप से एक आस्तिक संस्था के रूप में स्थापित हुई थी, लेकिन बाद में यह एक नास्तिक संस्था बनी, जिसने ईश्वर के अस्तित्व को नकारा व नैतिक आचरण पर बल दिया। इसने आदर्श सामाजिक व्यवहारों, जैसे- रिश्वत स्वीकार न करना, मादक पदार्थों व मांसाहारी भोजन से दूर रहना एवं अहिंसा का पालन करना, को अपनाने का आह्वान किया। इसकी शिक्षाओं को एक किताब **देव शास्त्र** में संकलित किया गया।

प्रीलिम कैप्सूल

सुधार आंदोलन (उत्तरी भारत)

नेतृत्वकर्ता एवं आंदोलन	महत्वपूर्ण घटनाएं
स्वामी दयानंद सरस्वती (1824-83) एवं आर्य समाज (1875)	दयानंद सरस्वती का जन्म गुजरात के प्राचीन मोर्वी राज्य में एक ब्राह्मण परिवार में हुआ। उनका मूल नाम **मूल शंकर** था। उन्होंने पाश्चात्य विचारों की निंदा की और आर्यों के प्राचीन धर्म के पुनरुत्थान का प्रयास किया। उनके नारे **'पुनः वेदों की ओर लौटो'** का अर्थ वैदिक शिक्षाओं के पुनरुत्थान से था। इस प्रकार उनका आंदोलन स्वरूप में पुनरुत्थानवादी था, न की विषय वस्तु में। उन्होंने अनेक पक्षों में आधुनिकता का परिचय दिया और राष्ट्रीय समस्याओं पर पूर्ण विचार दिए। उन्होंने प्रत्येक हिंदू को वेदों को पढ़ने और व्याख्या करने के अधिकार पर बल दिया। उन्होंने जाति व्यवस्था को अस्वीकार किया, लेकिन व्यवसाय पर आधारित वर्ण व्यवस्था का वे समर्थन करते थे। उन्होंने वेदों पर स्वयं की व्याख्या प्रदान की और इसे अपनी कृति **सत्यार्थ प्रकाश** में प्रकाशित कराया। 1875 में स्वामी दयानंद ने बॉम्बे में आर्य समाज की पहली इकाई स्थापित की। बाद में आर्य समाज का मुख्यालय लाहौर में स्थापित किया गया।
आर्य समाज (1875)	आर्य समाज के आंदोलन का उद्भव पाश्चात्य विचारों के विरुद्ध **प्रतिक्रिया** के रूप में हुआ। समाज ने देश भर में **डी.ए.वी. (दयानंद एंग्लो वैदिक)** संस्थाएं स्थापित की। इसने गैर-हिंदुओं को हिंदू धर्म में वापस लाने के लिए **शुद्धि आंदोलन** प्रारंभ किया। राजनीतिक क्षेत्र में इसने **'भारतीयों के लिए भारत'** नारा दिया। अनेक राष्ट्रीय नेताओं, जैसे- लाला हंसराज, पंडित गुरुदत्त एवं लाला लाजपत राय को जन्म दिया।
शिव नारायण अग्निहोत्री (1850-1929)	1887 में इन्होंने ब्रह्म समाज से त्यागपत्र दिया और एक नया समाज **देव समाज** स्थापित किया। देव समाज की स्थापना मूल रूप से एक आस्तिक समाज के रूप में हुई थी, लेकिन बाद में यह एक नास्तिक समाज बन गया था और इसने नैतिक आचरण पर बल दिया। इनकी शिक्षाओं को एक किताब **देव शास्त्र** में संकलित किया गया।

दक्षिण भारत (South India)

दक्षिण भारत में समाज सुधार के क्षेत्र में कंदुकूरी वीरेशलिंगम एक प्रमुख व्यक्तित्व थे।

कंदुकूरी वीरेशलिंगम (1848-1919)

दक्षिण भारत में ब्रह्म समाज की गतिविधियां एक तेलुगु सुधारक कंदुकूरी वीरेशलिंगम के प्रयासों से प्रसारित हुई। वीरेशलिंगम का जन्म एक गरीब परिवार में हुआ और अपने जीवन के अधिकांश समय में उन्होंने विद्यालय में एक शिक्षक के रूप में कार्य किया। वे एक बहुआयामी लेखक थे और उन्होंने समाज सुधार से संबंधित तेलुगु भाषा में बड़ी संख्या में निबंध और पुस्तिकाएं प्रकाशित कीं। इनके लेखन ने तेलुगु गद्य साहित्य के विकास में महत्वपूर्ण भूमिका निभाई और इसलिए इन्हें आधुनिक **तेलुगू गद्य साहित्य का जनक** भी कहा जाता है। इन्होंने सामाजिक बुराइयों को दूर करने के लिए एक उत्साही प्रचारक की तरह कार्य किया। उन्होंने विधवा पुनर्विवाह, महिला शिक्षा एवं महिलाओं के उत्थान जैसे मुद्दों पर विशेष ध्यान केंद्रित किया। इस प्रकार, वे आंध्र क्षेत्र के सामाजिक सुधारकों की अगली पीढ़ी के लिए एक मार्गदर्शक के रूप में उभरे।

मद्रास प्रांत में जातिगत संस्थाएं

सामाजिक-सांस्कृतिक जागरूकता की **अखिल भारतीय तरंग** ने मद्रास प्रांत में अलग ही रंग प्राप्त कर लिया था और यहां विभिन्न प्रकार की जातिगत संस्थाओं का उद्भव देखा गया। इन संस्थाओं ने जाति के सदस्यों की एक साझी विरासत पर बल दिया और साथ-साथ सामाजिक-धार्मिक प्रथाओं में सुधारों को आगे बढ़ाया। कुछ प्रमुख जातिगत संस्थाएं-

- तमिलनाडु में गाउंडर जाति का कोंगु वेला संगम।
- मैसूर में वोक्कालिगा और लिंगायत संस्थाएं।
- केरल के एझावाओं का श्री नारायण गुरु धर्म परिपालन योगम (एस. एन. डी. पी. योगम, 1902)

20वीं शताब्दी में क्रमिक रूप से राजनीतिक बलों में रूपांतरित होना इन जातीय संस्थाओं की एक उल्लेखनीय विशेषता है। (अगले अध्याय में दक्षिण भारत में गैर-ब्राह्मण आंदोलनों के बारे में और अधिक पढ़ें।)

थियोसॉफिकल आंदोलन (1875)

थियोसॉफिकल सोसाइटी (Theosophical Society) उन पच्छमवासियों द्वारा शुरू की गई, जो भारत के परंपरागत विचारों एवं दर्शन से प्रभावित थे। इस आंदोलन की नींव 1875 में अमेरिका में एक रशियन जर्मन मूल की महिला **मैडम हैलीना ब्लावाट्स्की** (1831-1891) द्वारा की गई। बाद में इस संस्था में अमेरिकन सेना के **कर्नल हेनरी स्टील ऑलकोट** (1832-1907) भी शामिल हुए। 1882 में, उन्होंने अपना मुख्यालय भारत में मद्रास के समीप **अड्यार** में स्थांतरित किया।

थियोसॉफिकल सोसाइटी के विचार एवं शिक्षाएं-

- यह संस्था कर्म एवं पुनर्जन्म के हिंदू विश्वास को स्वीकार करती है।
- यह उपनिषद, सांख्य, योग एवं वेदांत के दर्शन से प्रेरित है।
- इसका मानना है कि ध्यान, प्रार्थना इत्यादि के द्वारा ईश्वर एवं एक व्यक्ति की आत्मा के मध्य संबंध स्थापित किया जा सकता है।
- यह जाति, धर्म, लिंग, रंग इत्यादि भेदभाव से रहित मानवता के सार्वभौमिक भाईचारे का समर्थन करती है।
- यह संस्था मानव में निहित शक्तियों एवं प्रकृति के अवर्णित कानूनों की जांच-पड़ताल करने का भी प्रयास करती है।

1889 में श्रीमती एनी बेसेंट थियोसॉफिकल सोसाइटी में शामिल हुईं और वक्ता व लेखक के रूप में आध्यात्म-विद्या की बहुत प्रतिभाशाली प्रतिपादक बनीं। 1893 में एनी बेसेंट ने **शिकागो** में आयोजित **धर्मों की विश्व संसद** में थियोसॉफिकल

सोसाइटी का प्रतिनिधित्व किया। इसी वर्ष, जब मैडम ब्लावाट्स्की की मृत्यु (1891) के कुछ वर्ष बाद उन्हें अकेलापन महसूस हुआ, तो वे भारत के लिए रवाना हुईं।

धीरे-धीरे एनी बेसेंट एक हिंदू में परिवर्तित होने लगीं, न केवल अपने विचारों में बल्कि अपने पहनावे के साथ-साथ सामाजिक तौर-तरीकों में भी। उनका भारतीय विचार एवं संस्कृति से अच्छा परिचय था और इसका प्रमाण उनके द्वारा किए गए भगवत गीता के उल्लेखनीय अनुवाद से मिलता है।

1898 में एनी बेसेंट ने बनारस में **सेंट्रल हिंदू कॉलेज** (Central Hindu College) की नींव रखी, जहां हिंदू धर्म एवं पाश्चात्य वैज्ञानिक विषय, दोनों को पढ़ाया जाता था। (इस महाविद्यालय को 1916 में मदन मोहन मालवीय द्वारा बनारस हिंदू विश्वविद्यालय के रूप में विकसित किया गया। इसी वर्ष बेसेंट ने आयरिश होमरूल आंदोलन की तर्ज पर होमरूल लीग स्थापित की)। बेसेंट भारत में महिला शिक्षा की उत्साही समर्थक थीं।

1907 में ऑलकोट की मृत्यु के बाद एनी बेसेंट को **थियोसॉफिकल सोसाइटी** का **अध्यक्ष** निर्वाचित किया गया। उनके मार्गदर्शन में थियोसॉफिकल आंदोलन ने लोकप्रियता हासिल की और यह हिंदू पुनरुत्थान का एक आंदोलन बना।

विविध आंदोलन (Miscellaneous Movements)

राधाकांत देब (1784-1867)- राधाकांत देब एक विद्वान एवं कलकत्ता के रूढ़िवादी हिंदू समाज के नेता थे। वे एक शोभाबाजार राज के महाराजा के दत्तक पुत्र एवं वारिस थे। इन्होंने हरा कुमार टैगोर की सहायता से एक संस्कृत डिक्शनरी (शब्दकोश) 'शब्द कल्पद्रुम' प्रकाशित की। इन्होंने सती प्रथा का उस समय बचाव किया, जब सरकार इसे समाप्त करने का विचार कर रही थी।

राधाकांत देब

राधाकांत देब एवं धर्म सभा (1830)

राधाकांत देब ने 1830 में धर्म सभा की स्थापना की। यह एक रूढ़िवादी संस्था थी, जो सामाजिक-धार्मिक मुद्दों पर यथास्थिति का समर्थन करती थी और यहां तक कि सती के उन्मूलन का भी इसने विरोध किया। हालांकि, इसने पाश्चात्य शिक्षा (महिलाओं के लिए भी) के प्रोत्साहन का समर्थन किया।

वेद समाज (मद्रास, 1864)

वेद समाज की स्थापना मद्रास में 1864 में **केशव चंद्र सेन एवं के. श्रीधरालु नायडू** द्वारा की गई। बाद में जब श्रीधरालु नायडू ब्रह्म समाज आंदोलन का अध्ययन करके कलकत्ता से लौटे, तो उन्होंने इसका नाम बदलकर दक्षिण **भारत का ब्रह्म समाज** (Brahmo Samaj of Southern India, 1871) कर दिया। उन्होंने ब्रह्म-धर्म की किताबों का तमिल एवं तेलुगु में अनुवाद किया और इसके विश्वासों को प्रसारित करने के लिए प्रचारक के रूप में भ्रमण किया। हालांकि, 1874 में एक दुर्घटना में नायडू की मृत्यु के बाद इस संगठन में अनेक मतभेद पैदा हुए।

पंडित मदन मोहन मालवीय (1861-1946) एवं भारत धर्म महामंडल (वाराणसी, 1887)

महामना पंडित मदन मोहन मालवीय भारतीय राष्ट्रीय आंदोलन के एक उल्लेखनीय नेता के रूप में उभरे। वे **बनारस हिंदू यूनिवर्सिटी** के **संस्थापक** के रूप में अधिक विख्यात हुए, जिसकी स्थापना उन्होंने 1916 में बनारस में की थी।

1887 में, सनातन धर्म एवं हिंदू संस्कृति का प्रचार करने के लिए **भारत धर्म महामंडल** की स्थापना की। महामंडल की शाखाएं सनातन धर्मसभाएं थीं, जिनकी स्थापना समुदाय के अंदर एवं बाहर होने वाली आलोचनाओं से हिंदू धर्म की रक्षा के लिए गई थी। 1918 में उन्होंने दिल्ली कांग्रेस अधिवेशन की अध्यक्षता की और कहा कि मुण्डक उपनिषद के आदर्श वाक्य **'सत्यमेव जयते'** को राष्ट्र का नारा (घोष) होना चाहिए।

गाय के साथ पंडित मदन मोहन मालवीय और गांधी जी

पंडित मालवीय ने छुआछूत की निंदा की और हरिजन आंदोलन के एक मुख्य नेता के रूप में उभरे। 1933 में उन्होंने एक बैठक की अध्यक्षता की, जिसमें **हरिजन सेवक संघ** की स्थापना हुई। उन्होंने अनेक धार्मिक एवं जातीय बाधाओं का उन्मूलन करने और अछूतों को हिंदू मंदिरों में प्रवेश दिलाने का भरसक प्रयत्न किया। पंडित जी को 2014 में मरणोपरांत भारत का सर्वोच्च नागरिक सम्मान **भारत रत्न** प्रदान किया गया।

राधास्वामी आंदोलन (आगरा, 1861)

राधास्वामी आंदोलन की स्थापना आगरा के एक बैंकर **तुलसीराम** (जिन्हें **शिवदयाल साहेब** के नाम से जाना जाता है) ने की। यह आंदोलन पहले आगरा में शुरू हुआ था और अब भी इसका समकालीन मुख्यालय बीस (Beas) में है। इसकी भारत और भारत के बाहर समानांतर शाखाएं भी हैं। राधास्वामी आंदोलन के अनुयायियों ने पवित्र शास्त्र, कर्मकांड एवं तीर्थयात्रा की अवधारणा को अस्वीकार किया। वे एक परमात्मा, गुरु की सर्वोच्चता, अच्छे लोगों का साथ और एक साधारण सामाजिक जीवन में विश्वास करते हैं। उनका मानना है कि आध्यात्मिक उपलब्धि सांसारिक जीवन के त्याग से प्राप्त नहीं होती है। उनका मानना है कि सभी धर्म सत्य हैं और उन्होंने आस्था, परोपकार, सेवा और प्रार्थना के कार्यों पर बल दिया।

पंडिता रमाबाई (1858-1922) एवं शारदा सदन (1889)

पंडिता रमाबाई सरस्वती एक समाज सुधारक थीं, जिन्होंने महिलाओं की शिक्षा एवं उनकी मुक्ति के लिए कार्य किया। 1889 में उन्होंने बॉम्बे में विधवाओं के लिए एक आश्रय गृह **शारदा सदन** स्थापित किया। अगले वर्ष इसे पूना में स्थानांरित कर दिया गया था।

पंडिता रमाबाई

निष्कर्ष

19वीं शताब्दी में सामाजिक-सांस्कृतिक जागरूकता का उद्भव, भारत पर ब्रिटिश विजय और औपनिवेशिक संस्कृति के प्रसार के कारण हुआ। एक विदेशी शक्ति के हाथों मिली हार ने भारतीयों को अपने समाज व संस्कृति के सामर्थ्य और कमजोरियों के बारे में विचार करने पर मजबूर कर दिया। परिणामस्वरूप, 19वीं शताब्दी, व्यक्तिगत एवं समूहों के नेतृत्व में अनेक बौद्धिक आंदोलनों का साक्षी बनी। कुल मिलाकर, सुधारकों का लक्ष्य बहु-ईश्वरवाद, मूर्ति पूजा, अनावश्यक कर्मकांड, अंधविश्वास, बाल-विवाह, पर्दाप्रथा, बहुपत्नी प्रथा, जबरन विधवापन, सती और जातीय भेद-भाव को समाप्त करना था। सभी सुधार-प्रयासों की सामान्य सोच भारतीय समाज का सम्पूर्ण उत्थान करना था।

प्रीलिम कैप्सूल

सुधार आंदोलन (दक्षिण भारत)

नेतृत्वकर्ता एवं आंदोलन	महत्वपूर्ण घटनाएं
कंदुकूरी वीरेशलिंगम (1848-1919)	वीरेशलिंगम तेलुगु सुधारक थे, जिन्होंने दक्षिण भारत में ब्रह्म समाज की गतिविधियों को प्रसारित करने में सहयोग किया। इन्हें आधुनिक तेलुगु गद्य साहित्य का जनक भी कहा जाता है।
थियोसॉफिकल आंदोलन (1875)	थियोसॉफिकल सोसाइटी की शुरुआत भारतीय दर्शन से प्रभावित पाश्चात्य विचारकों ने की थी। इस आंदोलन की नींव 1875 में अमेरिका में **मैडम हैलीना ब्लावाट्स्की** (1831-1891) द्वारा की गई और बाद में इस संस्था में **कर्नल हेनरी स्टील ऑलकोट** (1832-1907) भी शामिल हुए। 1882 में उन्होंने अपना मुख्यालय भारत में मद्रास के समीप **अड्यार** में स्थानांतरित किया। 1889 में श्रीमती एनी बेसेंट थियोसॉफिकल सोसाइटी में शामिल हुईं। 1893 में **शिकागो** में आयोजित सभी **धर्मों की विश्व संसद** में एनी बेसेंट ने इस संस्था का प्रतिनिधित्व किया। 1907 में एनी बेसेंट को थियोसॉफिकल सोसाइटी का अध्यक्ष निर्वाचित किया गया।

प्रीलिम कैप्सूल

सुधार आंदोलन (विविध)

नेतृत्वकर्ता एवं आंदोलन	महत्वपूर्ण घटनाएं
राधाकांत देब	इन्होंने 1830 में एक रूढ़िवादी संस्था **धर्म सभा** स्थापित की, जो सामाजिक धार्मिक मुद्दों में यथास्थिति के संरक्षण का समर्थन करती थी। हालांकि, यह संस्था पाश्चात्य शिक्षा (महिलाओं के लिए भी) के प्रोत्साहन का समर्थन करती थी।
वेद समाज (1864)	इसकी स्थापना **केशब चंद्र सेन** एवं **के. श्रीधरालु नायडू** द्वारा की गई थी, जब केशब चंद्र सेन 1864 में मद्रास भ्रमण के लिए गए थे। बाद में नायडू ने वेद समाज का नाम बदलकर **दक्षिण भारत का ब्रह्म समाज (1871)** कर दिया था।

नेतृत्वकर्ता एवं आंदोलन	महत्वपूर्ण घटनाएं
पंडित मदन मोहन मालवीय	1887 में सनातन धर्म और हिंदू संस्कृति का प्रचार करने के लिए **भारत धर्म महामंडल** की स्थापना की। 1916 में **बनारस हिंदू यूनिवर्सिटी** (बी. एच. यू.) की स्थापना की। 1933 में एक बैठक की अध्यक्षता की, जहां **हरिजन सेवक संघ** की स्थापना हुई थी। पंडित जी को मरणोपरांत (2014) **भारत रत्न** प्रदत्त किया गया।
राधा स्वामी आंदोलन (1861)	इस आंदोलन की स्थापना आगरा के **तुलसीराम** द्वारा की गई थी। इसकी शुरुआत आगरा में हुई थी और इसका समकालीन मुख्यालय बीस में है। राधा स्वामी आंदोलन के अनुयायी एक परमात्मा, गुरु की सर्वोच्चता, अच्छे लोगों के साथ और एक साधारण सामाजिक जीवन में विश्वास करते हैं।
पंडिता रमाबाई	1889 में इन्होंने बॉम्बे में विधवाओं के लिए एक आश्रय गृह **शारदा सदन** स्थापित किया। बाद में इसे पूना स्थानांतरित कर दिया था।

अध्याय 2

सामाजिक-धार्मिक आंदोलन (भाग-2) (मुस्लिम, सिख, पारसी एवं गैर-ब्राह्मणों के मध्य जागृति)

इस अध्याय में आप उन्नीसवीं और बीसवीं शताब्दी के सुधार आंदोलनों के बारे में अध्ययन करेंगे। इस अध्याय में विशेष रूप से मुस्लिम, सिख, पारसी एवं दलित वर्गों के सुधार आंदोलनों की चर्चा की गई है।

मुस्लिम सुधार आंदोलन (Muslim Reform Movements)

जहां एक ओर हिंदू समुदाय ने पाश्चात्य प्रभाव की प्रतिक्रिया सीखने की इच्छा में अभिव्यक्त की, वहीं दूसरी ओर मुस्लिम समुदाय की पहली प्रतिक्रिया स्वयं को इस प्रभाव से बचाने और बदलाव की सभी ताकतों का विरोध करने के रूप में आई। अतः मुस्लिम सुधार आंदोलन तुलनात्मक रूप से बहुत देर में शुरू हुए, लगभग 1860 के दशक के बाद।

वहाबी/वलीउल्लाह आंदोलन (1830–1860)

वहाबी आंदोलन पहला मुस्लिम आंदोलन था, जो पाश्चात्य प्रभाव के विरुद्ध एक प्रतिक्रिया के रूप में उभरा। यह एक पुनरुत्थानवादी आंदोलन था। इसका उद्देश्य मुस्लिम समाज में सदियों से व्याप्त सभी गैर-इस्लामिक प्रथाओं को दूर कर इस्लाम को पवित्र करने का प्रयास करना था। इस आंदोलन का नेतृत्व अरबिया के **अब्दुल वहाबी** के साथ-साथ दिल्ली के संत **शाह वलीउल्लाह देहल्वी** (1702–1762) द्वारा किया गया। भारत में इनकी शिक्षाओं को **सैयद अहमद बरेलवी** (रायबरेली के सैयद अहमद के नाम से विख्यात) और **शाह अब्दुल अजीज** द्वारा लोकप्रिय बनाया गया।

आंदोलन के विचार एवं गतिविधियां-

- बरेलवी ने इस्लाम में सभी नवाचारों की निंदा की और मूल इस्लाम धर्म व अरबिया के इस्लामिक समाज (जैसा पैगंबर के समय में था) की ओर लौटने की वकालत की।
- बरेलवी एवं अजीज ने इस आंदोलन को एक राजनीतिक रूप दिया और एक **मुस्लिम वतन (दारुल इस्लाम)** बनाने का लक्ष्य बनाया।
- अजीज ने एक फतवा जारी करके घोषणा की कि भारत एक **दार-उल-हर्ब** है और इसे **दार-उल-इस्लाम** बनाने की आवश्यकता है। तात्कालिक रूप से रणजीत सिंह द्वारा शासित पंजाब के सिखों के विरुद्ध जिहाद घोषित किया गया।
- 1849 में ब्रिटिश द्वारा पंजाब को कब्जे में लेने के बाद यह जिहाद ब्रिटिश के विरुद्ध शुरू कर दिया गया।
- **1857 के विद्रोह** के दौरान वहाबियों ने ब्रिटिश विरोधी भावनाओं को फैलाने में एक महत्वपूर्ण भूमिका निभाई थी।

1860 के दशक तक उच्च सैन्य शक्ति के उपयोग से ब्रिटिश द्वारा इस आंदोलन का दमन कर दिया गया। 1870 में भारतीय दंड संहिता में 'राजद्रोह' शब्द जोड़ा गया। इसका उद्देश्य ऐसे भाषण को अवैध घोषित करने करना था, जो भारत में कानून द्वारा स्थापित सरकार के प्रति असंतोष फैलाने का प्रयास करे। इस प्रकार इस आंदोलन ने भारत में **राजद्रोह कानून** (sedition law) की शुरुआत की।

टीटू मीर का आंदोलन- मीर निसार अली (जो टीटू मीर के नाम से लोकप्रिय हुए) एक इस्लामिक उपदेशक और सैयद अहमद बरेलवी के शिष्य थे। टीटू मीर ने बंगाल में हिंदू भू-स्वामियों और ब्रिटिश नील बागान मालिकों के विरुद्ध मुस्लिम किसानों का एक आंदोलन संगठित किया था। 1831 में, ब्रिटिश के साथ मुठभेड़ में मीर की मृत्यु हो गई।

फरायजी आंदोलन (पूर्वी बंगाल, 1838-1851)

नोट- अध्याय 4.1 में विस्तार से दिया गया है।

मोहम्मडन लिटरेसी सोसाइटी (The Muhammadan Literary Society) (कलकत्ता, 1863)

इस संस्था ने मुसलमानों के बीच पाश्चात्य शिक्षा को प्रोत्साहित किया और साथ ही धार्मिक, सामाजिक व राजनीतिक मुद्दों पर परिचर्चा को प्रेरित किया।

सर सैयद अहमद खान (1817-1898) एवं अलीगढ़ आंदोलन (अलीगढ़, 1875)

1857 के विद्रोह के बाद आधिकारिक धारणा थी कि मुस्लिम मुख्य षड्यंत्रकारी थे और उन्हें तुरंत दबा दिया गया। चूंकि बहादुर शाह द्वितीय से विद्रोह का नेतृत्व करने के लिए अपील की गई थी, इसलिए ब्रिटिश का मानना था कि यह एक मुस्लिम षड्यंत्र था। वहाबियों की गतिविधियों द्वारा इस बात की और पुष्टि हो गई थी।

हालांकि, 1870 के दशक में परिवर्तन की बयार महसूस की गई। डब्ल्यू. डब्ल्यू. हंटर की किताब **'द इंडियन मुसलमान'** (The Indian Musalman) में ब्रिटिश सरकार द्वारा मुसलमानों के साथ मेल-मिलाप करने की जोरदार वकालत की गई। सर सैयद अहमद खान ने एक पुस्तिका **अस्बाब-ए-बगावत-ए-हिन्द** (भारतीय विद्रोह के कारण) लिखी, जिसमें उन्होंने विद्रोह को एक मुस्लिम षड्यंत्र बताने के विचार को अस्वीकार किया और इसके स्थान पर ईस्ट इंडिया कंपनी की आक्रामक प्रसारवादी नीति को विद्रोह का कारण बताया। सर सैयद ने सरकार को भविष्य में ऐसे विद्रोह को रोकने हेतु प्रशासन में सहयोग हेतु मुसलमानों को नियुक्त करने की सलाह दी।

सर सैयद अहमद खान (1817-1898) का जन्म दिल्ली में एक प्रतिष्ठित मुस्लिम परिवार में हुआ और उन्होंने परंपरागत मुस्लिम रीति से शिक्षा प्राप्त की। 1828 में इन्होंने ईस्ट इंडिया कंपनी की सेवा में प्रवेश किया और 1857 के विद्रोह के दौरान ब्रिटिश के प्रति वफादार बने रहे। 1867 में वे अल्पवाद न्यायालय (Small Causes Court) में न्यायाधीश बने और 1876 में सेवानिवृत्त हुए। 1878 में वे केंद्रीय विधान परिषद के सदस्य बने और अपनी निष्ठा के कारण 1888 में उन्हें नाइटहुड की उपाधि मिली।

सर सैयद अहमद खान

सैयद अहमद की भूमिका

19वीं शताब्दी के मुस्लिम सुधारकों में सैयद अहमद खान का नाम विशिष्ट है। 1857 का विद्रोह उनके जीवन का एक महत्वपूर्ण मोड़ था। विद्रोह के दौरान वे ब्रिटिश के प्रति वफादार बने रहे। उन्होंने विद्रोह के लिए ब्रिटिश नीतियों को दोषी ठहराया और उन्होंने मुसलमानों के सम्मान और प्रतिष्ठा (जो विद्रोह से पहले थी) को बहाल करने को अति आवश्यक माना। उन्होंने अनुभव किया कि यह तभी हो सकता है जब मुस्लिम अपने आवरण (रूढ़िवादी सोच) से बाहर निकलकर प्रशासनिक सेवाओं में अपनी हिस्सेदारी सुनिश्चित करें, आधुनिक विचारों के प्रति प्रतिरोध को समाप्त करें और पाश्चात्य शैली की आधुनिक शिक्षा के लिए स्वयं को तैयार करें। उन्होंने स्पष्ट रूप से समझा कि अंग्रेजी भाषा व आधुनिक विज्ञान में दक्षता ब्रिटिश भारत में मुसलमानों की सामाजिक-राजनीतिक पहचान को बनाए रखने के लिए एक पूर्व आवश्यकता है।

उन्होंने मुसलमानों को समाज में सम्मानजनक स्थिति (जैसी की पूर्व में थी) प्रदान करने के लिए एक आंदोलन शुरू किया और इस आंदोलन को **अलीगढ़ आंदोलन** के नाम से जाना गया। 1875 में अलीगढ़ में स्थापित **मोहम्मडन एंग्लो ओरिएंटल कॉलेज** (Muhammadan Anglo Oriental College) द्वारा इस आंदोलन को आधार प्रदान किया गया। इस संस्था के साथ अलीगढ़ शहर और इससे जुड़े हुए शैक्षणिक सुधारों ने व्यापक अलीगढ़ आंदोलन के लिए एक दृढ़ आधार प्रदान किया। अलीगढ़ आंदोलन भारतीय उपमहाद्वीप के धर्म, राजनीति, संस्कृति और समाज के व्यापक निहितार्थ से जुड़ा मुस्लिम पुनर्जागरण का एक आंदोलन था। सैयद अहमद इस व्यापक अलीगढ़ आंदोलन के अग्रदूत थे।

अलीगढ़ आंदोलन के मुख्य केंद्र बिंदु थे-

- **ब्रिटिश के प्रति निष्ठा**- सैयद अहमद ने मुसलमानों को ब्रिटिश शासन के साथ जोड़ने का प्रयास किया और उनसे आग्रह किया कि वे ब्रिटिश सरकार के अधीन सेवाएं स्वीकार करके ब्रिटिश साम्राज्य की निष्ठापूर्वक सेवा करें।
- **हिन्दुओं के साथ प्रतिस्पर्धा करने के लिए मुसलमानों के लिए आधुनिक पाश्चात्य शिक्षा**- शिक्षा के क्षेत्र में सैयद अहमद का मानना था कि मुस्लिम समुदाय का भविष्य उनकी रूढ़िवादी दृष्टिकोण के कारण खतरे में है और उन्होंने आधुनिक विद्यालय एवं पत्रिकाएं प्रारंभ करके पाश्चात्य शैली की वैज्ञानिक शिक्षा को प्रोत्साहित करना शुरू किया।

सैयद अहमद ने आंदोलन के उद्देश्यों को प्राप्त करने के लिए महत्वपूर्ण कदम उठाए और निम्न सुधारों की पहल की।

शैक्षणिक सुधार

- 1875 में, सर सैयद ने अलीगढ़ में मोहम्मडन एंग्लो ओरिएंटल कॉलेज खोला, जहां पाश्चात्य कला व विज्ञान एवं मुस्लिम धर्म, दोनों की शिक्षा दी जाती थी। हिंदू, पारसी एवं ईसाईयों ने इस महाविद्यालय के लिए स्वतंत्र रूप से पूंजी का योगदान दिया और इस महाविद्यालय के दरवाजे भी सभी भारतीयों के लिए खुले थे।
- शीघ्र ही, अलीगढ़ मुस्लिम समुदाय के धार्मिक एवं सांस्कृतिक पुनरुत्थान के एक केंद्र के रूप में उभरा।
- यह महाविद्यालय 1920 में **अलीगढ़ मुस्लिम विश्वविद्यालय** (Aligarh Muslim University, AMU) की स्थापना का आधार बना, जिसे अकादमिक संस्था की अपेक्षा एक आंदोलन के रूप में अधिक जाना गया।

सामाजिक सुधार

- सैयद अहमद ने बहुपत्नी और पर्दा प्रथा की निंदा की तथा महिलाओं के लिए शिक्षा के प्रसार का बलपूर्वक समर्थन किया।
- उन्होंने सहिष्णुता की शिक्षा दी और लोगों से आग्रह किया कि वे विवेकवादी दृष्टिकोण व विचार की स्वतंत्रता को विकसित करें।
- उन्होंने **पीरी** और **मुरीदी** व्यवस्था पर प्रहार किया, जिमसें मुसलमान पीर अपने मुरीद (शिष्य) को कोई रहस्यमय बात बता कर स्वयं को सूफी संतो के समान मनवाने की कोशिश करते थे।
- उन्होंने दास प्रथा की भी निंदा की और इसे गैर इस्लामिक बताया।
- उन्होंने अपने प्रगतिशील सामाजिक विचारों का अपनी पत्रिका **तहजीब-अल-अखलाक** (शिष्टाचार एवं नैतिकता में सुधार) के माध्यम से प्रचार किया।
- उनके अन्य साहित्यिक कार्यों में **तोहफा-ए-हसन** एवं **लॉयल मोहम्मडंस ऑफ इंडिया** (Loyal Muhammadans of India) शामिल थे।

धार्मिक सुधार

- सैयद अहमद सभी धर्मों का सम्मान करते थे और वे धार्मिक कट्टरता व धर्मांधता का विरोध करते थे।
- अपनी कृति **'कुरान पर टीकाएं'** (Commentaries on the Quran) में सर सैयद ने परंपरागत व्याख्याकारों के संकीर्ण दृष्टिकोण की आलोचना की और समकालीन विवेक व वैज्ञानिक ज्ञान के प्रकाश में उन्होंने स्वयं कुरान की व्यापक व्याख्या प्रस्तुत की।

हालांकि, अपने जीवन के अंतिम समय में सैयद अहमद ने हिंदू प्रभुत्व के बारे में बात करना शुरू की और राष्ट्रवाद के बढ़ते ज्वार में अपने अनुयायियों को शामिल होने से रोका। यह दुर्भाग्यपूर्ण था, क्योंकि मूल रूप से वे एक सांप्रदायिक व्यक्ति नहीं थे। वे दादा भाई नौरोजी के निर्गम-सिद्धांत में विश्वास नहीं करते थे। वे अंग्रेजों के प्रति वफादार व्यक्ति थे, जिन्होंने कांग्रेस के स्वशासन व ब्रिटिश राज की समाप्ति के विचार का भी विरोध किया।

देवबंद स्कूल अथवा दारुल उलूम देवबंद (सहारनपुर, उ.प्र., 1866)

देवबन्द स्कूल (जिसे दारुल उलूम देवबंद नाम से भी जाना जाता है) मुस्लिम उलेमाओं के रूढ़िवादी वर्ग द्वारा संगठित किया गया था, जो पारंपरिक इस्लामिक शिक्षा पर बल देते थे। यह एक **पुनरुत्थानवादी आंदोलन** था, जिसका उसके दो उद्देश्यों की प्राप्ति पर मुख्य रूप से ध्यान था-

- मुसलमानों के मध्य **कुरान** एवं **हदीस** की पवित्र शिक्षा को प्रचारित करना।
- ब्रिटिश शासकों के मध्य **जिहाद** की भावना को जीवित रखना।

देवबंद स्कूल की स्थापना 1866 में **मोहम्मद कासिम नानौतवी** (1832-1880) एवं **राशिद अहमद गंगोही** (1828-1905) के नेतृत्व में उलेमाओं द्वारा उत्तर प्रदेश के सहारनपुर जिले में देवबंद शहर में की गई। स्कूल के पाठ्यक्रम में मूल इस्लामिक धर्म को शामिल किया गया और अंग्रेजी शिक्षा व पाश्चात्य संस्कृति को पूर्णतया निषेध कर दिया गया। इसका उद्देश्य मुस्लिम समुदाय का धार्मिक व नैतिक पुनरुत्थान एवं समुदाय के लिए धार्मिक नेताओं को प्रशिक्षित करना था। इस प्रकार, जहां एक और अलीगढ़ आंदोलन का उद्देश्य पाश्चात्य शिक्षा के द्वारा मुस्लिम समुदाय में सुधार करना और उन्हें सरकारी नौकरी के लिए तैयार करना था, वहीं दूसरी ओर देवबंद स्कूल का उद्देश्य प्राचीन पवित्र इस्लामिक धर्म को पुनर्जीवित करना और मुसलमानों को इस्लामिक धर्म का उपदेश देने के लिए तैयार करना था।

1885 में देवबंद स्कूल ने भारतीय राष्ट्रीय कांग्रेस के गठन का स्वागत किया। 1888 में देवबंद उलेमा ने **सैयद अहमद खान के संगठनों**, पैट्रियोटिक एसोसिएशन (Patriotic Association) एवं मोहम्मडन एंग्लो ओरिएंटल एसोसिएशन (Muhammadan Anglo-Oriental Association), के विरुद्ध एक फतवा जारी किया। आलोचक इस ओर अक्सर इशारा करते हैं कि देवबंद स्कूल का मुख्य उद्देश सैयद अहमद की गतिविधियों का विरोध करना था।

महमूद-उल-हसन (1851-1920)- एक नए देवबंद नेता ने राष्ट्रीय एकता के संपूर्ण संदर्भ में मुसलमानों की धार्मिक एवं राजनीतिक महत्वाकांक्षाओं के मध्य संतुलन बनाने का प्रयत्न किया। इस प्रकार इनके द्वारा स्कूल के धार्मिक विचारों में राजनीतिक व बौद्धिक विषय-वस्तु जोड़ी गई। हसन के विचारों को बाद में जमात-उल-उलेमा ने दृढ़ स्वरूप दिया।

देवबंद स्कूल के एक समर्थक **शिबली नोमानी** ने शैक्षिक व्यवस्था में अंग्रेजी भाषा और पाश्चात्य विज्ञान के प्रवेश का समर्थन किया। उन्होंने 1894-1896 में लखनऊ में दारुल उलूम की स्थापना की। उन्हें कांग्रेस के आदर्शवाद में आस्था थी और उन्होंने हिंदू व मुसलमानों के बीच शांतिपूर्ण सह-अस्तित्व की वकालत की।

अहमदिया आंदोलन (पंजाब, 1889)

अहमदिया आंदोलन एक इस्लामिक धार्मिक आंदोलन था, जिसकी स्थापना 19वीं शताब्दी के अंत में पंजाब में की गई थी। आंदोलन का यह नाम इसके संस्थापक **मिर्जा गुलाम अहमद** (1835-1908) के नाम से लिया गया था, जिनका जन्म पंजाब के क़दियन (Qadian) शहर में हुआ था। मिर्जा अहमद का दावा था कि वे पैगंबर मोहम्मद की भविष्यवाणी में उल्लेखित एवं पवित्र कुरान द्वारा पहले से ही बताए गए बहुप्रतीक्षित मसीहा व महदी हैं। उन्होंने घोषणा की कि मुस्लिम धर्म और समाज इस हद तक भ्रष्ट हो चुका है कि दैवीय हस्तक्षेप की आवश्यकता पड़ने लगी है और अल्लाह ने उन्हें इस्लाम के मुजद्दीद (परिवर्तक, नवीनीकरण करने वाला) के रूप में चुना है।

मिर्जा गुलाम अहमद का कहना था कि विश्व के सभी धर्मों का प्रतिपादन ईश्वर द्वारा किया गया है व सभी धर्म ईश्वरीय योजना के भाग हैं और इस योजना के सबसे पूर्ण व अंतिम धर्म के रूप में इस्लाम की स्थापना की गई है। सभी धर्मों का संदेश मूल रूप से इस्लाम के समान ही है, लेकिन अपूर्ण हैं। इस आंदोलन ने **अहिंसा** एवं **अन्य विश्वासों के प्रति सहिष्णुता** रखने पर बल दिया। (हालांकि उनका मानना था कि सभी धर्म अपने मूल स्वरूप से दूर और भ्रष्ट होते जा रहे हैं।)

इस प्रकार यह कहा जा सकता है कि अहमदिया आंदोलन ब्रह्म समाज के समान उदारवादी सिद्धांतों एवं धर्म की सार्वभौमिकता में विश्वास पर आधारित था। इसने जिहाद का विरोध किया और मुसलमानों के लिए आधुनिक शिक्षा का समर्थन किया।

प्रीलिम कैप्सूल

सुधार आंदोलन (मुस्लिम)

नेतृत्वकर्ता एवं आंदोलन	महत्वपूर्ण घटनाएं
वहाबी / वलीउल्लाह आंदोलन (1830-1860)	पाश्चात्य प्रभाव के विरुद्ध यह पहला मुस्लिम आंदोलन था । यह एक पुनरुत्थानवादी आंदोलन था, जिसने इस्लाम को सभी गैर-इस्लामिक प्रथाओं से पवित्र करने का प्रयास किया। अरबिया के अब्दुल वहाबी के साथ-साथ दिल्ली के संत शाह वलीउल्लाह देहलवी के द्वारा इस आंदोलन का नेतृत्व किया गया। भारत में इनकी शिक्षाओं को **सैयद अहमद बरेलवी** एवं **शाह अब्दुल अजीज** द्वारा लोकप्रिय बनाया गया। अजीज ने घोषित किया कि भारत एक **दार-उल-हर्ब** है और इसे दार-उल-इस्लाम बनाने की आवश्यकता है। 1857 के विद्रोह के दौरान वहाबियों ने ब्रिटिश विरोधी भावनाओं को फैलाने में एक महत्वपूर्ण भूमिका निभाई थी। इसी आंदोलन से भारत में **राजद्रोह** कानून की शुरुआत हुई थी ।
टीटू मीर का आंदोलन (1831)	सैयद अहमद बरेलवी के एक शिष्य टीटू मीर ने बंगाल में हिंदू भू-स्वामियों एवं ब्रिटिश नील बागान मालिकों के विरुद्ध मुस्लिम किसानों के आंदोलन को संगठित किया।
फरायजी आंदोलन (पूर्वी बंगाल, 1838-1851)	फरायजी संप्रदाय की स्थापना पूर्वी बंगाल में फरीदपुर के **हाजी शरियत उल्लाह** द्वारा की गई। यह आंदोलन मूल रूप से एक किसान आंदोलन के रूप में शुरू हुआ था। **दूदू मियां** (संस्थापक के पुत्र) के नेतृत्व में फरायजी एक धार्मिक संप्रदाय में परिवर्तित हो गया था, जिसने अतिवादी धार्मिक व सामाजिक-राजनीतिक परिवर्तनों की वकालत की। दूदू मियां ने एक **समतावादी विचारधारा** का प्रचार किया- 'सभी मनुष्य समान है और सारी भूमि ईश्वर की है व किसी को भी इस पर कर लगाने का अधिकार नहीं है।'

नेतृत्वकर्ता एवं आंदोलन	महत्वपूर्ण घटनाएं
मोहम्मडन लिटरेरी सोसायटी (कलकत्ता, 1863)	इसने मुसलमानों के मध्य पाश्चात्य शिक्षा को प्रोत्साहित किया और धार्मिक, सामाजिक एवं राजनीतिक मुद्दों पर चर्चा को प्रेरित किया।
सर सैयद अहमद खान (1817-1898) एवं अलीगढ़ आंदोलन (1875)	**1857 के विद्रोह** के दौरान वे ब्रिटिश के प्रति वफादार बने रहे और उन्होंने विद्रोह के लिए ब्रिटिश नीतियों को दोषी ठहराया। उन्होंने विद्रोह के पहले मुसलमानों की जो सम्मान एवं प्रतिष्ठा थी, को बहाल करने की अति आवश्यकता पर बल दिया। इस प्रकार उन्होंने समाज में मुसलमानों की मध्यकालीन सम्मानीय स्थिति को पुन: प्राप्त करने के उद्देश्य से एक आंदोलन शुरू किया और यह आंदोलन **अलीगढ़ आंदोलन** के नाम से जाना गया। इस आंदोलन को 1875 में अलीगढ़ में स्थापित **मोहम्मडन एंग्लो ओरिएंटल कॉलेज** द्वारा आधार प्रदान किया गया। इस महाविद्यालय ने 1920 में **अलीगढ़ मुस्लिम विश्वविद्यालय** के गठन के लिए आधार प्रदान किया। शीघ्र ही अलीगढ़ मुस्लिम समुदाय के धार्मिक एवं सांस्कृतिक पुनरुत्थान का केंद्र बनकर उभरा। उन्होंने अपने प्रगतिशील सामाजिक विचारों को अपनी पत्रिका **तहजीब-उल-अखलाक** द्वारा प्रचारित किया। सैयद अहमद ने एक पुस्तिका **असबाब-ए-बगावत-ए-हिन्द** लिखी, जिसमें उन्होंने इस विचार को अस्वीकार किया कि 1857 का विद्रोह मुस्लिम षड्यंत्र था।
देवबंद स्कूल अथवा दारुल उलूम देवबंद (सहारनपुर, 1866)	देवबन्द स्कूल मुस्लिम उलेमाओं के रूढ़िवादी वर्ग द्वारा संगठित किया गया था, जो पारंपरिक इस्लामिक शिक्षा पर बल देते थे। यह एक **पुनरुत्थानवादी आंदोलन** था, जिसका अपने दो उद्देश्यों की प्राप्ति पर मुख्य रूप से ध्यान था- 1. मुसलमानों के मध्य **कुरान** एवं **हदीस** की पवित्र शिक्षा को प्रचारित करना। 2. ब्रिटिश शासकों के मध्य **जिहाद** को जीवित रखना। देवबंद स्कूल की स्थापना 1866 में **मोहम्मद कासिम नानौतवी** एवं **राशिद अहमद गंगोही** के नेतृत्व में की गई।
	देवबंद स्कूल ने भारतीय राष्ट्रीय कांग्रेस के गठन का स्वागत किया और सैयद अहमद खान के संगठनों, पैट्रियोटिक एसोसिएशन एवं मोहम्मडन एंग्लो ओरिएंटल एसोसिएशन के विरुद्ध एक फतवा जारी किया। देवबंद के एक समर्थक **शिबली नोमानी** ने शिक्षा व्यवस्था में अंग्रेजी भाषा एवं पाश्चात्य विज्ञान के प्रवेश का समर्थन किया।

नेतृत्वकर्ता एवं आंदोलन	महत्वपूर्ण घटनाएं
अहमदिया आंदोलन (पंजाब, 1889)	इसकी स्थापना **मिर्जा गुलाम अहमद** द्वारा की गई। उन्होंने घोषणा की कि मुस्लिम धर्म और समाज इस हद तक भ्रष्ट हो चुका है कि दैवीय हस्तक्षेप की आवश्यकता पड़ने लगी है और अल्लाह ने उन्हें इस्लाम के **मुजद्दीद** (परिवर्तक, नवीनीकरण करने वाला) के रूप में चुना है। उन्होंने कहा कि विश्व के सभी मुख्य धर्मों का प्रतिपादन ईश्वर ने स्वयं किया है, तथापि इस्लाम इन सब में सबसे अधिक पूर्ण है। इस प्रकार इस आंदोलन ने **अहिंसा** एवं **सभी धर्मों के प्रति सहिष्णुता** पर बल दिया।

सिख सुधार आंदोलन (Sikh Reform Movements)

19वीं शताब्दी के बौद्धिक प्रभाव से सिख समुदाय भी अछूता नहीं रहा। सिख समुदाय भी सिख गुरुओं के द्वारा दिखाए गए मार्ग से विचलित हो गया था और सामाजिक-धार्मिक सुधार की आवश्यकता के लिए उठ खड़ा हुआ।

ऐतिहासिक पृष्ठभूमि

सिख धर्म की स्थापना सामाजिक बुराइयों के विरुद्ध सामाजिक विरोध के एक आंदोलन के रूप में गुरु नानक द्वारा की गई। इन सामाजिक बुराइयों में जाति आधारित भेदभाव व अर्थहीन कर्मकांड शामिल थे, जिन्होंने धर्म के वास्तविक स्वरूप को ओझल कर दिया था। साथ ही, इन कर्मकांडों ने समाज एवं धर्म पर पुरोहितों के प्रभुत्व को बढ़ाया। इसके स्थान पर नानक ने ईश्वर की एकरूपता और मनुष्य के बीच भाईचारे का उपदेश दिया। मध्यकालीन भारत के अन्य संतों के समान इन्होंने भी अच्छे कार्य एवं ईमानदारी से जीवन यापन पर बल दिया। इन्होंने भी महिलाओं के लिए समानता और एक न्यायपूर्ण सामाजिक व्यवस्था की वकालत की।

हालांकि, समय के साथ सिख धर्म में भी इसके रीति-रिवाज एवं संस्थाएं स्थापित हुईं। रंजीत सिंह द्वारा स्थापित सिख शासन में धार्मिक स्थानों पर धूमधाम और दिखावा आरंभ किया और इस प्रकार उन बुराइयों का जन्म हुआ, जिसकी सिख गुरु निंदा करते थे। अतः एक बार पुनः सुधार की आवश्यकता महसूस हुई।

निरंकारी आंदोलन (रावलपिंडी पंजाब)

महाराजा रंजीत सिंह के समकालीन **बाबा दयाल दास** (1783-1855) सिख समुदाय के प्रथम सुधारकों में से एक थे।

- बाबा दयाल दास ने अपने अनुयायियों को स्वरूप रहित एक ईश्वर पर विश्वास करने की शिक्षा दी। अतः इसका नाम निरंकारी पड़ा।
- उन्होंने मानव गुरुओं की मूर्ति पूजा और मकबरे व मजारों की पूजा के विरुद्ध उपदेश दिए।
- उन्होंने विवाह का एक साधारण तरीका, खोजा, जिसे 'आनंद कारज' कहा जाता है। इस व्यवस्था के अंतर्गत गुरु ग्रंथ, सिखों की पवित्र किताब, के समक्ष विवाह किया जाता है, जिसमें कुछ पुरोहित किताब के चार प्रासंगिक मंत्र गाते हैं। इसमें अन्य रीति रिवाजों, जैसे- बारात, नाच-गाना, शराब पीना, दहेज इत्यादि का कोई स्थान नहीं रहता। बाद में, विवाह के इस स्वरूप को 1909 के **आनंद विवाह अधिनियम** (Anand Marriage Act of 1909) द्वारा औपचारिक मान्यता मिली।

1855 में बाबा दयाल दास की मृत्यु के बाद उनका उत्तराधिकार उनके पुत्र **बाबा दरबार सिंह** और उनके बाद रतन चंद अथवा **बाबा रत्ताजी** को प्राप्त हुआ।

नामधारी अथवा कूका आंदोलन (पश्चिम पंजाब, 1840)

नोट- अध्याय 4.1 में विस्तार से दिया गया है

सिंह सभा आंदोलन, 1873

जिस वर्ष कूकाओं का दमन हुआ, उसी वर्ष **सिंह सभा आंदोलन** (1873, अमृतसर) का उद्भव हुआ। यह आंदोलन ऐसे समय में स्थापित किया गया, जब सिख साम्राज्य को विघटित कर ब्रिटिश द्वारा 1849 में इसे कब्जे में ले लिया गया था, खालसा अपनी प्रतिष्ठा खो चुका था और सिखों का अन्य धर्मों में तेजी से धर्मांतरण किया जा रहा था। इसके नेताओं का विश्वास था कि सिख समुदाय में सामाजिक बुराइयों का मुख्य कारण शिक्षा का अभाव है। इस प्रकार उस आंदोलन की स्थापना दो उद्देश्य को लेकर की गई-

- सिख समुदाय को आधुनिक शिक्षा के माध्यम से **पाश्चात्य प्रबोधन** (प्रबुद्धवाद) के लाभ को प्रदान करना।
- ईसाई धर्म प्रचारकों, ब्रह्म समाज, आर्य समाज, अलीगढ़ एवं अहमदिया आंदोलनों की **धर्मांतरण की गतिविधियों का विरोध** करना।

सिख सभा नेतृत्व या तो भू-स्वामियों के रूप में अपने निहित स्वार्थों के कारण अथवा सिख हितों के कारण ब्रिटिश शासकों को अप्रसन्न नहीं करना चाहता था। इस प्रकार, उन्होंने सिख समाज में व्याप्त अनेक बुराइयों के लिए सीधे तौर पर ब्रिटिश सरकार को उत्तरदायी नहीं ठहराया।

अपने उद्देश्यों की प्राप्ति के लिए सभा ने बड़ी संख्या में **खालसा विद्यालय** एवं **महाविद्यालय** खोले। सभा की शैक्षणिक गतिविधियों को सरकार एवं सिख देशी रियासतों के शासकों का समर्थन व संरक्षण मिला, जिसके फलस्वरूप 1892 में अमृतसर में **खालसा महाविद्यालय** की नींव पड़ी।

यद्यपि इस महाविद्यालय की स्थापना पूर्णतया शैक्षिक उद्देश्यों के लिए की गई थी, लेकिन देश में व्याप्त राजनीतिक असंतोष व उन्नत हो रहे **राष्ट्रवादी** आंदोलन से इसके विद्यार्थी एवं शिक्षक अछूते नहीं रह सके। सी. आई. डी. की रिपोर्ट के अनुसार, 1907 तक खालसा महाविद्यालय छात्र-छात्राओं के बीच राष्ट्रवादी भावनाओं को प्रसारित करने का एक महत्वपूर्ण केंद्र बन गया था।

अकाली आंदोलन अथवा गुरुद्वारा सुधार आंदोलन (1920-25)

अकाली आंदोलन, सिख सभा आंदोलन का ही एक अंकुर था और यह आंदोलन गुरुद्वारों को भ्रष्ट महंतों (पुजारियों), जिन्हें सरकार का समर्थन भी था, के नियंत्रण से मुक्त कराने के उद्देश्य से प्रारंभ किया गया था।

ऐतिहासिक पृष्ठभूमि

1799 में महाराजा रणजीत सिंह द्वारा सिख राज्य की स्थापना से सिख धर्म में महत्वपूर्ण परिवर्तन हुए। महाराजा लगभग सभी प्रमुख गुरुद्वारों को संपत्ति एवं विशेषाधिकार के रूप में धर्मदाय (दान) प्रदान करते थे। आय में अचानक से हुई वृद्धि के कारण वंशानुगत महंतों की जीवन शैली में भी परिवर्तन हुआ और उन्होंने धीरे-धीरे वैभवपूर्ण जीवन जीना शुरु कर दिया था।

1849 में ब्रिटिश द्वारा पंजाब के समामेलन (कब्जे में लिए जाने) के बाद ब्रिटिश सरकार ने स्वर्ण मंदिर एवं अकाल तख्त को अपने नियंत्रण में लिया था और दैनिक कार्यों के संचालन के लिए **सरबराह** की अध्यक्षता में 10 सदस्यों की एक समिति बनाई थी।

गुरुद्वारों में भ्रष्टाचार

सरकार द्वारा सरबराह की नियुक्ति ने अनेक समस्याओं को जन्म दिया। अफसरशाही के बढ़त प्रभाव के कारण प्रबंधन पर सिख समुदाय का नियंत्रण कम होने लगा। सरबराह जनता के प्रति अपना उत्तरदायित्व अनुभव नहीं करता था, अपितु वह

अपने नियुक्तिकर्ता अधिकारियों को खुश करने में लगा रहता था। महंत (पुजारी) सभी प्रकार की बुराइयों (जैसे भेंटों का गबन या दुर्विनियोजन, अनैतिक कार्यों के लिए श्राइन (मन्दिर या तीर्थस्थल) की संपत्ति का दुरुपयोग और यहां तक कि महिला आगंतुकों (visitors) के साथ दुर्व्यवहार) में लिप्त होने लगे थे। साथ ही, सिख धर्म ने किसी भी जातीय भेदभाव को मान्यता नहीं दी थी, लेकिन स्वर्ण मंदिर के महंत निम्न जाति के मजहबी सिखों को मंदिर में प्रत्यक्ष रूप से प्रार्थना करने की अनुमति नहीं देते थे।

पंजाब में गुरुद्वारों की वर्तमान स्थिति में किसी भी प्रकार के परिवर्तन का ब्रिटिश अधिकारियों ने विरोध किया। इसके बाद, अमृतसर के **अकाली जत्थों (स्वयं सेवकों)** के एक समूह ने इस विषय पर जनता में जागरूकता फैलाई और भ्रष्ट महंतों की सत्ता को नकार दिया। उन्होंने स्वर्ण मंदिर एवं अकाल तख्त के नियंत्रण को अपने हाथों में लिया और इन दोनों मंदिरों के प्रबंधन के लिए एक समिति (शिरोमणि गुरुद्वारा प्रबंधक समिति) बनाई। इस घटनाक्रम के बाद महंत यहां से भाग निकले।

तोषखाना कुंजी या चाबी मामला

सुधार समूह की समिति ने स्वर्ण मंदिर के सरकार द्वारा नियुक्त प्रबंधक से तोषखाने (कोष) की कुंजियां (चाबी) देने को कहा, लेकिन प्रबंधक द्वारा ऐसा करने से पहले ही ब्रिटिश डिप्टी कमिश्नर (British Deputy Commissioner) ने चाबियों को अपने कब्जे में ले लिया।

ब्रिटिश सत्ता द्वारा किए गए इस कार्य से सिख समुदाय में भारी असंतोष फैला। चाबियों को वापस लेने के लिए अकाली सुधारकों ने एक शक्तिशाली आंदोलन प्रारंभ किया, जिसे कुंजी/चाबी मामले के नाम से जाना गया। इस समय महात्मा गांधी का असहयोग आंदोलन चल रहा था और पंजाब में कांग्रेसी स्वयंसेवकों ने सिख सुधारकों से हाथ मिलाया। भयभीत होकर पंजाब सरकार ने पीछे हटने का निर्णय लिया और उस समय के एस. जी. पी. सी. के अध्यक्ष **बाबा खड़क सिंह** को चाबियां सौंप दिया। पंजाब सरकार ने **सिख गुरुद्वारा एंड श्राइन एक्ट, 1922** (Sikh Gurdwaras and Shrines Act, 1922) पारित किया, जिसके द्वारा गुरुद्वारों के नियंत्रण के लिए सरकार द्वारा नामांकित एक समिति प्रदान की गई। हालांकि, इसको अकाली नेताओं द्वारा स्वीकार नहीं किया गया और इस कारण यह कानून प्रचलन में नहीं आ सका।

फरवरी 1922 में, असहयोग आंदोलन के निलंबित होने के बाद सरकार को अकाली सुधारकों को सबक सिखाने का अवसर मिला, जो एक अन्य आंदोलन, जिसे गुरु-का-बाग मोर्चा नाम से जाना गया, की ओर ले गया।

गुरु-का-बाग मोर्चा, 1922

चाबियों के वापस लौटाने से पंजाब सरकार की प्रतिष्ठा को धक्का लगा था और अधिकारी अपनी खोई प्रतिष्ठा को पुनः प्राप्त करने का इंतजार कर रहे थे। उन्होंने अकाली स्वयंसेवकों को गिरफ्तार कर लिया, जो गुरुद्वारे के गुरु-का-बाग में लगे सूखे कीकर वृक्ष की लकड़ी काट रहे थे। गिरफ्तारी के पीछे तर्क दिया (एक तरह से बहाना बनाया) कि सूखी लकड़ी महंत की निजी सम्पत्ति है और अकाली सुधारकों ने समुदाय की किचन से लकड़ी की चोरी की है।

अपने अधिकार का दावा करने एवं विरोध दर्ज करने के लिए अकाली जत्थों ने गुरु-का-बाग की ओर मार्च शुरू किया, जिसके जवाब में पुलिस ने उन्हें गिरफ्तार करना शुरू कर दिया। जब तक जेल में जगह नहीं बची, तब तक गिरफ्तारियां होती रहीं। इस प्रकार लगभग 5000 सुधारकों को गिरफ्तार कर लिया गया था। इसके बाद पुलिस द्वारा उन्हें बेरहमी से तब तक मारा गया, जब तक वे बेहोश (अचेत) नहीं हो गए। इस शांतिपूर्ण पीड़ा से उन्हें प्रेस के साथ-साथ राष्ट्रीय नेताओं की सहानुभूति मिली।

व्यापक स्तर पर आलोचना के बाद पंजाब के गवर्नर ने अकाली जत्थों की पिटाई को रोकने के लिए पुलिस को आदेश दिया। जिनको गिरफ्तार किया गया था, उन्हें रिहा कर दिया गया और स्वयंसेवियों को समुदाय की किचन (रसोईघर) से लकड़ी संग्रहित करने की अनुमति दी गई।

गुरुद्वारा विधेयक का प्रस्तावित होना और अकाली आंदोलन की समाप्ति, 1925

अकाली आंदोलन कांग्रेस की विचारधारा व कार्यक्रम को पंजाब के सिख किसानों के मध्य प्रसारित करने का एक मुख्य साधन बना। साथ ही, सम्भवत: ब्रिटिश सेना के सिख सैनिकों को भी इसी आंदोलन के द्वारा कांग्रेस ने प्रभावित किया। इन सब कारकों ने पंजाब सरकार को अकाली समस्या का निदान खोजने के लिए मजबूर कर दिया था

परिणामस्वरूप, पंजाब सरकार ने सिख समुदाय को अपने गुरुद्वारों को संचालित करने के लिए प्रबंधकों को निर्वाचित करने का कानूनी अधिकार देने के लिए **1925 में सिख गुरुद्वारा अधिनियम** (Sikh Gurdwaras Act 1925) पारित किया। इस कानून ने गुरुद्वारा प्रबंधन में महंतों के वंशानुगत नियंत्रण को समाप्त किया और लोकतांत्रिक नियंत्रण प्रारंभ किया। कोई भी सिख (किसी भी जाति का हो) एस. जी. पी. सी. के अध्यक्ष सहित किसी भी पद के लिए निर्वाचित किया जा सकता था। महिलाओं को भी पुरुषों के समान मत देने का अधिकार दिया गया। इसके साथ ही, पंजाब में 5 साल लंबा अकाली आंदोलन समाप्त हुआ।

महत्व

इस आंदोलन ने व्यापक स्तर पर लोगों में सामाजिक, धार्मिक एवं राजनीतिक जागृति उत्पन्न की। विशेष रूप से, पटियाला, नाभा, जींद एवं फरीदकोट रियासतों की जनता के बीच जागरूकता फैलाई। इस आंदोलन ने देशी रियासतों में हो रहे उत्पीड़न के विरुद्ध स्वयं को संगठित व इसके विरुद्ध लड़ने के लिए जनता को आवश्यक नैतिक संबल दिया। यहां तक कि अकाली आंदोलन की समाप्ति के बाद भी **सरदार सेवा सिंह ठीकरीवाला** के नेतृत्व में स्वतंत्रता प्राप्ति तक इन रियासतों की जनता ने अपना संघर्ष जारी रखा और अन्तत: ये भारतीय संघ में शामिल हुए।

साथ ही, अकाली आंदोलन अपने स्वरूप में क्षेत्रीय था, न कि साम्प्रदायिक। अकाली नेताओं ने राष्ट्रीय स्वतंत्रता संघर्ष में एक उल्लेखनीय भूमिका निभाई थी।

प्रीलिम कैप्सूल

सिख सुधार आंदोलन

नेतृत्वकर्ता एवं आंदोलन	महत्वपूर्ण घटनाएं
निरंकारी आंदोलन (रावलपिंडी, पंजाब)	इसका प्रारंभ **बाबा दयाल दास** (1783-1855) द्वारा किया गया। वे सिख समुदाय के पहले सुधारकों में से एक और महाराजा रणजीत सिंह के एक समकालीन थे। उन्होंने अपने अनुयायियों को स्वरूप रहित एक ईश्वर पर विश्वास करने की शिक्षा दी। उन्होंने विवाह के साधारण स्वरूप 'आनंद कारज' को लोकप्रिय बनाया।
नामधारी अथवा कूका आंदोलन (पश्चिमी पंजाब, 1840)	इसकी शुरुआत **भगत जवाहर मल** एवं **बाबा बालक सिंह** द्वारा की गई। यह कूका नाम से लोकप्रिय हुआ, क्योंकि इसके अनुयायी उल्लास में कू-कू करके चिल्लाते थे।
	बाबा राम सिंह के नेतृत्व में यह एक सामाजिक-धार्मिक सुधार आंदोलन के रूप में उभरा। 1872 में 62 नामधारी सिखों के एक समूह को ब्रिटिश के विरुद्ध विरोध करने के लिए तोप द्वारा उड़ा दिया गया, जबकि राम सिंह को रंगून निर्वासित कर दिया गया।

नेतृत्वकर्ता एवं आंदोलन	महत्वपूर्ण घटनाएं
सिंह सभा आंदोलन, 1873	इसकी स्थापना दो उद्देश्यों को लेकर की गई- **पाश्चात्य शिक्षा** को प्रोत्साहित करना और ईसाई, मुस्लिम, ब्रह्म समाज व आर्य समाज के द्वारा की जा रही **धर्मांतरण की गतिविधियों का विरोध** करना। इस सभा ने पंजाब में बड़ी संख्या में **खालसा विद्यालय व महाविद्यालय** खोले, जिसमें अमृतसर का खालसा कॉलेज (1892) भी शामिल था।
अकाली आंदोलन अथवा गुरुद्वारा सुधार आंदोलन (1920-1925)	इसे सिख गुरुद्वारों को भ्रष्ट महंतों के नियंत्रण से मुक्त करने के लिए आरंभ किया गया था। महंतों को सरकार का समर्थन भी प्राप्त था। यह आंदोलन **सिख गुरुद्वारा अधिनियम, 1925** के पारित होने की ओर ले गया। इस कानून ने महंतों के वंशानुगत नियंत्रण को समाप्त किया और गुरुद्वारा प्रबंधन में लोकतांत्रिक नियंत्रण को को शुरू किया।

पारसी आंदोलन (Parsi Reform Movements)

रहनुमाए माजदायासन सभा (बॉम्बे, 1851)

दादा भाई नौरोजी

19वीं शताब्दी के विवेकवादी व प्रगतिशील विचारों का प्रभाव पारसी समुदाय पर भी पड़ा। 1851 में, बॉम्बे में अंग्रेजी शिक्षा प्राप्त एक समूह द्वारा रहनुमाए माजदायासन सभा (धार्मिक सुधार आयोग) की स्थापना की गई। इसके दो प्रमुख उद्देश्य थे-

- पारसियों की सामाजिक स्थिति का पुनरूत्थान।
- जरथुष्ट्री धर्म (पारसी धर्म) को उसकी निर्मल पूर्वावस्था में वापस लाना।

मुख्य नेतृत्वकर्ता एवं सुधार

- सभा के मुख्य नेताओं में **नौरोजी फुरदुनजी (अध्यक्ष), सोराबजी शपरुजी बंगाली (सचिव), के. एन. कामा एवं दादाभाई नौरोजी** शामिल थे।
- 1851 में नौरोजी व कामा द्वारा शुरू किया आंग्ल-गुजराती समाचार पत्र **रास्त गफ्तार** (Truth–Teller) इस संस्था का मुख्य अंग था। इस संस्था ने पारसियों के मध्य सामाजिक सुधार में अग्रणी भूमिका निभाई।
- सभा ने शादियों व अंतिम संस्कार के समय की जाने वाली विस्तृत समारोहों की कड़ी आलोचना की और पारसियों के लिए उत्तराधिकार व विवाह के लिए समान कानूनों का समर्थन किया।
- पारसी महिलाओं के जीवन को उन्नत करने पर भी विशिष्ट ध्यान केंद्रित किया गया। पर्दा प्रथा पर प्रहार किया गया और विवाह की आयु में वृद्धि व महिला शिक्षा की दिशा में प्रयत्न किए गए।
  धीरे-धीरे पारसियों का उद्भव भारतीय समाज के सबसे पश्चिमीकृत वर्ग के रूप में हुआ।

प्रीलिम कैप्सूल

पारसी आंदोलन

नेतृत्वकर्ता एवं आंदोलन	महत्वपूर्ण घटनाएं
रहनुमाए माजदायासन सभा (बॉम्बे, 1851)	इस **धार्मिक सुधार एसोसिएशन** (Religious Reform Association) को अंग्रेजी से शिक्षित एक पारसी समूह ने किया। सभा के मुख्य नेताओं में **नौरोजी फुरदुनजी (अध्यक्ष), सोराबजी शपरूजी बंगाली (सचिव), के. एन. कामा एवं दादाभाई नौरोजी** शामिल थे। 1851 में नौरोजी व कामा द्वारा एक आंग्ल-गुजराती समाचार पत्र **रास्त गफ्तार** (Truth-Teller) प्रकाशित किया गया।

पश्चिमी व दक्षिणी भारत में गैर-ब्राह्मण आंदोलन (The Non-Brahmin Movement in Western and Southern India)

19वीं और 20वीं शताब्दी में पश्चिमी व दक्षिणी भारत में गैर-ब्राह्मण आंदोलनों के उदय के अनेक कारण थे। इनमें शामिल थे-

- 19वीं शताब्दी के सुधार आंदोलन। (यद्यपि अधिकांश आंदोलनों का नेतृत्व उच्च जाति के हिंदुओं द्वारा किया गया, जिन्होंने जाति व्यवस्था व छुआछूत की निंदा की थी।)
- पाश्यात्य शिक्षा का प्रसार।
- सब के लिए भारतीय दंड संहिता (1861) व आपराधिक प्रक्रिया संहिता (1872) का लागू होना।
- रेलवे नेटवर्क का विस्तार। (जहां प्रत्येक भारतीय किसी भी दर्जे का टिकट ले सकता था और कोई भी सीट प्राप्त कर सकता था।)
- राष्ट्रीय चेतना और समानता व लोकतंत्र के आधुनिक विचारों का विकास।

इन उपर्युक्त कारकों ने ऐसा वातावरण निर्मित किया, जिसमें जाति व्यवस्था का बचाव नहीं किया जा सकता था। इसने निम्न जाति के बीच एक वर्ग चेतना निर्मित की और स्वयं जातीय समानता के लिए संघर्ष को अपने हाथों में लिया।

पश्चिमी भारत में गैर-ब्राह्मण आंदोलन (Non-Brahmin Movements in Western India)

ज्योतिराव गोविंदराव फुले (1827-1890) एवं सत्य शोधक समाज (1873)

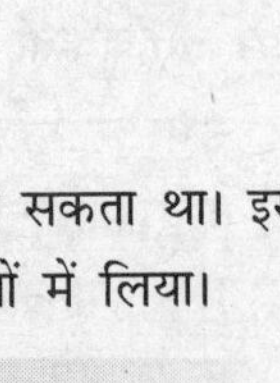

महात्मा ज्योतिराव गोविंदराव फुले

ज्योतिबा फुले- फुले का जन्म निम्न जाति के माली परिवार में हुआ था और वे महाराष्ट्र में गैर-ब्राह्मण लोगों की अपमानजनक स्थिति से अच्छे से जागरूक थे। उनके परिवार के सदस्य पेशवा के घर के लिए फूलों की आपूर्ति करते थे और इस प्रकार वे फुले कहलाते थे। उन्होंने अपनी प्रारंभिक शिक्षा एक मिशनरी विद्यालय में ग्रहण की। हालांकि, उन्हें 1833 में अपनी शिक्षा को रोकना पड़ा। 1848 में फुले अपने एक ब्राह्मण मित्र की शादी में शामिल होने गए, जहां कुछ रूढ़िवादी ब्राह्मणों ने उन्हें शूद्र कहकर अपमानित किया और उन्हें वहां से जाने के लिए कहा। इस घटना ने उन्हें एक सामाजिक

क्रांतिकारी बना दिया। साथ ही, इस घटना ने ज्योतिबा को जातीय भेदभाव व छुआछूत की अमानवीय प्रथा के मूल कारण को खोजने के लिए प्रेरित किया।

सत्य की खोज में फुले ने सभी प्रमुख धर्मों (जिसमें ईसाई, इस्लाम, बौद्ध धर्म व जैन धर्म शामिल थे।) के पवित्र धर्म ग्रन्थों को पढ़ा। उन्होंने इन सबको समानता व विवेक की कसौटी पर कसा। जाति व्यवस्था शूद्रों को जीवनपर्यंत दासता के जाल में फंसा देती है। सूर्योदय व सूर्यास्त के समय उन्हें सड़क पर घूमने की अनुमति नहीं थी, क्योंकि इस दौरान उनकी लंबी छाया ब्राह्मणों के घरों पर पड़कर उन्हें अपवित्र कर सकती थी। वास्तव में, समानता का सिद्धांत जाति व्यवस्था, सत्तावादी परिवार व्यवस्था के साथ-साथ महिलाओं की अधीनता को पूर्णतया अस्वीकार करता है। इसी प्रकार, विवेक का सिद्धांत कर्मकांड और अंधविश्वास को अस्वीकार करता है। इस प्रकार, फुले एक सामाजिक विद्रोही बने और उन्होंने वर्तमान व्यवस्था को पूर्णतया अस्वीकार करने का आह्वान किया, जो अतार्किक व असमान संस्थाओं को बनाए रखा था।

फुले ने तर्क दिया कि वेदों के अनुसार आर्यों ने द्रविड़ों पर विजय प्राप्त करने के बाद उन पर यह असमान जाति व्यवस्था अधिरोपित की थी और ब्राह्मण निरन्तर वेदों को शूद्रों से छिपाते आ रहे हैं, जिनमें यह सत्य दिया हुआ है। स्वाभाविक रूप से, उन्होंने मुक्ति के लिए शिक्षा को सबसे महत्वपूर्ण कारक माना। उनका विश्वास था कि अशिक्षित लोग मानसिक व भौतिक दासता के विरुद्ध विद्रोह करने में असमर्थ होते हैं। इसी प्रकार, उन्होंने कहा कि महिलाओं को अशिक्षित व पुरुषों का दास बनाए रखने के लिए ब्राह्मण उत्तरदायी हैं। निम्न जातियों और दलितों को नजरअंदाज करने के लिए ज्योतिबा ने हमेशा भारतीय राष्ट्रीय कांग्रेस के प्रति आलोचनात्मक दृष्टिकोण रखा।

फुले की गतिविधियां- इस प्रकार फुले ने जीवन भर उत्सुकतापूर्वक शिक्षा व सभी वर्गों के साथ-साथ महिला व पुरुषों के मध्य समानता का प्रचार किया।

- उन्होंने बलपूर्वक सरकार से जनता के लिए अनिवार्य प्राथमिक शिक्षा प्रदान करने के लिए कहा। इस हेतु शिक्षकों को खेतिहर वर्ग से लिया जाना चाहिएं।
- 1851 में अपनी पत्नी के साथ मिलकर ज्योतिबा ने **पूना में कन्याओं के लिए विद्यालय** खोला।
- 1854 में **अछूतों के लिए विद्यालय** शुरू करने वाले वे पहले भारतीय बने।
- वे महाराष्ट्र में विधवा पुनर्विवाह आंदोलन के एक अग्रदूत भी थे। उन्होंने विधवाओं को संरक्षण एवं आश्रय प्रदान किया।
- 1873 में फुले ने निम्न जाति के लोगों के लिए समान अधिकार प्राप्त करने हेतु एक सामाजिक सुधार समाज के रूप में **सत्य शोधक समाज** शुरू किया।
- फुले ने अपने विचारों का प्रचार करने के लिए प्रिंट मीडिया का उपयोग किया और मराठी भाषा में बड़े स्तर पर लेख लिखा-
    - **दीनबंधु** एक मराठी पत्रिका थी, जो आर्य-वैदिक परंपरा के शोषणकारी चरित्र को उजागर करने के लिए फुले द्वारा प्रकाशित एवं संपादित की जाती थी।
    - **गुलामगिन (दासता)** फुले की एक किताब थी, जो 1873 में सामने आई, जिसमें उन्होंने शूद्रों की दासता के ऐतिहासिक कारणों पर अपने विचारों को विस्तारपूर्वक प्रस्तुत किया और इसकी तुलना अमेरिका में काले लोगों की दासता से की।
    - **शेतकर्याचा असूड** में उन्होंने किसानों के समस्याओं के समाधान की चर्चा की।
    - **इशारा (एक चेतावनी):** एक पुस्तिका थी, जिसमें 1885 के दौरान कृषक वर्गों की आर्थिक समस्याओं पर फुले के मुख्य विचारों को प्रकाशित किया गया था। भारतीय किसानों की समस्याओं के बारे में जागरूक होने के बाद उन्होंने उनके संघर्ष में अपना पूरा समर्थन दिया। **वे पहले व्यक्ति थे जिन्होंने कृषक वर्ग को भारतीय राजनीति** में स्थान दिया। उन्होंने कृषक समस्या को उठाने में नाकाम होने के लिए भारतीय राष्ट्रीय कांग्रेस का विरोध किया।

इस प्रकार जीवनपर्यंत फुले ने दलित वर्गों के लिए संघर्ष किया। हालांकि, ब्रिटिश शासन के औपनिवेशिक चरित्र को समझने में वे असफल रहे और इसकी प्रगतिशील भूमिका में विश्वास किया। वे यह समझने में भी असफल रहे कि जिस तरह की क्रांति की वे कल्पना कर रहे हैं, वह शोषणकारी औपनिवेशिक शासन की उपस्थिति में प्राप्त नहीं की जा सकती थी। 1890 में फुले की मृत्यु के साथ सत्यशोधक आंदोलन में एक क्रमिक पतन देखा गया।

कोल्हापुर में सत्यशोधक समाज

1913 में, कोल्हापुर के छत्रपति शाहू महाराज (1874–1922) ने कोल्हापुर में इस समाज की स्थापना की। हालांकि, कुछ समय के लिए ही समाज की गतिविधियों को एक संकीर्ण स्वरूप में पुनर्जीवित किया गया था। नि:सन्देह, 1913 और 1922 के दौरान शाहू महाराज अनेक गैर-ब्राह्मण गतिविधियों से जुड़े हुए थे और उन्होंने अनेक शैक्षणिक संस्थाएं, होटल एवं दलित वर्गों के लिए छात्रवृत्तियां शुरू की थीं। हालांकि, इनके समय में यह आंदोलन सामंतवादी उच्च जाति के गैर-ब्राह्मणों और व्यापारिक समूहों के हाथों में चला गया था, जिन्होंने इसका उपयोग अपने राजनीतिक लाभ के लिए करना शुरू कर दिया था।

शाहू महाराज ने अपने समुदाय के लिए क्षत्रियता का दर्जा प्राप्त कराने के लिए एक बड़ा संघर्ष किया। 1919 (मोंटेग्यू चेम्सफोर्ड सुधारों के बाद) के बाद उन्होंने परिषदों में पिछड़ा वर्गों के लिए विशिष्ट राजनीतिक प्रतिनिधित्व की मांग की। यह कुछ और नहीं बल्कि फुले की विचारधारा के साथ एक विश्वासघात और शाश्वत जातीय असमानता की ओर कदम था।

दक्षिण भारत में गैर ब्राह्मण-आंदोलन (Non-Brahmin Movements in South India)

पश्चिमी भारत के समान ही दक्षिण भारत में भी सामाजिक पदसोपान में ब्राह्मणों का ही प्रभुत्व था। परंपरागत शिक्षित वर्ग (ब्राह्मणों) ने शीघ्र ही अंग्रेजी शिक्षा हासिल की और ब्रिटिश समय के दौरान व्यवसायों के अवसरों पर एकाधिकार प्राप्त किया। इससे गैर-ब्राह्मण समुदायों में ईर्ष्या और शत्रुता उत्पन्न हुई, जो गैर-ब्राह्मण आंदोलनों के रूप में सामने आया।

तमिलनाडु में सेल्फ रिस्पेक्ट/आत्म सम्मान आंदोलन

सन्दर्भ- 1887 व 1904 के दौरान अनेक तमिल साहित्य, जैसे- पथुपट्टू, शिलप्पादिकारम एवं मणिमेकलाई प्रकाशित हुए, जिसमें आर्य एवं संस्कृत संस्कृति से अलग परंपरागत द्रविड़ सभ्यता के चित्र को प्रस्तुत किया गया। कुछ तमिल विद्वानों ने प्रचारित किया कि द्रविड़ लोग ही भारत के मूल निवासी हैं, जबकि आर्य लोग बाहरी थे जो अपने साथ जाति व्यवस्था जैसी बुराई लेकर आए। पृथक पहचान की पुनर्खोज के इस भाव ने स्वयं ही 1916 के बाद गैर-ब्राह्मण आंदोलनों को अभिव्यक्त किया।

जस्टिस पार्टी (मद्रास, 1916)- 1916 में मद्रास में **टी. एम. नायर, पी. थेगरया चेट्टी** एवं **सी. नटेस मुदलियार** द्वारा स्थापित साउथ इंडियन लिबरेशन फेडरेशन (South Indian Liberal Federation), जिसे जस्टिस पार्टी के नाम से जाना गया, के रूप में गैर-ब्राह्मण असंतोष ने राजनीतिक रूप धारण किया। पार्टी ने मद्रास प्रेसीडेंसी/प्रांत के मुस्लिम, ईसाई और अछूतों सहित सभी गैर-ब्राह्मणों का प्रतिनिधित्व करने का दावा किया। जस्टिस पार्टी के नेताओं की आरंभिक मांग प्रांतीय परिषदों में आरक्षित सीटों को संरक्षित करना था। इसके बाद वे इसे धीरे-धीरे शिक्षा संस्थाओं, शासकीय नियुक्तियों इत्यादि में भी इस रियायत को बढ़ाना चाहते थे।

1920 के दशक में पार्टी के अंदर एक टकराव उत्पन्न हुआ, जब कुछ सदस्यों ने अनुभव करना शुरू किया कि पार्टी को आरक्षण और नौकरी जैसे संकीर्ण अवसरों तक सीमित नहीं रखना चाहिए, अपितु इसे गैर-ब्राह्मण समाज और संस्कृति के सुधार व पुनरुत्थान के लिए भी कार्य करना चाहिए। इस प्रकार कुछ नेताओं जैसे ई. वी. रामास्वामी नायकर ने एक पृथक **सेल्फ रिस्पेक्ट मूवमेंट** (आत्म सम्मान आंदोलन) प्रारंभ किया और गैर-ब्राह्मण आंदोलन को एक नया जीवन प्रदान किया।

ई. वी. रामास्वामी नायकर (1879–1973) और आत्म सम्मान आंदोलन

रामास्वामी नायकर ने अपने प्रारंभिक जीवन में ही जाति व्यवस्था के विरुद्ध बगावत कर दी थी। 1919 में वे भारतीय राष्ट्रीय कांग्रेस में शामिल हुए और 1924 में **वाईकॉम सत्याग्रह** के एक वीर सिपाही के रूप में उभरे। शीघ्र ही, उन्होंने हिंदू मिथकों

(पौराणिक कथाओं) का त्याग किया और इस स्तर तक पहुंचे कि उन्होंने मनु धर्म शास्त्र और रामायण को जलाने की वकालत की। 1925 में उन्होंने भारतीय राष्ट्रीय कांग्रेस से त्यागपत्र दिया, क्योंकि उन्हें महसूस हुआ कि यह केवल उच्च जाति के हितों के लिए कार्य कर रही है। इस प्रकार वे एक **उग्र सामाजिक सुधारक** के रूप में उभरे और 1927 में यहां तक कि वर्णाश्रम धर्म के मुद्दे पर उनका गांधी के साथ वाद-विवाद हुआ। उनके अनुयायी उन्हें **थानथाइ** (पिता) एवं **पेरियार** (महात्मा) पुकारते थे।

ई. वी. रामास्वामी नायकर (थानथाइ व पेरियार)

रामास्वामी के विचार एवं कार्य (Ideas and Works of Ramasamy)-

- फुले के समान ही इन्होंने भी जाति व्यवस्था एवं ब्राह्मणों के प्रभुत्व पर प्रहार किया।
- उन्होंने सभी मानवों के लिए समानता और गरिमा की वकालत की।
- उन्होंने गैर-ब्राह्मण एवं महिलाओं के निम्न सामाजिक स्तर के लिए धर्म को मुख्य रूप से उत्तरदायी माना।
- उन्होंने धर्म व धर्मग्रंथों को सामाजिक संगठन के मार्गदर्शक सिद्धांत के रूप में अस्वीकार किया। उन्होंने हिंदू धर्म को ब्राह्मणवादी नियंत्रण का साधन, मनु के कानूनों को अमानवीय और पुराणों को झूठी कहानी बताया और उन्हें अस्वीकार किया।
- उन्होंने द्रविड़ लोगों पर हिंदी के अधिरोपण का विरोध किया।
- एक मूर्तिपूजक विरोधी के रूप में उन्होंने होटलों पर लगे जातिगत बोर्डों पर डामर पोता, ब्राह्मणों के पवित्र सूत्रों को काटा, देवी-देवताओं की तस्वीरों को चप्पल से पीटा, मूर्तियों को तोड़ा और धर्म ग्रंथों को जलाने का समर्थन किया।
- उन्होंने गैर-ब्राह्मणों को अनेक समारोह में पुरोहितों की सेवा न लेने के लिए प्रेरित किया और **आत्म-सम्मान विवाहों** को लोकप्रिय बनाया। इन विवाहों को ब्राह्मण पुरोहितों के बिना संपन्न कराया जाता था, दूल्हा और दुल्हन एक सादा प्रतिज्ञा लेते थे कि वे जीवन में एक-दूसरे को समान साथी के रूप में स्वीकार करते हैं, एक-दूसरे को माला पहनाते थे और बड़ों का आशीर्वाद लेते थे। उल्लेखनीय है कि ऐसे अनेक विवाह अंतर्जातीय भी थे।
- महिला मुक्ति के क्षेत्र में, उन्होंने जीवन के प्रत्येक क्षेत्र में उनकी स्वतंत्रता और स्वायत्तता की वकालत की। उन्होंने दृढ़तापूर्वक विवाह, पुनर्विवाह, तलाक एवं जन्म-नियंत्रण संबंधी महिला-अधिकारों की वकालत की। उन्होंने महिलाओं से संबंधित सतीत्व या कारपु (महिला की लैंगिक शुद्धता) जैसे पितृसत्तात्मक विचार पर प्रहार किया।
- 1925 में रामास्वामी ने अपने विचारों को प्रचारित करने के लिए एक पत्र **कुड़ी अरासु** शुरू किया।
- 1939 में उन्हें जस्टिस पार्टी का अध्यक्ष निर्वाचित किया गया।

रामास्वामी के आंदोलन की मुख्य सीमा उनके सामाजिक आधार में थी, जो कुछ गैर-ब्राह्मण जातियों तक सीमित रही। अपने प्रभाव को विस्तारित करने के लिए पेरियार ने 1944 में **सेल्फ रिस्पेक्ट लीग** (Self-Respect League) को जस्टिस पार्टी के साथ मिलाकर **द्रविड़ कड़गम** (Dravidian Federation) की स्थापना की। इससे पेरियर के पूर्ववर्ती सामाजिक सुधार आंदोलन के चरित्र में परिवर्तन किया। इस प्रकार गैर-ब्राह्मण आंदोलन धीरे-धीरे संकीर्ण चुनावी राजनीति में लिप्त हो गया।

आंध्रा में आत्म-सम्मान आंदोलन (Self-Respect Movement in Andhra)

आंध्रा में गैर-ब्राह्मण आंदोलन मुख्यतः कम्मा, वेलम्मा, बलीजा एवं रेड्डी जैसे गैर-ब्राम्हण समूहों के सामाजिक-सांस्कृतिक सुधार के लिए था। ये किसान समूह थे, जिनके पास पर्याप्त भू-स्वामित्व था और आर्थिक रूप से वे ठीक थे, लेकिन उन्हें समाज में एक निम्न सामाजिक दर्जा दिया गया, क्योंकि वे धर्म ग्रंथों और यहां तक कि आधुनिक अंग्रेजी शिक्षा के ज्ञान में पीछे थे।

इस प्रकार आंध्रा में आंदोलन धनी उच्च वर्ग (जो भू-स्वामित्व से जुड़ा था) के गैर-ब्राह्मणों की प्रतिक्रिया थी। स्वाभाविक रूप से, इसने केवल उच्च जाति के गैर-ब्राह्मणों की समस्याओं पर ध्यान दिया और हरिजनों को छोड़ दिया। जाति व्यवस्था को पूर्णतया समाप्त करने के लिए लड़ने के स्थान पर इसका लक्ष्य इस व्यवस्था का पुनर्संगठन करना था, जिसमें उच्च जाति के गैर-ब्राह्मणों का स्थान सबसे ऊपर होगा।

त्रिपुरानेनी रामास्वामी चौधरी (1887-1943)

आंध्रा में आंदोलन के एक अग्रणी गैर-ब्राह्मण नेता त्रिपुरानेनी थे, जिन्होंने स्वयं जातिगत भेदभाव का सामना किया था।

विचार एवं कार्य

त्रिपुरानेनी एक प्रमुख विद्वान के रूप में उभरे और उन्होंने अपना संपूर्ण जीवन तटीय आंध्रा में आत्म सम्मान आंदोलन को प्रचारित करने में लगा दिया। उनके विचार फुले एवं पेरियार द्वारा दिए गए विचारों से बहुत मिलते-जुलते थे-

- उन्होंने धार्मिक ग्रंथों की सत्ता को चुनौती दी और तर्क दिया कि जाति व्यवस्था, जो धर्म द्वारा पोषित रही है, आर्यों की एक देन थी।
- उन्होंने **शास्त्रों की दासता** से महिलाओं और शूद्रों की मुक्ति का समर्थन किया। उन्होंने सेवाओं के गैर-ब्राह्मणीकरण करने की मांग की और अपने विचारों को अपने साहित्यों के द्वारा प्रचारित करने का प्रयास किया-
  - **कुरुक्षेत्र संग्राम** में उन्होंने तर्क दिया कि कौरव पांडवों से ज्यादा ईमानदार थे और पांडवों को शासन करने का अधिकार नहीं था।
  - **शंबुकवध** में उन्होंने उजागर किया कि कैसे वशिष्ट से प्रेरित होकर वर्णाश्रम धर्म के संरक्षण के नाम पर राजा राम ने शूद्र मुनि संबुक को मार दिया, क्योंकि वे ब्राह्मणों द्वारा शूद्रों को निषेध किए गए पवित्र ज्ञान को प्रसारित कर रहे थे।
  - **विवाह विधि** में उन्होंने तेलुगु भाषा में विवाह संस्कारों का वर्णन किया, क्योंकि शूद्र संस्कृत मंत्रों को नहीं समझ सकते थे। वास्तव में, उनका सबसे सफलतापूर्वक सुधार परंपरागत विवाहों की व्यवस्था में था। कम्माओं ने अपने समुदायों के पुरोहितों की उपस्थिति में विवाह करना शुरू कर दिए थे।

आत्म सम्मान आंदोलन ने आंध्रा में आधुनिक शिक्षा को बढ़ावा देने एवं सहभोज व अंतर्जातीय विवाह के रूप में अंतर्जातीय मेल-मिलाप को बढ़ाने में एक महत्वपूर्ण भूमिका निभाई।

कर्नाटक में गैर-ब्राह्मण आंदोलन (Non-Brahmin Movement in Karnataka)

वोक्कालिगा एवं लिंगायत संगठन

1918 के आसपास कर्नाटक में गैर-ब्राह्मण आंदोलनों का उद्‌भव हुआ, जिसकी पहल **वोक्कालिगा** व **लिंगायतों** ने की। गैर-ब्राह्मण नेताओं का एक प्रतिनिधिमंडल जाति आधारित भेदभाव के विरुद्ध विरोध दर्ज करने के लिए मैसूर के महाराजा से मिला। इसके परिणामस्वरूप, **सर लेस्ली मिलर** की अध्यक्षता में एक समिति नियुक्त की गई। समिति के सुझाव पर सरकार ने लोक सेवाओं में समान सांप्रदायिक प्रतिनिधित्व देने का आदेश पारित किया।

धीरे-धीरे यह गैर-ब्राह्मण आंदोलन राष्ट्रीय आंदोलन की ओर बढ़ा और अंतत: 1938 में कांग्रेस के साथ मिल गया। 1930 के दशक के बाद भारत में धर्मनिरपेक्ष राजनीति ने जाति आधारित मांगों को मान्यता देना शुरू किया, जिसका परिणाम यह हुआ कि गैर-ब्राह्मण समूह अपनी एकजुटता खोने लगी और प्रत्येक जाति के लिए सरकार में प्रथक प्रतिनिधित्व की मांग करने लगी। इस प्रकार, 1940 के दशक से गैर-ब्राह्मण आंदोलन पिछड़ी वर्गों के आंदोलन में रूपांतरित हो गए थे।

केरल में गैर-ब्राह्मण आंदोलन (Non-Brahmin Movement in Kerala)

श्री नारायण गुरु (1854-1928) एवं एस. एन. डी. पी. योगम (1903)

श्री नारायण गुरु

केरल में एझावा जाति के नेता श्री नारायण गुरु ने 1903 में एस. एन. डी. पी. (श्री नारायण धर्म परिपालन) योगम स्थापित किया। इसके उद्देश्य थे-

1. छुआछूत की प्रथा को समाप्त करना, और
2. ऐसे मंदिर बनाना, जिनमें सभी जातियों का प्रवेश होगा।

विचार एवं कार्य

- नारायण गुरु ने खुले तौर पर निम्न जातियों के प्रति कांग्रेस की दिखावटी सेवा की आलोचना की। उन्होंने चतुरवर्णों में गांधी के विश्वास का विरोध किया, जिसे वे जाति व्यवस्था और छुआछूत का कारण मानते थे।
- उन्होंने **'एक धर्म, एक जाति और मानवता के लिए एक ईश्वर'** का नारा दिया।
- उन्होंने जन्म, मृत्यु एवं विवाह संबंधी रीति-रिवाजों को सरल बनाया।
- उन्होंने अछूतों को पिछड़ी जाति में रूपांतरित करने में उल्लेखनीय सफलता प्राप्त की।

भीम राव अंबेडकर की भूमिका (Role of Bhim Rao Ambedkar, 1891-1956)

बाबा साहेब के नाम से विख्यात भीम राव अंबेडकर एक पक्के निष्ठावान सामाजिक सुधारक थे, जिन्होंने दलित-बौद्ध आंदोलन की पहल की और वे दलितों के साथ-साथ महिलाओं व श्रमिकों के भी हिमायती थे।

उनका जन्म 1891 में **महू** में एक महार जाति (अछूत) में हुआ था। यद्यपि वे और उनके जैसे अनेक दलित बच्चे स्कूल जाते थे, लेकिन उनको कक्षा के अंदर बैठने की अनुमति नहीं होती थी। उन्होंने अपना स्नातक बॉम्बे के एलफिंस्टन कॉलेज (Elphinstone College) से पूरा किया और एम.ए. व पीएचडी करने के लिए कोलंबिया विश्वविद्यालय गए। आगे, वे लंदन गए और एक अन्य पीएचडी लंदन स्कूल ऑफ इकोनॉमिक्स से प्राप्त की। साथ ही, **ग्रेस इन** (Grey's Inn) से कानून की उपाधि प्राप्त की।

अंबेडकर की गतिविधियां (Activities of Ambedkar)

- **बहिष्कृत हितकारिणी सभा (बॉम्बे, 1924)**- अछूतों की नैतिक एवं भौतिक प्रगति के लिए अंबेडकर द्वारा इस संगठन को शुरू किया गया था।
- उन्होंने सत्याग्रह आंदोलन का उपयोग दलितों के लिए नागरिक अधिकारों, जैसे हिंदू मंदिरों में प्रवेश का अधिकार और कुआं से पानी लेने का अधिकार, को संरक्षित करने के लिए किया।
- 1930 में उन्होंने **डिप्रेस्ड क्लासेस फेडरेशन** (Depressed Classes Federation) की स्थापना की, राष्ट्रीय राजनीति में प्रवेश किया और अछूतों के लिए पृथक निर्वाचन की मांग की।
- उन्होंने तीनों गोलमेज सम्मेलनों (1930-32) में दलित समुदाय का प्रतिनिधित्व किया।
- 1936 में उन्होंने **इंडिपेंडेंट लेबर पार्टी** (Independent Labour Party) की स्थापना की।
- 1932 के सांप्रदायिक पुरस्कार ने दलित वर्गों के लिए पृथक निर्वाचन का प्रावधान किया।
- 1942 में उनके प्रारंभिक राजनीति दलों में से एक दल एक अखिल भारतीय दल के रूप में **ऑल इंडिया शेड्यूल कास्ट फेडरेशन** (All India Scheduled Caste Federation) में रूपांतरित हुआ। यह बाद में रिपब्लिकन पार्टी ऑफ इंडिया के रूप में विकसित हुआ।
- 1956 में उन्होंने बौद्ध धर्म को अपनाया और दलितों के लिए सामूहिक धर्मांतरण की पहल की।

- उनकी प्रसिद्ध साहित्यिक कृतियों में शामिल थीं-
  - एनीहिलेशन ऑफ कास्टस (The Annihilation of Castes)
  - बुद्ध एवं उनका धम्म (The Buddha and his Dhamma)
  - शुद्र कौन थे? (Who were the Shudras?)

निम्न जातियों के मुक्तिदाता बी. आर. अंबेडकर स्वतंत्र भारत के संविधान के मुख्य शिल्पकार थे, जिसमें सभी भारतीय नागरिकों के लिए समानता के सिद्धांत को स्वीकार किया गया और कानून द्वारा **छुआछूत का उन्मूलन** किया गया। वे स्वतंत्र भारत के पहले विधि मंत्री बने। 1990 में मरणोपरांत उन्हें भारत का सर्वोच्च नागरिक सम्मान **भारत रत्न** प्रदान किया गया।

बी.आर. अम्बेडकर

विविध आंदोलन (Miscellaneous Movements)

अरुविप्पुरम आंदोलन (केरल, 1888)

1888 में, शिवरात्रि के अवसर पर **श्री नारायण गुरु** ने निम्न जाति का होने के बावजूद केरल के अरुविप्पुरम में एक शिव मूर्ति स्थापित की और यह बताने का प्रयास किया कि ईश्वर की मूर्ति का अभिषेक ब्राह्मणों का एकाधिकार नहीं है। इस मंदिर की एक दीवार पर निम्न शब्द अंकित किए गए- 'जाति या नस्ल अथवा विरोधी आस्थाओं की विभाजनकारी दीवारों से रहित, हम सभी यहां भाईचारे से रहते हैं।' इस घटना का दक्षिण भारत पर गहरा प्रभाव पड़ा और अनेक सामाजिक-धार्मिक सुधार आंदोलनों को प्रेरित किया, जिसमें मंदिर प्रवेश आंदोलन (Temple Entry Movement) भी शामिल था।

मंदिर प्रवेश आंदोलन (केरल, 1920-1930 के दशक)

केरल का मंदिर प्रवेश आंदोलन भारत के धार्मिक व सामाजिक सुधार के इतिहास में एक अभूतपूर्व आंदोलन के रूप में उभरा। 19वीं शताब्दी के अंत से ही दक्षिण भारत में दलित वर्गों के सदस्यों के ऊपर थोपी गई अक्षमताओं के विरुद्ध संघर्ष चल रहा था। केरल में इस संघर्ष का नेतृत्व बुद्धिजीवियों जैसे **श्री नारायण गुरु** एवं **एन. कुमारन आशान एवं टी. के. माधवन** द्वारा किया गया।

वाईकॉम सत्याग्रह, 1924

1924 में एक नई शुरुआत हुई, जब यह संघर्ष गांधीवादी रचनात्मक कार्यक्रम का एक भाग बन गया और **के. पी. केसवा** के नेतृत्व में केरल के वाईकॉम में एक सत्याग्रह आरंभ किया गया, जिसमें अछूतों के लिए हिंदू मंदिरों में प्रवेश व सड़कों के उपयोग की मांग की गई। यद्यपि शहर के महादेव मंदिर में निम्न जातियों के प्रवेश के लक्ष्य को प्राप्त करने में यह संघर्ष सफल नहीं हुआ, लेकिन इसने मंदिर के आसपास की सड़क को उनके उपयोग के लिए खुलवाने में उपलब्धि हासिल की। इस प्रकार वाईकॉम सत्याग्रह देश के अन्य भागों में हो रहे मंदिर प्रवेश आंदोलनों के लिए महत्वपूर्ण साबित हुआ।

गुरुवायुर आंदोलन, 1931

1 नवम्बर 1931 को केरल में त्रिशूर जिले के गुरुवायुर मंदिर के अंदर अछूतों के प्रवेश की मांग को लेकर गुरुवायुर सत्याग्रह हुआ। इस 10 महीने लंबे सत्याग्रह का नेतृत्व **'केरल गांधी'** नाम से विख्यात के. केलाप्पन द्वारा किया गया। विरोध के दौरान केलाप्पन द्वारा की गई 12 दिन लंबी भूख हड़ताल ने मंदिर प्रवेश आंदोलन की ओर पूरे देश का ध्यान आकर्षित किया। बाद में उन्होंने 2 अक्टूबर 1932 को महात्मा गांधी के सलाह पर ही अपना व्रत तोड़ा। गुरुवायुर सत्याग्रह के साथ ही निम्न जाति के लोगों के लिए मंदिर खोलने का आह्वान पूरे देश में गूंजने लगा।

मंदिर प्रवेश उद्घोषणा, 1936

आंदोलन के परिणामस्वरूप, एक 'असाधारण राजपत्र' (Gazette Extraordinary) प्रकाशित हुआ, जिसमें त्रावणकोर के महाराजा ने ऐतिहासिक घोषणा की, कि उनके प्रशासन के अंतर्गत मंदिरों को बिना किसी जातिगत भेदभाव के सभी हिंदुओं के लिए खोला जाएगा। यह उद्घोषणा केरल के साथ-साथ पूरे भारत में निम्न जातियों के अधिकारों को स्थापित करने की ओर एक बड़ा कदम था। इस उद्घोषणा का बहुत गहरा प्रभाव पड़ा और न केवल राजकीय मंदिरों को, बल्कि निजी मंदिरों को भी निम्न जातियों के लिए खोला गया। त्रावणकोर के बाहर मालाबार एवं मद्रास प्रांत के अन्य मंदिरों में भी इसका व्यापक प्रभाव अनुभव किया गया।

प्रीलिम कैप्सूल

गैर-ब्राह्मण सुधार आंदोलन

नेतृत्वकर्ता एवं आंदोलन	महत्वपूर्ण घटनाएं
ज्योतिबा फुले (1827-1890) एवं सत्य शोधक समाज (1873)	फुले ने शिक्षा एवं सभी वर्गों के बीच समानता के लिए प्रचार किया। 1851 में ज्योतिबा और उनकी पत्नी ने पूना में एक कन्या विद्यालय शुरू किया। 1854 में वे **पहले भारतीय** बने जिन्होंने अछूतों के लिए एक विद्यालय खोला। 1873 में निम्न जाति के लोगों के लिए समान अधिकार प्राप्त करने के लिए **सत्य शोधक समाज** शुरू किया। उनके मुख्य साहित्यिक कार्य थे- दीनबंधु, गुलामगिन, शेतकऱ्याचा असूड एवं इशारा।
जस्टिस पार्टी (मद्रास, 1916)	जस्टिस पार्टी की स्थापना 1916 में मद्रास में **टी. एम. नायर, पी. थेगरया चेट्टी एवं सी. नटेस मुदलियार** द्वारा की गई। इस पार्टी ने मुस्लिम, ईसाई और अछूतों सहित सभी गैर-ब्राह्मणों के हितों का प्रतिनिधित्व करने का दावा किया।
ई. वी. रामास्वामी नायकर (1879-1973) एवं आत्म सम्मान आंदोलन	1924 में नायकर **वाईकॉम सत्याग्रह** के एक वीर के रूप में उभरे। 1925 में उन्होंने भारतीय राष्ट्रीय कांग्रेस से त्यागपत्र दे दिया, क्योंकि उन्होंने महसूस किया कि यह दल केवल उच्च जाति के हितों के लिए कार्य कर रहा है। बाद में वर्णाश्रम धर्म के मुद्दे पर उनकी गांधी से बहस भी हुई। वे तमिलनाडु में आत्म सम्मान आंदोलन के एक नेता के रूप में उभरे। उन्होंने **आत्म सम्मान विवाह** को लोकप्रिय बनाया। 1925 में अपने विचारों को प्रचारित करने के लिए समाचार पत्र **कुडी अरासु** शुरू किया। 1939 में उन्हें जस्टिस पार्टी का अध्यक्ष निर्वाचित किया गया। वे **थानथाई** (पिता) एवं **पेरियार** (महात्मा) के रूप में विख्यात हुए।
त्रिपुरानेनी रामास्वामी चौधरी (1887-1943)	वे तटीय आंध्रा में आत्म सम्मान आंदोलन के एक गैर-ब्राह्मण नेता थे। उन्होंने अपने विचारों को अपनी साहित्यिक कृतियों, जैसे- कुरुक्षेत्र संग्राम, शंबुक वध और विवाह विधि के द्वारा प्रचारित करने का प्रयास किया।

नेतृत्वकर्ता एवं आंदोलन	महत्वपूर्ण घटनाएं
श्रीनारायण गुरु (1854-1928) एवं एस. एन. डी. पी. योगम (1903)	केरल में एझावा जाति के नेता श्री नारायण गुरु ने 1903 में एस. एन. डी. पी. (श्री नारायण धर्म परिपालन) योगम स्थापित किया। इसके उद्देश्य थे- 1. छुआछूत की प्रथा को समाप्त करना, और 2. ऐसे मंदिर बनाना, जिनमें सभी जातियों का प्रवेश होगा। उन्होंने **'एक धर्म, एक जाति और मानवता के लिए एक ईश्वर'** का नारा दिया।
भीम राव अंबेडकर (1891-1956)	बाबा साहेब नाम से लोकप्रिय हुए, उन्होंने दलित-बौद्ध आंदोलन की पहल की और वे दलितों के साथ-साथ महिला व श्रमिकों के भी हिमायती थे। अछूतों के नैतिक व भौतिक प्रगति के लिए उन्होंने **बहिष्कृत हितकारिणी सभा** (बॉम्बे, 1924) स्थापित की। 1930 में उन्होंने **दलित वर्ग संघ** (Depressed Classes Federation) की स्थापना कर राष्ट्रीय राजनीति में प्रवेश किया और अछूतों के लिए पृथक निर्वाचन की मांग की। 1936 में उन्होंने **इंडिपेंडेंट लेबर पार्टी** की स्थापना की। 1942 में उनके प्रारंभिक राजनीति दलों में से एक दल एक अखिल भारतीय दल के रूप में **ऑल इंडिया शेड्यूल कास्ट फेडरेशन** में रूपांतरित हुआ और बाद में यह **रिपब्लिकन पार्टी ऑफ इंडिया** के रूप में विकसित हुई। 1956 में वे बौद्ध धर्म में धर्मांतरित हुए और दलितों के लिए सामूहिक धर्मांतरण की पहल की। उनकी विख्यात कृतियों में शामिल थीं- एनीहिलेशन ऑफ कास्टस, बुद्ध एवं उनका धम्म, शूद्र कौन थे? 1990 में उन्हें मरणोपरांत **भारत रत्न** से सम्मानित किया गया।
अरुविप्पुरम (केरल, 1888)	इसकी शुरुआत तब हुई जब **श्री नारायण गुरु** ने निम्न जाति का होने के बावजूद केरल के अरुविप्पुरम में शिव की प्रतिमा स्थापित की। इस घटना ने अनेक सुधार आंदोलनों को प्रेरित किया, जिसमें मंदिर प्रवेश आंदोलन भी शामिल था
मन्दिर प्रवेश आंदोलन (केरल, 1920-1930 के दशक)	केरल में अवर्णों/निम्न जाति के अधिकारों के संघर्ष का नेतृत्व बुद्धिजीवियों, जैसे- **श्री नारायण गुरु, एन कुमारन आशान** एवं **टी. के. माधवन** द्वारा किया गया। 1924 में वाईकॉम में के. पी. केसावा द्वारा **वाईकॉम सत्याग्रह** शुरू किया गया। इस सत्याग्रह में अछूतों के लिए हिंदू मंदिरों को खोलने एवं सड़कों के उपयोग की मांग की गई। 1 नवम्बर 1931 में केरल के त्रिशूर जिले के गुरुवायुर मंदिर में अछूतों के प्रवेश के लिए **गुरुवायुर सत्याग्रह** किया गया। उपर्युक्त प्रयासों को **1936 के मंदिर प्रवेश उद्घोषणा** से सफलता मिली। इस उद्घोषणा में त्रावणकोर के महाराजा ने ऐतिहासिक घोषणा की, कि उनके प्रशासन के अंतर्गत मंदिरों को बिना किसी जातिगत भेदभाव के सभी हिंदुओं के लिए खोला जाएगा।

सुधार आंदोलनः एक विश्लेषण

सुधार आंदोलनों की प्रकृति (Nature of the Reform Movements)

सुधार, न की क्रांति

आंदोलन की प्रकृति सुधारवादी थी, न कि क्रांतिकारी। वर्तमान सामाजिक-सांस्कृतिक व्यवस्था में ही सुधारों का प्रयास किया गया और इससे अलग सुधारों की कल्पना नहीं की। समाज का रूपांतरण विकासवादी होना था, न कि क्रांतिकारी।

पुनरुत्थानवादी प्रवृतियां

विचारकों की एक अन्य प्रवृत्ति यह थी कि वे वर्तमान में व्याप्त सामाजिक-धार्मिक प्रथाओं को विरूपण की तरह देखते थे, जो भारतीय समाज में एक लंबे समय के दौरान व्याप्त हुई।

सामाजिक-धार्मिक बुराइयों को हटाना

इन सुधार आंदोलनों का क्षेत्र सामाजिक-धार्मिक था और इन्होंने उस समय भारत में व्याप्त सामाजिक-धार्मिक बुराइयों व कुरीतियों के उन्मूलन को लक्ष्य बनाया।

शहरी परिप्रेक्ष्य

19वीं शताब्दी के सुधार आंदोलनों का परिप्रेक्ष्य मुख्यतः शहरी था और केवल शहरी क्षेत्रों में उत्पन्न हुए और प्रभावी रहे। ये आंदोलन अपने संदेशों को प्रसारित करने में शहरी संचार माध्यमों (जैसे प्रेस एवं साहित्य) पर बहुत अधिक निर्भर थे। इसके बाद भी ये आंदोलन अपनी प्रेरणा में स्थानीय नहीं थे, क्योंकि समानता और न्याय के इनके संदेश की सार्वभौमिक अपील और उपयुक्तता थी।

सुधार आंदोलनों की सीमाएं (Limitations of the Reform Movements)

सीमित प्रभाव

19वीं शताब्दी के सुधारों का प्रभाव अपने विस्तार और उपलब्धि में सीमित रहा। वास्तव में, इन सुधारों ने जनता के एक बहुत छोटे भाग (अल्पसंख्यक) को प्रभावित किया। उस समय की बौद्धिक धारा से बड़ी संख्या में जनता अछूती रही। यद्यपि सुधारकों ने देशी भाषा में लेखन कार्य द्वारा जनता तक पहुंचने का प्रयास किया, तथापि उनकी अपील शिक्षित शहरी मध्यम वर्ग तक ही सीमित रही। साथ ही, धार्मिक कुरीतियां जारी रहीं। जातीय भेदभाव सशक्त बना रहा और बाल विवाह की परंपरा को शिथिल नहीं किया जा सका।

सुधार आंदोलनों के सीमित प्रभाव के लिए अनेक कारक जिम्मेदार थे। इसमें व्यापक अशिक्षा, प्रतिकूल/द्वेषपूर्ण औपनिवेशिक राज्य की उपस्थिति के साथ-साथ परंपराओं और पूर्व-अवधारणाओं की गहरी पैठ व हठी प्रकृति शामिल थी।

स्थानीय एवं एक-दूसरे से पृथक

कुल मिलाकर प्रत्येक सुधार आंदोलन किसी एक धर्म, जाति अथवा क्षेत्र तक सीमित था। उदाहरण स्वरुप, ब्रह्म समाज और आर्य समाज की शाखाएं देश के अन्य भागों में भी थीं, लेकिन वे बंगाल और पंजाब में अधिक लोकप्रिय हुए। जहां एक ओर, ब्रह्म समाज **'भद्रलोक'** (बंगाल में उभरे नए सज्जन लोग) की समस्याओं से संबंधित था, वहीं दूसरी ओर अलीगढ़ आंदोलन उच्च मुस्लिम वर्गों से जुड़ा हुआ था। वे एक-दूसरे से भी पृथक थे, क्योंकि सबका उद्भव देश के विभिन्न भागों में अलग-अलग समय में हुआ था।

धर्म पर अत्यधिक बल

सुधार आंदोलन ने संस्कृति के अन्य पक्षों, जैसे- कला, स्थापत्य, साहित्य, संगीत, विज्ञान एवं तकनीक के स्थान पर धार्मिक एवं दार्शनिक पक्षों पर अत्यधिक बल दिया। साथ ही, एक बहुधार्मिक देश में धर्म पर अत्यधिक बल देने से **धार्मिक उग्रता** व विभाजनकारी प्रभाव का बढ़ना तय था।

अतीत या पीछे की ओर देखने की प्रवृत्ति

कुछ सुधारकों एवं आंदोलनों की प्रवृत्ति प्राचीन भारत और धर्म ग्रंथों की महानता की अपील करने की थी। इसने न केवल असत्य गर्व व आत्म संतुष्टि के भाव को जन्म दिया, बल्कि इसने आधुनिक विचारों की पूर्ण स्वीकार्यता पर भी एक नियंत्रण का कार्य किया। साथ ही, हिंदू सुधारक मध्यकाल अथवा तथाकथित मुस्लिमकाल की कीमत पर भारत के प्राचीन इतिहास का महिमामंडन करते थे। इसने न केवल मुसलमानों को, बल्कि निम्न जातियों को भी मुख्य धारा से पृथक किया, क्योंकि शोषणकारी जाति व्यवस्था का आधार प्राचीन काल में ही खोजा जाता था। इस प्रकार, प्राचीन अतीत की ओर देखने की प्रवृत्ति ने राष्ट्रीय चेतना के साथ-साथ **सांप्रदायिक चेतना** को भी जन्म दिया। औपनिवेशिक शासकों ने शीघ्रता से इस सांप्रदायिक विभाजन का लाभ उठाया और राष्ट्रीय आंदोलन को कमजोर करने में इसका उपयोग किया।

ब्रिटिश शासन के शोषणकारी चरित्र को समझने में अक्षमता

कुछ बुद्धिजीवी गलती से ब्रिटिश शासन को ईश्वर प्रदत्त मानते थे, जो कि भारतीयों को आधुनिकता के मार्ग पर ले जाएगा। चूंकि भारतीय समाज का इच्छित स्वरूप 19वीं शताब्दी के ब्रिटेन के समान था, इसलिए उन्होंने अनुभव किया कि भारत को ब्रिटिश के समान बनाने के लिए ब्रिटिश शासन आवश्यक है और उन्होंने ब्रिटिश के प्रति निष्ठा का खुले तौर पर समर्थन किया। यद्यपि भारतीय समाज के सामाजिक-धार्मिक पक्षों को स्पष्ट समझ लिया गया था, लेकिन सुधारक ब्रिटिश शासन के आधारभूत शोषणकारी राजनीतिक पक्ष को नहीं समझ पा रहे थे।

सुधार आंदोलनों की उपलब्धियां (Achievements of the Reform Movements)

ऐतिहासिक विधायन

उपर्युक्त सीमाओं के अलावा सुधार आंदोलनों को कुछ निश्चित उपलब्धियां भी मिलीं, जिनमें ऐतिहासिक कानून, जैसे- सती प्रथा के उन्मूलन और विधवा पुनर्विवाह को वैधिक बनाने वाले कानून शामिल थे। प्रबुद्ध ब्रिटिश एवं भारतीय जनमत ने एकमत होकर कुछ प्रथाओं जैसे कन्या भ्रूण हत्या की निंदा की थी। लंबे समय से चले आ रहे आयु विधेयक पर वाद-विवाद एवं अन्य बौद्धिक गतिविधियों ने बौद्धिक माहौल बनाया और लोगों की चेतना के स्तर में वृद्धि की। निम्न अग्रणी कानूनों को अधिनियमित किया गया-

ऐतिहासिक कानून

1829 का नियमन

1829 के नियमन ने सती अथवा विधवाओं को जिंदा जलाने अथवा दफनाने की प्रथा को अवैध घोषित किया और दीवानी न्यायालयों द्वारा इसे एक सदोष मानव वध की तरह दंडनीय बनाया गया। 1829 का नियमन प्रारंभ में केवल बंगाल प्रांत में लागू हुआ। बाद में, 1830 में इसको संशोधित स्वरूप में मद्रास एवं बॉम्बे प्रांत में भी विस्तारित किया गया।

1795 व 1804 के बंगाल नियमन

इन नियमनों ने कन्या भ्रूण हत्या को अवैध और इसे हत्या के समान अपराध घोषित किया। इस विधायन के समर्थन में भारत सरकार ने 1870 में एक अधिनियम पारित करके पालकों (माता-पिता) के लिए सभी शिशुओं के जन्म को पंजीकृत करवाना अनिवार्य बना दिया गया और साथ में प्रावधान किया गया कि जन्म के कुछ वर्षों बाद कन्या-शिशु का सत्यापन किया जाएगा।

1856 का हिंदू विधवा पुनर्विवाह अधिनियम (Hindu Widows' Remarriage Act, 1856)

1856 में हिंदू विधवा पुनर्विवाह अधिनियम द्वारा विधवाओं के विवाह को कानूनी और इन विवाहों से जुड़े मुद्दों को वैधानिक घोषित किया गया।

नेटिव मैरिज एक्ट (नागरिक विवाह अधिनियम के नाम से जाना गया), 1872

नेटिव मैरिज एक्ट (Native Marriage Act) ने 14 वर्ष से कम उम्र की बालिकाओं और 18 वर्ष से कम उम्र के बालकों के विवाह को प्रतिबंधित किया। हालांकि, यह अधिनियम हिंदू व मुसलमानों सहित मुख्य मान्यता प्राप्त विश्वासों पर लागू नहीं हुआ था और भारतीय समाज पर इसका बहुत सीमित प्रभाव पड़ा।

सहमति की आयु अधिनियम, 1891 (Age of Consent Act, 1891)

इस अधिनियम द्वारा 12 वर्ष से कम उम्र की बालिकाओं के विवाह को रोक दिया गया।

शारदा अधिनियम (Sharda Act) 1930

इस अधिनियम ने शादी योग्य आयु को बढ़ाया और 18 वर्ष से कम आयु के बालक व 14 वर्ष की आयु से कम बालिकाओं के विवाह को दंडात्मक कार्यवाही के अधीन लाया गया। (1978 में बाल विवाह निरोधक अधिनियम बनाया गया, जिसके द्वारा बालक की विवाह की आयु 18 से बढ़ाकर 21 वर्ष एवं बालिका की 14 से बढ़ाकर 18 वर्ष कर दी गई।)

स्त्री शिक्षा

बुद्धिजीवियों को अन्य महत्वपूर्ण उपलब्धि स्त्री शिक्षा के क्षेत्र में मिली। बड़ी संख्या में अब लोग स्त्री शिक्षा को एक खतरा नहीं समझते थे और बड़ी संख्या में बालिकाओं ने विद्यालयों में नियमित रूप से प्रवेश लिया। बंगाल में विद्यासागर स्वयं लगभग 35 कन्या विद्यालयों से जुड़े हुए थे। प्रारम्भिक बुद्धिजीवियों द्वारा तैयार किया गया यही जमीनी कार्य था, जिसके कारण राष्ट्रीय राजनीतिक जीवन में भारतीय महिलाओं को लाने में महात्मा गांधी सक्षम हो सके। महिलाओं ने स्वयं अपने उत्थान के लिए संगठन स्थापित करना शुरू किए। इन सब में सबसे प्रमुख 1927 में स्थापित **ऑल इंडिया विमेंस कॉन्फ्रेंस** (All India Women's Conference) था। इस प्रकार निःसंदेह इन आंदोलनों से परिवर्तन की एक हवा चली, जो हिलोरे लेते हुए कभी मन्द, तो कभी तीव्र होते हुए अपने गंतव्य तक पहुंचने का प्रयास करती रही।

धर्म एवं समाज के बीच अंतर्संबंध का अहसास होना

19वीं शताब्दी की एक महत्वपूर्ण उपलब्धि धर्म एवं समाज के बीच अंतर्संबंध को समझना था कि कैसे एक स्वस्थ आस्था एक स्वस्थ समाज का प्रवेश द्वार है और एक स्वस्थ समाज राजनीतिक-आर्थिक प्रगति का आधार-सोपान होता है। इस प्रकार धार्मिक सुधार को भारत की सामाजिक, राजनीतिक व आर्थिक प्रगति के लिए एक पूर्व आवश्यकता समझा गया।

इसका अर्थ यह नहीं है कि सामाजिक सुधार को धार्मिक सुधार की अपेक्षा गौण देखा गया है। समाज की सामाजिक एवं भौतिक प्रगति ही उनकी प्राथमिक चिंता थी, जिसके कारण उन्होंने धार्मिक विषयों को पहले उठाया। उनकी यह समझ ही 19वीं शताब्दी के इन सुधारों (सामाजिक व भौतिक उत्थान से प्रेरित) को पहले के भक्ति आंदोलन (धार्मिक सुधारों पर केंद्रित) से अलग करती है।

सुधार आंदोलनों का महत्व (Significance of the Reform Movements)

धर्म एवं समाज का परिमार्जन/शुद्ध होना

सुधार के वातावरण ने अनेक कुरीतियों को दूर करने में भारतीयों की सहायता की, जो लंबे समय से धर्म व समाज में व्याप्त थीं। जिन कुरीतियों को तुरंत समाप्त नहीं किया जा सका, उन पर वाद-विवाद और वार्तालाप चलता रहा। सामाजिक-धार्मिक प्रथाओं को अब प्रश्नातीत नहीं समझा गया और विवेक व मानववाद के नए दृष्टिकोण से उन्हें देखा गया।

आत्मविश्वास व गर्व की पुनः प्राप्ति

इन अनेक सुधार आंदोलन ने भारतीयों को आवश्यक विश्वास प्रदान किया, जो इनके प्रभाव में आए। इन आंदोलनों ने प्राचीन धर्म व समृद्ध सांस्कृतिक विरासत की महानता के बारे में भारतीयों को याद दिलाया।

धर्मनिरपेक्षता व लोकतंत्र के नए मूल्य

इन आंदोलनों ने भारतीयों के मन में धर्मनिरपेक्षता व लोकतंत्र के आदर्श मूल्यों को बिठाया।

भारतीय राष्ट्रवाद के उदय की भूमिका बनाना

अंततः 19वीं शताब्दी के सुधार आंदोलनों ने भारतीय राष्ट्रवाद के उदय की एक भूमिका बनाने में सहयोग किया। वे प्रत्यक्ष अथवा अप्रत्यक्ष रूप से राष्ट्र-निर्माण के कार्य से जुड़े हुए थे। सामाजिक-धार्मिक विचार एवं बुद्धिजीवियों की गतिविधियां व्यापक राष्ट्रीय राजनीतिक व आर्थिक विचारों से निहित थी। भास्कर पाण्डुरंग औपनिवेशिक शासन का आलोचनात्मक विचार व्यक्त करने वाले और लोकहितवादी स्वराज की आकांक्षा रखने वाले पहले व्यक्ति थे।

इस प्रकार यद्यपि 19वीं शताब्दी के सुधार आंदोलनों ने प्रत्यक्ष रूप से राजनीतिक मुद्दों को नहीं उठाया, लेकिन उन्होंने भारतीय लोगों के मन व मस्तिष्क में जगह अवश्य बनाई। 20वीं शताब्दी में राष्ट्रीय आंदोलन द्वारा इस सामाजिक सुधार की मशाल को महात्मा गांधी के नेतृत्व में आगे बढ़ाया गया।

इकाई 6

भारतीय राष्ट्रीय आंदोलन - भाग-1
(संगठित राष्ट्रवाद का उद्भव)

अध्याय 1

भारतीय राष्ट्रीय कांग्रेस के पूर्व राजनीतिक संस्थाएं (Political Associations before Indian National Congress)

हम पहले पढ़ चुके हैं कि शिक्षित मध्यम वर्ग ने ब्रिटिश शासन के विरुद्ध दो तरीकों से प्रतिक्रिया दी– साहित्यिक गतिविधियों के रूप में और संगठन एवं सस्थाओं के रूप में। भारत में पाश्चात्य संस्कृति के प्रसार का एक परिणाम राष्ट्रवाद एवं राजनीतिक अधिकार जैसे आधुनिक राजनीतिक संकल्पनाओं का विकास था। उन्नीसवीं शताब्दी का भारत ऐसे राजनीतिक विचारों एवं राजनीतिक संगठनों का साक्षी बना, जिनके बारे में भारतीय अनभिज्ञ थे। इन्हीं राजनीतिक संगठनों ने भारत का आधुनिक राजनीति के युग की ओर मार्ग प्रशस्त किया। साथ ही जहां पूर्ववर्ती राजनीतिक संगठनों की स्थापना धर्म एवं जाति से प्रेरित थी, वहीं नए संगठनों की स्थापना भारतीय जनता के धर्मनिरपेक्ष हितों को प्रोत्साहित करने के लिए धर्मनिरपेक्ष आधार पर की गई।

इससे कोई अंतर नहीं पड़ता कि किस स्तर तक इन पूर्ववर्ती राजनीतिक संस्थाओं ने सीधे तौर पर राष्ट्रीय आन्दोलन में सहयोग किया। इन संस्थाओं ने निश्चित रूप से राजनीतिक जागरूकता एवं राष्ट्रीय आंदोलन के लिए आवश्यक राजनीतिक विकास का आधार स्थापित किया। यद्यपि उनका दृष्टिकोण स्थानीय था, तथापि उनके महत्व को नकारा नहीं जा सकता। भारत में राजनीतिक गतिविधियों का संगठित प्रारंभ समान्यतया 1838 में लैंडहोल्डर्स सोसाइटी (Landholders' Society) की स्थापना से माना जाता है।

बंगाल प्रेसीडेंसी (प्रांत) में राजनीतिक संस्थाएं

राजा राममोहन राय की भूमिका (1774-1833)

देश के सुधार आंदोलन के अग्रदूत राजा राममोहन राय आधुनिक भारत के प्रथम महान नेतृत्वकर्ता थे, जिन्होने भारतीय जीवन के लगभग प्रत्येक पक्ष को प्रभावित किया। **वे भारत के राजनीतिक आंदोलन के भी पथप्रदर्शक थे।** वे बहुत शिक्षित थे और पाश्चात्य विचारों से बहुत अधिक प्रभावित थे। भारतीय जनता की शिकायतों की ओर अंग्रेजों का ध्यान केंद्रित कराने वाले व्यक्तियों में उन्हें प्रथम माना जाता है। उन्होंने पत्रकारिता की स्वतंत्रता एवं उच्च पद पर भारतीयों की नियुक्ति की मांग की। ऐसा माना जाता है कि उनके प्रयासों से ही **1833 के चार्टर** में महत्वपूर्ण प्रावधानों को जोड़ा गया था। न केवल बंगाल में, बल्कि पूरे भारत में राजनीतिक चेतना को प्रेरित करने में उन्होने उत्प्रेरक का काम किया।

बंगभाषा प्रकाशिका सभा (1836)

बंगभाषा प्रकाशिका सभा एक राजनीतिक संस्था थी, जिसे 1836 में राजा राममोहन राय के सहयोगियों ने स्थापित किया था। इसका उद्देश्य शासकीय नीतियों की चर्चा करना एवं ज्ञापन और याचिकाओं के मध्यम से समस्याओं का निवारण करना था।

लैंडहोल्डर्स सोसाइटी (Landholders' Society) (1838)

द्वारकानाथ टैगोर, रवीन्द्रनाथ टैगोर के दादा

जुलाई 1838 में द्वारकानाथ टैगोर, राधाकान्त टैगोर एवं अन्य कुछ व्यक्तियों ने बंगाल, बिहार एवं उड़ीसा के जमीदारों के हितों को संरक्षित करने हेतु लैंडहोल्डर्स सोसाइटी (जमींदारों की संस्था) की स्थापना की। **भारत में राजनीतिक गतिविधियों** को प्रारंभ करने एवं विभिन्न समस्याओं के निवारण हेतु संवैधानिक विधियों के प्रयोग का श्रेय इस संगठन को जाता है। जुलाई 1839 में लैंडहोल्डर्स सोसाइटी ने लंदन में विलियम एडम द्वारा स्थापित ब्रिटिश इंडिया सोसाइटी को सहयोग किया।

द्वारकानाथ टैगोर (1794-1846)- वे पहले भारतीय उद्योगपतियों में से एक थे और टैगोर परिवार की जोरासांको शाखा के संस्थापक थे। उन्होंने अपने पुराने समय के प्रतिद्वंदी राधाकांत देब के साथ लैंडहोल्डर्स सोसाइटी की स्थापना की, जिसके साथ उन्होंने पहले गौड़ीय सभा की स्थापना की थी।

बंगाल ब्रिटिश इंडिया सोसाइटी (Bengal British India Society) (1843)

सामान्य जनहित को संरक्षित एवं प्रोत्साहित करने के उद्देश्य से अप्रैल 1843 में 'बंगाल ब्रिटिश इंडिया सोसाइटी' की स्थापना की गई। इसका उद्देश्य ब्रिटिश भारत में भारतीय लोगों की वास्तविक स्थिति से संबंधित सूचना का प्रसार करना एवं विधि-सम्मत व शांतिपूर्ण साधनों के द्वारा भारत के सभी वर्गों के हितों को आगे बढ़ाना था।

ब्रिटिश इंडियन एसोसिएशन (British Indian Association) (1851)

29 अक्टूबर 1851 को 'लैंडहोल्डर्स सोसाइटी' (धन के अभिजात तंत्र का प्रतिनिधित्व) एवं 'बंगाल ब्रिटिश इंडिया सोसाइटी' (बुद्धि के अभिजात तंत्र का प्रतिनिधित्व), जों अकेले अधिक नहीं पनप सके थे, को मिलाकर एक नई संस्था 'ब्रिटिश इंडियन एसोसिएशन' बनाई गई। 1852 में इसकी शाखाएं बॉम्बे एवं मद्रास में स्थापित की गईं, जिन्हें क्रमश: **'बॉम्बे एसोसिएशन'** एवं **'मद्रास नेटिव एसोसिएशन'** के नाम से जाना जाता था।

जब ईस्ट इंडिया कंपनी के चार्टर के नवीनीकरण का समय आया तो तीन प्रेसीडेंसी एसोसिएशन ने कंपनी के चार्टर में परिवर्तन के सुझाव हेतु याचिकाएं भेजी। सामान्य रूप से, इन याचिकाओं में एक पृथक लोकप्रिय विधानपालिका, भारत की प्रशासकीय सेवाओं में भारतीयों को अधिक अवसर देने, न्यायिक कार्यों को कार्यकारी कार्यों से पृथक करने, उच्च अधिकारियों के वेतन में कमी करने, घरेलू उद्योगों को सहायता देने एवं नमक, स्टांप और आबकारी शुल्क जैसे करों को समाप्त करने की प्रार्थना की। जहां एक ओर भूमि से जुड़े हितों को संरक्षित करने की इच्छा को अभिव्यक्त किया गया था, वहीं दूसरी ओर किसानों की स्थिति को सुधारने के लिए भी याचिकाओं में प्रार्थना की गई थी। इन विभिन्न मांगों में से अधिकतर को बाद में कांग्रेस ने अपना लिया था।

ब्रिटिश इंडिया एसोसिएशन ने अपनी एक याचिका में कहा, "यद्यपि भारतीय लोग सरकार के सुधारात्मक स्वरूप के लाभ को स्वीकार करते थे, लेकिन वे अनुभव कर रहे थे कि ग्रेट ब्रिटेन से संबंध का जितना लाभ मिलना चाहिए, उतना नहीं मिल पा रहा।"

एसोसिएशन की प्रार्थना को अंशत: स्वीकार किया गया एवं **1853 के चार्टर** में गवर्नर जनरल की विधायी उद्देश्य वाली परिषद में 6 सदस्यों को शामिल करने का प्रावधान किया गया। भारतीय राष्ट्रीय कांग्रेस की स्थापना के बाद भी ब्रिटिश इंडियन एसोसिएशन निरंतर कार्य करती रही।

1858 के पूर्व की संस्थाएं- 1838 में बंगाल में **लैंडहोल्डर्स सोसाइटी** की स्थापना के साथ राजनीतिक गतिविधियों की श्रृंखला का प्रारंभ हुआ। एक के बाद एक, देश के विभिन्न भागों में राजनीतिक संस्थाओं का उद्भव हुआ। उन्होंने राजनीतिक वातावरण बनाने का महत्वपूर्ण कार्य किया, लेकिन शीघ्र ही विभिन्न कारणों से इनमें से अधिकतर संस्थाओं से लोग असंतुष्ट हो गए। उदाहरण स्वरूप, इन सभी संस्थाओं पर धनी कुलीन-वर्ग का प्रभुत्व था। ब्रिटिश इंडिया एसोसिएशन का वार्षिक शुल्क ₹50 था, जो मध्यम वर्ग के लिए बहुत अधिक था। एक अन्य कमी यह थी कि ऐसी संस्थाएं अपने वर्ग हित को प्रोत्साहित करने में लगी थीं। ये संस्थाएं अपने-अपने प्रान्तों में ही गतिशील थी और देश के अन्य भागों पर इनका प्रभाव बहुत कम था।

1858 के बाद की संस्थाएं- हालांकि 1858 के बाद जो संस्थाएं स्थापित की गईं, उन पर शिक्षित मध्यम वर्ग का प्रभुत्व था और उनका एजेंडा भी विशाल था। 1858 के बाद के समय में शिक्षित भारतीय एवं ब्रिटिश शासन के बीच खाई क्रमिक रूप से बढ़ती हुई दिखाई दी। 1870के दशक तक प्रेसीडेंसी टाउन में एक समान शैक्षिक पृष्ठभूमि एवं महत्वाकांक्षा को साझा करने वाले एक नए विशिष्ट वर्ग का उदय हुआ। राष्ट्रवाद के विचार चारों ओर फैलने लगे और इस वर्ग से जुड़े व्यक्तियों ने अब भारतीय जनता के विभिन्न भागों के मध्य राजनीतिक जागरूकता को प्रोत्साहित करने के लिए लोकप्रिय व जन-आधारित संस्थाओं की स्थापना करना प्रारंभ किया। 1875-1885 के दौरान युवा व अधिक उग्र राष्ट्रवादी विद्वान राजनीतिक गतिशीलता के वाहक बने।

इंडियन लीग (Indian League, 1875)

लोगों के मध्य राष्ट्रवाद को प्रेरित करने एवं राजनीतिक शिक्षा को प्रोत्साहित करने के उद्देश्य से सितंबर 1875 में **शिशिर कुमार घोष** ने इंडियन लीग की स्थापना की। घोष स्वयं एक प्रसिद्ध पत्रकार और अमृत बाजार पत्रिका (1868, बंगाली भाषा का विख्यात समाचार-पत्र) के संस्थापक थे।

इंडियन एसोसिएशन (Indian Association, 1876)

कांग्रेस की पूर्ववर्ती संस्थाओं में इंडियन एसोसिएशन सबसे प्रमुख थी। इसकी स्थापना जुलाई 1876 में **आनंद मोहन बोस** एवं **सुरेन्द्रनाथ बैनर्जी** ने की थी। बंगाल की जनता 'ब्रिटिश इंडियन एसोसिएशन' के संकीर्ण वर्ग हितों से असंतुष्ट थी एवं व्यापक मुद्दों पर एक सतत राजनीतिक आंदोलन चाहती थी। उन्हें बैनर्जी के रूप में एक नेतृत्व मिला। बैनर्जी को आई. सी. एस. से बिना पर्याप्त कारणों के हटा दिया गया था और ब्रिटिश के प्रति उनके मन में बहुत कड़वाहट भरी थी। उन्होने घोषित किया कि यह नई संस्था **संयुक्त भारत (संगठित भारत) की अवधारणा पर आधारित है, जिसे मेजिनी की प्रेरणा से लिया गया था।**

सुरेन्द्रनाथ बैनर्जी

जनता को आकर्षित करने की आशा से इंडियन एसोसिएशन ने अपना वार्षिक शुल्क बहुत कम **₹5** रखा, जबकि ब्रिटिश इंडियन एसोसिएशन का वार्षिक शुल्क ₹50 था (यह ध्यान योग्य है कि लॉर्ड कर्जन के अनुमान के अनुसार 1898 में ब्रिटिश इंडिया में प्रति व्यक्ति आय ₹30 वार्षिक थी)। इसके उद्देश्यों में, जनता से जुड़ना, उनमें जागरूकता फैलाना, राजनीतिक प्रश्नों पर एक सशक्त जनमत का विकास करना, हिन्दू-मुस्लिम एकता को प्रोत्साहित करना एवं भारतीय लोगों को एक संयुक्त राजनीतिक कार्यक्रम पर एक करना शामिल थे। निश्चित रूप से, इंडियन एसोसिएशन में एक विस्तृत राजनीतिक आंदोलन के सभी संकेत दिखने लगे थे।

सुरेन्द्रनाथ बनर्जी (1848-1925) - वे शुरुआती भारतीय राजनीतिक नेताओं में से एक थे। उन्होंने इंडियन नेशनल एसोसिएशन की स्थापना की और बाद में भारतीय राष्ट्रीय आंदोलन के एक वरिष्ठ नेता के रूप में उभरे। उन्हें 'राष्ट्रगुरू' के नाम से जाना जाता था।

शीघ्र ही इंडियन एसोसिएशन भारतीय राजनीति की एक प्रमुख ताकत बनने के साथ ही बंगाल के शिक्षित समुदाय की मुख्य प्रतिनिधि संस्था बन गई थी। जब 1876 में लॉर्ड लिटन ने आई. सी. एस. परीक्षा में भाग लेने की अधिकतम आयु 21 वर्ष से कम करके 19 कर दी थी, तब इंडियन एसोसिएशन ने इस मुद्दे को उठाया और एक अखिल भारतीय आंदोलन संगठित किया था, जिसे **भारतीय सिविल सेवा** आंदोलन के नाम से जाना जाता है।

बॉम्बे प्रेसीडेंसी (प्रांत) में राजनीतिक संस्थाएं

बॉम्बे एसोसिएशन (Bombay Association, 1852)

कलकत्ता के ब्रिटिश इंडियन एसोसिएशन की तर्ज पर बॉम्बे एसोसिएशन की स्थापना की गई एवं इसका उद्देश्य भारतीय हितों को प्रोत्साहित करने हेतु सरकार को प्रार्थना एवं याचिकाएं भेजना था। यह संस्था लंबे समय तक बनी नहीं रह सकी।

पूना सार्वजनिक सभा, (1870)

शासन एवं जनता के मध्य सेतु बनाने के उद्देश्य से **एम. जी. रानाडे, गणेश वासुदेव जोशी** एवं **एस. एच. चिपलूंकर** ने पूना सार्वजनिक सभा की स्थापना की। इसने बॉम्बे एसोसिएशन के साथ मिलकर कार्य किया एवं राजनीतिक जागरूकता को बढ़ाने में महत्वपूर्ण भूमिका निभाई। इस निकाय को **भारतीय राष्ट्रीय कांग्रेस की पूर्ववर्ती** समझा जाता है, जिसकी स्थापना भी महाराष्ट्र में ही हुई थी। इस सभा ने राष्ट्रीय आंदोलन के अनेक प्रारंभिक नेता प्रदान किए, जिनमें बाल गंगाधर भी शामिल थे।

बॉम्बे प्रेसीडेंसी एसोसिएशन (Bombay Presidency Association, 1885)

इस संगठन की स्थापना **फिरोजशाह मेहता**, **के. टी. तेलंग** एवं **बदरुद्दीन तैयबजी** ने की थी। ये तीनों बॉम्बे के तीन अलग-अलग समुदायों का प्रतिनिधित्व करते थे।

फिरोहशाह मेहता (बॉम्बे के प्रमुख वकील एवं एक राजनीतिक कार्यकर्ता)

बदरुद्दीन तैयबजी (एक प्रमुख वकील एवं कांग्रेस के तीसरे अध्यक्ष)

काशीनाथ त्रिंबक तेलंग (बॉम्बे उच्च न्यायालय में भारतीय न्यायधीश)

मद्रास प्रेसीडेंसी (प्रांत) में राजनीतिक संस्थाएं

मद्रास (नेटिव) एसोसिएशन, 1852

मद्रास नेटिव एसोसिएशन के नाम से कलकत्ता की ब्रिटिश इंडियन एसोसिएशन की एक शाखा मद्रास में स्थापित की गई। 1857 के बाद इस संस्था का असर कम हो गया।

मद्रास महाजन सभा (1884)

स्थानीय संस्थाओं की गतिविधियों से समन्वय करने के लिए, इस संस्था की स्थापना मद्रास के युवा राष्ट्रवादी जैसे **विराराघवाचारियर, जी. सुब्रहमनियम अय्यर, पी. आनंद चारु** इत्यादि ने की। इस संस्था ने परिषदों के विस्तार के साथ-साथ विधायी परिषद में सुधार करने एवं भारतीयों के अधिक प्रतिनिधित्व की मांग की।

इंग्लैंड में राजनीतिक संस्थाएं

ईस्ट इंडिया एसोसिएशन (East India Association, 1866)

इस संस्था की स्थापना लंदन में कुछ भारतीय छात्रों जैसे **फेरोजशाह मेहता, बदरुद्दीन तैयबजी, दादाभाई नोरौजी** एवं **मनमोहन घोष** ने इंग्लैंड में राजनीतिक प्रचार करने, भारतीयों की समस्याओं की चर्चा करने एवं भारतीयों के हित और कल्याण के लिए कार्य करने के लिए की।

दादाभाई नौरोजी (1825-1917)- 1825 में इनका जन्म हुआ एवं इन्होंने अपना समूर्ण जीवन भारत में एक राष्ट्रीय आंदोलन सृजित करने में लगा दिया। इसीलिए उन्हें भारत का 'ग्रेंड ओल्ड मैन' (Grand Old Man of India) भी कहा जाता है। वे एक पारसी विद्वान, कपास व्यापारी एवं प्रारंभिक राष्ट्रवादी नेता और साथ ही भारत के पहले आर्थिक चिंतक थे। कांग्रेस की स्थापना में ए. ओ. ह्यूम एवं डी. ई. वाचा के साथ उनका भी श्रेय था। वे तीन बार कांग्रेस के अध्यक्ष रहे। 1892-1895 के दौरान **ब्रिटिश हाउस ऑफ कॉमन्स (ब्रिटिश संसद का उच्च सदन) के सदस्य बनने वाले वे पहले भारतीय** थे। वे पहले भारतीय थे, जिन्होने अपनी किताब 'पावर्टी एंड अन-ब्रिटिश रूल इन इंडिया' (The Poverty and Unbritish Rule in India) में धन के निर्गमन का सिद्धांत दिया। इस तरह उन्होंने बताया कि भारत की निर्धनता का कारण ब्रिटिश द्वारा शोषण एवं धन का निर्गमन था।

दादाभाई नौरोजी

इस प्रकार, भारत के विभिन्न भागों में अनेक राजनीतिक संगठनों की स्थापना हुई तथा एक राष्ट्रीय संगठन के उद्‌भव के लिए मंच तैयार हुआ। 1885 में भारतीय राष्ट्रीय कांग्रेस की स्थापना के बाद ये सभी स्थानीय संस्थाएं कांग्रेस की क्षेत्रीय सहयोगी बन गई।

एक अखिल भारतीय राजनीतिक संगठन की ओर कदम

राष्ट्रवाद का वातावरण बनने के साथ ही एक अखिल भारतीय संस्था की आवश्यकता महसूस हुई। 1885 तक एक राष्ट्रीय स्तर के निकाय की स्थापना राजनीतिक आवश्यकता बन गई। संपूर्ण देश के राष्ट्रवादियों ने ब्रिटिश शासन के विरुद्ध राजनीतिक रूप से एक होने की आवश्यकता को अनुभव किया।

कांग्रेस के पूर्व राजनीतिक कार्य (1875–1885)

इस दशक के दौरान भारतीयों ने अपने कार्यों से अत्यधिक अनुभव एवं विश्वास प्राप्त किया। उदाहरण स्वरूप-

- कलकत्ता के **इंडियन मिरर** ने एक अखिल भारतीय संगठन की स्थापना की, आवश्यकता हेतु निरंतर एक अभियान चलाया।

- **लाइसेंस कर** (1878) को आरोपित करने एवं कपास से **निर्यात कर** (1879) के हटाये जाने का भारत के सभी भागों में विरोध किया गया।
- 1877-1888 के आस-पास शासकीय सेवाओं के भारतीयकरण की मांग के लिए एक विशाल अभियान संगठित किया गया।
- लॉर्ड लिटन के अफगान युद्ध का भी भारतीय लोगों ने विरोध किया।
- **वर्नाकुलर प्रेस एक्ट** (देशी पत्रकारिता अधिनियम), **आर्म्स एक्ट** (हथियार अधिनियम, जिसका उद्देश्य भारतीयों को निशस्त्र करना था) और **प्लानटेशन लेबर एवं इंडियन इमेइग्रेसन एक्ट** (1881-1882 के दौरान) का विरोध करने हेतु महत्वपूर्ण अभियान चलाए गए।
- 1883 के दौरान एक प्रमुख आंदोलन **इलबर्ट बिल** के समर्थन में संगठित किया गया, जिसका उद्देश्य भारतीय मजिस्ट्रेट को यूरोपियन मजिस्ट्रेट के बराबर लाना था।
- भारत एवं इंग्लैंड में राजनीतिक आंदोलन को प्रोत्साहित करने के लिए एक **राष्ट्रीय निधि** बनाने हेतु 1885 में एक विशाल अखिल भारतीय अभियान संगठित किया गया।
- भारतीयों ने ब्रिटिश मतदाताओं से आग्रह किया कि वे ऐसे उम्मीदवारों को चुने, जिनका संबंध भारत से मित्रतापूर्ण हो।
- दिसंबर 1883 में इंडियन एसोसिएशन ने एक **अखिल भारत राष्ट्रीय सम्मेलन** (All India National Conference) आयोजित किया एवं दिसंबर 1885 में एक और सम्मेलन के लिए आह्वान किया। **सुरेन्द्रनाथ बैनर्जी** एवं **आनंद मोहन बोस** अखिल भारत राष्ट्रीय सम्मेलन के मुख्य शिल्पकार थे (यही कारण था कि बैनर्जी दिसंबर 1885 में कांग्रेस के प्रथम अधिवेशन में उपस्थित नहीं हुए)।
- दो अन्य सम्मेलन भी इसी समय में हुए, एक सम्मेलन जबलपुर में यूरेशियन द्वारा एवं एक अन्य इलाहबाद में प्रयाग सेंट्रल हिन्दू समाज द्वारा किया गया।

एक राष्ट्रीय संगठन का बनना अब केवल समय की बात रह गई थी और भारतीय राष्ट्रीय कांग्रेस की स्थापना के लिए पूरी पृष्ठभूमि तैयार हो चुकी थी। कुछ आधारभूत उद्देश्यों के संघर्ष हेतु मंच तैयार था और भारतीय राष्ट्रीय कांग्रेस के संस्थापक इन आधारभूत उद्देश्यों से प्रेरित थे। भारत एक राष्ट्र बनने की प्रक्रिया में प्रवेश कर चुका था और भारतीय राष्ट्रीय कांग्रेस के संस्थापकों का पहला प्रमुख उद्देश्य भारत को एक राष्ट्र के रूप में बनाना था। अत: भारतीय राष्ट्रीय कांग्रेस, जो 1885 में स्थापित की गई, अखिल भारतीय स्तर पर भारतीय राष्ट्रीय आंदोलन की प्रथम संगठित अभिव्यक्ति थी।

1878 में बरार के कमिश्नर ने लिखा, '20 वर्ष के मेरे स्वयं के अनुस्मरण में, राष्ट्रीयता की भावना, जो पहले अस्तित्व में नहीं थी, बढ़ चुकी है। अब हमारा आमना-सामना व्यक्तिगत प्रांत की जनता से नहीं, अपितु सहानुभूति से एक हुई 200 मिलियन जनता से होने लगा है और यह एकता हमारे द्वारा ही पोषित की गई है। मुझे यह आज के समय का सबसे बड़ा राजनीतिक सच लग रहा है।'

अध्याय

2

भारतीय राष्ट्रीय कांग्रेस का गठन (Formation of Indian National Congress)

उन्नीसवीं शताब्दी के सुधार आंदोलन भारत को बौद्धिक जागरुकता की ओर ले जा चुके थे। इसका एक प्रमुख परिणाम देश के विभिन्न भागों में विभिन्न प्रकार के राजनीतिक संगठनों का उभरना था, लेकिन उन संगठनों का प्रभाव संबंधित प्रांतों अथवा निश्चित वर्ग विशेष तक सीमित था। संपूर्ण देश के लिए एक सर्वमान्य राजनीतिक संगठन की आवश्यकता महसूस हुई, जो अंततः 1885 में भारतीय राष्ट्रीय कांग्रेस के निर्माण से पूरी हुई। भारतीय राष्ट्रीय कांग्रेस की स्थापना के साथ ही ब्रिटिश शासन से स्वतंत्रता के लिए भारत का संघर्ष भी प्रारंभ हो गया। इसके बाद राष्ट्रीय आंदोलन न केवल उन्नत हुआ, अपितु स्वतंत्रता प्राप्ति तक बिना रुके आगे बढ़ता रहा।

यह कहना अतिशयोक्ति नहीं होगी कि भारतीय राष्ट्रीय कांग्रेस का गठन एक संस्था का नहीं, अपितु एक आंदोलन का प्रारंभ था। भारतीय राष्ट्रीय कांग्रेस ने आधुनिक भारतीय इतिहास में एक नया अध्याय प्रारंभ किया। इसका विकास राष्ट्रीय आंदोलन के विकास से घनिष्ठ रूप से जुड़ा था, जिसमें प्रमुख तीन चरण थे-

1. 1885-1905, यह चरण नरम चरण के नाम से जाना जाता है। इस काल के दौरान कांग्रेस की गतिविधियां मंद एवं अस्पष्ट थी।
2. 1905-1918, यह चरण उग्र चरण के नाम से जाना जाता है। इस चरण में 'स्वराज्य' अथवा स्वशासन को राजनीतिक लक्ष्य के रूप में अपनाया गया।
3. 1919-1947, इस चरण को जनप्रिय आंदोलन अथवा जन-लामबंद का चरण भी कहा जाता है, जिसका नेतृत्व महात्मा गांधी के द्वारा किया गया। इस चरण का लक्ष्य पूर्ण स्वराज था।

भारतीय राष्ट्रीय कांग्रेस के जन्म की पृष्ठभूमि (Background to the Birth of Indian National Congress)

ब्रिटिश शासन के विरुद्ध सामूहिक असंतोष

विदेशी शासन के प्रसार के साथ भारतीयों ने ब्रिटिश राज के अप्रिय पक्ष को अनुभव करना शुरू किया। उन्होंने महसूस करना शुरू किया कि उन्हें अपने ही देश में अपमानित एवं अधीन किया गया है और उनका धर्म व जीने के तरीके खतरे में हैं। उनके जीवन के विभिन्न पक्षों की उन्नति हेतु जो अवसर थे, वे सीमित थे, जिससे उनका दम घुटने लगा था। समाज के निम्न तबके के लोग, किसान एवं जनजातियों का गुस्सा देश के विभिन्न भागों में विद्रोहों के रूप में सामने आया। 1857 का महान विद्रोह भी जनता के सामुहिक असन्तोष का ही परिणाम था।

शिक्षित भारतीयों के रूप में नए नेतृत्व का उभरना

1857 के विद्रोह की असफलता ने परंपरागत नेतृत्व की अपर्याप्तता को उजागर किया था। राजा-महाराजा एवं भू-स्वामी सभी ब्रिटिश शासन से पराजित हुए थे। अंग्रेजी शिक्षा प्राप्त नया मध्यम-वर्ग अब एक नए नेतृत्व के रूप में उभरा। उनको इतिहासकार **'व्यवसायिक वर्ग'** अथवा **'अंग्रेजी-शिक्षित अभिजात वर्ग'** अथवा **'बुद्धिजीवी वर्ग'** नाम से वर्णित करते

हैं। उनका ब्रिटिश शासन के विरुद्ध संघर्ष बिल्कुल नए चरित्र का था। आधुनिकता से उनका मस्तिष्क एवं प्राचीन भारत के गौरव से उनका हृदय आप्लावित था। उन्होंने साम्राज्यवाद की बुराइयों को समझना प्रारंभ किया। शुरुआत में इन प्रारंभिक नेतृत्वकर्ताओं ने विरोध का 'मध्यम मार्ग' अपनाया, जो समय के साथ उग्र होता गया।

शिक्षित भारतीयों से क्या अर्थ था? मोटे तौर पर कहा जाए तो ये उन भारतीयों को इंगित करता था, जिन्हें अंग्रेजी भाषा का ज्ञान था और जो वकालत, पत्रकारिता, शिक्षण एवं शासकीय सेवा जैसे पेशे में थे। ये सबसे पहले कलकत्ता, बॉम्बे एवं मद्रास प्रांत में उभरे और फिर धीरे-धीरे पूरे देश में फैल गए। समाज के इस भाग से मध्यम वर्ग बना, जो मजदूरों से ऊपर एवं भू-स्वामियों से नीचे थे और जो सामान्यत: उच्च जाति से आते थे। इस वर्ग को अभिजात/विशिष्ट वर्ग भी कहा जाता था, क्योंकि ये कुछ चुने हुए समूह थे, जो अंग्रेजी भाषा को जानते थे।

पुनर्जागरण एवं सुधारवाद का प्रसार करने में पाश्चात्य देशों के मध्यम वर्ग ने जो भूमिका निभाई थी, वही भूमिका 19वीं शताब्दी के दौरान इस शिक्षित मध्यम वर्ग ने भारत में निभाई।

राष्ट्रीय कला एवं साहित्य की भूमिका (Role of Nationalist Art and Literature)

यह वह काल था, जब राष्ट्रीय विचार लोगों के गीतों, कविताओं एवं नाटकों में आना प्रारंभ हुआ।

नील विद्रोह पर आधारित दीनबंधु मित्र के बंगाली नाटक नील दर्पण (1860) ने नील की खेती करने वाले किसानों की दुर्दशा को दर्शाया और अपार लोकप्रियता हासिल की। लेखकों में सबसे उत्कृष्ट बंकिम चंद्र चटर्जी ने भी अपने ऐतिहासिक उपन्यासों में ब्रिटिश उत्पीड़न का वर्णन किया है। उनकी सबसे प्रसिद्ध रचना 'आनंदमठ' (1882), संयासी विद्रोह की पृष्ठभूमि में लिखा गया था और इसमें अमर गीत 'बंदे मातरम' (पहले 1875 में रचित) शामिल था। आधुनिक हिंदी के जनक भारतेंदु हरीशचंद्र ने भी देशवासियों से अपने नाटकों और कविताओं में स्वदेशी सामान खरीदने का आग्रह किया। कुछ बंगाली नेताओं ने स्वदेशी कला और शिल्प को बढ़ावा देने के लिए कुछ वर्षों (1867 के बाद) के लिए हिंदू मेला का आयोजन किया (इस समय के दौरान, ब्रिटिश नीतियों को भारतीय गरीबी के लिए दोषी ठहराया गया था और स्वदेशी वस्तुओं की आवश्यकता पर जोर दिया गया था)।

ब्रिटिश शासन की निरंकुशता के विरोध में अनेक समाचार पत्र एवं पत्रिकाओं ने जनमत के निर्माण में महत्वपूर्ण भूमिका निभाई। इनमें अंग्रेजी भाषा में 'अमृत बाजार पत्रिका', 'सोम बाजार' एवं 'द हिंदू' शामिल थे। हिंदी भाषा में भारत मित्र एवं जगत मित्र प्रमुख थे।

भारतीय राष्ट्रीय कांग्रेस के पूर्व राजनीतिक संगठनों की भूमिका (Role of Political Associations prior to INC)

राजनीतिक गतिविधि की शुरुआत 1838 में **'लैंडहोल्डर्स सोसाइटी'** की स्थापना के साथ हुई। एक के बाद एक देश के विभिन्न भागों में कई राजनीतिक संस्थाओं का उद्भव हुआ। उन्होंने राजनीतिक गति को तेज करने में महत्वपूर्ण भूमिका निभाई और एक अखिल भारतीय संगठन अर्थात भारतीय राष्ट्रीय कांग्रेस के जन्म के लिए मंच तैयार किया।

भारतीय राष्ट्रीय कांग्रेस का गठन (Formation of Indian National Congress)

एलान ऑक्टेवियन ह्यूम (1829-1912)- **ए.ओ. ह्यूम** इम्पीरियल सिविल सेवा के सदस्य एवं एक राजनीतिक सुधारक थे। वे भारतीय राष्ट्रीय कांग्रेस के संस्थापकों में से एक थे। वे जाने-माने पक्षी वैज्ञानिक थे और उन्हें भारतीय पक्षीविज्ञान का जनक (Father of Indian Ornithology) भी माना जाता है।

कांग्रेस की प्रथम बैठक को ए. ओ. ह्यूम ने संगठित किया। वे सेवानिवृत्त लोकसेवक थे, जो सेवानिवृत्ति के बाद ब्रिटेन वापस नहीं गए। ह्यूम और लॉर्ड रिपिन का विचार था कि भारत में शिक्षित मध्यम वर्ग उभरकर मजबूत हो रहा है और इनकी विधिक आकांक्षाओं को पूरा करना चाहिए एवं साथ ही इनकी शिकायतों का निवारण करना चाहिए। ह्यूम ने कड़ी मेहनत की और शिक्षित भारतीयों के राजनीतिक एजेंडा (कार्यक्रम) की चर्चा करने के लिए अपने संपर्क साधनों को पुनर्जीवित किया।

एलान ऑक्टेवियन ह्यूम

इस उद्देश्य हेतु, यह निर्णय लिया कि **इंडियन नेशनल यूनियन** (Indian National Union) (कांग्रेस का प्रस्तावित नाम) का एक सम्मेलन पूना में मार्च 1885 में होगा। लेकिन **पूना में अचानक हैजा बीमारी** फैलने लगी, जिससे सम्मेलन का स्थान बॉम्बे स्थानांतरित करना पड़ा।

प्रथम बैठक

दिनांक एवं स्थान

28 दिसंबर 1885 को बॉम्बे के **गोकुलदास तेजपाल संस्कृत कॉलेज** के एक हॉल में भारतीय राष्ट्रीय कांग्रेस का पहला अधिवेशन हुआ।

प्रथम अध्यक्ष

बंगाल के **डब्ल्यू. सी. बैनर्जी** कांग्रेस के पहले अध्यक्ष बने। वे प्रथम चार बैरिस्टरों में से एक थे। उनके चुनाव से एक परंपरा की शुरुआत हुई कि अध्यक्ष को उस प्रांत से चुना जाएगा, जिस प्रांत के शहर/ग्राम में कांग्रेस-अधिवेशन न हो रहा हो।

डब्ल्यू. सी. बैनर्जी (1844-1906)- वे पेशे से वकील एवं भारतीय राष्ट्रीय कांग्रेस के पहले अध्यक्ष थे। साथ ही वे पहले ऐसे भारतीय थे, जिन्होंने ब्रिटिश हॉउस ऑफ कॉमन्स का चुनाव लड़ा। हालांकि वे इस चुनाव में हार गए थे।

डब्ल्यू. सी. बैनर्जी का वक्तव्य

अपने वक्तव्य में डब्ल्यू. सी. बैनर्जी ने कांग्रेस के उद्देश्य, लक्ष्य एवं नियत को स्पष्ट किया। कांग्रेस के जो **लक्ष्य एवं उद्देश्य** निर्धारित किए गए, वे थे-

- देशवासियों के मध्य मित्रता का प्रोत्साहन,
- रंग, पंथ एवं प्रांत से जुड़े सभी संभव पक्षपातों को समाप्त करना,
- राष्ट्रीय एकता की भावना को मज़बूत करना,
- रोजमर्रा की समस्याओं पर शिक्षित वर्ग के विचारों को संयोजित करना,
- सरकार के समक्ष लोकप्रिय मांग का प्रतिनिधित्व करना,
- जनहित के लिए भविष्य में किए जाने वाले कार्यों की रूपरेखा बनाना।

डब्ल्यू. सी. बैनर्जी

अपने वक्तव्य में, अध्यक्ष ने आगे स्पष्ट किया कि कांग्रेस के सदस्यों का ब्रिटिश न्यायभावना पर पूर्ण विश्वास है। वे सभी सरकार के निष्ठावान शुभचिंतक थे। बैनर्जी ने एक-एक करके ब्रिटिश द्वारा भारतीयों को प्रदान की गई कृपाओं को गिनाया और कहा कि अन्य संगठनों को कांग्रेस को षडयंत्रकारियों का घोंसला समझने की गलती नहीं करनी चाहिए।

अध्यक्ष ने आश्वस्त करते हुए कहा कि कांग्रेस के गठन का उद्देश्य शिक्षित भारतीयों के विचारों का प्रतिनिधित्व करना है। वे सब चाहते थे कि सरकार को भारतीयों के कल्याण के लिए कार्य करना चाहिए। यह तभी संभव था, जब भारतीयों को शासन व्यवस्था में प्रतिनिधित्व मिले। इस तरह से, सरकार के आधार को बढ़ाना चाहिए। इसके लिए उन्होंने **शासन एवं उच्च पदों पर भारतीयों के अधिकतम प्रतिनिधित्व की मांग की।**

सहभागिता

पहली बैठक में 100 लोगों द्वारा उपस्थिति दर्ज की गई, जिसमें 72 प्रतिनिधि शामिल थे। **72 में से 39 प्रतिनिधि पेशे से वकील थे।** यह प्रवृत्ति आगे भी जारी रही और कांग्रेस के प्रत्येक अधिवेशन में एक तिहाई प्रतिनिधि विधिक पेशे से संबंधित रहे। पुराने कुलीन वर्ग जैसे- राजा, महाराजा एवं बड़े जमींदार शामिल नहीं हुए। इस चरण में कांग्रेस **याचिकाओं** एवं **परिचर्चाओं** पर निर्भर थी और जनता से जुड़ने का कोई प्रयास नहीं किया गया।

पारित किए गए संकल्प या प्रस्ताव

कार्यवाहियों का संचालन **पूर्णतया संसदीय अंदाज** में किया गया। अपने वक्तव्यों में सदस्यों ने ब्रिटिश क्राउन के प्रति उदारता एवं वफादारी व्यक्त की। कुल **नौ प्रस्ताव** स्वीकार किए गए-

- एक प्रस्ताव में भारतीय कार्यकलापों में भारतीयों के पर्याप्त प्रतिनिधित्व का पता लगाने के लिए रॉयल कमीशन (Royal Commission) की नियुक्ति की मांग की।
- अन्य प्रस्ताव में भारत सचिव की भारतीय परिषद (इंडियन कॉउंसिल) को समाप्त करने की मांग रखी गई।
- एक अन्य प्रस्ताव में **ऊपरी बर्मा** के समामेलन (कब्जे में लेने) की निंदा की।

कांग्रेस ने यह भी निर्णय लिया कि ऐसा प्रयास किया जाना चाहिए कि कांग्रेस द्वारा पारित प्रस्तावों पर अन्य राजनीतिक संगठनों का भी अनुमोदन मिले। अत: यह स्पष्ट है कि सदस्यों ने कांग्रेस को एक पृथक निकाय नहीं समझा और उनका इरादा सभी भारतीयों की राजनीतिक अपेक्षाओं की आवाज बनना था।

भारतीय राष्ट्रीय कांग्रेस के उद्भव के संबंध में विवाद (Controversies Regarding the Origin of Indian National Congress)

कांग्रेस का उद्भव विवादास्पद रहा है और इसके उद्भव को लेकर बहुत सारे सिद्धांत उभरे हैं। इसका एक विशेष कारण ए. ओ. ह्यूम द्वारा निभाई गई भूमिका है। यदि ह्यूम के स्थान पर कोई भारतीय होता, तो सब कुछ सामान्य समझा जाता, लेकिन ह्यूम एक अंग्रेज थे और साथ ही पूर्व सिविल सेवक। एक अखिल भारतीय संस्था के गठन के लिए ऐसे व्यक्ति ने क्यों पहल की?

सेफ्टी वॉल्व सिद्धांत (Safety–Valve Theory) (अथवा आधिकारिक षडयंत्र सिद्धांत)

ह्यूम स्वयं इस बात को कहते थे कि उनका उद्देश्य बढ़ते हुए आक्रोश को, जो ब्रिटिश शासन के कारण ही उत्पन्न हुआ था, को नियंत्रित करने के लिए एक सेफ्टी वॉल्व देना है। डब्ल्यू. सी. बैनर्जी ने भी इस बात को रखा था कि गवर्नर जनरल लार्ड **डफरिन** ने ही ह्यूम को भारतीय राष्ट्रीय कांग्रेस का विचार दिया था। एक साथ इन दोनों तथ्यों ने इस तर्क को जन्म दिया कि कांग्रेस का गठन एक आधिकारिक (ऑफिशियल) षडयंत्र था। यह शिक्षित भारतीयों के बढ़ते असंतोष को कम करने के लिए एक शांतिपूर्ण एवं संवैधानिक अभिव्यक्ति मार्ग प्रदान करने का विचार था। इस तरह यह ब्रिटिश राज को सुरक्षित करने का एक तरीका था।

आलोचना- आलोचकों ने इस सिद्धांत के विरुद्ध अनेक तर्क दिए हैं। उनका कहना है कि ह्यूम का उद्देश्य केवल सेफ्टी वॉल्व का सृजन करना नहीं, बल्कि उससे भी ज्यादा श्रेष्ठ था। वे एक प्रबुद्ध सम्राज्यवादी थे और उनका उद्देश्य भारतीय लोगों का वास्तव में पुनरुत्थान करना था। उन्हें भारतीयों से वास्तविक सहानुभूति थी और उन्होंने अथक रूप से कांग्रेस की कई वर्षों तक सेवा की। (**1885 से 1906 तक ह्यूम कांग्रेस के महासचिव थे**)। इतिहासकार आगे ध्यान केंद्रित करते हुए कहते हैं कि एक राष्ट्रीय निकाय को बनाए रखने में एक व्यक्ति को श्रेय नहीं दिया जा सकता।

प्रारंभिक राष्ट्रवादियों ने ह्यूम को उनका नेता स्वीकार किया क्योंकि, प्रथम, वे एक अंग्रेज थे और निष्पक्ष नेतृत्व देने में सक्षम थे। द्वितीय, उनके नेतृत्व से संभवत: सरकार के द्वारा संदेह किए जाने से आसानी से बचा जा सकता था। अंतत:, इतिहासकार बिपिन चंद्र लिखते है कि यदि ह्यूम कांग्रेस को सेफ्टी वॉल्व की तरफ इस्तेमाल करना चाहते थे, तो कांग्रेस के प्रारंभिक नेता भी उनको एक **तड़ित चालक** (lightening conductor) के रूप में इस्तेमाल करने की आशा रखते थे।

लॉर्ड डफरिन (1884-88 के दौरान भारत का गवर्नर जनरल. प्रमुख घटनाक्रम- तृतीय एंग्लो-वर्मा युद्ध और भारतीय राष्ट्रीय कांग्रेस की स्थापना।)

भारतीय विशिष्ट वर्ग की आकांक्षाएं (Ambitions of Indian Elite)

इतिहासकार अनिल सील का विचार है कि कांग्रेस स्वार्थी व्यक्तियों की एक संस्था थी, जो राष्ट्रीय हितों पर नहीं वरन् संकीर्ण कारकों पर आधारित थी।

आलोचना- यद्यपि यह सत्य है कि स्वार्थपूर्ति और सत्ता की लालसा को पूर्णतया नकारा नहीं जा सकता, लेकिन इस तरह के विचार राष्ट्रवादी परिदृश्य का महत्व कम करते हैं, जिससे कांग्रेस के संस्थापकों को उत्साह मिला था। 1857 की यादें अब तक ताजा थी, ब्रिटिश राज दृढ़ता से स्थापित हो चुका था और ये नेता जागरूक थे कि किसी भी प्रकार के उग्र प्रयत्न उनके द्वारा कल्पित राजनीतिक आंदोलन को असामयिक मृत्यु तक पहुंचा सकते हैं।

अखिल भारतीय संगठन की आवश्यकता (Need for All India Body)

अधिकतर इतिहासकारों का मानना है कि एक अखिल भारतीय संगठन की आवश्यकता पहले ही महसूस हो चुकी थी। कांग्रेस का निर्माण उसी प्रक्रिया की परिणति थी, जो बहुत पहले 1838 (लैंडहोल्डर्स सोसाइटी) से शुरू हो चुकी थी।

भारतीय राष्ट्रीय कांग्रेस के बारे में सबसे महत्वपूर्ण तथ्य था कि प्रतिभागी और सर्वेक्षक, दोनों दो बातों के बारे में सचेत थे कि वे इतिहास का निर्माण कर रहे हैं एवं कांग्रेस का गठन राष्ट्रीयता की भावना का ही एक प्रतीक है और अंततः इतिहास के चक्र ने यह साबित भी कर दिया।

अध्याय

3

उदारवादी चरण (1885–1905) (Moderate Phase)

1885 से 1905 तक का समय कांग्रेस का प्रारंभिक चरण था। इस चरण को **उदार चरण/नरमदलीय चरण** अथवा **टी-पार्टी पॉलिटिक्स** (चाय पार्टी की राजनीति) अथवा **राजनीतिक दरिद्रता या भिक्षुकता** का समय भी कहा जाता है। इसका कारण प्रारंभिक कांग्रेसी नेताओं का उदार या नरम राजनीति पर पूर्णतया विश्वास होना था। वे उदारवाद एवं संयम के एक स्वस्थ मेल में विश्वास करते थे। प्रारंभिक 20वीं शताब्दी के उग्रवादियों (गरम दल) से पृथक समझने के लिए इन्हें उदारवादी (सुधारक या नरम दल) कहा जाता है। उग्रवादी नव-राष्ट्रवादी थे, जो औपनिवेशिक शासन के विरुद्ध अधिक उग्र विधियां अपनाने में विश्वास रखते थे। आगे जाकर 1907 में उदारवाद एवं उग्रवाद का यह अंतर ही कांग्रेस के विभाजन का कारण बना।

कांग्रेस की प्रारंभिक संरचना (Early Composition of the Congress)

बॉम्बे सम्मेलन के 72 प्रतिनिधियों से बढ़कर कलकत्ता सम्मेलन (1886) में कांग्रेस के 434 प्रतिनिधि हो गए। ये प्रतिनिधि देश के विभिन्न भागों के विभिन्न स्थानीय निकायों से चुने हुए थे। उन्होंने देश के विभिन्न भागों में प्रत्येक वर्ष एक बार मिलना तय किया। प्रतिनिधियों की संख्या शीघ्र ही हजारों में पहुंच गई।

इस तरह कांग्रेस की संरचना **अखिल भारतीय स्तर** की थी, जिसमें विभिन्न जाति, रंग, व्यवसाय एवं प्रांतों के प्रतिनिधि शामिल थे। इसके बावजूद कांग्रेस काफी हद तक एक **मध्यम वर्गीय संस्था** थी, जिसके अधिकांश प्रतिनिधि संपंन मध्यमवर्गीय बुद्धिजीवी वर्ग से थे (जैसे वकील, डॉक्टर, इंजीनियर, लेखक, पत्रकार, शिक्षक इत्यादि)। विभिन्न व्यवसायों में सबसे अधिक प्रतिनिधित्व विधिक व्यवसाय का एवं जातियों में ब्राह्मणों का था। विभिन्न प्रांतों में बॉम्बे, कलकत्ता एवं मद्रास का सबसे अधिक प्रतिनिधित्व था।

शिक्षित मध्यम वर्ग के नेताओं को अपनी उपाधियों एवं सरकारी नौकरियों से लगाव था। वे मुख्यत: शहरों से आते थे और जनता से उनका वास्तविक संबंध नहीं था।

कुछ महिला प्रतिनिधि भी थे। **1890** में कलकत्ता विश्वविद्यालय के बेथुन कॉलेज से पहली स्नातक महिला **कादंबिनी गांगुली** ने कांग्रेस अधिवेशन को संबोधित किया। आगे चलकर भारतीय स्वाधीनता आंदोलन में महिलाओं की भागीदारी, भारतीय समाज में उनकी भूमिका एवं प्रतिष्ठा को ऊंचा करने का सबसे महत्वपूर्ण कारक बनी।

कादंबिनी गांगुली (1861–1923)- कादंबिनी गांगोली एवं चंद्रमुखी बसु भारत से पहली दो स्नातक महिलाएं थीं। गांगुली दक्षिण एशिया की पहली महिला चिकित्सक थीं और वे पाश्चात्य दवा में प्रशिक्षित थीं। वे एक ब्रह्म सुधारक की बेटी एवं द्वारकानाथ गांगुली की पत्नी थी।

कादंबिनी गांगुली

उदरवादी नेता एवं उनकी विचारधारा (Moderate Leaders and their Ideology)

गोपाल कृष्ण गोखले
(1866-1915)

दिनशा इडलजी वाचा
(1844-1936)

उदरवादी कांग्रेस के प्रारंभिक नेता थे, उनमें सबसे प्रमुख **व्योमेश चंद्र बनर्जी, दादाभाई नौरोजी, बदरुद्दीन तैयबजी, सर फिरोजशाह मेहता, गोपाल कृष्ण गोखले, सुरेंद्रनाथ बनर्जी, पी. आनंद चारलु, रोमेश चंद्र दत्त एवं आनंद मोहन बोस** थे, जिन्होने कांग्रेस के अध्यक्ष पद को भी संभाला।

इस समय के दौरान कांग्रेस एवं राष्ट्रीय आंदोलन के अन्य प्रमुख नेता थे- **सर दिनशाह ईदुलजी वाचा, महादेव गोविंद रानाडे, दो भाई शिशिर एवं मोतीलाल घोस, मदन मोहन मालवीय, बाल गंगाधर तिलक, जी. सुब्रह्मण्यम अय्यर एवं सी. विजयराघव चारियार**।

इन प्रारंभिक नेताओं के विचार थे -

- भारत अभी राष्ट्र-निर्माण की ओर बढ़ रहा है और इसकी राष्ट्रीयता को सावधानीपूर्वक पल्लवित करने की जरूरत है।
- वे लोकतंत्र एवं आधुनिक नागरिक अधिकारों से बहुत अधिक प्रभावित थे। उनका विश्वास था कि भारत को धीरे-धीरे लोकतांत्रिक स्व-शासन की ओर बढ़ना चाहिए।
- उन्हें लगता था कि स्वतंत्रता के लिए सीधे संघर्ष का उचित समय अभी नहीं आया है एवं ब्रिटिश संबंधों को समय की राजनीतिक आवश्यकता की तरह देखना चाहिए।
- उदारवादी ब्रिटिश संस्कृति के बहुत अधिक समर्थक थे और उनको ब्रिटिश लोगों के न्याय एवं अच्छाई में पूरा विश्वास था।
- 1886 के कलकत्ता अधिवेशन में दादाभाई नौरोजी ने ब्रिटिश शासन के अनेक उपकारों की बात की। 1898 में कांग्रेस अध्यक्ष आनंद मोहन बोस ने घोषित किया कि 'शिक्षित वर्ग इंग्लैंड के मित्र हैं, शत्रु नहीं।' अत: ब्रिटिश साम्राज्य के प्रति वफादारी उनका राजनीतिक विश्वास था।
- उनका विश्वास था कि भारत में ब्रिटिश शासन कि बहुत आवश्यकता है, क्योंकि वह देश में शांति एवं व्यवस्था का एक महत्वपूर्ण कारण था।
- उनका मानना था कि भारत की प्रगति में बाधा का कारण ब्रिटिश शासन नहीं, अपितु देश का सामाजिक व आर्थिक पिछड़ापन एवं शोषण करने वाली नौकरशाही है।
- भारतीय लोगों की जो समस्याएं हैं, उनका निराकरण और न्याय भी तभी मिलेगा जब ब्रिटिश शासन को इस बारे में जागरूक कराया जाए।

ध्यान दें- उदारवादियों की ब्रिटिश शासन के प्रति वफादारी को पढ़कर पाठक भ्रमित हो सकते हैं। कृपया याद रखें कि उदारवादियों ने उस समय भारत के ब्रिटेन से अच्छे संबंधों को एक आवश्यक बुराई माना था। इस प्रकार उनकी तात्कालिक योजना ब्रिटिश शासन को राष्ट्रीय शासन के करीब लाना था। बाद में, जब ब्रिटिश शासन ने राष्ट्रीय मांगें स्वीकार नहीं की, तो उनमें से अनेक ने ब्रिटिश के प्रति वफादारी त्याग दी और स्वशासन की मांग प्रारंभ कर दी।

उदारवादियों के कार्य करने की शैली (Method of Work of the Moderates)

उदारवादियों को **शांतिपूर्ण** एवं **संवैधानिक** तरीकों पर पूरा भरोसा था। वे मुख्यत: **प्रार्थना, याचिका, मेल-मिलाप, भाषण** एवं **संकल्प** पर निर्भर रहे। उन्होंने अपने विचारों को समाचार-पत्र एवं कांग्रेस के अधिवेशनों के माध्यम से लोगों तक पहुंचाया। अनेक कांग्रेसी नेता प्रमुख समाचार पत्रों में संपादक थे एवं वे पत्रकारिता के मंच का प्रयोग सरकार की नीतियों

की आलोचना करने में करते थे। कांग्रेस के अधिवेशन में सभी सदस्य सरकार के विभिन्न महत्वपूर्ण निर्णयों पर अपने विचार अभिव्यक्त करते हुए अलोकप्रिय निर्णयों का विरोध करते थे एवं इससे संबंधित प्रस्ताव को पारित करते थे। लेकिन कांग्रेस अधिवेशन एक वर्ष में तीन दिन ही होते थे और कांग्रेस के पास साल भर कार्य करने की कोई व्यवस्था नहीं थी।

उदारवादियों का उद्देश्य भारत एवं ब्रिटेन की **सरकार एवं जनता तक पहुंचना** एवं उन्हें भारतीय जनता की समस्याओं के बारे में अवगत कराना था। इस हेतु निम्न प्रयास किए गए-

- कांग्रेस के वक्तव्य सामान्यत: सरकार को संबोधित होते थे, लेकिन उनका उद्देश्य जनता को शिक्षित करना होता था। **न्यायाधीश रानाडे** के शब्दों में, ''वास्तव में, उनके प्रस्ताव जनता को संबोधित होते थे, ताकि जनता सीख सके कि इन मुद्दों पर कैसे सोचना है। यह कार्य अनेक वर्षों तक किसी अन्य परिणाम के बारे में सोचे बिना करना होगा, क्योंकि ऐसी राजनीति इस देश के लिए नई है।''
- कांग्रेस ने भारतीय नेताओं का एक दल भारतीय पक्ष को प्रस्तुत करने हेतु ब्रिटेन भेजा।
- **दादा भाई नौरोजी** ने ब्रिटेन में अपने जीवन एवं आय का एक बहुत बड़ा भाग इस कार्य हेतु लगा दिया। वे ब्रिटिश हाउस ऑफ कॉमन्स के सदस्य भी बने एवं भारतीयों की एक सशक्त लाबी (पक्ष में जनमत) बनाई।
- 1889 में **भारतीय राष्ट्रीय कांग्रेस की ब्रिटिश समिति** बनाई गई।
- 1890 में इस समिति ने ब्रिटिश जनता को भारतीय मुद्दों के बारे में शिक्षित करने हेतु एक **साप्ताहिक पत्रिका 'इंडिया'** प्रारंभ की।
- 1892 में भारतीयों की समस्याओं के बारे में जागरूकता फैलाने के लिए कांग्रेस का एक अधिवेशन लंदन में होना तय किया गया, लेकिन ब्रिटेन में चुनाव होने के कारण उसे स्थगित करना पड़ा, जो बाद में पुन: कभी नहीं हो सका।

उदारवादियों के उद्देश्य एवं विधियों को दादाभाई नौरोजी के शब्दों में समझें- "भारत का कल्याण इंग्लैंड के हृदय के अति करीब है और यदि हम केवल अपनी आवाज उनके व्यस्त हृदय तक पहुंचा सके, तो हमारा बोलना व्यर्थ नहीं जाएगा।"

1885-1905 के दौरान उदारवादियों की मांगें एवं कांग्रेस के कार्यक्रम (The Demands of the Moderates and the Congress Program during 1885-1905)

1885-1905 के दौरान उदारवादियों की मांगें बहुत ही विनम्र थीं। उनका विश्वास था कि स्वतंत्रता के लिए सीधे संघर्ष का अभी सही समय नहीं आया। राष्ट्रीय भावना को बढ़ाना, भारतीय लोगों को राजनीतिक लोकतंत्र के लिए प्रोत्साहित करना एवं उन्हें राजनीतिक आंदोलन के लिए प्रशिक्षण देना, कांग्रेस के कार्यक्रम में शामिल थे।

इसके लिए, उन्हें राजनीतिक प्रश्नों पर जनहित को प्रोत्साहित करने, संपूर्ण भारत के आधार पर मांगों का निर्माण करने एवं राष्ट्रीय हित को सृजित करने की आवश्यकता थी। अत: प्रारंभिक राष्ट्रवादियों ने राजनीतिक, सामाजिक एवं आर्थिक आधार पर भारतीय लोगों को एक करने के उद्देश्य से अपनी मांगों को स्वरूप प्रदान किया।

उनकी प्रमुख मांगों में शासन एवं शासकीय सेवाओं में भारतीयों के प्रतिनिधित्व में वृद्धि, 'संवैधानिक-आर्थिक-सैन्य' सुधार एवं नागरिक अधिकार शामिल थे। उदाहरण स्वरूप, कुछ मुख्य मांगें थीं-

राजनीतिक मांगें

- भारतीयों को अधिक शक्ति एवं प्रतिनिधित्व देते हुए विधायी परिषद का प्रसार,
- भारत सचिव की राज्य परिषद, वॉयसराय की कार्यकारी परिषद एवं राज्यों में गवर्नर की कार्यकारी परिषद में भारतीयों को प्रतिनिधित्व;

- नौकरशाही एवं पुलिस के निरंकुश कार्य से जनता को संरक्षित करने हेतु कार्यकारी कार्यों से न्यायिक कार्यों को पृथक करना,
- प्रांतीय परिषदों का निर्माण,
- भारतीय परिषद (Indian Council) का विघटन,
- लोक सेवा में भारतीयों को अधिक अवसर एवं भारत एवं लंदन में आई.सी.एस. की एक साथ परीक्षा का आयोजन,
- भारत के पड़ोसी देशों के विरुद्ध उग्र विदेश नीति का अंत,
- इस समय के दौरान, राष्ट्रीय भावना को संगठित व प्रेरित करना व लोगों को राजनीतिक प्रश्नों पर शिक्षित व एक करना कांग्रेस के एजेंडे में शामिल था।

आर्थिक मांगें

- आर्थिक निर्गम की समाप्ति,
- देश की आर्थिक एवं औद्योगिक स्थिति का अवलोकन करना,
- भू-राजस्व में कमी करना,
- नमक कर का अंत,
- शासकीय सहायता के द्वारा आधुनिक उद्योगों को प्रोत्साहन,
- साहूकारों के अत्याचार को समाप्त करने के लिए कृषि बैंक का विकास करना,
- जनता को सूखा से बचाने के लिए सिंचाई की सुविधाओं को बढ़ाना,
- देश के अन्य भागों में स्थाई बंदोबस्त को लागू करना।

सैन्य मांगें

- आर्म्स एक्ट को समाप्त करना,
- आर्मी के कमीशन रैंक पर भारतीयों की नियुक्ति करना,
- सैन्य व्यय में कमी करना।

सामाजिक मांगें

- कल्याणकारी गतिविधियों जैसे- शिक्षा, स्वास्थ्य एवं स्वच्छता पर अधिक व्यय,
- नागरिक अधिकार जैसे- बोलने, विचार करने, संगठन बनाने एवं पत्रकारिता की स्वतंत्रता,
- दक्षिण अफ्रीका एवं साम्राज्य के अन्य किसी भाग में भारतीय श्रमिकों को आधारभूत मानव अधिकार,
- प्लांटेशन श्रमिकों की दशा में सुधार करना,
- समय पर न्याय एवं मुकदमों के व्यय में कमी,
- पुलिस एवं अन्य सरकारी अधिकारियों के व्यवहार में आम जनता के प्रति सहानुभूति।

प्रारंभिक नेताओं ने निम्न आधार पर नौकरशाही के देशीकरण की मांग की -

- यूरोपियन सिविल सेवक को बहुत अधिक वेतन देना पड़ता था, जिससे भारतीय प्रशासन बहुत खर्चीला हो जाता था।
- उनको इंग्लैंड में पेंशन दी जाती थी, जिसका व्यय भारत से धन के निर्गम का भाग बनता था।
- ऐसी आशा कि जाती थी कि भारतीय नौकरशाह भारतीय आवश्यकता के प्रति उत्तरदायी होंगें।

आर्थिक मांगों पर चर्चा- आप यदि ध्यान से समझे, तो जहां एक ओर राजनीतिक मांगें बहुत ही उदार थीं, वही दूसरी ओर **आर्थिक मांगें अधिक उग्र** थीं। उदारवादियों ने ब्रिटेन के इस प्रयास का विरोध किया, जिसमें वे भारत को एक ऐसा बाजार बनाना चाहते थे, जहां से ब्रिटेन के कच्चे माल की पूर्ति हो सके एवं ब्रिटेन से बने सामान को खपाया जा सके।

इन मांगों को हमेशा उदार एवं प्रार्थनीय भाषा में पिरोया गाया। उदारवादियों ने हमेशा कुछ रियायतें मांगी, न की ब्रिटिश शासन से स्वतंत्रता। कांग्रेस का यह कार्यक्रम अगले 20 वर्षों (1885-1905) तक समान बना रहा। इस तरह की मांगें प्रतिवर्ष रखी गईं, लेकिन शासन से कोई विशेष जवाब नहीं मिला। शासन के नाराज होने के डर से उन्होंने एक बहुत ही धैर्यवान एवं सचेतक दृष्टिकोण रखा।

साथ ही यह भी सच है कि मांगें व्यापक थीं और कांग्रेस के कार्यक्रम वास्तव में राष्ट्रीय स्तर के थे। कार्यक्रम इतने व्यापक थे कि इसमें सभी वर्गों एवं सभी समुदायों को समाहित किया गया था।

कांग्रेस की मांगों पर ब्रिटिश शासन की प्रतिक्रिया (British Reaction to Congress Demands)

प्रारंभ में, कांग्रेस की मांगों के प्रति ब्रिटिश शासन ने उदासीन व्यवहार अपनाया, लेकिन 1887 के बाद उनका रवैया कटुता में बदल गया। ब्रिटिश शासन ने राष्ट्रवादियों को 'विश्वासघाती बाबू', 'राष्ट्रद्रोही ब्राह्मण' एवं 'हिंसक खलनायक' कहा। कांग्रेस को राजद्रोह का कारखाना बताया गया एवं कांग्रेसियों को 'पद के लिए असंतुष्ट उम्मीदवार व असंतुष्ट वकील, जो केवल स्वयं का प्रतिनिधित्व करते हैं', के रूप में दर्शाया।

कांग्रेस के राष्ट्रीय चरित्र को चुनौती देते हुए, लॉर्ड डफरिन ने कहा, 'कांग्रेस केवल एक **सूक्ष्म अल्पसंख्यक वर्ग** का प्रतिनिधित्व करती है एवं उसकी मांगें अज्ञात स्थान की ओर एक लंबी छलांग की तरह हैं।'

भारत सचिव जॉर्ज हेमिल्टन ने कांग्रेस के नेताओं का परिहास किया और आरोप लगाया कि वे राजद्रोही एवं दोहरे चरित्र को अपनाने वाले लोग हैं।

सरकार ने कांग्रेस के कुछ साहित्य के विरुद्ध शत्रुतापूर्ण रवैया अपनाया, विशेष रूप से सरकारी निरंकुशता की निंदा करने वाले पर्चे या प्रचार पुस्तिकाएं जैसे- 'मौलवी फारुखुद्दीन और कंबख्तपुर के एक राम बख्श के मध्य वार्तालाप'।

अत: ब्रिटिश शासन ने अपने प्रति सहानुभूति रखने वाले तत्व जैसे सर सैयद अहमद खान एवं बनारस के राजा शिव प्रताप को प्रोत्साहित किया। कांग्रेस को नियंत्रित करने हेतु **अलीगढ़ आंदोलन** एवं **यूनाइटेड इंडिया पेट्रीयोटिक एसोशिएशन** (United India Patriotic Association) की स्थापना हुई।

भारतीय जनता की बढ़ती हुई एकता को देखकर ब्रिटिश शासन ने मुस्लिम एवं हिंदू को विभाजित करने के लिए **'बांटो एवं राज करो'** (divide and rule) की नीति को अपनाया।

1890 में शासकीय कर्मचारियों का कांग्रेस की बैठकों में जाना निषेध कर दिया गया। जैसे-जैसे समय आगे बढ़ता गया ब्रिटिश का बर्ताव भी प्रतिकूल होता गया और लॉर्ड कर्जन के समय अपने चरम पर पहुंच गया।

1900 में लॉर्ड कर्जन ने खुले तौर पर प्रकट किया, "कांग्रेस अपने पतन की ओर बढ़ रही है एवं भारत में मेरी सबसे बड़ी इच्छा इसके इस **शांतिपूर्ण अवसान में सहयोग** करना है"। 1903 में मद्रास गवर्नर को लिखते हुए उन्होंने आगे कहा, "जब से मैं भारत में आया हूं, मेरी नीति कांग्रेस को कमजोर बनाना रही है।"

उदारवादियों का मूल्यांकन (Evaluation of the Moderates)

आलोचना

उग्र या अतिवादी नेताओं के द्वारा उदारवादियों की बहुत आलोचना की गई। उनके तरीकों, तीन (P) – प्रार्थना, याचिका एवं विरोध (3Ps-Prayer, Petition and Protest), को राजनीतिक भिक्षा कहा गया। उग्रवादियों के अनुसार, उदारवादियों का केवल एक ही धर्म क्राउन के प्रति वफादारी, उनका एक ही राजनीतिक उद्देश्य विधानपालिकाओं/न्यायिक सेवाओं में स्थान या

उपाधियां प्राप्त करने के मौके बढ़ाना था। उनकी एक ही राजनीतिक गतिविधि अत्यधिक भाषण देना एवं कांग्रेस के अधिवेशनों में 'वार्षिक मनोरंजन' हेतु उपस्थित होना था। उदारवादियों पर यह भी आरोप लगाया गया कि उन्हें जनता के जुड़ने से अपने नेतृत्व के खोने का भय था, इसलिए उन्होंने कांग्रेस को संकीर्ण सामाजिक आधार जैसे मध्यम वर्ग तक सीमित रखा। वास्तव में, संकीर्ण सामाजिक आधार प्रारंभिक उदारवादी चरण की एक बड़ी कमजोरी के रूप में उभरा। नेताओं में जनता के प्रति राजनीतिक विश्वास की कमी थी और जन-समर्थन के अभाव में एक मजबूत राजनीतिक रवैया नहीं अपनाया जा सकता था।

लाला लाजपत राय के शब्दों में, "यह एक श्रेष्ठ अवसरवादी आंदोलन था। इसने पाखंडियों के लिए अवसर के द्वार खोल दिए एवं कुछ लोगों को देशभक्ति के नाम पर व्यापार करने के योग्य बनाया।"

तिलक ने कांग्रेस को 'चापलूसों की प्रतिनिधि सभा', कांग्रेस के सत्र को 'मनोरंजन के लिए एक अवकाश' एवं उदारवादियों को 'मेंढक की तरह' बताया जो साल में एक बार ही टर्राता है।

उपलब्धियां (Achievements)

उनकी कमियों एवं आलोचनाओं के बावजूद उदारवादियों के योगदान को नकारा नहीं जा सकता। उनके उदार व संवैधानिक तरीकों से कुछ अच्छे परिणाम मिले-

राजनीतिक उपलब्धियां

- **1892 का भारतीय परिषद अधिनियम (Indian Councils Act, 1892)**- उदारवादियों के अनवरत आंदोलन से ब्रिटिश शासन को भारतीय परिषद अधिनियम, 1892 को पारित करने के लिए मजबूर होना पड़ा। लेकिन इस अधिनियम से कांग्रेसी नेता संतुष्ट नहीं थे। उनकी मांग थी कि जनता के धन पर जन-प्रतिनिधियों का नियंत्रण होना चाहिए एवं उन्होंने नारा दिया, 'बिना प्रतिनिधित्व के कर नहीं', जिसका पूर्व में अमेरिकी लोगों ने अपने स्वतंत्रता युद्ध में उपयोग किया था।
- **भारत में आई. सी. एस. परीक्षा**- 1893 में हाउस ऑफ कॉमन्स ने लंदन एवं भारत में एक साथ आई. सी. एस. परीक्षा के आयोजन हेतु एक प्रस्ताव पारित किया।
- **स्वराज की मांग**- बाद में, 1905 में बनारस अधिवेशन में कांग्रेस ने पहली बार ब्रिटिश साम्राज्य के अंतर्गत **स्वराज** (self-rule) की मांग की। यह **मांग ऑस्ट्रेलिया व कनाडा जैसे स्व-शासित उपनिवेशों को देखते हुए रखी गई** थी। यह मांग सबसे पहले गोपाल कृष्ण गोखले द्वारा रखी गई। 1906 में कलकत्ता अधिवेशन में दादाभाई नौरोजी ने स्पष्ट रूप से यह मांग रखी।
- **लोकतांत्रिक विचारों का जन्म**- प्रारंभिक राष्ट्रवादियों ने नागरिक अधिकारों का जोरदार समर्थन किया, लेकिन शासन ने इन्हें कम करने का ही प्रयास किया। प्रारंभिक राष्ट्रवादियों का यह योगदान भारतीय जनता के मध्य लोकतांत्रिक विचारों को अंकुरित करने में महत्वपूर्ण रहा।
- **राजनीतिक कार्यों में भारतीयों का प्रशिक्षण**- प्रारंभिक राष्ट्रवादियों ने लोगों को राजनीतिक कार्यों में प्रशिक्षित करने का कार्य भी किया एवं आधुनिक विचारों को लोगों में लोकप्रिय बनाया व ब्रिटिश शासन की बुराइयों को दिखाया।

आर्थिक उपलब्धियां

- **ब्रिटिश शासन की आर्थिक समीक्षा**- उदारवादियों का एक अन्य महत्वपूर्ण कार्य उनके द्वारा ब्रिटिश शासन की समीक्षा करना था। प्रारंभिक अर्थशास्त्री जैसे- दादाभाई नौरोजी, आर. सी. दत्त, डी. ई. वाचा एवं अन्य ने धन के निर्गम का सिद्धांत प्रतिपादित किया, जो समझाता है कि कैसे भारत की गरीबी का कारण औपनिवेशिक शोषण है। नौरोजी ने

सबसे पहले धन के निर्गम सिद्धांत के बारे में अपनी किताब, **'पावर्टी एंड अन-ब्रिटिश रूल इन इंडिया'** (Poverty and Un-British Rule in India) में बताया। आर. सी. दत्त ने इसे अपनी किताब **'इकनॉमिक हिस्ट्री ऑफ इंडिया'** (Economic History in India) में बताया। बाद में, इसी सिद्धांत का उपयोग उग्रवादियों ने ब्रिटिश शासन की आलोचना करने में किया था।

- **भारतीय व्यय पर वेलबी समिति** (Welby Commission)– 1895 में भारतीय व्यय की जांच करने हेतु वेलबी समिति नियुक्त की गई।

सामाजिक उपलब्धियां

- **नागरिक अधिकारों की जागरूकता का प्रसार**- ये उदारवादियों के अनवरत अभियान का ही परिणाम था कि नागरिक अधिकारों की सुरक्षा स्वतंत्रता संग्राम का एक प्रमुख भाग बन गई। इसके परिणामस्वरूप, 1897 में तिलक की गिरफ्तारी एवं नाटू भाइयों की बिना सुनवाई के गिरफ्तारी पर जनता में बहुत आक्रोश था।

मूल्यांकन (Evaluation)

यह सच यह कि कांग्रेस प्रारंभ में अधिक सफलता प्राप्त नहीं कर सकी, लेकिन साथ ही उदारवादी चरण को असफल भी नहीं माना जा सकता। उदारवादी जैसे- नौरोजी, डी. इ. वाचा, गोखले, एस. एन. बैनर्जी अपने समय के बहुत ही प्रगतिशील एवं देशभक्त भारतीयों में से थे। वे राष्ट्र–स्तरीय जागरूकता एवं यह भावना कि हम सब एक ही राष्ट्र भारत से संबंध रखते हैं, को बढ़ाने में सफल हुए। इतिहास भी इस बात का साक्षी रहा कि उदारवादी चरण की कमियां बाद के वर्षो में हटा दी गई एवं उनकी उपलब्धियों का उपयोग एक उग्र राष्ट्रीय आंदोलन का मंच तैयार करने में हुआ।

विशेष इतिहासकारों के विचार

बिपिन चंद्रा

1858 से 1905 का समय भारतीय राष्ट्रवाद के बीजारोपण का काल था एवं प्रारंभिक राष्ट्रवादियों ने इन बीजों को गहरा बोया। उन्होंने अपने राष्ट्रवाद का आधार प्रगतिविरोधी अतीत हेतु अपील की अपेक्षा आधुनिक साम्राज्यवाद के जटिल तरीकों एवं भारतीय जनता व ब्रिटिश शासन के हितों के अंतर्विरोध के गंभीर विश्लेषण की समझ को बनाया, जो बहुत ही व्यवहारिक था। इसका परिणाम यह हुआ कि उन्होंने एक आम राजनीतिक व सामाजिक कार्यक्रम को विकसित किया, जिसने जनता को विभाजित करने की अपेक्षा एकता में पिरोया। अनेक असफलताओं के बावजूद प्रारंभिक राष्ट्रवादियों ने राष्ट्रीय आंदोलन के विकास की सशक्त नींव रखी। निश्चित ही वे आधुनिक भारत के निर्माताओं में उच्च स्थान के अधिकारी हैं।

पट्टाभि सीतारामय्या

हम उन्हें उनके रवैये के लिए, जो उन्होंने अपनाया, दोषी नहीं ठहरा सकते, क्योंकि वे भारतीय राजनीतिक सुधार के अग्रेता थे। ये ऐसा ही जैसा कि हम छः फीट नीचे आधार में दबे ईट एवं गारे को, जिसके ऊपर आधुनिक भवन की चट्टानें रखी जाती हैं, को दोषी मानने लग जाएं। उन्होंने ही, धीरे-धीरे, औपनिवेशिक स्व-शासन के द्वारा, फिर साम्राज्य के ही अंदर होमरुल के द्वारा एवं अंत में सबसे ऊपर संपूर्ण स्वतंत्रता से, अवसंरचना को संभव बनाया।

अध्याय

4

उग्रवादियों (गरम दल) का उदय (आक्रामक राष्ट्रवाद या उग्र राजनीति का चरण)

Rise of the Extremists (Phase of Militant Nationalism or Radical Politics)

20वीं शताब्दी के प्रथम दशक में उग्रवादियों का उद्भव अचानक से नहीं हुआ। उग्रवादी विचारधारा 1857 के विद्रोह से ही उबल रही थी और अंतत: 1905 के बंगाल विभाजन के दौरान उफान पर आ गई। उदारवादी राजनीति ने पहले ही शिक्षित भारतीयों को राजनीतिक आंदोलन के लिए प्रशिक्षित कर दिया था। उन में से कुछ अब उदारवादी तरीकों से असंतुष्ट होने लगे थे, क्योंकि उन तरीकों से बहुत कम उपलब्धि मिली थी और उनके प्रति ब्रिटिश सरकार का व्यवहार तिरस्कारपूर्ण था। परिणाम स्वरूप केवल प्रार्थना, याचिका एवं विरोध की अपेक्षा एक अधिक सशक्त राजनीतिक कार्यक्रम की जोरदार मांग उठने लगी।

पाश्चात्य संस्कृति के प्रति गहरे विश्वास पर आधारित उदारवादी विचारधारा जनता को आकर्षित नहीं कर पाई और कांग्रेस संकीर्ण सामाजिक आधार तक सीमित हो गई। इस पहली अखिल भारतीय प्रतिनिधि सभा एवं आम जनता के बीच एक शून्यता आ गई थी, जिसे आगे चलकर उग्रवादियों ने भरा। ये अंग्रेजी शिक्षा प्राप्त भारतीय थे, जिन्हें अपने स्वर्णिम अतीत पर गर्व था।

स्मरणीय है कि 1857 के विद्रोह के दौरान शिक्षित मध्यम वर्ग ने विद्रोह में भाग नहीं लिया था और वह उससे अलग बने रहे थे। समय के साथ, शिक्षित भारतीयों का एक ऐसा वर्ग उभरा, जिसे एक तरफ उपनिवेशवाद की बुराइयां दिखनी शुरू हुई तो दूसरी तरफ अपनी प्राचीन संस्कृति की अच्छाइयां। ये शिक्षित भारतीय मुख्य रूप से रामकृष्ण परमहंस, उनके अंग्रेजी शिक्षा प्राप्त शिष्य स्वामी विवेकानंद, स्वामी दयानन्द एवं बंकिम चंद्र चटर्जी आदि की शिक्षा से प्रभावित थे।

कांग्रेस के अंदर भी इन परिवर्तनों का प्रभाव दिखा और एक नया व युवा समूह सामने आया। इन्होने स्वराज की मांग ऐसे लक्ष्य के रूप में की, जिसको निष्क्रिय याचिकाओं से नहीं, अपितु अधिक सक्रिय व आत्मनिर्भर तरीकों जैसे स्वावलंबन, दृढ़-संकल्प व बलिदान से प्राप्त किया जाना था। यह नया समूह कांग्रेस के अंदर नया दल या अतिवादी नाम से जाना गया।
ध्यान दें- 'आक्रामक राष्ट्रवाद' में आक्रामक शब्द का अर्थ किसी एक कारण के समर्थन में जोशपूर्ण ढंग से सक्रिय होना है।

उग्रवाद या गरम दल के उदय के कारण (Causes for the Rise of the Extremists)

ब्रिटिश शासन के सही स्वरूप की पहचान

प्रारंभिक राष्ट्रवादी नेताओं ने प्रयत्न करके भारत में ब्रिटिश शासन की बुराइयों को उजागर किया। **रानाडे की 'एसेज इन इंडियन इकोनोमिक्स'** (Essays in Indian Economics, 1898), दादाभाई नौरोजी की 'इंडियन पावर्टी एंड अन-ब्रिटिश रूल इन इंडिया' (1901) एवं आर. सी. दत्त की 'इकनॉमिक हिस्ट्री ऑफ इंडिया' प्रकाशित हुई। इनके कार्यों ने ब्रिटिश शासन के नैतिक आधार को ध्वस्त किया एवं नए नेताओं को ब्रिटिश के विरोध का आधार मिला।

भारतीय जीवन की बढ़ती दयनीयता

ब्रिटिश साम्राज्य की बुराइयों के परिणाम गरीबी, अकाल एवं बीमारियों के रूप में सामने आये। अपने ही देश में भारतीयों की दुर्दशा देखकर कई भारतीय नेताओं ने उग्र या अतिवादी राजनीति अपना ली। 1896-1997 में **भयंकर अकाल** पड़ा और 1899-1900 में महाराष्ट्र में **गिल्टी प्लेग** (bubonic plague) से हजारों लोग मारे गए। तिलक ने शासन के राहत प्रयास

एवं शासकीय प्लेग कमिशनर के व्यवहार की आलोचना की। जब दंगे भड़कने लगे, तो सरकार ने जनमत को दबाना शुरू कर दिया। 1903 में कांग्रेस अध्यक्ष लाल मोहन घोष ने **'1903 के दरबार'** का उल्लेख करते हुए कहा, "इससे ज्यादा और कोई निष्ठुरता नहीं हो सकती कि विश्व की सबसे गरीब जनता पर इतने अधिक कर लगाए जायें और इस तरह से प्राप्त धन का उपयोग भव्य आयोजनों के लिए किया जाये, जबकि लाखों गरीब भूख से मर रहे हो।"

सामाजिक एवं आर्थिक क्षेत्र में भी ब्रिटिश राज में कोई उन्नति नहीं हुई। प्राथमिक एवं तकनीकी शिक्षा की पहले ही उपेक्षा की जा चुकी थी और अब उच्च शिक्षा के प्रति भी ब्रिटिश शासन शंकास्पद हो गई थी। 1904 में भारतीय विश्वविद्यालय अधिनियम पारित हुआ, जो उच्च शिक्षा पर ब्रिटिश नियंत्रण मजबूत करने का एक प्रयास था।

इस प्रकार अधिकाधिक भारतीय इस बात को समझने लगे थे कि भारत की किसी भी प्रकार की उन्नति के लिए स्वशासन एक महत्वपूर्ण आवश्यकता है।

शिक्षित भारतीय एवं बेराजागारों की बढ़ती संख्या

19वीं शताब्दी के अंत तक शिक्षित भारतीयों की संख्या बहुत अधिक बढ़ने लगी। उनमें से कई लोग प्रशासन में बहुत कम वेतन पर काम कर रहे थे और कई बेरोजगारी झेल रहे थे। प्रशासन में अवसरों की कमी ने उन्हें ब्रिटिश सरकार के विरुद्ध कर दिया और उन्हें उग्र राजनीति की ओर दृढ़ता से बढ़ा दिया। ये भारतीय लोकतंत्र, राष्ट्रवाद एवं अतिवाद के पाश्चात्य विचारों से बहुत अधिक प्रभावित थे एवं उनको विश्वास था कि यूरोपियन साम्राज्यवाद का जबाब देने के लिए यूरोपियन क्रांतिकारी विधियों को अपनाने की जरूरत है।

1858 के बाद सामाजिक-आर्थिक सुधार

विवेकानंद, दयानंद एवं बंकिम के लेखों ने शिक्षित भारतीयों को प्रभावित किया। विवेकानंद एक महान वेदांतिक थे, जिन्होंने भारत की आध्यात्मिकता द्वारा पश्चिम को जीतने के लिए देशवासियों से अपील की। दयानन्द ने वैदिक काल की समृद्ध भारतीय सभ्यता का उल्लेख किया, जबकि उस काल में यूरोप गहरी अज्ञानता में डूबा हुआ था। बंकिमचंद्र ने ऐसे संगठित भारत का स्वप्न देखा, जो भगवान श्रीकृष्ण के समान सुपरमैन (अतिमानव) के नेतृत्व में अच्छाई को स्थापित करने के किए बुराई से लड़ेगा।

इस तरह के साहित्यों ने भारतीयों को **नए विश्वास** एवं **नए भारत के लिए एक सार्वजनिक परिदृश्य** से भर दिया। उन्हें अब स्वशासन हेतु अपनी क्षमता पर यकीन हो गया था और उन्हें विश्वास हो गया था की वे अपने सपनों के भारत का निर्माण कर सकते हैं।

दयानंद सरस्वती: पहले ऐसे व्यक्ति थे, जिन्होंने 1876 में स्वराज के लिए आह्वान किया। उनके स्वराज का मतलब था **'भारतीयों के लिए भारत'**, बाद में लोकमान्य तिलक द्वारा इसका अनुकरण किया गया। कुछ इतिहासकार उन्हें 'भारतीय राष्ट्र का तात' (दादा) कहते हैं।

बंकिम चंद्र चटर्जी (1838-1894)- वे एक बंगाली लेखक एवं कवि थे, जो बंगाली पुनर्जागरण से जुड़े थे। ब्रिटिश भारतीय शासन के अधीन एक सिविल सेवक के रूप में सेवा देने के दौरान उन्होंने ध्यान दिया कि ब्रिटिश शासन भारत में भारतीयों के लिए 'गॉड सेव द क्वीन' (God Save the Queen) राष्ट्रीय गान को प्रोत्साहित करने का प्रयत्न कर रहे हैं। ऐसा माना जाता है कि उन्होंने 'वंदे मातरम' कविता ब्रिटिश शासन के इस प्रयत्न के प्रत्युत्तर में लिखी थी और जो बाद में उनके उपन्यास आनंद मठ (1882) में बंगाली लिपि में प्रकाशित हुई थी। अक्टूबर 1937 में कांग्रेस ने उनके गीत के दो पद्यों को भारत के राष्ट्रीय गीत के रूप में स्वीकार किया।

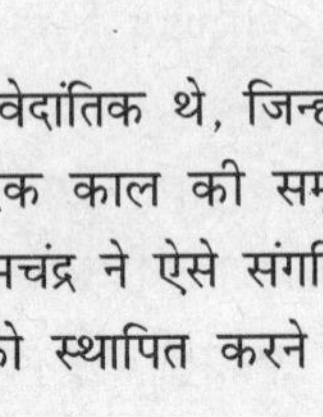

बंकिम चंद्र चटर्जी

अंतर्राष्ट्रीय प्रभाव

समकालीन अंतर्राष्ट्रीय घटनाओं का भारत की युवा पीढ़ी पर बहुत अधिक प्रभाव पड़ा-

- ब्रिटिश उपनिवेशों में (विशेषकर दक्षिण अफ्रीका में) भारतीयों पर होने वाले अपमानजनक व्यवहार ने युवा भारतीयों को विक्षुब्ध किया।
- दक्षिण अफ्रीका में **बोअर युद्ध** (1899-1902) ने दिखाया कि संगठित एवं त्याग के लिए इच्छुक लोग सबसे निरंकुश शासन को भी चुनौती दे सकते हैं।
- **तुर्की, मिश्र, पर्सिया, आयरलैंड, चीन** एवं **रूस** के राष्ट्रीय आंदोलनों ने भी भारत की युवा पीढ़ी को प्रेरित किया।
- 1868 के बाद आधुनिक जापान के उदय ने यह साबित कर दिया कि एक पिछड़ा एशियाई देश भी स्वयं के बल पर विकसित हो सकता है। एक दशक के अंदर जापान शीर्ष का औद्योगिक एवं सैन्य शक्ति बनकर उभरा एवं वहां सार्वजनिक प्राथमिक शिक्षा की शुरुआत भी की गई।
- भारतीयों का उत्साह तब और बढ़ गया, जब एबेसियन ने **इटली की सेना को (1896) एवं जापान ने रूस की सेना (1905) को परास्त कर दिया।** इससे ये साबित हो गया कि एक छोटा एशियन देश (जापान) भी यूरोप की एक बड़ी सैन्य शक्ति (रूस) को हरा सकता है।

इस तरह की घटनाओं ने ब्रिटिश श्रेष्ठता को चुनौती देकर भारतीयों को एक नई आशा एवं आकांक्षा से भर दिया।

उदारवादियों के विधियों से मोहभंग हो जाना

कांग्रेस ने अपने बीस साल के अस्तित्व में बहुत कम उपलब्धियां प्राप्त की थीं और कांग्रेस के अंदर युवा तत्व अब बेकरार होने लगे थे। उनका ब्रिटिश की न्यायप्रियता से भरोसा उठने लगा, उदारवादी तरीके राजनीतिक भिक्षुकता के समान लगने लगे। उन्होंने देखा कि भारतीयों को अधिक राजनीतिक अधिकार देने की बजाए, उनके मौजूदा अधिकार भी छीने जाने लगे-

- 1892 का भारतीय परिषद अधिनियम (Indian Councils Act of 1892) पूर्णतया असंतोषजनक था।
- 1897 में नाटू भाइयों को बिना सुनवाई के निर्वासित कर दिया गया।
- 1897 में तिलक एवं कुछ अन्य संपादकों को जनता को सरकार के विरुद्ध भड़काने के अपराध में लंबी अवधि का कारावास दे दिया गया।
- 1898 में 'ब्रिटिश सरकार के विरुद्ध असंतोष की भावना को उत्तेजित करने' को एक अपराध बना दिया गया।
- 1899 में कलकत्ता निगम (कॉर्पोरेशन) में से भारतीय सदस्यों की संख्या कम कर दी गई।
- 1904 में पत्रकारिता की स्वतंत्रता को नियंत्रित करने के उद्देश्य से इंडियन ओफिसियल सीक्रेट एक्ट (Indian Official Secrets Act) पारित किया गया।

1905 में लाला लाजपत राय ने इंग्लैंड से वापस आकर देशवासियों से कहा कि ब्रिटिश लोग अपने कार्यों में इतने व्यस्त हैं कि उनके पास भारत के लिए कुछ अच्छा करने का समय नहीं है। तिलक ने कांग्रेस को 'चापलूसों की प्रतिनिधि सभा' और कांग्रेस अधिवेशन को 'अवकाशीय मनोरंजन' कहा। उन्होंने बलपूर्वक कहा कि 'साल में एक बार मेढक की तरह टर्राकर हम कोई सफलता अर्जित नहीं कर पाएंगे।'

बाल गंगाधर एवं अन्य आक्रामक राष्ट्रवादियों का उदय

भारत में उग्र राष्ट्रवाद को बाल गंगाधर, जिन्हें लोकमान्य तिलक के नाम से भी जाना जाता है, के रूप में एक अनुकरणीय व्यक्तित्व मिला। 1856 में उनका जन्म हुआ और बॉम्बे विश्वविद्यालय से स्नातक करने के बाद उन्होंने अपना सारा जीवन मातृ-भूमि की सेवा में लगा दिया। 1880 में उन्होंने न्यू इंगलिश स्कूल की स्थापना की, जो बाद में फर्गुसन कॉलेज बना। तिलक

को सशस्त्र संघर्ष में विश्वास नहीं था, अपितु उनका मानना था कि भारतीयों को विदेशी सरकार से **सारे सहयोग वापस** ले लेना चाहिए और आत्म-सहयोग, निश्चय व त्याग से स्वराज प्राप्त करना चाहिए। उन्होंने नारा दिया, **'स्वराज मेरा जन्मसिद्ध अधिकार है और मैं इसे लेकर रहूंगा।'** तिलक बहुत आक्रामक थे और अन्याय को समाप्त करने के लिए वे हमेशा त्याग करने को तैयार रहते थे। वे पहले कांग्रेसी नेता थे, जिन्हें सरकार के विरुद्ध बोलने के कारण अनेक बार कारावास जाना पड़ा।

तिलक के अलावा बिपिन चंद्र पाल, अरविंदो घोष एवं लाला लाजपत राय उग्र राष्ट्रवाद के अन्य असाधारण नेता थे।

कर्जन की प्रतिक्रियावादी नीतियां

भारतीय बुद्धिजीवी वर्ग के प्रति कर्जन के विचार बहुत नकारात्मक थे और वह भारत को राष्ट्र भी नहीं मानता था व राष्ट्रवादी गतिविधियों का मजाक उड़ाता था। उसके कार्यकाल में अनेक अधिनियम जैसे ऑफिसियल सीक्रेट एक्ट (1904), भारतीय विश्वविद्यालय अधिनियम (1904) आदि पारित हुए, जिससे भारत में बहुत नाराजगी उत्पन्न हुई। 1903 में उसके कार्यकाल में ही दिल्ली में दरबार आयोजित किया गया (ऐसे समय में जब भारत 1899-1900 के अकाल से पूरी तरह उभर भी नहीं पाया था), जिसकी बहुत आलोचना हुई और इस आयोजन को 'भूख से मरती जनता के लिए एक भव्य तमाशा' कहा गया।

बंगाल का विभाजन

बंगाल का दो प्रांतों में विभाजन कर्जन-प्रशासन का सबसे अलोकप्रिय कदम था। भीषण विरोध के बावजूद विभाजन को जनता पर थोपा गया। धर्म के आधार पर जनता को बांटने का ये सीधा प्रयास था। अब यह स्पष्ट हो चुका था कि लोकप्रिय भारतीय मांगों व विचारों के प्रति ब्रिटिश पूरी तरह बधिर बने रहना चाहते थे।

उग्रवादी नेता (अथवा गरम दल के नेता)

उग्रवादी नेता तीन भौगोलिक समूहों में उभरे - बाल गंगाधर तिलक के नेतृत्व में महाराष्ट्र समूह, बिपिन चंद्र पाल व **अरविंदो घोष** के नेतृत्व में बंगाल समूह एवं लाला लाजपत राय के नेतृत्व में पंजाब समूह (जिन्हें **'लाल-बाल-पाल त्रिमूर्ति** या त्रिशासक दल' के नाम से भी जाना जाता है)। अधिकतर अतिवादी नेता शहरी मध्यम वर्ग से आते थे और उनका उद्देश्य कांग्रेस के संदेश को जनता तक पहुंचाना था।

बिपिन चंद्र पाल

लाला लाजपत राय (1865-1928)- पंजाब केसरी के नाम से विख्यात लाला लाजपत राय कांग्रेस के प्रमुख नेता एवं **"लाल-बाल-पाल"** त्रिशासकदल या त्रिमूर्ति में से एक थे। उनका जन्म **पंजाब में एक हिंदू अग्रवाल परिवार** में सरकारी स्कूल के उर्दू व पर्शियन के शिक्षक के पुत्र के रूप में हुआ। लाहौर में शासकीय महाविद्यालय में कानून की पढ़ाई के दौरान वे अन्य स्वतंत्रता सेनानियों जैसे लाला हंसराज व पंडित गुरुदत्त के संपर्क में आए। लाहौर में, वे स्वामी दयानंद सरस्वती के आर्य समाज के प्रभाव में आए, जिसने उनके हिंदुत्व एवं राष्ट्रीयता के विचारों को स्वरूप प्रदान किया। इटली के क्रांतिकारी मैजिनी के राष्ट्रवाद से भी वे बहुत प्रभावित हुए। 1886 में उन्होंने **लाहौर में दयानंद एंग्लो वैदिक स्कूल** खोलने में सहायता की। इसी वर्ष वे हिसार (जहां उनके पिता जी का स्थानांतरण हुआ था) आए और हिसार में भारतीय राष्ट्रीय कांग्रेस की 'हिसार जिला शाखा' स्थापित की। मई 1907 में उन्हें पंजाब के राजनीतिक आंदोलन में भाग लेने के कारण बिना सुनवाई के **मांडले** निर्वासित कर दिया गया। हालांकि, नवंबर में उन्हें वापस आने की अनुमति मिल गई, जब लॉर्ड मिंटो आश्वस्त हो गए कि उनके विरुद्ध अभियोग चलाने हेतु पर्याप्त प्रमाण नहीं हैं।

1914 में उन्होंने वकालत त्याग दी और पूर्ण रूप से स्वतंत्रता संघर्ष से जुड़ गए। वे ब्रिटेन एवं बाद में अमेरिका गए और वहां उन्होंने **'इंडिया होम रूल लीग ऑफ अमेरिका'** (India Home rule League of America, 1917) की स्थापना की और एक मासिक पत्रिका **'यंग इंडिया'** प्रकाशित की। रोलेट एक्ट (Rowlatt Act) का कड़ा विरोध करने के कारण उन्हें पंजाब केसरी की उपाधि दी गई। 1921 में उन्होंने लाहौर में एक सामाजिक कल्याण संगठन, **सर्वेंट्स ऑफ द पीपल सोसायटी** (Servants of the People Society) एवं कौमी विद्यापीठ की स्थापना की। असहयोग आंदोलन के स्थगन से उन्हें बहुत असंतोष हुआ और उन्होंने **कांग्रेस इंडिपेंडेंस पार्टी** स्थापित की। 1926 में वे कुछ समय के लिए स्वराज पार्टी में शामिल हुए और केंद्रीय विधान सभा में इसके डिप्टी लीडर चुने गए। 1928 में जब साइमन कमीशन लाहौर आया, तो राय ने उसके विरुद्ध एक शांतिपूर्ण मार्च निकाला। इसी दौरान सुपरिटेंडेंट ऑफ पुलिस जेम्स स्कॉट ने **लाठीचार्ज** का आदेश दिया, जिसमें लाला लाजपत राय के ऊपर प्रहार हुआ और वे बहुत अधिक जख्मी हुए। बहुत अधिक घायल होने के बाद भी राय ने लोगों को संबोधित किया और कहा कि मेरे ऊपर किया गया प्रहार भारत में ब्रिटिश शासन के कफन की आखिरी कील साबित होगी। बाद में जब जख्मों के कारण राय की मृत्यु हो गई, तब भगत सिंह ने उनकी मृत्यु का बदला लेने की प्रतिज्ञा की व स्कॉट को मारने का निर्णय लिया। उन्होंने अन्य क्रांतिकारियों जैसे राजगुरु, सुखदेव, चंद्रशेखर आजाद के साथ मिलकर बदला लेने की योजना बनाई, लेकिन गलती से स्कॉट के स्थान पर एक अन्य पुलिस ऑफिसर जॉन सांडर्स मारा गया।

लाला लाजपत राय एक सफल लेखक थे- उन्होंने कई किताबें लिखीं और कई पत्रिकाओं का संपादन किया। उन्होंने तीन अंग्रेजी साप्ताहिक क्रमश: 'द रीजेनरेटर ऑफ आर्यावर्त' (The Regenerator of Aryavarta,1883), 'द पंजाबी' (The Panjabee, 1904) व 'द पीपल' (The People, 1925), एक उर्दू साप्ताहिक 'देशोपकारक' (1883) और एक उर्दू दैनिक 'बंदे मातरम' (1920) का शुभारंभ किया। उन्होंने अनेक संस्थाओं और संगठनों की स्थापना की। उन्होंने भारतीय व्यापारियों द्वारा निर्यात का समर्थन करने के लिए लाला हरकिशन लाल और लक्ष्मी बीमा कंपनी के साथ पंजाब नेशनल बैंक (लाहौर, 1894) की स्थापना की। वे हिंदू महासभा से भी निकटता से जुड़े हुए थे। उनके द्वारा लिखे हुए अन्य प्रमुख लेखों में शामिल हैं- द स्टोरी ऑफ माय डिपोर्टेशन (The Story of My Deportation, 1908), द यूनाइटेड स्टेट्स ऑफ अमेरिका: अ हिंदुस इंप्रेशन (The United States of America:A Hindu's Impression, 1916) एवं इंग्लैंडज डेयट टू इंडिया (England's Debt to India, 1917)।

अरविंदो घोष (1872-1950)- वे एक प्रभावशाली राष्ट्रवादी नेता थे, जो बाद में एक आध्यात्मिक सुधारक बन गए थे। 1926 में उन्होंने उनके आध्यात्मिक साथी मिरना अल्फासा की सहायता से **पांडिचेरी** में श्री अरबिंदो आश्रम (औरोविले) स्थापित किया। 1943 में साहित्य के क्षेत्र में व 1950 में शांति के लिए उन्हें **नोबेल पुरस्कार हेतु नामांकित** किया गया।

उग्रवादी या अतिवादी विचारधारा (The Extremist Ideology)

उग्रवादी विचारधारा अचानक से भारतीय राजनीतिक परिवेश में नहीं आ गई थी, अपितु 1857 के विद्रोह से ही अदृश्य रूप में उमड़ रही थी। यह स्वधर्म व स्वराज के विचारों से प्रेरित थी। उग्रवादी नेताओं का मानना था कि पाश्चात्य विचारों व उच्च विवेकवाद ने उदारवादियों को आम जनता से दूर कर दिया था। अत: उग्रवादियों ने प्राचीन भारत के गौरव की ओर देखने पर बल दिया।

जनता एवं कुछ शिक्षित लोगों के मध्य की खाई को कम करने का ऐतिहासिक कार्य रामकृष्ण परमहंस एवं उनके अंग्रेजी से शिक्षित शिष्य स्वामी विवेकानंद (1863-1902) द्वारा किया गया। स्वामी विवेकानंद अपने राष्ट्रवादी विचारों को पश्चिमी देशों में ले गए, जिससे शिक्षित भारतीयों में बहुत अधिक आत्मविश्वास का संचार हुआ। बंगाली उग्रवादी, बंकिम

चंद्र (एंडमंड बर्क के समान एक उदारवादी रूढ़िवादी) के विचारों से भी प्रभावित थे। चंद्र विश्वास करते थे कि सुधारों को नैतिक व धार्मिक पुनरुत्थान का इंतजार करना चाहिए, क्योंकि प्राचीन समय से इस तरह संबंध तोड़ने से समस्याएं सुलझने की अपेक्षा बढ़ेंगी ही। बंकिम चंद्र का मानना था कि परिवर्तन अंदर से प्रज्वलित होना चाहिए, न की बाहरी हस्तक्षेप द्वारा। अरविंदो भी दयानन्द सरस्वती से बहुत अधिक प्रभावित थे और उनको भारतीय सुधारकों में सबसे प्रमुख मानते थे।

इस तरह विवेकानंद, दयानन्द व बंकिम चंद्र ने वह वैचारिक पृष्ठभूमि तैयार की, जिसके आधार पर उग्रवादियों ने अपनी विचारधारा व राजनीतिक कार्यक्रम बनाए-

- उनको पूरा विश्वास था कि भारतीय समस्याओं का हल भारतीयों के हाथ में ही है और उन्हें भय-मुक्त व मजबूत होना चाहिए।
- उनको ब्रिटिश की भलाई पर कोई आस्था नहीं थी और उन्होंने सीधे तौर पर **स्वराज** या स्व-शासन को राष्ट्रीय आंदोलन का लक्ष्य घोषित कर दिया था।
- उनको पूर्णतया विश्वास था कि **आत्मनिर्भरता, आत्म-त्याग** एवं **दृढ़ निश्चय** पर आधारित सीधी राजनीतिक कार्रवाई से ही स्वराज प्राप्त किया जा सकता है।
- उनको जनता की क्षमता पर पूरा भरोसा था और उन्होंने कांग्रेस व राष्ट्रीय आंदोलन, दोनों को **जन-आंदोलन** बनाने का कार्य किया।
- वे **भारत के गौरवपूर्ण प्राचीन** से प्रेरित थे, लेकिन साथ ही साथ प्राचीनता में डूबने के स्थान पर वे उससे एक नए भविष्य का निर्माण करना चाहते थे।
- वे **स्वामी विवेकाननंद, दयानंद सरस्वती** एवं **बंकिम चंद्र चटर्जी** की विचारधारा से प्रेरित थे।
- उग्रवादी विचारधारा की प्रमुख विशेषता भावुकता से उत्प्रेरित राष्ट्रवाद थी। उनके सारे सामाजिक-आर्थिक व राजनीतिक विचार इसी केंद्रीय भंवर के चारों ओर घूमते रहते थे।
- उग्रवादी अपनी मूल संस्कृति, धर्म व राज्य-व्यवस्था से जुड़े थे।
- वे अपने परंपरागत सांस्कृतिक मूल्यों से प्रेरित थे और उनके मन में उनके प्रति बहुत अधिक आत्म-सम्मान था, जिसे वे हमेशा बनाए रखना चाहते थे।
- उनको कभी-कभी राजनीतिक अतिवादी भी कहा जाता था, जो समानता व आत्म-सम्मान के आधार पर अन्य देशों से संबंध बनाना चाहते थे।
- वे अपने सपनों का एक नया भारत बनाना चाहते थे।
- उग्रवादियों ने उदारवादियों की बहुत आलोचना की और उनको दासों के समान व राजनीतिक भिक्षुक कहा।

तिलक- "स्वराज्य और स्वशासन स्वधर्म के पालन हेतु अत्यंत आवश्यक हैं। बिना स्वराज के न कोई सामाजिक सुधार, न औद्योगिक प्रगति, न उपयोगी शिक्षा और न ही राष्ट्रीय जीवन की पूर्ति हो सकेगी।"

बिपिन चंद्र पाल- ''नवीन दल की मांग है- भारत सरकार की नीति को निर्धारित करने के इंग्लैंड के अधिकार का परित्याग, देश की जनता पर शासन करने के लिए स्वेच्छानुसार कानून बनाने के वर्तमान विदेशी निरंकुशता के अधिकार का त्याग, अपनी इच्छा के आधार पर देश की जनता पर कर लगाने एवं अपनी इच्छानुसार देश के राजस्व का व्यय करने के उनके अधिकार का त्याग।"

अरविंदो घोष- "वर्तमान परिस्थितियों के अधीन भारत की प्राचीन जीवन-शैली की प्राप्ति करना स्वराज्य है। राष्ट्रीय महानता के सतयुग की वापसी, शिक्षक एवं मार्गदर्शक के रूप में देश की महान भूमिका का पुनः प्रारंभ, वैदिक आदर्श का राजनीति में उपयोग कर जनता की आत्म-मुक्ति, भारत के लिए यही सच्चा स्वराज्य है।''

लाला लाजपत राय- "अधीन जनता की कोई आत्मा नहीं होती, जैसे दास की नहीं हो सकती। आत्मा के बिना मनुष्य केवल जानवर है। बिना आत्मा का राष्ट्र चलते हुए मूक मवेशी के समान है। स्वराज्य राष्ट्र की पहली आवश्यकता है एवं सुधार व सुशासन इसके पूरक नहीं हो सकते।"

उग्रवादियों (गरम दल) के कार्य (The Work of Extremists)

- 1891 में तिलक ने **'सहमति की आयु'** के विधेयक, Age of Consent Bill (कम उम्र में लैंगिक संबंध बनाने से होने वाले घाव के कारण एक बाल वधू की मृत्यु के बाद यह विधेयक लाया गया और इसका उद्देश्य सभी युवतियों, विवाहित व अविवाहित दोनों, के साथ लैंगिक संबंध की सहमति की आयु 10 से बढ़ाकर 12 वर्ष करना था और इसका उल्लंघन होने पर बलात्कार जैसे अपराध के बराबर सजा का प्रावधान था।) का विरोध किया एवं उन्होंने जोर देकर कहा कि ब्रिटिश सरकार को भारतीयों के निजी जीवन में हस्तक्षेप नहीं करना चाहिए।
- 1893 में राष्ट्रवाद को प्रसारित करने के लिए तिलक ने परंपरागत **गणपति उत्सव** का उपयोग करना शुरू किया।
- 1893-1894 में अरविंदो घोष ने इंदु प्रकाश में लेखों की एक श्रृंखला, जिसका शीर्षक **'न्यू लैम्पस फॉर द ओल्ड'** (New Lamps for the Old) था, को प्रकाशित किया, जिसमें उन्होंने बताया कि कांग्रेस सर्वहारा वर्ग के संपर्क से दूर होती जा रही है।
- 1895 में तिलक ने युवा महाराष्ट्रियन के बीच राष्ट्रवाद को और अधिक प्रसारित करने के लिए **शिवाजी उत्सव** (ताकि युवा शिवाजी की देशभक्ति का अनुकरण कर सकें) प्रारंभ किया। पहला शिवाजी उत्सव 15 अप्रैल 1896 को मनाया गया।
- 1895 में तिलक ने गोखले व रानाडे को **पूना सार्वजनिक सभा** से निकाल दिया और तब से सभा उग्रवादियों के हाथों में आ गई। बाद में, 4 नवंबर 1896 को गोखले ने **'डेक्कन सभा'** के नाम से एक अलग राजनीतिक सभा का आयोजन किया। इसके साथ ही महाराष्ट्र में उदारवादी व उग्रवादी नेताओं के मध्य विभाजन की प्रक्रिया पूरी हुई।
- 1897 में ज़ब सरकार के विरुद्ध नफरत व असंतोष फैलाने के अपराध में तिलक को गिरफ्तार किया गया, तो उन्होंने निर्भयता व त्याग का परिचय देकर एक उदाहरण प्रस्तुत किया।
- तिलक ने अंग्रेजी में **'मराठा'** एवं मराठी में **'केसरी'** नामक समाचार पत्र शुरू किए और देशवासियों को आत्म-निर्भर एवं निःस्वार्थ योद्धा बनने के लिए प्रेरित किया।
- तिलक ने महाराष्ट्र के किसानों से भू-राजस्व का भुगतान न करने की अपील की, यदि उनकी फसलें अकाल के कारण खराब हो गई हों।
- 1893 और 1900 के मध्य लाला लाजपत राय कांग्रेस के अधिवेशन में उपस्थित नहीं रहे।
- 1902 तक बिपिन चंद्र पाल उदारवादी समूह में रहे और 1902 में उन्होंने पहली बार लिखा - 'कांग्रेस और उसकी लंदन में ब्रिटिश समिति, दोनों ही भिखारी संस्थाएं हैं।'

समय के साथ, जहां उदारवादी कमजोर होते गए, वहीं उग्रवादियों की शक्ति बढ़ती गई। अंतर्राष्ट्रीय घटनाएं जैसे 1896 में इथोपियन के द्वारा इटालियन सेना की पराजय एवं 1904-1905 में जापानियों के हाथों रूस की हार ने, यूरोपियन श्रेष्ठता के भ्रम को तोड़ दिया और भारत में उग्रवादी नेताओं को एक नया आत्म-विश्वास प्रदान किया।

उग्रवादी कार्यक्रम (The Extremist Programe)

विदेशी वस्तुओं का बहिष्कार, स्वदेशी वस्तुओं का उपयोग, राष्ट्रीय शिक्षा एवं असहयोग या निष्क्रिय प्रतिरोध उग्रवादी कार्यक्रमों में शामिल थे।

- **बहिष्कार एवं स्वदेशी**- उग्रवादियों ने ब्रिटेन में बनी वस्तुओं के बहिष्कार एवं स्वदेशी या भारत में बनी वस्तुओं के उपयोग हेतु लोगों को प्रेरित किया, ताकि भारतीय उद्योगों को बढ़ावा मिल सके और भारतीय लोगों को रोजगार मिल सके। भारत में ब्रिटिश हितों को हानि पहुंचाने हेतु बहिष्कार का यह तरीका बहुत प्रभावशाली साबित हुआ। साथ ही, यह भी आशा थी कि विकसित होने वाले नए भारतीय निर्माता-वर्ग कांग्रेस को धन देंगे और उसे मजबूत करेंगे।
- **राष्ट्रीय शिक्षा**- जिन छात्रों ने शासकीय विद्यालयों एवं महाविद्यालयों का बहिष्कार किया था, उनके लिए शिक्षा की एक राष्ट्रीय योजना बनाई गई।
  - **गुरुदास बैनर्जी** द्वारा राष्ट्रीय शिक्षा की बंगाल परिषद स्थापित की गई। पूर्व में, 1890 में गुरुदास बैनर्जी कलकत्ता विश्वविद्यालय के पहले भारतीय उपकुलपति रह चुके थे।
  - पूर्वी बंगाल में बहुत अधिक संख्या में राष्ट्रीय विद्यालय खोले गए एवं कलकत्ता में 'बंगाल नेशनल एजुकेशन कॉलेज' स्थापित किया गया।
  - मद्रास में 'पचैयप्पा नेशनल कॉलेज' की स्थापना की गई।
  - पंजाब में 'डी. ए. वी. विद्यालयों' की स्थापना की गई।
- **असहयोग अथवा निष्क्रिय प्रतिरोध**- तिलक असहयोग के सबसे उत्कट उपदेशक थे। उन्होंने बलपूर्वक कहा, "आपको यह अनुभव करना चाहिए कि आप उस शक्ति के सबसे प्रमुख कारक हैं, जिससे भारतीय प्रशासन को नियंत्रित किया जाता है। आप सभी अपने आप में चिकनाई के समान है, जो इस विशाल मशीनरी को आसानी से चलने देते हैं। प्रशासन को असंभव बनाने की आपकी शक्ति के बारे में आपको जागरूक होना चाहिए।"
- **सहकारी संगठन**- उग्रवादियों ने सहकारी निकायों को भी प्रोत्साहित किया। ये संगठन स्वैच्छिक आधार पर ग्रामीण स्वच्छता मेलों व यात्राओं के प्रबंधन एवं आपदा के दौरान राहत कार्य आदि करने हेतु बनाए गए थे।

उदारवादी एवं उग्रवादी (गरम दल व नरम दल) में अंतर

यद्यपि उनमें कुछ समानता थी, तथापि उदारवादी व उग्रवादियों में कई अंतर थे, जो अंतत: 1907 में सूरत-विभाजन से सामने आए। उनके बीच अंतर को निम्न प्रकार से समझा जा सकता है-

- **स्वराज्य की समझ में अंतर**- स्वराज्य के लिए उग्रवादी मांग का अर्थ था ब्रिटिश शासन से पूर्ण स्वतंत्रता एवं बिना किसी विदेशी हस्तक्षेप के अपने राष्ट्रीय मुद्दों के प्रबंधन करने की पूरी आजादी, जबकि उदारवादियों के स्वराज्य की मांग का अर्थ था औपनिवेशिक शासन के अंदर स्वशासन का अधिकार।
- **ब्रिटिश परोपकार के प्रति नजरिए में अंतर**- जहां एक ओर उदारवादियों को ब्रिटिश की न्यायप्रियता व परोपकार पर पूरा विश्वास था, वहीं दूसरी ओर उग्रवादियों की ब्रिटिश शासन में ऐसी कोई आस्था नहीं थी।
- **कार्य करने के तरीकों में अंतर**- जहां उदारवादी प्रार्थना, याचिका व विरोध (3Ps-Prayer, Petition and Protest) से अपनी मांगें रखते थे, वहीं दूसरी ओर उग्रवादी आत्मनिर्भरता, आत्म-बलिदान एवं दृढ़ इच्छा शक्ति (3S Self-reliance, Self-sacrifice and Strong will) पर बल देते थे। नवीन नेतृत्व ने देश के प्रति अपार प्रेम जगाने की कोशिश की, वे देश के लिए किसी भी प्रकार का कष्ट सहने के लिए तैयार थे।

- **बाल गंगाधर तिलक एवं गोपाल कृष्ण गोखले के व्यक्तित्व में अंतर**- कांग्रेस में उदारवाद बनाम उग्रवाद का विवाद बाल गंगाधर तिलक एवं गोपाल कृष्ण गोखले के व्यक्तित्व के इर्द-गिर्द घूमता रहा। कई मायनों में दोनों के आरंभिक पेशे समान थे। दोनों पुणे के चितपावन ब्राह्मण थे एवं दोनों ने एलफिंस्टन कॉलेज से शिक्षा प्राप्त की थी। दोनों गणित के प्रोफेसर बने और दोनों ही 'डेक्कन एजुकेशन सोसाइटी' के महत्वपूर्ण सदस्य थे, लेकिन जब दोनों ने कांग्रेस में सदस्यता ली, तो उनके भिन्न विचार सामने आए।
- जहां एक ओर गोखले सज्जन एवं मृदुभाषी थे, वहीं दूसरी ओर तिलक आक्रामक (यद्यपि वे सशस्त्र संघर्ष में विश्वास नहीं करते थे) थे और उनका मानना था कि भारतीयों को विदेशी शासन से सभी प्रकार के सहयोग को वापस ले लेना चाहिए व आत्म-सहयोग, निश्चय एवं बलिदान से स्वराज्य प्राप्त करना चाहिए। वे पहले ऐसे कांग्रेसी नेता थे, जिन्हें सरकार के विरुद्ध बोलने के कारण कई बार कारावास की सजा मिली। उन पर तीन बार (1897, 1909 और 1916) राजद्रोह का आरोप लगा।
  - 1882 में सबसे पहले कोल्हापुर के महाराजा के साथ शासन के व्यवहार की आलोचना करने के अपराध में चार माह के कारावास की सजा सुनाई गई।
  - 1897 की गर्मियों के दौरान पूना में बुबोनिक प्लेग महामारी के रूप में फैला, जिसके बाद आपातकालीन समस्या से निपटने के लिए ब्रिटिश सेना को तैनात किया गया एवं कठोर तरीके अपनाए गए जैसे जबरदस्ती घरों में प्रवेश करना और निवासियों का परीक्षण करना। यद्यपि उनका उद्देश्य ठीक था, लेकिन ऐसे कार्यों को अत्याचार की तरह देखा गया। तिलक ने अपने समाचार पत्रों, केसरी व मराठा, में गीता का संदर्भ देते हुए लिखा कि जो बिना किसी प्रलोभन के अत्याचारी की हत्या करता है, उस पर कोई अपराध नहीं लगता। इसका अनुकरण करते हुए जब चापेकर भाइयों ने **कमिश्नर रैंड** एवं **लेफ्टिनेंट अयेर्स्ट** की हत्या कर दी, तो तिलक को हत्या के लिए उकसाने एवं सरकार के विरुद्ध असंतोष को प्रचारित करने के अपराध में अठारह महीने के कारावास की सजा सुनाई गई।
  - अप्रैल 1908 में प्रफुल्ल चाकी एवं खुदीराम बोस ने एक ब्रिटिश मजिस्ट्रेट डग्लस किंग्सफोर्ड की हत्या करने के लिए मुजफ्फरनगर में एक गाड़ी के ऊपर बम फेंका, लेकिन गलती से दो महिलाएं, जो उस गाड़ी में यात्रा कर रही थी, मारी गई। खुदीराम बोस को फांसी पर लटका दिया गया एवं प्रफुल्ल चाकी जब पकड़ा गया, तो उन्होंने आत्महत्या कर ली। तिलक ने अपने समाचार पत्र 'केसरी' में इस क्रांतिकारी कार्य का समर्थन किया एवं शीघ्र स्वराज्य प्राप्ति के लिए आवाज दी। सरकार ने तुरंत उनके ऊपर राजद्रोह का आरोप लगाया एवं उन्हें छह वर्ष के कारावास की सजा हेतु **मांडले,** बर्मा (1908-1914) भेज दिया गया। इस मुकदमे में मोहम्मद अली जिन्ना ने उनके बचाव का असफल प्रयत्न किया। इस सजा के बाद मैक्स मूलर ने उनके लिए क्षमा याचना मांगी एवं उन्होंने कहा 'मेरा हित या स्वार्थ उस तिलक में है, जो एक संस्कृत के विद्वान हैं।' जेल में रहते हुए उन्होंने गीता रहस्य किताब लिखी।
- जहां एक ओर मातृभूमि की सेवा के लिए भारतीयों के एक समूह को तैयार करने के लिए गोखले ने **सर्वेंट्स ऑफ इंडिया सोसायटी** (Servants of India Society) बनाई, वहीं दूसरी ओर तिलक की ताकत उनकी कलम थी, जिससे उन्होंने **'मराठा'** एवं **'केसरी'** समाचार पत्रों से जनमत को प्रभावित किया।
- बंगाल विभाजन के दौरान तिलक ने अपना समर्थन बिपिन चंद्र पाल के नेतृत्व में उभरे उग्रवादियों को दिया था और यह तिलक-पाल का गठबंधन न केवल शासन, बल्कि कांग्रेस में भी तनाव का कारण बन गया था। इन्हीं विभिन्नताओं के कारण उदारवादियों ने तिलक एवं उनके साथियों को कांग्रेस के अंदर सत्ता से दूर रखा और उनको कभी कांग्रेस का अध्यक्ष नहीं बनने दिया। अध्यक्षता के लिए संघर्ष 1906 व 1907 में शुरू हुआ और 1907 के सूरत-विभाजन से उसका अंत हुआ। (सूरत विभाजन के बारे में अगले अध्याय में पढ़ें।)

बाल गंगाधर तिलक (1856-1920)- तिलक एक राष्ट्रवादी एवं समाज सुधारक थे जिन्हें भारतीय राष्ट्रीय आंदोलन का प्रथम नेता माना जाता है एवं उन्हें लोकमान्य उपाधि दी गई थी, जिसका अर्थ होता है जनता द्वारा स्वीकार्य नेता या जन-नेता। ब्रिटिश सत्ताधारी वेलेंटाइन शिरोल उन्हें **भारतीय अशांति का जनक** कहते थे। वे पहले व्यक्ति थे, जिन्होंने स्वराज्य का समर्थन किया और नारा दिया, 'स्वराज्य मेरा जन्मसिद्ध अधिकार है और मैं इसे लेकर रहूंगा।' तिलक एक अतिवादी राष्ट्रवादी थे, लेकिन साथ ही वे सामाजिक रूढ़िवादी भी थे। यद्यपि वे व्यक्तिगत रूप से बाल-विवाह के विरोधी थे, लेकिन उन्होंने **1891 के सहमति की आयु विधेयक** (Age of Consent Bill), जिसमें लड़कियों के विवाह की आयु को 10 से 12 वर्ष करने का प्रस्ताव था) का विरोध इस आधार पर किया कि यह हिंदू धर्म में हस्तक्षेप करता है। उनके विचार में स्वशासन किसी प्रकार के सामाजिक सुधार से अधिक प्रधान था।

तिलक ने दो साप्ताहिक, मराठी में **'केसरी'** और अंग्रेजी में **'मराठा'** शुरू किए। उन्होंने 1893 एवं 1895 में क्रमशः **गणपति उत्सव** एवं **शिवाजी उत्सव** को लोकप्रिय बनाया एवं महाराष्ट्र में स्वराज्य के मूल्यों को प्रसारित किया। तिलक ने उनके समकालीन गोपाल कृष्ण गोखले के उदारवादी विचारों का विरोध किया।

उग्रवादियों का मूल्यांकन (Assessment of the Extremists)

आलोचनाएं

उग्रवादियों की आलोचना मुख्यतया सामाजिक सुधारों के प्रति उनके पिछड़े दृष्टिकोण के कारण की जाती है। उदाहरणस्वरुप, तिलक ने सहमति की आयु विधेयक का विरोध किया, गौ-हत्या के विरुद्ध समाज को प्रेरित किया एवं गणेश उत्सव को संगठित किया। यह सभी कार्य उन्हें एक रूढ़िवादी हिंदू नेता के रूप में प्रस्तुत करते हैं। इसी प्रकार लाला लाजपत राय एवं बिपिन चंद्र पाल ने हिंदू राष्ट्र एवं सभी राजनीतिक स्तरों पर हिंदुओं के हितों की बात की। यद्यपि यह सभी पुनरुत्थानवादी साधन ब्रिटिश शासन के विरोध में अपनाए गए थे, लेकिन साथ ही इनसे सांप्रदायिकता को भी बढ़ावा मिला।

उग्रवादियों की उपलब्धियां

- उग्रवादी नेता ब्रिटिश हित एवं भारतीय राष्ट्रीय हितों के मध्य स्पष्ट रूप से संघर्ष देखते थे। उनको एहसास था कि दबाव की रणनीति एवं सीधी कार्रवाई के बिना उनका लक्ष्य प्राप्त नहीं हो सकेगा। उनकी दबाव की रणनीति में शामिल थे- आत्मनिर्भरता, त्याग एवं मजबूत इच्छा शक्ति (3S-self reliance, Sacrifice and Strong will)।
- उनके कार्यक्रमों में बहिष्कार, स्वदेशी, असहयोग, राष्ट्रीय शिक्षा एवं सहकारी संस्थाओं की स्थापना शामिल थे। इस तरह उग्रवादियों ने देश भक्ति को 'एक शैक्षिक क्रीड़ा' से 'राष्ट्र के लिए सेवा व समर्पण' में सफलतापूर्वक रूपांतरित कर दिया।
- उग्रवादियों ने सफलतापूर्वक **1911 में बंगाल के विभाजन** के निर्णय को निरस्त कराया, जिसने भारतीय राष्ट्रवादियों में एक नए आत्मविश्वास को जन्म दिया।
- उग्रवादियों के प्रयासों के कारण शीघ्र ही 'स्वराज्य' को एक क्रांतिकारी मांग की तरह देखना समाप्त हो गया एवं ब्रिटिश सरकार को मजबूर होकर भारत में संवैधानिक विकास के लक्ष्य के अंतर्गत स्वशासन को घोषित करना पड़ा।

बाल गंगाधर तिलक के विचार

'हमारी नीतियों के संबंध में नए शब्द अस्तित्व में आए हैं, वे हैं उदारवाद एवं उग्रवाद। इन शब्दों का इस समय से बहुत विशिष्ट संबंध है और समय के साथ परिवर्तन भी होगा। आज के उग्रवादी कल के उदारवादी होंगे, जैसे कि **आज के उदारवादी कल के उग्रवादी थे**'।

लाल-बाल-पाल

अध्याय

5

उग्रवादी चरण-1 (Extremist Phase 1) (1905-1918) (बंगाल का विभाजन एवं स्वदेशी आंदोलन)

1905 में बंगाल के विभाजन की घोषणा ऐसे समय में की गई, जब उग्र राजनीति के उद्‌भव के लिए जमीन तैयार हो चुकी थी। कांग्रेस एवं बंगाल के राष्ट्रवादियों द्वारा विभाजन का कड़ा विरोध किया गया और इसी के साथ भारतीय राष्ट्रीय आंदोलन अपने दूसरे चरण में प्रवेशित हुआ। विभाजन-विरोधी आंदोलन ने स्वदेशी आंदोलन को जन्म दिया एवं भारतीय स्वतंत्रता संग्राम के स्वरुप में एक नया परिवर्तन आया।

1900 तक कई प्रारंभिक राष्ट्रवादी नेता प्रार्थना व याचिका के प्रयोग की निरर्थकता का अनुभव कर चुके थे। ब्रिटिश कुशासन के स्थान पर न्यायपूर्ण ब्रिटिश शासन की मांग बहरे कानों पर पड़ रही थी। वॉयसराय लार्ड कर्जन की साम्राज्यवादी नीतियों से राष्ट्रवादी तंग आ चुके थे और अब वे किसी भी प्रकार के अपमान को सहने को तैयार नहीं थे। उनको सामाजिक सुधारकों से आत्म-सम्मान एवं विश्वास मिल चुका था और अब वे बराबरी से उनके अधिकारों की बात करने के इच्छुक थे। राष्ट्रवादियों एवं कर्जन के बीच अब आमने-सामने की स्थिति बन चुकी थी और कर्जन-प्रशासन के बंगाल के विभाजन के निर्णय से वह अवसर भी आ गया था।

बंगाल में कर्जन के प्रहार (Curzonian Attack in Bengal)

बंगाल में कर्जन की साम्राज्यवादी नीतियों की शुरुआत **1899 में कलकत्ता कॉर्पोरेशन एक्ट** (Calcutta Corporation Act, 1899) के साथ हुई। इस अधिनियम में कलकत्ता कॉर्पोरेशन (निगम) में निर्वाचित प्रतिनिधियों की संख्या कम कर दी गई और इस प्रकार से लार्ड रिपन के स्थानीय स्वशासन के प्रयासों को झटका लगा। यह कार्य अलोकतांत्रिक तरीके से किया गया, जिसका उद्देश्य यूरोप के व्यापारियों के हितों का संरक्षण करना था, जो अक्सर लाइसेंस प्राप्ति में देरी की शिकायत करते थे।

इस अन्याय से उभर ही पाते कि कर्जन ने **1904 में भारतीय विश्वविद्यालय अधिनियम** (Indian Universities Act, 1904) पारित कर कलकत्ता विश्वविद्यालय की स्वायत्तता पर प्रहार किया। इस अधिनियम को गुरुदास बैनर्जी (भारतीय विश्वविद्यालय आयोग के केवल एक भारतीय सदस्य) के विरोध के बावजूद पारित किया गया। इस अधिनियम ने विद्यालयों एवं महाविद्यालयों की संबद्धता की शक्ति को शासकीय अधिकारियों को इस आधार पर कि 'यह शिक्षा के मानकों में वृद्धि करेगा', स्थानांतरित कर दिया। कर्जन के इस कार्य से शिक्षित भारतीय समझ चुके थे कि वॉयसराय भारतीयों का प्रत्येक तरह से अपमानित करने के लिए दृढ़ संकल्पित है। जब कर्जन ने **1905 में बंगाल के विभाजन** का निर्णय लिया, तो जनता का गुस्सा विभाजन-विरोधी आंदोलन के रूप में फूट पड़ा।

गवर्नर जनरल लॉर्ड कर्जन (कार्यकाल -1899-1905)- भारत के वॉयसराय के रूप में कर्जन की नियुक्ति, उसके लंबे समय से संजोए हुए सपने की पूर्ति थी। ऐसा माना जाता है कि वह भारत और भारत की समस्याओं को उसके पूर्व के अन्य वॉयसरायों की अपेक्षा बेहतर ढंग से जानता था। हालांकि कर्जन भारत ऐसे समय में आया, जब 1896-1897 के अकाल एवं प्लेग से देश जूझ रहा था, राजस्व में गिरावट आ रही थी एवं प्रशासन को पूरी जांच व मरम्मत की आवश्यकता थी। इससे भी अधिक महत्वपूर्ण बात यह थी कि भारत पर शासन करने के ब्रिटिश अधिकार के विरुद्ध भारतीय आवाज और अधिक बुलंद होने लगी थी।

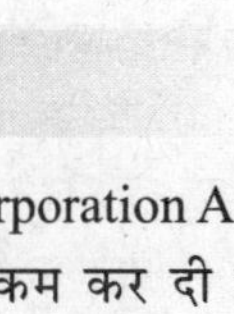
गवर्नर जनरल लार्ड कर्जन

प्रशासनिक सुधार (Administrative Reforms)- कर्जन यह बात समझ चुका था कि पूरे प्रशासनिक ढांचे में सुधार की तुरंत नितांत आवश्यकता है। शायद ही ऐसा कोई विभाग होगा, जो कर्जन के सुधार के तूफान से बच पाया हो। दक्षता एवं केंद्रीकरण सुधार के दो प्रमुख सिद्धांत थे। एक विशेषज्ञ समिति की नियुक्ति करना और इसके बाद आवश्यक कानूनों का निर्माण करना, उसके कार्य का तरीका था।

पुलिस सुधार (Police Reforms) - **सर एंड्रयू फ्रेजर** (Sir Andrew Frazer) की अध्यक्षता में कर्जन ने 1902 में एक पुलिस आयोग की नियुक्ति की। अन्य बातों के साथ ही समिति ने वर्णन किया कि पुलिस भ्रष्ट, दमनकारी एवं जनता के सहयोग व विश्वास को सुरक्षित करने में असफल है। समिति ने पुलिस अधिकारियों के वेतन में वृद्धि एवं प्रशिक्षण केंद्र, प्रांतीय पुलिस सेवा व केंद्रीय आपराधिक जांच विभाग (Central Department of Criminal Intelligence) की स्थापना का सुझाव दिया। कर्जन ने इनमें से अधिकतर सुझावों को स्वीकार किया।

शैक्षिक सुधार (Educational Reforms)- गिरते स्तर एवं बढ़ती अनुशासनहीनता को देख कर 1902 में कर्जन ने विश्वविद्यालय आयोग (Universities Commission) की नियुक्ति की। उसका मानना था कि विश्वविद्यालय राजनीतिक क्रांतिकारियों के उत्पादन के केंद्र बन चुके हैं। इसके सुझाव के आधार पर उसने **भारतीय विश्वविद्यालय अधिनियम, 1904** (Indian Universities Act, 1904) पारित किया। इसमें विश्वविद्यालयों पर शासकीय नियंत्रण को बढ़ाने एवं निजी महाविद्यालय की संबद्धता पर बहुत अधिक नियंत्रण का प्रस्ताव था। इस अधिनियम की आलोचना करते हुए एक इतिहासकार ने टिप्पणी की, ''इस अधिनियम ने 'भारतीय विश्वविद्यालय को' सीखने की रुचि को प्रोत्साहित करने की संस्था के रूप में नहीं, बल्कि नौकरी पाने की दौड़ में एक प्रभावशाली बाधक के रूप में छोड़ा।''

रेलवे सुधार (Railway Reforms)- कर्जन ने अन्य वॉयसरायों की अपेक्षा अधिक रेलवे लाइन्स बनवाई। उसने एक रेलवे विशेषज्ञ थॉमस रॉबर्टसन को इंग्लैंड में खोज निकाला, जिसने रेलवे बोर्ड की स्थापना का सुझाव दिया।

सेना सुधार (Army Reforms)- यह सुधार **लॉर्ड किचनर** के द्वारा किए गए, जो भारत के कमांडर इन चीफ (सेना-प्रमुख) थे। भारतीय सेना को दो कमांड में बांटा गया था। उत्तरी कमांड जिसका मुख्यालय मुर्रे (Murree) एवं स्ट्राइकिंग प्वाइंट पेशावर में था एवं दक्षिण कमांड जिसका मुख्यालय पूना में एवं स्ट्राइकिंग प्वाइंट क्वेटा (Quetta) में था। प्रत्येक सेना बटालियन को एक कठोर टेस्ट **'किचनर टेस्ट'** (Kitchener Test) से गुजरना होता था।

विदेश नीति (Foreign Policy) - **तिब्बत**- कर्जन ने एक विशिष्ट मिशन **कर्नल यंगहसबैंड** के नेतृत्व में तिब्बत भेजा, जिसका उद्देश्य वहां रूस के प्रभाव को नियंत्रित करना था।

पर्शियन खाड़ी- सर हेनरी मैक मोहन के नेतृत्व में एक मिशन यहां भेजा गया।

अन्य कार्य एवं सुधार-

अकाल समिति - सर एंथोनी मैकडॉनेल के नेतृत्व में।

सिंचाई समिति - सर कॉलिन स्कॉट मोंक्रीफ के नेतृत्व में।

कोलकाता कॉरपोरेशन एक्ट, 1899

को-ऑपरेटिव क्रेडिट सोसायटी एक्ट, 1904 (Co-operative Credit Societies Act, 1904)

प्राचीन स्मारक अधिनियम, 1904 (Ancient Monuments Act, 1904) (देश की एतिहासिक धरोहर को संरक्षित एवं सुरक्षित करने के लिए)

इंपीरियल एग्रिकल्चर डिपार्टमेन्ट (Imperial Agriculture Department) की स्थापना (भारतीय कृषि एवं पशुपालन में सुधार व वैज्ञानिक विंधियों के प्रोत्साहन हेतु।)

बंगाल का विभाजन, 1905

कर्जन का मूल्यांकन (Estimate of Curzon)- कर्जन एक महान साम्राज्यवादी था। उसकी घरेलू एवं विदेशी नीतियां, भारत में ब्रिटिश स्थिति को अभेद्य बनाने के उद्देश्य से प्रेरित थी। उसमें बहुत ही अधिक प्रशासनिक प्रतिभा थी। उसने प्रशासन में आमूलचूल परिवर्तन करने का प्रयत्न किया। उसने भारतीय समस्याओं का अध्ययन किया एवं

अपनी सुधार नीतियों को दिशा देने के लिए कई समितियों की नियुक्ति की। हालांकि, दक्षता के प्रति उसका जुनून लाभ की अपेक्षा हानिकारक हुआ, क्योंकि उसके सारे सुधार जनता के लिए नहीं, बल्कि दक्षता बढ़ाने के उद्देश्य से किए गए थे। उसके श्रेष्ठतापूर्ण रवैये एवं भारतीय विचार के प्रति निंदापूर्ण व्यवहार ने उसके सुधारों की बुद्धिमत्ता को दुर्बल बना दिया था। उसने कांग्रेस अध्यक्ष से मिलने से मना कर दिया था एवं कांग्रेस की निंदा भी की थी। जल्दी ही वह भारत में सबसे अप्रिय व्यक्ति के रूप में उभरा और उसके अपमानजनक व्यवहार ने राजनीतिक असंतोष को बहुत अधिक बढ़ा दिया था। यदि बुरे शासक को भी सकारात्मक नजरिए से देखा जा सके, तो इसमें कोई संदेह नहीं है कि कर्जन की नीतियों ने भारत में एक नई शुरुआत की।

बंगाल का विभाजन (Partition of Bengal)

बंगाल के विभाजन के कारण (Reasons for Partition of Bengal)

ब्रिटिश शासन का कहना था कि बंगाल का विस्तार इतना अधिक हो चुका था कि एक अकेली प्रांतीय सरकार से दक्षतापूर्ण तरीके से उसका प्रशासन नहीं किया जा सकता।

बंगाल प्रांत की जनसंख्या 78 मिलियन थी, जो ब्रिटिश भारत का एक चौथाई थी। हालांकि, वास्तविकता कुछ और ही थी, जो उनके मस्तिष्क में चल रही थी।

बंगाल वास्तव में बंगाल, बिहार, उड़ीसा व असम का संयुक्त रूप था। यह एक बहुत बड़ा प्रांत था, जिसकी जनसंख्या में विविधता थी और जहां विविध भाषाएं बोली जाती थीं। यहां क्षेत्रीय विकास के दृष्टिकोण से भी विविधता थी। ब्रिटिश शासन 1874 से ही बंगाल के क्षेत्र को कम करना चाह रही थी, जिसका प्रमुख कारण प्रशासकीय सुविधा थी। एक अन्य कारण बंगाल के सभी क्षेत्रों को विकास के समान अवसर प्रदान करना था ।

- इस प्रकार 1874 में असम को बंगाल से अलग करके मुख्य कमिश्नर का प्रांत (Chief Commissioner's province) बना दिया गया ।
- बाद में, बंगाल की दक्षिण लुशाई हिल्स (South Lushai hills) को भी असम में जोड़ लिया गया।
- लेकिन जब 1904 में कर्जन ने बंगाल प्रांत के पुनर्गठन के बारे में बात की, तो वह पूर्णतया अतार्किक लगा।
- राष्ट्रवादियों ने स्वयं ही भाषायी तौर पर भिन्न उड़ीसा एवं बिहार को पृथक करने का समर्थन किया था। उनका मानना था कि प्रशासकीय दक्षता भाषायी आधार पर विभाजन से बेहतर तरह से प्राप्त हो सकती है।
- इसके स्थान पर कर्जन एवं उनके सलाहकारों (बंगाल के लेफ्टिनेंट गवर्नर सर एंड्रयू फ्रेजर एवं भारत सरकार के गृह सचिव एच. एच. रिसले) ने दुर्भावना से बंगाल के विभाजन का निर्णय लिया था। उनका उद्देश्य मुख्यतया बंगाली भाषी लोगों को धार्मिक आधार पर बांटना था। बंगाली भाषी शिक्षित मध्यम वर्ग पूर्वी भारत में राष्ट्रीय आंदोलन फैला रहे थे तथा उनको नियंत्रित करने का यह उपाय निकाला गया।

प्रेरक कारण

प्रशासनिक दृष्टि से कुछ भी तर्क दिया जायें, लेकिन कर्जन का प्रेरक कारण राजनीतिक एवं मैकेवैलियन (Political and Machiavellian) था। बंगाल राष्ट्रीय आंदोलन के केन्द्र के रूप में उभर चुका था और ब्रिटिश सरकार बंगाल का विभाजन इस तरह करना चाहती थी कि राष्ट्रवाद की आवाज को दबाया जा सके। **रिसले** के आधिकारिक बयान के अनुसार, "एकता में बंधा बंगाल शक्तिशाली है और बंटे हुए बंगाल को विभिन्न प्रकार से कमजोर किया जा सकेगा।" इस प्रकार ब्रिटिश शासन को अपना उत्तर **'हिन्दू-मुस्लिम तर्ज पर बंगाल विभाजन'** में मिला।

बंगाल में हिन्दू आर्थिक एवं सामाजिक रूप से मुसलमानों से अच्छी स्थिति में थे और ब्रिटिश राज में उनके पास अधिक बेहतर शैक्षिक अवसर थे। दूसरी ओर, मुसलमान मुख्यतया कृषक थे और वे हिंदुओं के समान लाभ लेने में सक्षम नहीं थे। दोनों समुदायों के मध्य पारस्परिक अविश्वास एवं ईर्ष्या को उत्पन्न करने के उद्देश्य से कर्जन ने घोषणा की कि ब्रिटिश सरकार मुसलमानों का साथ देने के लिए इच्छुक है और उनको हिंदुओं के साथ समान अवसर के मौके दिए जाएंगे। उसका सीधा सुझाव था कि मुसलमानों को हिंदुओं के प्रभुत्व से बचने का एक ही रास्ता है, मुस्लिम बहुमत वाले बंगाल को असम से जोड़कर एक नया प्रांत बनाया जाए, जिसकी राजधानी ढाका होगी। कर्जन और उसके सलाहकारों का ढाका निर्मित करने का उद्देश्य मुख्यतः मुस्लिम हितों का प्रतिनिधित्व करना एवं साथ ही राष्ट्रवादी हितों का प्रतिनिधित्व करने वाले कलकत्ता को भी नियंत्रित करना था।

योजना

अंतिम योजना थी कि बंगाल में से एक मुस्लिम बहुल प्रांत बनाया जाए, जिसमें 15 मिलियन मुस्लिम 12 मिलियन हिंदुओं के साथ रहेंगे। साथ ही शेष बंगाल में बंगाली भाषी जनता अल्पसंख्यक हो जाएगी, जहां 19 मिलियन बंगाली भाषी जनता, 35 मिलियन हिंदी, उड़िया एवं अन्य भाषा बोलने वाले लोगों के बीच बहुत कम हो जाएगी। स्पष्ट रूप से कर्जन की बंगाल विभाजन की योजना बंगालियों को शारीरिक व मानसिक दोनों रूप से विभाजित करने की योजना थी।

विभाजन

- विभांजन की योजना का प्रारंभ 1 जून 1903 को कर्जन के क्षेत्रीय पुनर्वितरण के एक लिखित ब्यौरे से होता है।
- 20 जुलाई 1905 को कर्जन ने बंगाल को दो भागों में विभाजित करने का आदेश जारी किया।

1. 31 मिलियन जनसंख्या के साथ 'पूर्वी बंगाल एवं असम', जिसमें चिटगांव, ढाका, राजशाही भाग, हिल टिप्पेरा (त्रिपुरा), मालदा एवं असम शामिल थे और
2. 54 मिलियन जनसंख्या में शेष बंगाल (18 मिलियन बंगाली एवं 36 मिलियन बिहारी व उड़िया)।

- 16 अक्टूबर 1905 को बंगाल और उसकी 41.5 मिलियन बंगाली भाषी लोगों को विभाजित कर एक नया प्रांत अस्तित्व में आया।

कर्जन का गलत अनुमान

कर्जन एवं उसके सलाहकारों ने उनके विरुद्ध होने वाले विरोध के तरीकों का अनुमान लगा लिया था। उनको हमेशा की तरह होने वाले विरोध और याचिकाओं का अनुमान था, जिन्हें आसानी से सहन व नजरअंदाज किया जा सकता था। उनके लिए चिंता के विषय थे–

- बंगाली राष्ट्रवादियों की चिंता, जिन्हें हिंदू-मुस्लिम मतभेद का अनावश्यक डर था।
- कलकत्ता उच्च न्यायालय के वकीलों की चिंता, जिनको नए प्रांत में एक अलग उच्च न्यायालय स्थापित होने से अपनी वकालत खोने का डर था।
- कलकत्ता के जूट व चावल के व्यापारियों की चिन्ता, जिन्हें अपने व्यापार में हानि का डर था, क्योंकि चिटगांव में एक नया बंदरगाह उभरने वाला था।
- शिक्षित भारतीयों (बाबुओं) को अपनी लिपिकीय नौकरी खोने की चिंता एवं बंगाली जमींदारों की चिंता।

लेकिन जैसा की बाद में सामने आया कि सरकार ने केवल इन चिंताओं का ही पूर्वानुमान लगाकर बहुत बड़ी गलती की। प्रार्थनीय याचिकाओं व विरोध, जैसा की उनको अपेक्षा थी, के विपरीत इस विभाजन ने एक कठोर प्रतिक्रिया को जन्म दिया। यह प्रतिक्रिया अभूतपूर्व आक्रामकता व स्वराज्य जैसी उग्र मांग के रूप में सामने आई। उन्होंने बंगाली गर्व और एकता, जो 19वीं शताब्दी के गहन सामाजिक-सांस्कृतिक व शैक्षणिक गतिविधियों से उत्पन्न हुए थे, को भी कम समझने की भूल की।

कलकत्ता में उनके केंद्र के साथ बंगाली भारतीय पुनर्जागरण को प्रसारित कर रहे थे और देश के अन्य भागों में अनेक देशवासियों को प्रेरित कर रहे थे।

स्वामी विवेकानंद (धर्म), रविंद्र नाथ टैगोर (साहित्य), जगदीश चंद्र बोस एवं प्रफुल्ल चंद्र रॉय (विज्ञान), सुरेंद्रनाथ बैनर्जी, अरविंदो घोष एवं विपिन चंद्र पाल (राजनीति) जैसे प्रमुख नेतृत्व में अब बंगाली इस अवमानना को तिरस्कारपूर्ण तरीके से भूल जाने की स्थिति में नहीं थे। अपने लोगों के सामने उनकी महत्ता बढ़ चुकी थी।

विभाजन विरोधी आंदोलन- बहिष्कार एवं स्वदेशी (1905-1908)

उदारवादियों के नेतृत्व में विभाजन-विरोधी आंदोलन (Anti–Partition Movement under the Moderates)

- दिसंबर 1903 में विभाजन का प्रस्ताव पहली बार जनता के सम्मुख आया, इसका तुरंत विरोध किया गया। 1903 से मध्य 1905 के दौरान विभाजन विरोधी-आंदोलन का नेतृत्व उदारवादियों द्वारा किया गया। इस दौरान प्रमुख उदारवादी सुरेंद्रनाथ बैनर्जी, कृष्ण कुमार मित्र, नरेंद्र कुमार सेन एवं पृथ्वीशचंद्र रे थे। उन्होंने प्रार्थना, याचिका, ज्ञापन, वक्तव्य एवं सार्वजनिक बैठकों जैसी विधियों को अपनाया। उन्होंने पुस्तिकाओं एवं समाचार-पत्रों, जैसे- **हितवादी, संजीवनी** एवं **बंगाली** से एक सशक्त पत्रकारिता आंदोलन को शुरू किया। उनका उद्देश्य भारत एवं इंग्लैंड में एक सशक्त जनमत का निर्माण करना था, ताकि उसके दबाव में सरकार अपने निर्णय को वापस ले ले।
- उदारवादियों को अब भी ब्रिटिश न्यायप्रियता पर आस्था थी और वे आंदोलन को अधिक नहीं खींचना चाहते थे। उनको आशा थी कि जल्दी ही उदारवादी जॉन मोर्ले को भारत-सचिव नियुक्त किया जाएगा और उनकी प्रार्थनाओं को सुना जाएगा। हालांकि ऐसा कुछ नहीं होने वाला था।
- उदारवादियों की आवाज को नजरअंदाज करते हुए कर्जन ने 20 जुलाई 1905 को बंगाल विभाजन की घोषणा की। अब राष्ट्रवादियों को यह स्पष्ट हो चुका था कि उदारवादी प्रार्थनाएं बहरे कानों तक नहीं पहुंच पा रहीं हैं और उन्हें आवाज को बुलंद करने के लिए अन्य विधियों की आवश्यकता है। घोषणा होने के कुछ दिन के अंदर ही बरिसल, पबना, ढाका, बीरभूम, फरीदपुर, तंगैल व जेस्सोर में बड़ी संख्या में विरोध-बैठकें हुईं। इन्हीं बैठकों में पहली बार विदेशी वस्तुओं के बहिष्कार की प्रतिज्ञा ली गई। कलकत्ता में छात्रों ने विभाजन के विरुद्ध एवं स्वदेशी के लिए अनेक बैठकें आयोजित की।
- 7 अगस्त 1905 को कलकत्ता टाउन हॉल में आयोजित हुए जन-प्रदर्शन में **स्वदेशी आंदोलन की औपचारिक घोषणा की गई**। बंगाल के सभी राष्ट्रीय नेताओं द्वारा प्रदर्शन किया गया एवं अब आंदोलन सही नेतृत्व प्राप्त कर रहा था। इसी बैठक में प्रसिद्ध **बहिष्कार संकल्प** पारित किया गया। राष्ट्रीय नेताओं ने देश में भ्रमण करके लोगों से मैनचेस्टर के कपड़े एवं लिवरपूल नमक के बहिष्कार का आग्रह किया।
- 1 सितंबर 1905 को घोषणा की गई कि 16 अक्टूबर से विभाजन प्रभाव में आ जाएगा। इसके बाद से ही पूरे बंगाल में लगभग हर दिन विरोध बैठकें हुई। इनमें से कुछ सभाओं में दस से बारह हजार लोगों की भीड़ जमा हुई, जो उस समय के राजनीतिकरण के स्तर को बताता है। साथ ही, बहिष्कार संकल्प की सफलता को इस बात से समझा जा सकता है कि 1904-1905 में ब्रिटिश कपड़ों का मूल्य तेजी से गिर गया था।
- 16 अक्टूबर 1905 को विभाजन प्रभाव में आया। इस दिन को पूरे बंगाल में राष्ट्रीय शोक के रूप में घोषित किया गया। लोगों ने व्रत रखे एवं चूल्हा भी नहीं जलाया। उन्होंने नंगे पांव जुलूस निकाला, सुबह गंगा में स्नान किया और वंदे मातरम गाते हुए सड़क पर उतरे। यह **वंदे मातरम** गीत जल्दी ही राष्ट्रीय आंदोलन का प्रमुख गीत बन गया। इस अवसर पर रविंद्र नाथ टैगोर ने **'आमार शोनार बांग्ला'** लिखा। (बाद में यह गीत 1971 में **बांग्लादेश के राष्ट्रगान** के रूप में स्वीकार किया गया।)

- विभाजन के दिन टैगोर ने बंगालियों की अटूट एकता के प्रतीक के रूप में **रक्षाबंधन** मनाने का आह्वान किया। रामेंद्र सुंदर त्रिवेदी ने **अरंधन** (सभी घरों में दुख के प्रतीक के रूप में भट्ठी का उपयोग न करना) के अनुपालन का आग्रह किया। इसी दिन, बाद में सुरेंद्रनाथ बैनर्जी एवं आनंद मोहन बोस ने एक विशाल जनसभा को संबोधित किया। कुछ ही घंटों में आंदोलन के लिए 50000 रुपये एकत्रित हो गए।
- यह स्पष्ट था कि आंदोलन का सामाजिक आधार तेजी से बढ़ रहा था। स्वदेशी आंदोलन बंगाल से बाहर भारत के विभिन्न भागों में प्रसारित होना प्रारंभ हो गया था और इस प्रक्रिया में लोकमान्य तिलक की अहम भूमिका थी। इसका प्रसार हुआ–
  - तिलक के नेतृत्व में पुणे और बंगाल में,
  - अजीत सिंह एवं लाला लाजपत राय के नेतृत्व में पंजाब और उत्तरी भारत में,
  - सैयद हैदर रजा के नेतृत्व में दिल्ली में,
  - मद्रास में चिदंबरम पिल्लई के नेतृत्व में,
  - रावलपिंडी, कांगड़ा, जम्मू, मुल्तान व हरिद्वार भी सक्रिय भागीदारी के साक्षी बने।

भारतीय राष्ट्रीय कांग्रेस की भूमिका

- 1905 में कांग्रेस के बनारस अधिवेशन (गोपाल कृष्ण गोखले की अध्यक्षता) में बंगाल विभाजन के मुद्दे पर चर्चा की गई एवं **उदारवादी व उग्रवादी** दोनों ने ही बंगाल के लिए स्वदेशी व बहिष्कार के उपयोग का समर्थन किया।
- हालांकि उदारवादी और उग्रवादियों के मध्य विभाजन के विरोध के तरीकों के संबंध में विवाद उत्पन्न हुआ। उदारवादी लाल-बाल-पाल एवं अरविंदो के नेतृत्व में बहिष्कार एवं स्वदेशी आंदोलन को बंगाल के बाहर भी प्रसारित करना चाहते थे। वे बहिष्कार के कार्य को विदेशी वस्तुओं के अलावा ब्रिटिश शासन से जुड़े अन्य क्षेत्रों में, जैसे- प्रांतीय परिषदें, नगर पालिका, शासकीय सेवाएं, अदालत इत्यादि में भी ले जाना चाहते थे। इस प्रकार विभाजन-विरोधी आंदोलन को वे एक राष्ट्रव्यापी जन-आंदोलन बनाना चाहते थे, जबकि उदारवादी बहिष्कार को बंगाल एवं विदेशी वस्तुओं तक सीमित रखना चाहते थे।
- कांग्रेस में फूट कुछ समय के लिए टल गई जब दोनों के बीच समझौता हो गया, कांग्रेस ने बंगाल के विभाजन और कर्जन की प्रतिक्रियावादी नीतियों की निंदा की एवं बंगाल में बहिष्कार व स्वदेशी आंदोलन का समर्थन किया।
- 1906 में कांग्रेस के कलकत्ता-अधिवेशन में दादाभाई नौरोजी की अध्यक्षता में चार संकल्प, **स्वराज्य, स्वदेशी, बहिष्कार** एवं **राष्ट्रीय शिक्षा** को पारित किया गया। यह कांग्रेस के लिए बहुत बड़ी उपलब्धि थी। पहली बार स्वराज्य अथवा स्वशासन (ब्रिटेन अथवा उपनिवेशों के समान) को कांग्रेस के राजनीतिक लक्ष्य के रूप में घोषित किया गया।
- यद्यपि चारों संकल्प पारित कर दिए गए थे, लेकिन उनके अर्थ को स्पष्ट नहीं किया गया था। परिणामस्वरूप, 1907 में वर्ष भर उदारवादी और उग्रवादियों ने इनकी विभिन्न व्याख्याएं की। 1907 के सूरत अधिवेशन में मामला इतना अधिक बिगड़ गया कि कांग्रेस का विभाजन हो गया।

उग्रवादियों के नेतृत्व में विभाजन विरोधी आंदोलन (Anti-Partition Movement under the Extremists)

उग्रवादियों की ब्रिटिश की भलाई में कोई आस्था नहीं थी और उनको पूरा विश्वास था कि भारतीय समस्याओं को केवल भारतीयों के द्वारा ही सुलझाया जा सकता है। उन्होंने स्पष्ट रूप से सभी प्रकार के ब्रिटिश प्रभावों से मुक्त स्वशासन अथवा **स्वराज्य** की मांग की, न कि ब्रिटिश सर्वोच्चता के अधीन स्वराज्य, जैसा की उदारवादी चाहते थे।

1905 के बाद बंगाल में विभाजन-विरोधी आंदोलन का नेतृत्व शीघ्र ही बाल गंगाधर तिलक, बिपिन चंद्र पाल, अरविंदो घोष एवं ब्रह्मबांधव उपाध्याय जैसे उग्रवादियों के हाथों में आ गया था। इसके कई कारण थे- उदारवादी तरीकों से कोई

परिणाम नहीं निकल रहा था। पूर्वी बंगाल की सरकार संप्रदायवाद का समर्थन कर रही थी। उसने राष्ट्रवादी आंदोलन को कुचलने का प्रयत्न किया। सबसे महत्वपूर्ण, शासन ने आंदोलन को दबाने के लिए आक्रामक तरीकों को अपनाना शुरू कर दिया था। इन सभी कारणों ने लोगों को आक्रामक राष्ट्रवाद और यहां तक की क्रांतिकारी आतंकवाद की ओर धकेल दिया था।

जैसे ही आंदोलन की कमान उग्रवादियों के हाथ में आई उन्होंने बहिष्कार-आंदोलन को विदेशी वस्तुओं व शैक्षिक संस्थाओं से आगे बढ़ाकर अन्यं क्षेत्रों जैसे विधान परिषद, नगर पालिका, शासकीय सेवाओं व अदालत तक प्रसारित कर दिया, ताकि भारत में ब्रिटिश आधिपत्य के आधार को हिलाया जा सके। इसे **असहयोग** कहा गया और बिपिन चंद्र पाल ने इसे **'निष्क्रिय प्रतिरोध** अथवा शासन के किसी भी प्रकार के स्वैच्छिक सेवा को स्वीकार करने से मना करना' कहा ।

उग्रवादियों ने प्रश्न किया कि ब्रिटिश शासन भारत में कैसे चल सकेगा यदि चौकीदार, कांस्टेबल, मुंसिफ, बाबू और यहां तक की गुप्तचर, सभी अपने निर्धारित कर्तव्यों का त्याग कर दें। इस प्रकार उग्रवादियों ने वृहद्-स्तरीय शांतिपूर्ण प्रतिरोध द्वारा ब्रिटिश शासन से स्वराज्य प्राप्त करने की क्षमता दिखाई।

अप्रैल 1904 में अरविंदो घोष ने इस विचार को 'वंदे मातरम' में अपने लेखों की श्रृंखला में आगे बढ़ाया और संगठित व कठोर बहिष्कार के सिद्धांत को प्रतिपादित किया, जिसमें अन्यायपूर्ण कानूनों के सविनय अवज्ञा को भी शामिल किया गया। उन्होंने खुले तौर पर घोषणा की, "राजनीतिक स्वतंत्रता एक देश की प्राण वायु है"। वे आवश्यकता पड़ने पर ब्रिटिश शासन के विरुद्ध सशस्त्र विद्रोह के लिए भी तैयार थे।

उग्रवादियों द्वारा चलाए गए सभी प्रकार के संघर्ष के तरीकों में विदेशी वस्तुओं के बहिष्कार को सबसे अधिक सफलता मिली। यहां तक कि बंगाल के दूरवर्ती क्षेत्रों में भी विदेशी वस्तुओं का सार्वजनिक दहन एवं विदेशी वस्तुओं का विक्रय करने वाली दुकानों पर धरना देना बहुत ही सामान्य हो चुका था। महिलाओं ने विदेशी कंगन को पहनने एवं विदेशी बर्तनों के उपयोग को अस्वीकार कर दिया एवं धोबियों ने विदेशी वस्तुओं को धोने से मना कर दिया। यहां तक कि महंतों ने भी विदेशी वस्तुओं को भेंट के रूप में स्वीकार करना मना कर दिया था।

उग्रवादियों ने अन्य मुद्दों, जिसमें बंगाल के एकीकरण की मांग भी शामिल थी, को पृष्ठभूमि में छोड़ते हुए **स्वराज्य का आह्वान** किया। अब विदेशी शासन से स्वतंत्रता भारतीय राजनीति का केंद्रीय प्रश्न बन चुका था, जबकि बंगाल के विभाजन का मुद्दा द्वितीय स्थान पर चला गया था। स्पष्ट रूप से यह बंगाल का विभाजन ही था, जिसने स्वराज्य को एक राष्ट्रीय लक्ष्य बनने का अवसर प्रदान किया।

उग्रवादी विचारों को कई पत्रिकाओं में स्थान मिला जैसे-

- न्यू इंडिया (बिपिन चंद्र पाल द्वारा संपादित)
- वंदे मातरम (अरविंदो घोष द्वारा संपादित)
- संध्या (ब्रह्मबंधु उपाध्याय द्वारा संपादित)
- युगांतर (भूपेंद्रनाथ दत्त द्वारा संपादित)

उग्रवादी कार्यक्रम (The Extremist Program)

बहिष्कार (Boycott)

बंगाल के विभाजन के विरुद्ध आंदोलन नियमित उदारवादी तरीकों से प्रारंभ हुआ। आक्रोशपूर्ण विरोध-प्रदर्शन, अनेक जन बैठकें, पत्रकारिताओं द्वारा प्रचार एवं बड़े सम्मेलन आयोजित किए गए। ये सभी प्रभावशाली थे, लेकिन इनसे कोई परिणाम नहीं निकला। अब नई विधियों की खोज आरंभ हुई, जो **ब्रिटिश वस्तुओं के बहिष्कार** जैसे नए हथियार की खोज की ओर ले गई। कई स्थानों पर विदेशी वस्तुओं का सार्वजनिक दहन किया गया एवं विदेशी वस्तुओं को बेचने वाली दुकानों पर धरना दिया गया।

नोट- बहिष्कार के बारे में सबसे पहले सुझाव कृष्ण कुमार मित्र की पत्रिका, **संजीवनी** (3 जुलाई 1905) में दिया गया था।

स्वदेशी (Swadeshi)

विदेशी वस्तुओं के बहिष्कार ने राष्ट्रीय नेताओं को स्वदेशी वस्तुओं के प्रोत्साहन को एक देशभक्तिपूर्ण कर्तव्य के रूप में सोचने के लिए मजबूर कर दिया। हस्तशिल्प कला को लोकप्रिय बनाने के लिए स्वदेशी मेला आयोजित किए गए एवं चरखा देश के आर्थिक आत्मनिर्भरता के प्रतीक के रूप में उभर कर सामने आया।

आत्म-निर्भरता व स्व-सहायता के रूप में स्वदेशी- आत्मनिर्भरता या **आत्म-शक्ति** पर बल स्वदेशी का एक महत्वपूर्ण तत्व था। विभिन्न क्षेत्रों में इसका अर्थ आत्मविश्वास एवं राष्ट्रीय गरिमा की दृढ़ता था। आर्थिक रूप से इसका अर्थ देशी उत्पादों पर विश्वास एवं देशी उद्योगों को बढ़ावा देने से था। सामाजिक रूप से इसका अर्थ अपने सांस्कृतिक अतीत में गर्व करना था। स्वदेशी का एक अन्य महत्वपूर्ण तत्व **स्व-सहायता** अथवा **रचनात्मक कार्य** था, जो गांवों के सामाजिक-आर्थिक पुनरुत्थान के लिए एवं जनता को लामबंद (सक्रिय) करने के लिए किया गया था। इसमें कई सामाजिक बुराइयों जैसे जाति का शोषण, अस्पृश्यता, बाल विवाह आदि के विरुद्ध अनेक सामाजिक सुधार की गतिविधियां व अभियान शामिल थे।

आर्थिक क्षेत्र में स्वदेशी- स्वदेशी आंदोलन के दौरान अनेक पूर्णतया भारतीय उद्योग स्थापित किए गए जैसे- मोहिनी मिल्स, बांगे लक्ष्मी कॉटन मिल्स, कलकत्ता पॉटरीज, नेशनल टेनरी इत्यादि। अनेक कपड़ा मिल, साबुन व माचिस बनाने की कंपनियां, स्वदेशी बैंक एवं जीवन बीमा कंपनी खोली गई। **आचार्य पी. सी. रे** ने प्रसिद्ध बंगाल केमिकल कारखाना खोला।

संस्कृति के क्षेत्र में स्वदेशी - संस्कृति के क्षेत्र में स्वदेशी आंदोलन में राष्ट्रीय साहित्य, नाटक, गद्य एवं पद्य का विकास हुआ। जनता के करीब पहुंचने के लिए इस दौरान परंपरागत लोकप्रिय त्योहारों एवं मेलों का रचनात्मक उपयोग किया गया।

परंपरागत लोक नाट्यशाला के स्वरूप जैसे जतरा का उपयोग स्वदेशी के संदेश को प्रसारित करने के लिए किया गया। स्वदेशी आंदोलन ने बंगाली लोक संगीत, जैसे- पल्लीगीत एवं जरीगान तथा परी कथाएं जैसे **ठाकुरमार झूली** (दक्षिणरंजन मित्र मजूमदार द्वारा लिखित दादी की कहानियां) के उत्थान को प्रेरित किया। यही वह समय था, जब **अवनीन्द्र नाथ टैगोर** ने अपनी चित्रकला के लिए मुगल, राजपूत एवं अजंता जैसी देशी चित्रकलाओं से प्रेरणा ली थी। तिलक ने **गणपति** एवं **शिवाजी उत्सव** को लोकप्रिय बनाया। इस समय के कुछ असाधारण कवि रबीन्द्रनाथ टैगोर, रजनीकांत सेन, द्विजेन्द्रलाल लाल रे, सैयद अबू मोहम्मद एवं मुकुंद दास थे। इन राष्ट्रवादियों ने जनता, जिसे पहली बार आधुनिक राजनीतिक विचारों से परिचित कराना था, के करीब पहुंचने के लिए स्थानीय संस्कृति का बुद्धिमत्ता से उपयोग किया।

राष्ट्रीय शिक्षा (National Education)- छात्र समुदाय में भी बहिष्कार का प्रसार हुआ, जिन्होंने आधिकारिक विद्यालयों व महाविद्यालयों का बहिष्कार किया। वास्तव में, बंगाल के विद्यार्थियों ने स्वदेशी आंदोलन में प्रमुख भूमिका निभाई थी। उन्होंने मौजूदा शिक्षा व्यवस्था को राष्ट्रीयकरण- विरोधी एवं अपर्याप्त बताया तथा स्वदेशी को प्रोत्साहित किया व आगे आकर नेतृत्व किया ।

छात्र-छात्राओं को दबाने के लिए सरकार ने कठोरतापूर्ण रवैया अपनाया। 22 अक्टूबर 1905 को बंगाल सरकार के मुख्य सचिव कार्लाइल ने छात्रों को अनुशासनात्मक कार्रवाई से डराने के लिए अलोकप्रिय **कार्लाइल-सर्कुलर** (परिपत्रक) जारी किया। इस परिपत्रक के अनुसार विद्यालय एवं महाविद्यालय, जिनके छात्रों ने स्वदेशी आंदोलन में सक्रिय भागीदारी निभाई थी, को दंडित किया जाना था, उनकी संबद्धता को समाप्त किया जाना था, उनकी सहायता को वापस लिया जाना था एवं उन संस्थाओं के छात्रों को शासन के अधीन सभी प्रकार की नियुक्तियों से वर्जित किया जाना था।

इसने अनेक छात्रों को शैक्षिक संस्थाओं की दासता छोड़ने के लिए प्रेरित किया। परिणामस्वरूप, स्वदेशी आंदोलन के नेताओं ने बंगाल में समांतर शैक्षिक व्यवस्था के बारे में सोचना शुरू किया और जल्द ही राष्ट्रीय शिक्षा के कार्यक्रम को स्वरूप प्रदान किया गया। देशी भाषाओं को शिक्षा का मुख्य माध्यम बनाया गया, ताकि अधिकतम लोगों तक पहुंचा जा सके।

विशिष्ट बुद्धिजीवियों ने राष्ट्रीय शिक्षा का उत्तरदायित्व अपने हाथों में लिया एवं बहुत बड़े स्तर पर प्राथमिक एवं माध्यमिक विद्यालय खोले गए।

- 25 जुलाई 1906 को बंगाल टेक्निकल इंस्टीट्यूट स्थापित किया गया। (जिसका नाम बाद में बदलकर कॉलेज ऑफ इंजीनीयरिंग एंड टेक्नोलॉजी, जाधवपुर रखा गया था।)
- 15 अगस्त 1906 को **नेशनल काउंसिल ऑफ एजुकेशन (National Council of Education)** की स्थापना की गई, जिसका उद्देश्य प्राथमिक स्तर से विश्वविद्यालय स्तर तक राष्ट्रीय नियंत्रण में शिक्षा (साहित्यिक, वैज्ञानिक व तकनीकी) की व्यवस्था को संगठित करना था।
- टैगोर के शांतिनिकेतन से प्रेरणा लेकर कलकत्ता में बंगाल राष्ट्रीय स्कूल व कॉलेज स्थापित किया गया, जिसका नेतृत्व प्राचार्य के रूप में स्वयं अरविंदो घोष ने किया था।

अवनीन्द्र टैगोर (1871-1951)- टैगोर परिवार के एक विलक्षण सदस्य, वह एक चित्रकार एवं लेखक थे। जिन्होंने **इंडियन सोसाइटी ऑफ ओरिएंटल आर्ट** (Indian Society of Oriental Art) की स्थापना की थी। कला पर पाश्चात्य प्रभाव को रोकने हेतु, जैसा कि ब्रिटिश राज के अधीन कला स्कूलों में उन्हें सिखाया गया था, उन्होंने मुगल एवं राजपूत शैली को आधुनिक बनाने का प्रयास किया और बंगाल स्कूल ऑफ आर्ट के उत्थान में सहायता की। उनकी चित्रकारिता के स्वरूप को **पुनरुत्थानवादी** रूप में वर्गीकृत किया गया और वह स्वयं **भारतीय कला में स्वदेशी मूल्यों** के प्रमुख प्रणेता के रूप में उभरे। ब्रिटिश कला संस्थानों ने उनके कार्यों को एक राष्ट्रीय भारतीय शैली के रूप में स्वीकार किया व इंडियन सोसाइटी ऑफ ओरिएंटल आर्ट के उपनाम के अधीन प्रोत्साहित किया।

कृष्ण कुमार मित्र (1852-1936)- वे ब्रह्म समाज के नेता एवं लेखक थे। उन्होंने अपनी पत्रिका 'संजीवनी' के द्वारा स्वदेशी आंदोलन में महत्वपूर्ण भूमिका निभाई। बहिष्कार का विचार प्रथम बार मित्र की संजीवनी में ही सुझाया गया था।

समितियों का निर्माण (स्वयं सेवी दल, Volunteer Corps)

बहिष्कार और स्वदेशी आंदोलन के संदेश को गांवों में पहुंचाने के लिए कलकत्ता में अनेक स्वयंसेवी संस्थाएं खोली गई। इन समितियों में डौन सोसाइटी, एंटी-सर्कुलर सोसायटी (जो वास्तव में कार्लाइल सर्कुलर का विरोध हेतु बनाई गई थी), अनुशीलन समिति, ब्रती, सुहृद एवं साधेन समितियां थीं। इनमें सबसे प्रमुख अश्विनी कुमार दत्त (जो बरिसल में विद्यालय के शिक्षक थे) द्वारा स्थापित **'स्वदेश-बांधव समिति'** थी। इसकी 159 शाखाओं की सहायता से दत्त विभिन्न दूरस्थ क्षेत्रों तक पहुंचने एवं जनता को विशेषकर मुस्लिम किसानों को लामबंद या सक्रिय करने में सक्षम हो गए थे। बरिसल समिति गतिविधियों के लिए एक महत्वपूर्ण केंद्र के रूप में उभरी।

समितियों ने **आकर्षक व्याख्यानों** व स्वदेशी गीतों के माध्यम से गांव में स्वदेशी के संदेश को प्रसारित किया। उन्होंने शारीरिक एवं नैतिक प्रशिक्षण भी प्रदान किया एवं महामारी व अकाल के दौरान सामाजिक कार्य किये। उन्होंने लोक संगीतकार एवं कलाकारों को स्थानीय बोलियों में स्वदेशी विषयों पर कार्यक्रम करने हेतु प्रोत्साहित कियां। उनमें **मुकुंद दास, भूषण दास** एवं **मुफीजुद्दीन बयाती** प्रमुख थे। उनकी विचारधारा के संदर्भ में देखा जाए, तो इन समितियों का विस्तार धार्मिक सुधार से लेकर धर्म-निरपेक्षता एवं उदार राजनीति से लेकर राजनीतिक उग्रवाद तक हुआ।

अश्विनी कुमार दत्त (1856-1923)- वह एक बंगाली शिक्षाविद्, समाज-सुधारक एवं राष्ट्रवादी थे। स्वदेश-बांधव समिति के निर्माण द्वारा स्वदेशी आंदोलन में भागीदारी करने के लिए उन्हें याद किया जाता है।

मुकुंद दास (1878-1934)- वे एक बंगाली कवि, गाथागीत-गायक एवं राष्ट्रवादी थे। उन्होंने ग्रामीण बंगाल में स्वदेशी आंदोलन के प्रसार में महत्वपूर्ण योगदान दिया था।

अश्विनी कुमार दत्त

मुकुंद दास

स्वदेशी आंदोलन के दौरान राजनीतिक प्रवृत्तियां (Political Trends during Swadeshi Movement)

स्वदेशी आंदोलन के दौरान अनेक राजनीतिक प्रवृत्तियों का उद्‌भव हुआ, जो एक दूसरे के साथ लोकप्रियता के लिए प्रतियोगिता कर रहे थे। उनमें प्रमुख थे-

उदारवादी (The Moderates)

उदारवादियों को अब तक ब्रिटिश शासन की न्याय-प्रियता एवं निष्पक्षता पर भरोसा था और वे आंदोलन को लंबे समय तक अधिक खींचने के पक्ष में नहीं थे। उनको आशा थी कि जल्द ही उदारवादी जॉन मोर्ले को भारत-सचिव नियुक्त किया जाएगा और तब उनकी प्रार्थना को सुना जाएगा। उस समय के मुख्य उदारवादियों में सुरेंद्रनाथ बैनर्जी, कृष्ण कुमार मित्र व नरेंद्र कुमार सेन शामिल थे। यह निरुत्साही उदारवादी दृष्टिकोण उस समय के प्रचलित आक्रामक वातावरण के समक्ष शीघ्र ही लोकप्रियता से बाहर हो गया।

रचनात्मक स्वदेशी आंदोलनकारी (The Constructive Swadeshis)

इन्हें सामाजिक सुधारक के नाम भी जाना जाता था और रबीन्द्रनाथ टैगोर के अनुसार सतत स्व-सहायता अथवा आत्मशक्ति के द्वारा राष्ट्रीय भावना को मजबूत करना उनका लक्ष्य था। रचनात्मक स्वदेशी कार्यक्रमों, जैसे- देशी उद्योग व प्रतिष्ठानों की स्थापना, राष्ट्रीय शिक्षा एवं ग्राम-उत्थान पर उनका प्रमुख बल था। रबीन्द्रनाथ टैगोर, अश्विनी कुमार दत्त, प्रफुल्ल चंद्र रॉय, नीलरतन सरकार एवं सतीशचंद्र मुखर्जी प्रमुख रचनात्मक स्वदेशी आंदोलकारी थे।

उग्रवादी अथवा आक्रामक राष्ट्रवादी (The Extremists or Militant Nationalists)

उग्रवादियों को ब्रिटिश शासन की परोपकारिता में कोई आस्था नहीं थी और उनका पूर्ण विश्वास था कि भारतीय समस्याओं का समाधान केवल भारतीयों के हाथ में ही है। उन्होंने स्पष्ट रूप से, सभी प्रकार के ब्रिटिश प्रभावों से मुक्त **स्वराज्य** अथवा स्वशासन की मांग की थी, न कि ब्रिटिश प्रभुत्व के अधीन स्वराज्य, जैसा कि उदारवादी चाहते थे।

वेलेंटाइन शिरोल ने तिलक को **'भारतीय असंतोष का जनक'** कहा था।

सहभागिता का विस्तार (Extent of Participation)

उग्रवादियों ने विभाजन विरोधी आंदोलन को जन-आंदोलन बनाने का प्रयास किया था। स्वराज्य अब एक राष्ट्रीय लक्ष्य बन चुका था, जो सभी क्षेत्रों में बहिष्कार के द्वारा प्राप्त किया जाना था। यह भारतीय समाज के विभिन्न वर्गों की जन-सहभागिता द्वारा ही संभव था। उनके भरसक प्रयत्न एवं बहु-आयामी रणनीतियों के द्वारा पहली बार स्वदेशी आंदोलनकरी समाज के

कुछ वर्गों को सक्रिय राजनीति में पिरोने में सक्षम हुए थे। इन वर्गों में जमींदार, शहरी निम्न मध्यम-वर्ग, महिलाएं शामिल थे एवं साथ ही विद्यालयों व महाविद्यालयों के छात्र-छात्राओं की विशाल भागीदारी हुई थी।

इस प्रकार बंगाली जनसंख्या के विभिन्न वर्ग, जैसे- जमींदार, व्यापारी, वकील, छात्र-छात्राएं एवं यहां तक कि महिलाएं भी विभाजन के विरुद्ध खड़ी हुईं थीं। महिलाओं की सहभागिता इस समय का सबसे उल्लेखनीय विकास था। शहरी मध्यम वर्ग की पारंपरिक महिलाओं को जुलूस एवं धरने में देखा गया। उनकी सहभागिता ने अनेक पुरानी बाधक प्रचलनों को तोड़ दिया एवं राष्ट्रीय आंदोलन में महिलाओं की सहभागिता के प्रारंभ का मार्ग प्रशस्त किया।

हालांकि आक्रामक राष्ट्रवादी 'देश की वास्तविक जनता अर्थात श्रमिकों एवं मुख्यता किसानों को प्रभावित करने में असफल रहे'। आंदोलन शहरी निम्न व मध्यम वर्गो एवं कुछ निश्चित जमींदारों के वर्गों तक सीमित रहा। मुसलमानों के मन में स्वदेशी-समर्थक नेतृत्व के हिंदू पुनरुत्थानवादी कार्यक्रम से और अधिक संदेह उत्पन्न होने लगा एवं दोनों समुदायों के बीच और अधिक खाई बढ़ी।

श्रमिकों की सहभागिता (Participation of Workers)

स्वदेशी-आंदोलन के कुछ कार्यकर्ताओं ने बंगाल के मजदूरों को संगठित एवं उनकी आर्थिक शिकायतों का राजनीतिकरण करने का एक प्रयास किया। ऐसे कार्यकर्ताओं में अश्विनी कुमार बैनर्जी, प्रभात कुसुम राय चौधरी, अल्थेनेसियस अपूर्व कुमार घोष एवं अन्य शामिल थे।

- सितंबर 1905 को मजदूरों द्वारा बहिष्कार का पहला उदाहरण सामने आया। जब हावड़ा में बर्न कंपनी के 247 बाबुओं ने अपमानजनक कार्य विनियमन (regulation) के विरोध में काम करना बंद कर दिया।
- इसके बाद कलकत्ता में ट्रामवेस, प्रिंटिंग प्रेस एवं जूट मिलों में हड़तालें हुई।
- अक्टूबर 1905 में शासकीय मुद्रणालयों (प्रेसों) में बहुत अधिक हड़तालें होने के फलस्वरूप पहला वास्तविक मजदूर संघ, जिसका नाम **प्रिंटर्स यूनियन** (Printers' Union) था, स्थापित किया गया।
- जुलाई 1906 में रेलवेमैंस संघ (Railwaymen's Union) की स्थापना की गई।
- अगस्त 1906 में जब अश्विनी कुमार बैनर्जी के नेतृत्व में जूट कारखाने के श्रमिक संगठित हुए और उनके नेतृत्व में इंडियन मिलहैंड्स यूनियन (Millhands' Union), बज-बज (Budge-Budge) की स्थापना की गई। (हालांकि 1907 के बाद सरकार के दमन के कारण मजदूरों की सहभागिता घटती गई।)

किसानों की सहभागिता (Participation of Peasants)

किसानों को लामबंद या सक्रिय करने में आंदोलन कोई विशेष प्रगति करने में अक्षम था। केवल **बरिसल** जिला इसका अपवाद था। इतिहासकार इसे एक महत्वपूर्ण उपलब्धि मानते हैं, क्योंकि पहली बार आधुनिक राजनीतिक विचारों के प्रति किसानों को जागरूक किया गया था। यहां तक कि राष्ट्रीय आंदोलन के उच्चतम स्तर पर भी किसानों की सहभागिता कुछ विशिष्ट क्षेत्रों तक ही सीमित रही थी।

सामान्य तौर पर किसानों की सहभागिता न के बराबर रही, क्योंकि उस समय के राष्ट्रीय नेताओं ने अनेक कारणों से किसानों को लामबंद करने में कोई विशेष रुचि नहीं दिखाई-

- प्रथम, बंगाली मध्यम वर्ग व किसानों के मध्य हितों का टकराव था। बंगाल में मध्यम वर्ग अपनी आर्थिक स्थिरता के लिए पैतृक भूमि के किराए से प्राप्त आय पर निर्भर थे । इसी प्रकार, किसानों की शिकायतों, जैसे- बहुत अधिक भू-राजस्व व लगान, कर्ज, बेगार और यहां तक की भूमि से बेदखली के विरुद्ध विरोध की कोई आवाज नहीं उठाई। दूसरे शब्दों में, किसान की मांगों के इर्द-गिर्द किसानों को संगठित करने का कोई प्रयास नहीं किया गया था।

- द्वितीय, बंगाल में अधिकतर किसान मुस्लिम थे और स्वदेशी आंदोलन (जिसमें हिंदुओं का प्रभुत्व हो गया था) उन्हे कुछ खास आकर्षित नहीं कर पाया।

मुसलमानों की सहभागिता (Participation of Muslims)

स्वदेशी आंदोलन मुस्लिम जनता का भी समर्थन लेने में असफल रहा, जो इसकी एक कमजोरी साबित हुई और जिसे ब्रिटिश सरकार की सांप्रदायिकता की नीति के लिए मुख्य रूप से उत्तरदायी माना जा सकता है। जैसा की हम पहले देख चुके हैं कि कर्जन और उसके साथियों ने बंगाल के विभाजन में साम्प्रदायिक चाल चली थी और हिंदू व मुसलमानों को बांटने का प्रयास किया था। (हिन्दू जमींदार थे एवं मुस्लिम किसान थे) वे मुसलमानों का उपयोग बढ़ती राष्ट्रवादी शक्तियों को रोकने के लिए करना चाहते थे और एक ऐसे विभाजन की योजना बनाई थी, जिससे एक नया मुस्लिम बहुल प्रांत बन सके। उन्होंने मुसलमानों को राजनीतिक हितों के प्रोत्साहन हेतु समर्पित एक राजनीतिक संगठन के लिए प्रेरित किया।

ब्रिटिश प्रयासों के परिणामस्वरूप, अक्टूबर 1906 में **ढाका के नवाब सलीमुल्लाह** के नेतृत्व में **अखिल भारतीय मुस्लिम लीग** (All India Muslim League) की स्थापना हुई। सलीमुल्लाह को सरकार द्वारा 14 लाख का कर्ज दिया गया और उसने मुस्लिम बहुल प्रांत के निर्माण का समर्थन किया। शीघ्र ही, मुस्लिम लीग राष्ट्रीय आंदोलन का सामना करने के लिए ब्रिटिश शासन का हथियार बन गई। ब्रिटिश सरकार ने इसका इस्तेमाल मुस्लिम प्रबुद्ध-वर्ग को राष्ट्रीय आंदोलन में जुड़ने से रोकने के लिए किया। इतना ही नहीं, मुल्ला एवं मौलवियों ने हिंदू जमींदारों के विरुद्ध मुसलमानों की शिकायतों का सांप्रदायीकरण किया।

इन सब के बावजूद स्वदेशी आंदोलन के दौरान हिंदू-मुस्लिम के मध्य समरसता बनाने के लिए अपील की गई थी और भाई-चारे के कुछ श्रेष्ठ उदाहरण भी देखे गए थे। कुछ असाधारण मुस्लिम नेताओं जैसे लियाकत हुसैन, अब्दुल रसूल (वकील), अब्दुल हकीम गजनवी (व्यापारी), इस्माइल हुसैन सिराजी, दीन मोहम्मद एवं मनीरुज्जमन ने आंदोलन में महत्वपूर्ण भूमिका निभाई थी। मौलाना अब्दुल कलाम आजाद तो क्रांतिकारी आतंकवादी समूह में शामिल हो गए थे।

आखिरकार ये उपलब्धियां निष्प्रभावी साबित हुई, जब स्वदेशी आंदोलन के नेताओं ने विरोध के ऐसे साधन अपनाएं, जिनसे न चाहते हुए भी नकारात्मक परिणाम निकले और जिसने आंदोलन को **हिंदू-प्रभुत्व** का बना दिया था। आक्रामक राष्ट्रवादियों ने प्राचीन भारतीय संस्कृति पर बल दिया, जबकि मध्यंकालीन भारतीय संस्कृति पर कोई ध्यान नहीं दिया। उन्होंने भारतीय संस्कृति को हिंदू धर्म से एवं भारतीय राष्ट्र को हिंदुओं से जोड़कर देखा। गंगा में डुबकी लगाना, शिवाजी एवं गणपति उत्सव मानना (तिलक द्वारा प्रसारित), माता के रूप में भारत एवं धर्म के रूप में राष्ट्रवाद की अवधारणा (अरविंदो घोष के विचार) इत्यादि से मुस्लिम शायद ही प्रभावित हो सकते थे और ये सारे कार्य इस्लामिक मान्यताओं के विरुद्ध थे। प्रताप और शिवाजी को राष्ट्रीय हीरो तथा अकबर और औरंगजेब को विदेशी बताकर मुसलमानों से सकारात्मक प्रतिक्रिया की अपेक्षा नहीं रख सकते थे।

इस तरह आक्रामक राष्ट्रवादियों ने जनता को सक्रिय करने के लिए हिंदू-रूढ़िवादिता की कल्पित कथाओं एवं छवियों का उपयोग किया। हिंदुओं के अतीत का अतार्किक महिमामंडन, खोए हुए हिंदू-राष्ट्र के लिए विषाद, भगवत-गीता का संदर्भ एवं देवी काली के सम्मुख बलिदान की प्रतिज्ञा जैसे कुछ कार्यकलापों ने दोनों समुदायों के मध्य खाई को और अधिक बढ़ा दिया था एवं इससे आंदोलन को भी हानि हुई थी।

इस बात पर ध्यान दिया जाना चाहिए की इसका मतलब यह नहीं है कि आक्रामक राष्ट्रवादी किसी प्रकार से मुस्लिम-विरोधी थे। उनमें से अधिकतर, जिसमें तिलक भी शामिल थे, हिंदू-मुस्लिम एकता के समर्थक थे और स्वदेशी आंदोलन व्यापक रूप से धर्मनिरपेक्ष रहा था। लेकिन अनजाने में उपयोग की गई हिंदू-प्रतीकों का उपयोग ब्रिटिश शासन ने मुसलमानों के मन में जहर घोलने के लिए किया।

इस प्रकार के हिंदू-पुनरुत्थानवादी कार्यक्रम सलीमुल्लाह के लोगों द्वारा सांप्रदायिक नफरत फैलाने एवं ब्रिटिश सत्ताधारियों को खुश करने के लिए पर्याप्त कारण बन गए थे। **स्वदेशी आंदोलन** के चरम (1906-1907) पर पूर्वी-बंगाल के मैमन सिंह, कोमिला, जमालपुर, दीवानगंज एवं बक्शीगंज में सांप्रदायिक दंगों की एक श्रृंखला देखी गई। राष्ट्रवादियों ने इस मुद्दे को गहराई से समझने का प्रयास नहीं किया और अपने धार्मिक कार्यक्रमों से वे आगे बढ़ते रहे।

इस प्रकार यह स्पष्ट है कि स्वदेशी आंदोलन के दौरान बड़े स्तर पर जनता की सहभागिता को महसूस नहीं किया गया। राष्ट्रवादी नेताओं ने श्रमिक सहभागिता पर थोड़ा बहुत ध्यान दिया, लेकिन किसानों की सहभागिता में उन्होंने कोई रुचि नहीं दिखाई। वे ब्रिटिश शासन द्वारा खेले जा रहे सांप्रदायिक राजनीति को समझने में असफल रहे और जिसका अंत हिंदू-पुनरुत्थानवादी कार्यक्रमों द्वारा मुसलमानों के और अधिक अलगाववादी होने के साथ हुआ। एक यथार्थ जन-आंदोलन बनने में असफल होने के कारण स्वदेशी आंदोलन 1907 के बाद अपनी पूरी क्षमता से उठने में असफल रहा। परिणामस्वरूप, आंदोलन को बड़े स्तर पर दबाने में सरकार कामयाब हुई।

आंदोलन का अखिल भारतीय प्रसार (All India Spread of the Movement)

यह आंदोलन केवल बंगाल तक सीमित नहीं रहा और अन्य प्रांतों में भी फैला। इस विभाजन-विरोधी आंदोलन को अखिल भारतीय स्तर का बनाने में सबसे महत्व भूमिका बाल गंगाधर तिलक ने निभाई। वे तुरंत ही भांप गए थे कि स्वदेशी एवं स्वराज्य की आवाज को देश के शेष भागों में फैलाने एवं एकता व भाईचारे की भावना को प्रोत्साहित करने के लिए विभाजन एक सही अवसर था।

सर ख्वाहा सलीमुल्लाह बहादुर, ढाका के नवाब (1871-1915)- ब्रिटिश राज के दौरान वह एक प्रमुख मुस्लिम नेता थे एवं बंगाल के विभाजन के पक्के समर्थक थे। कांग्रेस ने यद्यपि इसका विरोध किया था, तथापि सलीमुल्लाह ने बंगाल के विभाजन के समर्थन में आंदोलन संगठित करने के लिए पूरे पूर्वी बंगाल में बैठकें आयोजित की थीं। 1906 में ढाका में ऑल इंडिया मोहम्मडन एजुकेशनल कांफ्रेंस में मुस्लिम लीग की स्थापना की गई थी एवं सलीमुल्लाह को उसका उपाध्यक्ष नियुक्त किया गया था।

सर ख्वाहा सलीमुल्लाह बहादुर, ढाका के नवाब

शासन का दमन (Government Repression)

आंदोलन का सामना करने के लिए ब्रिटिश सरकार ने शक्तिशाली दमनकारी साधनों का उपयोग किया-

- बैठकों एवं जुलूस निकालने पर प्रतिबंध लगा दिया गया था एवं शासन ने सार्वजनिक स्थानों पर 'वंदे मातरम' के उपयोग पर प्रतिबंध लगा दिया था।
- पत्रकारिता को नियमित करने हेतु कानून लागू कर दिए गए थे।
- आंदोलन में किसी भी प्रकार से सहभागिता करने पर शासकीय रोजगार से अयोग्य घोषित कर दिया गया था।
- छात्र सहभागियों को निष्कासित कर दिया गया था। उन पर जुर्माना लगाया गया और यहां तक की उन्हें पुलिस द्वारा पीटा भी गया।
- अप्रैल 1906 को बरिसल में पुलिस ने बंगाल प्रांतीय सम्मेलन के शांतिपूर्ण प्रतिनिधियों पर हमला किया था।
- 1907 में पंजाब में **लाला लाजपत राय** एवं अजीत सिंह को निर्वासित कर दिया गया था।
- दिसम्बर 1908 में बंगाल में कृष्ण कुमार मित्र एवं अशोक कुमार दत्त सहित नौ प्रमुख नेताओं को भी निर्वासित कर दिया गया था।
- 1908 में **तिलक** को पुनः गिरफ्तार कर 6 वर्ष के लिए कारावास का दंड देकर मांडले भेज दिया गया।

- बिपिन चंद्र पाल एवं लियाकत हुसैन को भी गिरफ्तार कर लिया गया था।
- मद्रास में चिदंबरम पिल्लई एवं आंध्र में हरीशर्वोत्त राव को सलाखों के पीछे भेज दिया गया ।

शासन के दमन के बाद, मुख्य रूप से तिलक की गिरफ्तारी के बाद, आंदोलन जीवित नहीं रह सका। भविष्य में बिपिन चंद्र पाल एवं अरविंदो घोष ने भी सक्रिय राजनीति से सेवा-निवृत्ति ले ली थी। फलस्वरूप, स्वदेशी आंदोलन नेतृत्वहीन हो गया था और 1908 के मध्य तक पूर्णतया समाप्त हो गया था।

स्वदेशी आंदोलन के पतन के कारण (Reasons for Decline of Swadeshi Movement)

आंदोलन के पतन के निम्न कारण थे-

- मुस्लिम जनता का समर्थन नहीं मिला।
- बड़े पैमाने पर जनता को लामबंद करने का यह केवल पहला प्रमुख प्रयास था। भारतीय जनता के बड़े वर्ग को सक्रिय करने में इस आंदोलन ने केवल आंशिक सफलता प्राप्त की।
- इस आंदोलन की विधियां न केवल नेताओं के लिए, बल्कि जनता के लिए भी नई एवं अपरिचित थी।
- यह आंदोलन संघर्ष के अनेक स्वरूप जैसे निष्क्रिय प्रतिरोध एवं रचनात्मक कार्य को वास्तविक राजनीतिक व्यवहार में लाने में सक्षम नहीं हो पाया।
- स्वदेशी आंदोलन पर हिंदू-प्रभुत्व का होना।
- शासन का कठोर दमन।
- 1907 में कांग्रेस जैसे एक सर्वोच्च अखिल भारतीय संगठन का विभाजन।
- जन आंदोलन की प्रकृति- जन आंदोलन बहुत अधिक लंबे समय तक एक समान संघर्ष एवं आत्म बलिदान के साथ नहीं चल सकता। इसके लिए अवकाश की आवश्यकता होती है, ताकि अगले संघर्ष के लिए ऊर्जा को पुनः प्राप्त किया जा सके। इस आंदोलन के साथ भी यही हुआ। यह विराम आगे के संघर्ष के लिए महत्वपूर्ण साबित हुआ।

परिणाम : क्रांतिकारी आतंकवाद का उदय (Consequence: Rise of Revolutionary Terrorism)

उदारवादी तरीकों के असफल होने, जनता को सकारात्मक नेतृत्व देने की उग्रवादियों की असफलता, रचनात्मक स्वदेशी आंदोलनकरियों व उग्रवादियों का हिंसात्मक दमन होने के बाद, ताकत का ताकत से एवं हिंसा का हिंसा से जवाब देने की इच्छा स्वाभाविक रूप से सामने आई। शांतिपूर्ण विरोध के सारे रास्ते बंद होते देख बंगाली युवाओं का धैर्य, विशेषकर जन आंदोलन एवं खुली राजनीति के प्रति जवाब दे चुका था। राष्ट्रवादियों का एक ऐसा समूह था, जो राष्ट्रीयवादी संघर्ष में उठ खड़ा हुआ था और अब वह स्वयं को पुनः गुमनामी में नहीं ले जाना चाहता था और अब वे अलोकप्रिय ब्रिटिश अधिकारियों के विरुद्ध हथियार उठाने के लिए तैयार थे।

हालांकि, कुछ छिटपुट गतिविधियां पहले भी दिखाई देती थीं, लेकिन क्रांतिकारी आतंकवाद 1907-1908 के बाद ही एक प्रमुख प्रवृत्ति के रूप में उभरा। 1908-1918 के दौरान 186 क्रांतिकारी मारे गए अथवा अपराधी सिद्ध किए गए। समय-समय पर कुछ रुकावटों के बावजूद क्रांतिकारी आतंकवाद जारी रहा और इतना ही नहीं वह भारत एवं विदेशों में स्वदेशी-आंदोलन के गुप्त शिशु के रूप में फैलता रहा।

लेकिन राजनीतिक हथियार के रूप में क्रांतिकारी आतंकवाद का असफल होना तय था। जनता को लामबंद या गतिशील करना इसका उद्देश्य नहीं था और यह बहुत ही संकीर्ण सामाजिक आधार तक सीमित रहा। इसके बाद भी इन वीरतापूर्ण आतंकवादी गतिविधियों ने भारत में राष्ट्रीय भावना को विकसित करने में महत्वपूर्ण भूमिका निभाई थी। एक इतिहासकार के शब्दों में ''उन्होंने हमारे पुरुषत्व के गौरव को वापस लौटाया''।

बरिसल-दमन के बाद युगांतर ने लिखा, (22 अप्रैल 1906) "रोग का इलाज स्वयं जनता के पास है। दमन के अभिशाप को रोकने के लिए भारत में रहने वाली 30 करोड़ जनता को अपने 60 करोड़ हाथों को उठाना चाहिए, बल को बल से ही रोका जाना चाहिए।"

स्वदेशी आंदोलन का महत्व (Significance of Swadeshi Movement)

यद्यपि 1908 के मध्य में स्वराज्य का लक्ष्य प्राप्त किए बिना स्वदेशी आंदोलन का पतन होने लगा था, तथापि इसे असफल नहीं मान सकते।

- स्वदेशी आंदोलन ने भारतीय राजनीति में एक नया चरण प्रारंभ किया। यह नया दौर प्रार्थना एवं याचिका के पूर्ववर्ती उदारवादी दृष्टिकोण से एकदम अलग था।
- राष्ट्रीय आंदोलन का नेतृत्व अब उग्रवादी आक्रामक राष्ट्रवादियों की हाथों में आ गया था। उन्होंने भारतीय जनता को स्वराज्य अथवा यूनाइटेड किंगडम या अन्य उपनिवेशों की तर्ज पर ब्रिटिश शासन से पूर्ण स्वतन्त्रता का एक नया लक्ष्य दिया।
- स्वराज्य की प्राप्ति के लिए इस आंदोलन ने राजनीतिक संघर्ष की नवीन तकनीकों को प्रारम्भ किया, जो अपने समय से बहुत अधिक अग्रगामी थीं। बहिष्कार, निष्क्रिय प्रतिरोध एवं रचनात्मक स्वदेशी तकनीकों ने संविधानवाद को पृष्ठभूमि में ला खड़ा किया। ये तकनीकें जन-आंदोलन या जन-लामबंद की गांधीवादी तकनीकों जैसे असहयोग, सविनय अवज्ञा एवं रचनात्मक कार्यक्रम से बहुत अधिक मिलते थे, जो इस आंदोलन के 15 वर्ष बाद सामने आईं।
- पहली बार राष्ट्रीय आंदोलन के सामाजिक आधार को बढ़ाया गया। इस आंदोलन में जमींदारों के कुछ निश्चित वर्ग, शहरी निम्न मध्यम वर्ग एवं महिलाएं शामिल थीं। साथ ही बड़े स्तर पर विद्यालयों व महाविद्यालयों के छात्र-छात्राओं की भी सहभागिता रही।
- आर्थिक क्षेत्र में, इसने स्वदेशी कारीगरों के शिल्प और उद्योगों के पुनरुद्धार में योगदान दिया।
- बंगाल के सांस्कृतिक एवं बौद्धिक क्षेत्र में इस आंदोलन ने गहरा प्रभाव छोड़ा। यूरोपियन सर्वोच्चता या प्रभुत्व के विचार को कमजोर किया तथा पूरे देश को प्रेरणा दी। इनमें शामिल थे-
  - देशभक्तिपूर्ण गीतों एवं नाटकीय प्रदर्शनों का एक समृद्ध संग्रह।
  - रबीन्द्रनाथ टैगोर के नेतृत्व में बंगाल स्कूल ऑफ पेंटिंग का संगठन।
  - जगदीश चंद्र बोस एवं प्रफुल्ल चंद्र रॉय के नेतृत्व में वैज्ञानिक प्रगति।
  - राखल दास बैनर्जी, हरी प्रसाद शास्त्री एवं अक्षय कुमार मित्र की खोजों से जुड़े ऐतिहासिक अनुसधान।

यद्यपि अंततः आंदोलन को दबा दिया गया था, लेकिन इससे पहले ही इसने भारतीय राष्ट्रवाद को एक क्रांतिकारी ऊंचाई पर पहुंचा दिया था। लोग अपनी राजनीतिक निद्रा से जाग चुके थे एवं संघर्ष के एक नए स्वरूप के लिए प्रशिक्षित हो गए थे। स्वदेशी आंदोलन के परिणाम स्वरुप बंगाल के विभाजन को अंततः 1911 में निरस्त कर दिया गया था। सरकार ने बंगालियों को एकजुट करने के अपने इरादे की घोषणा की, जबकि बिहार और उड़ीसा से एक नया प्रांत बनाया गया। साम्राज्य को एक मजबूत आधार प्रदान करने की दृष्टि से भारत में ब्रिटिश सरकार की राजधानी को भी कलकत्ता से दिल्ली स्थानांतरित कर दिया गया था। हालांकि, एक राष्ट्रीय लक्ष्य के रूप में स्वराज्य का उदय, इसकी प्रमुख सफलता थी। इसके बाद के राष्ट्रीय आंदोलन ने स्वदेशी आंदोलन की उपलब्धियों से बहुत अधिक सीख प्राप्त की थी।

कांग्रेस पर स्वदेशी आंदोलन का प्रभाव एवं सूरत-विभाजन (Impact of Swadeshi Movement on the Congress and the Surat Split)

विभाजन-विरोधी आंदोलन का भारतीय राष्ट्रीय कांग्रेस पर बहुत गहरा प्रभाव पड़ा। कांग्रेस ने बंगाल विभाजन के मुद्दे को उठाया एवं दोनों, उदारवादियों (गोखले के नेतृत्व में) तथा उग्रवादियों (तिलक के नेतृत्व में) ने बंगाल के लिए बहिष्कार व स्वदेशी के तरीकों का समर्थन किया। तब भी आंदोलन के तरीकों को लेकर दोनों के मध्य महत्वपूर्ण विभिन्नताएं सामने आई, जो सूरत-अधिवेशन में कांग्रेस के विभाजन के साथ पराकाष्ठा पर पहुंची। विभाजन के बाद उदारवादी एवं उग्रवादी 1907 से लेकर 1916 तक दूर बने रहे, जब तक की लखनऊ-समझौते से उनका एकीकरण नहीं हो गया। स्वदेशी आंदोलन, उग्रवादियों, भारतीय राष्ट्रीय कांग्रेस एवं व्यापक रूप से भारतीय राष्ट्रीय आंदोलन के लिए कांग्रेस का विभाजन गंभीर परिणामों के साथ आया। 1907 के अंत तक स्वदेशी आंदोलन धीरे-धीरे समाप्त होने लगा था। उग्रवादियों को शासन के कठोर दमन का सामना करना पड़ा। भारतीय राष्ट्रीय कांग्रेस ने अपनी लोकप्रियता खोई एवं बहुत लंबे समय तक निष्क्रिय बनी रही। साथ ही राष्ट्रीय आंदोलन को एक अस्थाई पड़ाव से गुजरना पड़ा।

सूरत विभाजन की ओर कदम (Run-up to Surat Split)

- दिसम्बर 1905 में कांग्रेस के बनारस-अधिवेशन की अध्यक्षता गोपाल कृष्ण गोखले द्वारा की गई।
- उग्रवादियों एवं उदारवादियों के मध्य मतभेद का बढ़ना - उग्रवादी बहिष्कार एवं स्वदेशी आंदोलन को बंगाल के बाहर अन्य क्षेत्रों में भी ले जाना चाहते थे। वे इसे विदेशी वस्तुओं के अलावा ब्रिटिश शासन से जुड़े अन्य क्षेत्रों जैसे प्रांतीय परिषद, नगर पालिका, शासकीय सेवा, अदालत इत्यादि में प्रसारित करना चाहते थे। इस प्रकार वे विभाजन-विरोधी आंदोलन को राष्ट्रव्यापी जन-आंदोलन बनाना चाहते थे, जबकि दूसरी ओर उदारवादी बहिष्कार को बंगाल एवं विदेशी वस्तुओं तक सीमित रखना चाहते थे।
- उस समय कांग्रेस का विभाजन चल टल गया, जब कांग्रेस ने बंगाल के विभाजन व कर्जन की प्रतिक्रियावादी नीतियों की निंदा की एवं बंगाल में स्वदेशी आंदोलन व बहिष्कार का समर्थन किया।
- गोखले ने कहा, "कांग्रेस का लक्ष्य है कि भारत को भारतीयों के हितों के अनुसार शासित किया जाना चाहिए"।

तिलक मुख्य उग्रवादी नेता थे, जो विभाजन-विरोधी आंदोलन को एक अखिल भारतीय आंदोलन बनाना चाहते थे। वे तुरंत ही भांप गए थे कि विभाजन का मुद्दा स्वदेशी एवं स्वराज्य की आवाज को देश के अन्य भागों में प्रसारित करने एवं एकता व भाईचारे की भावना को प्रोत्साहित करने का सही अवसर था। विभाजन के दौरान तिलक ने अपना समर्थन बिपिन चंद्र पाल के नेतृत्व में एक में हुए उग्रवादियों को दिया और यह तिलक-पाल गठबंधन कांग्रेस में अनेक लोगों के लिए तनाव का कारण बना। इन्हीं मतभेदों के कारण उदारवादियों ने तिलक एवं उनके साथियों को कांग्रेस में सत्ता से दूर रखा और उन्हें कभी कांग्रेस का अध्यक्ष नहीं बनने दिया।

अध्यक्षता के लिए संघर्ष (Tussle for Presidentship)

1906 के कलकत्ता अधिवेशन के लिए अध्यक्षता हेतु संघर्ष- कलकत्ता-अधिवेशन में उदारवादी अनेक कारणों से लोकप्रियता प्राप्त कर चुके थे। इसमें क्रांतिकारी आतंकवाद का उदय भी शामिल था। इस अधिवेशन में उग्रवादी तिलक अथवा लाला लाजपत राय को अध्यक्ष बनाना चाहते थे, लेकिन उदारवादियों ने गुप्त रूप से दादाभाई नौरोजी को अध्यक्षता स्वीकार करने के लिए प्रेरित किया, जो उन्होंने स्वीकार किया भी। उग्रवादियों को साथ लेने के लिए स्वराज्य, स्वदेशी, बहिष्कार एवं राष्ट्रीय शिक्षा पर चार मध्यम-मार्गीय संकल्प पारित किए गए। यह कांग्रेस के लिए बड़ी उपलब्धि थी। पहली बार स्वराज्य अथवा स्वशासन को कांग्रेस ने अपना राजनीतिक लक्ष्य स्वीकार किया। यद्यपि चारों संकल्पों को पारित कर दिया गया था,

लेकिन उनके अर्थ को स्पष्ट नहीं किया गया था। परिणामस्वरूप, पूरे 1907 के दौरान उदारवादी एवं उग्रवादी अपने-अपने अनुसार उनकी विभिन्न व्याख्याएं करते रहे।

कलकत्ता कांग्रेस अधिवेशन, 1906 (अध्यक्ष- दादा भाई नौरोजी)

- स्वराज्य, स्वदेशी, बहिष्कार एवं राष्ट्रीय शिक्षा पर चार समझौते-पूर्ण या मध्य-मार्गीय संकल्प पारित किए गए।
- नौरोजी ने अपने अध्यक्षीय भाषण में स्वराज्य को भारतीय राष्ट्रीय कांग्रेस का लक्ष्य घोषित किया।

1907 के कांग्रेस अधिवेशन की अध्यक्षता के लिए संघर्ष

उग्रवादी कलकत्ता अधिवेशन की प्रक्रियाओं से उत्साहित थे और बहिष्कार को परिषदों, नगरपालिकाओं, शासकीय सेवाओं इत्यादि में शामिल करने हेतु एक सशक्त प्रस्ताव चाहते थे। उनका मानना था कि स्वराज्य के लिए युद्ध शुरू हो चुका है एवं उदारवादी रुकावट की तरह कार्य कर रहे हैं। अब वे उदारवादियों से पृथक होने के लिए तैयार थे, वे इस बात को नहीं समझ रहे थे कि सरकार के दमन के समय उदारवादी, सुरक्षा की बाहरी कड़ी के रूप में काम आ सकते थे।

वहीं दूसरी ओर, 1906 में वॉयसराय मिंटो एवं भारत सचिव मोर्ले ने परिषद में सुधार हेतु उदारवादी नेतृत्व से चर्चा प्रारंभ की। परिषद में सुधारों के समाचार से उत्साहित उदारवादियों ने कलकत्ता अधिवेशन को मंद करने का निर्णय लिया। उन्होंने अनुभव किया कि उग्रवादियों के साथ और अधिक जुड़ाव का परिणाम हानिकारक हो सकता है, क्योंकि उनका स्वराज्य के लिए संघर्ष सरकार के कठोर दमन को आमंत्रित कर सकता है। इस प्रकार अब उदारवादी भी उग्रवादियों से पृथक होने हेतु समान रूप से इच्छुक थे। वे इस बात को समझ नहीं रहे थे कि ब्रिटिश सरकार उग्रवादियों के भय के कारण ही उनसे समझौता कर रही थी।

दोनों ही पक्ष इस बात को नहीं समझ रहे थे कि साम्राज्यवादी शक्ति के विरुद्ध भारत जैसे विशाल देश में एक व्यापक आधार वाले आंदोलन से ही सफलता की संभावना हो सकती है एवं कांग्रेस का बढ़ता विभाजन केवल साम्राज्यवादी सरकार को फायदा पहुंचाएगा। इसी समय इतिहासकार बिपिन चंद्र लिखते हैं कि तिलक एवं गोख़ले दोनों ही परिपक्व नेता थे, जो उस बात से बहुत अच्छे से परिचित थे कि राष्ट्रवादियों के बीच की फूट के गंभीर परिणाम होंगे। लेकिन जब मुद्दा सामने आया तो दोनों ही अपने-अपने समूह के अतिवादी नेताओं जैसे अरविंदो घोष एवं स्वेच्छाचारी फिरोजशाह मेहता के आगे झुक गए।

एक बार पुनः कांग्रेस अध्यक्ष का चुनाव उदारवादियों व उग्रवादियों के मध्य शक्ति प्रदर्शन का अवसर बन गया। एक बार फिर उग्रवादी बाल गंगाधर तिलक अथवा लाला लाजपत राय को अध्यक्ष बनाना चाहते थे तथा उन्होंने बहिष्कार, स्वदेशी व राष्ट्रीय शिक्षा के प्रस्तावों को दोहराया। वहीं दूसरी ओर, उदारवादी रास बिहारी घोष को अध्यक्ष बनाना चाहते थे तथा वे स्वदेशी, बहिष्कार व राष्ट्रीय शिक्षा के प्रस्ताव को छोड़ना चाहते थे।

परिणामस्वरूप, उदारवादी नेता फिरोजशाह मेहता ने अंतिम समय में अगले अधिवेशन का स्थान नागपुर, मध्य प्रांत से हटाकर सूरत, बॉम्बे प्रांत कर दिया। चूंकि सूरत तिलक का गृह शहर एवं उनका गृह प्रांत बॉम्बे था और कांग्रेस परंपरा के अनुसार अब वे अध्यक्ष नहीं बन सकते थे। अतः निर्णय लिया गया कि रास बिहारी घोष (गोखले की पसंद) कांग्रेस के अध्यक्ष होंगे।

1907 में गोखले- "आप (उग्रवादी) सरकार की विशाल संचित शक्ति को नहीं समझ रहे। यदि कांग्रेस ने ऐसा कुछ किया जैसा कि आप सुझाव दे रहे हैं, सरकार को इसका गला घोटने में 5 मिनट से अधिक समय नहीं लगेगा।"

सूरत विभाजन (The Surat Split)

26 दिसम्बर, 1907 को कांग्रेस का अधिवेशन ताप्ती नदी के किनारे स्थित सूरत शहर में हुआ। अब कांग्रेस पर उदारवादियों का प्रभुत्व था। प्रतिनिधियों ने आक्रोश से भरे वातावरण में मुलाकात की। उग्रवादी चार प्रस्तावों के पारित होने का वचन चाहते थे, उदारवादियों को दबाव में लाने के लिए उन्होंने रास बिहारी घोष के अध्यक्ष पद पर निर्वाचन पर आपत्ति से शुरुआत की। इससे 1600 प्रतिनिधियों के बीच कोलाहल मच गया था। वहां शोर शराबा होने लगा, कुर्सियां तोड़ी जाने लगी और पगड़ियां उछाली जाने लगीं। किसी ने जूता फेंका, जो फिरोजशाह मेहता एवं सुरेंद्र बैनर्जी को लगा। पुलिस को बुलाया गया एवं अधिवेशन को निलंबित कर दिया गया। ब्रिटिश शासन प्रसन्न हुई और मिंटो ने तुरंत यह कहते हुए मोर्ले को पत्र लिखा कि कांग्रेस का विघटन हमारे लिए बहुत बड़ी सफलता है।

तिलक, जिन्होंने सूरत में इतनी बड़ी असफलता की उम्मीद नहीं की थी, ने कुछ क्षति नियंत्रण का प्रयास किया। उन्होंने क्षमा-पत्र लिखा और भविष्य में सहयोग की पेशकश की, लेकिन फिरोजशाह मेहता एवं उनके साथी नरम नहीं पड़े। उन्होंने उग्रवादियों को दल से निकाल दिया। उन्होने अपने अप्रचलित विचारों के अनुसार पुनः कार्य करना शुरू किया और तुरंत उन्होंने बनारस व कलकत्ता अधिवेशन में अपनाए गए उग्रवादी विचारों को वापस ले लिया। उदारवादियों ने केवल संवैधानिक तरीकों से ब्रिटिश साम्राज्य के अंतर्गत स्वराज्य के लक्ष्य के कांग्रेस की वचनबद्धता को दोहराया।

तिलक के नेतृत्व में उग्रवादियों ने उग्रवादी-दल के निर्माण की घोषणा की। हालांकि, उन्होंने भारतीय राष्ट्रीय कांग्रेस के एक भाग के रूप में कार्य करने का निर्णय लिया।

दिसंबर 1907, सूरत कांग्रेस अधिवेशन (अध्यक्ष- रास बिहारी घोष)
- ताप्ती नदी के किनारे आयोजित हुआ।
- उग्रवादियों का नेतृत्व लाल-बाल-पाल द्वारा किया गया।
- उदारवादियों का नेतृत्व गोपाल कृष्ण गोखले द्वारा किया गया।

1908 में फूट और अधिक मजबूत हो गई जब कांग्रेस ने दल के संविधान में परिवर्तन किया। प्रावधान किया गया कि अब कांग्रेस के प्रतिनिधियों का निर्वाचन कांग्रेस समिति अथवा कांग्रेस से जुड़ी संस्थाओं के द्वारा ही किया जाएगा। कुल मिलाकर इसका परिणाम था कि अब उग्रवादी दल कांग्रेस अधिवेशन में शामिल नहीं हो सकेंगे। परिणामस्वरूप, तिलक एवं उनके साथी 1915 तक कांग्रेस दल से बाहर बने रहे, जब तक की समझौता नहीं हो गया।

सूरज विभाजन का उग्रवादियों पर प्रभाव (Impact of Surat Split on the Extremists)

उग्रवादियों पर हमला- विभाजन के बाद सरकार ने बड़े स्तर पर उग्रवादियों पर हमला शुरू कर दिया। 1907 से 1911 के दौरान सरकार-विरोधी गतिविधियों को नियंत्रण करने के लिए अनेक नए कानून पारित किए गए। इनमें शामिल थे-
- राजद्रोही सभा अधिनियम, 1907 (Seditious Meetings Act 1907)
- भारतीय समाचार पत्र अधिनियम, 1908 (The Indian Newspapers (Incitement to Offences Act), 1908)
- फौजदारी कानून (संशोधित) अधिनियम, 1908 (Criminal Law Amendment Act 1908)
- भारतीय प्रेस अधिनियम, 1910 (Indian Press Act 1910)

उदारवादी दल के नेता तिलक को राजद्रोह के अपराध में छह वर्ष के कारावास के लिए मांडले (बर्मा) भेज दिया गया। लाला लाजपत राय ब्रिटेन चले गए और फिर वहां से अमेरिका। बिपिन चंद्र पाल ने भी सक्रिय राजनीति से सेवानिवृत्ति ले ली थी। अरविंदो घोष, जिन पर क्रांतिकारी षडयंत्र का मुकदमा चलाया गया था, को निर्दोष माना गया और उसके तुरंत बाद उन्होंने राजनीति छोड़ी तथा धार्मिक कार्यों हेतु पांडिचेरी चले गए थे। यद्यपि युवा, उग्रवादियों के साथ एकत्रित हुए थे, अब

वे कोई प्रभावशाली संस्था आयोजित करने में अक्षम थे। उग्रवादियों के बिना उदारवादियों का भी जनप्रिय आधार नहीं बचा था। उन्होंने अपनी जनता का समर्थन एवं सम्मान खो दिया था।

1908-1914 के दौरान राष्ट्रीय गतिविधियों में अब एक अस्थाई ठहराव आ गया था। 1914 तक ऐसा ही चलता रहा। जब तिलक जेल से रिहा हुए, तो उन्होंने धीरे-धीरे पुनः बिखरे हुए राष्ट्रीय आंदोलन को एक धागे में पिरोने का प्रयत्न किया।

मांडले में तिलक का कारावास- अप्रैल 1908 में प्रफुल्ल चाकी एवं खुदीराम बोस ने मुजफ्फरपुर में ब्रिटिश मजिस्ट्रेट डगलस किंग्सफोर्ड को मारने के लिए एक गाड़ी पर बम फेंका, लेकिन गलती से उस गाड़ी में यात्रा कर रहीं दो महिलाएं मारी गईं। खुदीराम बोस को फांसी पर लटका दिया गया, जबकि चाकी ने पकड़े जाने पर आत्महत्या कर ली। तिलक ने अपने समाचार-पत्र केसरी में क्रांतिकारी गतिविधियों का समर्थन किया एवं स्वराज्य का आह्वान किया। सरकार ने तुरंत उन पर राजद्रोह का आरोप लगाया तथा उन्हें 6 वर्ष के कारावास की सजा के लिए मांडले (बर्मा) भेज दिया गया। इस मुकदमे में वकील मोहम्मद अली जिन्ना द्वारा उनको बचाने का असफल प्रयास किया गया। उन्होंने कारावास में ही 'गीता रहस्य' किताब लिखी।

सूरत विभाजन का सरकार की रणनीति पर प्रभाव

कांग्रेस के प्रति सरकार का रवैया शत्रुतापूर्ण हो चुका था। स्वदेशी आंदोलन के बाद सरकार एक नई रणनीति (प्रलोभन व भय की नीति) के साथ सामने आई। इसको दबाब-सुलह-दमन (repression, conciliation and suppression) की त्रि-धारी दृष्टिकोण की तरह देखा जा सकता है। पहले चरण में उग्रवादियों को नम्रता पूर्वक दबाना शामिल था, जिसका मुख्य उद्देश्य उदारवादियों को डराना था। दूसरे चरण में उदारवादियों से कुछ रियायतों या प्रलोभनों से सुलह करना था, ताकि वे उग्रवादियों से दूरी बनाए रखें। अब उदारवादी उनके साथ थे और तीसरा चरण था उग्रवादियों को पूरी शक्ति से दमन करना। प्रलोभन एवं भय की नीति (Policy of carrot and stick) से सरकार को बहुत अधिक फायदा हुआ तथा राष्ट्रवादी गतिविधियां अस्थाई रूप से थम गई थीं।

विभाजन का लाभ उठाकर ब्रिटिश शासन ने 'फूट डालो एवं शासन करो' का खेल खेला। 1909 में उन्होंने संवैधानिक सुधार की घोषणा की, जिसे मोर्ले-मिंटो सुधार के नाम से जाना जाता है। सुधार का उद्देश्य उदारवादियों एवं मुसलमानों को संतुष्ट करना था। 1909 के सुधार उदारवादियों को भ्रमित करने के लिए लाए गए थे। परिषदों में निर्वाचित सदस्यों की संख्या बढ़ा दी गई। यह किसी भी तरह से भारतीय राजनीति का लोकतंत्रीकरण नहीं था। सुधार की गई परिषदों में कोई वास्तविक शक्ति नहीं थी। वे केवल सलाहकार संस्थाएं थीं। मोर्ले ने स्वयं ब्रिटिश संसद में घोषणा की कि यदि लोग सोचते हैं कि सुधारों के इस अध्याय से भारत में अप्रत्यक्ष या आवश्यक रूप से संसदीय व्यवस्था की स्थापना हो जाएगी, तो यह गलतफहमी है, मेरा इससे कोई लेना देना नहीं है।

इतना ही नहीं इस सुधार द्वारा मुसलमानों को खुश करने के लिए पृथक निर्वाचन व्यवस्था को लाया गया। इसके अंतर्गत सभी मुसलमानों को एक पृथक निर्वाचन क्षेत्र में बांट दिया गया। जहां से केवल मुस्लिम ही निर्वाचित हो सकेंगे। इस उक्ति के पीछे यह विचार था कि मुसलमानों के हित हिंदुओं से अलग हैं तथा उनका संरक्षण मुस्लिम नेता के द्वारा ही किया जा सकता है। इस निर्णय ने हिंदू एवं मुस्लिम के बीच पारस्परिक अविश्वास को और अधिक बढ़ा दिया एवं यह राष्ट्रीय एकता के लिए बहुत हानिकारक साबित हुआ।

यद्यपि उदारवादी सुधारों से पूर्ण रूप से संतुष्ट नहीं थे, तो भी उन्होंने जनता के बीच अपनी लोकप्रियता को दांव पर लगाकर निरन्तर सरकार का समर्थन तथा उग्रवादियों का विरोध किया।

सूरत विभाजन का राष्ट्रीय आंदोलन पर प्रभाव (Impact of Surat Split on National Movement)

सूरत विभाजन को अक्सर राष्ट्रीय त्रासदी कहा जाता है, क्योंकि इससे न केवल कांग्रेस को बल्कि राष्ट्रीय आंदोलन को भी बहुत अधिक हानि हुई। उदारवादी एवं उग्रवादी, राष्ट्र के मस्तिष्क एवं हृदय के समान थे। एक कानून था, तो दूसरा उमंग। उग्रवादियों के जाने के बाद कांग्रेस एक दशक से भी अधिक समय तक पंगु बनी रही, क्योंकि उदारवादी बहुत कम उपलब्धि प्राप्त कर सके। 1916 के बाद ही जब उग्रवादियों का पुनः प्रवेश हुआ एवं उदारवादियों को जाना पड़ा, तब कांग्रेस पुनः सक्रिय हुई। लेकिन अब यह एक अलग इतिहास था। मोहनदास करमचंद गांधी राजनीतिक परिदृश्य में प्रवेश कर चुके थे और स्वयं को उग्रवादियों के कार्यक्रम के साथ जोड़ चुके थे। वे विश्वास और विवेक, कानूनी एवं उत्साह के एक नए संश्लेषण का प्रतिनिधित्व करते थे और उन्होंने आधुनिक भारतीय इतिहास में एक नए युग की शुरुआत की।

अध्याय 6

उग्रवादी चरण - भाग 2 (1905-1918) (क्रांतिकारी आतंकवादी आंदोलन, गदर आंदोलन, होम रूल आंदोलन)

1908 के मध्य तक स्वदेशी आंदोलन समाप्त हो चुका था तथा एक राष्ट्रव्यापी जन-आंदोलन के लिए अगला महत्वपूर्ण प्रयत्न प्रथम विश्व युद्ध के बाद किया गया। बीच के वर्षों में तीन प्रमुख राजनीतिक प्रवृत्तियों अथवा विचारधाराओं- क्रांतिकारी आतंकवादी आंदोलन, गदर आंदोलन तथा होमरूल आंदोलन का उद्भव हुआ। इन सभी ने अपने तरीकों से राष्ट्रवाद की भावनाओं को बढ़ाने में सहयोग किया। प्रथम विचारधारा (क्रांतिकारी आतंकवाद) के प्रारंभिक दौर का स्वदेशी-आंदोलन के जन-सहभागिता वाले अंतिम चरण में विलय हो गया था। अन्य दो विचारधाराएं-गदर एवं होमरूल आंदोलन प्रथम विश्व युद्ध के समकालीन थीं।

क्रांतिकारी आतंकवादी आंदोलन (Revolutionary Terrorist Movement)

भारत में क्रांतिकारी आतंकवाद के उदय के कारण उग्रवादी राष्ट्रवाद के उदय के कारणों के समान ही हैं। एक आंदोलन के तौर पर इनका उद्भव वास्तविक शक्ति के रूप में 1908 के बाद हुआ और इन्हें स्वदेशी आंदोलन का गुप्त शिशु भी कहा जा सकता है। क्रांतिकारी गतिविधियों को एक बहुत अधिक उत्प्रेरित राष्ट्रवादी युवाओं की पीढ़ी द्वारा अपनाया गया। उन्होंने अन्य सभी राजनीतिक तरीकों को निरर्थक अथवा असंतोषजनक पाया। देश के विभिन्न भागों में कार्यरत इन क्रांतिकारियों का एक ही राजनीति लक्ष्य था- ब्रिटिश राज्य से स्वतंत्रता।

क्रांतिकारी आतंकवादी आंदोलन के उदय के कारण (Reasons for the Rise of Revolutionary Terrorist Movement)

क्रांतिकारी आतंकवाद के उदय में मुख्यतया निम्नलिखित कारक उत्तरदायी थे-

1. **उदारवादी विधियों की असफलता**- 1905 में उदारवादियों के विरोध के बावजूद बंगाल के विभाजन को लागू कर दिया गया था। राष्ट्रवादियों का एक समूह सरकार से प्रार्थना एवं याचिकाओं के प्रयोग की निरर्थकता का अनुभव कर चुका था। वे उग्रवादियों द्वारा की गई उदारवादी राजनीति की आलोचना तथा उदारवादी कांग्रेसियों की राजनीतिक-भिक्षावृत्ति के उपहास से सहमत हो चुके थे।
2. **युवाओं को एक सकारात्मक नेतृत्व देने में उग्रवादियों की असफलता**- उग्रवादियों ने प्रार्थना एवं याचिकाओं के उपयोग से आगे निकलने की आवश्यकता पर बल दिया। उन्होंने अधिक आक्रामक कार्यक्रमों की आवश्यकता का समर्थन किया एवं बहिष्कार व निष्क्रिय-प्रतिरोध के विचार को आगे बढ़ाया। उन्होंने युवाओं को सीधी कार्रवाई एवं आत्म बलिदान के लिए प्रेरित किया। इसके बाद भी उग्रवादी इन विचारों को व्यवहारिक रूप में परिणत करने में अक्षम थे। वे ऐसी कोई प्रभावशाली संस्था को संगठित करने में भी असफल रहे, जिसके द्वारा युवाओं की क्रांतिकारी ऊर्जा को सकारात्मक दिशा में निर्देशित किया जा सके। इसमें कोई आश्चर्य नहीं होना चाहिए कि उन युवाओं ने अपनी समस्याओं का हल 'बम की राजनीति' में ढूंढ़ा।

एक बार फिर, यहां तक की उग्रवादी नेताओं ने क्रांतिकारियों के वीरतापूर्ण गतिविधियों की प्रशंसा की। वे उन्हें यह शिक्षित करने में असफल रहे कि भारत जैसे विशाल देश में साम्राज्यवादी शक्ति के विरुद्ध केवल एक शांतिपूर्ण जन-आंदोलन ही सफल हो सकता है, न कि व्यक्तिगत हिंसात्मक गतिविधियां। न केवल वे क्रांतिकारी आतंकवाद के विचार का विरोध करने में असफल हुए, बल्कि कुछ उग्रवादियों जैसे अरविंदो घोष ने तो उनको प्रोत्साहित किया। इसके साथ ही, युवाओं ने स्वदेशी आंदोलन में इस आशा से सक्रिय रूप से भागीदारी की, कि वे बहिष्कार, स्वदेशी एवं निष्क्रिय-प्रतिरोध की उग्रवादी विधियों से देश को स्वराज्य की ओर ले जाएंगे। इसके विपरीत स्वदेशी आंदोलन न केवल स्वराज्य के लक्ष्य को प्राप्त करने में असफल हुआ, बल्कि बंगाल के विभाजन को भी निरस्त नहीं करा सका। (बाद में 1911 में विभाजन को वापस ले लिया गया)

3. **स्वदेशी आंदोलनकारियों का हिंसात्मक दमन**- स्वदेशी आंदोलनकारियों का सरकार द्वारा हिंसात्मक दमन क्रांतिकारी आतंकवाद के उदय का एक अन्य कारण बना। 1907 में कांग्रेस के विभाजन ने इसे सुगम बना दिया एवं सरकार ने उग्रवादियों के विरुद्ध बड़े स्तर पर हमला शुरू कर दिया था।

क्रांतिकारियों की विधियां (Methods of the Revolutionaries)

क्रांतिकारियों का विश्वास था कि पाश्चात्य-साम्राज्यवाद का जवाब उनके द्वारा अपनाई जाने वाली हिंसात्मक विधियों के द्वारा ही दिया जा सकता है। अत: उन्होंने बंदूक व बम के रास्ते को अपनाया। उन्होंने गुप्त संस्थाएं बनाई, युवा व्यक्तियों को भर्ती किया एवं उन्हें देश की स्वाधीनता के लिए **कर्म** व **बलिदान** के मूल्यों का प्रशिक्षण दिया।

इन क्रांतिकारी आतंकवादियों ने अपने कार्य करने की शैली आयरिश-आतंकवाद एवं रूसी-शून्यवाद की तर्ज पर बनाई। अप्रिय अधिकारियों की हत्या, वीरतापूर्ण व्यक्तिगत कार्यों, गुप्त-संस्थाओं एवं राजनीतिक डकैती (जिसे स्वदेशी डकैती के नाम से भी जाना जाता था) को पुन: प्रारंभ किया। यद्यपि वे साम्राज्यवादी ताकतों को समाप्त करने के लिए एक सशस्त्र जन-विद्रोह की आवश्यकता में विश्वास करते थे, लेकिन इसके साथ ही वह समझते थे कि यह कार्य बहुत विशाल है। सेना के माध्यम से तख्तापलट करना बहुत मुश्किल था। ऐसे में उनके पास तात्कालिक रूप से एक ही विकल्प बचा था और वह था वीरतापूर्ण व्यक्तिगत कार्य। इसमें ब्रिटिश अधिकारियों को भयभीत करने, जनता की जड़ता और भय को हटाने तथा राष्ट्रवाद की भावना को मजबूत करने का लक्ष्य निहित था।

भारत में क्रांतिकारी गतिविधियों का एक सामान्य अवलोकन (A General Survey of Revolutionary Activities in India)

1908 के पूर्व क्रांतिकारी गतिविधियां

यद्यपि एक प्रमुख विचारधारा के रूप में क्रांतिकारी आतंकवाद 1907-1908 के बाद उभरा, लेकिन कुछ छिट-पुट गतिविधियां इससे पहले भी सामने आईं थीं-

- 1897 में पहला क्रांतिकारी आतंकवाद का कार्य सामने आया, जब **चापेकर बंधुओं**- दामोदर एवं बाल कृष्ण ने पूना में दो अप्रिय ब्रिटिश अधिकारियों की हत्या कर दी।
- 1904 में वी. डी. सावरकर एवं उनके भाई गणेश ने क्रांतिकारियों की गुप्त संस्थाएं **'अभिनव भारत'** एवं **'मित्र मेला'** गठित की।
- कलकत्ता में **युगांतर-समूह** एवं ढाका में **अनुशीलन समिति** अन्य प्रमुख क्रांतिकारी समूह थे।
- स्वदेशी आंदोलन के दौरान अनेक प्रमुख समाचार पत्रों जैसे बंगाल में **संध्या** एवं **युगांतर** तथा महाराष्ट्र में **काल** ने क्रांतिकारी आतंकवाद का समर्थन किया।

- स्वदेशी आंदोलन के दौरान अरविंदो घोष द्वारा एक राजनीतिक प्रचार-पुस्तिका **भवानी मंदिर** प्रकाशित कराई गई। इसमें एक लेख बारीन्द्र कुमार घोष द्वारा लिखा गया था, जिसमें क्रांतिकारी गतिविधियों के लिए एक केंद्र बनाने की योजना का वर्णन था। बारीन्द्र ने **वर्तमान-रणनीति** भी प्रकाशित की थी।
- प्रचार-पुस्तिका **मुक्ति-कोण-पाथे** (मुक्ति किस रास्ते पर है) में भारतीय सैनिकों से क्रांतिकारियों से हथियारों की आपूर्ति का आग्रह किया गया था।
- 1907 में बंगाल व पूर्वी बंगाल के लेफ्टिनेंट गवर्नर को मारने का असफल प्रयत्न किया गया।

1908 के बाद क्रांतिकारी गतिविधियां

क्रांतिकारी आंदोलन का वास्तविक प्रारंभ **अप्रैल 1908** में हुआ, जब **प्रफुल्ल चाकी** एवं **खुदीराम बोस** ने एक गाड़ी के ऊपर बम फेंका। उनको लगा कि उस गाड़ी में अप्रिय ब्रिटिश मजिस्ट्रेट डग्लस किंग्सफोर्ड होंगे, लेकिन गलती से उस गाड़ी में यात्रा कर रहीं दो महिलाएं मारी गईं। सामने गिरफ्तारी को देख चाकी ने स्वयं को गोली मार ली। खुदीराम बोस को गिरफ्तार कर लिया गया और बाद में उन्हें फांसी पर चढ़ा दिया गया। इसी प्रकरण को मुजफ्फरपुर-षडयंत्र केस के नाम से जाना गया।

स्वदेशी आंदोलनकारियों के हिंसात्मक-दमन ने बड़ी संख्या में हत्याओं, गुप्त संस्थाओं एवं राजनीतिक डकैतियों को जन्म दिया। शीघ्र ही अनुशीलन एवं युगांतर संस्थाओं की अगुवाई में बंगाल क्रांतिकारी गतिविधियों का एक प्रमुख केंद्र बनकर उभरा। महाराष्ट्र, बंगाल, पंजाब एवं संयुक्त प्रांत क्रांतिकारी गतिविधियों के लिए प्रमुख प्रांतों के रूप में उभरे। 1908-1918 के दौरान एक अनुमान के अनुसार 186 क्रांतिकारियों को या तो मार दिया गया या उनको आरोपी सिद्ध कर दिया गया।

महाराष्ट्र में क्रांतिकारी गतिविधियां (Revolutionary Activities in Maharashtra)

- चापेकर बंधु एवं रैंड हत्या-प्रकरण (पूना, 1897)
- सावरकर बंधु (विनायक दामोदर सावरकर एवं गणेश दामोदर सावरकर)
  - मित्र मेला (1899) एवं अभिनव भारत मंडल (1904)
  - वीर सावरकर एवं इंडिया हाउस की गतिविधियां (लंदन, 1907)
  - नासिक षडयंत्र केस (प्रकरण) दिसंबर 1909

1879 में वासुदेव बलवंत फड़के के नेतृत्व में **रामोसी कृषक दल** ने क्रांतिकारी गतिविधियां आयोजित की, जिसका उद्देश्य सशस्त्र-विद्रोह के माध्यम से ब्रिटिश शासन को समाप्त करना था।

1918 की विद्रोह समिति के प्रतिवेदन के अनुसार क्रांतिकारी-आंदोलन का प्रारंभ सर्वप्रथम महाराष्ट्र, विशेषकर पूना जिले के चितपावन ब्राह्मणों के माध्यम से हुआ। इन ब्राह्मणों के पूर्वज महाराष्ट्र में शासकों के पेशवा अथवा मंत्री के रूप में अपनी सेवा दे चुके थे। लॉर्ड हेस्टिंग्स के समय पेशवा-शासन अथवा चितपावन-सरकार को ईस्ट इंडिया कंपनी ने पराजित कर दिया था। उनके हृदय में स्वराज्य के प्रति प्रेम बना हुआ था तथा उन्हें अभिलाषा थी कि एक दिन वे सत्ता में वापस आ जाएंगे।

बाल गंगाधर तिलक (एक चितपावन ब्राह्मण) ने क्रमश: 1893 व 1895 में **गणपति** एवं **शिवाजी उत्सव** को लोकप्रिय बनाया एवं इनके माध्यम से महाराष्ट्र में स्वराज्य के मूल्यों को प्रसारित किया। उन्होंने अपने समाचार पत्र- मराठा एवं केसरी के द्वारा क्रांतिकारी गतिविधियों का समर्थन किया। महाराष्ट्र में बॉम्बे, पूना व नासिक प्रमुख क्रांतिकारी केंद्र के रूप में उभरे।

चापेकर बंधु एवं रैंड हत्या प्रकरण (पूना, 1897)- रैंड-हत्या प्रकरण को भारतीय इतिहास में यूरोपियन की **पहली राजनीतिक हत्या** के रूप में भी जाना जाता है। 1897 की गर्मियों के दौरान पूना में गंभीर महामारी की तरह बुबोनिक प्लेग फैल गया था। इस स्थिति का सामना करने के लिए डब्ल्यू. सी. रैंड (इंडियन सिविल सर्विसेज के एक अधिकारी) की अध्यक्षता में एक विशिष्ट प्लेग समिति बनाई गई। सेना की एक ब्रिटिश टुकड़ी को तैनात किया गया, जिसमें मुख्यतया ब्रिटिश अधिकारी थे। उस सैन्य दल के द्वारा बहुत ही कठोर तरीके अपनाए गए। घर में जबरदस्ती प्रवेश, सार्वजनिक रूप से

अधिकारियों द्वारा महिलाओं सहित सभी लोगों को निर्वस्त्र करके तलाशी लेना, अलग शिविरों में रखना, निजी संपत्तियों को नष्ट करना इत्यादि कृत्य शामिल थे। इन सभी कार्यों को स्थानीय जनता द्वारा क्रूरतापूर्ण बताया गया और उसकी शिकायत भी की गई, लेकिन रैंड ने नजरअंदाज कर दिया।

तिलक ने अपने पत्र केसरी एवं मराठा में एक उत्तेजक लेख लिखा, "प्लेग हम पर उन लोगों से ज्यादा दयालु है, जो अब इस शहर में शासन कर रहे हैं।" गीता का उल्लेख करते हुए उन्होंने लिखा कि जो बिना किसी पुरस्कार की इंच्छा किए शोषणकारी को मारता है, उसे किसी प्रकार का अपराध नहीं लगता।

तिलक के लेख से प्रभावित होकर चापेकर बंधुओं (चितपावन ब्राह्मण दामोदर एवं बालकृष्ण) ने 22 जून 1897 को रैंड एवं उसके युवा सैन्य साथी लेफ्टिनेंट अएर्स्ट को मार दिया। दोनों भाइयों को पकड़ा गया। उन पर अभियोग चलाया गया और अंत में उन्हें फांसी पर लटका दिया गया। तिलक पर हत्या के लिए उकसाने एवं ब्रिटिश शासन के विरुद्ध असंतोष को प्रचारित करने का आरोप लगाया गया एवं उन्हें 18 माह के कारावास की सजा दी गई।

सावरकर बंधु (विनायक दामोदर सावरकर एवं गणेश दामोदर सावरकर)

मित्र मेला (1899) एवं अभिनव भारत मंडल (1904)- 1899 में नासिक में सावरकर बंधु (विनायक एवं गणेश) ने एक क्रांतिकारी गुप्त संस्था 'मित्र मेला' स्थापित की। इस दौरान विनायक सावरकर फर्गुसन कॉलेज, पुणे में एक छात्र थे। इस समय महाराष्ट्र में अनेक ऐसी संस्थाएं स्थापित की गईं, जिनका उद्देश्य सशस्त्र-क्रांति के द्वारा ब्रिटिश शासन को पराजित करना था। 1904 में एक बैठक में विनायक सावरकर ने मित्र-मेला का नाम बदलकर 'अभिनव भारत' रख दिया। मैजिनी की यंग इटली इस संस्था की प्रेरणा थी। विनायक सावरकर इटालियन क्रांतिकारी मैजिनी एवं उसकी गुप्त संस्थाओं व गोरिल्ला युद्ध-नीति से बहुत प्रभावित थे। 1906 में सावरकर ने **मैजिनी-चरित्र** लिखी, जो एक प्रकार से मैजिनी के लेखों का अनुवाद था। सावरकर के क्रांतिकारी प्रचार से कुछ हत्याएं हुईं, जिनमें लंदन में विलियम वाइली एवं नासिक में ए. एम. टी. जैकसन की हत्या शामिल थी।

वीर सावरकर एवं इंडिया हाउस की गतिविधियां (लंदन, 1906)- 1906 में फर्गुसन कॉलेज से स्नातक करने के बाद श्याम जी कृष्ण वर्मा की छात्रवृत्ति का लाभ उठाकर वे कानून के अध्ययन के लिए लंदन गए। वहां उन्होंने इंडिया हाउस में शरण ली। इंडिया हाउस लंदन में छात्रों की राजनीतिक गतिविधियों का एक प्रमुख केंद्र था। इंडिया हाउस की स्थापना एक प्रवासी भारतीय पंडित श्याम जी ने की थी।

शीघ्र ही सावरकर ने अपने साथी भारतीय छात्रों की सहायता के लिए **फ्री इंडिया सोसाइटी** (Free Indian Society) की स्थापना की। इस संस्था का उद्देश्य 1857 की क्रांति की तर्ज पर गोरिल्ला युद्ध-शैली व क्रांति द्वारा भारत को स्वतंत्रता दिलाना था। 1857 की क्रांति पर सावरकर के विचारों को एक किताब, **'द इंडियन वार ऑफ इंडिपेंडेंस, 1857** (The Indian War of Independence, 1857)' में प्रकाशित किया गया। 1857 की घटना को भारत का प्रथम स्वतंत्रता संग्राम कहने वाले वे पहले लेखक थे, जबकि इसी घटना को ब्रिटिश सरकार सैनिक-विद्रोह कहती थी।

इस किताब में उन्होंने भारत में ब्रिटिश शासन को अन्याय-पूर्ण एवं दमनकारी बताया एवं उसकी निंदा की। इस किताब को संपूर्ण ब्रिटिश भारत में प्रतिबंधित कर दिया गया था। हालांकि इस किताब को बड़े स्तर पर गुप्त रूप से प्रसारित किया गया तथा युवा भारतीयों के बीच यह किताब बहुत लोकप्रिय हुई। एक अन्य प्रवासी भारतीय क्रांतिकारी मैडम भीकाजी कामा ने इस किताब को फ्रांस, जर्मनी एवं नीदरलैंड में प्रसारित किया।

इसी बीच सावरकर क्रांतिकारी विधियों एवं यहां तक की रशियन क्रांतिकारियों से बम बनाने की कला लगातार सीखते रहे। बम बनाने एवं गोरिल्ला युद्ध-शैली पर उन्होंने एक प्रचार-पुस्तिका भी निकाली।

1 जुलाई 1909 को लंदन में **मदन लाल ढींगरा** ने **कर्नल विलियम कर्जन वाइली**, जो भारत सचिव के राजनीतिक सलाहकार थे, की गोली मारकर हत्या कर दी। इस हत्या के बाद ब्रिटिश अधिकारियों ने बड़े स्तर पर कार्रवाई की। मदनलाल

को पकड़ लिया गया एवं उन्हें फांसी पर लटका दिया गया। सावरकर को गिरफ्तार कर भारत निर्वासित कर दिया गया, जहां उन्हें नासिक षडयंत्र प्रकरण में आजीवन कारावास की सजा दी गई। श्याम जी लंदन छोड़कर पेरिस में जा बसे और लंदन में इंडिया हाउस की गतिविधियों को झटका लगा।

नोट- ग्रेव वार्निंग (Grave Warning, गंभीर चेतावनी) एक पुस्तिका थी, जिसे लंदन में बड़े स्तर पर वितरित किया गया था।

नासिक षडयंत्र प्रकरण (दिसंबर 1909)- 21 दिसम्बर 1909 को **ए. एम. टी. जैक्सन** (नासिक के जिला मजिस्ट्रेट) को एक 17 वर्षीय युवा **अनंत कनहरे** ने गोली मार के हत्या कर दी। ऐसा माना जाता है कि कनहरे जैक्सन से नाराज थे, क्योंकि जैकसन ने गणेश सावरकर (वी. डी. सावरकर के बड़े भाई) का सुनवाई के दौरान अपमान किया था। नागपुर षडयंत्र प्रकरण में आगे और जांच-पड़ताल हुई तथा 'अभिनव भारत मंडल' एवं सावरकर बंधुओं की भूमिका इस षडयंत्र में सामने आई। इसके साथ ही ब्राउनिंग पिस्टल, जिसका उपयोग जैकसन की हत्या में किया गया था, को सावरकर ने लंदन से भेजा था। हत्या के आरोप में विनायक सावरकर को आजीवन कारावास का दंड दिया गया एवं उन्हें अंडमान निर्वासित कर दिया गया (1910)।

नोट- जैक्सन एक भारत-विद थे तथा उन्होंने भारतीय इतिहास एवं संस्कृति को व्यापक रूप से पढ़ा था। इसलिए उनका एक नाम पंडित जैक्सन भी प्रचलित हुआ।

विनायक दामोदर सावरकर (1883-1966)- वी. डी. सावरकर, जिन्हें वीर सावरकर के नाम से जाना जाता था, एक वकील, स्वतंत्रता सेनानी एवं एक नास्तिक थे। उन्होंने सभी प्रकार की धार्मिक-रूढ़ीवादी मान्यताओं का परित्याग कर दिया था। उनका जन्म नासिक के समीप एक गांव में चितपावन ब्राह्मण के रूप में हुआ। उन्हें 'वीर' विशेषण तब मिला, जब उन्होंने वीरतापूर्ण तरीके से मुस्लिम भीड़ के हमले से अपने गांव की रक्षा की थी। जब वे युवा छात्र थे, तब स्वदेशी आंदोलन एवं लाल-बाल-पाल के आक्रामक राष्ट्रवाद से बहुत अधिक प्रभावित थे।

नासिक षडयंत्र केस में जेल में रहते हुए उन्होंने अपनी ऊर्जा लेखन कार्य में लगाई तथा 'हिंदुत्व: हिंदू कौन हैं?' लिखा। 'हिंदुत्व' शब्द का प्रयोग करने वाले वे पहले व्यक्ति बने। उन्होंने 'हिंदू' शब्द का वर्णन भारतवर्ष के देशभक्त निवासियों के रूप में किया। इस प्रकार उनकी परिभाषा धार्मिक पहचान की परिधि से परे थी। उन्होने भारत की परिकल्पना एक **हिंदू-राष्ट्र** अथवा अखंड-भारत के रूप में की थी। उनके आलोचकों ने सवाल उठाते हुए कहा कि सावरकर ने मुस्लिम एवं ईसाइयों का बहिष्कार करने के लिए हिंदू शब्द की व्याख्या सांस्कृतिक एवं राजनीति दृष्टि से की की थी। सावरकर ने अन्य रचनाएं भी लिखी थीं, जिनमें 'ट्रांसपोर्टेशन फॉर लाइफ' (Transportation for life), 'कालापानी' एवं 'गांधी गोंधाल' (गांधी का भ्रम, गांधी की नीतियों की एक राजनीतिक आलोचना) शामिल थी। सावरकर ने कलम एवं कागज के स्थान पर, जेल की दीवार पर कांटे एवं छोटे पत्थरों की सहायता से लिखा था। इसके साथ ही उन्होंने अपने साहित्यक-कार्य की हजारों पंक्तियों को याद कर लिया था।

1937 में, प्रांतीय स्वायत्तता मिलने के साथ ही सावरकर को अंततः जेल से मुक्त कर दिया गया तथा उसी वर्ष उन्हें हिंदू महासभा का अध्यक्ष (1937-1943) भी चुना गया। द्वितीय विश्व युद्ध के दौरान उन्होंने भारत छोड़ो आंदोलन का विरोध किया एवं ब्रिटिश शासन के युद्ध प्रयासों का समर्थन, इस उद्देश्य से किया कि हिंदुओं को इस दौरान सैन्य प्रशिक्षण मिल सके। उन्होंने नारा दिया, 'सभी प्रकार की राजनीति का हिंदूकरण एवं हिंदुस्तान का सैन्यकरण।'

मदन लाल ढींगरा (1883-1909) - ढींगरा एक क्रांतिकारी स्वतंत्रता-कार्यकर्ता थे। 1905 में ढींगरा अध्ययन के लिए इंग्लैंड गए एवं वहां वे स्वाधीनता-कार्यकर्ता जैसे श्यामजी कृष्ण वर्मा एवं वी. डी. सावरकर, जो बंगाल के विभाजन से बहुत अधिक क्रोधित थे, के संपर्क में आए। इंग्लैंड में अध्ययन के दौरान उन्होंने **कर्नल विलियम वाइली की गोली मारकर हत्या** कर दी थी। इस कार्य को 20वीं शताब्दी के क्रांतिकारी आतंकवाद का पहला उदाहरण माना गया। हत्या के बाद उन पर मुकद्मा चलाया गया तथा फांसी की सजा दी गई। इससे पहले उनके पिता ने उनकी राजनीतिक गतिविधियों के कारण उनका परित्याग कर दिया था , जिसके संबंध में उन्होंने समाचार-पत्र में भी प्रकाशन किया था। आज उन्हें एक वीर क्रांतिकारी के रूप में याद किया जाता है, जिन्होंने मातृभूमि की स्वतंत्रता के लिए अपने जीवन को कुर्बान कर दिया था।

बंगाल में क्रांतिकारी गतिविधियां (RevolutionaryA ctivities in Bengal)

- अनुशीलन समिति (1902)
  1. ढाका अनुशीलन समिति (1905-1906)
     - बरिसल षडयंत्र केस (1913)
  2. जुगान्तर अथवा युगांतर (अप्रैल 1906)
     - मुजफ्फरपुर षडयंत्र एवं अलीपुर बम षडयंत्र प्रकरण (1908)
     - इंडिया-जर्मन षडयंत्र

प्रमथनाथ मित्र (1853-1910)- वे एक बंगाली वकील, राष्ट्रवादी एवं अनुशीलन समिति के संस्थापक सदस्य थे।

अनुशीलन समिति (1902)

अनुशीलन समिति बंगाल में प्रमुख क्रांतिकारी संगठन था, जिसने ब्रिटिश शासन को समाप्त करने के लिये क्रांतिकारी हिंसा का प्रसार किया।

1900 तक कलकत्ता संगठित राजनीतिक गतिविधियों के एक केंद्र के रूप में उभरा। अनेक युवा छात्र-छात्राओं व राष्ट्रवादियों ने गुप्त संस्थाओं के द्वारा मिलना प्रारंभ किया, जिससे भौतिक एवं नैतिक क्षमता की संस्कृति को प्रोत्साहन मिला। 1902 में अनुशीलन समिति (जिसका शाब्दिक अर्थ था शरीर-निर्माण का समुदाय) स्थानीय जिम अथवा अखाड़ों की एकजुटता के कारण क्रमिक रूप से उभरी। इस दौरान इस समिति के नेतृत्व में कलकत्ता में तीन संस्थाएं कार्य कर रहीं थीं- पहली संस्था की स्थापना बंगाल के एक छात्र सतीश चंद्र बसु ने की तथा उसका प्रोत्साहन कलकत्ता के एक वकील पी. मित्र द्वारा किया गया, दूसरी संस्था का नेतृत्व सरला देवी तथा तीसरी संस्था का नेतृत्व जतीन्द्रनाथ बैनर्जी (निरलंबा स्वामी) एवं अरविंदो घोष द्वारा किया गया। अरविंदो घोष उस समय के आक्रामक-राष्ट्रवाद के शक्तिशाली प्रस्तावकों में से एक थे। अरविंदो एवं उनके बड़े भाई बारीन्द्रनाथ घोष के प्रयासों से अनुशीलन समिति जंगल की आग की तरह पूरे बंगाल में फैल गई। बारिन्द्र द्वारा स्थापित **पत्रिका युगांतर**, जो उन्होंने **भूपेंद्र नाथ दत्त** व अन्य लोगों के साथ मिलकर स्थापित की थी, समिति के कार्यकर्ताओं के लिए एक मुख्य आवाज बनकर उभरी।

1905 में बंगाल के विभाजन ने उग्रवादी राष्ट्रवादी भावनाओं को और अधिक बढ़ा दिया एवं अब समिति के दो स्वतंत्र भाग सामने आए-

1. पूर्वी बंगाल में ढाका अनुशीलन समिति, जिसका केंद्र ढाका में था।
2. पश्चिमी बंगाल में युगांतर-समूह, जिसका केंद्र कलकत्ता था।

1. ढाका अनुशीलन समिति (1905-1906)- अनुशीलन समिति की एक शाखा के रूप में इसकी स्थापना **पुलिन बिहारी दास** के नेतृत्व में 80 लोगों के एक समूह के द्वारा की गई। यह संस्था पूरे पूर्वी बंगाल में तेजी से फैली तथा ढाका में 500 शाखाओं के साथ एक बहुत अधिक संगठित गुप्त संस्था के रूप में उभरी। अरविंदो के अलग दृष्टिकोण के कारण यह संस्था युगांतर समूह से अलग हो गई। बरिसल षडयंत्र प्रकरण के बाद इस समिति की गतिविधियों को एक अस्थाई झटका लगा।

बरिसल षडयंत्र प्रकरण (1913)- यह ब्रिटिश राज के विरुद्ध विद्रोह को भड़काने के अपराध में 44 बंगालियों के विरुद्ध सुनवाई थी। बरिसल के पुलिस अधिकारियों ने सूचित किया था कि उन्होंने ऐसे दस्तावेज जब्त कर लिए हैं, जिसमें भारतीय सेना को भड़काने तथा ब्रिटिश लोगों को बड़ी संख्या में मारने का अनुशीलन समिति का एक प्रस्ताव था। पुलिन सहित 5 को दोषी ठहराया गया तथा उन्हें अंडमान की केंद्रीय जेल में लंबे कारावास के लिए निर्वासित कर दिया गया। अनुशीलन समिति पर प्रतिबंध लगा दिया गया।

प्रथम विश्व युद्ध के दौरान अनुशीलन समिति ने इंडो-जर्मन षडयंत्र में भाग न लेने का निर्णय लिया। पुलिन को 1918 में रिहा कर दिया गया, लेकिन उन्होंने महात्मा गांधी के नेतृत्व को स्वीकार करने से मना कर दिया। उन्होंने 1920 में **'भारत सेवक संघ'** की स्थापना की तथा पुनः क्रांतिकारी गतिविधियों को प्रारंभ किया। इस प्रकार समिति निरंतर भूमिगत तरीके से अस्तित्व में बनी रही।

पुलिन बिहारी दास (1877-1949) - वे ढाका अनुशीलन समिति के संस्थापक अध्यक्ष थे। 1906 में प्रमथनाथ मित्र व बिपिन चंद्र पाल के साथ नवनिर्मित पूर्वी बंगाल एवं असम प्रांत का दौरा किया। अपने भाषण में मित्र ने पूछा कि वे लोग अपने कदम आगे बढ़ाएं, जो अपनी मातृभूमि की स्वाधीनता के लिए अपना जीवन कुर्बान करने के इच्छुक हों और पुलिन ने अपने कदम आगे बढ़ाए। बाद में उन्हें अनुशीलन समिति की ढाका शाखा को संगठित करने के लिए चुना गया। 1908 में पुलिन के नेतृत्व में समिति ने सनसनीखेज **बर्रा-डकैती** को अंजाम दिया। यह डकैती बर्रा के जमींदार के निवास पर दिन के उजाले में की गई थी।

अंडमान में केंद्रीय जेल

रासबिहारी बोस (1886-1945)- वे एक क्रांतिकारी नेता, गदर क्रांति तथा बाद में इंडिया नेशनल आर्मी के प्रमुख संगठनकर्ता थे। वे अलीगढ़ बम प्रकरण की सुनवाई के दौरान देहरादून भाग गए थे। दिल्ली षडयंत्र प्रकरण के कारण उन्हें पुनः छुपने के लिए मजबूर होना पड़ा। प्रथम विश्व युद्ध के दौरान बड़े स्तर पर गदर-कार्यकर्ताओं के साथ संलिप्त रहे, जो युद्ध के वर्षों में भारत में विद्रोह की योजना बना रहे थे। लेकिन सरकार को उनकी योजना का पता चल गया था तथा उनके प्रयास को सफलतापूर्वक

जापानी नेताओं द्वारा बोस को दी गई डिनर पार्टी का एक दृश्य

दबा दिया गया था। रासबिहारी पलायन कर 1915 में जापान पहुंचे। वहां उन्होंने संपूर्ण एशिया के समर्थकों की सहायता से अपना गुजारा किया। जापानी महिला से उन्होंने विवाह किया तथा 1923 में जापानी नागरिकता प्राप्त की। द्वितीय विश्व युद्ध के दौरान बोस ने जापानी अधिकारियों को भारत की स्वाधीनता के लिए समर्थन देने हेतु राजी किया। मार्च 1942 में बोस ने टोक्यो में एक सम्मेलन आयोजित किया तथा **इंडियन इंडिपेंडेंस लीग** (Indian Independence League) की स्थापना की। जापानी सरकार द्वारा उन्हें 'ऑर्डर ऑफ द राइजिंग सन (Order of the Rising Sun) के पुरस्कार से सम्मानित किया।

भूपेंद्रनाथ दत्त (1880-1961)- वे एक क्रांतिकारी व नरेंद्र नाथ दत्त के जोशीले छोटे भाई थे। वे पी. मित्र द्वारा स्थापित एक क्रांतिकारी संस्था के सदस्य थे। बाद में युगांतर पत्रिका (1906) के संपादक तथा घोष बंधुओं के करीबी बने।

2. जुगान्तर अथवा युगांतर (अप्रैल 1906)- युगांतर अथवा जुगान्तर एक क्रांतिकारी समूह था, जो अनुशीलन समिति के आंतरिक समूह द्वारा स्थापित किया गया था। इसका मुख्यालय कलकत्ता में था। **बारिन घोष** (अरविंदो घोष के छोटे भाई) तथा **बाघा जतिन** मुख्य नेता थे। अन्य नेताओं में **भूपेंद्र नाथ दत्त** एवं **रास बिहारी बोस** शामिल थे। बारिन एवं बाघा ने एक मानिकतला समूह भी बनाया था, जो हथियार एवं निर्मित बमों को मानिकतला क्षेत्र के एक गार्डन हाउस में एकत्रित करता था।

युगांतर समूह ने राजनीतिक एवं सैन्य प्रशिक्षण के लिए अनेक सदस्यों को विदेश भेजा था। पहले जत्थे (बैच) में **सुरेंद्र मोहन बोस, गुरन दित्त कुमार** तथा **तारक नाथ दास** शामिल थे, जिन्हें उत्तरी अमेरिका भेजा गया था। यह जत्था अमेरिका में हिंदू एवं सिख समुदायों के बीच बहुत अधिक सक्रिय था। इसी जत्थे ने भविष्य में गदर पार्टी की नींव रखी।

हेमचंद्र कानूनगो (हेम दास), जो जुगान्तर के वरिष्ठ सदस्य थे, को एक रशियन क्रांतिकारी के नेतृत्व में सैन्य प्रशिक्षण के लिए पेरिस भेजा गया। कलकत्ता लौटकर वे मानिकतला समूह में शामिल हुए।

मुजफ्फरपुर षडयंत्र एवं अलीपुर बम षडयंत्र प्रकरण (1908)

मुजफ्फरपुर षडयंत्र- 30 अप्रैल 1908 को **प्रफुल्ल चाकी** एवं **खुदीराम बोस** ने एक गाड़ी पर बम फेंका। उनको लगा कि उस गाड़ी में अप्रिय ब्रिटिश मजिस्ट्रेट डग्लस किंग्सफोर्ड यात्रा कर रहा है। लेकिन गलतफहमी में उस गाड़ी में यात्रा कर रहीं दो अंग्रेज महिलाएं मारी गईं। अपनी गिरफ्तारी को सामने देख प्रफुल्ल चाकी ने स्वयं को गोली मार ली, जबकि बोस पर मुकदमा चलाया गया एवं उन्हें फांसी की सजा दी गई। इसी प्रकरण को मुजफ्फरपुर षडयंत्र केस के नाम से जाना गया।

खुदीराम बोस (1889-1908)- भारत के सबसे युवा क्रांतिकारियों में से एक खुदीराम बोस, अरविंदो के व्याख्यानों से प्रभावित होकर अनुशीलन समिति में शामिल हो गए थे।

अलीपुर बम षडयंत्र केस (अथवा मानिकतला बम षडयंत्र केस)- मुजफ्फरपुर षडयंत्र प्रकरण के बाद बड़े स्तर पर सरकार द्वारा छानबीन की गई। मानिकतला बम कारखाना भी खोजा गया एवं अनेक क्रांतिकारियों, जिनमें **घोष बंधु, बारीन्द्र एवं अरविंदो** भी शामिल थे, को गिरफ्तार किया गया। इसी सुनवाई को अलीपुर बम षडयंत्र प्रकरण अथवा अलीपुर बम प्रकरण नाम से जाना गया।

सुनवाई के दौरान बाघा जतिन ने युगांतर समूह का नेतृत्व अपने हाथों में लिया। अब युगांतर समूह उन सब का विरोधी हो गया था, जो सुनवाई के दौरान अधिकारियों की सहायता कर रहे थे। जब क्रांतिकारी **नरेंद्र गोसाई** सरकारी गवाह बनने जा रहे थे, तो उनकी जेल में गोली मारकर हत्या कर दी गई। फरवरी 1909 को जब सार्वजनिक अभियोक्ता, गोसाई की हत्या की अभियोजन की कार्रवाई कर रहा था, तभी उसे कलकत्ता उच्च न्यायालय के भवन में गोली मार दी गई और जनवरी 1910 को डिप्टी सुपरिंटेंडेंट ऑफ पुलिस समसुल असलम, जो अलीपुर प्रकरण की कार्रवाई कर रहे थे, को कलकत्ता उच्च न्यायालय से बाहर आते हुए गोली मारकर हत्या कर दी गई। बाघा समेत अनेक क्रांतिकारियों को **समसुल-असलम प्रकरण** के साथ संबंध होने पर गिरफ्तार कर लिया गया।

यद्यपि बाघा इस मुकदमे में रिहा हो गए थे, लेकिन उन्हें तुरंत ही **हावड़ा -शिवपुर षडयंत्र प्रकरण (1910-1911)** में पुनः गिरफ्तार कर लिया गया। बाघा एवं अन्य पर राजा के विरुद्ध युद्ध छेड़ने के षडयंत्र एवं भारतीय सैनिकों, प्रमुख रूप से विलियम फोर्ट में तैनात जाट रेजिमेंट, की वफादारी को प्रभावित करने का आरोप था। जहां एक ओर हावड़ा जेल में उनके मुकदमे की सुनवाई की तैयारी चल रही थी, वही दूसरी ओर बाघा प्रथम विश्व युद्ध के छिड़ने का इंतजार कर रहे थे, ताकि अपने स्वदेशी सैनिकों की सहायता से विद्रोह कर सकें। 1911 में प्रभावी साक्ष्य के अभाव में उन्हें छोड़ दिया गया।

अलीपुर प्रकरण के फैसले में यद्यपि बारिन्द्र घोष को मृत्यु दंड दिया गया था। बाद में सजा को कम करके आजीवन कारावास में बदल दिया गया था तथा उन्हें 1909 में अंडमान की केंद्रीय जेल में निर्वासित कर दिया गया था। अरविंदो को शुरुआत में अलीपुर जेल में एकांत कारावास (कालकोठरी) दिया गया था, लेकिन बाद में **चितरंजन दास** द्वारा सफलतापूर्वक बचाव के द्वारा उन्हें निर्दोष साबित कर दिया गया।

इंडो-जर्मन षडयंत्र- प्रथम विश्व युद्ध के दौरान युगांतर समूह (बाघा जतिन एवं **रास बिहारी बोस** के नेतृत्व में) ने जर्मन लोगों की सहायता से ब्रिटिश सरकार के विरुद्ध एक विद्रोह करने की योजना बनाई थी। जिसे **इंडो-जर्मन षडयंत्र** (Indo-German plot) के नाम से जाना गया। जर्मनी में रहने वाले भारतीय क्रांतिकारियों (विशेषकर **वीरेन्द्रनाथ चट्टोपाद्याय उर्फ चट्टो)** के माध्यम से जर्मन हथियार एवं युद्ध सामग्रियों का प्रबंध किया गया तथा भारतीय सैनिक बल में एक विद्रोह के सहारे अखिल भारतीय विद्रोह की योजना बनाई गई थी। इंडो-जर्मन षडयंत्र के लिए धन उगाहने का कार्य युगांतर-समूह द्वारा कई डकैतियों के माध्यम से किया गया। उन डकैतियों को **टैक्सीकैब डकैती** एवं **नाव डकैती** (taxicab dacoities and boat dacoities) के नाम से जाना गया। हालांकि, पुलिस को षडयंत्र का पता चल गया एवं उन्होंने बालासोर में जर्मन हथियारों के इंतजार में बैठे बाघा को घेर लिया। आपस में गोलीबारी हुई एवं बाघा घायल हुए तथा उन्हें पकड़ लिया गया। अधिक घायल होने के कारण उन्होंने हार मान ली थी। इस प्रकार जर्मन षडयंत्र को विफल कर दिया गया।

रौलट समिति के प्रतिवेदन के अनुसार, 1906-1917 के दौरान केवल बंगाल में ही 110 डकैतियां हुई तथा करीब 60 हत्याओं का प्रयास किया गया।

फ्लैश फॉरवर्ड- अध्याय 6.12- क्रांतिकारी आतंकवादी आंदोलन का दूसरा चरण का अवलोकन करें।

बारीन्द्र कुमार घोष (1880-1959)- बारीन्द्रनाथ घोष, जो बारिन घोष के नाम से लोकप्रिय हुए, एक पत्रकार एवं क्रांतिकारी थे। वे युगांतर के संस्थापक सदस्य एवं अरविंदो घोष के छोटे भाई थे। उनका जन्म लंदन में हुआ था तथा 1902 में वे भारत लौटे। उन्होंने बाघा जतिन के साथ मिलकर बंगाल में क्रांतिकारी समूह को संगठित करना आरंभ किया। शीघ्र ही उन्होंने एक बंगाली साप्ताहिक **युगान्तर (1906)** प्रकाशित करना आरंभ किया। बारिन व बाघा ने **मानिकतला समूह** भी बनाया, जो कलकत्ता के पास मानिकतला में एक गार्डन-हाउस में हथियार व निर्मित बम एकत्रित करते थे। बारिन पर अलीपुर मानिकतला बम प्रकरण का मुकदमा चलाया गया तथा उन्हें अंडमान की केंद्रीय जेल में निर्वासित कर दिया गया (1909-1920)। सरकार द्वारा एक सार्वजनिक माफी के दौरान 1920 में उन्हें रिहा कर दिया गया तथा कलकत्ता वापस लौटकर उन्होंने पत्रकारिता को पेशे के रूप में अपनाया।

बाघा जतिन (1879-1915)- उनका वास्तविक नाम जतीन्द्रनाथ मुखर्जी था। वे एक बंगाली क्रांतिकारी तथा अनुशीलन समिति (1900) एवं बंगाल की युगांतर पार्टी के संस्थापक सदस्य थे। 1906 में अपने गांव में जतिन का सामना एक **शाही बंगाल टाइगर** (चीता) से हो गया। यद्यपि वे बुरी तरह से घायल हो गए थे, लेकिन वे खुखुरी की सहायता से चीते को मारने में सफल हो गए थे। उनकी वीरता से प्रभावित होकर बंगाल सरकार ने उन्हें एक चांदी की शील्ड दी, जिसमें चीते को मारते हुए उनका एक चित्र उकेरा गया था। तब से उनके नाम के साथ 'बाघा' विशेषण जोड़ा जाने लगा। 1908 में उन्होंने दार्जिलिंग में अनुशीलन समिति की एक एक शाखा स्थापित करने में सहायता की, जिसे **बांधव समिति** कहा गया। प्रथम विश्व युद्ध आरंभ होने के पहले वे कलकत्ता में जर्मनी के राजकुमार से मिले, जिन्होंने ब्रिटिश शासन के विरुद्ध सहायता करने का वादा किया। इस प्रकार जर्मन-षडयंत्र के पीछे जतिन का दिमाग था। हालांकि, पुलिस को षडयंत्र का पता चल गया था। जतिन को घेर कर पकड़ लिया गया और बहुत अधिक घायल होने के कारण बालासोर के अस्पताल में उनकी मृत्यु हो गई।

अन्य प्रांतों में क्रांतिकारी गतिविधियां (Revolutionary Movement in Other Provinces)

पंजाब

पंजाब में क्रांतिकारी गतिविधियों के संकेत **1907 के पंजाब असंतोष** से मिलते हैं। इसी काल को पंजाब में स्वतंत्रता आंदोलन का प्रारंभ माना जाता है। पंजाब असंतोष का ताना-बाना 1906 के पंजाब उपनिवेशीकरण अधिनियम (Punjab Colonization Act of 1906) के इर्द-गिर्द बुना गया था।

1906 के पंजाब उपनिवेशीकरण के अधिनियम का सन्दर्भ- 1885 से ब्रिटिश सरकार पंजाब की नदियों से पानी लेने के लिए नहर के निर्माण का कार्य कर रहे थे, ताकि पश्चिमी पंजाब की शुष्क-भूमि (arid land) को सिंचित किया जा सके तथा उसे उपनिवेश बनाया जा सके। ऐसी अपेक्षा थी कि इससे नहर वाले औपनिवेशिक क्षेत्र में व्यावसायिक उत्पादन बढ़ाया जा सकेगा तथा जन-सांख्यकीय दबाब को हटाया जा सकेगा। चिनाब-उपनिवेश नौ औपनिवेशिक परियोजनाओं में से सबसे बड़ा था और अधिनियम से सबसे बुरी तरह प्रभावित हुआ। चिनाब के पानी को ल्यालपुर (अब पाकिस्तान में) में लिया जाना था। शासन ने पहले मुफ्त में भूमि देने का वादा किया था तथा अनेक पूर्व सैनिकों तथा किसानों को नई नहर वाले उपनिवेशों में बसने के लिए राजी कर लिया था। लेकिन ऐसा एक बार करने के बाद उन्होंने एक नया उपनिवेशीकरण (संशोधन) अधिनियम, 1906 पारित किया। जिसके अनुसार ऐसे व्यक्ति की संपत्ति को सरकार को हस्तांतरित कर दी जाएगी, जिसका कोई उत्तराधिकारी न हो। इस प्रावधान से पंजाब में बहुत अधिक जनाक्रोश हुआ।

पीड़ित लोगों ने सबसे पहले कांग्रेस के जाने-माने नेता एवं वकील लाला लाजपत राय से सहायता के लिए मुलाकात की, लेकिन बाद में उन्होंने सरदार अजीत सिंह (भगत सिंह के चाचा) का नेतृत्व स्वीकार किया।

सरदार अजीत सिंह एवं भारत माता सोसाइटी (अंजुमन-ए-मुहिब्बन-ए-वतन, 1906)- 1906 में अजीत सिंह ने पहले ही एक गुप्त संस्था 'भारत माता सोसाइटी' बना ली थी। इसका उद्देश्य ऐसे देशभक्तों को संगठित करना था, जो कांग्रेस की उदारवादी विधियों से आगे बढ़कर कार्य करने को तैयार थे। अपने सदस्यों जैसे महाशय घसीटा राम तथा सूफी अंबा प्रसाद के साथ मिलकर, यह संस्था 1857 की क्रांति को 1907 में उसकी 50वीं वर्षगांठ पर पुन: दोहराने को तैयार थे।

सरदार अजीत सिंह एवं पगड़ी संभाल जट्टा ओए आंदोलन (1907) - उपनिवेशीकरण अधिनियम के विरुद्ध आंदोलन का नेतृत्व करते हुए अजीत सिंह ने जन-रैलियां कीं तथा जोशीले भाषण दिए। मार्च 1907 में ल्यालपुर में एक रैली में बांके दयाल ने 'पगड़ी संभाल जट्टा पगड़ी संभाल ओए' गीत को प्रस्तुत किया। इसके बाद ही यह आंदोलन इस नाम से जाना गया।

शासन ने शीघ्रता से कार्रवाई करते हुए लाला लाजपत राय एवं अजीत सिंह को मई 1907 में गिरफ्तार कर मांडले निर्वासित कर दिया। हालांकि, दोनों को नवंबर में उसी वर्ष विशाल जन-दबाव में आकर छोड़ दिया गया। अपनी रिहाई के बाद अजीत सिंह पर्शिया भाग गए तथा लाला लाजपत राय अमेरिका चले गए (अजीत सिंह अगले 38 वर्षों तक निर्वासन में रहे तथा सीधे मार्च 1947 में भारत लौटे। उन्होंने अपनी अंतिम सांस 15 अगस्त 1947 को उस दिन ली, जिस दिन भारत को आजादी मिली।) अन्य नेताओं जैसे **लालचंद फलक** तथा **भाई परमानंद** को भी गिरफ्तार कर कारावास भेज दिया गया। सरकार के दमन के परिणामस्वरुप, अजीत सिंह एवं उनके सहयोगी जैसे लालचंद, भाई परमानंद, लाला हरदयाल, सूफी अंबा प्रसाद इत्यादि बड़े स्तर पर क्रांतिकारी-आतंकवादी बनकर उभरे।

दिल्ली

दिल्ली षडयंत्र प्रकरण (1912)- 23 दिसम्बर 1912 को रासबिहारी बोस एवं सचिन सान्याल ने एक साहसिक कदम उठाते हुए दिल्ली के चांदनी चौक में **वॉयसराय लॉर्ड हार्डिंग** पर बम फेंका, लेकिन वॉयसराय के स्थान पर उनसे जुड़ा एक अन्य व्यक्ति मारा गया। इस संबंध में 13 व्यक्तियों को गिरफ्तार किया गया तथा उन पर मुकदमा चलाया गया। इसी प्रकरण को दिल्ली षडयंत्र प्रकरण (1912) के नाम से जाना गया। दबाव में आकर दीनानाथ शासकीय गवाह बन गए थे। चार व्यक्तियों को फांसी की सजा दी गई, जिनमें मास्टर अमीर चंद, अवध बिहारी, बालमुकुंद एवं **बसंत कुमार बिस्वास** शामिल थे। रासबिहारी बोस जापान की ओर पलायन कर गए थे।

मद्रास

वंचिन्थान अय्यर (वंची) एक तमिल क्रांतिकारी थे, जिन्होंने ब्रिटिश अधिकारी **एशे** (तिरुनेलवेली के जिला कलेक्टर) की हत्या कर दी थी। यह अधिकारी उग्रवादी नेता वी. ओ. चिदम्बरम पिल्लई की गिरफ्तारी का विरोध कर रही जनता पर गोलियां चलाने के लिए उत्तरदायी था। वंची ने एशे पर उस समय गोली चलाई जब उनकी ट्रेन मनियाची स्टेशन पर रुकी थी। हत्या के बाद वंची ने स्वयं को स्टेशन के प्रसाधन में छिपा लिया था और स्वयं को गोली मारकर आत्महत्या कर ली थी। वंची वी. वी. एस. अय्यर के करीबी साथी थे, जिन्होंने वी. डी. सावरकर की 'अभिनव भारत सोसाइटी' की पांडिचेरी शाखा का नेतृत्व किया था। दोनों, वंची एवं वी. वी. एस **भारत माता एसोसिएशन** (Bharatha MathaA ssociation) के सदस्य थे।

मनियाची स्टेशन, जिसका नाम उनके सम्मान में वंचि मनियाची रखा गया।

भारत के बाहर क्रांतिकारी गतिविधियां (RevolutionaryA ctivities Outside India)

श्यामजी कृष्ण वर्मा (1857-1930)- वे एक वकील, पत्रकार एवं क्रांतिकारी नेता थे। वे दयानंद सरस्वती एवं हरबर्ट स्पेंसर के प्रशंसक थे। उनको, स्पेंसर के एक कथन कि 'आक्रामकता का विरोध न केवल न्यायपूर्ण है, बल्कि यह एक अनिवार्यता है', पर विश्वास था।

क्रांति तीर्थ (मांडवी कच्छ) : वर्मा स्मारक

लंदन

श्यामजी कृष्ण वर्मा एवं इंडिया हाउस- श्याम जी काठियावाड़ के निवासी एवं दयानंद सरस्वती के शिष्य थे। बाद में वह कैंब्रिज यूनिवर्सिटी गए तथा वकालत की शिक्षा प्राप्त की। लंदन से वापस लौटकर उन्होंने भारत में संक्षिप्त रूप से विधि के क्षेत्र में पेशा किया। साथ ही, उन्होंने कुछ भारतीय/देशी रियासतों में दीवान के पद पर कार्य किया। लेकिन जल्द ही उन्होंने इंग्लैंड जाने का निर्णय लिया, ताकि वहां से भारत की आजादी के लिए कार्य कर सकें।

फरवरी 1905 को श्यामजी ने लंदन में **इंडियन होम रूल सोसाइटी** (Indian Home Rule Society) की स्थापना की, जिसे **इंडिया हाउस** के नाम से भी जाना गया। इस संस्था का उद्देश्य भारतीय छात्रों के लिए रहने की व्यवस्था करना तथा उनमें राष्ट्रवादी विचारों को प्रोत्साहित करना था। इंडिया हाउस की स्थापना का समर्थन दादा भाई नौरोजी (उस समय की कांग्रेस की ब्रिटिश समिति के अध्यक्ष) तथा भीकाजी कामा (नौरोजी के निजी सचिव) द्वारा किया गया।

उन्होंने हजार-हजार रुपये की 6 छात्रवृत्तियां प्रारंभ की, जिसका उद्देश्य भारतीयों को विदेशी देशों का भ्रमण कराना था। शीघ्र ही इंडिया-हाउस लंदन में भारतीय गतिविधियों का एक केंद्र बन गया तथा तीव्र गति से भारत के बाहर क्रांतिकारी भारतीय-राष्ट्रवाद का सक्रिय केंद्रों में से एक मुख्य केंद्र बनकर विकसित हुआ। क्रांतिकारी जैसे **वी. डी. सावरकर, हरदयाल** तथा **मदन लाल ढींगरा** भी इंडिया हाउस के सदस्य बने। उन्होंने एक मासिक पत्रिका **'द इंडियन सोशियोलॉजिस्ट'** (The Indian Sociologist) प्रकाशित की। यह पत्रिका उपनिवेश-विरोधी विचारों का एक अच्छा मंच बनी तथा इस पत्रिका को भारत में राजद्रोही साहित्य घोषित कर प्रतिबंधित कर दिया गया था।

1909 में लंदन में **मदन लाल ढींगरा** ने कर्नल विलियम कर्जन वायली की हत्या कर दी थी, जिसके बाद लंदन पुलिस बहुत अधिक सक्रिय हो गई थी। ढींगरा को फांसी पर लटका दिया गया, हरदयाल अमेरिका चले गए तथा **वी. डी. सावरकर** को गिरफ्तार कर भारत निर्वासित कर दिया गया। श्यामजी स्वयं पेरिस भागने में सफल हुए। इस प्रकार इंडिया हाउस की गतिविधियों को समाप्त होना पड़ा।

अमेरिका

गदर आंदोलन- नवम्बर 1913 को पंजाब के उत्तेजक क्रांतिकारी **लाला हरदयाल** ने सैन फ्रांसिस्को, अमेरिका में गदर पार्टी की स्थापना की। उनके सक्रिय समर्थक **रामचंद्र** एवं **बरकतुल्लाह** थे। इस संस्था का एक साप्ताहिक समाचार-पत्र 'गदर' (विद्रोह) प्रकाशित होता था। इस पत्र ने स्वतंत्रता-समर्थक तथा ब्रिटिश-विरोधी विचारों को प्रसारित किया। शीघ्र ही ब्रिटिश सरकार के शिकायत करने पर अमेरिका के अधिकारियों ने हरदयाल के विरुद्ध कार्रवाई की और उन्हें अमेरिका छोड़ने के लिए मजबूर होना पड़ा। (इसी अध्याय में गदर आंदोलन के बारे में विस्तार से पढ़ें।)

जर्मनी

बर्लिन समिति- प्रथम विश्व युद्ध के दौरान विदेश में रह रहे भारतीय, जर्मनी में एकजुट हुए तथा 1915 में **बर्लिन में भारतीय स्वतंत्रता समिति** अथवा इंडियन इंडिपेंडेंस कमेटी (Indian Independence Committee) की स्थापना की, जिसे भारत की स्वतन्त्रता के लिए बर्लिन समिति भी कहा गया। इस समिति को जर्मनी के विदेशी कार्यालय का पूरा समर्थन था। इसमें मुख्य भूमिका वीरेंद्र नाथ चट्टोपाध्याय (चट्टो) द्वारा निभाई गई, साथ ही इसमें लाला हरदयाल तथा भूपेंद्रनाथ दत्त शामिल थे। सेनाओं के मध्य विद्रोह को भड़काना, भारतीय क्रांतिकारियों को विस्फोटक उपलब्ध कराना तथा यहां तक की ब्रिटिश भारत पर संगठित हमला करना, इस समिति के उद्देश्यों में शामिल थे।

पेरिस एवं बर्लिन

मैडम भीकाजी कामा -1905 में भीकाजी कामा लंदन से पेरिस पहुंची तथा सरदारसिंह रेवाभाई राणा व मूंछेर शाह बुर्जोरजी गोदरेज के साथ मिलकर उन्होंने वहां **पेरिस इंडियन सोसाइटी** की स्थापना की। कामा ने क्रांतिकारी साहित्य **वंदे मातरम** (वंदे मातरम कविता के प्रतिबंध की प्रतिक्रिया के रूप में) तथा बाद में **मदन की तलवार** (मदनलाल ढींगरा की फांसी के विरुद्ध प्रतिक्रिया) भी लिखे तथा वितरित किए। इन साप्ताहिकों को फ्रांस के उपनिवेश पांडिचेरी के रास्ते तस्करी से भारत लाया जाता था।

मैडम भीकाजी कामा (1861-1936) - कामा का जन्म बॉम्बे के एक संपन्न पारसी परिवार में हुआ था तथा बाद में वे राष्ट्रीय आंदोलन में एक मुख्य व्यक्तित्व के रूप में उभरीं। उनका विवाह रुस्तम कामा से हुआ, जो ब्रिटिश-समर्थक वकील थे। उनका वैवाहिक जीवन खुशमय नहीं था तथा उन्होंने अपनी ऊर्जा को सामाजिक कार्यों की ओर मोड़ दिया था। 1897 के गिल्टी प्लेग के दौरान उन्होंने बचाव कार्यों में सहायता की थी, जिससे वे स्वयं बीमारी के चपेट में आ गईं थीं और फिर उन्हें बीमारी के इलाज के लिए ब्रिटेन जाना पड़ा। 1907 में उन्होंने **स्टटगार्ड, जर्मनी** में द्वितीय सामाजवादी कांग्रेस में सहभागिता की एवं झंडा फहराया, जिसे उन्होंने **'भारतीय स्वतंत्रता का झंडा'** कहा। बाद में वह झंडा आदर्श नमूना बना, जिससे भारत के वर्तमान झंडे को बनाया गया।

1908 में जब वह वापस आने की तैयारी कर रही थीं, उनकी मुलाकात श्यामजी कृष्ण वर्मा एवं उनके माध्यम से दादा भाई नौरोजी (जो उस समय कांग्रेस की ब्रिटिश समिति के अध्यक्ष थे) से हुई। उन्होंने नौरोजी के निजी सचिव के रूप में कुछ समय के लिए कार्य किया तथा बाद में पेरिस की ओर रवाना हुईं। 1909 में जब मदन लाल ढींगरा ने कर्नल विलियम कर्जन वाइली की हत्या कर दी तो ब्रिटिश अधिकारियों ने फ्रांस से कामा के प्रत्यर्पण की मांग की, जिसे फ्रांस ने मना कर दिया था।

भारत के बाहर अन्य प्रमुख सक्रिय क्रांतिकारियों में राजा महेंद्र प्रताप, अब्दुल रहीम, मौलाना अब्दुल्लाह सिंधी, चम्पाकर्मन पिल्लई एवं सरदार सिंह राणा शामिल थे।

सरकार की प्रतिक्रिया (Government Response)

क्रांतिकारी गतिविधियों से निपटने के लिए भारत सरकार ने अनेक दमनकारी कानूनों को पारित किया, जिनमें शामिल थे-

- राजद्रोही सभा अधिनियम, 1907
- विध्वंसक पदार्थ अधिनियम, 1908
- फौजदारी कानून संशोधित अधिनियम, 1908
- समाचार पत्र अधिनियम, 1908
- प्रेस अधिनियम, 1910
- भारत की रक्षा नियम, 1915

क्रांतिकारी प्रवृत्तियों का पतन (Decline of the Revolutionary Trend)

1918 के बाद क्रांतिकारी गतिविधियों में एक अस्थाई धीमापन आ गया, जिसके कई कारण थे-

- कठोर कानूनों द्वारा सरकार का कठोरतापूर्ण दमन।
- जनता के समर्थन का अभाव।
- प्रथम विश्व युद्ध के बाद सरकार ने भारत रक्षा अधिनियम के अंतर्गत गिरफ्तार किए गए सभी राजनीतिक कैदियों को छोड़ दिया था।
- नए संवैधानिक सुधार पर चर्चा शुरू हो गई थी, जिससे एक समझौतावादी वातावरण का निर्माण हुआ।
- राष्ट्रीय परिदृश्य में गांधीजी का आगमन हो चुका था तथा उन्होंने अहिंसक साधनों के उपयोग पर बल दिया, इससे भी क्रांतिकारी गतिविधियों को झटका लगा।

क्रांतिकारी-आतंकवाद की प्रकृति की दृष्टि से, यह कुछ व्यक्तिगत लोगों के द्वारा ही किया जा सकता था, जबकि जनता अभी तक एक ऐसे राजनीतिक कार्यक्रम के स्वरूप का इंतजार कर रही थी, जिसमें उनकी कमजोरियों को समाविष्ट करने के साथ उनकी शक्ति का उपयोग हो सके।

क्रांतिकारी आतंकवाद का द्वितीय चरण (Second Phase of Revolutionary Terrorism)- असहयोग आंदोलन के असफल होने के बाद भारत में क्रांतिकारी आतंकवाद का दूसरा चरण प्रारंभ हुआ। बंगाल के साथ-साथ उत्तरी भारत में नए एवं पुराने क्रांतिकारी संगठन फूट पड़े।

गदर आंदोलन

जून 1914 में प्रथम विश्व युद्ध प्रारंभ हुआ। इस युद्ध में एक तरफ ग्रेट ब्रिटेन, फ्रांस, रूस व जापान एवं दूसरी ओर जर्मनी, ऑस्ट्रिया-हंगरी व तुर्की थे। युद्ध के वर्षों ने भारत में राष्ट्रीय आंदोलन को एक नया जीवन दिया।

ब्रिटेन के इस कठिन समय को अनेक राष्ट्रवादियों द्वारा भारत के लिए अवसर के रूप में देखा गया। उन्होंने अनुभव किया कि ब्रिटेन यूरोपीय युद्ध में व्यस्त होगा तथा भारत में राष्ट्रवादी चुनौतियों का सामना करने में सक्षम नहीं होगा। दो समूह थे, जो ब्रिटेन की इस कठिनाई का लाभ उठाने का प्रयत्न कर रहे थे- अमेरिका में सक्रिय गदर क्रांतिकारी एवं भारत में तिलक व एनी बेसेंट के होम रूल लीग।

गदर क्रांतिकारी कौन थे? (Who were the Ghadar Revolutionaries?)

गदर क्रांतिकारी प्रमुख रूप से पंजाबी आप्रवासी थे, जो 1904 से उत्तरी अमेरिका के पश्चिमी तट विशेषकर अमेरिका एवं कनाडा में बसे हुए थे। उनमें से अधिकतर भूमि-हीन कर्जदार किसान जालंधर एवं होशियारपुर से थे। उनमें से कुछ पूर्व सैनिक थे, जिन्होंने ब्रिटिश भारतीय सेना में सेवा दी थी। आर्थिक संकट के कारण अपने घरों को छोड़ कर अच्छी जिंदगी की तलाश में ये लोग विदेशी भूमि पर बस गए थे।

हालांकि, जब वे कनाडा या अमेरिका पहुंचे, तो उनका वैसा स्वागत नहीं हुआ, जैसा कि उन्होंने अपेक्षा की थी। उनमें से अनेक को प्रवेश से मना कर दिया व श्वेत श्रमिकों के विरोध का सामना करना पड़ा। भारत-सचिव ने भी प्रतिबंधात्मक अप्रवासी कानूनों का समर्थन किया, क्योंकि भारतीय एवं श्वेतों के बीच पारस्परिक व्यवहार अनुपयुक्त तथा ब्रिटिश-प्रतिष्ठा को नुकसान पहुंचाने वाला था।

1908 तक कनाडा में भारतीय-आप्रवास पर प्रभावशाली प्रतिबंध लगाए जा चुके थे। कमजोर बनाने वाला अन्य विधायन **एलियन लैंड लॉ** (Alien Land Law) था, जिससे भारतीयों के अमेरिका में भूमि के स्वामित्व पर प्रतिबंध लगाया गया था। मेहमान देशों में इस प्रकार की भेदभाव-पूर्ण नीतियों ने भारतीय आप्रवासियों को राजनीतिक गतिविधियां करने के लिए मजबूर कर दिया। वे समझ गए थे कि अमेरिका में उनके साथ निम्न स्तर का व्यवहार किया जा रहा है जैसे कि वे एक दास देश के नागरिक हों तथा उन्होंने निर्णय लिया कि वे स्वयं को संगठित करेंगे, ताकि भारत को ब्रिटिश शासन से आजादी दिला सकें।

तारकनाथ दास, एक भारतीय छात्र थे, जो उत्तरी अमेरिका में भारतीय समुदाय के प्रारम्भिक नेताओं में से एक थे। वे अच्छी तरह से समझ चुके थे कि ब्रिटिश सरकार भारतीय श्रमिकों को फिजी जैसे स्थानों पर उत्प्रवास को प्रोत्साहित कर रही थी, जहां ब्रिटिश बागान मालिकों को उनकी आवश्यकता थी। जबकि उत्तरी अमेरिका में उत्प्रवास को वे हतोत्साहित कर रहे थे, क्योंकि उन्हें डर था कि वहां जाकर वे स्वतंत्रता व समानता के आधुनिक विचारों के संपर्क में न आ जायें।

गदर दल की प्रारंभिक गतिविधियां (Early Activities of the Ghadarities)

- 1907 में राजनीतिक निर्वासन झेल रहे रामनाथ पुरी द्वारा **सर्कुलर-ए-आजाद** (आजादी का परिपत्रक) का प्रकाशन किया गया, जिसमें उन्होंने स्वदेशी आंदोलन का समर्थन किया।
- तारक नाथ दास द्वारा एक पत्र **फ्री हिंदुस्तान** प्रारंभ किया गया।
- वैंकूवर में जी. डी. कुमार द्वारा लंदन के 'इंडिया हाउस' की तर्ज पर 'स्वदेश सेवक होम' की स्थापना की गई। कुमार ने **'स्वदेश सेवक'** नाम से गुरुमुखी लिपि में एक पत्र निकाला, जिसमें उन्होंने भारतीय सेना से विद्रोह करने की

अपील की। परिणामस्वरूप, तारक नाथ एवं जी. डी. कुमार को वैंकूवर से निकाल दिया गया तथा 1910 में उन्होंने साथ मिलकर **सीटल** (अमेरिका) में **'यूनाइटेड इंडिया हाउस'** की स्थापना की, जहां भारतीय श्रमिकों की साप्ताहिक बैठक आयोजित की जाती थी।

- 1913 में एक सिख धर्माचार्य भगवान सिंह ने कनाडा के वैंकूवर का भ्रमण किया तथा लोगों को खुले तौर पर, ब्रिटिश सरकार को हिंसा के माध्यम से पराजित करने की शिक्षा दी तथा लोगों को जोश से भर दिया।

इन प्रारंभिक गतिविधियों ने राष्ट्रीय चेतना को जागृत किया तथा उत्तरी अमेरिका में आप्रवासी भारतीयों के मध्य एकता की भावना का निर्माण किया। जब मेहमान देश की सरकार से कोई सहानुभूतिपूर्ण सहयोग नहीं मिला, तो उनका असंतोष क्रांतिकारी आंदोलन के रूप में सामने आया।

गदर पार्टी का गठन (Formation of Ghadar Party)

लाला हरदयाल (1884-1939)- लाला एक क्रांतिकारी नेता तथा गदर पार्टी के गठन में एक प्रमुख भूमिका निभाने वाले व्यक्ति थे। वे बुद्धिजीवी थे, जिन्होंने इंडियन सिविल सर्विस की नौकरी को ठुकरा दिया था। उनका जन्म दिल्ली में एक पंजाबी परिवार में हुआ तथा उन्होंने दिल्ली के सेंट स्टीफन कॉलेज से संस्कृत में स्नातक किया। 1907 में उन्होंने इंडियन सोशियोलॉजिस्ट के लिए एक पत्र लिखा, जिसमें उन्होंने अराजकतावादी विचारों का अन्वेषण किया। उन्होंने उस समय के प्रमुख समाचार-पत्रों एवं अन्य लेखों के माध्यम से ब्रिटिश राज की आलोचना की, जिससे उन पर पुलिस की निगरानी बढ़ गई। 1909 में लाला लाजपत राय के सुझाव पर वे पेरिस चले गए तथा वहां पर उन्होंने वंदे मातरम के संपादक के रूप में कार्य किया। हालांकि, उन्हें वहां प्रसन्नता नहीं मिली तथा वे इधर-उधर भटकते रहे। इसके बाद उन्होंने सन्यासी का जीवन जीना शुरू कर दिया, जैसे- उबला भोजन करना, जमीन पर सोना तथा एकांत में ध्यान करना। आर्य समाज के एक धर्म-प्रचारक भाई परमानंद ने उन्हें अमेरिका जाने के लिए मना लिया।

अमेरिका के कैलिफोर्निया में हरदयाल, प्रवासी सिख किसानों के संपर्क में आए तथा उन्होंने कनैडियन व ब्रिटिश सरकार द्वारा उनके ऊपर होने वाले दुर्व्यवहार को समझने का प्रयास किया। 20वीं शताब्दी के प्रथम दशक में पंजाब में आर्थिक संकट एवं कृषि संबंधी अशांति के कारण बहुत बड़े स्तर पर पंजाब से उत्तरी अमेरिका के प्रशांत तट पर उत्प्रवास हुआ था। इस उत्प्रवास को नियंत्रित करने के लिए वहां की सरकार ने अनेक विधायन पारित किए, जिससे वहां के प्रवासी समुदाय में उपनिवेश-विरोधी भावनाओं का जन्म हुआ।

हरदयाल ने तारक नाथ दास एवं अन्य की सहायता से भारतीय छात्रों के लिए एक छात्रवृत्ति, गुरु गोविंद सिंह साहेब शैक्षिक छात्रवृत्ति, प्रारंभ की। साथ ही, अमेरिका में लंदन के इंडिया हाउस की तर्ज पर एक निवास स्थान बनाया। जब बसंत कुमार बिस्वास ने वॉयसराय लॉर्ड हार्डिंग पर बम फेंका, तो उन्हें विश्वास हुआ कि भारत में अभी भी क्रांतिकारी जोश जीवित है। उन्होंने **राष्ट्रवादी छात्रों के नालंदा क्लब का भ्रमण** किया और वे वहां जाकर बहुत आनंदित हुए।

पेसिफिक कोस्ट हिंदुस्तान एसोसिएशन (पोर्टलैंड, 1913)

उत्तरी अमेरिका में भारतीय समुदाय ने एक केंद्रीय संस्था व एक नेता की आवश्यकता महसूस की। परिणामस्वरूप, मई 1913 में भारत से राजनीतिक रूप से निर्वासित **लाला हरदयाल** ने नेतृत्व स्वीकार किया तथा पोर्टलैंड में हिंदी एसोसिएशन की स्थापना की, जिसे 'पेसिफिक कोस्ट हिंदुस्तान एसोसिएशन' के नाम से भी जाना गया। संस्था की पहली बैठक के बाद **बाबा सोहन सिंह भखना** (गदरी बाबा) को अध्यक्ष, लाला हरदयाल को महासचिव तथा पंडित कांशीराम मरोली को कोषाध्यक्ष चुना गया। हरदयाल के सक्रिय समर्थकों में **रामचंद्र** एवं **बरकतुल्लाह** शामिल थे। अन्य प्रमुख व्यक्तियों में, जो बैठक में शामिल हुए, भाई परमानन्द व हरमन सिंह तुंडिलत थे।

बैठक में हरदयाल ने कहा- 'अमेरिकी लोगों से मत लड़ो, लेकिन उस स्वतंत्रता का उपयोग करो जो ब्रिटिश सरकार से लड़ने के लिए अमेरिका में उपलब्ध है।' तुम्हें तब तक अमेरिकी लोगों द्वारा सम्मान नहीं दिया जाएगा, जब तक कि तुम अपने देश में स्वतंत्र नहीं हो जाओगे। भारतीय गरीबी एवं पतन का कारण ब्रिटिश शासन है और इसे निश्चित रूप से पराजित करना होगा। ऐसा याचिकाओं के द्वारा नहीं, अपितु सशस्त्र विद्रोह के द्वारा होगा। इस संदेश को भारतीय जनता एवं भारतीय सेना के जवानों तक ले जाओ। बड़ी संख्या में भारत जाओ तथा उनका समर्थन प्राप्त करो।' हरदयाल के इन विचारों को सराहना मिली।

आगे, बैठक में करीब 10000 डॉलर एकत्रित हुए तथा **सैन फ्रांसिस्को में युगांतर आश्रम** नाम से एक मुख्यालय खोलने का निर्णय लिया गया। साथ ही, एक साप्ताहिक पत्र 'गदर' (विद्रोह) प्रारंभ करने का निर्णय लिया गया। इस पत्र ने स्वतंत्रता-समर्थित तथा ब्रिटिश-विरोधी विचारों का प्रसार किया।

हिंदुस्तान गदर पार्टी (नवंबर 1913)

बाद में, नवंबर 1913 में सैन फ्रांसिस्को में हिंदी एसोसिएशन का नाम बदलकर 'हिंदुस्तान गदर पार्टी' रख दिया गया। यह निर्धारित किया गया था कि अन्य देशों, जैसे- जापान, चीन, फिलिपींस, मलाया, सिंगापुर, थाईलैंड, दक्षिण अफ्रीका एवं मेक्सिको में भी इसके सक्रिय सदस्य बनाए जाएंगे।

गदर पार्टी के अन्य प्रमुख सदस्यों में बाबा गुरुमुख सिंह, करतार सिंह सराभा, रहमत अली शाह, भाई परमानंद शामिल थे।

सोहन सिंह भखना (1870-1968)- वे क्रांतिकारी तथा गदर पार्टी के संस्थापक अध्यक्ष थे। उनका जन्म उत्तरी अमृतसर के एक गांव में हुआ था। वे उर्दू एवं रशियन भाषा में दक्ष थे। पंजाब की राष्ट्रीय गतिविधियों में कुछ समय के लिए ठहराव एवं कृषि-असंतोष के बाद वे अमेरिका रवाना हुए तथा 1919 में सीटल पहुंचे। शहर के पास ही इमारती लकड़ी के कारखाने में उन्हें काम मिला।

अब्दुल हाफिज मोहम्मद बरकतुल्लाह (1854-1927)- मौलाना बरकतुल्लाह का जन्म भोपाल के इतवारा मोहल्ला में हुआ था। वे उन क्रांतिकारियों में शामिल थे, जिन्होंने विदेशी धरती से भारत की स्वतंत्रता के लिए लड़ाई लड़ी। वे इंग्लैंड में लाला हरदयाल तथा राजा महेंद्र प्रताप के संपर्क में आए तथा सैन फ्रांसिस्को में गदर पार्टी के संस्थापक सदस्य बने। 1 दिसम्बर 1915 को काबुल में जब भारत की **अस्थाई सरकार स्थापित हुई, तो वे उस सरकार में पहले प्रधानमंत्री बने** तथा तथा इसी सरकार में राजा महेंद्र प्रताप को राष्ट्रपति बनाया गया था। भारत की आजादी का समर्थन प्राप्त करने के लिए उन्होने अनेक देशों की यात्रा की तथा अनेक समकालीन नेताओं से मिले, जिनमें कैसर विलियम द्वितीय, लेनिन व हिटलर शामिल थे।

करतार सिंह सराभा (1896-1915)- वे एक सिख क्रांतिकारी एवं गदर पार्टी के सबसे युवा सदस्य (17 वर्ष की आयु) थे। जब वे केवल 19 वर्ष के ही थे, उन्हें गदर आंदोलन में भूमिका के कारण 1915 में लाहौर में फांसी पर चढ़ा दिया गया था।

गदर विचारधारा (Ghadar Ideology)

- गदर पार्टी ने भारत में ब्रिटिश सरकार के विरुद्ध क्रांतिकारी युद्ध छेड़ने की प्रतिज्ञा की। गदर पार्टी के नेताओं का मानना था कि भारत में ब्रिटिश शासन को केवल सशस्त्र-विद्रोह के द्वारा ही समाप्त किया जा सकता है। उन्होंने अनुभव किया कि भारतीयों को विदेश में तब तक सम्मान नहीं दिया जाएगा, जब तक कि वे अपने देश में दास हैं। उनका विश्वास था कि भारतीय प्रवासियों को इस संदेश को भारत ले जाना चाहिए तथा इसे जनता, विशेषकर भारतीय सेना में फैला देना चाहिए। गदर पार्टी के नेताओं ने अपनी विचारधारा को अपनाते हुए उत्तरी अमेरिका में एक विशाल अभियान चलाया। इसके लिए उन्होंने उन कारखानों व कृषि क्षेत्रों का भ्रमण किया, जहां भारतीय आप्रवासी कार्य करते थे।

- पार्टी की विचारधारा सशक्त रूप से धर्मनिरपेक्ष थी। सोहन सिंह भकना ने घोषित किया, ''हम पंजाबी या सिख नहीं हैं। हमारा धर्म देशभक्ति है।"

गदर समाचार पत्र (The Ghadar Paper)

गदर समाचार पत्र 1 नवम्बर 1913 को सेन फ्रांसिस्को से निकाला गया। पहली प्रतियां **उर्दू** में निकाली गईं एवं इसके एक माह बाद **गुरुमुखी** में पहला अंक आया।

गदर समाचार पत्र का उद्देश्य स्पष्ट था, गदर अर्थात विद्रोह। इसके मुख्य पृष्ठ पर अनुशीर्षक लिखा होता था, **''अंग्रेजी राज का दुश्मन''**।

> **गदर समाचार**- पत्र ने घोषणा की, "भारत में विद्रोह के लिए हमें साहसी सैनिक चाहिए। वेतन- मृत्यु, पुरस्कार- शहादत, पेंशन- स्वतन्त्रता, युद्ध का क्षेत्र- भारत।"

इस पत्र में प्रत्येक मुद्दे के प्रथम पृष्ठ पर **'अंग्रेजी राज का कच्चा चिट्ठा लिखा'** होता था, जिसमें ब्रिटिश शासन के नकारात्मक प्रभाव को दर्शाते हुए 14 बिंदु होते थे। इस प्रकार यह चिट्ठा ब्रिटिश राज का आलोचक था तथा जिसमें मुद्दे जैसे उच्च भू-राजस्व, धन का निर्गम, बढ़ती गरीबी, अकाल का पड़ना, सेना पर भारी व्यय, शिक्षा एवं स्वास्थ्य पर बहुत कम व्यय, 'फूट डालो और शासन करो' की नीति इत्यादि शामिल थे। अंत में, इस पत्र ने एक अन्य विद्रोह के रूप में समाधान की ओर इंगित किया था।

गदर-दी-गूंज, गदर के राष्ट्रवादी साहित्य का संकलन, जिसे 1913 में प्रतिबंधित कर दिया था।

गदर को उत्तरी अमेरिका में व्यापक रूप से प्रसारित किया गया। यह हांगकांग, फिलिपींस, चीन, मलय राज्य, सिंगापुर, त्रिमिनाद एवं होंडुरास के भारतीय आप्रवासी समुदायों के साथ-साथ, वहां तैनात भारतीय सैन्य दलों तक पहुंचा। इसको भारत भी भेजा गया। इस पत्र को लोगों की अच्छी प्रतिक्रिया मिली तथा योगदान भी प्राप्त हुआ। सबसे अधिक लोकप्रियता गदर में प्रकाशित कविताओं को मिली। इनको एक साथ संकलित कर **गदर-दी-गूंज** नाम दिया गया तथा इन्हें अक्सर भारतीय सभाओं में गाया जाता था। इन कविताओं ने क्रांति एवं भारतीयों की एकता, विशेषकर हिंदू-मुस्लिम एकता, का संदेश दिया।

पंजाबियों एवं सिखों को संबोधित करते हुए गदर ने उनसे दृढ़तापूर्वक कहा कि 1857 की उनकी ब्रिटिश-समर्थित भूमिका की क्षतिपूर्ति करने तथा एक वफादार सैनिक की छवि को हटाने का वक्त आ गया है। इसके स्थान पर उन्हें अपनी वही शेर वाली छवि को वापस लानी होगी, जो शोषण से कठोरता से लड़ती है। भारत की स्वतंत्रता प्राप्ति के उद्देश्य के लिए विद्रोही होने के लिए उन्हें प्रेरित किया।

गदर आंदोलन के दौरान प्रमुख घटनाएं (Main Events during Ghadar Movement)

यह आंदोलन 1914 में घटित तीन प्रमुख घटनाओं से प्रेरित था- हरदयाल का स्विट्जरलैंड पलायन, कामागाटा मारू प्रकरण तथा प्रथम विश्व युद्ध का आरंभ।

1. हरदयाल का स्विटजरलैंड पलायन- मार्च 1914 में हरदयाल को अराजकता फैलाने के अपराध में अमेरिकी अधिकारियों द्वारा गिरफ्तार कर लिया गया। ऐसा ऐसा माना जाता है कि गिरफ्तारी के पीछे ब्रिटिश सरकार का हाथ था। उन्हें जमानत पर छोड़ा गया और वे स्विट्जरलैंड भागने में सफल हुए।

2. कामागाटा मारू प्रकरण- 1914 के कुछ वर्ष पूर्व कनाडा ने भारतीय-आप्रवास पर कठोर प्रतिबंध लगा दिए थे। इस कानून के द्वारा भारत से सभी प्रकार के प्रवेश पर रोक लगा दी गई। हालांकि, इसका एक अपवाद यह था कि जो भारत से

कनाडा निरंतर यात्रा करते हो (direct passage in their own ship), उन पर यह कानून लागू नहीं होगा। उस समय कोई भी नौ-परिवहन ऐसा मार्ग नहीं चलाता था और यह कानून इसी बात को ध्यान में रखकर बनाया गया था।

नवम्बर 1913 को कनाडा के उच्चतम न्यायालय ने 35 भारतीयों को, जो निरंतर यात्रा से आए थे, प्रवेश की आज्ञा दी। इस निर्णय से प्रेरित होकर एक भारतीय ठेकेदार, जो सिंगापुर में रहता था, ने एक जहाज से वैंकूवर जाने का निर्णय लिया। इस जहाज से पूर्वी एशिया एवं दक्षिण-पूर्व एशिया में रहने वाले भारतीय जाने वाले थे।

इस प्रकार एक जापानी जहाज जिसका नाम कामागाटा मारू था, ने 376 भारतीयों (351 सिक्ख व 21 पंजाबी मुस्लिम) के साथ वैंकूवर की ओर यात्रा प्रारंभ की। जापान के योकोहामा में गदर पार्टी के नेताओं ने जहाज में पहुंचकर भाषण दिया तथा गदर साहित्य वितरित किया। दूसरी ओर, वैंकुवर में प्रेस ने 'बढ़ते पूर्वी हमले' की चेतावनी दी तथा कनाडा सरकार इस चुनौती का सामना करने को तैयार हो गई थी।

वैंकूवर पहुंचने पर जहाज के प्रवेश को मना कर दिया गया। यात्रियों के अधिकारों के लिए लड़ने के लिए वैंकूवर में **हुसैन रहीम, सोहनलाल पाठक** एवं **बलवंत सिंह** के नेतृत्व में एक **शोर समिति** (Shore Committee) बनाई गई। विरोध-बैठकें आयोजित की गई, धन एकत्रित किया गया तथा भारत में ब्रिटिश शासन के विरुद्ध विद्रोह की धमकी दी गई। अमेरिका में बरकतुल्लाह, भगवान सिंह, रामचंद्र एवं सोहन सिंह भकना के नेतृत्व में एक शक्तिशाली अभियान चलाया गया। हालांकि, कामागाटा मारू को कनाडा के समुद्री तट से हटने को मजबूर होना पड़ा।

लौटने के दौरान प्रथम विश्व युद्ध छिड़ गया तथा इससे पहले जहाज योकोहमा पहुंचता, ब्रिटिश सरकार ने एक आदेश पारित किया कि कोई भी यात्री कलकत्ता के अलावा कहीं भी नहीं उतरेगा। इस आदेश से भारतीय समुदाय में बहुत अधिक असंतोष हुआ।

27 सितम्बर 1914 को जहाज बज-बज, कलकत्ता पहुंचा। जहाज के पहुंचने पर पुलिस अधिकारियों ने यात्रियों के साथ बुरा बर्ताव किया। पीड़ित यात्रियों ने उनके व्यवहार का विरोध किया, जिसकी वजह से आपस में मारपीट हुई और 18 यात्री मारे गए। 202 को गिरफ्तार किया गया तथा बाकी भाग निकले। इस घटना ने पूरे पंजाब में असंतोष फैला दिया तथा जालंधर, अमृतसर एवं लुधियाना के जिलों में राजनीतिक डकैतियां हुई।

3. प्रथम विश्व युद्ध का प्रादुर्भाव- प्रथम विश्वयुद्ध का प्रारंभ सबसे महत्वपूर्ण घटना थी, जिसने गदर-आंदोलन को प्रभावित किया। गदर पार्टी के नेताओं ने ब्रिटेन की कठिनाइयों का लाभ उठाने को जीवन का एक महत्वपूर्ण अवसर बताया। गदर पार्टी के नेताओं की एक विशिष्ट बैठक बुलाई गई तथा पार्टी ने **एलान-ए-जंग** (युद्ध की घोषणा) पत्र निकाला, जिसे विदेशों में रह रहे भारतीयों के बीच वितरित किया गया। गदर कार्यकर्ताओं ने बड़ी संख्या में जनता को भारत आकर विद्रोह करने के लिए प्रेरित किया। हथियारों की कमी, जो सबसे बड़ी कमजोरी थी, की पूर्ति भारतीय सैनिकों को जीतकर की जानी थी। प्रमुख नेताओं ने जापान, फिलीपींस, चीन, हांगकांग, मलय राज्य, सिंगापुर एवं बर्मा का भ्रमण किया तथा वहां रहने वाले भारतीयों को मनाने का प्रयत्न किया।

इन प्रयासों को बहुत अधिक सफलता मिली तथा सैकड़ों आप्रवासी भारतीय तथा उनके रिश्तेदार राष्ट्र की रक्षा के लिए आगे आए। इसी के साथ भारत की ओर निर्गमन प्रारंभ हुआ तथा 1914 के मध्य तक अनेक क्रांतिकारी भारत पहुंचे।

विद्रोह का अंतिम प्रयत्न (Last Attempts to Rise in Revolt)

भारत सरकार ने वापस लौट रहे आप्रवासी भारतीयों के लिए एक नया अध्यादेश 'भारत में अंत:प्रवेश' जारी किया। आप्रवासियों की जांच पड़ताल की गई और वापस आने वाले 8000 (अनुमानित) में से करीब 3000 को नजरबंद किया गया। हालांकि, अनेक कार्यकर्ता पंजाब पहुंचने में सफल हुए।

सुरक्षित पंजाब पहुंचने वालों में सबसे पहले व्यक्ति **करतार सिंह सराभा** थे। वे एक युवा छात्र थे, जो अमेरिका में गदर आंदोलन में शामिल हुए थे। अपने गदर कार्यकर्ताओं के साथ मिलकर उन्होंने अनेक गांवों का भ्रमण किया तथा पार्टी के

साहित्य को वितरित किया। उन्होंने कड़ी मेहनत करके लोगों को विद्रोह में शामिल होने के लिए प्रेरित किया। उन्होंने गदर के संदेश को सैनिकों के बीच फैलाने का प्रयत्न किया, ताकि बगावत की जा सके। लेकिन उनके प्रयत्नों को लोगों से बहुत कम प्रतिक्रिया मिली। पंजाब में 1914 में मनोदशा बहुत अलग थी। मुख्य खालसा दीवान, जिन्हें गदर कार्यकर्ता पतित सिक्ख या धर्म-त्यागी कहते थे, ने विद्रोह को दबाने में ब्रिटिश सरकार का पूरा साथ दिया। केंद्रीय नेतृत्व के अभाव में भी गदर के प्रयत्न विफल हो गए थे। सबसे महत्वपूर्ण बात यह थी कि पंजाब गदर-अभियान की शुरुआत के लिए तैयार नहीं था।

विद्रोह करने का अंतिम प्रयास 1915 में सचिन सान्याल एवं विष्णु गणेश पिंगले द्वारा किया गया। इन दोनों को बंगाल के क्रांतिकारी रासबिहारी बोस, जिन्होंने वॉयसराय हार्डिंग पर बम फेंका था, ने प्रेरित किया था। रासबिहारी बोस जनवरी 1915 में पंजाब पहुंचे और नेतृत्व अपने हाथों में लिया। सशस्त्र-विद्रोह के लिए 21 फरवरी 1915 का दिन निश्चित किया गया था, लेकिन एक बार पुन: सरकार को उनकी योजना का पता चल गया और इस प्रयास को भी सफलतापूर्वक दबा दिया गया।

सरकारी दमन (Government Repression)

प्रथम लाहौर षडयंत्र प्रकरण (1915)- असफल गदर-षडयंत्र के बाद लाहौर में इसकी सुनवाई एक विशेष प्राधिकरण द्वारा की गई, जिसे भारत सुरक्षा अधिनियम, 1915 के अंतर्गत बनाया गया था। गदर क्रांतिकारियों पर सरकार ने बहुत कड़ा रुख अपनाया। 42 को मृत्युदंड तथा 200 क्रांतिकारियों को लंबे कारावास की सजा दी गई। इस तरह सरकार ने पंजाब में राष्ट्रवादियों की एक पूरी पीढ़ी को समाप्त करने में सफलता प्राप्त की एवं गदर-आंदोलन को भारत में प्रभावपूर्ण तरीके से दबा दिया गया। उनमें से अधिकतर ने रिहा होने के बाद **पंजाब में कीर्ति एवं साम्यवादी आंदोलन** स्थापित किए।
नोट- द्वितीय लाहौर षडयंत्र प्रकरण 1931 में भगत सिंह, सुखदेव एवं राजगुरु की सुनवाई का था।

कीर्ति किसान सभा- इसका अर्थ है किसानों एवं मजदूरों की सभा। कीर्ति किसान सभा 12 अप्रैल 1928 को छोटे किसानों, औद्योगिक श्रमिकों एवं कम वेतन पाने वाले शहरी श्रमिकों को क्रांतिकारी गतिविधि के लिए संगठित करने के विचार के साथ बनाई गई थी। सभा को प्रेरणा एक गदर क्रांतिकारी भाई संतोख सिंह द्वारा चलाए गए कीर्ति आंदोलन से मिली। भाई संतोख सिंह ने मास्को में 2 साल रहकर ग्रामीण प्रचार की सोवियत विधियों का अध्ययन किया था। इस सभा को गदर पार्टी से प्रोत्साहन तथा वित्त प्राप्त होता था।

विदेश में अन्य क्रांतिकारी, जिसमें हरदयाल भी शामिल थे, जर्मनी में एकत्रित हुए तथा **बर्लिन में 'इंडियन इंडिपेंडेंस कमिटी'** स्थापित की। भारतीय सेना में विद्रोह भड़काना, भारतीय क्रांतिकारियों को विस्फोटक उपलब्ध कराना एवं यहां तक की ब्रिटिश-भारत पर आक्रमण करना, इस समिति के उद्देश्यों में शामिल थे। राजा महेंद्र प्रताप एवं बरकतुल्लाह ने अफगानिस्तान के अमीर से सहायता लेने का प्रयास किया। यह दोनों ही प्रयास निष्फल साबित हुए। ऐसा प्रतीत होता है कि ब्रिटिश शासन को पराजित करने के लिए हिंसक विद्रोह को अधिक सफलता नहीं मिलनी थी।

सिंगापुर में विद्रोह- क्रांतिकारियों से प्रेरित होकर सिंगापुर की पांचवी बटालियन (पैदल सेना) में जमादार चिश्ती खान तथा सूबेदार डुंडे खान के नेतृत्व में 700 लोगों ने विद्रोह किया। इस विद्रोह को भी क्रूरता-पूर्वक दबा दिया गया।

गदर आंदोलन का मूल्यांकन (Evaluation of Ghadar Movement)

एक आंदोलन की सफलता या असफलता का मूल्यांकन उन मापदंडों पर निर्भर करता है जिन्हें हम चुनते हैं। यदि सफलता का मापदंड किसी आंदोलन के तात्कालिक लक्ष्य की उपलब्धि को माना जाए, तो सभी मुख्य राष्ट्रीय आंदोलन जैसे स्वदेशी (1905-1907), असहयोग (1920-1922), सविनय अवज्ञा (1930-1934) एवं भारत छोड़ो (1942) को असफल माना जाएगा। लेकिन यदि आंदोलन की सफलता का मापदंड राष्ट्रवादी विचारधारा की उन्नति, लोगों में चेतना, लोगों को राजनीतिक कार्यक्रम के लिए प्रशिक्षिण, संघर्ष की नई विधियों का उद्भव एवं स्वतंत्रता, समानता व लोकतंत्र के आधुनिक मूल्यों के

प्रसार को माना जाए, तो गदर-आंदोलन ने निश्चित रूप से सफलता प्राप्त की एवं उसकी कई उपलब्धियां थीं।

उपलब्धियां

- गदर गतिविधियों ने भारत एवं विदेश में एक बड़ी संख्या में भारतीयों के बीच राष्ट्रवादी भावना को लोकप्रिय बनाने में सफलता प्राप्त की।
- उन्होंने बहुत अधिक उत्साहित व्यक्तियों का एक ऐसा दल बनाया, जो देश के लिए सब कुछ समर्पित करने के इच्छुक थे। लाला हरदयाल एवं सोहन सिंह भकना लोक-अभिनेता बन गए थे, जिनकी साहसिक कहानियां आगे की पीढ़ियों को निरंतर प्रेरित करती रहीं।
- गदर विचारधारा बहुत अधिक धर्मनिरपेक्ष एवं लोकतांत्रिक थी। धर्मनिरपेक्षता इतनी अधिक थी कि कुछ इतिहासकार धर्मनिरपेक्ष-परिदृश्य को गदर क्रांतिकारियों की सबसे प्रमुख उपलब्धि मानते हैं। उनमें से अधिकतर पंजाबी-सिख थे, लेकिन उन्होंने कभी भी सांप्रदायिक प्रवृत्ति को नहीं जताया। अनेक गैर-सिख व गैर-पंजाबी नेताओं के नेतृत्व को सभी ने स्वीकार किया। जैसे लाला हरदयाल एक हिंदू, बरकतुल्लाह एक मुस्लिम एवं रासबिहारी बोस एक बंगाली हिंदू थे। वे यह समझने में सक्षम थे कि सिख को वीर जाति के रूप में दर्शाना ब्रिटिश सरकार का सृजन था और वे इसका प्रत्युत्तर देने का भरसक प्रयत्न करते थे।
- गदर क्रांतिकारियों ने वंदे मातरम को अपने नारे के रूप में स्वीकार किया, न कि धार्मिक-अभिवादन जैसे सत-श्री-अकाल को।

सोहन सिंह भकना (गदरी बाबा)- 'हम न ही सिख हैं और न ही पंजाबी, हमारा धर्म देश भक्ति है।'

कमजोरियां

- जनता की उत्सुकता के संबंध में गलत अनुमान लगाना, गदर आंदोलन की सबसे बड़ी कमजोरी थी। अपनी सेना की उत्सुकता का परीक्षण किए बिना, वे एलान-ए-जंग के साथ आगे बढ़े। उनको आप्रवासी समुदाय से बहुत अधिक प्रतिक्रिया मिली, जिससे उन्हें लगा कि भारत में भी जनता इसी प्रकार के उत्साह में होगी।
- उन्होंने ब्रिटिश शासन की शक्ति को भी कम आंका। इसके परिणामस्वरूप उन्हें सरकार का क्रूरतापूर्ण दमन झेलना पड़ा। पंजाब के एक पूरे राष्ट्रवादी नेतृत्व के समूह को समाप्त कर दिया गया। यदि ऐसा नहीं होता, तो गदर क्रांतिकारी अपने राष्ट्रवादी एवं धर्मनिरपेक्ष प्रवृत्ति के द्वारा संप्रदायवाद के बढ़ने को रोकने में अपनी एक महत्वपूर्ण भूमिका निभाते। वही सांप्रदायिकता, जिसने भारत को आने वाले वर्षों में विभाजित कर दिया था।

विचार

मदन लाल ढींगरा- 'मुझ जैसा निर्धन व अयोग्य बेटा कुछ दे तो नहीं सकता, किंतु मेरा रक्त मां की मुक्ति-दायिनी वेदिका पर अवश्य चढ़ाया जा सकता है। हो सकता है कि मैं पुनः इसी मां की कोख से जन्म लूं और इसी पवित्र कार्य के लिए पुनः शहीद हो जाऊं। जब तक मेरा लक्ष्य पूरा नहीं होगा और जब तक भारत मां परतंत्रता की बेड़ियों को तोड़कर स्वतंत्रता का मुकुट शिरोधार्य नहीं करेगीं, मैं ऐसा ही करता रहूंगा।'

तिलक (केसरी, 1897)- 'श्रीमद् भगवत् गीता में कृष्ण ने अपने गुरुओं एवं अपने संबंधियों को मारने की सलाह दी है, यदि वे अधर्म की ओर हो तो। किसी व्यक्ति को कोई अपराध नहीं लगता, यदि वह बिना किसी फल की लालसा के कार्य करता है। ईश्वर ने विदेशियों को हिंदुस्तान का राज्य कोई तांबे की प्लेट में रखकर नहीं दिया है। अपने दृष्टिकोण को कुएं के मेंढक की तरह मत बनाओ। दंड संहिता से बाहर निकलकर श्रीमद् भगवत् गीता के अत्यंत कठोर वातावरण में प्रवेश करो और महान व्यक्तियों की तरह कार्य करने की सोचो।'

सुभाष चंद्र बोस- 'क्रांतिकारियों का अंतिम लक्ष्य आतंकवाद नहीं, बल्कि क्रांति है। क्रांति का उद्देश्य एक राष्ट्रीय सरकार की स्थापना करना है।'

होम रूल आंदोलन (1916-1918)

1914 में जब प्रथम विश्व युद्ध प्रारंभ हुआ, तो भारतीय राष्ट्रीय कांग्रेस ने ब्रिटिश सरकार की उनके युद्ध प्रयासों में समर्थन करने का निर्णय लिया। ऐसा कांग्रेस ने अपना कर्तव्य समझने के साथ-साथ बाद में रियायतें प्राप्त करने की एक समझौतेवादी नीति के तहत किया।

आप ये पहले ही जान चुके हैं कि युद्ध के समय ब्रिटेन की कठिनाई को अनेक राष्ट्रवादियों द्वारा भारत के लिए एक अवसर के रूप में देखा गया था। दो समूह थे, जिन्होंने इस समय ब्रिटेन की कठिनाई का लाभ उठाने का प्रयत्न किया- अमेरिका से संचालित गदर क्रांतिकारी एवं भारत में लोकमान्य तिलक व एनी बेसेंट के नेतृत्व में होम रूल लीग। अभी हमने गदर आंदोलन के प्रारंभ व पतन एवं स्वतंत्रता संघर्ष में उनके योगदान को समझा। कुछ ऐसी ही कम नाटकीय, लेकिन अधिक प्रभावशाली भूमिका, होम रूल लीग के द्वारा निभाई गई।

होम रूल आंदोलन के उदय के प्रमुख कारक (Factors Leading to the Rise of the Home Rule Movement)

अनेक कारण थे, जिसने भारत में राजनीतिक परिदृश्य को बदला तथा होम रूल आंदोलन के उत्थान के लिए मंच तैयार किया। इनमें शामिल थे-

1. प्रथम विश्व युद्ध का प्रारंभ- होम रूल आंदोलन का प्रारंभ प्रथम विश्व युद्ध की पृष्ठभूमि में उस समय हुआ, जब राष्ट्रवादियों के एक वर्ग ने माना कि ब्रिटेन की कठिनाई भारत के लिए अवसर है।

इसके साथ ही युद्ध ने भारतीय अर्थव्यवस्था एवं समाज पर गहरा प्रभाव छोड़ा था। इसने विभिन्न वर्गों को विभिन्न प्रकार से प्रभावित किया। गरीब के लिए इसका अर्थ था गरीबी में बढ़ोत्तरी- युद्धकाल की मांगों की पूर्ति के कारण कृषि एवं दैनिक उपयोग के उत्पादों में भारी कमी आई। इसका मतलब मुद्रास्फीति व भारी कराधान था। युद्धकाल की दयनीयता ने जनता को इतना हताश कर दिया था कि वे सरकार के विरुद्ध किसी भी प्रकार के आंदोलन में जुड़ने को तैयार थे।

अमीर उद्योगपतियों के लिए युद्ध भाग्य बनाने का एक अवसर था। युद्ध से ब्रिटेन में औद्योगिक वस्तुओं की कमी से आर्थिक संकट निर्मित हो गया था, जिससे उन्हें भारतीय उद्योगों पर निर्भर होना पड़ा। इस तरह के युद्ध ने भारतीय उद्योगों के हित को प्रोत्साहित किया तथा इस स्थिति को उद्योगपति युद्ध के बाद भी संरक्षित करना चाहते थे। अत: वे स्वयं को संगठित करने और किसी भी **राष्ट्रीय आंदोलन को** समर्थन देने के लिए उत्सुक थे।

इसके साथ ही युद्ध, जिसमें नए उपनिवेशों के लिए साम्राज्यवादी शक्तियों के बीच युद्ध चल रहा था, ने जातीय-सर्वोच्चता के मिथक को नष्ट किया एवं व्यापार व भूभाग के प्रति उनकी लालसा को उजागर किया। अमेरिकी राष्ट्रपति **वुड्रो विल्सन** ने कहा कि यह **युद्ध दुनिया को लोकतंत्र के लिए सुरक्षित** बनाने के लिए लड़ा जा रहा है। यूरोप में एक के बाद एक अनेक देशों में लोकतांत्रिक संस्थाएं स्थापित हो रही थीं। इस प्रकार के **युद्ध ने दुनिया भर में लोकतांत्रिक बलों को प्रेरित व स्व-शासन की मांग को आगे बढ़ाया,** जिसमें यूरोपियन साम्राज्य के उपनिवेश भी शामिल थे।

2. 1909 के सुधार से मोह भंग- 1909 के संवैधानिक सुधारों से उदारवादियों का मोह भंग हो गया था। उनमें से अधिकतर अब यह समझ चुके थे कि सरकार तब तक कोई वास्तविक रियायत नहीं देगी, जब तक कि उन पर जनवादी दबाव नहीं बनाया जाएगा।

3. गदर आंदोलन का दमन- गदर आंदोलन के क्रूरतापूर्ण दमन ने भी ब्रिटिश शासन के विरुद्ध असंतोष की भावना को फैलाया।

4. मांडले से तिलक का रिहा होने व कांग्रेस में उनके पुनः प्रवेश के प्रयास- 16 जून 1914 को तिलक बर्मा की मांडले जेल से रिहा हुए, जहां उन्हें 6 वर्ष का कारावास दिया गया था। जब वे वहां से भारत लौटे, तब भारत बहुत बदल चुका था। अरविंदो घोष संन्यास ले चुके थे, लाला लाजपत राय अमेरिका पलायन कर चुके थे एवं कांग्रेस को अभी सूरत-विभाजन एवं स्वदेशी आंदोलन के दमन से उभरना था।

अब तिलक की पहली प्राथमिकता स्वयं एवं अन्य उग्रवादी नेताओं को कांग्रेस में पुन: प्रवेश दिलाना था, जिन्हें 1907 में निकाल दिया गया था। तिलक कांग्रेस के विभाजन से कभी खुश नहीं थे और वे एक संयुक्त कांग्रेस के महत्व को समझते थे। कांग्रेस की फूट का ब्रिटिश सरकार ने बहुत अधिक इस्तेमाल किया। उग्रवादियों का कठोरतापूर्ण तरीके से दमन किया एवं उदारवादियों को 1909 के संवैधानिक सुधारों के प्रलोभन से मूर्ख बनाया। 1907 के कांग्रेस विभाजन से राष्ट्रीय आंदोलन में भी ठहराव आ गया था और कांग्रेस में भी अनेक नेता उग्रवादियों की वापसी के समर्थन में थे। साथ ही लोगों के मस्तिष्क में कांग्रेस, राष्ट्रीय-आंदोलन का प्रतीक बन चुकी थी तथा किसी भी राजनीतिक गतिविधि के लिए इसकी स्वीकृति अपेक्षित थी।

उदारवादियों के साथ-साथ सरकार को भी उनके अच्छे इरादे के बारे में विश्वास दिलाने के उद्देश्य से तिलक ने घोषणा की, "मैं यह स्पष्ट कर देना चाहता हूं कि हम भारत में वही प्रयास कर रहे हैं, जो आयरलैंड में 'आयरिश होम रूलर' कर रहे हैं अर्थात राज्य के प्रशासन में सुधार, न की सरकार को पराजित करना। और मुझे यह कहने में बिल्कुल हिचकिचाहट नहीं हो रही है कि हिंसा के कार्य जो देश के विभिन्न भागों में किए गए हैं, वे मेरे लिए भी प्रतिकूल हैं, मेरे विचार में ये केवल दुर्भाग्यपूर्ण रूप से राजनीतिक प्रगति की रफ्तार को धीमा करते हैं।''

तिलक ने राजशाही के प्रति वफादारी रखने का आग्रह किया तथा भारतीयों से ब्रिटेन के कठिन समय में साथ देने पर बल दिया।

5. भारतीय राजनीति में एनी बेसेंट का प्रवेश- इसी समय में, उस समय के थियोसॉफिकल सोसाइटी की अध्यक्ष **श्रीमती एनी बेसेंट** ने आयरिश होम रूल लीग की तर्ज पर भारत में होम रूल आंदोलन के द्वारा अपनी गतिविधियां बढ़ाने का निर्णय लिया। इसके लिए उन्होंने भी अनुभव किया कि कांग्रेस की स्वीकृति एक पूर्व-आवश्यकता है। साथ ही उग्रवादियों एवं मुस्लिम लीग के सक्रिय सहयोग की भी आवश्यकता थी। फलस्वरुप, वे कांग्रेस में शामिल हुई और उन्होंने तिलक एवं उनके उग्रवादी साथियों के कांग्रेस में पुन: वापसी हेतु उदारवादियों से आग्रह किया। भारत में होम रूल आंदोलन के समर्थन के लिए उन्होंने कांग्रेस एवं मुस्लिम लीग के मध्य सहयोग बढ़ाने के लिए भी कार्य किया।

एनी बेसेंट (1847-1933) - वे एक ब्रिटिश थीयोसोफिस्ट, महिला-अधिकार कार्यकर्ता एवं आयरिस व भारतीय स्वशासन की समर्थक थीं। उनकी शादी एक पादरी से हुई, लेकिन उनके धर्म-विरोधी विचारों से उन्हें अलग होना पड़ा तथा बाद में वे नेशनल सेकुलर सोसाइटी में शामिल हुई। हालांकि, 1890 में उनकी मुलाकात हेलेना ब्लैवट्स्की से हुई और उन्होंने थियोसोफिकल सोसाइटी की सदस्यता ग्रहण की।

वे 1893 में थिओसॉफिकल सोसाइटी से संबंधित कार्य के लिए इंग्लैंड से भारत आई। उन्होंने 1898 में **बनारस में सेंट्रल हिंदू कॉलेज** की स्थापना करने में महत्वपूर्ण भूमिका निभाई, जो बाद में बनारस हिंदू विश्वविद्यालय की स्थापना में सहयोगी बना। 1907 में वे **थिओसॉफिकल सोसाइटी की अध्यक्ष बनीं**, जिसका अंतर्राष्ट्रीय मुख्यालय मद्रास के समीप अड्यार में था। धीरे-धीरे वे भारतीय राजनीति में रमती गई और उन्होंने भारतीय राष्ट्रीय कांग्रेस की सदस्यता ग्रहण की। 1914 में प्रथम विश्व युद्ध के दौरान उन्होंने आयरिस होम रूल लीग की तर्ज पर भारत में होम रूल आंदोलन का निर्माण किया। उन्हें 1917 में कांग्रेस का अध्यक्ष चुना गया।

दो लीगों का गठन (Formation of the Two Leagues)

दिसम्बर, 1914 में कांग्रेस-अधिवेशन में उग्रवादियों के कांग्रेस में पुन: प्रवेश का प्रयास विफल हुआ। हालांकि, तिलक एवं एनी बेसेंट ने राष्ट्रवादी गतिविधियों को अपने स्तर पर पुनर्जीवित करने तथा साथ में उग्रवादियों के पुन: प्रवेश हेतु कांग्रेस पर दबाव बनाने का निर्णय लिया। दोनों ने अपनी राजनीतिक गतिविधियां प्रारंभ की, लेकिन तिलक इस बात का भी ध्यान रख रहे थे कि उदारवादी किसी भी तरह से भयभीत न हों। उनके प्रयासों को सफलता मिली और अंतत: दिसंबर 1915

के कांग्रेस अधिवेशन में यह निर्णय लिया गया कि उग्रवादी भी कांग्रेस में शामिल हो सकेंगे। यह कुछ हद तक इसलिए भी संभव हो पाया, क्योंकि उदारवादी नेता गोपाल कृष्ण गोखले एवं फिरोजशाह मेहता की 1915 में मृत्यु हो चुकी थी, जो उग्रवादियों की वापसी के समर्थन में नहीं थे।

एनी बेसेंट कांग्रेस से एक जिम्मेदारी लेने में भी सफल हुईं कि वे एक शैक्षिक कार्यक्रम प्रारंभ करेंगी तथा सितंबर 1916 तक स्थानीय स्तर पर कांग्रेस समितियों को पुनर्जीवित करेंगी। इस कार्य में असफल होने की स्थिति में बेसेंट अपनी लीग स्थापित करने हेतु स्वतंत्र होंगी।

तिलक की होम रूल लीग

उग्रवादियों के पुनः प्रवेश के निर्णय के बाद तिलक ने **अप्रैल 1916 में बेलगांव** के बॉम्बे प्रांतीय सम्मेलन में होम रूल लीग को स्थापित करने में अग्रणी भूमिका निभाई। **जी. एस. खापर्डे** तिलक की लीग के संस्थापक सदस्य थे।

होम रूल के संदेश को प्रसारित करने के लिए लीग को छह शाखाओं में संगठित किया गया- केंद्रीय महाराष्ट्र, बॉम्बे सिटी, कर्नाटक एवं मध्य प्रांत में एक-एक शाखा तथा बरार में दो शाखाएं। लीग ने मराठी, गुजराती, कन्नड़ एवं अंग्रेजी में भी प्रचार-पुस्तिकाएं प्रकाशित कीं। लेकिन लोगों का समर्थन प्राप्त करने में सबसे महत्व भूमिका तिलक के व्याख्यानों ने निभाई, जो उन्होंने महाराष्ट्र भ्रमण के दौरान दिए थे।

होम रूल की मांग को स्प्ष्ट करते हुए उन्होंने कहा, "भारत एक पुत्र के समान है, जो अब बड़ा हो चुका है एवं परिपक्वता प्राप्त कर चुका है। अब यह उसका अधिकार है कि न्यासी अथवा पिता को उसे उसका देय दे देना चाहिए।"

इसी आंदोलन के दौरान तिलक ने नारा दिया था, **"स्वराज्य मेरा जन्मसिद्ध अधिकार है और मैं इसे लेकर रहूंगा।"**

आपको यह ध्यान देना चाहिए कि तिलक के भाषणों में अब एक सकारात्मक परिवर्तन आ गया था। अब उनके भाषणों में कोई धार्मिक अपील नहीं थी। उन्होंने स्पष्ट करते हुए कहा, ''अन्य-देशीयता का संबंध धर्म, व्यापार अथवा व्यवसाय से नहीं है, यह हितों का एक प्रश्न है। जो कुछ भी वे करते हैं, **इस देश की जनता के लाभ के लिए करते हैं। चाहे वह एक मुसलमान हो या एक अंग्रेज, वे विदेशी नहीं हैं।''**

उनके विचार भाषायी उग्र-राष्ट्रवाद एवं जातिगत भेदभाव से मुक्त थे। उन्होंने भाषायी आधार पर राज्यों के गठन एवं देशी भाषाओं में शिक्षा के समर्थन में तर्क दिए। उन्होंने पूछा कि क्या अंग्रेजी उनकी जनता को फ्रेंच भाषा में शिक्षित करती है?

उन्होंने कठोरतापूर्वक छुआछूत का विरोध किया तथा ब्राह्मणों से जोर देकर कहा कि वे अब्राह्मण मांगों के प्रति सहिष्णु बनें। उन्होंने घोषणा की, ''यदि ईश्वर छुआछूत को सहन करें, तो मैं उन्हें ईश्वर नहीं मानूंगा।''

शीघ्र ही, सरकार ने तिलक के आंदोलन को दबाने का प्रयत्न किया और उन्हें एक चेतावनी-पत्र थमा दिया गया। **मोहम्मद अली जिन्ना** के नेतृत्व में वकीलों के एक समूह द्वारा उनका बचाव किया गया। वे अधीनस्थ न्यायालय में प्रकरण हार गए, लेकिन नवंबर 1916 में उच्च न्यायालय ने उनको दोषमुक्त कर दिया। न्यायालय के निर्णय से उत्साहित होकर उन्होंने घोषणा की, कि होम रूल को अब वैधिक स्वीकृति मिल गई। उन्होंने पुनः अपने प्रचार को तेज किया और अप्रैल 1917 तक उनकी लीग ने 14000 सदस्यों को पंजीकृत किया।

एनी बेसेंट की होम रूल लीग

कांग्रेस शैक्षिक प्रचार के कार्यक्रम को सितंबर 1916 तक आरंभ करने एवं स्थानीय स्तर की कांग्रेस समितियों को पुनर्जीवित करने के अपने वादे को पूरा करने में असफल हुई। अतः **एनी बेसेंट ने मद्रास में सितंबर 1916 को अपने अखिल भारतीय होम रूल लीग** के गठन की घोषणा की। जॉर्ज अरुंडेल को संगठन सचिव बनाया गया तथा सर एस. सुब्रमण्यम अय्यर ने अवैतनिक अध्यक्ष पद पर सेवा देना स्वीकार किया।

सर एस. सुब्रमण्यम (1842-1924)- दक्षिण भारत के महान वृद्ध पुरुष (Grand Old Man of South India) के नाम से विख्यात अय्यर एक वकील, न्यायविद एवं भारतीय राष्ट्रीय कांग्रेस के संस्थापक सदस्यों में से एक थे। उन्होंने बॉम्बे में कांग्रेस के प्रथम अधिवेशन में मद्रास के प्रतिनिधियों का नेतृत्व किया था। वे पहले भारतीय थे, जिन्होंने मद्रास उच्च न्यायालय में मुख्य न्यायाधीश के पद (1899, 1903 व 1906 में) पर कार्य किया। उन्हें धर्म एवं आध्यात्मिकता में गहरी रुचि थी। उन्होंने 'धर्म रक्षा सभा' व 'शुद्ध धर्म मंडल' की स्थापना की एवं थियोसॉफिकल सोसाइटी की सदस्यता ग्रहण की। सितंबर 1916 में वे मद्रास में एनी बेसेंट द्वारा स्थापित अखिल भारतीय होम रूल लीग के संस्थापक सदस्य बने। जब जून 1917 में एनी बेसेंट को गिरफ्तार कर लिया गया था, तो उन्होंने इसके विरोध में अपनी नाइटहुड की उपाधि त्याग दी थी।

इससे पूर्व ही एनी बेसेंट के कुछ उत्सुक व अधीर साथी सितंबर तक इंतजार नहीं कर सके एवं उन्होंने पहले ही होम रूल समूहों की स्थापना कर दी थी। **जमनादास द्वारका दास, शंकर लाल बंकर** एवं **इंदुलाल याग्निक** ने बॉम्बे का समाचार पत्र **'यंग इंडिया'** शुरू किया तथा प्रचार-पुस्तिकाओं के प्रकाशन के लिए एक अखिल भारतीय प्रचार निधि की स्थापना की।

लीग ने स्वशासन की मांग को स्पष्ट करने के लिए अंग्रेजी एवं भारतीय भाषाओं में प्रचार-पुस्तिकाएं प्रकाशित की। एनी बेसेंट ने अपने सहायकों **अरुंडेल, सी. पी. रामास्वामी अय्यर** एवं **बी. पी. वाडिया** के साथ मिलकर अपने मुख्यालय अड्यार से **न्यू इंडिया** (New India) व **कॉमनव्हील** (Commonweal) समाचार पत्र निकाले। अरुंडेल ने न्यू इंडिया में होम रूल पर एक स्तंभ लिखा, जिसमें उन्होंने सदस्यों से राजनीतिक वार्तालाप एवं वाद-विवाद को प्रोत्साहित करने तथा लोगों को आंदोलन से जोड़ने के लिए कार्य करने का आग्रह किया। नए सदस्यों में, जिन्होंने लीग की सदस्यता ग्रहण की, शामिल थे- इलाहाबाद में **जवाहरलाल नेहरू** व कलकत्ता में बी. चक्रवर्ती व जे. बैनर्जी। बेसेंट ने लीग की 200 शाखाएं स्थापित की। लेकिन लीग की शक्ति का अनुमान शाखाओं की संख्या से नहीं लगाया जा सकता, क्योंकि उनमें से अधिकतर असक्रिय थीं। बेसेंट की लीग को तिलक की अपेक्षा शिथिल तरीके से संगठित किया गया था। न्यूनतम तीन सदस्य भी इसकी शाखा को स्थापित कर सकते थे। बेसेंट की लीग की सदस्यता भी धीमी गति से बढ़ी।

लीगों के कार्यक्रम (Program of the Leagues)

दोनों ही लीगों ने भारत के लिए स्वशासन अथवा होम रूल प्राप्त करने के लक्ष्य से कार्य किया। इस लक्ष्य को प्राप्त करने के लिए दोनों ही लीग ने पूरे देश में होम रूल प्राप्ति की मांग के समर्थन में प्रचार-प्रसार किया। इस लक्ष्य को प्राप्त करने के कई साधन थे- प्रचार-प्रसार (जिसमें जनसभा एवं व्याख्यान शामिल थे) के द्वारा वार्तालाप एवं राजनीतिक शिक्षा को प्रोत्साहित करना, सम्मेलन आयोजित करना, राजनीति विषय पर छात्र-छात्राओं के लिए कक्षाएं आयोजित करना, प्रचार-पुस्तिकाओं को बांटना, प्रेस-अभियान, धन को एकत्रित करना, सामाजिक कार्यों को संगठित करना, राष्ट्रीय राजनीति पर आधारित किताबों को पुस्तकालयों में उपलब्ध कराना, अपने मित्रों से स्वशासन की आवश्यकता के बारे में चर्चा करना एवं उन्हें आंदोलन में जोड़ने हेतु प्रेरित करना।

उनका उद्देश्य एक सार्वजनिक लक्ष्य के अधीन देश को एकता में बांधना तथा जनता को शिक्षित करना था। लीगें, जो कांग्रेस से स्वतंत्र होकर कार्य कर रही थीं, इस स्थिति में नहीं थी कि अतिवादी कार्यक्रम अपना सकें।

चूंकि लीगें राजनीतिक शिक्षा के उदारवादी कार्यक्रम को लागू करने पर अधिक बल दे रहे थे, अतएव उन्हें अनेक उदारवादियों का समर्थन मिला। गोखले की 'सर्वेंटस ऑफ इंडिया सोसाइटी' के सदस्यों ने भी बड़ी संख्या में लीग का समर्थन किया और देशभर में भ्रमण करके होम रूल की मांग का प्रचार किया। हालांकि उन्हें लीग की सदस्यता प्राप्त करने की अनुमति नहीं दी गई थी।

एनी बेसेंट के शब्दों में, कारण जिसकी वजह से दोनों लीगों का विलय नहीं हुआ, 'उनके कुछ समर्थक मुझे पसंद नहीं करते थे और मेरे समर्थक उनको पसंद नहीं करते थे। हालांकि हमारे बीच में कोई लड़ाई नहीं थी।' दोनों लीगों ने अपने कार्य-क्षेत्रों को विभाजित कर लिया था, ताकि कोई विवाद न हो-

- तिलक की लीग- **महाराष्ट्र (बॉम्बे सिटी को छोड़कर), कर्नाटक, मध्य प्रांत एवं बरार।**
- एनी बेसेंट की लीग- **शेष भारत (जिसमें बॉम्बे सिटी शामिल थी)।**

लखनऊ कांग्रेस अधिवेशन, 1916 (अध्यक्ष अंबिका चरण मजूमदार)

कांग्रेस का लखनऊ अधिवेशन होम रूल लीग के कार्यकर्ताओं के लिए अपनी शक्ति को प्रस्तुत करने का एक अवसर था। लीग के कार्यकर्ताओं ने बल दिया कि उन्हें बड़ी संख्या में स्वयं को कांग्रेस के प्रतिनिधियों के रूप में निर्वाचित करके लखनऊ अधिवेशन में अपनी आवाज बुलंद करना चाहिए। तिलक की लीग ने पश्चिमी भारत से लखनऊ प्रतिनिधियों को ले जाने के लिए **एक विशिष्ट ट्रेन**, जिसे 'कांग्रेस विशेष' अथवा 'होम रूल विशेष' के नाम से जाना गया, प्रारंभ की। इस प्रकार एक नई कांग्रेस परंपरा स्थापित की।

- **उदारवादियों एवं उग्रवादियों का पुनः एकीकरण**- 1907 में सूरत विभाजन के बाद अंततः **लखनऊ अधिवेशन** में उदारवादी एवं उग्रवादी दलों का पुनः एकीकरण हुआ। कांग्रेस अध्यक्ष अंबिका चरण मजूमदार ने उग्रवादियों का हार्दिक स्वागत किया। अपने उद्‌बोधन में उन्होंने कहा, "भारतीय राष्ट्रीय दल की दोनों शाखाएं इस बात का अनुभव कर चुकी हैं कि एक होंगे तो, हम आगे बढ़ेंगे और विभाजित होंगे, तो हमारा पतन होगा और अंततः भाइयों का भाइयों से मिलन हुआ।"
- **कांग्रेस-लीग समझौता**- इसको लखनऊ-समझौते के नाम से भी जाना गया। यह समझौता कांग्रेस एवं मुस्लिम लीग के मध्य हस्ताक्षरित किया गया। यह तिलक एवं एनी बेसेंट के संयुक्त प्रयास से संभव हो पाया, जबकि यह निर्णय कांग्रेस के महत्वपूर्ण नेताओं जैसे मदन मोहन मालवीय की इच्छा के विरुद्ध था।

  इस समझौते के अनुसार कांग्रेस ने पृथक-निर्वाचन के विवादास्पद प्रावधान को मुसलमानों के लिए स्वीकार कर लिया। दोनों दलों ने संयुक्त रूप से कांग्रेस-लीग योजना एवं 19 बिंदुओं का मेमोरेंडम प्रस्तुत किया। जब तिलक पर मुस्लिम मांगो पर अधिक बल देने का आरोप लगाया गया तो, उन्होंने जवाब दिया, "जब हमें एक तीसरे दल के विरुद्ध लड़ना हो, तो यह महत्वपूर्ण है कि हम एक संयुक्त मंच पर खड़े हों, जाति, धर्म और राजनीतिक मान्यताओं के विभिन्न आयामों में एक हों।" यह प्रतिक्रिया रूढ़िवादी हिंदू नेता एवं प्राचीन धार्मिक पाठ्य के लेखक की तरफ से आई थी, धीरे-धीरे विरोध फीका पड़ गया। (इस अध्याय के अंत में लखनऊ समझौते के विशिष्ट लेख को देखें)
- **तिलक की कांग्रेस कार्यकारी समिति की मांग का अस्वीकार होना**- कांग्रेस के लखनऊ अधिवेशन में तिलक ने कांग्रेस कार्यकारी समिति के गठन की महत्वपूर्ण मांग की। इस समिति को दैनिक-कार्यकलाप एवं कांग्रेस के प्रस्तावों को लागू करने का उत्तरदायित्व दिया जाना था। इसके पीछे उनका उद्देश्य कांग्रेस को एक ऐसा तंत्र देना था, जो अनवरत आंदोलनों के लिए सतत रूप से राजनीतिक गतिविधियां कर सके। उदारवादियों द्वारा इस मांग को अस्वीकार कर दिया गया।
- **होमरूल लीगों की संयुक्त बैठक**- अधिवेशन समाप्त होने के बाद उसी स्थान पर दोनों होमरूल लीगों की संयुक्त बैठक हुई। तिलक व एनी बेसेंट ने 1000 से अधिक प्रतिनिधियों की सभा को संबोधित किया।

सरकारी दमन

शीघ्र ही सरकार ने आंदोलन के विरुद्ध कार्रवाई करने का निर्णय लिया। मद्रास सरकार ने कठोर तरीके अपनाएं एवं राजनीतिक बैठकों में छात्र-छात्राओं के भाग लेने को प्रतिबंधित कर दिया गया। जून 1917 को एनी बेसेंट, अरुंडेल व वी.पी. वाडिया को गिरफ्तार कर लिया गया, जिसका देश-भर में विरोध हुआ।

उनकी गिरफ्तारी से नाराज होकर सर एस. सुब्रमण्यम अय्यर ने अपनी नाइटहुड की उपाधि का त्याग कर दिया था। अब वे लोग भी होमरूल आंदोलन से जुड़ने लगे जो अब तक इस से दूरी बनाए हुए थे। उनमें सबसे प्रमुख **मोहम्मद अली**

जिन्ना, सुरेंद्रनाथ बैनर्जी एवं **मदन मोहन मालवीय** थे। इस प्रकार एक बार पुनः राष्ट्रवादी प्रयासों को दबाने के सरकार के प्रयत्नों से आंदोलन का उत्साह और अधिक बढ़ा और जनता की भागीदारी बढ़ी।

जून 1917 में ऑल इंडिया कांग्रेस कमेटी की बैठक में तिलक ने निष्क्रिय-प्रतिरोध का समर्थन किया, यदि सरकार आंदोलनकारी नेताओं को छोड़ने से मना करे। गांधी जी के निर्देशानुसार शंकरलाल बंकर व जमनादास द्वारकादास ने ऐसे 1000 लोगों के हस्ताक्षर का अभियान चलाया, जो नजरबंद के विरोध के इच्छुक थे। उन्होंने श्रीमती बेसेंट के नजरबंदी के स्थान तक मार्च भी किया।

भारत सचिव मोंटेग्यू ने लिखा, "भगवान शिव ने अपनी पत्नी के 52 टुकड़े यह जानने के लिए कर दिए थे कि उनकी 52 पत्नियां हैं। भारत सरकार के साथ भी कुछ ऐसा ही हुआ, जब उन्होंने श्रीमती एनी बेसेंट को नजरबंद किया।"

सरकार का नरम रुख अपनाना एवं मांटेग्यू घोषणा (Government Adopts a Soft Line and Montagu Declaration)

आंदोलन की तीव्रता, उग्रवादी एवं उदारवादी दलों व कांग्रेस एवं मुस्लिम लीग की एकता तथा युद्ध की परिस्थितियों को देखकर सरकार ने नरम रुख अपनाने का निर्णय लिया, जो **20 अगस्त 1917** को ब्रिटिश हाउस ऑफ़ कॉमंस में मोंटेग्यू के ऐतिहासिक घोषणा से स्पष्ट हुआ-

> घोषणा में कहा गया, "महामहिम सम्राट की सरकार की नीति प्रशासन की प्रत्येक शाखा में भारतीयों की भागीदारी को बढ़ाना तथा ब्रिटिश साम्राज्य के एक अभिन्न भाग के रूप में उत्तरदायी सरकार की उन्नति को ध्यान में रखते हुए भारत में स्व-शासन का क्रमिक विकास करना है।"

अब यदि हम मोंटेग्यू के कथन की तुलना 1909 के मोर्ले के कथन से करें, जिसमें उन्होंने कहा था कि 1909 के सुधारों में भारत में स्वशासन लाने का कोई विचार निहित नहीं है। मोंटेग्यू घोषणा, 1909 में राष्ट्रवादियों द्वारा उठाए गए कदम की ही सफलता थी। जिसका प्रभाव यह हुआ कि **स्वशासन अथवा होम रूल की मांग को अब राष्ट्रद्रोह की तरह नहीं समझा जाएगा।**

हालांकि, इसका मतलब यह नहीं था कि सरकार जल्द ही स्व-शासन देने वाली थी। इस कथन से जुड़े हुए एक भाग में यह भी उल्लेख किया गया था कि सुधार के समय एवं प्रकृति के बारे में केवल सरकार द्वारा ही निर्णय लिया जाएगा। इस प्रकार मोंटेग्यू ने भारतीयों के लिए वास्तविक रूप से होम रूल को आगे भी स्थगित करने के लिए काफी गुंजाइश छोड़ी थी।

सितम्बर, 1917 में एनी बेसेंट की लोकप्रियता बढ़ने से सरकार के रवैया में परिवर्तन आया एवं उन्हें रिहा कर दिया गया। दिसम्बर, 1917 के कांग्रेस अधिवेशन में तिलक के आग्रह पर **एनी बेसेंट को अध्यक्ष निर्वाचित किया गया।**

होम रूल आंदोलन का पतन (Decline of Home Rule Movement)

1918 के दौरान होम रूल आंदोलन धीरे-धीरे समाप्त हो गया। अनेक कारण इसके पतन के उत्तरदायी थे-

- नए सुधारों के प्रलोभन में आकर उदारवादियों ने आंदोलन में रुचि नहीं दिखाई।
- वे लीग नेताओं के मध्य सविनय अवज्ञा के बढ़ते वार्तालाप से भी भयभीत अनुभव कर रहे थे।
- जुलाई 1918 में सुधार-योजना प्रकाशित हुई, जिससे दोबारा राष्ट्रवादी विभाजित हुए। कुछ सुधारों को अस्वीकार करने के पक्ष में थे, तो कुछ सरकार को एक मौका देना चाहते थे।
- एनी बेसेंट स्वयं दोनों मुद्दों (सुधारों का मुद्दा व सविनय अवज्ञा का मुद्दा) पर निश्चित निर्णय नहीं ले सकीं और उनके मत में भिन्नता बनी रही। तिलक अपने निर्णय पर स्थिर रहे और सुधारों को अनुपयोगी बताया, लेकिन वे उदारवादियों के रवैए में होने वाले परिवर्तन एवं एनी बेसेंट की निर्णयहीनता में कुछ नहीं कर सकते थे।
- तिलक स्वयं 1918 के अंत में एक मानहानि के मुकदमे (जो उन्होंने **इंडियन अनरेस्ट** (Indian Unrest) के लेखक **वेलेंटाइन शिरोल** के विरुद्ध लगाया था) के लिए इंग्लैंड चले गए। इस तरह आंदोलन नेतृत्व-विहीन हो गया।

होम रूल आंदोलन का महत्व (Significance of Home Rule Movement)

- होम रूल आंदोलन का सबसे महत्वपूर्ण उपलब्धि ब्रिटिश सरकार के व्यवहार में परिवर्तन आना एवं उनके द्वारा होम रूल की मांग को एक विधिक मांग की तरह स्वीकार करना था। इस परिवर्तन को मोंटेग्यू-घोषणा में देखा जा सकता है, जिसमें 1909 की स्थिति से आगे बढ़कर स्व-शासन की दिशा में प्रावधान किए गए।
- होम रूल आंदोलन की एक अन्य उपलब्धि राष्ट्रवादी कार्यकर्ताओं के एक समृद्ध-समूह (जिसमें जवाहरलाल नेहरू भी शामिल थे) का निर्माण होना था, जो भविष्य के संघर्ष के लिए अब नेतृत्व करने हेतु प्रशिक्षित व तैयार हो गए थे।
- होम रूल कार्यकर्ताओं ने बड़े स्तर पर भारतीय शहरों एवं ग्रामों का भ्रमण किया और राष्ट्रीय राजनीति में गांव-शहर के विभाजन को कम किया।
- आंदोलन ने होम रूल के विचार को लोकप्रिय बनाने में सफलता प्राप्त की।
- आंदोलन ने लोगों को राजनीतिक कार्य हेतु प्रोत्साहित एवं उनमें राष्ट्रीय भावना को बढ़ाने में एक महत्वपूर्ण भूमिका निभाई।
- आंदोलन के दौरान ही तिलक व एनी बेसेंट के प्रयासों से उदारवादियों एवं उग्रवादियों का एकीकरण हुआ। इस प्रकार कांग्रेस को राष्ट्रीय आंदोलन के एक प्रभावशाली साधन के रूप में पुनर्जीवित किया।

यह सत्य है कि होमरूल आंदोलन के नेता इस जोश व आक्रोश को एक वास्तविक जन-आंदोलन बनाने में सक्षम नहीं हुए, फिर भी उनकी उपलब्धियां व्यापक थीं। इस आंदोलन ने संघर्ष के अगले व अंतिम चरण हेतु जमीन तैयार कर दी थी, जिसे मोहनदास करमचंद गांधी के व्यक्तित्व व चरित्र ने एक जन-आंदोलन का स्वरूप प्रदान किया।

विशिष्ट लेखः कांग्रेस-लीग समझौता

कांग्रेस-लीग समझौता, जिसे लखनऊ-समझौता के नाम से भी जाना गया, 1916 में लखनऊ में दोनों दलों के संयुक्त-अधिवेशन के दौरान भारतीय राष्ट्रीय कांग्रेस एवं मुस्लिम लीग के मध्य हस्ताक्षरित हुआ। मोहम्मद अली जिन्ना, जो उस समय कांग्रेस एवं मुस्लिम लीग, दोनों के सदस्य थे, स्वयं इस समझौते के शिल्पकार एवं प्रमुख योजनाकार थे। जिन्ना की इस भूमिका के कारण सरोजिनी नायडू ने उन्हें 'हिंदू-मुस्लिम एकता का दूत' कहा।

इससे पूर्व दिसंबर 1915 में दोनों ही दलों के वार्षिक अधिवेशन बॉम्बे में आयोजित हुए। ऐसा पहली बार हुआ था, जब उनके वार्षिक अधिवेशन एक समान स्थान व समय पर हुए।

मुस्लिम लीग एक क्रमिक परिवर्तन अनुभव कर रही थी एवं उसके युवा सदस्य अब व्यापक राजनीति की ओर झुक रहे थे। मुसलमानों को मार्ले-मिंटो सुधार द्वारा संतुष्ट करने के सरकार के प्रयासों के बावजूद दोनों के बीच खाई निरंतर बढ़ रही थी। लीग अलीगढ़ स्कूल के अपने पुराने विचारों को छोड़ रही थी व कांग्रेस के विचारों के करीब आ रही थी। इसके कई कारण थे-

- 1911 में ब्रिटिश सरकार ने बंगाल के विभाजन को निरस्त कर दिया, जिससे वे मुस्लिम नाराज हो गए जो एक अलग राजनीतिक राज्य का सपना संजोए हुए थे।
- 1912 में लार्ड हार्डिंग की सरकार ने अलीगढ़ में एक विश्वविद्यालय (पूरे भारत में महाविद्यालयों को संबद्धता देने की शक्ति के साथ) स्थापित करने से मना कर दिया।
- भारत के बाहर ब्रिटेन ने इटली व बाल्कन युद्ध में तुर्की की सहायता करने से मना कर दिया था। तुर्की पर उस समय खलीफा का शासन था, जो सभी मुसलमानों पर धार्मिक व राजनीतिक नेतृत्व का दावा करता था।
- 1912 में मुस्लिम लीग के कलकत्ता अधिवेशन में, लीग इस बात पर सहमत हुई कि वे भारत के लिए उपयुक्त स्वशासन की व्यवस्था के लिए अन्य समूहों के साथ कार्य करेंगे। बशर्ते यह कार्य उनके आधारभूत उद्देश्य, अर्थात इस देश के भारतीय मुसलमानों के संरक्षण, के साथ विरोध में नही आना चाहिए।
- मुसलमान सरकार द्वारा युद्ध के समय किए गए दमन से भी नाराज थे। 1914 में सरकार ने अबुल कलाम आजाद की **'द अल-हिलाल'** (The-Al-Hilal) व मौलाना मोहम्मद अली की **'द कॉमरेड'** (The Comrade) के प्रकाशन को रोक दिया था।

- सरकार ने अली बंधुओं, मोहम्मद अली एवं शौकत अली, को नजरबंद कर लिया था। हसरत मोहानी एवं अबुल कलाम आजाद को भी गिरफ्तार कर लिया गया था।
- साथ ही वे विश्व युद्ध से पैदा हुई महत्वकांक्षाओं से अछूते नहीं रह सकते थे।

सामंजस्य की ओर- इस बात पर सहमति बनी कि मुस्लिम लीग एवं कांग्रेस संयुक्त रूप से सरकार के सम्मुख संवैधानिक सुधारों की योजना प्रस्तुत करेंगे, जबकि कांग्रेस पृथक-निर्वाचन की मुस्लिम लीग की मांग को स्वीकार करेगी।

कांग्रेसी एवं लीग की संयुक्त मांगे-

1. सरकार, भारत में स्वशासन की स्थापना की शीघ्र घोषणा करे।
2. मुसलमानों को केंद्रीय शासन में एक तिहाई प्रतिनिधित्व मिलना चाहिए।
3. सभी संप्रदायों के लिए पृथक-निर्वाचन होना चाहिए, जब तक की एक सम्प्रदाय संयुक्त निर्वाचन की मांग न करें।
4. अल्पसंख्यक राजनीतिक प्रतिनिधियों (अल्पसंख्यकों को उनकी जनसंख्या के अनुपात से अधिक शासन में प्रतिनिधित्व देने के लिए) के लिए अधिभार की व्यवस्था को अपनाना चाहिए।
5. विधान परिषद में किसी एक संप्रदाय से जुड़े हुए विधेयक को पारित नहीं किया जाना चाहिए, यदि उस संप्रदाय के तीन-चौथाई सदस्य उसका विरोध करते हों।
6. न्यायपालिका को कार्यपालिका से पृथक होना चाहिए।
7. भारतीय मामलों के भारत-सचिव को ब्रिटिश सरकार द्वारा ब्रिटिश-कोष से वेतन दिया जाना चाहिए, न कि भारत-कोष से।
8. दो अवर सचिवों में से एक भारतीय होना चाहिए।
9. केंद्रित विधायी परिषद के सदस्यों में आधे सदस्य भारतीय होने चाहिए तथा इसकी सदस्यता बढ़ाकर 150 कर देना चाहिए।
10. प्रांतीय स्तर पर विधान परिषदों के 4/5 सदस्य निर्वाचित एवं 1/5 सदस्य मनोनीत होने चाहिए तथा इनका आकार बड़े प्रांतों में 125 से कम नहीं एवं छोटे प्रांतों में 50 से 75 के मध्य होना चाहिए। इनका कार्यकाल 5 वर्ष होना चाहिए। विधायी परिषद के सदस्यों को स्वयं अपना अध्यक्ष चुनना चाहिए। नामांकित सदस्यों को छोड़कर बाकी सभी का निर्वाचन प्रत्यक्ष-विधि से सार्वजनिक वयस्क मताधिकार द्वारा किया जाना चाहिए।

समझौते के सकारात्मक परिणाम-

- लखनऊ में प्राप्त हुई एकता का तात्कालिक प्रभाव बहुत व्यापक था, जिसने लोगों को राजनीतिक उत्साह से भर दिया।
- ब्रिटिश शासन ने भय का अनुभव किया तथा तुष्टिकरण की नीति अपनाई, जिसे मोंटेग्यू घोषणा में देखा गया। यह लखनऊ समझौते का ही प्रभाव था कि अब स्वशासन की मांग को राजद्रोह नहीं समझा गया, जिसे इस घोषणा में स्पष्ट रूप से देखा गया।
- हिंदू प्रभुत्व से भयभीत अल्पसंख्यकों को अपने साथ जोड़ने का यह कांग्रेस का सबसे महत्वपूर्ण प्रयास था।

समझौते के नकारात्मक परिणाम-

- इस समझौते में हिंदू व मुस्लिम जनता को शामिल नहीं किया गया था।
- इस समझौते में विवादास्पद पृथक-निर्वाचन के सिद्धांत को स्वीकार,कर लिया था। इस प्रकार अप्रत्यक्ष रूप से लीग की सांप्रदायिक राजनीति को मान्यता मिली, जिसके अनुसार हिंदू एवं मुसलमान एक अलग राजनीतिक समूह थे, जिनके अपने अलग राजनीतिक हित थे। दो राष्ट्रों के सिद्धांत के विकास में यह एक महत्वपूर्ण घटना थी।
- इस समझौते ने धर्मनिरपेक्ष राष्ट्रवादी मुसलमानों की भूमिका को नजरअंदाज कर दिया।
- अल्पसंख्यकों को शासन में उनकी जनसंख्या के अनुपात से अधिक प्रतिनिधित्व देने की मांग से, न केवल सांप्रदायिक प्रतिनिधित्व को मान्यता मिली, बल्कि इससे सांप्रदायिक विशेषाधिकार को भी मान्यता मिली।
- यह मांग कि परिषद में किसी एक संप्रदाय से जुड़े विधेयक को पारित नहीं किया जाएगा, यदि उस संप्रदाय के तीन-चौथाई सदस्य उसके विरोध में हो। इस प्रकार से सांप्रदायिक निषेधाधिकार(वीटो) का भी भारतीय राजनीति में प्रारंभ हो गया।

कांग्रेस के नेताओं ने सोचा था कि वे विधायिका में अपनी सीटों का समर्पण राष्ट्र-हित में कर रहे हैं। उनके इस उत्साह में वे यह नहीं समझ पाए कि इस समझौते ने सम्प्रदायिक राजनीति के बीज बो दिए हैं, जिसकी भविष्य के वर्षों में पुनरुत्थान की संभवना अब बढ़ चुकी है। साथ ही लखनऊ में प्राप्त एकता बहुत कम समय तक कायम रह सकी।

अध्याय

7

महात्मा गांधी: उद्भव एवं विचारधारा (Mahatma Gandhi and Ideology)

मोहनदास करमचंद गांधी, जिन्हें महात्मा गांधी के नाम से जाना जाता है, का भारत के राजनीतिक परिदृश्य में 1917-1918 के दौरान प्रादुर्भाव हुआ। उन्होंने राष्ट्रीय आंदोलन की गति एवं विचारधारा में महत्वपूर्ण तरीके से रूपांतरण किया। उनके प्रवेश के साथ ही राष्ट्रीय आंदोलन ने अपने संघर्ष के तीसरे एवं अंतिम चरण में प्रवेश किया। इस चरण को महात्मा गांधी के नेतृत्व (1919-1947)) में जन-आंदोलन के युग के रूप में भी जाना गया। इस चरण के दौरान पूर्ण स्वराज्य अथवा सम्पूर्ण स्वतन्त्रता राष्ट्रीय आंदोलन के लक्ष्य के रूप में उभरे।

1920 के पूर्व गांधी की गतिविधियों के काल को गांधी का विकासकालीन चरण कहा जाता है। इनमें दक्षिण अफ्रीका में उनका संघर्ष एवं भारत में उनके प्रारंभिक सत्याग्रह आंदोलन शामिल हैं (चंपारण, खेड़ा, अहमदाबाद एवं रौलेट सत्याग्रह) । यह वह समय था, जब वे मुख्य रूप से भारत की सामाजिक, राजनीतिक एवं आर्थिक वास्तविकता को समझने का प्रयास कर रहे थे।

इस प्रकार इस अध्याय के पहले भाग में हम उनके प्रारंभिक जीवन एवं राजनीतिक सफर को समझेंगे। दूसरे भाग में हम गांधीवादी विचारधारा के महत्वपूर्ण पक्षों को समझने का प्रयास करेंगे, ताकि आप गांधीवादी विधियों एवं तकनीकों को अच्छी तरह से समझ सकें।

गांधी का प्रारंभिक जीवन एवं कैरियर (Gandhi's Early Life and Career)

विधि के छात्र के रूप में गांधी (लंदन)

बचपन- मोहनदास करमचंद गांधी का जन्म 2 अक्टूबर 1869 को काठियावाड़ गुजरात के पोरबंदर में हुआ था, जिसे सुदामापुरी के नाम से भी जाना जाता है। गांधी परिवार बनिया जाति के थे, पारंपरिक रूप से वे किराना बेचने वाले होते थे, लेकिन पिछली तीन पीढ़ियों से कई काठियावाड़ राज्यों में प्रधान मंत्री थे। गांधी वैष्णव थे, जिन्होंने अहिंसा और शाकाहार पर बल दिया। वे जैन धर्म से अत्यधिक प्रभावित थे जिसकी गुजरात में मजबूत उपस्थिति थी। इस प्रकार की संस्कृति थी, जिसमें गांधी का जन्म और पालन-पोषण हुआ। श्रवण पितृभक्ति नाटक (श्रवण की अपने माता-पिता के प्रति समर्पण के बारे में एक नाटक) और हरिश्चंद्र (हरिश्चंद्र की सत्यनिष्ठा पर एक नाटक) ने गांधी के युवा दिल और दिमाग पर एक अमिट छाप छोड़ी। जब गांधी लगभग 7 वर्ष के थे, तब उनके पिता राजस्थानी न्यायालय (प्रमुखों और उनके साथी कुलों के बीच विवादों को निपटाने के लिए एक निकाय) के सदस्य बनने के लिए पोरबंदर से राजकोट चले गए। 13 वर्ष की आयु में कस्तूरबाबाई से उनका बाल विवाह हुआ।

इंग्लैंड की यात्रा- 4 सितंबर 1888 को कानून का अध्ययन करने के लिए गांधी इंग्लैंड के लिए रवाना हुए। इंग्लैंड में तब शाकाहार एक नया पंथ था। गांधी ने एच.एस. साल्ट्स की पुस्तक 'ए प्ली फॉर वेजिटेरियनिज्म' पढ़ी, जिसके बाद उन्होंने दावा किया कि वे अपनी पसंद से शाकाहारी बन गए हैं। गांधी इंग्लैंड में शाकाहारी समाज में शामिल हो गए और इसकी

कार्यकारी समिति के लिए चुने गए। उन्होंने अपने इलाके में एक शाकाहारी क्लब भी शुरू किया, जो उनके अनुसार, संस्थानों के आयोजन और प्रशिक्षण में उन्हें प्रशिक्षण देता था।

इंग्लैंड में अपने दूसरे वर्ष में, गांधी दो थिओसॉफिस्ट भाइयों से मिले, जिनके प्रभाव में उन्होंने गीता और सर एडविन अर्नोल्ड का अनुवाद – द सॉन्ग सेलेस्टियल पहली बार पढ़ा। भाइयों ने गांधी को मैडम ब्लावात्स्की और श्रीमती बेसेंट से भी मिलवाया। जब थिओसॉफिकल सोसाइटी में शामिल होने के लिए कहा गया, तो गांधी ने विनम्रता से यह कहते हुए मना कर दिया, 'अपने धर्म के बारे में मेरे अल्प ज्ञान के साथ मैं किसी धार्मिक निकाय से संबंधित नहीं होना चाहता।' भाइयों के आग्रह पर, गांधी ने सर एडविन अर्नोल्ड की 'द लाइट ऑफ एशिया' (The Light of Asia) और मैडम ब्लावात्स्की की 'की टू थिओसॉफी' (Key to Theosophy) भी पढ़ी। ब्लावात्स्की की पुस्तक ने गांधी में हिंदू धर्म पर किताबें पढ़ने की इच्छा को प्रेरित किया।

एक शाकाहारी ईसाई के आग्रह पर गांधी ने 'न्यू टेस्टमेंट' (New Testament) पढ़ी और विशेष रूप से सर्मन ऑन द माउंट (Sermon on the Mount) को पसंद किया और इसकी तुलना गीता से की। यह पद्य, 'परंतु मैं तुम से कहता हूं कि तुम बुराई का विरोध न करो; यदि जो कोई तुम्हारे दाहिने गाल पर मारे, तो दूसरा भी उसकी ओर कर दो और यदि कोई तुम्हारा कोट छीन ले, तो उसे अपना वस्त्र भी दे,' विशेष रूप से उसके दिल को छू गया और वह त्याग को धर्म का सर्वोच्च रूप देखने लगा।

इंग्लैंड में गांधी ने गुजराती लेखक और अनुवादक नारायण हेमचंद्र से भी मुलाकात की, जिन्हें देबेंद्रनाथ टैगोर के कार्यों को गुजरात में पेश करने का श्रेय दिया जाता है।

भारत वापसी– 1891 में गांधी एसएस असम से बॉम्बे में उतरकर भारत लौट आए। वहां उनका परिचय कवि रायचंद (या राजचंद्र) से हुआ, जिन्हें 'शतावधानी' के नाम से भी जाना जाता है (एक साथ सौ चीजों को याद रखने या उनमें भाग लेने की क्षमता रखने वाला)। रायचंद ने गांधी को शास्त्रों के अपने ज्ञान, उनके बेदाग चरित्र और आत्म-ज्ञान के लिए उनके ज्वलंत जुनून से प्रभावित किया।

गांधी की विदेश यात्रा को लेकर उनकी जाति में असंतोष पैदा हो गया था। इस प्रकार भारत में गांधी का जीवन उनकी जाति में पुनः प्रवेश की मांग से शुरू हुआ। बॉम्बे से गांधी को उनके बड़े भाई पवित्र नदी में स्नान के लिए नासिक ले गए, उसके बाद राजकोट में एक जाति भोज किया गया। इसने जाति के एक वर्ग को शांत किया, जबकि दूसरा वर्ग उन्हें बहिष्कृत मानता रहा।

यद्यपि गांधी ने लंदन में अपनी परीक्षाएं उत्तीर्ण कीं, लेकिन उन्होंने वकालत करना नहीं सीखा था और भारतीय कानून के बारे में कुछ भी नहीं सीखा था। राजकोट में उपहास से खुद को बचाने के लिए उन्होंने बॉम्बे जाने और बॉम्बे हाई कोर्ट में अनुभव प्राप्त करने का निर्णय लिया।

वहां एक सफल वकालत करने में असमर्थ होने पर छह महीने के अंदर वे वापस राजकोट चले गए और अपनी आजीविका कमाने के लिए याचिका-लेखन का काम शुरू कर दिया। अप्रैल, 1893 में दक्षिण अफ्रीका में व्यापार करने वाली एक भारतीय फर्म 'दादा अब्दुल्ला एंड कंपनी' के एक कानूनी मामले के सिलसिले में वे डरबन (नेटाल प्रांत, राजधानी पीटरमार्टिजबर्ग) के लिए रवाना हुए।

दक्षिण अफ्रीका में गांधी का अनुभव (Gandhi's Experiences in South Africa)

1893 में 24 वर्ष की आयु में दक्षिण अफ्रीका पहुंचने वाले गांधी पहले भारतीय बैरिस्टर थे। दक्षिण अफ्रीका में गांधी के अनुभवों ने उनके जीवन और आने वाले करियर को बहुत अधिक प्रभावित किया। वे वहां दादा अब्दुल्लाह एंड कंपनी के साथ एक वर्ष के समझौते पर गए थे, लेकिन वे अगले 20 वर्ष तक वहां रुके और अंततः 1914 में भारत लौटे। इन 20

वर्षों में वे केवल दो बार ही अल्प समय के लिए भारत आये थे। दक्षिण अफ्रीका में होने वाले जातीय भेदभाव (रंगभेद नीति) के विरुद्ध उन्होंने संघर्ष किया तथा भारतीय समुदाय के अधिकारों के लिए लड़ाई लड़ी।

रंगभेद नीति (Apartheid)- यह त्वचा के रंग के आधार पर किसी एक समुदाय के विरुद्ध भेदभाव को दर्शाता है।

दक्षिण अफ्रीका में भारतीयों की स्थिति (Condition of Indians in South Africa)

अब्दुल्ला शेठ ने डरबन (पोर्ट नेटाल के नाम से भी जाना जाता है) में गांधी का स्वागत किया। गांधी ने देखा कि भारतीयों को वहां उचित सम्मान नहीं दिया जाता था। अगले दो से तीन दिनों में, उन्होंने पाया कि दक्षिण अफ्रीका में भारतीय समुदाय (लगभग 2 लाख भारतीयों में से) में विभिन्न समूह शामिल थे। एक समूह मुस्लिम व्यापारियों का था, एक हिंदू का और एक अन्य पारसी, क्लर्कों का।

लेकिन सबसे बड़े समूह में तमिल, तेलुगु और उत्तर भारतीय गिरमिटिया/ करारबद्ध मजदूर और मुक्त मजदूर शामिल थे। गिरमिटिया मजदूर वे थे जो पांच वर्ष या उससे कम समय के लिए एक अनुबंध के तहत भारत से श्रम करने के लिए चले गए थे और वहां गिरमिटिया (गिरमिट से बना शब्द, जो एग्रीमेंट (समझौते) शब्द का भ्रष्ट रूप) के रूप में जाना जाने लगा।

दक्षिण अफ्रीका में एक भयानक मात्रा में रंग पूर्वाग्रह था और भारतीयों के साथ अंग्रेजों द्वारा विभिन्न प्रकार के नस्लीय भेद-भाव किए जाते थे। उदाहरण के लिए,

- सभी भारतीयों को 'कुली' (अर्थात् मजदूर) कहकर संबोधित किया जाता था, इसलिए गांधी को 'कुली बैरिस्टर' और व्यापारियों को 'कुली व्यापारी' कहा जाता है।
- गिरमिटिया मजदूरों के साथ अर्ध-गुलाम जैसा व्यवहार किया जाता था।
- भारतीयों को वोट देने के अधिकार से वंचित कर दिया गया था, वे केवल निर्धारित स्थानों पर निवास कर सकते थे और उन्हें सार्वजनिक फुटपाथ का उपयोग करने या रात में बिना अनुज्ञा पत्र या परमिट के बाहर जाने की अनुमति नहीं थी।
- उन्हें प्रथम और द्वितीय श्रेणी के रेलवे डिब्बों में यात्रा करने की अनुमति नहीं थी।
- ऐसे होटल और रेस्तरां थे, जो विशेष रूप से यूरोपीय लोगों के लिए आरक्षित थे वहां भारतीयों को प्रवेश करने की अनुमति नहीं होती थी।
- नागरिकता के अधिकार, व्यापार की स्वतंत्रता और संपत्ति के अधिकार आदि के संबंध में नस्लीय भेदभाव होते थे।
- 1885 के एक ट्रांसवाल कानून (1886 में संशोधित) के अनुसार सभी भारतीयों को ट्रांसवाल में प्रवेश के लिए शुल्क के रूप में 3 पाउंड का व्यक्ति कर देना आवश्यक था।

पूर्व अनुबंधित मजदूर, जो दक्षिण अफ्रीका में अपने बच्चों के साथ निरंतर रह रहे थे, वे शिक्षित नहीं थे। उन्हें थोड़ी बहुत अंग्रेजी आती थी तथा उन्होंने जातीय भेदभाव को अपने दैनिक जीवन के एक भाग के रूप में स्वीकार कर लिया था। हालांकि, गांधी के साथ बहुत कुछ अलग था। वे एक भारतीय प्रांत के दीवान के बेटे थे तथा काठियावाड़ की एक बहुत सम्मानित परिवार से उनका संबंध था। उन्होंने लंदन में पढ़ाई के दौरान तीन वर्ष व्यतीत किए थे, लेकिन कभी भी वे इंग्लैंड में जातिगत-भेदभाव के संपर्क में नहीं आए थे। दक्षिण अफ्रीका में पहुंचने के कुछ दिनों के बाद ही उनके साथ ऐसा व्यवहार होना शुरू हुआ। स्वाभाविक रूप से, उनके लिए इस भेदभाव को सहन करना मुश्किल था और उन्होंने विरोध करने का निर्णय लिया।

गांधी के साथ पहला जातिगत अपमान (Gandhi's First Racial Humiliation)

गांधी को पहली बार जातिगत भेदभाव का सामना तब करना पड़ा, जब वे ट्रेन द्वारा **डरबन से प्रिटोरिया** यात्रा कर रहे थे। वास्तव में, यह यात्रा में, जो उन्होंने अपने पहुंचने के एक सप्ताह के अंदर की थी, जातीय अपमान से भरी हुई थी। यद्यपि

अब्दुल्ला शेठ ने गांधी के लिए प्रथम श्रेणी ट्रेन का टिकट बुक किया था, लेकिन गांधी को 'अश्वेत' देखकर एक श्वेत यात्री ने उनके साथ उसी डिब्बे में यात्रा करने पर आपत्ति जताई। उन्होंने रेलवे के अधिकारियों से शिकायत की, जिन्होंने गांधी को वैन डिब्बे (माल डिब्बे) में स्थानांतरित करने के लिए कहा। जब उन्होंने प्रथम श्रेणी के डिब्बे को छोड़ने से मना कर दिया, तो उन्हें एक व्यक्ति के द्वारा वहां से बाहर निकाल दिया गया। उन्हें पूरी रात प्रतीक्षालय के एक कमरे में सर्दी से ठिठुरते हुए निकालनी पड़ी। जोहानसबर्ग पहुंचने के बाद उनको किसी भी होटल में कमरा नहीं दिया गया, क्योंकि उन होटलों में केवल श्वेतों को ही अनुमति थी। एक बार फिर जोहानसबर्ग से प्रीटोरिया यात्रा के दौरान उनको अपमान झेलना पड़ा।

इसके बाद, गांधी ने प्रिटोरिया में सभी भारतीयों की एक बैठक बुलाई और उनके सामने ट्रांसवाल में भारतीयों की स्थिति प्रस्तुत की। गांधी ने इस बैठक में अपने भाषण को अपना पहला सार्वजनिक भाषण माना। उन्होंने भारतीयों को व्यापार में सत्यनिष्ठ होने, स्वच्छता की आदतें अपनाने, अंग्रेजी सीखने और एक ऐसा संगठन बनाने के लिए प्रोत्साहित किया, जो भारतीयों की कठिनाइयों को आवाज दे सके और अधिकारियों के सामने उनका प्रतिनिधित्व कर सके। हालांकि, नेटाल सरकार के एक प्रस्तावित विधेयक (जिसमें भारतीयों को मतदान के अधिकार से वंचित करने का प्रावधान था) ने गांधी को दक्षिण अफ्रीका में संघर्ष प्रारंभ करने को मजबूर किया।

निष्कर्ष के रूप में, गांधी का प्रिटोरिया में एक वर्ष का लंबा प्रवास सबसे मूल्यवान अनुभव साबित हुआ। इस अवधि के दौरान गांधी को सार्वजनिक कार्य सीखने का अवसर मिला। जहां तक सेठ अब्दुल्ला मामले का संबंध है, गांधी पक्षकारों को मध्यस्थता के लिए मनाने में सक्षम थे और मामले को दोनों पक्षों की प्रसन्नता और लाभ के लिए अदालत से बाहर सफलतापूर्वक सुलझा लिया गया था। इस मामले के दौरान ही गांधी ने वकालत को अच्छे से समझा। गांधी के शब्दों में, "मैंने मानव स्वभाव के बेहतर पक्ष का पता लगाना और लोगों के हृदय में प्रवेश करना सीख लिया था। मैंने महसूस किया कि एक वकील का असली काम बिखरी हुई पार्टियों को एकजुट करना है।"

यह गांधी में धार्मिक उफान का भी वर्ष था। जहां एक ओर सेठ अब्दुल्ला ने उन्हें इस्लाम में खींचने की कोशिश की, तो उनके ईसाई दोस्तों ने उन्हें ईसाई धर्म में बदलने की कोशिश की। गांधी अब धार्मिक पुस्तकों का व्यापक अध्ययन करने लगे। यद्यपि गांधी ने अपने ईसाई और मुस्लिम मित्रों द्वारा उनके लिए तय किए गए मार्ग को नहीं अपनाया, लेकिन इस तरह की धर्मांतरण गतिविधियों ने उनमें धार्मिक खोज की एक इच्छा जग्रत किया, जो उनके साथ जीवन भर रही।

दक्षिण अफ्रीका में गांधी का राजनीतिक सफर (1893-1914)

प्रथम चरण- उदारवादी चरण (1894-1906)

गांधी का मताधिकार-विहीनता विधेयक के विरुद्ध संघर्ष तथा भारतीय नेटाल संगठन का गठन- गांधी ने अब्दुल्लाह एंड कंपनी के विधिक प्रकरण को सुलझा दिया था और जब वे भारत जाने की तैयारी कर रहे थे, तभी अपनी विदाई समारोह में उन्होंने समाचार पत्र में नेटाल सरकार के एक प्रस्तावित विधायन के बारे में पढ़ा। वहां उपस्थित भारतीय व्यापारियों ने गांधी से अनुरोध किया कि वे कुछ समय और दक्षिण अफ्रीका में रुके तथा विरोध-प्रदर्शन को संगठित करने में उनकी सहायता करें, क्योंकि वे इतनी अंग्रेजी नहीं जानते कि याचिकाओं को लिख सकें और अन्य कार्य कर सकें। व्यथित होकर गांधी ने अपनी वापसी को स्थगित किया तथा शीघ्र ही विदाई समारोह एक योजना समिति में बदल गया व विधेयक के विरुद्ध एक योजना बनाई गई। इस प्रकार गांधी ने **दक्षिण अफ्रीका में पहला संघर्ष** नेटाल सरकार के मताधिकार-विहीनता विधेयक के विरुद्ध किया।

उल्लेखनीय है कि गांधी के पहले भारतीयों ने कभी समान व्यवहार की मांग नहीं की थी, क्योंकि उनका मानना था कि उनके साथ भेदभाव उनके पिछड़ेपन अथवा सभ्यता के अभाव के कारण किया जाता है। हालांकि, जब गांधी (दक्षिण अफ्रीका में पहले पाश्चात्य भारतीय) के साथ भी भेदभाव हुआ, तो यह बात सामने आ गई कि भेदभाव का मुख्य कारण त्वचा का रंग है। अब जातीय भेदभाव अथवा रंगभेद नीति के विरुद्ध संघर्ष करने का उत्तरदायित्व गांधी के कंधों पर आ

गया था, क्योंकि वे अकेले ऐसे व्यक्ति थे, जो अंग्रेजों की भाषा बोल सकते थे, उनके कानून को समझ सकते थे तथा उन्हें समान रूप से जवाब दे सकते थे।

भारतीय नेटाल संगठन की स्थापना (Formation of Indian Natal Organisation)- गांधी के नेतृत्व में नेटाल में रहने वाले कई भारतीयों ने विधेयक के खिलाफ एक याचिका दायर की। जब भारतीय विरोध के बावजूद विधेयक पारित किया गया, तो गांधी ने 10,000 भारतीयों द्वारा हस्ताक्षरित एक याचिका इंग्लैंड में उपनिवेशों के राज्य सचिव (लॉर्ड रिपन) को इस अपील के साथ भेजी कि अन्यायपूर्ण विधेयक को रानी द्वारा स्वीकार नहीं किया जाना चाहिए। पहली बार नेटाल की स्थितियों से भारतीय जनता को परिचित कराते हुए याचिका की एक हजार प्रतियां बांटी गई। 'द टाइम्स ऑफ इंडिया' और 'द लंदन टाइम्स' सहित कई अखबारों ने भारतीय मांगों का समर्थन किया। विधेयक को वीटो किए जाने की आशा में गांधी ने महसूस किया कि औपनिवेशिक सचिव को प्रभावित करने के लिए निरंतर आंदोलन की आवश्यकता होगी। इस प्रकार, निरंतर संघर्ष के लिए भारतीयों को एकजुट करने हेतु एक स्थायी संगठन की आवश्यकता महसूस करते हुए गांधी ने 22 मई 1894 को नेटाल इंडियन कांग्रेस (एनआईसी) की स्थापना की।

इस दौरान गांधी ने भारतीय लोगों की आवाज को बुलंद करने के लिए दक्षिण अफ्रीका विधायिका, लंदन में औपनिवेशिक सचिव एवं ब्रिटिश संसद को याचिकाएं भेजीं तथा उन्हें ब्रिटिश न्याय-प्रियता के बारे में याद दिलाया। उन्होंने भारतीयों को एक करने एवं अपनी मांगों की लोकप्रियता बढ़ाने का प्रयत्न किया। उन्होंने भारतीय हित के लिए दक्षिण अफ्रीका, भारत एवं ब्रिटेन की सरकार व जनता का समर्थन प्राप्त करने का प्रयास किया। भारत में भारतीय राष्ट्रीय कांग्रेस ने मताधिकार-विहीनता विधेयक की निंदा करते हुए एक प्रस्ताव भी पारित किया।

बहुत अधिक विरोध को ध्यान में रखते हुए, लंदन में औपनिवेशिक अधिकारी ने विधेयक को इस आधार पर रोक दिया कि वह ब्रिटिश साम्राज्य के अन्य भाग में रहने वाले निवासियों के साथ भेदभाव करने वाला विधेयक है। इसके बावजूद नेटाल सरकार ने विधेयक को संशोधित रूप में पारित करके अपने उद्देश्य को प्राप्त किया।

दक्षिण अफ्रीका पहुंचने के बाद गांधी (1895)

गिरमिटिया भारतीयों पर 25 पाउंड कर के विरुद्ध अभियान- श्वेत बागान मालिक और नेटाल सरकार मताधिकार से वंचित करने वाले विधेयक पर रुकने वाले नहीं थे। भारतीयों के राजनीतिक अधिकारों को छीनना केवल पहला कदम था। हमले का वास्तविक बिंदु मुक्त भारतीय अप्रवास और फलता-फूलता भारतीय व्यापार था।

इस प्रकार 1894 में नेटाल सरकार ने प्रत्येक मुक्त अनुबंधित भारतीय पर 25 पाउंड का वार्षिक कर लगाने का प्रस्ताव रखा। यह प्रस्ताव एक झटके के रूप में आया और एनआईसी ने इस मुद्दे को उठाने का संकल्प लिया। इसके बाद जब नेटाल सरकार ने भारत सरकार से अनुमोदन मांगा, तो वॉयसराय लॉर्ड एल्गिन ने 25 पाउंड कर को अस्वीकार कर दिया, लेकिन 3 पाउंड के प्रस्तावित कर के लिए सहमत हो गए। यहां तक कि यह भी अत्याचारपूर्ण था क्योंकि एक मजदूर की औसत आय महीने में केवल 14 शिलिंग थी। इस प्रकार एनआईसी केवल आंशिक रूप से मजदूरों के हितों की रक्षा करने में सक्षम था और कर को समाप्त करने के लिए बीस साल तक इंतजार करना पड़ा (भारतीय राहत अधिनियम, 1914 द्वारा)।

गांधी का भारत भ्रमण (1896)- 1896 के मध्य में गांधी अपनी पत्नी और बच्चों को लाने के लिए भारत रवाना हुए। उन्होंने अपनी भारत यात्रा का उपयोग दक्षिण अफ्रीका में अपने काम के लिए जन-समर्थन जुटाने में करने का विचार किया। राजकोट पहुंचने पर उन्होंने दक्षिण अफ्रीका की स्थिति पर एक पुस्तक लिखी, जिसने अपनी पहचान हरे रंग के आवरण के कारण 'ग्रीन पैम्फलेट' के रूप में बनाई (लगभग उसी समय, बॉम्बे में प्लेग फैल गया और राजकोट जैसे आसपास के क्षेत्रों में भी प्लेग फैलने का खतरा था। गांधी ने स्वेच्छा से राज्य के लिए अपनी सेवाएं दीं, स्वच्छता विभाग में काम करने की पेशकश की)। गांधी ने बॉम्बे, पूना, मद्रास, कलकत्ता और इलाहाबाद की यात्रा की और सभी दलों और विचारों के लोगों से

मदद मांगी। गांधी ने अपनी आत्मकथा में लिखा, ''सर फिरोजशाह मुझे हिमालय की तरह, लोकमान्य सागर की तरह लगते थे; लेकिन गोखले गंगा के समान थे। पवित्र नदी में स्नान कर सकते हैं। हिमालय अनारोहणीय होता है और कोई भी आसानी से समुद्र पर आगे नहीं बढ़ सकता, लेकिन गंगा सभी को अपनी गोद में आमंत्रित करती है''। उन्होंने पायनियर, अमृत बाजार पत्रिका, बंगबासी, द स्टेट्समैन, द इंग्लिशमैन और अन्य के कार्यालयों में जाकर, उनसे दक्षिण अफ्रीका में भारतीय मांगों का समर्थन करने का अनुरोध किया। अचानक गांधी को डरबन से एक सूचना मिली, 'संसद जनवरी में खुलती है, शीघ्र वापस आयें।' दिसंबर, 1896 में गांधी दूसरी बार दक्षिण अफ्रीका के लिए रवाना हुए, इस बार अपनी पत्नी और दो बेटों के साथ। उसी समय एक और स्टीमशिप 'नादेरी' रवाना हुई।

नेटाल में गांधी के साथ भीड़ द्वारा मारपीट- अपने ग्रीन पैम्फलेट में गांधी ने दक्षिण अफ्रीका में भारतीयों की स्थिति की जानबूझकर सामान्य तस्वीर चित्रित की थी। फिर भी, एक अतिरंजित संस्करण अखबारों के माध्यम से नेटाल तक पहुंच गया, जिससे वहां कई यूरोपीय लोगों का क्रोध भड़क उठा। नतीजतन, जब गांधी दिसंबर, 18 को डरबन बंदरगाह पहुंचे, तो बॉम्बे प्लेग के बहाने उनके जहाज को अकेला छोड़ दिया गया, लेकिन असली कारण कुछ और ही थे। गांधी वास्तविक लक्ष्य थे और उनके प्रवेश का दो आरोपों के आधार पर विरोध किया जा रहा था (1) कि भारत में रहते हुए उन्होंने नेटाल गोरों की निंदा की थी; (2) नेटाल को भारतीयों से भरने के लिए वे विशेष रूप से यात्रियों के दो शिपलोड को वहां बसने के लिए लाए थे।

गांधी बिल्कुल निर्दोष थे और उन्होंने पोर्ट नेटाल में उतरने के अपने अधिकार को बनाए रखा। जब अंततः जहाजों को बंदरगाह में प्रवेश करने की अनुमति दी गई, तब अपने घर की ओर जाते हुए, एक यूरोपीय भीड़ ने गांधी के साथ मारपीट की। तब एक वरिष्ठ पुलिस अधिकारी की पत्नी के प्रयासों से उन्हें समय पर बचा लिया गया। हालांकि, गांधी ने अपने हमलावरों पर गहरा प्रभाव डालने के लिए मुकदमा चलाने से इनकार कर दिया और गोरों को अपने आचरण पर शर्म महसूस हुई।

बोअर युद्ध के दौरान गांधी का स्वयंसेवक की तरह कार्य करना (1899-1902)- बोअर डच मूल के दक्षिण अफ्रीकी थे। वे ब्रिटिश सरकार से लड़ रहे थे। यद्यपि दोनों ही दलों ने भारतीयों के साथ अच्छा व्यवहार नहीं किया था, लेकिन ब्रिटिश की सहायता के लिए गांधी ने स्ट्रेचर ले जाने वालों का एक समूह बनाया, जिसे नेटाल इंडियन एंबुलेंस कोर कहा गया। इसका उद्देश्य, ब्रिटिश सोच कि हिंदू पुरुषोचित कार्य नहीं कर सकते, का खंडन करना था। शीघ्र ही ब्रिटिश सरकार युद्ध जीत गई एवं गांधी के प्रयासों को अंग्रेजी समाचार पत्रों में सराहना मिली।

गांधी द्वारा 1901 के कलकत्ता अधिवेशन में उपस्थित होना (अध्यक्ष, डब्लू. ई. वाचा)- 1901 में गांधी ने महसूस किया कि भविष्य में उनकी गतिविधियां दक्षिण अफ्रीका में नहीं, बल्कि भारत में होंगी और उन्होंने भारत वापस जाने का निर्णय लिया। वापस आकर उन्होंने भारत तथा उसकी जनता की समस्याओं को समझने के लिए देश का भ्रमण करने की योजना बनाई। उसी वर्ष वे कांग्रेस के कलकत्ता-अधिवेशन में शामिल हुए। यह उनका **कांग्रेस के साथ पहला सम्पर्क** था। गांधी का कांग्रेस के कामकाज से आमना-सामना हुआ। यह वर्ष में तीन दिन मिलते थे और शेष दिन सोते थे अब अंग्रेजी भाषा ने प्रमुख स्थान ले लिया था, बड़ी मात्रा में छुआ-छूत थी, स्वच्छता लगभग अनुपस्थित थी, शौचालयों से अत्यंत बदबू आती थी और महामारी के प्रकोप के लिए लगभग स्थितियां तैयार थीं। दक्षिण अफ्रीका में बसने वालों की शिकायतों पर अपने प्रस्ताव को पढ़ते हुए गांधी काफी घबरा रहे थे और उन्होंने कांपते हुए स्वर में इसे पढ़ा। बाद में कांग्रेस ने प्रस्ताव पारित किया।

गांधी बॉम्बे में बसे ही थे कि एक बार पुनः संदेश आया, जिसमें उनसे एक अति आवश्यक मुद्दे के लिए दक्षिण अफ्रीका में उपस्थिति का निवेदन किया गया था।

इंडियन ओपिनियन (Indian Opinion, 1903) एवं फोनिक्स सेटलमेंट (Phoenix Settlement, 1904) - 1902 में गांधी पुन: दक्षिण अफ्रीका वापस गए और जातीय भेदभाव के विरुद्ध अपने संघर्ष को पुन: प्रारंभ किया। गांधी ने एक पत्रिका **इंडियन ओपिनियन** (1903) प्रारंभ की, जो गांधी के संघर्ष की एक प्रवक्ता बनकर उभरी। यह पत्रिका प्रत्येक सप्ताह अंग्रेजी एवं गुजराती में प्रकाशित होती थी तथा इसका संपादन **मनसुख लाल नजर** के द्वारा किया जाता था।

दक्षिण अफ्रीका में वकील के रूप में गांधी (1906)

जॉन रस्किन की किताब 'अनटू दी लास्ट' (Unto the Last) से प्रभावित होकर गांधी के मन में एक फार्म प्रारंभ करने तथा एक साधारण सामुदायिक जीवन जीने का विचार आया। 1904 में वे अपने साथियों के साथ डरबन के समीप फोनेक्स आ गए। 'इंडियन ओपिनियन' को भी पूरे प्रेस एवं कार्यालय के साथ फार्म के अंदर विस्थापित कर दिया था। फार्म के सभी परिवार साधारण जीवन जीते थे, खेत जोतते थे अथवा प्रेस में कार्य करते थे। यह फोनेक्स ही के निवासी थे, जो बाद में गांधी के सत्याग्रह के मुख्य कार्यकर्ता बने।

गांधी ने 'इंडियन ओपिनियन' के लिए आहार विद्या पर लेखों की एक श्रृंखला लिखी, जिसे बाद में 'ए गाइड टू हेल्थ' (A Guide to Health) नामक पुस्तक के रूप में प्रकाशित किया गया।

गांधी ने रस्किन के 'अनटू दिस लास्ट' का 'सर्वोदय' शीर्षक से गुजराती में अनुवाद किया। गांधी ने इस पुस्तक की सबसे महत्वपूर्ण शिक्षाओं को तीन बिंदुओं में सारगर्भित किया:

1. एक व्यक्ति की भलाई सभी की भलाई में निहित है।
2. एक वकील के काम का उतना ही महत्व है जितना कि नाई का। सभी को अपनी-अपनी आजीविका कमाने का समान अधिकार है।
3. श्रम अर्थात मिट्टी को जोतने वाले का जीवन और हस्तशिल्पी का जीवन जीने लायक जीवन है।

गांधी ने अपनी आत्मकथा एक अलग किताब के रूप में नहीं, बल्कि गुजराती साप्ताहिक 'नवजीवन' में 'द स्टोरी ऑफ माई एक्सपेरिमेंट्स विद ट्रुथ- (The Story of My Experiments with Truth) शीर्षक से साप्ताहिक लेख के रूप में लिखी थी। इनमें से अधिकांश लेख यरवदा जेल से लिखे गए थे।

द्वितीय चरण- सविनय अवज्ञा/सत्याग्रह का चरण (1906-1914)

निष्क्रिय प्रतिरोध अथवा सविनय अवज्ञा अथवा सत्याग्रह के उपयोग के साथ ही द्वितीय चरण का आरंभ हुआ। गांधी को ब्रिटिश न्याय-प्रियता में गहरी आस्था थी, लेकिन जब ट्रांसवाल की सरकार ने 1906 में भारतीयों को अपमानित करने के लिए एक और विधेयक प्रस्तुत किया, तो उनकी आस्था को धक्का लगा। भेदभाव-पूर्ण कानून के विरुद्ध उन्होंने संघर्ष के दौरान महसूस किया कि उनकी याचिकाओं से ब्रिटिश सरकार को कोई फर्क नहीं पड़ रहा है तथा ब्रिटिश सरकार भारतीय लोगों की समस्याओं को सुलझाने में कोई रुचि नहीं ले रही है। इस प्रकार मोह भंग होने पर वे **सविनय अवज्ञा आंदोलन** (जिसे उन्होंने सत्याग्रह कहा) की ओर बढ़े।

एशियाटिक रजिस्ट्रेशन अधिनियम एवं सत्याग्रह का प्रादुर्भाव (Asiatic Registration Act and Advent of Satyagrah) - इस विधेयक में भारतीयों के लिए अनिवार्य पंजीकरण की व्यवस्था थी। इसमें प्रावधान था कि जो भी भारतीय दिए गए निश्चित समय तक पंजीकरण कराने में असफल होगा, उसे अपराध का दोषी माना जाएगा तथा उसे निर्धारित

सजा दी जाएगी। साथ ही, किसी भारतीय से किसी भी समय पर पंजीकरण प्रमाण-पत्र के लिए पूछा जा सकेगा। पुलिस अधिकारियों को भी किसी भी भारतीय के घर में शासकीय पत्रों की जांच पड़ताल करने हेतु प्रवेश करने की अनुमति दी गई।

सत्याग्रह का प्रादुर्भाव- 11 सितंबर 1906 को ट्रांसवाल में भारतीयों की एक बैठक बुलाई गई। गांधी ने प्रत्येक सहभागी को प्रस्तावित कानून के विरुद्ध 'मृत्यु को गले लगा लेंगे, लेकिन फॉर्म जमा नहीं करेंगे' की प्रतिज्ञा लेने के लिए आमंत्रित किया; किसी बाहरी व्यक्ति के समक्ष प्रदर्शन करने के लिए नहीं, बल्कि केवल तभी जब आंतरिक आवाज आश्वस्त करे और हमारे पास उसे आगे बढ़ाने की पर्याप्त शक्ति हो। प्रारंभ में गांधी ने संघर्ष को निरूपित करने के लिए निष्क्रिय प्रतिरोध शब्द का इस्तेमाल किया, लेकिन जल्द ही महसूस किया कि निष्क्रिय प्रतिरोध उनके द्वारा लिखे गए आंदोलन की वास्तविक प्रकृति की व्याख्या नहीं कर सकता। (इस प्रकार, गांधी ने सबसे पहले एशियाटिक पंजीकरण अधिनियम के खिलाफ सत्याग्रह का इस्तेमाल किया)।

अंग्रेजों के बीच जब भी एक छोटे से अल्पसंख्यक ने किसी कानून को मंजूरी नहीं दी, तो उन्होंने विद्रोह में उठने के बजाय 'निष्क्रिय या हल्के प्रतिरोध' का सहारा लिया, जिसमें कानून के समक्ष प्रस्तुत न करना और इस तरह के गैर-प्रस्तुतीकरण के दंड को आमंत्रित करना शामिल था। लेकिन निष्क्रिय प्रतिरोध या सविनय अवज्ञा के विपरीत, गांधी के नए आंदोलन में हिंसा का कोई स्थान नहीं था। इसके विपरीत प्रेम की अपार संभवना थी। गांधी चाहते थे कि भारतीयों द्वारा उनके संघर्ष को दर्शाने के लिए एक नया शब्द गढ़ा जाए। इसलिए उन्होंने इंडियन ओपिनियन के माध्यम से सुझाव आमंत्रित किए और मगनलाल गांधी के 'सदाग्रह' ने पुरस्कार जीता। गांधी ने बाद में इसे 'सत्याग्रह' में बदल दिया, अर्थात वह शक्ति जो सत्य और प्रेम या अहिंसा से पैदा हुई है और 'निष्क्रिय प्रतिरोध' वाक्यांश का उपयोग छोड़ दिया।

इंग्लैंड के लिए प्रतिनिधिमंडल- भारतीयों द्वारा अत्यधिक विरोध के बावजूद अध्यादेश को उसी रूप में पारित किया गया, जिसमें इसे पहली बार तैयार किया गया था (केवल महिलाओं को प्रभावित करने वाले खंड को हटा दिया गया था)। गांधी ने अब इंग्लैंड में एक प्रतिनिधिमंडल का नेतृत्व किया और व्यक्तिगत रूप से ब्रिटिश क्राउन से शाही सहमति वापस लेने का अनुरोध किया। हालांकि, गांधी के प्रयास प्रभावहीन थे। इस बीच, ट्रांसवाल में उत्तरदायी सरकार की स्थापना हुई और इसकी नई संसद ने मार्च, 1907 में जल्दबाजी में एशियाई पंजीकरण अधिनियम (Asiatic Registration Act) पारित किया।

पैसिव रेजिस्टेंस एसोसिएशन का गठनः कई कारणों से यह निर्णय लिया गया कि किसी भी मौजूदा संगठन के माध्यम से सत्याग्रह संघर्ष नहीं किया जाना चाहिए। इस प्रकार परमिट कार्यालयों का बहिष्कार करने के लिए भारतीयों को एकजुट करने के उद्देश्य से 'निष्क्रिय प्रतिरोध संघ' (Passive Resistance Association) (जिसे 'सत्याग्रह' शब्द गढ़ने के बाद सत्याग्रह असोसिएसन कहा गया) नामक एक नया निकाय बनाया गया। बहिष्कार एक बड़ी सफलता साबित हुई और ट्रांसवाल अधिकारी भारतीयों को खुद को पंजीकृत कराने के लिए प्रोत्साहित करने में विफल रहे। जब पंजीकरण की अंतिम तिथि समाप्त हुई, तो गांधी सहित कई निष्क्रिय विरोधियों को जेल भेज दिया गया। कई अन्य लोगों ने जेल जाने की पेशकश की और संख्या बढ़कर 155 हो गई थी।

औपनिवेशिक मामलों के सचिव जनरल स्मट्स ने गांधी से मुलाकात कर बात करने का प्रस्ताव रखा। प्रस्ताव में जनरल स्मट्स ने विधायन को वापस लेने का प्रस्ताव रखा, यदि भारतीय स्वयं ही अपनी स्वेच्छा से पंजीकरण करा लें। गांधी ने इस प्रस्ताव को स्वीकार किया एवं समझौते पर विचार-विमर्श के लिए एक बैठक बुलाई। हालांकि, साथी भारतीयों द्वारा गांधी की बहुत आलोचना की गई, जिन्हें जनरल स्मट्स से न्याय की कोई उम्मीद नहीं थी। अगले दिन जब गांधी पंजीकरण कार्यालय की ओर जा रहे थे, तब उन पर उनके कथित विश्वासघात के लिए एक पठान मीर एयर आलम ने हमला किया।

जल्द ही भारतीयों का भय सही साबित हुआ, जब स्मट्स अपने वादे से मुकर गया और उसने विधायन को वापस लेने से मना कर दिया। गांधी ने पुनः सत्याग्रह आंदोलन प्रारंभ किया एवं भारतीयों से उनके पंजीकरण प्रमाण-पत्र जलाने तथा परिणाम भुगतने के लिए तैयार रहने को कहा। इसी आंदोलन के दौरान **गांधी ने अपनी वकालत छोड़ने का निर्णय लिया**

था। उन्होंने अनुभव किया कि वे अब वकालत कैसे कर सकेंगे, जबकि वह स्वयं ही कानून का विरोध कर रहे थे। यह आंदोलन चल ही रहा था कि ट्रांसवाल सरकार ने एक और कानून इमीग्रेशन लॉ (आप्रवासी कानून) पारित कर दिया, जिसका उद्देश्य भारत से नए आप्रवासियों को आने से रोकना था। सत्याग्रह आंदोलन में इस कानून के विरोध को भी शामिल कर लिया।

टॉल्स्टॉय फार्म की स्थापना (मई, 1910)- निकट भविष्य में दिखाई देने वाले संघर्ष का कोई अंत न होने के बावजूद सत्याग्रहियों की गिरफ्तारी जारी रही, सत्याग्रहियों के परिवारों के भरण-पोषण का सवाल सर्वोपरि था। गांधी ने महसूस किया कि यदि परिवारों को एक स्थान पर रखा जाए और उन्हें एक प्रकार के सहकारी राष्ट्रमंडल में रखा जाए, तो सार्वजनिक धन बचाया जा सकता है और परिवारों को भी साधारण सामुदायिक जीवन और सत्याग्रह आंदोलन में प्रशिक्षित किया जा सकता है। फीनिक्स असुविधाजनक था, क्योंकि यह जोहान्सबर्ग से तीन सौ मील दूर था। इस मोड़ पर, हरमन कालेनबैक (गांधी के जर्मन वास्तुकार मित्र) ने जोहान्सबर्ग के पास लगभग 1,100 एकड़ का एक खेत खरीदा और इसे सत्याग्रहियों को बिना किसी शुल्क के दिया। इस प्रकार सत्याग्रहियों के परिवारों के रहने के लिए टॉल्स्टॉय फार्म की स्थापना की गई। इस कार्य के लिए हैदराबाद के निजाम, कांग्रेस और मुस्लिम लीग द्वारा भी वित्तीय सहायता प्रदान की गई थी। यह फार्म भारत में बाद के गांधीवादी आश्रमों का अग्रदूत बन गया।

गांधी के अनुसार एक आदर्श सत्याग्रही को सत्यवादी एवं शांतिप्रिय होना चाहिए, लेकिन साथ ही उसे गलत को स्वीकार करने से मना करना चाहिए। सत्याग्रह के दौरान हुए पीड़ा को स्वेच्छापूर्वक स्वीकार करना होगा, लेकिन बुराई का प्रतिरोध करते समय भी उसे बुरा करने वाले से घृणा नहीं करनी होगी। एक सच्चे सत्याग्रही की प्रकृति में घृणा का कोई स्थान नहीं होगा।

सत्याग्रह की निरंतरता- 1911-1912 के दौरान सरकार एवं भारतीयों के बीच एक संक्षिप्त समझौता हुआ। संयोगवश, इसी दौरान किंग जॉर्ज पंचम का राजाभिषेक होना था। इसी दौरान **गोपाल कृष्ण गोखले** ने दक्षिण अफ्रीका का भ्रमण किया। वहां उनके साथ राज्य के एक अतिथि के रूप में व्यवहार हुआ और उनसे वादा किया गया कि भारतीयों के विरुद्ध जो भी भेदभाव पूर्ण कानून है, उन्हें हटा दिया जाएगा। हालांकि, एक बार फिर वादे को नहीं निभाया गया एवं सत्याग्रहियों ने 1913 में पुनः अपना विरोध शुरू कर दिया। इस बार सत्याग्रह बहुत व्यापक हो चुका था तथा इसमें निम्न विरोधों को शामिल किया गया-

1. **एशियाटिक रजिस्ट्रेशन एक्ट** (Asiatic Registration Act)
2. तीन पौंड व्यक्ति कर (Poll tax) - सभी अनुबंधित मजदूरों पर 3 पौंड का एक व्यक्ति-कर लगाया जाता था। इससे गरीब मजदूरों पर बहुत अधिक भार आ जाता था, क्योंकि एक महीने की उनकी औसत आय कभी भी 14 शिलिंग से अधिक नहीं थी।
3. आप्रवासी कानून (Immigration Law)
4. उच्चतम न्यायालय का एक निर्णय, जिसमें ईसाई पद्धति के अलावा अन्य शादियों को अवैध घोषित करना तथा उनको पंजीकृत न करने का आदेश देना- 1913 में इस निर्णय से दक्षिण अफ्रीका में भारतीयों को एक और झटका लगा। इस निर्णय का अर्थ था कि सभी हिंदू, मुस्लिम एवं पारसी विवाह गैर-कानूनी तथा उनके बच्चे अवैध हैं। इस अधिनियम को विशेषकर भारतीय महिलाओं ने अपमानजनक माना तथा वे बड़ी संख्या में सत्याग्रह में शामिल हुई (गांधी की पत्नी कस्तूरबा भी इसमें शामिल हुई)।

एक ओर विरोध निरंतर बढ़ रहा था और दूसरी तरफ सत्याग्रहियों को एक साथ बंदी बनाया जा रहा था। जेल में सत्याग्रहियों के साथ बुरा बर्ताव किया जा रहा था और उनसे कठिन मजदूरी कराई जा रही थी। वे भूख से तड़प रहे थे, उन पर चाबुक चलाए जा रहे थे तथा उनसे जबरदस्ती खानों में काम कराया जा रहा था। यहां तक कि गांधी को भी अंधेरी कोठरी में रखा गया था। उन्हें पत्थर तोड़ने तथा सफाई करने का काम दिया गया था।

भारत में गोपाल कृष्ण गोखले ने गांधी के आंदोलन के समर्थन में देशभर में भ्रमण किया तथा शांतिपूर्ण सत्याग्रहियों के साथ होने वाले अत्याचारों के विरुद्ध जनता को जागरूक किया। वॉयसराय हार्डिंग ने भी दमन की निंदा की एवं दक्षिण

अफ्रीका सरकार पर लगाए गए अत्याचार के आरोपों की जांच की मांग की। फलस्वरूप, समझौते के लिए गांधी, हार्डिंग, जनरल स्मट्स एवं **सी. एफ. एंड्रयूज** के बीच वार्तालाप हुए। अंततः समझौता हुआ एवं दक्षिण अफ्रीका की सरकार ने मुख्य **भारतीय मांगों को स्वीकार** कर लिया। जनरल स्मट्स ने इंडिया रिलीफ एक्ट, 1914 (India Relief Act, 1914) पारित किया। इस अधिनियम से व्यक्ति-कर को समाप्त किया गया, भारतीय रीति अनुसार होने वाले विवाह को कानूनी घोषित किया गया तथा मूल-निवासी प्रमाण पत्र अब केवल दक्षिण अफ्रीका संघ में प्रवेश हेतु आवश्यक माना गया।

इस प्रकार गांधी का आठ वर्षीय लंबा सत्याग्रह आंदोलन (1906-1914) समाप्त हुआ।

दक्षिण अफ्रीका में गांधी के अनुभवों का महत्व (Significance of Gandhi's Experiences in South Africa)

दक्षिण अफ्रीका में गांधी के अनुभवों का उनके जीवन, विचारों, नीतिशास्त्र एवं राजनीति पर बहुत गहरा प्रभाव पड़ा। यह दक्षिण अफ्रीका ही था, जहां एक संगठनकर्ता, धन उगाहने व पत्रकार के रूप में गांधी की योग्यताएं पहली बार सामने आईं। साथ ही, यहीं उन्होंने अपनी विधियों की रूपरेखा विकसित की, जिसने उन्हें भारत के स्वतंत्रता संघर्ष के नेतृत्व के लिए तैयार किया।

गांधी जनता की क्षमता में विश्वास एवं उनके समर्पण की योग्यता को विकसित करने में सक्षम थे। यह दक्षिण अफ्रीका ही था, जहां उन्होंने दमनकारीयों के विरुद्ध संघर्ष के लिए समाज के विभिन्न वर्गों, जैसे हिन्दू, मुस्लिम, ईसाई, पारसी, तमिल, गुजराती, गरीब मजदूर व अमीर व्यापारी, पुरुष व महिला, को एकता के सूत्र में बांधना सीखा। गांधी ने सीखा की नेतृत्व करते समय अपने शत्रुओं के साथ-साथ अपने साथियों का भी क्रोध सहना पड़ता है। जब वे किसी समझौते पर पहुंचते थे या विरोध को वापस लेते थे, तो ऐसे कई मौके आए जब उन्हें अपने ही लोगों के गुस्से का सामना करना पड़ा। इस प्रकार दक्षिण अफ्रीका गांधी के लिए एक व्यापक अनुभव था, जहां उन्होंने स्वयं को एक नेता तथा राजनीतिज्ञ के रूप में विकसित किया। साथ ही, नई तकनीकों का उपयोग किया तथा उन्हें निपुण बनाया।

इतिहासकार जूडिथ ब्राउन का विचार है कि दक्षिण अफ्रीका में गांधी ने न केवल एक चतुर तकनीक विकसित की, बल्कि गांधी के संघर्ष को एक व्यापक दृष्टिकोण से देखा जाए तो उनका संघर्ष दिखाता है कि यह केवल एक सुविधाजनक साधन नहीं था, जो उन परिस्थितियों में अपनाया गया था, अपितु गांधी ने उन विधियों में स्थाई आस्था विकसित कर ली थी।

अंत में यह कहा सकता है कि दक्षिण अफ्रीका में गांधी के संघर्ष ने उन्हें एक अंतर्राष्ट्रीय ख्याति प्राप्त व्यक्ति बना दिया था। जहां एक ओर तिलक, लाला लाजपत राय व बिपिन चंद्र पाल का अधिकांशतः क्षेत्रीय आधार था, वहीं गांधी भारतीय जनता के एक ऐसे नेता के रूप में उभरे, जो किसी एक क्षेत्र अथवा समुदाय तक सीमित नहीं थे। इससे गांधी को निश्चित तौर पर भारतीय राजनीति में एक विशेष दर्जा मिला ।

सी. एफ. एंड्रयूज (1871-1940)- चेवरेंड चार्ल्स फ्रीयर एंड्रयूज एक ईसाई पादरी थे, जो गांधी के बहुत करीबी मित्र बन गए थे और उन्होंने ही गांधी को दक्षिण अफ्रीका से भारत वापस आने के लिए मनाने में एक महत्वपूर्ण भूमिका निभाई थी। वे भारत में एक ईसाई धर्म प्रचारक तथा शिक्षाविद के रूप में उभरे। उन्हें भारत की आजादी के एक समर्थक के रूप में माना गया। भारत के स्वतंत्रता संघर्ष में उनके योगदान के लिए, सेंट स्टीफन कॉलेज, दिल्ली में गांधी एवं उनके छात्रों ने उनका नाम **दीनबंधु** (गरीबों का मित्र) रख दिया था।

भारत में गांधी का आगमन (9 जनवरी 1915)

गांधी ने महसूस किया कि दक्षिण अफ्रीका में उनका कार्य पूरा हो चुका है तथा उन्हें अब भारत लौटना चाहिए। उस समय गोखले लंदन में थे और वे चाहते थे कि भारत लौटने से पहले, गांधी को सबसे पहले उनसे मिलना चाहिए। जुलाई, 1914

में गांधी, कस्तूरबाई और कालेनबाख इंग्लैंड के लिए रवाना हुए। और जब वे लंदन पहुंचे, उसी समय प्रथम विश्व युद्ध की घोषणा हो चुकी थी।

युद्ध में गांधी का भाग– लंदन पहुंचने पर, गांधी ने पाया कि गोखले पेरिस में फंसे हुए थे, जहां वे स्वास्थ्य कारणों से गए थे और पेरिस व लंदन के बीच सभी संचार सेवाएं काट दी गई थीं। दिया गया था। गांधी गोखले से मिले बिना नहीं जाना चाहते थे। लेकिन इस बीच गांधी क्या कर सकते थे? अंग्रेज छात्र स्वेच्छा से सेना में सेवा देने लगे थे और गांधी को लगा कि भारतीयों को भी कुछ कम नहीं करना चाहिए। भारतीयों की एक बैठक में गांधी ने अपने विचार व्यक्त किए कि इंग्लैंड में रहने वाले भारतीयों को युद्ध प्रयासों में ब्रिटेन की सहायता करनी चाहिए और इंग्लैंड की कठिनाई को भारत के लिए अवसर के रूप में नहीं देखा जाना चाहिए। उन्होंने ब्रिटेन की हर संभव सहायता करने का आग्रह किया एवं एक **एंबुलेंस कोर** (Ambulance Corps) गठित की, जिसने अनेक कठिनाइयों के बावजूद आवश्यकता के समय ब्रिटेन की सहायता की। रूरत (बाद में ब्रिटिश अधिकारियों ने 1915 में कैसर-ए-हिंद स्वर्ण पदक से सम्मानित करके गांधी को धन्यवाद दिया)। लंदन में रहते हुए गांधी पहली बार सरोजिनी नायडू से मिले। वह एक महिला क्लब, लिसेयुम या लाईसीयम (Lyceum) के माध्यम से युद्ध के प्रयासों में भी शामिल थी, जिसने सैनिकों के लिए कपड़े बनाने का काम शुरू किया था। जल्द ही गांधी को फुफ्फुस (pleurisy) का दौरा पड़ा और इसकी तीव्रता के कारण उन्होंने भारत लौटने का फैसला किया।

1915 में गांधी

9 जनवरी 1915 को 46 वर्ष की आयु में गांधी अंततः भारत वापस लौटे। भारत में उदारवादी नेता गोखले, गांधी के **राजनीतिक गुरु** थे। यद्यपि गोखले चाहते थे कि गांधी सर्वेंट्स ऑफ इंडिया सोसाइटी की सदस्यता ग्रहण करें, लेकिन कुछ सदस्यों के विरोध के बाद वे उसमें शामिल नहीं हुए। गोखले ने गांधी को सुझाव दिया था कि वे अपने पहले वर्ष में किसी भी राजनीतिक मुद्दे पर कोई प्रतिक्रिया न दें। यह गांधी के स्वयं की शैली भी थी कि वे किसी मुद्दे को अच्छे से अध्ययन किए बिना उसमें हस्तक्षेप नहीं करते थे। इस प्रकार गांधी ने अपना पहला वर्ष पूरे भारत की यात्रा करने एवं अहमदाबाद में अपना एक आश्रम स्थापित करने में व्यतीत किया। अपनी यात्रा के दौरान उन्होंने शांति निकेतन एवं हरिद्वार में कुंभ मेले का भ्रमण किया, जहां उनके दर्शन के लिए भीड़ उमड़ पड़ी थी।

1915 में उन्होंने अपना एक भारतीय आश्रम, जिसे प्रारंभ में **सत्याग्रह आश्रम** के नाम से जाना जाता था, की स्थापना की। बाद में इस आश्रम को साबरमती नदी के किनारे एक स्थान पर विस्थापित कर दिया था, जिसे बाद में **साबरमती आश्रम** (जून 1917) के नाम से जाना गया। गांधी यहां अपने मित्रों एवं साथियों के साथ करीब 12 वर्षों तक रहे तथा सत्य व अहिंसा के विचार को सीखा एवं उनका पालन करने का अभ्यास किया।

जब एनी बेसेंट ने गांधी से उनके होम रूल लीग में शामिल होने के लिए पूछा, तो उन्होंने इस आधार पर मना कर दिया था कि वे ब्रिटिश सरकार को उनके कठिन समय (प्रथम विश्व युद्ध चल रहा था) में शर्मिंदा नहीं करना चाहते। इस प्रकार 1916 के होम रूल आंदोलन से उन्होंने दूरी बनाए रखी। वे 1916 में कांग्रेस के लखनऊ अधिवेशन में शामिल हुए, लेकिन उन्होंने इस बात का ध्यान रखा कि उन्हें न ही उदारवादी और न ही उग्रवादी, किसी के साथ जोड़कर न देखा जाए।

भारतीय राजनीति में गांधी का प्रवेश: चंपारण, अहमदाबाद एवं खेड़ा (1917-1918)
(Gandhi's Entry into Indian Politics: Champaran, Ahmedabad and Kheda)

भारत में गांधी के पहले राजनीतिक आंदोलन में चंपारण, अहमदाबाद एवं खेड़ा के संघर्ष शामिल थे। यह सभी स्थानीय स्तर के आंदोलन थे और इन आंदोलनों से गांधी की पहचान एक ऐसे व्यक्ति के रूप में हुई, जो जमीनी स्तर पर कार्य करता है। भारतीय जमीन पर इन आंदोलनों से उनकी तकनीकों का सफलतापूर्वक परीक्षण हुआ।

चंपारण सत्याग्रह (बिहार, 1917)

गांधी का पहला हस्तक्षेप चंपारण में नील की खेती करने वाले किसानों के लिए हुआ। उत्तरी बिहार के तिरहुत संभाग में स्थित चंपारण, कृषि संबंधी असंतोष के कारण उबल रहा था। 19वीं शताब्दी के प्रारंभ में यूरोपियन बागान मालिकों ने चंपारण में नील के खेत एवं कारखाने स्थापित किए थे। नील की खेती **तिनकाठिया** व्यवस्था के अनुसार होती थी। इस व्यवस्था के अनुसार भारतीय किसानों पर ऐसा अनुबंध करने का दबाब डाला जाता था, जिससे किसानों को अपनी भूमि के 3/20 भाग में नील की खेती करना अनिवार्य हो जाए। इस प्रकार सभी किसानों को ऐसा अनुबंध मजबूरी में करना पड़ता था। साथ ही, किसानों से उनकी फसल एक निश्चित कीमत पर बेचने के लिए मजबूर किया जाता था, जो साधारणतया अनार्थिक कीमत होती थी।

लेकिन अब जर्मनी में कृत्रिम डाई (रासायनिक रंगों) का उत्पादन होने लगा था, जो नील से सस्ती थी। इसके कारण यूरोपियन बागान मालिक चंपारण में हानि का सामना कर रहे थे और अपने घाटे के बोझ को किसानों पर डालने का प्रयत्न कर रहे थे। कुछ मुआवजा लेकर वे किसानों को नील की खेती से मुक्त करने के लिए तैयार थे। उन्होंने लगान बढ़ा दिया व गैरकानूनी शुल्क भी लगा दिए।

राजकुमार शुक्ल उन प्रभावित कृषकों में से एक थे जो चाहते थे कि कांग्रेस और विशेष रूप से गांधी चंपारण के नील किसानों की मदद करें। उन्होंने 1916 की कांग्रेस के दौरान लखनऊ में गांधी से मुलाकात की और उनको चंपारण के बारे में बताया। 'मैं अपनी आंखों से स्थिति देखे बिना कोई राय नहीं दे सकता', गांधी ने उत्तर दिया और आग्रह किया कि पहले कांग्रेस में एक प्रस्ताव पेश किया जाए। अधिवक्ता ब्रजकिशोर प्रसाद ने चंपारण के लोगों के प्रति सहानुभूति व्यक्त करते हुए प्रस्ताव पेश किया और इसे सर्वसम्मति से पारित कर दिया गया। राजकुमार शुक्ल खुश थे, लेकिन संतुष्ट नहीं थे क्योंकि वे चाहते थे कि गांधी व्यक्तिगत रूप से चंपारण जाएं और वहां के दंगों के दु:ख को देखें।

चंपारण हिमालय की तलहटी में स्थित था, जो शेष भारत से कटा हुआ था। किसान अनभिज्ञ थे, कांग्रेस और गांधी उनके लिए अज्ञात थे एवं उनके बीच अभी तक कोई राजनीतिक कार्य नहीं किया गया था। जब गांधी चंपारण पहुंचे, तो बिहार सरकार ने खतरा महसूस किया और उन्हें इस बहाने छोड़ने का नोटिस दिया कि वह 'सार्वजनिक शांति के लिए खतरा' हैं। गांधी ने उस नोटिस की अवज्ञा करने का फैसला किया। मजिस्ट्रेट के समक्ष अपने मुकदमे के दौरान गांधी ने कहा था, "मैंने हमारे अस्तित्व के उच्च कानून अर्थात अंतरात्मा की आवाज के पालन के लिए आदेश की अवज्ञा की है।" अचंभित होकर, मजिस्ट्रेट ने निर्णय स्थगित कर दिया और बाद में गांधी को अपनी जांच करने की अनुमति दी गई।

इस प्रकार गांधी ने अपने सहकर्मियों के साथ अपनी जांच जारी रखी। इनमें ब्रजकिशोर प्रसाद, राजेंद्र प्रसाद, गोरख प्रसाद, महादेव देसाई, नरहरि पारेख, मजहर-उल-हक और जेबी कृपलानी शामिल थे। साथ में उन्होंने गांवों का भ्रमण किया और किसानों को लामबंद किया। जहां एक ओर उन्होंने रैयतों की शिकायतों के बयान दर्ज करने का काम किया; दूसरी ओर, उन्होंने प्राथमिक शिक्षा, चिकित्सा राहत और स्वच्छता सहित गांवों में रचनात्मक कार्य भी किए। कांग्रेस का सरकार विरोधी होने के कारण गांधी ने फैसला किया कि कांग्रेस के नाम पर कुछ भी नहीं किया जाना चाहिए।

अंत में, लेफ्टिनेंट गवर्नर एडवर्ड गैट को मजबूरी में इस मामले की जांच के लिए चंपारण कृषि समिति का गठन करना पड़ा। फ्रैंक स्ली को अध्यक्ष और गांधी को इसके सदस्यों में से एक के रूप में नियुक्त किया गया। गांधी ने समिति को तिनकठिया प्रणाली के साथ-साथ विभिन्न अवैध वसूली को समाप्त करने की सिफारिश करने के लिए मना लिया। समिति ने यह भी सिफारिश की कि बागान मालिकों को उनके द्वारा की गई वसूली का 25 प्रतिशत वापस करना चाहिए, जिसे समिति ने गैरकानूनी पाया था। समिति की सभी प्रमुख सिफारिशों को चंपारण कृषि विधेयक में शामिल किया गया था, जिसका बागान मालिकों की शक्तिशाली लॉबी ने कड़ा विरोध किया था। लेकिन सर एडविन गैट समिति की सिफारिशों को पूरी तरह से लागू करने पर अड़े रहे और अंतत: 1917 का चंपारण कृषि अधिनियम पारित किया गया। इस प्रकार लगभग एक सदी से चली आ रही तिनकठिया व्यवस्था को समाप्त कर दिया गया, बागवानों का राज समाप्त हो गया और गांधी ने भारत में सविनय अवज्ञा की अपनी पहली लड़ाई जीती।

अंततः सरकार ने मजबूर होकर इस मुद्दे की जांच हेतु **चंपारण कृषिक समिति** (Champaran Agrarian Committee) नियुक्त की, जिसमें गांधी को भी एक सदस्य बनाया गया था। गांधी ने समिति को तिनकाठिया व्यवस्था एवं अन्य गैर-कानूनी नियमों को समाप्त करने हेतु मना लिया था। समिति ने किसानों को गैर-कानूनी करों के लिए मुआवजा (25 प्रतिशत धन की वापसी) देने का भी सुझाव दिया। सभी प्रमुख सुझावों को चंपारण कृषक अधिनियम, 1917 (Champaran Agrarian Act, 1917) में शामिल कर लिया गया और इस प्रकार भारत में गांधी ने सविनय अवज्ञा की अपनी पहली लड़ाई जीती।

यद्यपि गांधी को मुख्य समर्थन शिक्षित मध्यम वर्ग का था, लेकिन उनको वास्तविक समर्थन चंपारण के किसानों से मिला। गांधी पैदल अथवा बैलगाड़ी से चले और उन लोगों से उनकी भाषा में ही बात की। इससे चंपारण संघर्ष का मनोवैज्ञानिक प्रभाव अन्य किसी प्रभाव से बेहतर साबित हुआ। पद-दलितों के नेता के रूप में उभरने की दिशा में यह एक मील का पत्थर साबित हुआ। इस सफलता ने न केवल किसानों को उनके सशक्त होने का एहसास दिलाया, बल्कि ब्रिटिश शासन के अपराजेयता के विचार को भी तोड़ा।

राजेंद्र प्रसाद (1884-1963)- बिहार में जन्मे बाबू राजेंद्र प्रसाद ने अपने करियर की शुरुआत एक शिक्षक के रूप में की एवं 1916 में बिहार एवं उड़ीसा के उच्च न्यायालय में वकील के रूप में जुड़े। 1911 में कांग्रेस में शामिल हुए और 1916 के लखनऊ अधिवेशन के दौरान वे पहली बार गांधी से मिले व 1917 के **चंपारण सत्याग्रह** में एक सक्रिय नेता के रूप में उभरे। गांधी के साहस एवं दृढ़ विश्वास से प्रभावित होकर वे अपनी वकालत छोड़ कर पूर्ण रूप से स्वतंत्रता आंदोलन (1920 के बाद निरंतर) में शामिल हो गए थे। जब 2 सितंबर 1946 को भारत की अंतरिम सरकार बनाई गई, तो प्रसाद ने **खाद्य एवं कृषि विभाग** संभाला। 11 दिसम्बर 1946 को उन्हें संविधान सभा का अध्यक्ष निर्वाचित किया गया एवं 26 जनवरी 1950 को जब भारत गणतंत्र बना, तब वे **भारतीय गणतंत्र के पहले निर्वाचित राष्ट्रपति** बने। बाद में उन्हें **भारत रत्न** से भी सम्मानित किया गया।

राजेंद्र प्रसाद

खेड़ा सत्याग्रह (गुजरात, 1918)

अहमदाबाद मिल की हड़ताल खत्म ही हुई थी कि गांधी को खेड़ा सत्याग्रह संघर्ष में खुद को निमग्न करना पड़ा। इस प्रकार, गांधी ने खेड़ा (गुजरात) के किसानों के लिए अपना तीसरा आंदोलन संगठित किया। खेड़ा एक उपजाऊ क्षेत्र है जो पर्याप्त खाद्यान्न, तंबाकू और कपास का उत्पादन करता है।

1917 में खेड़ा में बहुत अधिक बारिश हुई जिससे बड़े स्तर पर खरीफ फसल बर्बाद हो गई थी। इसी समय युद्ध के कारण कीमतें बढ़ गई थीं, जिससे किसानों का बजट बिगड़ गया। राजस्व संहिता (revenue code) के अनुसार यदि साधारण उत्पादन के 25 प्रतिशत से कम उत्पादन होता है, तो भू राजस्व को पूर्णतया माफ कर देना चाहिए। बॉम्बे के दो बैरिस्टर वी. जे. पटेल एवं जे. के. पारेख पहले ही जांच कर चुके थे कि फसल का मुख्य भाग पूर्णतया बर्बाद हो चुका है और यह एक भू-राजस्व में छूट का मुद्दा है। हालांकि, सरकार इससे सहमत नहीं थी और एक स्वतंत्र जांच के बाद कलेक्टर ने निर्णय लिया कि उस मुद्दे में छूट का कोई अधिकार नहीं है।

गांधी, जो उस समय गुजरात सभा के अध्यक्ष थे, ने कहा कि फसल बहुत अधिक बर्बाद हो चुकी है एवं भू-राजस्व में छूट प्राप्त करना किसानों का कानूनी अधिकार है, न कि शासकीय अधिकारियों की कृपा। 22 मार्च 1918 को नाडियाड में एक बैठक में गांधी ने सत्याग्रह करने का निर्णय लिया। उन्होंने गांवों का भ्रमण किया एवं जनता से अपील की कि वे भू-राजस्व अदा न करें और अपने मन से सरकार का भय हटा लें।

इस संघर्ष में वल्लभभाई पटेल, शंकरलाल बैंकर, श्रीमती अनसूयाबेन, इंदुलाल याज्ञनिक, महादेव देसाई और अन्य ने गांधी का समर्थन किया। संघर्ष में शामिल होने के लिए वल्लभभाई को अपनी वकालत के पेशे को स्थगित करना पड़ा, जिसे

वे बाद में दोबारा कभी शुरू नहीं कर सके। सत्याग्रहियों ने अपना मुख्यालय नडियाद अनाथाश्रम में स्थापित किया। बॉम्बे के व्यापारियों ने गांधी के अभियान के लिए उदारतापूर्वक वित्त भेजा। एक महीने के अंदर यह आंदोलन अपने उच्च शिखर पर पहुंच गया और करीब 2000 से अधिक किसानों ने भू-राजस्व अदा न करने का संकल्प लिया। अधिकतर पाटीदारों ने भी भागीदारी की। कुछ समय बाद खेड़ा में रबी की अच्छी फसल हुई, जिसने छूट के मुद्दे को कमजोर बना दिया। सत्याग्रहियों में भी थकान दिखने लगी थी। इसके साथ ही सरकार ने भी निर्देश जारी किया कि भू-राजस्व उन लोगों से ही वसूला जाए, जो भुगतान करने में समर्थ हों। इन सभी परिस्थितियों का विचार कर गांधी ने आंदोलन को समाप्त करने का निर्णय लिया।

खेड़ा सत्याग्रह में पूरा खेड़ा क्षेत्र शामिल नहीं था। 559 गांवों में से केवल 70 ने ही वास्तव में भागीदारी की थी। केवल प्रतीकात्मक रियायत के बाद ही इसे समाप्त कर दिया गया था। फिर भी इस आंदोलन ने ग्रामीण गुजरात में गांधी जी के सामाजिक आधार को बढ़ाने में सहयोग किया।

सरदार वल्लभ भाई पटेल (1875-1950)- खेड़ा सत्याग्रह में एक युवा गुजराती वकील के रूप में उभरे वल्लभ भाई बाद में स्वतंत्र भारत के उप-प्रधान मंत्री एवं गृह मंत्री बने। अक्टूबर 1917 में गांधी के साथ एक बैठक के बाद पटेल ने भारतीय स्वतंत्रता आंदोलन में प्रवेश किया। अतः वे गांधी के उत्साही समर्थक के रूप में उभरे एवं गुजरात के खेड़ा व बारदोली सत्याग्रहों में उन्होंने प्रमुख भूमिका निभाई। बारदोली सत्याग्रह के दौरान ही बारदोली की महिलाओं ने उन्हें **सरदार** की उपाधि दी थी, जिसका अर्थ था मुख्य अथवा नेता।

अपनी बेटी मणि बेन पटेल के साथ वल्लभ भाई पटेल मध्य में एवं आचार्य जे. बी. कृपलानी (बाएं)

गृह मंत्री के तौर पर उन्होंने 565 देशी रियासतों के भारत में एकीकरण का कार्य किया। ये रियासतें 1947 में ब्रिटिश प्रभुता के समाप्त होने पर स्वतंत्र हो गई थीं। इसी कार्य के बाद उन्हें **'भारत के लौह पुरुष'** (Iron Man of India) अथवा 'भारत के एकीकरण के सूत्रधार' की उपाधि दी गई। 2014 से उनके जन्म दिवस 31 अक्टूबर को **राष्ट्रीय एकता दिवस** के रूप में प्रतिवर्ष मनाया जाता है। आधुनिक अखिल भारतीय सेवा की स्थापना में महत्वपूर्ण भूमिका निभाने के कारण उन्हें **'भारतीय सिविल सेवा के संरक्षक'** के रूप में भी याद किया जाता है।

अहमदाबाद मिल हड़ताल (गुजरात, 1918)

जब गांधी चंपारण में अपना काम समाप्त कर रहे थे, उन्हें मोहनलाल पांड्या और शंकरलाल पारिख का एक पत्र मिला, जिसमें उन्हें खेड़ा में फसलों की विफलता के बारे में सूचित किया गया था और उनसे उन किसानों का मार्गदर्शन करने के लिए कहा गया था जो आंकलित किए कर का भुगतान करने में असमर्थ थे। उसी समय, उन्हें अनुसुया साराभाई का एक और पत्र अहमदाबाद में श्रमिकों की स्थिति के बारे में मिला। वेतन कम था और वे लंबे समय से वेतन वृद्धि के लिए आंदोलन कर रहे थे। जब खेड़ा किसानों के प्रश्न पर अभी भी चर्चा हो रही थी, गांधी ने अहमदाबाद में मिल से जुड़ी समस्याओं को उठाया।

इस प्रकार गांधी का दूसरा आंदोलन अहमदाबाद मिल श्रमिकों के लिए था और यह ब्रिटिश सरकार के विरुद्ध नहीं था। यह गुजराती मिल मालिकों एवं उनके मजदूरों के मध्य हुए आंतरिक विवाद में एक हस्तक्षेप था। अहमदाबाद गुजरात का तेजी से उभरता हुआ एक औद्योगिक शहर था। मिल मालिकों को अक्सर श्रमिकों की कमी से जूझना पड़ता था। श्रमिकों की कमी तब और बढ़ गई, जब 1917 में प्लेग फैला, जिससे कई मजदूरों को अहमदाबाद से दूर जाना पड़ा (1917-1918 में अहमदाबाद में एक प्लेग महामारी फैली, जिसमें करीब 20,000 से भी अधिक लोग मारे गए)। मजदूरों को अहमदाबाद में वापस लाने के लिए मिल मालिकों ने प्लेग बोनस देने का निर्णय लिया। यह बोनस उस समय मजदूरों के नियमित पारिश्रमिक के 75% से भी अधिक था।

विवाद तब प्रारंभ हुआ, जब महामारी समाप्त होने के बाद मिल मालिकों ने प्लेग बोनस को समाप्त करने का प्रयास किया। मजदूर बोनस को इस आधार पर बनाए रखना चाहते थे कि इससे उन्हें युद्ध-काल में बढ़ी कीमतों का सामना करने में सहायता मिल रही थी। मिल मालिक 25 प्रतिशत तक भुगतान करने को तैयार थे, लेकिन मजदूर युद्ध समय की मुद्रास्फीति को देखते हुए 50 प्रतिशत भुगतान की मांग कर रहे थे।

गुजरात सभा एवं अंबालाल साराभाई के माध्यम से गांधी स्वयं अहमदाबाद के मजदूरों की स्थिति पर नजर रखे हुए थे। अंबालाल साराभाई एक मिल मालिक थे, जिसने गांधी के आश्रम हेतु वित्तीय सहायता की थी। साराभाई के साथ चर्चा करने के बाद गांधी ने इस मुद्दे में हस्तक्षेप करने का निर्णय लिया। तभी मिल मालिक एवं मजदूर दोनों कलेक्टर की अध्यक्षता में एक समिति द्वारा मध्यस्थता के लिए तैयार हुए। गांधी समिति के समक्ष मजदूरों का प्रतिनिधित्व कर रहे थे। लेकिन अचानक से मिल मालिक यह कहते हुए पीछे हट गए थे कि गांधी के पास मजदूरों का वास्तविक जनादेश नहीं है और इसकी कोई गारंटी नहीं है कि मजदूर समिति के निर्णय को स्वीकार करें।

इस वृतांत के बाद गांधी ने इस प्रकरण का विस्तृत अध्ययन किया। उन्होंने मिलों की वित्तीय स्थिति से जुड़े आंकड़ों का अध्ययन किया तथा साथ ही मजदूरों को दिए जाने वाले पारिश्रमिक की तुलना बॉम्बे में दिए जाने वाले पारिश्रमिक से की। उन्होंने निष्कर्ष निकाला कि मजदूर न्यायपूर्ण तरीके से 35 प्रतिशत तक वेतन वृद्धि की मांग कर सकते हैं और उससे अधिक नहीं एवं उन्होंने मिल मालिकों के विरुद्ध एक सत्याग्रह आंदोलन संगठित किया। गांधी ने बलपूर्वक मजदूरों से कहा कि जब तक 35 प्रतिशत वेतन वृद्धि नहीं हो जाती, वे काम पर न लौटे।

इस संघर्ष में गांधी की सहायता **अनुसुया साराभाई** ने की, जबकि उनके भाई अंबालाल साराभाई मुख्य विरोधियों में से एक थे। जब गांधी चंपारण में अपना काम समाप्त कर रहे थे, उन्हें मोहनलाल पांड्या और शंकरलाल पारिख का एक पत्र मिला, जिसमें उन्हें खेड़ा में फसलों की विफलता के बारे में सूचित किया गया था और उनसे उन किसानों का मार्गदर्शन करने के लिए कहा गया था जो आंकलन किए कर का भुगतान करने में असमर्थ थे। उसी समय, उन्हें अनुसुया साराभाई का एक और पत्र अहमदाबाद में श्रमिकों की स्थिति के बारे में मिला। वेतन कम था और वे लंबे समय से वेतन वृद्धि के लिए आंदोलन कर रहे थे। जब खेड़ा किसानों के प्रश्न पर अभी भी चर्चा हो रही थी, गांधी ने अहमदाबाद में मिल से जुड़ी समस्याओं को उठाया।

इस प्रकार गांधी का दूसरा आंदोलन अहमदाबाद मिल श्रमिकों के लिए था और यह ब्रिटिश सरकार के विरुद्ध नहीं था। कुछ दिन बाद जब मजदूर थकने लगे, तो गांधी ने 15 मार्च 1918 से भूख हड़ताल करने का निर्णय लिया, ताकि मजदूरों को संघर्ष के लिए प्रेरित कर सकें। यह **पहली बार था जब गांधी ने भूख हड़ताल** के अस्त्र का प्रयोग किया। गांधी के उपवास से अहमदाबाद में सनसनी मच गई एवं मिल मालिक पूरे मुद्दे को एक प्राधिकरण को सौंपने के लिए राजी हो गए।

अंततः प्राधिकरण ने मजदूरों के लिए 35 प्रतिशत वेतन वृद्धि के समर्थन में अपना निर्णय सुनाया। इस कार्य के बाद अहमदाबाद के मजदूरों के बीच गांधी को बहुत अधिक लोकप्रियता मिली।

स्थानीय आंदोलनों का महत्व (Significance of Local Agitations)

इन स्थानीय आंदोलनों ने गांधीवादी राजनीति एवं तकनीकों की एक झलक प्रस्तुत की थी। इन आंदोलनों ने गांधी को यह समझने में सहायता की कि वे भारतीयों के कितने करीब हैं। आंदोलनों के दौरान गांधी ने राजनीतिक कार्यकर्ताओं की एक पूरी पीढ़ी का सम्मान एवं वचनबद्धता प्राप्त की। वे गांधी की साधारण भारतीयों की समस्याओं को उत्साह से उठाने के कार्य से बहुत अधिक प्रभावित थे। गांधी पहले ऐसे राष्ट्रवादी नेता थे, जिन्होंने अपने जीवन को आम जनता के जीवन से जोड़कर देखा। अंत में, इन आंदोलन की सफलता ने गांधी के विश्वास में वृद्धि की, जिससे वे फरवरी 1919 में रौलेट एक्ट के विरुद्ध एक अखिल भारतीय सत्याग्रह आरंभ कर सके।

जूडिथ ब्राउन (इतिहासकार एवं गांधी के आत्मकथा लेखक) के अनुसार, इन प्रारंभिक आंदोलनों का महत्व इस बात में निहित है कि इन आंदोलनों से गांधी को ऐसे साथी अथवा गांधीवादी व्यक्ति मिले, जिन्होंने जीवन भर उनका साथ दिया। इन साथियों में, चंपारण में राजेंद्र प्रसाद, अनुग्रह नारायण सिन्हा एवं जे बी कृपलानी; अहमदाबाद व खेड़ा में वल्लभ भाई पटेल, महादेव देसाई, इंदुलाल यागिनक एवं शंकरलाल बंकर शामिल थे। लेकिन इस विचार की इस आधार पर आलोचना की जाती है कि यह बहुत ही साधारण तर्क है, जबकि इन आंदोलनों ने अंततः गांधी को एक अखिल भारतीय नेता के रूप में उभरने में सहायता की थी।

गांधी का भर्ती अभियान

जब खेड़ा सत्याग्रह चल रहा था, वॉयसराय लॉर्ड चेम्सफोर्ड ने गांधी सहित विभिन्न नेताओं को दिल्ली में एक युद्ध सम्मेलन में आमंत्रित किया (प्रथम विश्वयुद्ध अभी भी चल रहा था)। गांधी कई कारणों से हिचकिचाते थे, जिनमें प्रमुख कारण लोकमान्य तिलक, एनी बेसेंट और अली ब्रदर्स (जो तब जेल में थे) जैसे- नेताओं का बहिष्कार था, जिन्हें गांधी बड़े पैमाने पर जनता के प्रतिनिधि मानते थे। उसी समय, गांधी देशभक्त मुसलमानों की मित्रता की मांग कर रहे थे और उन्हें लगा कि यदि वे भाइयों की रिहाई सुनिश्चित कर लेते हैं और खिलाफत प्रश्न का न्यायपूर्ण समाधान कर लेते हैं तो यह कार्य बहुत आसान हो जाएगा। इसलिए वह दिल्ली गए और खिलाफत के प्रश्न के प्रति अपने रवैये को लेकर अपने दोस्तों और आलोचकों की बहुत आलोचना के बावजूद मुस्लिम मुद्दे को वॉयसराय को सौंपने की योजना बनाई।

लेकिन दिल्ली पहुंचने पर एक और मुश्किल खड़ी हो गई जब दीनबंधु एंड्रयूज ने युद्ध सम्मेलन में गांधी की भागीदारी की नैतिकता पर सवाल उठाया। हालांकि, वॉयसराय (जिनके साथ गांधी के सौहार्दपूर्ण संबंध थे) ने एक भावनात्मक अपील की 'यदि आप मानते हैं कि भारत को, कुल मिलाकर, ब्रिटिश संबंध से लाभ हुआ है, तो क्या आप यह स्वीकार नहीं करेंगे कि यह प्रत्येक भारतीय नागरिक का कर्त्तव्य है कि वह जरूरत के समय साम्राज्य की मदद करे?' और गांधी ने आखिरकार कुछ नहीं तो वॉयसराय के सम्मान में सम्मेलन में भाग लेने का निर्णय लिया।

वॉयसराय गांधी द्वारा भर्ती के प्रस्ताव का समर्थन करने के लिए बहुत उत्सुक थे। गांधी ने इस आशय का एक वाक्य हिंदुस्तानी में बोला, 'अपनी जिम्मेदारी की पूरी भावना के साथ मैं प्रस्ताव का समर्थन करने के लिए विनती करता हूं।' इस तरह की बैठक में हिंदुस्तानी में बोलने का यह पहला उदाहरण था। सम्मेलन के तुरंत बाद वॉयसराय शिमला के लिए रवाना हो गए। इस प्रकार गांधी ने मुस्लिम मांगों पर अपना पत्र वॉयसराय को भेजा (पत्र एक साथ प्रकाशित किया गया था)। वॉयसराय को एक अलग पत्र में गांधी ने स्पष्ट किया कि ब्रिटेन को उसकी जरूरत की घड़ी में समर्थन देने के बदले भारत को होमरूल से पुरस्कृत होने की उम्मीद है। गांधी ने एक साथ किसी भी वित्तीय सहायता को यह कहते हुए अस्वीकार कर दिया कि भारत ने पहले ही साम्राज्य को उसकी क्षमता से अधिक दान कर दिया था। उन्होंने ब्रिटिश न्याय के प्रति अपने विश्वास और अंग्रेजी राष्ट्र के प्रति अपने प्रेम और निष्ठा को दोहराते हुए पत्र को समाप्त किया।

अपना पत्र भेजने के बाद गांधी खेड़ा के लिए रवाना हुए और अपनी भर्ती का काम शुरू किया, लेकिन वे एक कठोर सदमै में थे। 'आप अहिंसा के समर्थक हैं, आप हमें हथियार उठाने के लिए कैसे कह सकते हैं?' 'हमारे सहयोग के योग्य होने के लिए सरकार ने भारत के लिए क्या अच्छा किया है?' ये और इसी तरह के सवाल उठाए गए और लोगों ने शायद ही स्वयं को भर्तियों में शामिल होने के लिए पेश किया। हालांकि, गांधी अडिग रहे और तर्क दिया कि यदि मध्यम वर्ग सरकार को उसके कठिन समय में स्वैच्छिक सहायता प्रदान करता है, तो अविश्वास गायब हो जाएगा और हथियार रखने पर प्रतिबंध वापस ले लिया जाएगा (अर्थात शस्त्र अधिनियम निरस्त किया जाएगा)। जल्द ही जर्मनी की पूर्ण हार के साथ युद्ध समाप्त हो गया और गांधी ने भर्ती अभियान को समाप्त कर दिया।

◗ रौलेट सत्याग्रह (Rowlatt Satyagraha)

1917-1918 के दौरान गांधी स्थानीय मुद्दों में व्यस्त थे और सुधार प्रस्तावों में उन्होंने कोई सक्रिय रुचि नहीं दिखाई। हालांकि, रौलेट विधेयक के पारित करने के सरकार के निर्णय ने उन्हें राष्ट्रीय राजनीति में आने के लिए मजबूर कर दिया। रौलेट एक्ट के विरोध के लिए उन्होंने **पहली बार एक अखिल भारतीय सत्याग्रह** का आरंभ किया।

रौलेट एक्ट

1917 में भारत सरकार ने देश में होने वाले क्रांतिकारी अपराध की जांच हेतु **न्यायाधीश सिडनी रौलेट** की अध्यक्षता में एक समिति नियुक्त की एवं इनके दमन हेतु सुझाव दिए। संयोगवश इस प्रतिवेदन का प्रकाशन मोंटेग्यू-चेम्सफोर्ड सुधार के साथ हुआ।

समिति ने विध्वंसकारी गतिविधियों के प्रमाण प्रस्तुत किए एवं क्रांतिकारी-विरोधी कानून को मजबूत करने का प्रस्ताव दिया। रौलेट के सुझावों के आधार पर सरकार ने दो विधेयकों के प्रारुप तैयार किए एवं उन्हें 1919 में केंद्रीय विधायी परिषद के सम्मुख प्रस्तुत किया। नए विधेयकों में निम्न प्रावधान थे-

- युद्ध के समय के प्रतिबंधों को जारी रखना।
- अपराधों की सुनवाई एक विशिष्ट न्यायालय के द्वारा करना, जिसमें उच्च न्यायालय के तीन न्यायधीश शामिल होंगे। न्यायालय की बैठक कैमरे में होगी एवं वे साक्ष्य भी मान्य होंगे जो भारतीय साक्ष्य अधिनियम (Indian Evidence Act) में अमान्य हैं। साथ ही न्यायालय के आदेश के विरुद्ध आगे कोई अपील नहीं हो सकेगी।
- सरकार को बिना वारंट (अधिकार पत्र) के जांच करने एवं गिरफ्तार करने के अधिकार को प्रस्तावित किया गया।
- 2 वर्ष तक बिना सुनवाई के नजरबंद करने का प्रावधान।

भारतीय प्रतिक्रिया

इन प्रस्तावों को राष्ट्रवादियों द्वारा अपमान के रूप में देखा गया। यह अंग्रेजों के उस वर्ग को मनाने का एक प्रयास था, जो मोंटेग्यू-सुधार के प्रस्ताव से नाराज थे।

गांधी ने विधेयकों की कड़ी आलोचना की एवं कहा कि प्रस्तावित शक्तियां, शक्तियों के अनुपात को बिगाड़कर खतरे की ओर ले जाएंगी, जबकि वॉयसराय को अध्यादेश के द्वारा विधायी संबंधी आपातकालीन शक्तियां पहले से ही प्राप्त हैं। उन्होंने विधेयक की दमन एवं अविश्वास के साधन के रूप में निंदा की। उन्होंने विधेयक बनाने की प्रक्रिया की भी निंदा की, जिसमें जनमत को पूरी तरह से नकारा गया। अब गांधी अपना आंदोलन प्रारंभ करने के लिए तैयार थे।

आंदोलन

सत्याग्रह के पवित्र हथियार को अपनाने के लिए किसी मौजूदा निकाय से अपेक्षा नहीं करते हुए, गांधी ने रोलेट अधिनियमों के विरोध में एक सत्याग्रह सभा (24 फरवरी 1919 को मुख्यालय बॉम्बे में) का गठन किया। गांधी स्वयं इसके अध्यक्ष बने। उस प्रतिज्ञा के अनुसार उन्होंने दृढ़ निश्चय किया, वे सभ्यता-पूर्ण तरीके से इन कानूनों का पालन करने से मना कर देंगे और उन्होंने यह भी निश्चय किया कि वे इस संघर्ष में पूर्ण आस्था के साथ सत्य का पालन करेंगे एवं जीवन और संपत्ति को हानि पहुंचाने वाली हिंसा से दूर रहेंगे।

सत्याग्रह आंदोलन आरंभ करते समय गांधी ने घोषणा की, ''मुझे पूर्ण विश्वास है कि हम पीड़ा व कष्ट के द्वारा ही मुक्ति प्राप्त करेंगे, न की उन सुधारों के द्वारा, जो अंग्रेजों द्वारा हमारे ऊपर थोपे जाते हैं। वे क्रूर-बल का उपयोग करते हैं और हम आत्म-बल का।'' गांधी ने सार्वजनिक बैठकें करना शुरू कर दिया और बताया कि रोलेट विधेयक के विरुद्ध सविनय अवज्ञा को प्रस्तुत कैसे किया जाए, इसे अंततः कानून में पारित किया गया। इस समय, विजय राघवचारी ने गांधी को सत्याग्रह के विज्ञान पर एक विस्तृत मैनुअल तैयार करने का सुझाव दिया था।

गांधी के रौलेट सत्याग्रह का किसने विरोध किया? सुरेंद्रनाथ बनर्जी, डी. ई. वाचा, टी. बी. सप्रू, श्रीनिवास शास्त्री के नेतृत्व में उदारवादियों के एक समूह ने इस आधार पर सत्याग्रह का विरोध किया कि यह आने वाले संवैधानिक सुधारों को नुकसान पहुंचाएगा। इनमें से कुछ लोगों को इस बात में संदेह था कि आम जनता सत्याग्रह के अनुशासन का पालन कर सकेगी। एनी बेसेंट ने सत्याग्रह का विरोध इस आधार पर किया कि इस अधिनियम में ऐसा कुछ भी नहीं है, जिसका विरोध विनम्रता से किया जाए। तिलक के मुख्य अनुयायियों जैसे एन. सी. केलकर व जी. एस. खापर्डे ने भी सत्याग्रह का विरोध किया।

गांधी के रौलेट सत्याग्रह का समर्थन किसने किया? हालांकि एनी बेसेंट के होम रूल लीग के युवाओं ने गांधी का समर्थन किया। इनमें जमुनादास द्वारकादास, शंकरलाल बंकर, उमर सोभानी एवं बी. जी. होर्निमाण शामिल थे।

इसी बीच तुर्की में खिलाफत का मुद्दा सामने आया। उस्मान वंशीय तुर्की प्रथम (Ottoman Turkey) विश्व युद्ध में हार गया एवं भारतीय मुसलमानों के मन में तुर्की में खिलाफत के भविष्य के बारे में चिंता होने लगी। परिणामस्वरूप, गांधी को भी कुछ अखिल-इस्लामिक नेताओं जैसे लखनऊ स्थित फिरंगी महल उलेमा समूह के अब्दुल बरी (अली बंधुओं के धार्मिक गुरु) एवं मुस्लिम लीग के कुछ अतिवादी नेताओं जैसे डॉक्टर एम. ए. अंसारी का समर्थन मिला। अंसारी ने गांधी के बारे में कहा, ''भारत का एक निर्भीक नेता, जो स्वयं को हिंदुओं से अधिक मुसलमानों का प्रिय बना चुके हैं।'' उल्लेखनीय है कि जिन्ना ने भी रौलेट एक्ट का विरोध किया था।

देशभर में कड़े विरोध के बावजूद रौलेट विधेयक को केंद्रीय विधायी परिषद में 6 फरवरी एवं 18 मार्च 1919 के बीच प्रस्तुत किया गया एवं पारित कर दिया गया। गांधी ने अपने जीवनकाल में केवल एक बार भारत की विधायी कार्यवाही में भाग लिया और यह अवसर इस विधेयक पर चर्चा के दौरान आया। लाल बहादुर शास्त्री ने जोशीला भाषण दिया और सरकार को दुष्परिणाम भुगतने की चेतावनी दी। यद्यपि सभी गैर-सरकारी सदस्यों ने विधेयक के खिलाफ मतदान किया था, तथापि यह पारित हो गया और 21 मार्च 1919 को वॉयसराय की सहमति प्राप्त करने के बाद एक अधिनियम बन गया।

गांधी ने देशवासियों से एक दिन की हड़ताल का आह्वान करते हुए अपने सत्याग्रह को आरंभ किया। इस हड़ताल के अंतर्गत उन्होंने लोगों से अपील की कि वे रौलेट एक्ट के विरोध में कार्य बंद कर अपने घर में प्रार्थना एवं उपवास करें। हड़ताल का दिन पहले 30 मार्च निश्चित किया गया था, लेकिन बाद में उसे परिवर्तित कर 6 अप्रैल कर दिया गया। दिल्ली में 30 मार्च को एक हड़ताल की गई, और उल्लेखनीय हिंदू-मुस्लिम एकता देखी गई। स्वामी श्रद्धानन्द को जामा मस्जिद में भाषण देने के लिए आमंत्रित किया गया, जो उन्होंने किया। यह सब अधिकारियों की सहनशक्ति से अधिक था और फिर दमन शुरू कर दिया गया था। पुलिस ने हड़ता-लजुलूस पर गोलियां चलाई, जिसमें कई लोग हताहत हुए। अन्य प्रमुख शहरों में 6 अप्रैल को हड़ताल की गई। गांधी ने हड़ताल को एक भव्य सफलता बताया एवं और सविनय अवज्ञा को प्रारंभ करके आंदोलन को तीव्र किया। केवल ऐसे कानूनों का चयन किया गया था जिनकी जनता आसानी से अवज्ञा कर सकती थी। इस प्रकार गांधी ने लोगों से नमक कानूनों की अवहेलना करते हुए अपने घरों में समुद्र के पानी से नमक तैयार करने का आग्रह किया। स्वयंसेवकों ने प्रतिबंधित साहित्य की प्रतियां भी बेचीं और गांधी की दो प्रतिबंधित पुस्तकें, हिंद स्वराज और सर्वोदय (रस्किन के अनटू दिस लास्ट का गुजराती रूपांतरण) का उपयोग इस उद्देश्य के लिए किया गया था।

7 अप्रैल को गांधी ने बॉम्बे छोड़ा, ताकि वे आंदोलन को दिल्ली एवं पंजाब में प्रोत्साहित कर सकें। उन्हें डॉ. सत्यपाल और डॉ. किचलू (जिनसे वह पहले कभी नहीं मिले थे) द्वारा अमृतसर आमंत्रित किया गया था। पंजाब के लेफ्टिनेंट गवर्नर माइकल ओश्डायर ने गांधी के इस क्षेत्र में प्रवेश करने पर शांति भंग होने की आशंका जताई। 8 अप्रैल को गांधी की गिरफ्तारी के समाचार ने स्थिति को नाजुक बना दिया एवं अनेक स्थानों पर हिंसा भड़क उठी। अहमदाबाद में सैन्य-कानून लागू कर दिया गया। पूरे पंजाब क्षेत्र और मुख्यत: अमृतसर में बड़े स्तर पर हिंसात्मक घटनाएं हुईं।

पंजाब एवं अमृतसर

लेफ्टिनेंट गवर्नर माइकल ओ. डायर (1912-1919) के अधीन पंजाब-प्रशासन की अलोकप्रियता के कारण पंजाब पहले से ही गुस्से से उबल रहा था। युद्ध के लिए बलपूर्वक भर्तियों, गदर आंदोलन के कठोर दमन (1915) एवं खाद्यान्नों की बढ़ती कीमतों का पंजाब साक्षी बन चुका था। पंजाब में 1919 के प्रारंभिक दौर में हिंदू-मुस्लिम-सिख की विलक्षण एकता से भी ब्रिटिश सरकार भयभीत थी। पंजाब में 30 मार्च एवं 6 अप्रैल की हड़तालें शांतिपूर्ण होने के साथ-साथ व्यापक भी थीं।

9 अप्रैल को राम नवमी के दिन अमृतसर के दो स्थानीय कांग्रेसी नेताओं **डॉ. सैफुद्दीन किचलू** एवं **डॉ. सत्यपाल** को गिरफ्तार कर लिया गया। इनकी गिरफ्तारी संयोगवश गांधी की गिरफ्तारी के साथ हुई, जिससे इसके विरोध में बड़े स्तर पर हिंसा एवं आगजनी की घटनाएं घटीं। टाउन हॉल एवं पोस्ट ऑफिस पर हमला हुआ, टेलीग्राफ की तारें काट दी गई एवं पांच यूरोपियन को मार दिया गया। सेना को बुलाया गया एवं शहर को जनरल डायर को सौंप दिया गया, जिसने जन-सभाओं एवं बैठकों के प्रतिबंध का एक आदेश जारी किया।

जलियांवाला बाग त्रासदी (अमृतसर, 13 अप्रैल 1919)

जलियांवाला बाग हत्याकांड

गिरफ्तारी के विरुद्ध विरोध के लिए 13 अप्रैल को **बैसाखी** के दिन एक बड़ी भीड़ जलियांवाला बाग में एकत्रित हुई। उनमें से अधिकतर को बैठकों के प्रतिबंध की जानकारी नहीं थी। वे आसपास के पड़ोसी गांवों से आए हुए दर्शक (पर्यटक) थे, जो वहां बैसाखी का त्योहार मनाने आए थे। आदेश के उल्लंघन से नाराज **ब्रिगेडियर जनरल डायर** ने बिना चेतावनी दिए शांतिपूर्ण व निहत्थी भीड़ पर गोरखा-टुकड़ी से गोलीबारी करने को कहा। बाग तीनों ओर से बंद था और निकलने का केवल एक ही रास्ता था। सेना की टुकड़ी ने जनता पर तब तक गोलियां बरसाई, जब तक कि उनका गोला बारूद समाप्त नहीं हो गया। गोलीबारी करीब 10 मिनट तक चलती रही, जिसमें आधिकारिक अनुमान के अनुसार 379 लोग मारे गए। आम अनुमान के अनुसार मरने वालों की संख्या इससे करीब तीन गुना अधिक थी।

जलियांवाला बाग में हुई क्रूरता से पूरा राष्ट्र हिल उठा। हालांकि दमन को तेज कर दिया गया था और पंजाब में उसी दिन रात को सैन्य-कानून लागू कर दिया गया था। दमनकारी कार्यों में भेदभावपूर्ण गिरफ्तारी, यातनाएं, सबके सामने पीटना, आकाशीय बमबारी एवं विचित्र सजाएं जैसे पेट के बल यूरोपियन के सामने रेंगना, भारतीय घरों में से पंखे निकालना आदि शामिल था।

18 अप्रैल को व्यापक स्तर पर हिंसा को देखते हुए गांधी ने सत्याग्रह को वापस ले लिया एवं अपराध स्वीकार करते हुए कहा कि उनसे बहुत बड़ी भूल हुई जो उन्होंने अपर्याप्त रूप से प्रशिक्षित लोगों को सत्याग्रह के लिए अनुमति दी। इसके बाद उन्होंने सत्याग्रह सभा के माध्यम से सत्याग्रही स्वयंसेवकों का एक दल खड़ा करने का निश्चय किया। 30 मई 1919 को जलियांवाला बाग हत्याकांड के विरोध में **रबीन्द्रनाथ टैगोर ने अपनी नाइटहुड की उपाधि** का त्याग कर दिया।

रौलेट सत्याग्रह का मूल्यांकन (Evaluation of Rowlatt Satyagraha)

गांधी द्वारा किया गया रौलेट सत्याग्रह पहला अखिल भारतीय सत्याग्रह था, जिसे अनेक कमजोरियों एवं संगठनात्मक दोषों से गुजरना पड़ा। सत्याग्रह सभा का मुख्य केंद्र-बिंदु विचारात्मक साहित्य का प्रकाशन एवं प्रतिज्ञा किए हुए हस्ताक्षरों का संकलन था। कांग्रेस ने बहुत कम सहयोग किया और लोगों ने ब्रिटिश शासन के विरुद्ध अपने सामाजिक-आर्थिक शिकायतों के कारण इसमें भागीदारी की। कांग्रेस ने बहुत कम भूमिका निभाई, क्योंकि उस समय उसके पास आंदोलनकारी राजनीति के लिए भारत के अनेक भागों में साधन नहीं थे। अपर्याप्त रूप से प्रशिक्षित लोगों को अहिंसात्मक संघर्ष के लिए शामिल करने को **गांधी स्वयं बहुत बड़ी भूल** मानते थे।

बहुत सीमित तैयारी के बावजूद अप्रैल 1919 का आंदोलन 1857 की क्रांति के बाद एक बहुत बड़े एवं बहुत अधिक हिंसक विद्रोह के रूप में सामने आया। रौलेट आंदोलन में शासकीय भवनों, टेलीग्राफ तारों एवं श्वेत लोगों पर हमले हुए, लेकिन दमन इससे भी अधिक हिंसक एवं क्रूर था। आंदोलन ग्रामीण क्षेत्रों की अपेक्षा शहरों में अधिक तीव्र था।

रौलेट सत्याग्रह का मुख्य महत्व इस बात में था कि राष्ट्रीय राजनीतिक परिदृश्य में गांधी का उद्‌भव सशक्त रूप में हुआ। पंजाब (जहां गांधी आंदोलन से पहले कभी नहीं आए थे) में जनता की व्यापक भागीदारी एवं गांधी के पीछे लोगों का रैली करना, इस बात का प्रमाण था। यहीं से गांधी भारतीय जनता के एक नए मसीहा के रूप में उभरे और 1947 तक भारतीय राजनीति पर उनका प्रभुत्व बना रहा।

सैफुद्दीन किचलू (1888-1963)- वे एक वकील एवं मुस्लिम राष्ट्रवादी नेता थे। पंजाब में रौलेट एक्ट के विरुद्ध विरोध का नेतृत्व करने के लिए उन्हें याद किया जाता है। इस विरोध के बाद उन्हें डॉ. सत्यपाल के साथ गिरफ्तार कर गुप्त रूप से धर्मशाला भेज दिया गया था। इन्हीं गिरफ्तारियों के विरोध में अमृतसर के जलियांवाला बाग में एक जनसभा हुई और वहीं दुर्भाग्यपूर्ण हत्याकांड (अप्रैल 1919) हुआ। किचलू **नौजवान भारत सभा** एवं **जामिया मिलिया इस्लामिया** के संस्थापक सदस्य थे। उन्होंने उर्दू में दैनिक समाचार पत्र **'तंजीम'** एवं **'स्वराज्य आश्रम'** (अमृतसर, 1921) स्थापित किए। किचलू ने पाकिस्तान की मांग का कठोरता से विरोध किया था। विभाजन के दौरान हुए दंगे से उनका घर जल गया था, जिसके बाद वे दिल्ली विस्थापित हो गए थे। स्वतंत्रता के बाद वे कांग्रेस पार्टी छोड़कर भारतीय साम्यवादी दल के नजदीक आ गए थे और 1952 में उन्हें स्टालिन शांति पुरस्कार भी प्राप्त हुआ।

यंग इंडिया और नवजीवन

जब गांधी अपने कार्यकर्ताओं को सत्याग्रह का प्रशिक्षण दे रहे थे, तब भी पंजाब में दमन जारी रहा। मार्शल लॉ की घोषणा की गई, नेताओं को गिरफ्तार किया गया, निर्दोष पुरुषों और महिलाओं को उनके पेट के बल कीड़े की तरह रेंगने के लिए मजबूर किया गया। गांधी पंजाब के लोगों को न्याय दिलाने के लिए बेताब हो गए थे।

इस बीच, द बॉम्बे क्रॉनिकल (पहली बार 1910 में फिरोजशाह मेहता द्वारा शुरू की गई) के संपादक बी जी हॉर्निमन को अचानक अधिकारियों द्वारा निर्वासित कर दिया गया और क्रॉनिकल को निलंबित कर दिया गया। गांधी के मित्र उमर सोबानी और शंकरलाल बैंकर, जो क्रॉनिकल के प्रबंधन का निर्देशन कर रहे थे, वे यंग इंडिया को भी निर्देशित करते थे। उन्होंने अब गांधी से यंग इंडिया का संपादन करने का आग्रह किया। गांधी ने भी इस सुझाव को सहजता से स्वीकार कर लिया, क्योंकि इसमें पंजाब की गलतियों पर अपनी राय व्यक्त करने और सत्याग्रह पर अपना प्रशिक्षण करने का दोहरा अवसर था। लेकिन अंग्रेजी भाषा के समाचार पत्र के माध्यम से जनता को कैसे प्रशिक्षित किया जा सकता है? इस प्रकार सोबानी और बैंकर ने गुजराती मासिक नवजीवन को भी गांधी के अधीन कर दिया। अब इसे साप्ताहिक में बदल दिया गया और इंदुलाल याज्ञनिक ने इस पर काम करने की पेशकश की। शीघ्र ही पत्रिकाओं का व्यापक प्रसार होने लगा। ऐसे समय में जब अन्य राजनीतिक गतिविधि संभव नहीं थी, इन पत्रिकाओं ने गांधी को अपने विचारों को स्वतंत्र रूप से प्रसारित करने और लोगों के हृदय में जगह बनाने में सक्षम बनाया।

हंटर समिति (या डिसॉर्डर इन्कवायरी कमेटी, अक्टूबर 1919)

अक्टूबर, 1919 में भारत सरकार ने मार्शल लॉ के तहत पंजाब सरकार के कार्यों के संबंध में जांच करने के लिए हंटर कमेटी (जिसे हंटर कमीशन भी कहा जाता है) के गठन की घोषणा की। समिति का नाम आईसीएस के एक सदस्य विलियम हंटर के नाम पर रखा गया था, इसके अध्यक्ष बने।

इसके बाद गांधी ने पहली बार पंजाब की यात्रा की और लाहौर पहुंचे। कांग्रेस ने गांधी के साथ हंटर कमेटी का बहिष्कार करने का फैसला किया और इसके बजाय कांग्रेस की ओर से लगभग समानांतर जांच करने के लिए एक गैर-आधिकारिक

जांच समिति नियुक्त की। गांधी, पंडित मोतीलाल नेहरू, देशबंधु सी.आर. दास, अब्बास तैयबजी और एम.आर. जयकर को वस्तुत: पंडित मालवीय द्वारा इस समिति में नियुक्त किया गया था। समिति के काम को व्यवस्थित करने और इसकी रिपोर्ट तैयार करने की जिम्मेदारी गांधी पर आ गई, जिन्हें अब पंजाब के लोगों को करीब से देखने का मौका मिला। सरकार के अत्याचार की कहानियों ने गांधी को गहरी पीड़ा से भर दिया, विशेष रूप से इस तथ्य को देखते हुए कि इस प्रांत ने ब्रिटिश सरकार को सबसे बड़ी संख्या में सैनिक भेजे थे।

शुरुआत में डायर की उनके कार्यों के लिए ब्रिटेन में सराहना की गई थी, लेकिन जैसे-जैसे जांच आगे बढ़ी और नरसंहार व डायर के बयानों को व्यापक रूप से जान लिया गया तब ब्रिटिश प्रेस और कई ब्रिटिश अधिकारी डायर के प्रति शत्रुतापूर्ण हो गए थे। अंतिम रिपोर्ट (8 मार्च 1920 को जारी) ने सर्वसम्मति से डायर के कार्यों की निंदा की।

अखिल भारतीय खिलाफत सम्मेलन, दिल्ली (नवंबर, 1919)

जब डायरवाद की कांग्रेस की जांच चल रही थी, गांधी को दिल्ली में खिलाफत प्रश्न पर विचार-विमर्श करने और युद्ध के बाद शांति समारोह का बहिष्कार करने या न करने के मुद्दे पर विचार करने हेतु एक हिंदू-मुस्लिम संयुक्त सम्मेलन में उपस्थित होने के लिए निमंत्रण मिला। आमंत्रण में आगे कहा गया कि इस सम्मेलन से गाय से जुड़े मुद्दों के समाधान का भी एक सुनहरा अवसर प्राप्त होगा। गांधी ने महसूस किया कि खिलाफत के प्रश्न के समर्थन के बदले हिंदुओं की ओर से गोहत्या को रोकने की मांग करना उचित नहीं होगा। न ही मुसलमानों की ओर से गोरक्षा को सौदेबाजी के रूप में पेश करना उचित होगा। इसलिए गांधीजी की अपील पर गोरक्षा के प्रश्न पर इस सम्मेलन में चर्चा नहीं हुई।

मौलाना हसरत मोहानी ने खिलाफत के मामले में न्याय से वंचित होने की स्थिति में ब्रिटिश साम्राज्य के खिलाफ प्रतिशोध के रूप में ब्रिटिश सामानों के बहिष्कार का आह्वान किया। हालांकि, गांधी ने महसूस किया कि विदेशी वस्तुओं के बहिष्कार के अलावा कुछ नया करना आवश्यक होगा। क्योंकि उस सभा में लगभग प्रत्येक व्यक्ति ब्रिटिश निर्माण की कोई न कोई वस्तु लिए हुआ था। इसके अलावा, उस सरकार के प्रभावी प्रतिरोध के बारे में बात करना बेकार था, जिसके साथ कोई न कोई एक से अधिक तरीकों से सहयोग कर रहा था। इसलिए गांधी को ऐसा लग रहा था कि सरकार का एकमात्र सच्चा प्रतिरोध इसके साथ सहयोग करना बंद कर देना है। इस प्रकार गांधी 'असहयोग' शब्द पर पहुंचे और यहीं पर गांधी ने पहली बार इस शब्द का इस्तेमाल किया। इस सम्मेलन में गांधी को यह विश्वास हो गया था कि केवल हिंदी-उर्दू ही भारत की भाषा बन सकती है।

अमृतसर कांग्रेस (26 दिसंबर 1919, मोतीलाल नेहरू की अध्यक्षता में)

इस समय तक कांग्रेस में गांधी की भागीदारी राष्ट्रभाषा में भाषण बनाकर हिंदी की वकालत करने और विदेशों में भारतीयों के मामले को प्रस्तुत करने तक ही सीमित थी। हालांकि, गांधी ने अमृतसर कांग्रेस में अपनी भागीदारी को कांग्रेस की राजनीति में अपना वास्तविक प्रवेश माना।

गांधी एवं उनकी विचारधारा (Gandhi and his Ideology)

महात्मा गांधी

गांधी की विचारधारा का उद्भव अनेक प्रभावों से हुआ। अपनी आत्मकथा, **'सत्य के साथ मेरे प्रयोग की कहानी'** (The Storey of My Experiments with Truth), में उन्होंने लिखा है कि उनके माता-पिता एवं उनके परिवार के सामाजिक, धार्मिक परिवेश विशेषकर जैन व वैष्णव मूल्यों का उन पर गहरा प्रभाव पड़ा। भगवत गीता एवं जैन धर्म की शिक्षाओं ने उनके प्रारंभिक विचारों को प्रभावित किया। टॉलस्टॉय, थोरो एवं रस्किन के लेखों ने उनके बाद के जीवन को महत्वपूर्ण रूप से प्रभावित किया। साथ ही, उनके स्वयं के अनुभवों ने उनकी विचारधारा को स्वरूप प्रदान करने में एक महत्वपूर्ण भूमिका निभाई।

गांधीवादी विचारधारा के मुख्य सिद्धांत सत्य, अहिंसा, अस्तेय (चोरी न करना), अपरिग्रह (संग्रह न करना) एवं ब्रह्मचर्य (आत्म-नियंत्रण) थे। गांधी ने समर्थन किया कि सत्य एवं अहिंसा के अस्त्र का उपयोग भारत की आजादी की प्राप्ति के लिए करना है। सत्य से उन्होंने सत्याग्रह (सत्य के साथ दृढ़ता से बने रहना) की तकनीक की खोज की, जो किसी व्यक्ति के द्वेष को समाप्त करने का एक माध्यम है। अहिंसा के सिद्धांत से उन्होंने अहिंसक-संघर्ष की तकनीक को खोज निकाला। गांधी ने कहा कि अहिंसा हम जैसी प्रजातियों का वैसे ही कानून है जैसे कि हिंसा जानवरों का कानून होता है।

गांधीवादी विचारों की प्रमुख प्रकृति आध्यात्मिक है। गांधी का विश्वास था कि आध्यात्मिक पक्ष मानव प्रकृति का स्थाई पक्ष है। सत्य (प्रेम एवं अहिंसा) के मार्ग का पालन करते हुए प्रत्येक व्यक्ति वास्तविक स्वतंत्रता अर्थात आध्यात्मिक स्वतंत्रता प्राप्त कर सकता है। गांधी ने टिप्पणी की, ''जीवन के सांसारिक कार्यकलाप को इस तरह से शासित किया जाना चाहिए, जीवन के भौतिक पक्ष का इस तरह से निर्वहन किया जाना चाहिए, शारीरिक आवश्यकताओं को इस तरह से पूरा किया जाना चाहिए कि मनुष्य अपने आध्यात्मिक पक्ष के विकास को सुरक्षित करने में सक्षम हो सके।''

''जैसा सूक्ष्म जगत, वैसा स्थूल जगत'' ("As the microcosm, so the macrocosm") - यह विचार उनके विचारधारा एवं कार्यों में हमेशा बना रहा। वे उदाहरण के द्वारा नेतृत्व करने में विश्वास करते थे और उन्होंने जोर देकर कहा कि सिद्धांतों को पहले स्वयं व्यवहार में लाना चाहिए, उसके बाद दूसरों को उसके पालन हेतु प्रेरित करना चाहिए।

गांधीवादी विधियां बहुत अधिक अनुभाविक एवं व्यवहारिक थीं। कर्म-योगी गांधी त्रुटि एवं प्रयास में विश्वास करते थे और गलतियों से सीखते थे। यू. एस. मोहन राव लिखते हैं कि सत्य एवं अहिंसा जैसे आधारभूत सिद्धांतों में गांधी की आस्था अविचल थी। वे इन सिद्धांतों का उपयोग, परीक्षण की एक निरंतर प्रक्रिया के द्वारा करते थे, जिसे वे अभ्यास से विकसित करते थे। उनकी समस्या-समाधान की विधि की कोई निश्चितता नहीं होती थी और वे उसमें नए परीक्षण से सुधार करते रहते थे।

गांधी की इस बात के लिए भी आलोचना की जाती है कि वे विचारों की दुनिया में जीते थे, जिनका वास्तविक दुनिया से कोई संबंध नहीं होता था। इसके विपरीत गांधी वही सिखाते थे, जो वे स्वयं व्यवहार में लाते थे। उन्होंने अपना दर्शन अपने जीवन के अनुभवों के आधार पर विकसित किया था और उन्होंने अपनी आत्मकथा का नाम 'सत्य के साथ मेरे प्रयोग की कहानी' वास्तव में उचित ही रखा था। गांधीवादी विचारधारा के मुख्य पक्षों को निम्नलिखित शीर्षकों में समझा जा सकता है-

सत्याग्रह

सत्याग्रह गांधीवादी विचारधारा का एक मुख्य पक्ष था। इसका शाब्दिक अर्थ है- सत्य के लिए दृढ़ रहना अथवा सत्य के लिए आग्रह अथवा सत्य-बल। गांधी ने सत्याग्रह को दक्षिण अफ्रीका में विकसित किया था। बाद में, भारत के स्वतंत्रता संघर्ष में 1919 से निरंतर एक प्रभुत्वशाली साधन के रूप में इसका इस्तेमाल किया। सत्याग्रह में सत्य के लिए आग्रह करना एवं आत्म-कष्ट के द्वारा, न की हिंसा से, शत्रु को अपने विचार के प्रति आश्वस्त करना इसका उद्देश्य था। यह अनेक माध्यमों द्वारा किया जा सकता है, जैसे सत्ता के प्रति सविनय अवज्ञा अथवा निष्क्रिय प्रतिरोध दिखाना, बुराई के प्रति असहयोग करना, उपवास, हड़ताल, मार्च करना इत्यादि। एक सत्याग्रही को सत्य को साबित करने के लिए हिंसात्मक साधनों का प्रयोग नहीं करना चाहिए, बल्कि धैर्य एवं सहानुभूति से विरोधी को बुराई से छुड़ाना चाहिए।

गांधी के लिए सत्याग्रह केवल एक राजनीतिक साधन नहीं, बल्कि जीवन एवं कर्म के बारे में उनके दर्शन का एक अभिन्न भाग था। गांधी ने केवल सत्य के रूप में भगवान की पूजा की। यह सत्य केवल शब्दों में ही नहीं, विचार में भी सत्य है और न केवल हमारी अवधारणा का सापेक्ष है, बल्कि परम सत्य, शाश्वत सिद्धांत अर्थात् ईश्वर है। वे विश्वास करते थे कि मानव जीवन का लक्ष्य 'सत्य' की खोज करना है और चूंकि कोई शाश्वत सत्य को नहीं जान सकता, इसलिए किसी को दूसरे व्यक्ति की सत्यनिष्ठा पर कभी हमला नहीं करना चाहिए अथवा यदि कोई दूसरा व्यक्ति सत्य की खोज

में लगा हो, तो उसे रोकना नहीं चाहिए। सत्याग्रह को निष्क्रिय-प्रतिरोध से अलग करते हुए गांधी ने स्पष्ट किया कि जहां सत्याग्रह हिंसा के उपयोग को किसी भी स्वरूप में स्वीकार नहीं करता, वहीं दूसरी ओर निष्क्रिय प्रतिरोध में ऐसा नहीं है।

सत्याग्रह हिंसात्मक साधनों की अपेक्षा बहुत अधिक उत्कृष्ट है। इस बात को ऐसे समझा सकता है कि सत्याग्रह के बाद, जिसके विरुद्ध सत्याग्रह किया जाता है, उसके प्रति कोई कड़वाहट नहीं रहती। यद्यपि बुराई के बदले अच्छाई करने का सिद्धांत कोई नया नहीं है और उनके पहले भी अनेक विचारकों एवं उपदेशकों जैसे बुद्ध एवं क्राइस्ट (ईसा मसीह) इसको व्यवहार में ला चुके थे। गांधी का सहयोग इस बात में है कि वे सत्याग्रह को व्यक्तिगत जीवन से निकालकर सार्वजनिक जीवन में लेकर आए। उन्होंने सत्याग्रह को सामाजिक, राजनीतिक एवं आर्थिक समस्याओं के लिए एक साधन बनाया, जो उनका एक मौलिक व अनूठा सहयोग था। आलोचक इस ओर ध्यान केंद्रित करते हैं कि गांधी ने सत्याग्रह की तकनीकों का उपयोग जन-आंदोलन को ऊपर से नियंत्रित करने में किया था। इस बात से इंकार नहीं किया जा सकता कि यह सत्याग्रह ही था, जिसने स्वतंत्रता संघर्ष के लिए भारतीय समाज के लगभग सभी वर्गों को एकता के सूत्र में बांधा, जो पहले कभी नहीं हुआ था।

स्टेनली जोन्स, "सत्याग्रही बुराई करने वाले के विरुद्ध कोई नफरत या बुरा भाव नहीं रखता। वह प्रेम से क्रोध व नफरत को, अच्छाई को बुराई से, असत्य को सत्य से एवं हिंसा को अहिंसा से जीतने का प्रयास करता है। भौतिक शरीर के अंदर आत्मा के अस्तित्व में आस्था होने से, वे सीधे इसी पर ध्यान देते हैं। इस प्रकार सत्याग्रही आत्म-बल को अधिक महत्व देता है और वही उसका सबसे महत्वपूर्ण अस्त्र है।"

अहिंसा

अहिंसा ने सत्याग्रह के आधार को बनाया। गांधी के अनुसार, "जब एक व्यक्ति अहिंसक होने का दावा करता है तो उससे अपेक्षा की जाती है कि वह उस व्यक्ति के प्रति भी क्रोध न करे, जिसने उसे आहत किया हो। वह न ही उसे हानि पहुंचाएगा और न ही उसकी अच्छाई की इच्छा रखेगा। वह बुराई करने वाले व्यक्ति के सारे कष्ट अपने ऊपर ले लेगा। इस प्रकार अहिंसा पूर्णतया निष्कपट होती है। सभी जीवों के विरुद्ध दोषपूर्ण व्यवहार का अभाव ही पूर्ण अहिंसा है।" गांधी आगे कहते हैं कि अहिंसा मानव प्रजाति का वैसे ही नियम है, जैसे जानवरों का नियम हिंसा होता है। मानव-सभ्यता का इतिहास बताता है कि मनुष्य ने अहिंसा की ओर क्रमिक रूप से प्रगति की है।

गांधी ने कारण भी बताएं कि क्यों अहिंसा को हिंसा की अपेक्षा प्राथमिकता दी जानी चाहिए। पहला, अहिंसात्मक संघर्ष शिष्टता से किया जाता है और इसमें कड़वाहट बहुत कम होती है। यह मानवता को क्रूरता की ओर नहीं ले जाता जैसा की हिंसात्मक युद्ध में होता है। दूसरा, अहिंसक योद्धा हमेशा समझौते के लिए तैयार रहते हैं। तीसरा, अहिंसा के लिए युद्ध में उपयोग होने वाले हथियार को अनुपयोगी होते हैं। जिस शत्रु के पास ये हथियार होते हैं, अहिंसा के सामने उसकी स्थिति कमजोर हो जाती है। चौथा, अहिंसा रूपी नैतिक हथियार दोनों ही पक्षों को सभ्य बनाता है। अंत में, एक अहिंसक संघर्ष में सत्याग्रही की जीत निश्चित होती है, क्योंकि उसकी ओर से स्वयं ईश्वर लड़ते हैं।

गांधी ने बलपूर्वक कहा कि अहिंसा साहसी का अस्त्र होता है न कि कायर का। हालांकि कभी-कभी उन्होंने ऐसे निर्णय लिए, जो पूर्ण अहिंसात्मक नहीं थे। उदाहरण के तौर पर, गांधी ने स्वयं कहा था कि अन्याय के आगे कायरों की भांति घुटने टेकने की बजाए हिंसा बेहतर विकल्प है। जो हिंसा, आत्मरक्षा में अथवा सुरक्षाहीन की रक्षा के लिए की जाती है, साहस के अंतर्गत आती है। इस तरह के कथनों की व्याख्या करने में अक्सर समस्या आती है। प्रथम विश्व युद्ध के दौरान गांधी ने स्वयं सैन्य भर्ती के लिए प्रचार किया था। उन्हें आशा थी कि युद्ध के बाद ब्रिटिश सरकार उन्हें रियायतें देगी। इस तरह के कार्य को अहिंसा के सिद्धांत के साथ जोड़कर नहीं देखा जा सकता।

स्वराज्य

स्वराज्य का अर्थ होता है स्वयं का शासन। अन्य शब्दों में यह लोकप्रिय संप्रभुता को दर्शाता है, जहां जनता स्वयं अपने आप को शासित करती है। गांधी लोकप्रिय संप्रभुता की अवधारणा में विश्वास करते थे और उनका विचार था कि जनता को ऐसी सरकार मिलनी चाहिए, जिसके वे योग्य हैं, स्वशासन केवल स्व-प्रयत्न से ही लाया जा सकता है। वे अक्सर कहते थे ''जनता जड़ के समान है और राज्य फल के समान है, यदि जड़ें स्वादिष्ट होंगी तो फल भी स्वादिष्ट होंगे।''

गांधी के लिए स्वराज्य का सपना एक निर्धन व्यक्ति का स्वराज्य था। एक वास्तविक लोकतांत्रिक होने के कारण वे गरीब व अमीर, कमजोर व शक्तिशाली के बीच की खाई को कम करना चाहते थे। उनका विचार था कि आधारभूत सुविधाएं समाज में सभी को समान रूप से उपलब्ध होनी चाहिए।

हिंद स्वराज्य- हिंद स्वराज्य (1909) किताब में गांधी के विचारों को संकलित किया गया है। इस किताब में गांधी ने स्पष्ट किया है कि हमारा वास्तविक शत्रु ब्रिटिश शासन नहीं बल्कि आधुनिक पाश्चात्य सभ्यता है, जो भारत को अपनी पकड़ में जकड़ती जा रही है। खाद्यान्न के आयात के द्वारा प्लेग एवं अकाल को बढ़ाने के लिए उन्होंने रेलवे की भी आलोचना की। यद्यपि उनकी आलोचना में रूढ़िवादिता थी, लेकिन उनके विचार निश्चित रूप से देश की जनता पर आधुनिकता के बुरे प्रभावों को दर्शाते हैं। अत: यहां स्वराज्य अथवा स्वशासन को उन्होंने एक जीवन-शैली के रूप में बताया, जो भारतीयों द्वारा आधुनिक तरीकों से भ्रष्ट हुए बिना केवल अपने परंपरागत जीवन का पालन करने से प्राप्त किया जा सकता।

बाद में गांधी ने हिंद स्वराज्य के अपने विचारों में ग्रामों की पुनर्सरचना, खादी के प्रोत्साहन एवं हरिजन कल्याण को शामिल किया। इस प्रकार सामाजिक-आर्थिक पुनर्सरचना की आवश्यकता की ओर राष्ट्र का ध्यान केंद्रित किया।

स्वदेशी

गांधी ने स्वदेशी का भी समर्थन किया था जिसका अर्थ होता है देश की बनी वस्तुओं का उपयोग करना। इसका उद्देश्य था मशीन से बने विदेशी कपड़ों को हाथ से बने देशी कपड़ों द्वारा बाजार से हटाया जाए, ताकि किसानों की गरीबी दूर की जा सके। इन्हें वे हाथ से बना सकते थे, जो उनकी आय के एक पूरक के रूप में काम कर सकेगी। इसके साथ ही इसे निर्यातक कपड़ों के भुगतान से होने वाले धन के निर्गम को भी नियंत्रित करने के एक समाधान के रूप में भी देखा गया।

ध्यान देने योग्य है कि यद्यपि गांधी पाश्चात्य प्रभाव के विरोधी थे, लेकिन उन्होंने भारत में विकसित होने वाली आधुनिक उद्योगों का विरोध नहीं किया था। उद्योगपतियों जैसे अंबालाल साराभाई एवं जी. डी. बिरला के साथ उनके अच्छे संबंध थे। वे पूंजी एवं श्रम की पारस्परिक निर्भरता में विश्वास रखते थे और उनका कहना था कि पूंजीपतियों को स्वयं को श्रमिकों का **न्यासी** (trustees) समझना चाहिए (गांधी का न्यास संबंधी सिद्धांत)। वे वर्ग के आधार पर श्रमिकों के राजनीतिकरण के समर्थन में थे, लेकिन उन्होंने आक्रामक आर्थिक-संघर्ष को अस्वीकार कर दिया था।

सर्वोदय

इसका शाब्दिक अर्थ है सबका विकास अथवा उन्नयन। गांधी के अनुसार यह समाज में प्रत्येक व्यक्ति के जागरूक प्रयास द्वारा सभी के कल्याण की ओर संकेत करता है। उनका कहना था कि सर्वोदय में विश्वास करने वाला व्यक्ति सभी के लिए उच्चतम शुभ प्राप्त करने के लिए संघर्ष करता है एवं इस आदर्श को प्राप्त करने के लिए वह अपने जीवन तक न्यौछावर कर देता है।

आदर्श राज्य एवं आदर्श समाज पर विचार- राम राज्य एवं सर्वोदय समाज गांधी ने आदर्श समाज की कल्पना राम-राज्य के रूप में की थी। उनके लिए इसका अर्थ था 'सहयोगी राष्ट्रमंडल एवं राज्यविहीन' एक व्यवस्था। उन्होंने राज्य को अस्वीकार कर दिया था, क्योंकि यह बहुत ही केंद्रीय व्यवस्था होती है, जिसका आधार हिंसा होता है तथा ऐसी व्यवस्था

बिना बल व हिंसा के नहीं बनी रह सकती। उन्होंने कहा, ''मैं बहुत अधिक भय के साथ राज्य की बढ़ती हुई शक्ति को देखता हूं। यद्यपि शोषण को कम करके इसने कुछ अच्छा किया है, लेकिन यह व्यक्तिवादिता को नष्ट करके मानवता को बहुत अधिक नुकसान पहुंचाता है, जो प्रत्येक प्रकार की उन्नति का आधार होता है।''

गांधी **थोरो** से सहमत थे कि वही सरकार श्रेष्ठ है, जो सबसे कम शासन करती हो। गांधी के लिए राज्य का प्रमुख कार्य सामाजिक व्यवहार को नियमित करना था। एक आदर्श समाज अथवा राम-राज्य में व्यक्तियों के व्यवहार को नियमित करने के लिए किसी अन्य बाहरी सत्ता की आवश्यकता नहीं होगी। वे आत्म-अनुशासित होंगे और कभी भी दूसरे सदस्य के हित के विरुद्ध कार्य नहीं करेंगे। यह ध्यान देने योग्य बात है कि गांधी ने राज्य को नैतिक आधार पर अस्वीकार किया था, न की साम्यवादी आधार पर और साम्यवादी विचारधारा के अनुसार राज्य पूंजीवाद को प्रोत्साहित करता है, अतएव इसे समाप्त कर देना चाहिए।

गांधी ने एक ऐसे राज्यविहीन समाज की कल्पना की, जो गांवों से मिलकर बना होगा और वह स्वैच्छिक सहयोग के आधार पर कार्य करेगा। प्रत्येक गांव एक गणतंत्र अथवा पूर्ण शक्ति के साथ पंचायत होगा। इस प्रकार का समाज पूर्ण लोकतंत्र का प्रतिनिधित्व करेगा। वे नैतिकता के आधार पर एक शिथिल संघवाद में संगठित होंगे। एक व्यवहारिक आदर्शवादी होने के कारण गांधी ने महसूस किया था कि एक आदर्श राज्यविहीन समाज मानव कमजोरी के कारण व्यवहार्य नहीं है, इसलिए दूसरा श्रेष्ठ विकल्प पूर्णतया अहिंसक समाज नहीं, बल्कि प्रबलता से बना एक अहिंसक समाज है।

कांट के सामान ही गांधी ने भी महसूस किया कि व्यक्ति लक्ष्य है और राज्य साधन। लेकिन व्यक्तिगत स्वतंत्रता, अन्य व्यक्तियों की स्वतंत्रता पर निर्भर करती है। एक व्यक्ति को अपनी स्वतंत्रता सीमाओं के दायरे में उपयोग करनी चाहिए। उसे अपनी स्वतंत्रता पर प्रतिबंध लगाने चाहिए, ताकि अन्य व्यक्ति भी अपनी स्वतंत्रता का उपयोग कर सकें। स्पष्ट रूप से, उनके लिए अधिकार से अधिक कर्तव्य का महत्व था और वे मानते थे कि व्यक्ति का आंतरिक विकास सामाजिक दायित्वों के निर्वहन से ही संभव है।

इस प्रकार गांधी ने आत्मनिर्भर गांवों के एक **राज्यविहीन व वर्गविहीन** समाज की कल्पना की। इस समाज का आधार बल के स्थान पर अहिंसा, शोषण के स्थान पर सेवा एवं अर्जनशीलता के स्थान पर त्याग था। गांधी ने इस आदर्श समाज का नाम सर्वोदय समाज रखा, एक ऐसा राज्यविहीन समाज जहां सामाजिक जीवन में इतनी पूर्णता होगी कि वह स्व-नियमित हो सके। गांधी एक व्यवहारिक आदर्शवादी थे, उन्होंने यह भी अनुभव किया कि सर्वोदय समाज को शीघ्रता से प्राप्त नहीं किया जा सकता। अतएव व्यवहारिक रूप से, वर्तमान में प्रचलित व्यवस्था के साथ रहना और उसमें निरंतर सर्वोदय के आदर्श विचारों से सुधार करना, श्रेष्ठ होगा।

गांधी के अन्य विचार

धर्म पर उनके विचार

गांधी के लिए धर्म सत्य के लिए संघर्ष था। उनके अनुसार धर्म को निजी विचारों के क्षेत्र तक सीमित नहीं रख सकते, बल्कि इसका मनुष्य की **सभी गतिविधियों** में समावेश एवं प्रभाव होना चाहिए। एक हिंदू उपासक होने के बावजूद गांधी के धर्म के प्रति दृष्टिकोण संकीर्ण नहीं बल्कि सार्वभौमिक था। वे चाहते थे कि भारतीयों को अपनी संस्कृति से गहराई से जुड़े रहना चाहिए, लेकिन साथ ही अन्य संस्कृतियों से अच्छे गुण ग्रहण करने के लिए तैयार रहना चाहिए।

विकेंद्रीकरण पर उनके विचार

गांधी ने केंद्रीकरण को व्यक्तिगत स्वतंत्रता का विरोधी बताया। साथ ही बिना बल के इसे बनाए नहीं रखा जा सकता। अतएव, अहिंसक समाज के लिए विकेंद्रीकरण होना आवश्यक है। गांवों के पास अपने कार्यकलापों का प्रबंधन करने के लिए अधिकतम स्वायत्तता होनी चाहिए। प्रत्येक व्यक्ति को शासकीय प्रक्रिया में भागीदारी करने योग्य होना चाहिए।

आर्थिक विकेंद्रीकरण पर उनके विचार

यह केंद्रीकृत वृहद स्तरीय उद्योगों के स्थान पर कुटीर उद्योगों की वरीयता को दर्शाता है। गांधी ने महसूस किया कि आधुनिक केंद्रीयकृत औद्योगिकरण समाज को अमीर एवं गरीब में विभाजित करता है और लोगों को दूसरों की पीड़ा के प्रति असंवेदनशील बनाता है। यह उपनिवेशवाद की ओर ले जाता है एवं अधिक से अधिक धन एकत्रित करने की प्रवृत्ति को बढ़ावा देता है। अतएव, मनुष्य की उच्च मूल्यों के प्रति इच्छा कुटीर उद्योगों की व्यवस्था से ही संभव है, जहां श्रमिक स्वयं उत्पादन के साधनों के मालिक होते हैं। संक्षिप्त में, व्यक्ति के द्वारा व्यक्ति के शोषण को समाप्त करने का यह एक श्रेष्ठ तरीका है। साथ ही इसके द्वारा आर्थिक क्षेत्र में सत्य एवं अहिंसा के सिद्धांत को प्रोत्साहित किया जा सकेगा।

वर्ण-व्यवस्था एवं अपरिग्रह पर गांधी के विचार

गांधी ने वर्ण-व्यवस्था के समर्थन में विचार दिए। उनके लिए इसका निहितार्थ था, सभी व्यवसायों की समानता के साथ सभी व्यवसायों के लिए समान वेतन। उनका मानना था कि प्रत्येक व्यक्ति को अपने वंशानुगत व्यवसाय को अपना एक सामाजिक कर्तव्य समझ कर आगे बढ़ाना चाहिए, न की धन इकठ्ठा करने के एक रास्ता समझना चाहिए। इससे अस्वस्थ्य प्रतियोगिता समाप्त होगी और उच्च व निम्न का अंतर समाप्त होगा। इससे व्यक्ति का कौशल भी उन्नत होगा एवं समाज की आय भी बढ़ेगी। बुद्ध के समान गांधी मानते थे कि जीवन के सारे दु:खों का कारण इच्छाओं में वृद्धि होना है एवं उन्होंने इच्छाओं में कमी करने का सुझाव दिया। अपरिग्रह अथवा वस्तुओं का संग्रह न करना एक प्राचीन सिद्धांत है, जो एक संतुष्ट जीवन की ओर ले जाता है एवं जिससे मुक्ति प्राप्त होती है। गांधी ने इसके अर्थ एवं अनुप्रयोग को बढ़ाने में महत्वपूर्ण योगदान दिया।

लोकतंत्र पर उनके विचार

गांधी ने लोकतंत्र को इस तरह परिभाषित किया, ''सार्वजनिक हित के लिए समाज के विभिन्न वर्गों के भौतिक, आर्थिक एवं अध्यात्मिक संसाधनों को लामबंद अथवा सक्रिय करने का विज्ञान ही लोकतंत्र है।'' अत: लोकतंत्र गांधी के लिए केवल एक राजनीतिक मूल्य नहीं था, बल्कि यह एक सामाजिक व आर्थिक मूल्य भी था। उनके लिए यह केवल प्रतिसत्तात्मक लोकतंत्र, बहुमत का शासन अथवा अधिकतम लोगों का अधिकतम सुख नहीं था। इसके स्थान पर उन्होंने वास्तविक व्यक्तिवादी लोकतंत्र एवं सभी के अधिकतम सुख अथवा शुभ पर बल दिया। उनके अनुसार लोकतंत्र की सफलता के लिए कुछ आवश्यक परिस्थितियां होनी चाहिए जैसे- अनुशासन, कानून का पालन, निस्वार्थ भावना, सहनशीलता, नागरिक सशक्तिकरण एवं सतर्क जनमत अथवा सहभागिता।

शिक्षा पर उनके विचार

गांधी ने शिक्षा को व्यक्ति के **शरीर, मन** एवं **आत्मा** के सम्पूर्ण विकास के रूप में परिभाषित किया था। आत्मा के विकास से उनका अर्थ हृदय को महसूस करना सिखाना था। साथ ही, उन्होंने बल देकर कहा कि शिक्षा का मुख्य उद्देश रोजगार के अवसर बढ़ाना होना चाहिए। उनका विचार था कि जो शिक्षा व्यक्ति को कमाने के योग्य नहीं बनाती, वह बेकार है। गांधी ने राज्य द्वारा शिक्षा के प्रबंध का समर्थन भी किया। राज्य को सभी के लिए मुफ्त एवं अनिवार्य प्राथमिक शिक्षा प्रदान करना चाहिए।

वर्धा योजना

वर्धा योजना, देशी-शिक्षा की योजना थी, जिसे 1937 में **गांधी द्वारा प्रस्तावित** किया गया था और जिसका प्रकाशन हरिजन पत्रिका में हुआ था। यह एक **आधारभूत शिक्षा** की योजना थी। इस योजना का मुख्य सिद्धांत था, गतिविधियों से सीखना। यह सात वर्षीय पाठ्यक्रम/कोर्स था, जिसे मातृभाषा में सिखाया जाना था। वर्धा योजना पर बाद में जाकिर हुसैन समिति द्वारा कार्य किया गया, लेकिन 1939 में कांग्रेस-मंत्रिमंडल के त्यागपत्र के बाद इसे स्थगित कर दिया गया था। उन्होंने औपनिवेशिक शिक्षा को अस्वीकार किया एवं अनुभव किया कि यह सृजनशीलता को पनपने नहीं देती व भारत के लोगों की सांस्कृतिक व्यवहारिक बुद्धि को नष्ट करती है।

महिलाओं की स्थिति पर उनके विचार

गांधी ने महिलाओं के विरुद्ध होने वाले सभी प्रकार के भेदभावों की कड़ी आलोचना की। उन्होंने मनु के इस विचार को कि 'महिला के लिए कोई स्वतंत्रता नहीं हो सकती', को अस्वीकार कर दिया। उन्होंने महिला एवं पुरुष के बीच **पूर्ण समानता** का समर्थन किया। उन्होंने कहा कि महिला, पुरुष की एक साथी होती है और प्रत्येक पक्ष में उसके समान होती है। उन्होंने महिलाओं के बारे में 'कमजोर लिंग' के विचार को अस्वीकार किया। उन्होंने कहा कि ''महिलाओं को कमजोर लिंग बुलाना अपमानजनक है। यदि शक्ति का अर्थ क्रूर-शक्ति से है, तो वास्तव में एक महिला पुरुष से कम क्रूर होती है, लेकिन यदि शक्ति का तात्पर्य नैतिक शक्ति से है, तब महिला अपरिमित रूप से पुरुष से श्रेष्ठ होती है।''

उन्होंने उन सभी सामाजिक असमर्थताओं की कड़ी आलोचना की, जो महिलाओं पर आरोपित किए जाते थे, जैसे- बाल विवाह, दहेज प्रथा, पर्दा प्रथा, विधवा प्रथा, देवदासी व्यवस्था (मंदिर से जुड़ी वेश्यावृत्ति)। उन्होंने महिलाओं के लिए सामाजिक, राजनीतिक एवं आर्थिक क्षेत्रों में पूर्ण संरक्षण की वकालत की। उन्होंने महिला एवं पुरुष, दोनों के लिए समान कार्य के लिए समान वेतन की मांग की। उन्होंने महिलाओं को भारतीय राष्ट्रीय आंदोलन से जुड़ने का बार-बार आग्रह किया। उन्होंने महसूस किया कि महिलाएं अहिंसक संघर्ष एवं सत्याग्रह के लिए बेहतर हैं। गांधी के प्रयासों के परिणामस्वरूप, महिलाओं ने भारत के स्वाधीनता संघर्ष में बड़े स्तर पर भागीदारी की एवं भारतीय समाज़ में महिलाओं के स्तर एवं बदलती भूमिका में यह एक महत्वपूर्ण कारण रहा। इस काल के दौरान कुछ महत्वपूर्ण महिला नेता, जिनका उद्भव हुआ, वे थीं- कस्तूरबा गांधी, कमला नेहरू, सरोजिनी नायडू, कमला देवी चट्टोपाध्याय एवं राजकुमारी अमृता कौर।

अस्पृश्यता पर उनके विचार

गांधी के समर्थन में मजदूरों की हड़ताल

गांधी ने अस्पृश्यता/छुआ-छूत को मानवता के विरुद्ध अपराध मानते हुए इसका परित्याग कर दिया था। ''कोई भी अछूत पैदा नहीं हो सकता, क्योंकि सभी का संबंध एक ही प्रकाश अथवा दैवीय प्रदीप्ति से है।'' उन्होंने अछूतों का नाम हरिजन (ईश्वर के लोग) रखा। उन्होंने महसूस किया कि छुआ-छूत एक बीमारी है जो युगों से हिंदु-धर्म को कमजोर कर रही है। यदि छुआ-छूत जीवित रहेगा, तो हिंदू-धर्म व भारत जीवित नहीं रहेगा। छुआ-छूत के विरुद्ध गांधी एवं अन्य लोगों के प्रयासों से अंततः भारतीय संविधान के अनुच्छेद 17 के द्वारा छुआ-छूत का अंत कर दिया गया।

निष्कर्ष रूप में कहा जाए तो गांधीवादी विचारधारा में बहुत वाद-विवाद एवं विरोधाभास है, विशेषकर आज के युग में उसकी प्रासंगिकता के संबंध में। विभिन्न प्रकार के लोग विभिन्न प्रकार से उनके विचारों के प्रति अपनी प्रतिक्रिया देते हैं। तथापि उनके विचारों ने हमारे स्वाधीनता संघर्ष को बहुत अधिक प्रभावित किया एवं दिशा प्रदान की।

विशिष्ट लेख- गांधी के अधीन जन आंदोलन (Special Note- Mass Mobilization under Gandhi)

भारत के स्वाधीनता संघर्ष में मोहनदास करमचंद गांधी का प्रवेश अत्यंत महत्वपूर्ण साबित हुआ। उनके नेतृत्व से राष्ट्रीय आंदोलन ने एक अलग विचारात्मक निर्देशन प्राप्त किया। थोड़े समय में ही वे कांग्रेस के साथ-साथ जनता के अविवादित नेता बन गए थे। गांधी के नेतृत्व में पहली बार भारतीय राष्ट्रीय आंदोलन एक जन-आंदोलन बन गया था। ऐसा गांधी के व्यापक जनसंपर्क के कारण हुआ। उनके जीवन, व्यक्तित्व एवं विचारधारा ने भारतीय समाज के लगभग सभी वर्गों को प्रभावित किया।

गांधीजी का विचार था कि भारत को आजादी केवल जनता की सक्रिय सहभागिता से मिल सकेगी। उन्होंने स्वतंत्रता संघर्ष को इस आधारभूत संकल्पना कि जनता राजनीति का साध्य है न कि साधन पर आधारित किया। इस प्रकार गांधी ने नेताओं एवं जनता के बीच की खाई को समाप्त करने का प्रयास किया। उन्होंने उदारवादियों एवं उग्रवादियों के मध्य का मार्ग चुना और जो संगठन व सहजता के बीच सही संतुलन बनाने में सक्षम था। उन्होंने कांग्रेस को अधिक लोकतांत्रिक एवं जनता के करीब बनाया। गांधी के व्यक्तित्व से भी नेताओं के मध्य में स्वस्थ व लोकतांत्रिक संबंध बने रहे। निष्कर्ष रूप में कहा जा सकता है कि जनता की क्षमता, उनके साहस व उनकी नैतिक शक्ति में बहुत अधिक आस्था का होना गांधी की राजनीति का आधार था।

गांधी के जन आंदोलन की विधियां

गांधीवादी विधियां जन-आंदोलन की विधियों के रूप में बहुत प्रभावशाली साबित हुई। उन्होंने पहले उनका दक्षिण अफ्रीका में परीक्षण किया और बाद में सफलतापूर्वक भारत के स्वाधीनता संघर्ष में प्रयोग किया। उन्होंने जन-आंदोलन में निम्नलिखित विधियों को समाविष्ट किया-

1. **अनुशासित संवर्गों का ध्यानपूर्वक प्रशिक्षण**- गांधी ने साबरमती आश्रम में अपने संवर्गों को ध्यानपूर्वक प्रशिक्षण दिया।
2. **सत्याग्रह की विधि**- इसमें शांतिपूर्ण तरीके से अन्यायपूर्ण कानूनों का उल्लंघन, निष्क्रिय प्रतिरोध अथवा सविनय अवज्ञा, शांतिपूर्ण पैदल मार्च, गिरफ्तारी देना इत्यादि शामिल था।
3. **सामाजिक सुधार अथवा रचनात्मक कार्यक्रम**- गांधी ने भारतीय समाज को मजबूत करने के लिए सामाजिक सुधारों पर बल दिया। उन्होंने अपने हाथ की पांचों उंगलियों की ओर इशारा करते हुए जनता से पांच सद्‌गुणों की बात कही थी- कताई, छुआ-छूत का अंत, शराब का सेवन न करना, हिंदू-मुस्लिम एकता एवं जेंडर समानता।

   इन्हीं विधियों से गांधी ने कांग्रेस-आंदोलन को एक जन-आंदोलन में रूपांतरित कर दिया था।

सरकार के अनुसार गांधी की विधियों में सुनियोजित योजना, समझौते के लिए तैयार रहना एवं गांधीवादी सोच (शाकाहारी जीवन, प्राकृतिक चिकित्सा, लैंगिक प्रतिबंध इत्यादि) के साथ कुछ अव्यवहारिक तरीके शामिल थे। जिस कारण आंदोलन के दौरान जनता के साथ घनिष्ठ रूप से जुड़ने में सक्षम हो पाए। साथ ही, समय-समय पर उनकी ऊर्जा को एक पूर्व निर्धारित, शांतिपूर्ण दिशा में निर्देशित कर देते थे।

गांधी को जन-नेता बनाने में किन कारकों की भूमिका रही?

अनेक कारक हैं, जिनकी वजह से गांधी एक जन-नेता के रूप में उभरे-

1. **अफवाहों की भूमिका**- सुमित सरकार के अनुसार बहुत अधिक अशिक्षित, गरीब एवं दयनीय समाज होने के कारण अफवाहों ने भी उनको जन-नेता बनाने भूमिका निभाई। गांधी को एक महात्मा व एक संत, जिसके पास चमत्कारी शक्तियां थीं, की तरह जाना गया। 1921 में इलाहाबाद में किसान आंदोलन की एक सी. आई. डी. प्रतिवेदन में लिखा है कि, ''दूरस्थ गांवों में गांधी के नाम वाली मुद्रा प्राप्त होना आश्चर्यजनक है। कोई नहीं जानना चाहता कि वह कौन और क्या हैं, लेकिन यह स्वीकार्य तर्क है कि जो वे कहते हैं और जो वे आज्ञा देते हैं, उसे माना जाना चाहिए।'' इस तरह किसान कल्पना कर सकते थे कि गांधी जमींदारों के शोषण का अंत कर सकते हैं और श्रमिक कल्पना कर सकते थे कि वे उन्हें भूमि प्रदान कर सकते हैं।
2. **'ऊपर से रक्षक' अर्थात फरिश्ते की ऐतिहासिक आवश्यकता**- विद्वान तर्क देते हैं कि गांधी के बारे में लोकप्रिय संकल्पनाओं को एक ऐतिहासिक आवश्यकता के द्वारा स्वरूप मिला। वह यह कि जनता को एक ऊपर से आए हुए

रक्षक अर्थात फरिश्ते के द्वारा प्रतिनिधित्व की आवश्यकता थी और गांधी ने उस आवश्यकता को पूरा किया। 1920 के पहले अनेक स्थानीय नेताओं का उद्भव हुआ, लेकिन जनता एक राष्ट्रीय स्तर के निर्देशन को चाहती थी। इस बात को प्रतापगढ़ में जो हुआ, उससे समझा जा सकता है। यहां बाबा रामचंद्र ने स्थानीय स्तर पर जनता का नेतृत्व किया, जिससे बेदखली (जबरन निष्कासन) समाप्त हुई। गांधी अथवा कांग्रेस के नेतृत्व सीधे तौर पर यहां कुछ नहीं कर सकते थे, लेकिन अंत में उनकी सफलता का श्रेय गांधी को मिला।

3. **गांधी की राजनीतिक रणनीति**- विपिन चंद्र गांधी की लोकप्रियता का श्रेय उनकी राजनीतिक रणनीति को देते हैं। वे लिखते हैं कि गांधी एक राजनीतिक नेता थे और यह उनका राजनीतिक अभ्यास था कि वे जनता को राजनीतिक कार्यकलाप के लिए सक्रिय करने में सक्षम हुए। वे आगे लिखते हैं कि गांधी की राजनीतिक रणनीति के पीछे उनकी ब्रिटिश शासन एवं भारतीय जनता की प्रकृति की गहरी समझ थी। उन्होंने महसूस किया था कि ब्रिटिश शासन ने जान-बूझकर जनता में राजनीतिक अक्रियता को भरा है, ताकि वे औपनिवेशिक शासन को बनाए रख सकें। इसलिए गांधी का उद्देश्य जनता के मन एवं दिल को जीतना और उनमें राष्ट्रीय चेतना को भरना था। उनका उद्देश्य जनता को भारत के दूरस्थ कोने से निकालकर राष्ट्रीय राजनीति के केंद्र में लाना था।

   ब्रिटिश सरकार ने 'परोपकारिता' एवं 'अपराजिता' के दो जुड़वा विचारों को पोषित किया था, ताकि वे अपने शासन को बनाए रख सकें। गांधी ने इन दोनों ही विचारों पर हमला किया। उन्होंने परोपकारिता अथवा भलाई के विचार पर औपनिवेशिक शासन के शोषणकारी प्रकृति को उजागर करके हमला किया। अपराजेयता के विचार पर कानून तोड़ने के जन-आंदोलन से हमला किया। इस प्रकार चंद्र के अनुसार, गांधी की राजनीतिक रणनीति ने उनकी लोकप्रियता बढ़ाने में सहयोग किया।

4. **गांधीवादी संघर्ष का लंबे समय तक चलना** - बिपिन चंद्र इस ओर ध्यान केंद्रित करते हुए कहते हैं कि गांधी का संघर्ष लंबी अवधि तक जारी रहा, जिसने उन्हें लोकप्रियता दिलाने में सहयोग किया। निष्क्रिय चरण के दौरान उन्होंने बड़े स्तर पर वैचारिक कार्य किए। इसमें जनता को राष्ट्रवादी संघर्ष का प्रशिक्षण देना, उनमें राष्ट्रीय चेतना को जागृत करना एवं जनता की क्षमता का निर्माण करना शामिल था। परिणामस्वरूप, वे इतने सक्षम थे कि ऐसे हजारों पूर्णकालिक कार्यकर्ताओं को तैयार कर सकते थे, जो अपना पूरा जीवन स्वतंत्रता संघर्ष के लिए न्यौछावर करने को तैयार रहें।

5. **गांधी के रचनात्मक कार्यक्रम**- गांधी का रचनात्मक कार्यक्रम (Constructive Programme) कताई एवं खादी, ग्रामीण उद्योग, विदेशी वस्तुओं व शराब के बहिष्कार के कार्यक्रम से निर्मित हुआ। सामाजिक सुधारों जैसे गरीबों, महिलाओं एवं हरिजनों का उन्नयन, हिंदू-मुस्लिम एकता इत्यादि इसके केंद्र बने। रचनात्मक कार्यक्रम में उनके जन-आंदोलन को बनाए रखने में अनेक प्रकार से सहायता की। आंदोलन के निष्क्रिय चरण के दौरान रचनात्मक कार्यों ने जनता की ऊर्जा को उत्पादक कार्यों की ओर मोड़ने में सहायता की थी। इसने उन्हें अनवरत सक्रियता का एहसास दिया। साथ ही, गांधी के रचनात्मक कार्यक्रम में जनता शामिल हो सकती थी, जबकि संसदीय प्रयासों में केवल कुछ लोग ही शामिल होते थे।

6. **अहिंसा की भूमिका एवं महिलाओं की सहभागिता**- गांधी का संघर्ष प्रमुखतया एक अहिंसक संघर्ष था। उनकी लोकप्रियता के लिए यह एक अन्य कारण था, क्योंकि जनता अहिंसक संघर्ष में आसानी से शामिल हो सकती थी, जबकि हिंसक सशस्त्र संघर्ष के लिए ऐसा संभव नहीं था। यह विशेषकर महिलाओं के संबंध में सत्य था।

अध्याय

8 संवैधानिक विकासः भाग-2 (1861-1920)
(Constitutional Development: Part-2)

इस अध्याय में हम भारत में 1861 और 1919 के मध्य में विधायी संस्थाओं के विकास के मुख्य स्तरों का अध्ययन करेंगे। इन्हें संवैधानिक सुधार अथवा परिषद-सुधार भी कहा गया और इन्हें ब्रिटिश संसद के विभिन्न अधिनियमों द्वारा प्रस्तावित किया गया था। इस अध्याय में आप इन परिषदों के सुधारों के लिए उत्तरदायी कारकों, अधिनियमों के मुख्य प्रावधानों तथा भारत पर पड़ने वाले इनके प्रभावों का अध्ययन करेंगे। हम इनकी कमजोरियों एवं उपलब्धियों के साथ-साथ भारत में विधायी संस्थाओं की प्रगति एवं स्वतंत्रता-संघर्ष के साथ इनके संबंध को समझने का प्रयास करेंगे।

अब तक (Flashback)

1833 के चार्टर अधिनियम के अंतर्गत, गवर्नर जनरल की कार्यकारी परिषद में विस्तार करके एक चौथा सदस्य (विधि सदस्य) जोड़ा गया। वह कानून निर्माण के संबंध में सुझाव दे सकता था और जब गवर्नर जनरल की कार्यकारी परिषद विधायी उद्देश्य से बुलाई जाए, तब उस बैठक में सहभागिता करने व मत देने का अधिकार उसे दिया गया। इस प्रकार पहली बार **केंद्रीय शासन के कार्यकारी एवं विधायी शक्तियों** को पृथक किया गया। इस अधिनियम द्वारा एक अन्य परिवर्तन लाया गया, वह था विधायी केंद्रीकरण अर्थात प्रांतीय सरकारों से उनके कानून बनाने संबंधी अधिकार वापस ले लिए गए।

1853 के चार्टर अधिनियम के अंतर्गत, गवर्नर जनरल के कार्यकारी एवं विधायी शक्तियों के पृथक्करण को एक कदम आगे बढ़ाते हुए परिषद में विधायी कार्यों हेतु **छह 'अतिरिक्त सदस्यों'** को नियुक्त किया गया, विधि सदस्य को गवर्नर जनरल की कार्यकारी परिषद का पूर्ण सदस्य बना दिया गया, कलकत्ता के सुप्रीम कोर्ट के मुख्य न्यायाधीश को कार्यकारी परिषद का पदेन सदस्य बनाया गया, प्रत्येक प्रांत से एक प्रतिनिधि (बंगाल, बॉम्बे, मद्रास, उत्तर-पश्चिम प्रांत, जो कि अविभाजित संयुक्त प्रांत का आधा भाग था) शामिल किया गया एवं गवर्नर जनरल के द्वारा दो और नागरिकों को नामांकित किया जा सकेगा, लेकिन इस अधिकार का कभी प्रयोग नहीं किया गया। इस प्रकार केंद्रीय विधायिका पूरी की गई, यद्यपि कोई भारतीय इस विधायी परिषद से नहीं जुड़ा था। विधायी परिषद एवं कार्यकारी परिषद के सदस्यों के बीच स्पष्ट कार्य विभाजन किया गया था। इस प्रकार से पहली बार विधायन को सरकार का एक विशेष कार्य माना गया।

1858 के भारतीय शासन अधिनियम के अधीन, इंग्लिश ईस्ट इंडिया कंपनी के अधिकार को समाप्त कर दिया गया। इस अधिनियम के द्वारा भारत में कोई परिवर्तन नहीं हुआ, केवल कुछ परिवर्तन इंग्लैंड में किए गए। 1784 के अधिनियम के बाद ब्रिटिश क्राउन (सम्राट या साम्राज्ञी), नियंत्रक-मण्डल (बोर्ड ऑफ कंट्रोल) के माध्यम से भारतीय मुद्दों को काफी प्रभावित कर चुका था। अब समय था कि प्रत्यक्ष रूप से ऐसा किया जाए। इस अधिनियम के द्वारा और कोई नई नीति प्रारंभ नहीं की गई थी।

1861 का भारतीय परिषद अधिनियम (The Indian Councils Act, 1861)

अधिनियम को स्वरूप देने वाले कारक

- 1833 के अधिनियम द्वारा विधायी कार्यों में केंद्रीयकरण लाया गया था एवं केंद्रीय विधायिका को सभी प्रांतों के लिए कानून बनाने हेतु शक्ति प्रदान की गई थी। बॉम्बे एवं मद्रास ने अपने कानून बनाने संबंधी अधिकारों को खो दिया था। कानून-निर्माण की शक्ति के इस केंद्रीयकरण के विरुद्ध प्रांतीय सरकारों ने नासजगी जताई थी। इस प्रकार का केंद्रीय विधायन ठीक नहीं था, क्योंकि प्रथम, इसमें स्थानीय परिस्थितियों को नजर-अंदाज किया गया था एवं द्वितीय, न ही इसके पास समय था और न ही इच्छा-शक्ति कि वह पूरे भारत पर लागू होने हेतु कानून बना सके।
- 1853 के अधिनियम ने एक विधायी परिषद की स्थापना की, जो विकसित होकर एक लघु संसद बनी। समय के साथ, इसने संसदीय प्रक्रिया की सभी औपचारिकताएं अपनाई तथा कार्य के निर्वहन हेतु एक विस्तृत प्रक्रिया लागू की जैसे विधेयक का तीन वाचन करना, विधेयक को समितियों को भेजना। इन सबसे कानून-निर्माण में काफी देरी होती थी।
- 1858 के अधिनियम से केवल गृह-सरकार (ब्रिटेन में) में परिवर्तन लाए गए थे, जबकि भारत में प्रशासकीय व्यवस्था को छुआ तक नहीं गया था। 1857 के विद्रोह के बाद संविधान में व्यापक परिवर्तन की आवश्यकता को अनुभव किया गया था। यह भी अनुभव किया गया कि सरकार एवं जनता के बीच आपसी समझ की बहुत कमी है। अब सरकार ने देश के विधायी कार्यों में भारतीयों को अलग रखने से होने वाले खतरे को समझा। विधान परिषदों में भारतीयों के प्रतिनिधित्व का प्रश्न 1858 में भी सामने आया, लेकिन सुधार के विचार को इसलिए त्याग दिया गया था कि इसे 1857 के विद्रोह से जोड़कर देखा जाएगा और विद्रोहियों को लगेगा कि उनके भय से सुधार किया जा रहा है।
  इन मुद्दों को ध्यान में रखते हुए 1861 के अधिनियम में परिवर्तन किए गए।

सर बार्टले फ्रेरे, बॉम्बे के गवर्नर ने कहा, "जब तक आपके पास प्रतिनिधि परिषद के स्वरूप में बैरोमीटर अथवा **सेफ्टी वाल्व** नही है, मैं विश्वास करता हूं कि आपको हमेशा एक अप्रत्याशित व खतरनाक विस्फोट के लिए तैयार रहना चाहिए।"

मुख्य प्रावधान (Main Provisions)

चार्टर अधिनियम के द्वारा जो केंद्रीकरण की प्रक्रिया प्रारंभ की गई थी, वह 1833 के अधिनियम में अपने चरम पर पहुंच गई थी। 1861 के भारतीय परिषद अधिनियम में विपरीत प्रक्रिया अर्थात **विकेंद्रीकरण** की प्रक्रिया प्रारंभ की। लॉर्ड कैनिंग (उस समय के गवर्नर जनरल) एवं **सर चार्ल्स वुड** (भारत सचिव) ने इस अधिनियम को पारित कराने में महत्वपूर्ण भूमिका निभाई।
नोट- अधिनियम के मुख्य प्रावधानों की चर्चा आगे की गई है। इन प्रावधानों ने केंद्रीय विधायिका के आकार, संगठन एवं कार्यों में परिवर्तन किया। केंद्रीय विधायिका के आकार को दर्शाते आंकडों में हमने गवर्नर जनरल एवं सेना-प्रमुख को शामिल नहीं किया है, क्योंकि वे पदेन सदस्य थे।

केंद्रीय विधायिका (विधायी परिषद) के संगठन एवं आकार में परिवर्तन

- गवर्नर जनरल की कार्यकारी परिषद में **पांचवा सदस्य** (न्यायविद अथवा विधिवेत्ता) जोड़कर उसका विस्तार किया गया। भारत सचिव ने सेना-प्रमुख को एक विशिष्ट सदस्य के रूप में नियुक्त करने के अधिकार को अपने पास रखा। यदि प्रांत में परिषद की बैठक होती है, तो गवर्नर को भी सदस्य के रूप में शामिल किया जा सकेगा।
- विधायन के उद्देश्य से केंद्रीय विधायी परिषद को विस्तारित किया गया। अतिरिक्त सदस्यों की संख्या को 6 से 12 के मध्य निर्धारित किया गया अर्थात **6 से कम नहीं व 12 से अधिक नहीं**। इन सदस्यों को गवर्नर जनरल के द्वारा 2

वर्ष के कार्यकाल के लिए नामांकित किया जाना था। साथ ही प्रावधान था कि इनमें आधे अशासकीय सदस्य होने चाहिए (ऐसे व्यक्ति जो ब्रिटिश क्राउन की सिविल अथवा सैन्य सेवा में न हो)। इस प्रावधान के अंतर्गत तीन भारतीयों को सामान्यतया नामांकित किया जाता था। हालांकि, भारतीयों के लिए कोई सांविधिक प्रावधान नहीं था। इसके अलावा विधायी उद्देश्य के लिए बनाई गई परिषद के कार्य केवल विधायन तक ही सीमित थे।

(उन दिनों ऐसे योग्य भारतीयों को, जो शासन के पाश्चात्य विधियों से परिचित हों, को खोजना आसान नहीं था। अधिनियम में जिन अशासकीय सदस्यों की बात की गई थी, वे संभवतः भारतीय राजा अथवा दीवान अथवा बड़े जमींदार और यहां तक की उच्च श्रेणी के सेवानिवृत्त अधिकारी होते थे। अगले 20 वर्षों तक अशासकीय सदस्यों को नामांकित करने की इस शक्ति का उपयोग आधिकारिक संरक्षण का विस्तार करने में किया गया। देशी रियासतों के राजकुमारों में भी उन्हीं को अशासकीय अधिकारी अथवा सदस्य नामांकित किया गया, जिन्होंने 1857 के दौरान ब्रिटिश शासन की सहायता की थी। यह स्वीकार-योग्य तथ्य था कि **भारतीय जनमत** को सुना जाना चाहिए एवं ब्रिटिश सरकार भारतीय इच्छाओं का श्रेष्ठ निर्णायक नहीं थी। किसी ने कल्पना नहीं की थी कि यह लघु संस्था कुछ समय बाद भारतीय जनता की एक सशक्त प्रतिनिधि संस्था के रूप में विकसित होगी।)

केंद्रीय विधायिका (विधायी परिषद) के कार्यों में परिवर्तन

- इस **अधिनियम ने बॉम्बे एवं मद्रास की परिषदों की विधायी शक्तियों को पुनः स्थापित** किया। हालांकि, इन प्रांतों की विधायी शक्तियों पर कड़े प्रतिबंध लगाए गए थे। प्रांतीय परिषदों द्वारा पारित कानून तब तक वैध नहीं माने जाते थे, जब तक कि उसे गवर्नर जनरल की सहमति न मिल जाए। कुछ महत्वपूर्ण मुद्दे जैसे रक्षा एवं संचार के लिए गवर्नर जनरल की पूर्ण सहमति आवश्यक थी।
- इस अधिनियम द्वारा अन्य प्रांतों में **नई परिषदें** स्थापित करने हेतु सहमति दी गई। इसके अनुसार बंगाल (1862), उत्तर पश्चिम प्रांत (1886), बर्मा एवं पंजाब (1897) में परिषदें स्थापित की गईं।
- गवर्नर जनरल को आपातकाल के समय **अध्यादेश** जारी करने की शक्ति दी गई। यह अध्यादेश अधिकतम 6 महीनों तक लागू रह सकेगा।
- अधिनियम द्वारा विधायी उद्देश्यों के लिए नए प्रांतों को सृजित करने तथा उनके लिए लेफ्टिनेंट गवर्नर नियुक्त करने की शक्ति गवर्नर जनरल को दी गई। अधिनियम ने गवर्नर जनरल को विभिन्न प्रांतों के मध्य क्षेत्रीय संतुलन बनाने की शक्ति भी दी।
- **कार्यों के विकेंद्रीकरण से संबंधित प्रावधान**- अधिनियम ने गवर्नर जनरल को परिषद के कार्यों के सुविधा-पूर्ण निर्वहन के लिए नियम बनाने का अधिकार दिया। इस शक्ति का उपयोग करके लॉर्ड कैनिंग ने भारत में पहली बार **विभाग व्यवस्था** (portfolio system) की शुरुआत की। इससे पूर्व, भारत सरकार कार्यकारी परिषद में ही समाहित थी और सभी प्रकार के कार्यों को परिषद के समक्ष लाया जाता था। यह एक जटिल एवं अनावश्यक देरी करने वाली प्रक्रिया थी। कैनिंग ने परिषद के सदस्यों के बीच विभागों का विभाजन कर दिया। इस प्रकार भारत में **केबिनेट व्यवस्था की आधारशिला** रखी गई। अब दैनिक प्रशासनिक कार्यो का निर्वाहन प्रभारी-सदस्य के द्वारा किया जाने लगा एवं महत्वपूर्ण मुद्दों का निर्णय गवर्नर जनरल के साथ विचार-विमर्श से किया जाता था। केवल सामान्य नीति के मुद्दों को पूरी परिषद के समक्ष लाया जाता था।

अधिनियम का महत्व (Significance of the Act)

संवैधानिक दृष्टि से यह अधिनियम निम्नलिखित कारणों से महत्वपूर्ण था-

- इस अधिनियम ने विधायी-हस्तांतरण की प्रक्रिया का प्रारंभ किया, जिससे प्रांतों को धीरे-धीरे विधायी कार्य प्राप्त हुए और 1935 के अधिनियम में प्रांतों की स्वायत्तता के साथ यह प्रक्रिया अपने चरम पर पहुंची।

- इसने विधायी कार्यों में भारतीयों की सहभागिता की प्रक्रिया प्रारंभ की।
- इसने स्थानीय परिषदों के माध्यम से स्थानीय आवश्यकताओं एवं स्थानीय ज्ञान की आवश्यकता पर बल दिया।
- स्थानीय पार्षदों ने भी प्रचार एवं परिचर्चा के माध्यम से कानून निर्माण की प्रक्रिया को आश्वस्त किया।

हालांकि, यह ध्यान देने योग्य बात है कि केंद्र एवं स्थानीय विधायिकाओं की विधायी शक्तियों को पृथक नहीं किया गया था। गवर्नर जनरल पूरे भारत के लिए कानून बना सकता था। स्थानीय परिषदें विधायी कार्यों में सुझाव एवं सहायता की समितियों के समान बन गई थीं। इस अधिनियम के लेखक चार्ल्सवुड ने स्पष्ट किया कि प्रस्तावित स्थानीय परिषदें भारतीय शासकों के दरबार के समान होगीं, जहां कुलीन व्यक्ति अपने विचार व्यक्त कर सकेंगे, लेकिन शासक उनके सुझाव को मानने के लिए बाध्य नहीं होगा।

1892 का भारतीय परिषद अधिनियम (The Indian Councils Act of 1892)

1892 का अधिनियम केवल एक संशोधित अधिनियम था और इसका मुख्य उद्देश्य, जैसा कि कर्जन (उस समय के अवर सचिव) ने व्याख्या की थी, भारत में सरकार के कार्यों का विस्तार करना एवं अशासकीय सदस्यों को शासन में अवसर प्रदान करना था। साथ ही भारत के लोगों को सरकार के कार्य में सहभागिता हेतु अवसर देना भी इस अधिनियम का उद्देश्य था।

प्रश्न- क्यों एक निरंकुश/स्वेच्छाचारी सरकार परिषदों में अधिक भारतीयों को शामिल करने एवं शासन को प्रतिनिध्यात्मक बनाने का विचार कर रही थी, जबकि कोई जन-आंदोलन नहीं हो रहा था?
उत्तर- बढ़ते राष्ट्रवाद को देखते हुए ब्रिटिश सरकार का उद्देश्य राष्ट्रवादी मांगों को एक संकीर्ण संवैधानिक संरचना तक सीमित करना था। इसी उद्देश्य से 1892 का अधिनियम पारित किया गया था।

इस अधिनियम के उत्तरदायी कारण

1861 के अधिनियम के बाद भारतीय संविधान का विकास, और अधिक सुधारों के लिए गए राजनीतिक आंदोलनों का परिणाम था। शासन द्वारा दी गई संवैधानिक रियायातें हमेशा अपर्याप्त होती थी, जिससे असंतोष होने के बाद नए सुधारों के लिए मांग उठती थी। यह प्रत्येक अधिनियम के बाद तब तक दोहराई गई, जब तक की 1947 के अधिनियम से पूर्ण स्वतंत्रता की मांग नहीं मान ली गई।

- **1861 के अधिनियम से असंतोष**- स्वाभाविक रूप से, 1861 का अधिनियम भारतीय जनता की अपेक्षाओं को संतुष्ट करने में असफल हुआ। केंद्रीय विधायिका में शासकीय अधिकारियों के बहुमत को बनाए रखा गया। जो भी अशासकीय सदस्य थे, वे जनता का प्रतिनिधित्व नहीं करते थे। इन सदस्यों में उच्च श्रेणी के लोग थे, जो भारतीय जनता की आवश्यकताओं को समझने का दावा नहीं कर सकते थे।
- **1876-78 का अकाल**- 1877 में एक भयानक अकाल पड़ा, जिससे पूरा देश प्रभावित हुआ। सबसे अधिक प्रभाव मद्रास, मैसूर, हैदराबाद, महाराष्ट्र, पश्चिमी उत्तर प्रदेश एवं पंजाब पर पड़ा। देश के विभिन्न भागों में खाद्यान्नों की कमी हुई और भारत की आर्थिक स्थिति बिगड़ती जा रही थी, जिससे राज्य के विरुद्ध बहुत अधिक नाराजगी उत्पन्न हुई।
- **राष्ट्रीय चेतना का विकास**- 19वीं शताब्दी के उत्तरार्ध में भारत में राष्ट्रीय चेतना को पल्लवित होते देखा गया। इस परिवर्तन के पीछे अनेक कारण उत्तरदायी थे-
  - 1857 के विद्रोह के क्रूरतापूर्ण दमन के कारण लोगों में ब्रिटिश सरकार के विरुद्ध क्रोध भरा हुआ था ।
  - शासक वर्ग विशेषकर सिविल सेवकों के अहंकारी एवं जातिवादी व्यवहार ने भी भारतीयों के मन में ब्रिटिश सरकार के प्रति कड़वाहट भर दी थी।
  - लॉर्ड लिटन की प्रतिक्रियावादी नीतियां, लंकाशायर के उत्पादकों के लिए भारत में कपास पर 5 प्रतिशत निर्यात-कर को समाप्त करने के विवाद, अल्बर्ट विधेयक के विवाद ने ब्रिटिश न्यायप्रियता के दोहरेपन को उजागर कर दिया

था और यह साबित हो चुका था कि ब्रिटिश सरकार से न्याय की अपेक्षा नहीं की जा सकती, जबकि उनके स्वयं के हित शामिल हों।

- 1857 में कलकत्ता, मद्रास एवं बॉम्बे में विश्वविद्यालयों की स्थापना की गई, जिससे भारत में अंग्रेजी शिक्षा, पाश्चात्य विचारों एवं राजनीतिक जागरूकता का प्रसार हुआ। वर्ष दर वर्ष, इन विश्वविद्यालयों ने योग्य भारतीयों में वृद्धि की, जो अब शासन एवं प्रशासन में अधिकतम सहभागिता की मांग करने लगे थे।
- अब कुछ अंग्रेज जैसे ए. ओ. ह्यूम विश्वास करने लगे थे कि जनता असंतोष से भर चुकी है एवं संभवतः कुछ शिक्षित युवा उन्हें विद्रोह की ओर ले जा रहे हैं। इसीलिए 1885 में ए. ओ. ह्यूम की सहायता से भारतीय राष्ट्रीय कांग्रेस के स्थापना राष्ट्रवादी आंदोलन को उदारवादी रास्ते की ओर ले जाने के लिए की गई। हालांकि, भारतीय राष्ट्रीय कांग्रेस के निर्माण के 3 वर्ष में ही इसने सरकार के विद्वेष को बढ़ा दिया। अपने पहले अधिवेशन में कांग्रेस ने परिषदों में सुधारों हेतु प्रस्ताव पारित किया था। इसके कार्यक्रमों में राष्ट्रीय चेतना को बढ़ाना, शासन में भारतीयों के प्रतिनिधित्व की मांग, परिषदों के विस्तार एवं उनके कार्यों में वृद्धि शामिल थे। इन मांगों को बार-बार दोहराया गया। कांग्रेस के नेतृत्व में राष्ट्रवादियों की वृद्धि हुई, जिससे ब्रिटिश सरकार को भारत में उनके आधार को बढ़ाने के लिए सोचने पर मजबूर होना पड़ा और ब्रिटिश सरकार ने संकीर्ण संवैधानिक सुधारों के द्वारा राष्ट्रवादियों की आकांक्षाओं को संतुष्ट करने के बारे में सोचना शुरू किया।
- अन्य कारक, जिन्होंने राष्ट्रीय चेतना को बढ़ाने में सहायता की, उनमें शामिल थे- सांस्कृतिक पुनरुत्थान एवं भारत के स्वर्णिम इतिहास में आस्था; भारतीय प्रेस का प्रभाव एवं राष्ट्रवादी साहित्य; संचार के साधनों का विकास एवं साम्राज्यवादी दरबारों का आयोजन।

यह सभी कारक 1892 के अधिनियम को पारित कराने हेतु सामूहिक रूप से उत्तरदायी थे। कांग्रेस द्वारा आरंभ किए गए आंदोलन के महत्व का अनुभव करते हुए लॉर्ड डफरिन ने गुप्त रूप से परिषदों को और अधिक उदार बनाने हेतु इंग्लैंड में एक प्रस्ताव भेजा। साथ ही उसने घोषणा की, कि वे भारत में संसदीय व्यवस्था स्थापित करने के बारे में नहीं सोच रहे हैं।

प्रमुख प्रावधान (Main Provisions)

भारतीय परिषद अधिनियम, 1892 एक संशोधित अधिनियम था और इसके मूल प्रावधान 1861 के अधिनियम के समान ही थे। इसने मुख्य रूप से परिषदों के कार्य एवं आकार में परिवर्तन किया था।

- **अतिरिक्त सदस्यों की संख्या में वृद्धि**- केंद्रीय कार्यकारी परिषद में अतिरिक्त सदस्यों की संख्या बढ़ाकर न्यूनतम 10 और **अधिकतकम 16** कर दी और इनमें लगभग आधे सदस्य अशासकीय होने थे। प्रांतीय विधायिकाओं की बात की जाए, तो बॉम्बे एवं मद्रास में न्यूनतम 8 एवं अधिकतम 20 अतिरिक्त सदस्य निश्चित किए गए तथा अधिकतम सदस्य संख्या बंगाल के लिए 20 एवं उत्तर पश्चिम प्रांत तथा अवध के लिए 15 रखी गई, जबकि न्यूनतम संख्या सबकी समान ही रखी गई। हालांकि केंद्र एवं प्रांतों में **शासकीय अधिकारियों** के बहुमत को बनाए रखा गया। (शासकीय सदस्य एवं पदेन सदस्य मिलकर आधिकारियों का बहुमत बनता था।)
- **गवर्नर जनरल को शक्ति दी गई कि वह निर्वाचन की सीमित व्यवस्था करे**- अधिनियम ने परिषद सहित गवर्नर जनरल को अतिरिक्त सदस्यों के मनोनयन के नियम बनाने एवं इन नियमों को किस तरह से लागू करना है, के संबंध में शक्ति दी। इस प्रावधान के अधीन गवर्नर जनरल निर्वाचन की एक अर्द्धव्यवस्था प्रारंभ कर सकता था और साथ ही ध्यान देने वाली बात है कि **अधिनियम में निर्वाचन शब्द को प्रत्यक्ष रूप से इस्तेमाल** नहीं किया गया था। इसका अर्थ था कि जहां निगम अथवा नगर महापालिका स्थापित हो चुकी हो (उदाहरण के लिए नगर पालिका एवं जिला बोर्ड) और जहां संस्थाएं स्थापित हो चुकी हो (व्यावसायिक जैसे विश्वविद्यालय, व्यापारिक जैसे चौंबर्स ऑफ कॉमर्स, अथवा क्षेत्रीय जैसे भूस्वामी), वहां गवर्नर जनरल एवं स्थानीय गवर्नरों को इन संस्थाओं से समय-समय पर

विचार-विमर्श करना होगा। व्यवहार में, ये संस्थाएं अपने प्रतिनिधि निर्वाचित करते थे एवं उनके नाम को आगे बढ़ा देते थे। इन नामों को सरकार द्वारा हमेशा स्वीकार कर लिया जाता था। इस तरह ये सदस्य वास्तव में निर्वाचित सदस्य होते थे। यह ध्यान देने योग्य बात है कि ये सदस्य विधायी परिषद में विभिन्न संस्थाओं के प्रतिनिधि नहीं, बल्कि गवर्नर जनरल के मनोनीत सदस्य माने जाते थे।

- **परिषद के कार्यों में वृद्धि-** केंद्रीय विधायिका (विधायी परिषद) के सदस्यों को अब वार्षिक **वित्तीय प्रतिवेदन (बजट) पर चर्चा** करने की अनुमति दी गई। यह ध्यान दें कि प्रतिवेदन अपरिवर्तनीय होता था। सदस्य केवल प्रतिवेदन के बारे में अपने विचारों को रख सकते थे और उस पर चर्चा कर सकते थे, जिन्हें अगले प्रतिवेदन में जोड़ा जा सकेगा। सदस्य सरकार से जनहित से जुड़े मुद्दे पर प्रश्न पूछ सकते थे, लेकिन इसके लिए उन्हें 6 दिन पूर्व से सूचित करना होता था। प्रांतों में परिचर्चा, राजस्व एवं व्यय की उन्हीं शाखाओं तक सीमित थी, जो प्रांतीय सरकारों के नियंत्रण में हों। सदस्यों को जनहित से जुड़े मुद्दों पर सरकार से प्रश्न पूछने की भी अनुमति थी (हालांकि, यहां 6 दिन पूर्व सूचित करना आवश्यक नहीं था)। पूरक प्रश्न पूछने की अनुमति नहीं थी।

1892 के अधिनियम का महत्व

अनेक कारणों से यह अधिनियम महत्वपूर्ण साबित हुआ-

- केंद्र एवं प्रांतों, दोनों ही जगह, विधायिकाओं के आकार में वृद्धि की गई।
- अधिनियम के प्रावधान इतने उदार साबित हुए कि अनेक भारतीयों को परिषदों में प्रवेश मिल सका। इन भारतीयों में फिरोजशाह मेहता, गोपाल कृष्ण गोखले, डब्ल्यू. सी. बनर्जी, सुरेंद्रनाथ बनर्जी, आशुतोष मुखर्जी, रास बिहारी घोष एवं लालमोहन घोष शामिल थे।
- अशासकीय सदस्यों ने शिक्षित भारतीयों की देशभक्ति को प्रदर्शित किया। उन्होंने अपने वाद-विवाद की कला को दिखाया एवं विभिन्न मुद्दों पर भारतीय दृष्टिकोण को दिखाने के प्रत्येक अवसर का उपयोग किया।
- विधायिका को कार्यपालिका पर कुछ नियंत्रण दिया गया।
- निर्वाचन के सिद्धांत का प्रारंभ (यद्यपि छिपा हुआ था), एक महत्वपूर्ण संवैधानिक कदम था, जिसने भविष्य में प्रतिनिध्यात्मक सरकार के प्रारंभ होने के लिए मार्ग प्रशस्त किया।

हालांकि, इस अधिनियम में अनेक कमियां थीं और भारतीय राष्ट्रवादियों की महत्वाकांक्षाओं को संतुष्ट करने में यह असफल हुआ। 1892 एवं 1893 के कांग्रेस अधिवेशन में इस अधिनियम की, विशेषकर प्रत्यक्ष चुनाव के सिद्धांत को लागू न करने के लिए, कांग्रेस द्वारा आलोचना की गई। विधायिकाओं के कार्य बहुत अधिक सीमित थे। सदस्य पूरक प्रश्न नहीं पूछ सकते थे, किसी भी प्रश्न को मना भी किया जा सकता था एवं सदस्यों का बजट पर कोई आधारभूत नियंत्रण नहीं था। राष्ट्रीय आंदोलन का नेतृत्व अब उग्रवादियों के हाथों में चला गया था, जिन्होंने जल्द ही विधायी सुधारों की पुनः मांग शुरू कर दी थी।

मार्ले-मिंटो सुधार (Morley-Minto Reforms, 1909)

मार्ले-मिंटो सुधार के लिए उत्तरदायी कारण

- **राष्ट्रीय चेतना में अत्यधिक वृद्धि-** 1885-1906 के दौरान भारत में अनेक छात्र-छात्राओं ने मैट्रिक परीक्षा उत्तीर्ण कर ली थी, जिनकी संख्या 1286 से बढ़कर 8211 हो गई थी, जो लगभग 7 गुना अधिक थी। इसी प्रकार समाचार पत्रों एवं पत्रिकाओं के प्रकाशन में वृद्धि देखी गई। ये यह इंगित कर रहा था कि ऐसे भारतीयों की संख्या में वृद्धि हो रही थी, जो नागरिक के रूप में अपने अधिकारों के बारे में जागरूक थे। साथ ही, सरकार के कर्तव्य भी बढ़ गये

थे। इतने परिवर्तन के बावजूद शिक्षित भारतीयों को सरकारी सेवाओं एवं प्रशासन में कोई भागीदारी नहीं दी गई थी।

- **औपनिवेशिक शासन की आर्थिक आलोचना-** 1902 में आर्थिक विचारक दादा भाई नौरोजी एवं आर. सी. दत्त के आर्थिक लेख क्रमशः 'द पावर्टी एंड अनब्रिटिश रूल इन इंडिया' एवं 'इकोनॉमिक हिस्ट्री ऑफ इंडिया' प्रकाशित हुए। नौरोजी ने धन के निर्गम-सिद्धांत को दिया एवं दावा किया कि ब्रिटिश शासन के कारण भारत से धन का निर्गम ब्रिटेन हो रहा है, जिससे यहां गरीबी बढ़ रही है। धन के निर्गम के विरुद्ध आंदोलन चलाया गया और इस आंदोलन ने ब्रिटिश शासन के नैतिक आधार को ध्वस्त कर दिया। इस सिद्धांत ने जनता के मध्य बहुत अधिक लोकप्रियता प्राप्त की।
- **कर्जन की प्रतिक्रियावादी नीतियों की भूमिका-** लॉर्ड कर्जन, जो 1898-1905 के मध्य गवर्नर जनरल था, एक अहंकारी साम्राज्यवादी था। उसने केंद्रीकरण की नीति को प्रोत्साहित किया एवं शिक्षित भारतीयों व भारतीय राष्ट्रीय कांग्रेस की निंदा की। उसके अप्रिय कार्यों में शामिल थे- 1899 का कलकत्ता कॉर्पोरेशन अधिनियम, 1904 का भारतीय विश्वविद्यालय अधिनियम एवं 1904 का ही ऑफिशियल सीक्रेट अधिनियम। हालांकि, यह उसकी बंगाल के विभाजन की योजना थी, जिससे अभूतपूर्व नाराजगी उत्पन्न हुई। इस कार्य को बंगाली राष्ट्रवाद के विरुद्ध एक हमले की तरह देखा गया और जिसके बाद जनता खुले तौर पर विद्रोह पर उतर आई थी। विभाजन-विरोधी आंदोलन के दौरान कांग्रेस का नेतृत्व उग्रवादियों के हाथ में आ गया था, जो अब स्वराज्य, स्वदेशी, बहिष्कार व राष्ट्रीय शिक्षा के नारे बुलंद कर रहे थे।
- **उग्रवादियों एवं क्रांतिकारियों का उदय-** 1899-1909 का दशक उथल-पुथल का समय भी था, जिसमें आक्रामक राष्ट्रवाद एवं क्रांतिकारी आतंकवाद के उदय को देखा गया। कांग्रेस की उदारवादी नीति की निंदा करते हुए तिलक ने कहा, 'हमें राजनीतिक अधिकारों के लिए लड़ना होगा। उदारवादी सोचते हैं कि इन्हें अनुनय-विनय से जीता जा सकता है और हम सोचते हैं कि इन्हें दबाव से ही जीता जा सकता है।'
- **अन्य महत्वपूर्ण कारक-** ऊपर चर्चित कारणों के अलावा अन्य अनेक कारण इस अधिनियम के पारित होने में सहयोगी रहे। 1904-05 में पूर्वी देश जापान ने पश्चिमी विशाल देश रूस को हरा दिया था, जिससे एशिया के उपनिवेशों में आशा की लहर उत्पन्न हुई। दक्षिण अफ्रीका एवं अन्य ब्रिटिश उपनिवेशों में रहने वाले भारतीयों के साथ बुरा व्यवहार किया जाता था। इससे भी भारतीय जनता कड़वाहट से भर गई थी और उन्होंने महसूस करना शुरू किया कि जब तक उन्हें अपने देश में आजादी नहीं मिलेगी, वे भारत के बाहर कहीं भी सम्मान एवं न्याय प्राप्त करने की आशा नहीं रख सकते। 19वीं शताब्दी के अंत में भारत में भयंकर अकाल एवं बुबोनिक प्लेग पड़ा, जिसमें सरकार द्वारा कोई विशेष सहयोग नहीं किया गया। इन सभी घटनाओं को भारतीय प्रेस के द्वारा सावधानीपूर्वक प्रकाशित किया गया, जिससे विदेशी शासन के विरुद्ध राष्ट्रीय भावना भड़क उठी।
- **ब्रिटेन में उदारवादी दल का सत्ता में आना-** 1905 के अंत में ब्रिटेन में उदारवादी दल सत्ता में आया एवं दो उदारवादी, जॉन मार्ले (भारत सचिव) व लॉर्ड मिंटो (गवर्नर जनरल) ने अपने पद संभाले। भारत में नीतियों के संबंध में दोनों के विचार समान थे। दोनों का मानना था कि बंगाल का विभाजन एक बहुत बड़ी गलती थी, जिसने भारत में सरकार-विरोधी भावनाओं को बढ़ाया। उनको भय था कि द्वेष की भावना तेजी से जनता के बीच बढ़ रही है एवं अंग्रेजी अधिकारियों की स्थिति अब वैसी नहीं रही जैसी पहले थी। साथ ही, कांग्रेस की मांग थी कि भारत को भारतीयों के हित में ही शासित किया जाना चाहिए। अतः उन्होंने निष्कर्ष निकाला कि भारत में ब्रिटिश नीति बेहद बुरी स्थिति में है और उसमें एक बड़े बदलाव की आवश्यकता है, जिसका स्वरूप उनके दिमाग में स्पष्ट था। वे उदारवादियों को संतुष्ट, ब्रिटिश साम्राज्य की रक्षा मे उनकी सेवा के आधार पर उग्रवादियों का दमन, ब्रिटिश शासन के समर्थन में नए वर्गों (भारतीय राजकुमार व जमींदार) एवं मुसलमानों को हिंदुओं के विरुद्ध भड़काकर राष्ट्रवादी आंदोलन को कमजोर करना चाहते थे।
- **शिमला प्रतिनिधि मंडल-** इसी बीच आगा खां के नेतृत्व में एक प्रतिनिधिमंडल 1 अक्टूबर 1906 को शिमला में वायसराय लॉर्ड मिंटो से मिला। इस प्रतिनिधिमंडल ने ब्रिटिश साम्राज्य के प्रति अपनी निष्ठा व्यक्त की, लेकिन अपने भय

को भी बताया कि यदि मुसलमानों के लिए आरक्षण के बारे में विचार किए बिना निर्वाचन के सिद्धांत को लागू किया गया, तो उनके हितों को नुकसान होगा। अतः प्रतिनिधिमंडल ने मुस्लिम समुदाय के लिए, न केवल उनकी जनसंख्या के आधार पर बल्कि उनके **राजनीतिक महत्व** के आधार पर भी आरक्षण की मांग की।

ब्रिटिश शासन ने इन मांगों को कांग्रेस की बढ़ती हुई मांगो के विरुद्ध उपयोग करने के एक मौके के रूप में देखा। इस अवसर को पाकर लॉर्ड मिंटो ने तुरंत इन मांगों को स्वीकार किया एवं केवल पृथक सांप्रदायिक प्रतिनिधित्व दिया, बल्कि साम्राज्य में उनके योगदान को देखते हुए उनकी जनसंख्या से अधिक सीटें देने की मांग भी मान ली। इस प्रतिनिधिमंडल से मिंटो का मिलना एवं उनकी बातों को मानना, 'बांटो और शासन करो' नीति का पहला प्रत्यक्ष उदाहरण था।

सुलह की नीति के तहत भारतीय नेताओं की एक अन्य मांग अधिनियम के पारित होने के पूर्व बिना किसी सांविधिक परिवर्तन के मान ली गई थी। वह मांग थी भारत सचिव की परिषद, गवर्नर जनरल की परिषद एवं प्रांतीय गवर्नरों की परिषदों में दो भारतीयों की नियुक्ति। अतः अगस्त 1907 में **के. जी. गुप्ता** एवं **सैयद हुसैन बिलग्रामी** को भारत सचिव की परिषद में सदस्य नियुक्त किया गया। इस प्रावधान के अधीन तुलनात्मक रूप से कम महत्व के विभागों जैसे शिक्षा एवं कानून को भारतीयों को दे दिया गया।

मुख्य प्रावधान (Main Provisions)

1892 के अधिनियम के समान 1909 का अधिनियम भी एक संशोधित अधिनियम था और इसके द्वारा गवर्नर जनरल की परिषद व गवर्नरों की परिषदों के कार्य एवं आकार में परिवर्तन किया गया। परिषदों के कार्य एवं आकार दोनों को विस्तारित किया गया।

परिषदों की संरचना में परिवर्तन: परिषदों में परिवर्तन तीन तरह से किए गए- संख्या में, शासकीय एवं अशासकीय सदस्यों के अनुपात में एवं नियुक्ति अथवा चयन की विधियों में।

- **संख्या में परिवर्तन**- 1909 के अधिनियम के अधीन, अतिरिक्त सदस्यों की संख्या दुगनी अथवा दुगनी से अधिक कर दी गई। उदाहरण के तौर पर 1892 के अधिनियम के अंतर्गत गवर्नर जनरल की परिषद में अतिरिक्त सदस्यों की अधिकतम संख्या 16 थी। इस अधिनियम में बढ़ाकर 60 कर दी गई। इस प्रकार केंद्रीय विधायी परिषद में 69 सदस्य (37 शासकीय, 32 अशासकीय) थे। शासकीय सदस्यों में से 9 पदेन सदस्य थे एवं 28 को गवर्नर जनरल द्वारा नामांकित किया जाना था। अशासकीय सदस्यों में से 5 को गवर्नर जनरल द्वारा नामांकित एवं 27 को निर्वाचित किया जाना था। इसी प्रकार मद्रास, बॉम्बे एवं बंगाल प्रांतों में परिषद में सदस्य संख्या 20 से बढ़ाकर 50 कर दी गई।
- **शासकीय एवं अशासकीय सदस्यों के अनुपात में परिवर्तन**- 1892 के अधिनियम के अंतर्गत शासकीय सदस्य अर्थात अधिकारियों के बहुमत को केंद्र एवं प्रांतों, दोनों जगह बनाए रखा गया था, लेकिन इस अधिनियम के अंतर्गत केंद्र में शासकीय सदस्यों के बहुमत को बनाए रखा गया, लेकिन अशासकीय सदस्यों के अनुपात में वृद्धि की गई। प्रांतों में पहली बार **अशासकीय सदस्यों के बहुमत** को प्रस्तावित किया गया। पाठक यह ध्यान दें कि अशासकीय बहुमत प्रभावी नहीं था, क्योंकि केंद्रीय बहुमत के पास अत्यधिक शक्तियां थी।
- **नियुक्ति की विधियां**- 1892 के अधिनियम के अंतर्गत मनोनयन अथवा नामांकन प्रणाली का उपयोग किया जाता था। 1909 का अधिनियम अशासकीय सदस्यों के चुनाव के प्रस्ताव के कारण युगांतरकारी था। 32 अशासकीय सदस्यों में से 5 को गवर्नर जनरल द्वारा नामांकित किया जाना था, जबकि शेष 27 को निर्वाचित। इस बात की घोषणा की गई थी कि क्षेत्रीय/प्रादेशिक प्रतिनिधित्व भारत के लिए सही नहीं है, इसलिए वर्गों एवं हितों के द्वारा प्रतिनिधित्व भारत के लिए व्यावहारिक है और इस प्रकार भारतीय विधान परिषद के संविधान में निर्वाचन का यह सिद्धांत लाया गया। अतः शेष 27 सदस्यों के निर्वाचन को इस प्रकार वितरित किया गया-

- प्रांतीय विधायी परिषदों के अशासकीय सदस्यों के द्वारा (सामान्य निर्वाचन क्षेत्र) : 13
- छह प्रांतों के भू-स्वामियों द्वारा (भू स्वामियों अथवा जमींदारों का निर्वाचन क्षेत्र) : 6
- प्रांतों के मुस्लिमों द्वारा (प्रथक मुस्लिम निर्वाचन क्षेत्र) : 5
- संयुक्त प्रांत अथवा बॉम्बे के मुस्लिम जमींदारों द्वारा बारी-बारी से : 1
- कलकत्ता एवं बॉम्बे के चेंबर ऑफ कॉमर्स (विशिष्ट निर्वाचन क्षेत्र) : 2

13 खुली/सीधी सीटों के लिए निर्वाचन की दोहरी अप्रत्यक्ष प्रणाली को अपनाया गया। एक शहर अथवा गांव के कर दाता नगर पालिका समितियों के लिए प्रतिनिधि निर्वाचित करेंगे, जो प्रांतीय परिषदों के लिए आगे निर्वाचन करेंगे और फिर आगे प्रांतीय परिषदों के अशासकीय सदस्य केंद्रीय परिषद के लिए प्रतिनिधियों का निर्वाचन करेंगे। दूसरी ओर, मुस्लिम एवं जमींदारों के प्रतिनिधियों को प्रत्यक्ष निर्वाचित किया जाना था। यह दोहरापन अन्यायपूर्ण था।

मुसलमानों को **पृथक निर्वाचन** मंडल के द्वारा निर्वाचित किया जाना था, जिसमें केवल मुस्लिम ही शामिल थे। एक पृथक् रजिस्टर बनाया गया, जिसमें केवल मुस्लिम मतदाताओं के नाम थे। इसके साथ ही, मुसलमानों को **अधिभार** भी दिया गया, जिसके तहत उनको उनकी स्थानीय जनसंख्या से अधिक सीटें दी गई। उनको सामान्य निर्वाचन क्षेत्र से भी निर्वाचित होने का अधिकार दिया गया। इन प्रावधानों की कटु आलोचना की गई, क्योंकि उनका उद्देश्य भारतीय समाज में व्याप्त असंतुलन को सुधारना नहीं, बल्कि मुस्लिम नेताओं को संतुष्ट करना था।

परिषदों के कार्यों में परिवर्तन

1861 के अधिनियम के अंतर्गत परिषदों के कार्य विधायन के क्षेत्र तक सीमित थे एवं 1892 के अधिनियम के अंतर्गत सदस्यों को वार्षिक वित्तीय प्रतिवेदन पर चर्चा करने की अनुमति दी गई, लेकिन उन्हें कोई प्रस्ताव पारित करने का अधिकार नहीं दिया गया था। 1909 के अधिनियम के अंतर्गत परिषदों के कार्यों को तीन प्रकार से विस्तारित किया गया-

- सदस्यों को वित्तीय प्रतिवेदन (बजट) पर विस्तार से चर्चा करने एवं प्रस्ताव पारित करने का अधिकार दिया गया, लेकिन ऐसा वे बजट के अंतिम रुप में प्रस्तुत होने से पहले कर सकते थे।
- सदस्यों को जनहित के सामान्य मुद्दों पर प्रस्ताव लाने का अधिकार दिया गया। लेकिन इन प्रस्तावों को केवल सुझाव के स्वरूप में होना था और इन्हें स्वीकार करना अथवा अस्वीकार करना, सरकार के अधिकार क्षेत्र में था। हालांकि कुछ ऐसे विषय थे, जिनके संबंध में प्रश्न नहीं पूछे जा सकते थे। इनमें शामिल थे- भारत सरकार के विदेशी संबंध एवं उसके भारतीय रियासतों से संबंध, रेलवे पर व्यय, कर्ज पर ब्याज इत्यादि।
- प्रश्न पूछने के अधिकार को बढ़ाया गया, अब सदस्य **मूल प्रश्न** के साथ पूरक प्रश्न भी पूछ सकते थे।

प्रावधानों का आलोचनात्मक मूल्यांकन (Critical Analysis of the Provisions)

- मार्ले-मिंटो सुधार 1892 के अधिनियम के बाद एक महत्वपूर्ण सुधार था। अधिनियम के प्रावधानों ने भारतीय नेताओं को विधायी संस्थाओं में प्रवेश के लिए सक्षम बनाया। केंद्रीय विधायी परिषद के कुछ प्रमुख सदस्य थे- गोपाल कृष्ण गोखले, डी. ई. वाचा, सुरेंद्रनाथ बनर्जी, मदन मोहन मालवीय, तेज बहादुर सप्रू, श्रीनिवास शास्त्री, मोहम्मद अली जिन्ना, नवाब सैयद मोहम्मद बहादुर, महुदाबाद के राजा एवं मजहरूल हक। सदस्यों ने विधेयक पर वाद-विवाद करने के अधिकार का उपयोग किया और कई बार शासकीय सदस्यों को मुश्किल में डाल दिया। उनके वाद-विवाद के तर्कों को समाचार पत्रों में स्थान मिलता था, जिससे ब्रिटिश राज के अनैतिक पक्ष को उजागर करने में सहायता मिली।
- यद्यपि ब्रिटिश सरकार को आशा थी कि परिषद में विभिन्न वर्गों की उपस्थिति एक-दूसरे के विरुद्ध संतुलन का काम करेगी, लेकिन विधायिका में उनके व्यवहार ने ब्रिटिश आशाओं को धूमिल कर दिया, क्योंकि वे राष्ट्रीय महत्व के मुद्दों पर एक हो जाते थे, न कि विभाजित।

- यह अधिनियम जनता की महत्वाकांक्षाओं को संतुष्ट करने में विभिन्न प्रकार से असफल हुआ। उत्तरदायी सरकार के बारे में इस अधिनियम में कुछ नहीं था। संकीर्ण मताधिकार एवं अप्रत्यक्ष निर्वाचन उत्तरदायित्व की भावना को विकसित करने में असफल हुआ। परिषदों को वास्तविक शक्ति प्राप्त नहीं थी और वे केवल वाद-विवाद की संस्थाएं बनकर रह गई थीं।
- इस अधिनियम ने कार्य प्रणाली के संबंध में कई भ्रम भी उत्पन्न किए। उत्तरदायित्व के अभाव में भारतीय नेताओं द्वारा कई बार सरकार की बिना विचार किए गैर-जिम्मेदार तरीके से आलोचना की जाती थी, जिससे ब्रिटिश सरकार एवं भारतीय समुदाय दो विरोधी दलों में बंट गए थे।
- यह अधिनियम उदारवादियों, मुस्लिम एवं अभिजात वर्गों (जमींदारों) को संतुष्ट करने के लिए पारित किया गया था, जिससे ब्रिटिश सरकार के समर्थन में एक नया समूह उभर सके।
- प्रारंभ में ब्रिटिश शासन को इनका अच्छा समर्थन मिला, लेकिन जल्द ही इन वर्गों ने भी अनुभव किया कि ब्रिटिश शासन उनका इस्तेमाल कर रही है। उदारवादियों का मार्ले-मिंटो सुधार से जल्द ही मोहभंग हुआ और उन्होंने बाहर से 'होम रूल आंदोलन' का समर्थन किया। 1916 के लखनऊ-समझौते के बाद कांग्रेस का नेतृत्व उग्रवादियों के हाथों में चला गया था। यद्यपि इतिहासकारों में इस बारे में एक राय नहीं है कि हिंदू-मुस्लिम को राजनीतिक रूप से अलग रखने से ब्रिटिश शासन को कितना लाभ हुआ, लेकिन इस बात से इंकार नहीं किया जा सकता कि अधिभार एवं पृथक निर्वाचन की नीति एक महत्वपूर्ण साम्राज्यवादी कदम था। इसी ने **भारतीय राजनीति को कई वर्षों के लिए सांप्रदायिक** बना दिया था।
- मुसलमानों के लिए पृथक निर्वाचन से अन्य समुदायों ने भी ऐसे ही अधिकारों का दावा किया। इन दावों पर विचार करते हुए 1919 के अधिनियम में सिख समुदाय को भी विशिष्ट प्रतिनिधित्व दिया गया। हरिजन, भारतीय ईसाई, एंग्लो-भारतीय एवं यूरोपियन को भी 1935 के अधिनियम में प्रथक प्रतिनिधित्व दिया गया।

इस प्रकार 1909 के अधिनियम में प्रतिनिधि सरकार की दिशा में कोई विशेष कदम नहीं उठाया गया।

- **ब्रिटिश संसद में मार्ले ने घोषणा की,** "यदि सुधारों के इस अध्याय से प्रत्यक्ष अथवा आवश्यक रूप से भारत में एक संसदीय व्यवस्था स्थापित होती है, तो मेरा इससे कोई लेना-देना नहीं है।"
- **प्रो. एम. वी. पायली-** "उदार निरंकुशता के सिद्धांत के आधार पर, इन सुधारों को ब्रिटिश शासन की तानाशाही के स्थान पर संविधानवाद के निर्माण के रूप में देखा जा सकता है।"
- **भारतीय संवैधानिक सुधार का प्रतिवेदन (1918),** "यह (सांप्रदायिक प्रतिनिधित्व की व्यवस्था) इतिहास की सीख के विरुद्ध थी। इससे जाति एवं वर्ग का विभाजन हुआ, जिसका अर्थ था विभिन्न दलों में संगठित होना और एक दूसरे को विरोधी समझना, न की नागरिक। इसने वर्तमान संबंधों को बिगाड़ दिया और यह स्वशासन के सिद्धांत के विकास में एक गंभीर बाधा थी।"

मोंटेग्यू-चेम्सफोर्ड सुधार, 1919 (Montague Chelmsford Reforms, 1919)

1919 के सुधारों के उत्तरदायी कारक

- **1909 के अधिनियम से मोहभंग होना-** 1909 के अधिनियम से जनता को बहुत असंतोष हुआ और पुनः स्वशासन की मांग की गई। मार्ले-मिंटो सुधार से मोहभंग इतना अधिक था, जिसने भारत में राजनीतिक वातावरण को बदल दिया और अनेक दमनकारी कानूनों को पारित किया गया जैसे- भारतीय पत्रकारिता अधिनियम, 1910; राजद्रोही सभा अधिनियम, 1911; फौजदारी कानून संशोधन अधिनियम, 1913 और 1915 के भारत रक्षा अधिनियम (The Defence of India Act) जिसमें क्रांतिकारियों के लिए एक विशेष बेंच में बिना अपील के सुनवाई का प्रावधान लाया गया और इसमें संदेहास्पद क्रांतिकारियों को नजरबंद करने का दमनकारी प्रावधान भी शामिल था।

- **1916 का कांग्रेस-लीग समझौता**- धीरे-धीरे मुसलमान भी ब्रिटिश सरकार से असंतुष्ट होने लगे। अलीगढ़ में एक मुस्लिम विश्वविद्यालय के निर्माण एवं 1911 में बंगाल के विभाजन को स्थगित करने के कारण मुस्लिम नाराज थे। कुछ अंतर्राष्ट्रीय कारण भी अंग्रेज-मुस्लिम संबंधों में कड़वाहट लाने के कारण बने। इनमें शामिल थे, तुर्की-इटली युद्ध (1911-12) एवं बाल्कन युद्ध (1912-13), जिनसें इंग्लैंड ने तुर्की के साथ शत्रुतापूर्ण व्यवहार किया। ब्रिटिश के साथ मुसलमानों का अलगाव कांग्रेस एवं मुस्लिम लीग को नजदीक लाया और अंततः दोनों ने 1916 में हाथ मिलाए, जिसे 'लखनऊ समझौता' के नाम से जाना गया।
- **प्रथम विश्वयुद्ध का प्रारंभ होना**- जब अगस्त 1914 में यूरोप में युद्ध आरंभ हुआ, तो भारत स्वतः ही इसमें शामिल हो गया। भारत ने जन, धन एवं भौतिक साधनों से ब्रिटेन की इस कठिन परिस्थिति में सहायता की। इसके बाद स्वाभाविक रूप से भारतीय लोगों की महत्वाकांक्षाएं बढ़ी। ऐसा इसलिए नहीं था कि भारतीय निष्ठावान नौकर थे, जिन्हें उनके मालिक से पुरस्कार मिलना चाहिए, बल्कि भारतीयों ने ब्रिटेन की सहायता एक समान शक्तिशाली देश की तरह की, जिससे जातीय-सर्वोच्चता का मिथक समाप्त हुआ एवं भारतीय लोगों का आत्मविश्वास भी बढ़ा। अब वे अपनी योग्यताओं को स्वयं पर शासन करके पहचानना चाहते थे। युद्ध, जो साम्राज्यवादी शक्तियों के बीच संघर्ष था, ने साम्राज्यवादी शक्तियों के व्यापार एवं क्षेत्र के प्रति लोभ को उजागर कर दिया था। जैसे युद्ध आगे बढ़ा, तो अमेरिकी राष्ट्रपति वुड्रो विल्सन ने घोषणा की कि यह युद्ध दुनिया को लोकतंत्र के लिए सुरक्षित बनाने के लिए लड़ा जा रहा है। यूरोपीय देशों में एक के बाद एक लोकतांत्रिक संस्थाएं स्थापित की गई। इस प्रकार युद्ध ने लोकतांत्रिक ताकतों को बहुत अधिक बल दिया एवं दुनिया भर में स्वशासन की मांग उठने लगी।
- **संवैधानिक सुधारों की अनेक योजनाओं का उद्भव**- सुधारों के लिए वातावरण इतना अधिक उत्साह से भरा हुआ था कि अनेक भारतीय राजनीतिक सिद्धांतकारों ने स्वयं ही भारत की राजनीतिक समस्याओं के लिए नई योजनाएं बनाना शुरू कर दिया था-
    - **गोखले की योजना**- यह सबसे पहली योजना थी, लेकिन इसका प्रकाशन मरणोपरांत 1917 में हुआ। इसमें स्वशासन के आधारभूत साधनों की वकालत की गई थी।
    - **गोलमेज योजना**- ब्रिटिश साम्राज्य की साम्राज्यवादी समस्याओं का अध्ययन करने के लिए गोलमेज नामक एक समूह बनाया गया। इसके सदस्य, जैसे **लिओनेल कर्टिस** एवं **विलियम ड्यूक** ने महसूस किया कि बिना उत्तरदायित्व दिए, निर्वाचित सदस्यों के बहुमत में वृद्धि परिषदों में स्थाई विपक्ष को निर्मित कर देगा। अतः उन्होंने प्रांतों में द्वैध शासन की योजना को सामने रखा। (द्वैध शासन का अर्थ है सरकार का एक ऐसा स्वरूप जिसमें कोई दो व्यक्ति अथवा संस्थाएं संयुक्त रुप से सर्वोच्च शक्ति का इस्तेमाल करती हों)
    - **कांग्रेस एवं मुस्लिम लीग की संयुक्त योजना**- दिसंबर 1916 में लखनऊ-समझौते के बाद कांग्रेस व मुस्लिम लीग ने संवैधानिक सुधारों के लिए एक संयुक्त योजना बनाई।
- **भारत में युद्ध समय की राजनीति**- युद्ध ने भारतीय समाज के विभिन्न वर्गों में राष्ट्रवाद की भावना का निर्माण किया और परिणामस्वरूप, युद्धकाल में भारत में तीव्र राजनीतिक गतिविधियां हुईं। जनता ने महसूस किया कि स्वराज या स्वराज्य ब्रिटिश सरकार से पुरस्कार में नहीं मिलेगा। अतः अनेक राष्ट्रवादियों ने ब्रिटेन की कठिनाई को भारत के लिए एक अवसर के रूप में देखा। होमरूल आंदोलन एवं गदर आंदोलन का उद्भव हुआ और युद्ध के वर्षों में भारत की राजनीति को सक्रिय बना दिया।
- **युद्ध निधि के लिए 1 मिलियन पाउंड की ब्रिटिश मांग**- भारत सरकार ने युद्ध-निधि के लिए 1 मिलियन पाउंड धन एकत्रित करने के लिए जनता से आग्रह किया। ऐसा महसूस किया गया कि इससे युद्ध के बाद भारत को रियायत मिलेगी।
- **सरकार के व्यवहार में परिवर्तन एवं मांटेग्यू-घोषणा**- इन सभी कारकों एवं होमरूल आंदोलन ने राजनीतिक वातावरण को उग्र बना दिया था और जिससे सरकार को नरम रुख अपनाने के लिए मजबूर होना पड़ा। इस नरम रुख को मोंटेग्यू

(नए भारत सचिव) के ऐतिहासिक घोषणा से समझा जा सकता है, जो उन्होंने ब्रिटिश शासन के लक्ष्य के बारे में ब्रिटिश हाउस ऑफ कॉमंस में की।

मांटेग्यू-घोषणा (20 August, 1917) "महामहिम की सरकारी नीति, जिससे भारत सरकार भी सहमत है, ब्रिटिश साम्राज्य के एक अभिन्न अंग के रूप में भारत में उत्तरदायी सरकार का विकास करना, प्रशासन की प्रत्येक शाखा में भारतीयों की सहभागिता बढ़ाना एवं स्व-शासित संस्थाओं का क्रमिक विकास करना है।"

अपनी इस घोषणा मे मोंटेग्यू ने कहा कि इस लक्ष्य की प्राप्ति के लिए कुछ आधारभूत कदम उठाए जाएंगे। मोंटेग्यू ने भारत-भ्रमण एवं स्वयं ही एक संवैधानिक सुधारों की योजना तैयार करने का निर्णय लिया। इसी के अनुसार, नवंबर 1917 को लॉर्ड मोंटेग्यू भारत पहुंचे और वायसराय चेम्सफोर्ड, शासकीय अधिकारियों एवं भारतीय नेताओं के साथ चर्चा की। इस चर्चा के आधार पर उन्होंने **भारतीय संवैधानिक सुधारों पर एक रिपोर्ट/प्रतिवेदन**, जिसे मोंटेग्यू-चेम्सफोर्ड रिपोर्ट अथवा साधारणरूप रूप से मोंट-फोर्ड रिपोर्ट के नाम से जाना गया, बनाई। इसका प्रकाशन जुलाई 1918 में हुआ।

भारतीय प्रतिक्रिया

जहां एक ओर मांटेग्यू की घोषणा का स्वागत किया गया, वहीं दूसरी ओर सुधार की योजना जनता की अपेक्षाओं को पूरा नहीं कर सकी और कुछ उदारवादी नेताओं को छोड़कर अधिकतर भारतीय नेताओं द्वारा इसे अस्वीकार कर दिया गया।

अगस्त 1918 में बॉम्बे में कांग्रेस का विशिष्ट अधिवेशन (अध्यक्ष-हसन इमाम)- अगस्त 1918 में इस प्रतिवेदन पर चर्चा करने के लिए कांग्रेस का एक विशेष अधिवेशन बॉम्बे में हुआ। कांग्रेस ने इस योजना को 'अपर्याप्त, असंतोषजनक एवं निराशाजनक' कहते हुए इसके विरुद्ध एक निंदा प्रस्ताव पारित किया।

हालांकि, कुछ उदारवादी सुरेंद्रनाथ बनर्जी के नेतृत्व में सुधार प्रस्तावों को स्वीकार करने के पक्ष में थे और इसी मुद्दे पर उन्होंने कांग्रेस को छोड़ दिया। उन्होंने अलग से बॉम्बे में एक अखिल भारतीय सम्मेलन बुलाया और एक नया दल **इंडियन लिबरल फेडरेशन** (Indian Liberal Federation) (नवंबर 1918) स्थापित किया और तब से ये लोग उदारवादी कहलाने लगे। इस दल के अध्यक्ष सुरेंद्रनाथ बनर्जी ने अपने दल को परिभाषित करते हुए कहा कि यह सुधार का मित्र व क्राति का शत्रु है। बनर्जी के नेतृत्व में उदारवादी भी एक प्रतिनिधिमंडल इंग्लैंड ले गए और संयुक्त संसदीय समिति के समक्ष इस योजना के समर्थन में प्रमाण प्रस्तुत किए। इस तरह मोंट-फोर्ड रिपोर्ट के आधार पर एक नया भारत शासन अधिनियम विधेयक का प्रारूप तैयार किया गया एवं दिसम्बर 1919 में 'भारत शासन अधिनियम, 1919' के नाम से इसे पारित किया गया।

भारत शासन अधिनियम, 1919 (The Government of India Act, 1919)

प्रस्तावना- इस अधिनियम में एक प्रस्तावना भी शामिल की गई थी, जिसमें उन आधारभूत सिद्धांतों को समाविष्ट किया गया था, जिनके आधार पर सुधारों को किया जाना था। यह 20 अगस्त 1917 के मोंटेग्यू की घोषणा पर आधारित था और इसमें निम्नलिखित सामान्य सिद्धांत शामिल थे-

- ब्रिटिश भारत, ब्रिटिश साम्राज्य का एक अभिन्न अंग बना रहेगा।
- संसद की इस घोषित नीति का उद्देश्य ब्रिटिश भारत में उत्तरदायी सरकार बनाना है।
- उत्तरदायी सरकार केवल प्रगतिशील सुधारों से संभव है।
- इसके लिए दो बातें आवश्यक हैं- (1) प्रशासन की प्रत्येक शाखा में भारतीयों का बढ़ती सहभागिता, एवं (2) स्वशासन की संस्थाओं का क्रमिक विकास।
- स्थानीय शासन के क्षेत्र में, जहां तक संभव हो, पूर्ण लोकप्रिय नियंत्रण।
- प्रांतीय सरकारें एक बड़े स्तर तक भारत सरकार से स्वतंत्र होंगी एवं कुछ कार्यों में वे जनप्रतिनिधियों के प्रति उत्तरदायी होंगी।

1919 के अधिनियम के मुख्य प्रावधान (Main Provisions of the Act of 1919)

गृह सरकार में परिवर्तन

भारत सचिव का **वेतन ब्रिटिश राजकोष** से दिया जाने लगा, न की भारतीय राजस्व से; जैसा कि 1793 से हो रहा था। इस प्रकार से लम्बे समय से चले आ रहे इस अन्याय को समाप्त कर दिया गया। इसके कुछ कार्यों को हाई कमिश्नर को हस्तांतरित कर दिया गया और हाई कमिश्नर की नियुक्ति व वेतन की जिम्मेदारी भारत सरकार की होगी और वह गवर्नर जनरल सहित परिषद के एक एजेंट के रूप में कार्य करेगा। सामान्यत: ऐसा माना जाता है कि भारत के सचिव की शक्तियों को इसलिए कम किया गया था, क्योंकि कांग्रेस ने 1916 में यह मांग करते हुए एक प्रस्ताव पारित किया था कि भारत का शासन दिल्ली से चलना चाहिए न कि डाउनिंग स्ट्रीट से।

भारत के शासन में परिवर्तन

केंद्रीय सरकार

केंद्रीय कार्यकारी परिषद- 1919 के अधिनियम के अधीन केंद्रीय शासन के आधारभूत सिद्धांतों में परिवर्तन नहीं किया गया था। मुख्य कार्यकारी सत्ता गवर्नर जनरल में निहित थी, जो भारत सचिव के माध्यम से ब्रिटिश संसद के प्रति उत्तरदायी था, न कि भारतीय विधायिका के प्रति। इस प्रकार यह अप्रतिनिध्यात्मक सरकार बनी रही। भारतीयों की सहभागिता बढ़ाने की नीति को लागू करने के लिए यह प्रावधान बनाया गया कि गवर्नर जनरल की आठ सदस्यों वाली कार्यकारी परिषद में 3 **भारतीय** होंगे। हालांकि, इन सदस्यों को हमेशा कम महत्व के विभाग वितरित किए जाते थे, जैसे- कानून, शिक्षा, श्रम, स्वास्थ्य, उद्योग।

केंद्रीय विधायिका- इस अधिनियम के अंतर्गत एक **द्विसदनीय विधायिका** स्थापित की गई। दो सदन थे- भारतीय विधान सभा एवं राज्य परिषद।

भारतीय विधान सभा/निम्न सदन (Indian Legislative Assembly/Lower House)

- इसमें 145 सदस्य शामिल थे, जिनमें से 42 को नामांकित एवं 104 को निर्वाचित होने का प्रावधान था। 104 निर्वाचित सदस्यों में से 52 को सामान्य निर्वाचन क्षेत्र द्वारा, 32 को सांप्रदायिक निर्वाचन क्षेत्र (30 को मुसलमानों द्वारा व 2 को सिख द्वारा) द्वारा एवं 20 को विशिष्ट निर्वाचन क्षेत्रों (7 को जमींदारों द्वारा, 9 को यूरोपियन द्वारा व 4 को भारतीय व्यापारिक समुदाय) द्वारा निर्वाचित किए जाने का प्रावधान था।
- 1909 के अधिनियम के अप्रत्यक्ष निर्वाचन की विधि को समाप्त कर पहली बार इस अधिनियम द्वारा प्रत्यक्ष निर्वाचन की विधि को अपनाया गया।
- सांप्रदायिक निर्वाचन की व्यवस्था को जारी रखते हुए सिख समुदाय को भी यह अधिकार दिया गया।
- प्रांतों में सीटों का बंटवारा उनकी जनसंख्या के आधार पर नहीं, बल्कि उनके तथाकथित महत्व के आधार पर किया जाने लगा। उदाहरण के तौर पर बॉम्बे व मद्रास दोनों को 12 सीटें आवंटित की गई थीं, जबकि बॉम्बे की जनसंख्या मद्रास की जनसंख्या से आधी थी। बॉम्बे को 12 सीटें देने का कारण उसका व्यापारिक महत्व होना बताया गया।
- सभा का कार्यकाल 3 वर्ष निश्चित किया गया, लेकिन इसे गवर्नर जनरल के द्वारा बढ़ाया भी जा सकता था। (ध्यान देने योग्य बात है कि आखरी विधानसभा 1936 में निर्वाचित होने के बाद 10 साल बाद विघटित हुई थी।)

राज्य परिषद/उच्च सदन (The Council of State/Upper House)

- इस सदन में 60 सदस्य थे, जिनमें से 26 को गवर्नर जनरल द्वारा नामांकित एवं 34 को चुनाव द्वारा निर्वाचित किए जाने का प्रावधान था। इस प्रकार इस सदन में निर्वाचित सदस्यों के बहुमत को अपनाया गया। 34 निर्वाचित सदस्यों में से 20 को सामान्य निर्वाचन क्षेत्र, 10 को मुस्लिम, 3 को यूरोपियन एवं 1 को सिख निर्वाचन क्षेत्र द्वारा निर्वाचित किए जाने का प्रावधान था।

- प्रत्येक सदस्य का कार्यकाल 5 वर्ष निर्धारित किया गया, यद्यपि परिषद प्रतिवर्ष अंशत: नवीनीकृत हो जाती थी।
- सदस्यों को सम्माननीय (Honorable) कहा जाता था। **महिलाओं को इस सदन का सदस्य** बनने का अधिकार नहीं था।
- मताधिकार को बहुत अधिक सीमित रखा गया, ताकि वंशानुगत अभिजात वर्ग एवं वाणिज्यिक अभिजात वर्ग के प्रतिनिधित्व को सुरक्षित रखा जा सके।

अन्य परिवर्तन

- **विधायिका में पूरक प्रश्न पूछने के अधिकार** सभी सदस्यों को दे दिया गया। (1909 के अधिनियम के अंतर्गत जो सदस्य मूल प्रश्न पूछता था, उसी को पूरक प्रश्न पूछने का अधिकार था।) अल्प सूचना प्रश्न भी पूछ सकते थे। सदस्यों को अभिव्यक्ति की स्वतंत्रता का अधिकार दिया गया।
- चूंकि आंशिक रूप से प्रांतों में उत्तरदायी शासन को अपनाया गया था। इसलिए यह आवश्यक हो गया था कि केंद्र एवं प्रांतीय सरकारों के अधिकार क्षेत्रों को निश्चित किया जाए। इस प्रकार दो सूचियां बनाई गई- केंद्रीय सूची एवं प्रांतीय सूची।
- इस अधिनियम के अंतर्गत राजस्व के स्रोतों का केंद्र एवं प्रांतों के मध्य पूर्ण विभाजन किया गया, ताकि भारतीयों को दिए गए शक्ति के आंशिक हस्तांतरण को अर्थ मिल सके।

गवर्नर जनरल की विशिष्ट शक्तियां- निषेधाधिकार शक्ति के साथ उसे **प्रमाणीकरण की शक्ति** भी दी गई। इसका अर्थ था कि यदि किसी विधेयक को विधानसभा पारित करने से मना कर देती है, तो वह प्रमाणित कर सकता है कि यह विधेयक सुरक्षा, शांति और ब्रिटिश भारत हितों के लिए महत्वपूर्ण है और इस प्रकार उस विधेयक को पारित करा सकता है। गवर्नर जनरल विधान सभा द्वारा पारित विधेयक को मना कर सकता था। व्यवहार में, गवर्नर जनरल ने अपनी इन शक्तियों का उदार तरीके से उपयोग किया था, लेकिन ये सुधार, केंद्र में एक उत्तरदायी सरकार स्थापित करने में पूर्णतया अपर्याप्त साबित हुए।

केंद्र में किए गए परिवर्तनों का महत्व- 1919 के अधिनियम द्वारा केंद्र में **उत्तरदायी शासन की स्थापना** नहीं की गई, लेकिन इसके बाद भी इस अधिनियम के कई प्रावधानों ने उत्तरदायित्व को बढ़ाने में सहायता की। यद्यपि गवर्नर जनरल एवं उसकी कार्यकारिणी को हटाया नहीं जा सकता था, इसका मतलब यह नहीं था कि वे विधानसभा की आकांक्षाओं को नजरअंदाज कर सकें। सदस्यों को स्थाई समिति जैसे लोक लेखा समिति का भाग बनाया गया और इस तरह उन्हें शासकीय नीति पर नियंत्रण का अवसर मिला। उन्हें प्रश्न पूछकर एवं स्थगन के प्रस्ताव को लाकर नियंत्रण करने का अधिकार मिला। वे बजट को अस्वीकार कर सकते थे और सरकार के विरुद्ध प्रस्ताव पारित कर सकते थे। विधानसभा में निर्वाचित सदस्यों के विशाल बहुमत ने कार्यकारी परिषद के सदस्यों के लिए यह असंभव बना दिया था कि वे विधानसभा के सदस्यों की इच्छाओं के प्रति अनुत्तरदायी बने रहें।

प्रांतीय सरकार में परिवर्तन

प्रांतीय स्वायत्तता (केंद्र से)- शक्तियों के हस्तातरण एव विकेंद्रीकरण के लक्ष्य को प्रभावी बनाने के लिए प्रांतीय स्वायत्तता को **पहली बार** अपनाया गया। इसका अर्थ था केंद्रीय प्रशासन के नियंत्रण से प्रांतीय सरकारों को स्वतंत्रता देना। प्रांतों की स्वतंत्र शक्तियों को **हस्तांतरण नियम** (Devolution Rules) के रूप में परिभाषित किया गया। वित्त, विधायन एवं प्रशासन के क्षेत्र में हस्तांतरण को लागू किया गया। अब हम इस अधिनियम द्वारा लाए गए विकेंद्रीकरण को समझते हैं-

वित्तीय हस्तांतरण-

- हस्तांतरण का पहला कदम केंद्र एवं प्रांतों के **मध्य राजस्व के पूर्ण विभाजन** के साथ उठाया गया। इसके अनुसार भू-राजस्व, आबकारी, सिंचाई व स्टांप को पूर्णतया प्रांतीय विषय बनाया गया।
- आय में हानि की भरपाई के लिए केंद्र सरकार को प्रांतीय योगदान की व्यवस्था को अपनाया गया।
- प्रांतों को अपने बजट तैयार करने की लगभग पूर्ण स्वतंत्रता दी गई।
- गवर्नर जनरल की पूर्व अनुमति की आवश्यकता को समाप्त कर प्रांतों के कराधान शक्तियों को बढ़ाया गया।

विधायी हस्तांतरण

- केंद्र एवं प्रांतों के बीच विधायी कार्यों हेतु विषयों के विभाजन द्वारा विधायी हस्तांतरण किया गया। इस प्रकार दो सूचियां बनाई गईं: केंद्रीय सूची एवं प्रांतीय सूची।
- **केंद्रीय सूची** (Central List)- इस सूची में राष्ट्रीय महत्व और एक से अधिक प्रांतों से संबंधित विषयों जैसे- विदेशी मामले, राजनीतिक संबंध, रक्षा, संचार, पोस्ट व टेलीग्राफ, सार्वजनिक ऋण, आयात कर, सीमा शुल्क, पेटेंट और मुद्रा इत्यादि शामिल थे।
- **प्रांतीय सूची** (Provincial List)- इस सूची में केवल प्रांतीय महत्व के विषयों को शामिल किया गया। जैसे- स्थानीय स्वशासन, स्वास्थ्य व स्वच्छता, शिक्षा, सार्वजनिक कार्य, कृषि, भू-राजस्व प्रशासन, वन, जलापूर्ति, अकाल राहत, कानून एवं व्यवस्था इत्यादि थे।
- **अवशिष्ट शक्तियां** (Residual powers) गवर्नर जनरल सहित परिषद में निहित थीं।
- प्रांतीय सरकारें प्रांत की 'शांति एवं अच्छे शासन' के लिए कानून बना सकती थीं।
- प्रांतीय विधायन पर केंद्रीय नियंत्रण अभी भी जारी रहा एवं दो तरह से यह नियंत्रण किया गया। पहला, प्रत्येक प्रांतीय विधेयक की एक प्रति गवर्नर जनरल को भेजना होता था और उसको सहमति देना या न देना गवर्नर जनरल के हाथ में था। दूसरा, यदि गवर्नर जनरल सहमति देता है, तो उसकी एक प्रति भारत सचिव को जानी थी और पुनः सहमति देना या न देना अब भारत सचिव के हाथ में था।

प्रशासकीय हस्तांतरण

- यह वित्तीय एवं विधायी हस्तांतरण का स्वाभाविक प्रतिफल था।

प्रांतीय कार्यपालिका

द्वैध शासन (Diarchy)- 1919 के अधिनियम द्वारा प्रांतीय प्रशासन के क्षेत्र में यह सबसे महत्वपूर्ण परिवर्तन लाया गया। प्रांतों में द्वैध शासन दो उद्देश्यों की पूर्ति के लिए लाया गया। पहला, जनप्रतिनिधियों को उत्तरदायित्व सौंपने के लिए एवं दूसरा, भारतीय जनता के राजनीतिक पिछड़ापन एवं प्रशासकीय अनुभवहीनता की स्थिति को सुधारने के लिए। अतः सरकार के कुछ निश्चित विषयों का उत्तरदायित्व भारतीयों को हस्तांतरित किया गया, जबकि अन्य विषयों का नियंत्रण ब्रिटिश हाथों में संरक्षित रखा गया। इस प्रकार प्रांतीय सरकार को दो भागों में बांटा गया- गवर्नर एवं उसकी कार्यकारी परिषद को आरक्षित-सूची (Reserved list) का प्रशासन सौंपा गया, जबकि गवर्नर एवं उसके मंत्रियों को हस्तांतरित-सूची (Transferred list) का प्रशासन सौंपा गया। प्रांतों में कार्यकारी शक्तियों के इस आदर्श वितरण को द्वैध-शासन कहा गया। कुछ उभयनिष्ठ मुद्दों के लिए संयुक्त विचार-विमर्श का प्रावधान था, जिसमें गवर्नर अध्यक्षता करेगा और उसी का अंतिम फैसला होगा।

हस्तांतरित सूची (Transferred list)- इसमें राष्ट्र निर्माण से संबंधित विषयों को शामिल किया गया, जो मुख्य रूप से चार प्रकार के थे- स्थानीय स्वशासन, स्वास्थ्य, शिक्षा (यूरोपियन एवं एंग्लो-भारतीय शिक्षा के अलावा) एवं कृषि संबंधित कुछ विभाग। अन्य विषय थे- सार्वजनिक कार्य, पुस्तकालय, संग्रहालय, सहकारिता, पशु चिकित्सा, मछली पालन, उद्योग, नापतौल, सार्वजनिक मनोरंजन, धार्मिक मामले एवं सेवार्थ दान इत्यादि।

इन विषयों का प्रशासन गवर्नर व उनसे मंत्रियों द्वारा किया जाना था। गवर्नर मंत्रियों की नियुक्ति प्रांतीय विधायिका के निर्वाचित सदस्यों में से करता था और ये मंत्री विधायिका के प्रति **उत्तरदायी** थे। कानून की प्रक्रिया के तहत, गवर्नर के प्रसादपर्यंत मंत्री अपने पद पर बने रह सकते थे। लेकिन व्यवहार में, जब तक प्रांतीय विधायिका में उनका बहुमत या विश्वास रहता था, उन्हें सत्ता में रहने का की अनुमति दी जाती थी।

आरक्षित सूची (Reserved list)- इसमें शेष सभी विषयों को शामिल किया गया, जैसे- भू-राजस्व, पुलिस, न्याय, मुद्रणालय, पेंशन, सिंचाई, जलमार्ग, विद्युत एवं कारखाने इत्यादि।

इन विषयों का प्रशासन गवर्नर अपनी कार्यकारी परिषद की सहायता से करता था। कार्यकारी परिषद के सदस्यों को गवर्नर मनोनीत करता था और जो विधायिका के प्रति **उत्तरदायी नहीं** थे। गवर्नर एवं कार्यकारी सदस्य को ब्रिटिश क्राउन (सम्राट) के द्वारा 5 वर्ष के कार्यकाल के लिए नियुक्त किया जाता था, जो संयुक्त रूप से गवर्नर-जनरल एवं भारत सचिव के प्रति उत्तरदायी रहते थे। कार्यकारी परिषद के सदस्यों की संख्या अधिकतम 4 निश्चित की गई थी।

गवर्नर की भूमिका- वह कार्यपालिका के दोनों भागों के मध्य कड़ी का काम करता था। **निर्देशों के साधन** (Instrument of Instructions) एक दस्तावेज था, जो गवर्नर को जारी किया गया था। जिसमें प्रांतीय गवर्नर एवं मंत्रियों के मध्य संबंध के आधार को बताया गया था। इसमें गवर्नर के विशिष्ट उत्तरदायित्व को भी परिभाषित किया गया था, जिसमें उसे मंत्रियों से अधिक शक्तियां सौंपी गई थी। गवर्नर की विशेष शक्तियां परिषद की सबसे बड़ी कमजोरी के रूप में उभरी और जिसने उत्तरदायी सरकार के सिद्धांत को व्यवहार में लागू करने से रोका।

मूल रूप से, 1919 का अधिनियम केवल **8 प्रांतों** (बंगाल, मद्रास, बॉम्बे, संयुक्त प्रांत, पंजाब, बिहार, उड़ीसा, मध्य प्रांत एवं असम) में लागू हुआ। 1923 में अधिनियम को बर्मा में लागू किया गया और कुछ समय बाद उत्तर पश्चिम सीमांत प्रांत में भी लागू हुआ।

प्रांतीय विधायिका (प्रांतीय परिषद)- मोंट-फोर्ड सुधार ने एक नया सिद्धांत ***'उत्तरदायी सरकार'*** को प्रारंभ करने का विचार किया था। प्रांतीय विधायिकाओं को निम्न प्रकार से इस सिद्धांत के अनुसार परिवर्तित किया गया-

- **संरचना**
  - प्रत्येक प्रांत में एकल **सदनीय विधायिका** का निर्माण किया गया, जिसे विधायी परिषद कहा गया।
  - इसमें गवर्नर की कार्यकारी परिषद, निर्वाचित सदस्य एवं नामांकित सदस्यों को शामिल किया गया।
- **संख्या**
  - प्रांतीय विधायिकाओं के आकार में काफी विस्तार किया गया, जिसकी संख्या प्रत्येक प्रांत में अलग-अलग थी। अधिकतम संख्या 140 बंगाल की एवं न्यूनतम संख्या 53 असम की थी (जबकि 1909 के अधिनियम में अधिकतम संख्या 50 थी)। अत: जहां 1909 के अधिनियम ने अधिकतम संख्या का प्रावधान किया था, वही 1919 के अधिनियम ने न्यूनतम संख्या को विशेष तौर पर दर्शाया।
- **शासकीय एवं अशासकीय सदस्यों का अनुपात**
  - इस नई विधायिका में न्यूनतम 70% सदस्य निर्वाचित होने थे एवं अधिकतम 20% शासकीय सदस्य हो सकते थे।
- **नियुक्ति की विधि**
  - निर्वाचित सदस्यों के लिए **प्रत्यक्ष निर्वाचन** प्रक्रिया अपनायी गई। इसका अर्थ था प्राथमिक मतदाताओं द्वारा सदस्यों का निर्वाचन।
  - यद्यपि मोंट-फोर्ड सुधार प्रतिवेदन के लेखकों ने **पृथक निर्वाचन** क्षेत्र की आलोचना की थी, लेकिन फिर भी उन्होंने इस व्यवस्था को जारी रखने का निर्णय लिया। इस के साथ ही, इस व्यवस्था को **पंजाब में सिखों** पर भी लागू किया गया। बाद में जस्टिस पार्टी की मांग पर गैर-ब्राह्मणों के लिए भी सीटों को आरक्षित रखा गया।
  - निर्वाचन क्षेत्रों का निर्माण इस तरह किया गया कि कुछ विशिष्ट समुदायों व विशिष्ट हितों जैसे- विश्वविद्यालय, जमींदार, चैम्बर ऑफ कॉमर्स इत्यादि, के हितों को साधा जा सके।
- **मतदाताओं की योग्यताएं**
  - सामान्य निर्वाचन क्षेत्र में भी मतदान का अधिकार विभिन्न योग्यताओं पर निर्भर था, जैसे- निर्वाचन क्षेत्र में न्यूनतम समय के लिए निवास, न्यूनतम मूल्य के किराए के एक घर का स्वामित्व, नगर पालिका कर अथवा आयकर का न्यूनतम भुगतान, सैन्य पेंशन की प्राप्ति इत्यादि। परिणामस्वरूप, **मताधिकार बहुत ही संकीर्ण** हो गया था।

- 1920 में 5 प्रतिशत से भी कम लोगों को मताधिकार प्राप्त हुआ। **महिलाएं मतदान नहीं कर सकती थीं** और न ही **चुनाव लड़ सकती थीं**। हालांकि, ब्रिटेन में भी महिलाओं को 1918 में ही मताधिकार प्राप्त हुआ था।

- **विधायिका (विधायी परिषद) का कार्यकाल**
  - विधान परिषद का कार्यकाल 3 वर्ष निश्चित किया गया था, लेकिन इसे समय से पहले गवर्नर द्वारा विघटित किया जा सकता था। इस स्थिति में विघटन के बाद 6 महीने के अंदर नई परिषद को निर्वाचित करने का प्रावधान बनाया गया।
- **विधायिका (विधायी परिषद) के कार्य**
  - कार्यों को भी विस्तारित किया गया। सदस्यों को अभिव्यक्ति की स्वतंत्रता का अधिकार दिया गया। वे प्रश्न एवं पूरक प्रश्न पूछ सकते थे, प्रस्ताव ला सकते थे एवं प्रांतीय विषय से संबंधित विधायन की पहल कर सकते थे और यहां तक कि वे बजट को भी अस्वीकार कर सकते थे। (हालांकि गवर्नर इसे बाद में बहाल कर सकता था।)

1919 के अधिनियम की आलोचनाएं (Criticisms of the Act, 1919)

1919 के अधिनियम में निम्नलिखित मुख्य कमियां थीं-

1. केंद्र में यहां तक कि आंशिक उत्तरदायी सरकार का अभाव।
2. निर्वाचन को जारी रखना एवं उसका विस्तार करना, जबकि मोंट-फोर्ड प्रतिवेदन ने घोषित कर दिया था कि पृथक निर्वाचन की व्यवस्था भारत में स्व-शासन के सिद्धांत को विकसित करने में एक गंभीर बाधा है।
3. गवर्नर को विशेष शक्तियां देना। इन शक्तियों को प्रदान करके उत्तरदायी शासन के सिद्धांत को व्यवहार में प्राप्त नहीं किया जा सकता था।
4. द्वैध शासन को लागू करना।

द्वैध शासन का असफल होना- द्वैध शासन को अप्रैल 1921 से अप्रैल 1937 तक व्यवहार में लाया गया। हालांकि, इसी बीच दो प्रांतों- बंगाल (1924-27) एवं मध्य प्रांत (1924-26) में कुछ समय के लिए यह कार्य नहीं कर सकी थी। अपने संचालन में द्वैध शासन पूर्णतया असफल रहा। इस बात को द्वैध शासन की कार्यप्रणाली का परीक्षण हेतु **सर अलेक्जेंडर मुडीमैन** की अध्यक्षता में बनी एक आधिकारिक समिति द्वारा भी दोहराया गया। इस समिति ने निम्नलिखित कमियां बताई-

1. **सरकार द्वारा आरक्षित विषयों के माध्यम से हस्तांतरित विषयों में हस्तक्षेप**- वैज्ञानिक ढंग से विषयों का विभाजन न करने के कारण यह समस्या उत्पन्न हुई। सर्वप्रथम, इस प्रकार का दो भागों में प्रशासनिक विभाजन राजनीतिक सिद्धांत के विरुद्ध था और यह संभव नहीं था कि राज्य के कार्यों को दो स्पष्ट भागों में बांटा जा सके। अधिकतर विषय परस्पर किसी न किसी रूप में जुड़े रहते हैं। उदाहरणस्वरूप, शिक्षा हस्तांतरित विषय था, जबकि यूरोपियन व एंग्लो भारतीय शिक्षा आरक्षित विषय थे। जहां कृषि हस्तांतरित विषय था, तो भू-राजस्व व सिंचाई आरक्षित विषय, जबकि दोनों को पृथक् नहीं किया जा सकता है। साथ ही जब भी विरोध की स्थिति उत्पन्न होती थी, तो गवर्नर निर्णायक के रूप में सामान्य तौर पर आरक्षित विषय का ही साथ देता था।
2. **हस्तांतरित विभागों पर वित्तीय विभाग (आरक्षित विषय) के द्वारा अत्यधिक नियंत्रण**- वित्त विभाग के मंत्रियों की नीति को नियंत्रित करने के लिए उनके द्वारा मांगी गई राशि को मना कर दिया जाता था। जहां एक और आरक्षित विभागों को उनके द्वारा मांगी गई राशि आसानी से मिल जाती थी, वहीं मंत्री धन के लिए निवेदन ही करते रह जाते थे।
3. **मंत्रियों के साथ सहयोग करने में भारतीय सिविल सेवा की असफलता**- यह द्वैध शासन का सबसे हानिकारक पक्ष था। मंत्रियों को अपनी नीतियों को सिविल सेवा के माध्यम से लागू कराना होता था, लेकिन उनका हस्तांतरित विभागों के सिविल सेवकों पर कोई नियंत्रण नहीं था। भारतीय सिविल सेवा के सदस्यों को भारत सचिव के द्वारा भर्ती किया जाता था और वे केवल उसके प्रति ही उत्तरदयी होते थे। उनका मंत्रियों के प्रति कोई विशेष उत्तरदायित्व नहीं होता था। साथ ही, विभागीय सचिव सीधे गवर्नर को रिपोर्ट करते थे, जिसने मंत्रियों की स्थिति को और कमजोर बना दिया था। इस विशेष अधिकार ने भारतीय सिविल सेवा को अवज्ञाकारी बना दिया था।

4. **सरकार के दोनों भागों के मध्य संयुक्त विचार-विमर्श को प्रोत्साहित करने में असफलता**- संयुक्त विचार-विमर्श को व्यवस्था का अभिन्न अंग नहीं बनाया गया। इसकी पहल करने का अधिकार गवर्नर को था और केवल कुछ गवर्नरों ने ही इस प्रक्रिया को प्रोत्साहित किया।
5. **मंत्रियों की कमजोर स्थिति**- मंत्रियों की स्थिति को गवर्नर, गवर्नर जनरल व भारत सचिव की अत्यधिक शक्तियों ने कमजोर बना दिया था, क्योंकि मंत्रियों द्वारा लिए गए निर्णयों को, ये सभी अपनी विशेष शक्तियों का प्रयोग करके निरस्त कर सकते थे। गवर्नर मंत्रियों को एक सलाहकार के रूप में देखता था और जब चाहे उन्हें बर्खास्त कर सकता था। इस व्यवस्था ने उत्तरदायित्व के सिद्धांत को पनपने ही नहीं दिया। मंत्रियों की स्थिति इस बात से और जटिल हो गई थी कि उनके दो स्वामी थे। उनकी नियुक्ति गवर्नर द्वारा होती थी और वह उन्हें बर्खास्त कर सकता था, लेकिन उन्हें विधान परिषद के प्रति उत्तरदायी बनाया गया था।
6. **मंत्रियों के सामूहिक/संयुक्त उत्तरदायित्व का अभाव**- मंत्रियों के संयुक्त उत्तरदायित्व के सिद्धांत को नहीं अपनाया गया और यह संभव भी नहीं था, क्योंकि मंत्रियों को किसी संगठित राजनीतिक दलों के आधार पर नहीं चुना जाता था, बल्कि वे व्यक्तिगत आधार पर चुने जाते थे।

द्वैध शासन की प्रक्रिया को कांग्रेस द्वारा भी अस्वीकार कर दिया गया था। कांग्रेस द्वैध शासन के विरोध में थी और इसके प्रतिनिधियों ने मंत्री-पद स्वीकार करने से मना कर दिया था। परिणामस्वरूप, अधिकतर मंत्री छोटे दलों से आए और वे स्वतंत्र थे। उनके पास विधान परिषद में कोई बहुमत नहीं था। सफल अविश्वास प्रस्तावों ने उन्हें कई बार परेशानी में डाल दिया था। इन परिस्थितियों में वे जनता के लिए कोई उपयोगी कार्य करने की अपेक्षा नहीं कर सकते थे। अतः द्वैध शासन के अंतर्गत मंत्री-पद केवल भारतीयों को प्रशिक्षित करा सके, न कि उत्तरदायी शासन के विज्ञान को समझा पाए। वास्तव में, द्वैध शासन इतना अधिक अलोकप्रिय हो गया था कि उसका उपहास करना एक फैशन बन गया था।

महत्व (Significance)

उपर्युक्त आलोचनाओं के बावजूद, 1919 का अधिनियम भारत में संवैधानिक विकास के इतिहास में अनेक कारणों से मील का पत्थर साबित हुआ-

- सरकार ने भारत में स्वशासन की संस्थाओं के विकास एवं उनमें भारतीयों की सहभागिता को बढ़ाने के संबंध में अपने इरादे की घोषणा की थी। इस घोषणा से पीछे हटने का मतलब अपने वादे से मुकरना था। अतः इस घोषणा ने **भविष्य में सुधारों के लिए एक गारंटी** का कार्य किया।
- इस अधिनियम में केंद्र एवं प्रांतों में विधायी संस्थाओं का निर्माण किया गया था। भारतीय जनमत को इन विधायिकओं से आवाज मिली और ये आवाज प्रेस के माध्यम से पूरे देश में फैलने लगी। स्पष्ट एवं अक्सर तर्कपूर्ण वाद-विवादों ने **भारत में ब्रिटिश शासन के नैतिक आधार को ध्वस्त करने में एक महत्वपूर्ण भूमिका निभाई।**
- चुनाव के आयोजन एवं भारतीय मंत्रियों की नियुक्ति ने भारतीयों का संसदीय व्यवस्था से परिचय कराया।
- इन सभी आलोचनाओं के बावजूद, द्वैध शासन स्वयं संभवतः एक श्रेष्ठ संक्रमणकालीन प्रक्रिया थी, जो भारतीय समस्याओं के एक लंबे अध्ययन के बाद उभरी।

भारतीय प्रतिक्रिया- ये सुधार उस समय आए, जब भारत में परिस्थितियां विपरीत थीं। 1918-19 के दौरान मानसून खराब रहा, जिससे व्यापार में मंदी आई। रौलेट अधिनियम का कठोरता से विरोध हुआ। 13 अप्रैल 1919 को जलियांवाला बाग में नरसंहार हुआ और जिससे सरकार व जनता के बीच संबंध अपने न्यूनतम स्तर पर पहुंच गए थे। इन सब घटनाओं के बाद ब्रिटिश सरकार द्वारा नए सुधारों की उपेक्षा करना संभव नहीं था।

तुर्की के शासक खलीफा के प्रति ब्रिटिश शासन के शत्रुतापूर्ण व्यवहार से मुसलमान खुश नहीं थे और 1920-22 के वर्षों में महात्मा गांधी एवं कांग्रेस के नेतृत्व में खिलाफत एवं असहयोग आंदोलन हुए। कांग्रेस ने नवंबर 1920 के चुनावों का बहिष्कार किया और कांग्रेस के बहिष्कार के बाद नए संविधान के लिए कठिनाई उठानी पड़ी। इस प्रकार द्वैध शासन की असफलता ने असंतोष फैलाया और साथ ही इस नए अधिनियम ने एक नई एकता और महात्मा गांधी के नेतृत्व में एक नए आंदोलन को जन्म दिया।

प्रीलिम कैप्सूल

संवैधानिक विकास (1861–1920)

अधिनियम	महत्वपूर्ण प्रावधान
भारतीय परिषद अधिनियम, 1861	गवर्नर जनरल की कार्यकारी परिषद को विस्तारित कर **5वां सदस्य** जोड़ा गया, जिसे न्यायविद् (कानूनी कार्य) की भूमिका दी गई। विधायी कार्यों के उद्देश्य से केंद्रीय परिषद में अतिरिक्त सदस्यों की संख्या **न्यूनतम 6 और अधिकतम** 12 निश्चित की गई। इन अतिरिक्त सदस्यों को गवर्नर जनरल द्वारा नामांकित किया जाना था और उनमें से कम से कम आधे सदस्य अशासकीय होने का प्रावधान था। इस प्रावधान के अंतर्गत सामान्यतया तीन भारतीयों को नामांकित किया जाता था। इस प्रकार इसने विधायी कार्यों में भारतीयों की सहभागिता की एक प्रक्रिया आरंभ की। इस अधिनियम ने **बॉम्बे एवं मद्रास** की परिषदों की विधायी शक्तियों को पुनः स्थापित किया। इस अधिनियम ने अन्य प्रांतों में भी नई परिषदें स्थापित करने की अनुमति दी। इसी के अनुसार बंगाल (1862), उत्तर पश्चिम प्रांत (1886), बर्मा एवं पंजाब (1897) में परिषदें स्थापित की गई। इस प्रकार इसने स्थानीय परिषदों के माध्यम से स्थानीय ज्ञान एवं स्थानीय आवश्यकता के महत्व पर बल दिया। गवर्नर जनरल को आपातकाल के समय **अध्यादेश** जारी करने की शक्ति दी गई। इस अधिनियम द्वारा कार्यों में विकेंद्रीकरण किया गया। इस प्रावधान का उपयोग करते हुए लॉर्ड कैनिंग ने भारत में पहली बार विभागीय व्यवस्था आरंभ की और इस प्रकार भारत में **कैबिनेट व्यवस्था की आधारशिला** रखी गई।
भारतीय परिषद अधिनियम, 1892	केंद्रीय कार्यकारी परिषद में अतिरिक्त सदस्यों की संख्या बढ़ाकर न्यूनतम 10 व अधिकतम 16 कर दी गई। हालांकि, केंद्र एवं प्रांत दोनों में शासकीय सदस्यों के बहुमत को बनाए रखा गया। अतिरिक्त सदस्यों के मनोनयन के लिए गवर्नर जनरल सहित परिषद को नियम बनाने की शक्ति दी गई। इस प्रावधान के अधीन गवर्नर जनरल निर्वाचन की अर्द्ध-व्यवस्था (सीमित अथवा अप्रत्यक्ष निर्वाचन) को आरंभ कर सकता था, जैसा कि इस प्रावधान में भी निर्वाचन शब्द के उपयोग से बचा गया। निर्वाचन के सिद्धांत का आरंभ, यद्यपि छिपा हुआ था, एक महत्वपूर्ण संवैधानिक कदम था। केंद्रीय विधायिका के सदस्यों को वार्षिक वित्तीय प्रतिवेदन पर चर्चा करने की अनुमति दी गई। इस अधिनियम के अंतर्गत अनेक भारतीयों ने परिषदों में प्रवेश किया। इनमें फिरोजशाह मेहता, गोपाल कृष्ण गोखले, डब्लू. सी. वाचा, सुरेंद्रनाथ बनर्जी, आशुतोष मुखर्जी, रास बिहारी घोष एवं लालमोहन घोष शामिल थे।

मार्ले-मिंटो सुधार, 1909	गवर्नर जनरल की परिषद में अतिरिक्त सदस्यों की संख्या बढ़ाकर दुगुनी अथवा दुगुनी से अधिक कर दी गई एवं इनकी अधिकतम संख्या 60 कर दी गई। केंद्रीय विधान परिषद में सदस्यों की संख्या 69 हुई। प्रांतों में पहली बार **अशासकीय सदस्य के बहुमत** को प्रस्तावित किया गया। 32 अशासकीय सदस्यों में से 5 को गवर्नर जनरल द्वारा नामांकित किया जाना था, जबकि शेष 27 को **अप्रत्यक्ष निर्वाचन** प्रक्रिया से निर्वाचित किया जाना था। मुसलमानों के लिए **पृथक् निर्वाचन** की व्यवस्था को प्रस्तावित किया गया, जिन्हें साथ में अधिभार भी दिया गया। इस **अधिभार** के अंतर्गत उन्हें उनकी स्थानीय जनसंख्या से अधिक सीटें दी गई। साथ ही उन्हें सामान्य निर्वाचन क्षेत्र की सीटों पर चुनाव लड़ने की अनुमति दी गई। जो सदस्य मूल प्रश्न पूछते थे, उन्हें अब **पूरक प्रश्न** भी पूछने का अधिकार दिया गया।
मोंटेग्यू-चेम्सफोर्ड सुधार, 1919	इस अधिनियम का आरंभ 20 अगस्त 1917 की **मांटेग्यू घोषणा** पर आधारित एक प्रस्तावना से हुआ। भारत सचिव को अब ब्रिटिश राजकोश से वेतन दिया जाने लगा। इसके कुछ कार्यों को अब **भारत के हाई-कमिश्नर** को सौंप दिया गया। गवर्नर जनरल की कार्यकारी परिषद में **तीन भारतीयों** को शामिल किए जाने का प्रावधान किया गया। केंद्र में **द्विसदनीय विधायिका** स्थापित की गई, जिनके नाम थे- भारतीय विधानसभा एवं राज्य परिषद। **भारतीय विधान सभा (निम्न सदन)** ● इसमें 145 सदस्य निर्धारित किए गए। ● इस अधिनियम द्वारा पहली बार **प्रत्यक्ष निर्वाचन** की व्यवस्था को प्रस्तावित किया गया। ● सांप्रदायिक प्रतिनिधित्व की व्यवस्था को जारी रखते हुए इसे **सिखों** पर भी लागू किया गया। **राज्य परिषद (उच्च सदन)** ● इसमें 60 सदस्य थे। ● सदस्यों को सम्माननीय (Honorable) कहा जाता था। **महिलाओं को इस सदन में सदस्य बनने की अनुमति** नहीं थी। **पूरक प्रश्न पूछने के अधिकार** को विधायिका के अन्य सदस्यों को भी दिया गया। गवर्नर जनरल को प्रमाणीकरण की शक्ति सौंपी गई। इस अधिनियम के अंतर्गत प्रांतों को केंद्र से स्वायत्ता दी गई। प्रांतों की स्वतंत्र शक्तियां **हस्तांतरण नियमों** (Devolution Rule's) में परिभाषित की गईं। इस प्रकार दो सूचियां, केंद्र सूची एवं प्रांत सूची बनाई गई। **अवशिष्ट शक्तियां** गवर्नर जनरल सहित परिषद में निहित थीं। इस अधिनियम के अंतर्गत, प्रांतों में **द्वैध शासन** की व्यवस्था को प्रस्तावित किया गया और सरकार के कुछ विषयों को भारतीयों को हस्तांतरित कर दिया गया, जबकि अन्य विषयों को ब्रिटिश हाथों में आरक्षित रखा गया। गवर्नर ने कार्यपालिका के दोनों भागों के मध्य एक कड़ी का काम किया। **निर्देशों का साधन** एक दस्तावेज था, जिसमें प्रांतीय गवर्नरों व मंत्रियों के मध्य संबंध के आधार को सुनिश्चित किया गया था।

अध्याय

9

खिलाफत एवं असहयोग आंदोलन (1919-1922) (Khilafat and Non-Cooperation Movement)

1920-21 के दौरान महात्मा गांधी के नेतृत्व में दो जन-आंदोलनों- खिलाफत एवं असहयोग, के प्रारंभ होने के साथ ही भारत में राष्ट्रीय आंदोलन ने तीसरे एवं निर्णायक चरण में प्रवेश किया। यद्यपि दोनों आंदोलनों का उद्भव पृथक मुद्दों से हुआ था; लेकिन ब्रिटिश सरकार के विरुद्ध दोनों आंदोलनों ने एक समान कार्यक्रम अर्थात अहिंसक जन-सत्याग्रह को अपनाया। ये आंदोलन मोंटेग्यू-चेम्सफोर्ड सुधारों, युद्ध के बाद की परेशानियों, रौलेट एक्ट, जलियांवाला बाग हत्याकांड एवं खलीफा के साथ हुए गलत व्यवहार से उत्पन्न हुए असंतोष के बाद आरंभ हुए थे। इन सभी घटनाओं ने गांधी का ब्रिटिश सरकार से मोहभंग कर दिया था और उन्होंने स्वयं को एक सहयोगी से असहयोगी में परिवर्तित कर दिया था।

पृष्ठभूमि (Background)

मोंटेग्यू-चेम्सफोर्ड सुधारों से मोहभंग

1919 के संवैधानिक सुधार भारतीय आकांक्षाओं को पूर्ण करने एवं वास्तविक अर्थ में एक उत्तरदायी सरकार लाने में असफल हुए। द्वैध शासन की असफलता एवं सरकार द्वारा स्व-शासित संस्थाओं की स्थापना करने में असफलता ने नए अधिनियम के विरुद्ध असंतोष को बढ़ाया और अहिंसक असहयोग आंदोलन के स्वरूप में गांधी एवं कांग्रेस के नेतृत्व में एक नए आंदोलन को जन्म दिया।

युद्ध के बाद की परेशानियां

युद्ध के बाद भारत में आर्थिक स्थिति नाजुक हुई। दैनिक उपयोग की वस्तुओं के मूल्यों में वृद्धि हुई, किसानों पर भारी कर थोपा गया एवं आयात इतना अधिक बढ़ गया था कि भारतीय उद्योगों एवं उनके उत्पादन पर इसका प्रभाव पड़ने लगा। इस प्रकार भारतीय जनता के सभी वर्ग युद्ध के बाद की परेशानियां झेल रहे थे, जिसने ब्रिटिश विरोधी भावनाओं को मजबूत किया।

रौलेट अधिनियम

मार्च 1919 में रौलेट अधिनियम पारित हुआ, जिससे भारतीय जनता में बड़े स्तर पर नाराजगी उत्पन्न हुई। इस अधिनियम के अनुसार सरकार किसी व्यक्ति को बिना सुनवाई के बंदी बना सकती थी। इस अधिनियम के पीछे मुख्य उद्देश्य सरकार को इतना सक्षम बनाना था कि वे राष्ट्रवादियों को उनके बचाव का मौका दिए बिना जेल भेज सकें। इस अधिनियम का विरोध करने के लिए गांधी के नेतृत्व में एक अहिंसक जन-आंदोलन, जिसे रौलट सत्याग्रह के नाम से जाना जाता है, आरंभ किया गया था। विरोध के इस नए स्वरूप ने एक नई राजनीतिक जागरूकता सृजित की, जिसने भारतीय जनता को आंदोलित किया।

जलियांवाला बाग हत्याकांड

यह भारतीयों के साथ की गई एक निर्दयतापूर्ण घटना थी। 13 अप्रैल 1919 को अमृतसर में डॉ. सैफुद्दीन किचलू एवं डॉ. सत्यपाल की गिरफ्तारी का विरोध करने के लिए एक विशाल, लेकिन शस्त्र-रहित, भीड़ जलियांवाला बाग में एकत्रित हुई।

अमृतसर के ब्रिटिश कमांडर ने चेतावनी दिए बिना अपनी सेना की टुकड़ियों से भीड़ के ऊपर गोलीबारी करने का आदेश दिया, जिससे शांतिपूर्ण विरोध करने वाले हजारों लोग मारे गए, जिनमें महिलाएं एवं बच्चे भी शामिल थे। इस निर्दयी हत्याकांड ने पूरे विश्व को अचंभित कर दिया था।

1919 में भारत में बहुत अधिक असंतोष फैल चुका था और राष्ट्रवादी एक के बाद एक अपमान से क्षुब्ध हो चुके थे। वे अब इन अपमानों को सहन करने के लिए तैयार नहीं थे। इन सभी घटनाओं ने ब्रिटिश-विरोधी आंदोलनों के लिए जमीन तैयार कर दी थी। खिलाफत का मुद्दा, जो आंदोलन के लिए तात्कालिक कारण बना, ने मुस्लिम समर्थन को इस आंदोलन से जोड़ा।

वास्तव में, लखनऊ समझौता, रौलेट सत्याग्रह एवं मुसलमानों के मध्य राष्ट्रवादी नेतृत्व के उभरने के बाद इस काल में अभूतपूर्व हिंदू-मुस्लिम एकता देखी गई। हिंदू-मुस्लिम एकता अमृतसर में किए गए सरकार के दमन का ही एक प्रतिफल थी। इस दमन के दौरान दोनों के साथ समान रूप से अत्याचार हुए थे।

प्रथम विश्व युद्ध (1914-1918)- प्रथम विश्वयुद्ध एक वैश्विक युद्ध था, जो यूरोप से शुरू हुआ और जिसमें पूरे विश्व की प्रमुख शक्तियां शामिल हुईं। ये देश दो विपक्षी समूहों में बंट गए थे- मित्र राष्ट्र (ब्रिटेन, फ्रांस, रूस) एवं केंद्रीय शक्तियां (जर्मनी एवं आस्ट्रिया-हंगरी)। जैसे-जैसे नए राष्ट्र युद्ध में शामिल होते गए, दोनों समूहों में राष्ट्रों की संख्या बढ़ती गई। मित्र राष्ट्रों की जीत के साथ युद्ध समाप्त हुआ और क्षेत्रीय संतुलन स्थापित किया गया। **वर्साय की संधि** (Treaty of Versailles, 1919) के अनुसार, जो सभी संधियों में प्रमुख थी, तुर्क-साम्राज्य के क्षेत्रीय विस्तार को कम कर दिया।

प्रथम विश्व युद्ध

खिलाफत आंदोलन (1919-1922) (Khilafat Movement)

खिलाफत का मुद्दा

प्रथम विश्व युद्ध के दौरान तुर्की-ब्रिटेन के विरुद्ध जर्मनी एवं ऑस्ट्रिया का एक मित्र राष्ट्र था। युद्ध के बाद विजयी ब्रिटेन ने तुर्की के सुल्तान को राजगद्दी से हटा दिया, जिसे दुनिया भर के मुस्लिम लोग अपना धार्मिक प्रमुख अर्थात खलीफा मानते थे। यद्यपि ब्रिटेन के इस कार्य ने दुनिया भर में मुसलमानों को क्रोधित कर दिया था, लेकिन इसके विरोध में प्रमुख गतिविधियां भारत में ही संगठित हुईं।

अपनी आवाज को बुलंद करने के लिए भारतीय मुसलमानों ने एक आंदोलन (खिलाफत आंदोलन) किया और निम्न मांगें रखीं-

1. खलीफा की स्थिति को पुनः स्थापित किया जाना चाहिए।
2. मुसलमानों के पवित्र स्थानों पर खलीफा का नियंत्रण बना रहना चाहिए।
3. युद्ध के बाद होने वाले क्षेत्रीय सामंजस्य में खलीफा के पास पर्याप्त क्षेत्र शेष रहना चाहिए।

खिलाफत समिति का गठन (बॉम्बे, 1919)

1919 के आरंभ में बॉम्बे में मुस्लिम व्यापारियों की पहल पर एक खिलाफत समिति का गठन किया गया। इस समिति के प्रमुख नेताओं में **अली बंधु (मोहम्मद अली व शौकत अली), मौलाना अबुल कलाम आजाद, हकीम अजमल खान, हसरत मोहानी, डॉ. मुख्तार अहमद अंसारी** एवं अन्य शामिल थे। समिति की गतिविधि खलीफा के समर्थन में बैठकों एवं याचिकाओं जैसे उदारवादी साधनों तक सीमित रही। हालांकि, कुछ मुस्लिम नेता इस उदारवादी दृष्टिकोण से संतुष्ट नहीं थे और उन्होंने अधिक आक्रामक व्यवहार की वकालत की।

अखिल भारतीय खिलाफत सम्मेलन (दिल्ली, 22-23 नवंबर 1919)

22-23 नवंबर 1919 के दौरान दिल्ली में अखिल भारतीय खिलाफत सम्मेलन आयोजित हुआ और आक्रामक मुस्लिम नेतृत्व ने ब्रिटिश सरकार के साथ असहयोग करने का आह्वान किया। इस सम्मेलन में डॉ. हसरत मोहानी ने ब्रिटिश वस्तुओं के बहिष्कार के लिए आवाज उठाई।

कांग्रेस के साथ गठबंधन एवं गांधी की भूमिका (1920)

अप्रैल 1920 में शौकत अली ने ब्रिटिश सरकार को धमकी दी कि यदि वे मुस्लिम समुदाय को संतुष्ट करने में असफल हुए, तो उनके विरुद्ध एक संयुक्त हिंदू-मुस्लिम असहयोग आंदोलन चलाया जाएगा। उन्होंने आगे घोषणा की कि यह आंदोलन महात्मा गांधी, एक ऐसे व्यक्ति जिनका हिंदू एवं मुस्लिम दोनों ही सम्मान करते हैं, के मार्गदर्शन में प्रारंभ होगा। यह स्पष्ट था कि ब्रिटिश शासन पर दबाव बनाने के लिए मुसलमान हिंदुओं का समर्थन प्राप्त करने के इच्छुक थे। भारत में हिंदू-मुस्लिम एकता को बढ़ाने का इसे एक उत्कृष्ट अवसर मानकर गांधी ने खिलाफत आंदोलन को पूर्ण समर्थन दिया और वे स्वयं **अखिल भारतीय खिलाफत समिति के अध्यक्ष** नियुक्त हुए। यद्यपि मई 1920 तक गांधी ने उदारवादी दृष्टिकोण अपनाए रखा।

मई 1920 में तुर्की के साथ हुई संधि की शर्तों एवं पंजाब-उपद्रव पर हंटर समिति के प्रतिवेदन (रिपोर्ट) के प्रकाशन के बाद गांधी का व्यवहार सख्त हुआ। इन प्रतिवेदनों से भारतीयों ने अपमानित महसूस किया। ब्रिटिश हाउस ऑफ लॉर्ड्स ने जनरल डायर की कार्यवाही के समर्थन में मत दिया एवं ब्रिटिश जनता ने उसके नाम पर चंदा देकर उसका समर्थन किया। **सेवरेस की संधि** (Treaty of Sevres), जो तुर्की के साथ की गई, ने शांति की कठोर शर्तें थोपी और तुर्की को बांट दिया गया। सरकार ने रौलेट एक्ट को निरस्त करने एवं स्वशासन की राष्ट्रवादी मांग को संतुष्ट करने से मना कर दिया था। ब्रिटिश शासन के साथ किसी प्रकार के उदार व्यवहार के समर्थन में अब कोई तर्क नहीं बचा था।

1 जून से 3 जून तक **इलाहाबाद में केंद्रीय खिलाफत समिति** की बैठक हुई, जिसमें कांग्रेस व खिलाफत, दोनों के नेता शामिल हुए। इसी मंच से गांधी ने सरकार के साथ असहयोग के कार्यक्रम को घोषित किया, जिसमें शामिल थे-

- सभी प्रकार की शासकीय सेवाओं जैसे सिविल सेवा, सेना व पुलिस का बहिष्कार।
- ब्रिटिश सरकार द्वारा दी गई उपाधियों का त्याग।
- करों का भुगतान न करना।

इस बैठक में यह निश्चित किया गया था कि यदि खिलाफत एवं पंजाब को न्याय नहीं मिला, तो 1 अगस्त 1920 से आंदोलन प्रारंभ होगा। खिलाफत समिति ने सर्वसम्मति से असहयोग के सुझाव को स्वीकार किया एवं गांधी से नेतृत्व के लिए आग्रह किया। 22 जून 1920 को गांधी ने वायसराय को एक पत्र लिखकर कहा कि चिरकाल से शासितों का यह अधिकार है कि वह कुशासन करने वाले शासक को अस्वीकार कर दे। गांधी जानते थे कि भारत में आंदोलन की सफलता के लिए भारतीय राष्ट्रीय कांग्रेस के सहयोग की आवश्यकता थी। इस प्रकार उन्होंने प्रयास किया कि कांग्रेस भी असहयोग के कार्यक्रम को अपनाए।

मौलाना मोहम्मद अली जौहर (1878-1931)- वे एक पत्रकार, कार्यकर्ता, मुस्लिम लीग के संस्थापक सदस्य एवं खिलाफत आंदोलन के प्रमुख नेता थे। 1923 में वे कुछ महीनों के लिए भारतीय राष्ट्रीय कांग्रेस के अध्यक्ष निर्वाचित हुए थे। अलीगढ़ मुस्लिम विश्वविद्यालय के बाद उन्होंने **ऑक्सफोर्ड** से आधुनिक इतिहास का अध्ययन किया। भारत वापस आकर उन्होंने प्रमुख ब्रिटिश एवं भारतीय समाचार पत्रों में लिखना शुरू किया। बाद में उन्होंने स्वयं की दो पत्रिकाएं- **द कॉमरेड** (अंग्रेजी साप्ताहिक कलकत्ता, 1911) एवं **हमदर्द** (उर्दू दैनिक, दिल्ली, 1912) निकाली।

1919 में उन्होंने मुस्लिम राष्ट्रवादी नेताओं के साथ-साथ गांधी को साथ लाने की पहल की। जिन्होंने बाद में ब्रिटिश सरकार के विरुद्ध हिंदू-मुस्लिम एकता के लिए कांग्रेस का समर्थन किया। 1920 में मुसलमानों के सामाजिक पुनरुत्थान एवं स्वतंत्र शिक्षा को प्रोत्साहित करने के लिए मोहम्मद अली ने अन्य खिलाफत नेताओं जैसे मौलाना आजाद, हकीम अजमल खान एवं डॉ. अंसारी के साथ मिलकर **जामिया मिलिया इस्लामिया** की स्थापना की। असहयोग आंदोलन को अचानक से वापस लिए जाने से असंतुष्ट होकर इन्होने कांग्रेस छोड़ दी थी। बाद में उन्होने नेहरू रिपोर्ट (1928) का भी विरोध किया और गांधी के आलोचक भी बने।

हसरत मोहानी

हसरत मोहानी (1875-1951)- मोहानी भारतीय स्वतंत्रता संघर्ष के एक कार्यकर्ता और एक प्रसिद्ध उर्दू कवि थे, जो 'तखल्लुस' उपनाम से लिखते थे। वे कम्युनिस्ट पार्टी ऑफ इंडिया के संस्थापकों में से एक थे। इन्हें **'इंकलाब जिंदाबाद'** नारा देने का श्रेय जाता है और वे **पहले व्यक्ति** थे जिन्होंने 1921 में अहमदाबाद कांग्रेस अधिवेशन में गांधी के विरोध के बावजूद भारत के लिए **पूर्ण स्वतंत्रता (पूर्ण स्वराज्य) की मांग** की थी। 1921 में ही उन्होंने उसी समय मुस्लिम लीग के अहमदाबाद अधिवेशन की अध्यक्षता की और वहां भी पूर्ण स्वतंत्रता (आजादी-ए-कामिल) की मांग रखी।

असहयोग आंदोलन (Non-Cooperation Movement, 1920–22)

असहयोग के कार्यक्रम को अपनाने के लिए कांग्रेस के अंदर गांधी के प्रयास- असहयोग के कार्यक्रम को अपनाने के लिए कांग्रेस के अंदर सहमति बनाने का कार्य आसान नहीं था। कुछ इतिहासकारों के अनुसार गांधी ने तिलक को खिलाफत के मुद्दे पर हिंदू-मुस्लिम गठबंधन की आवश्यकता पर सहमत करने का भरसक प्रयत्न किया, लेकिन एक **धार्मिक प्रश्न पर तिलक किसी प्रकार के हिंदू-मुस्लिम गठबंधन के समर्थन** में नहीं थे। उन्होंने कहा कि दोनों समुदायों के बीच गठबंधन का आधार धर्मनिरपेक्ष होना चाहिए जैसा कि लखनऊ समझौता था। लाला लाजपत राय एवं सी. आर. दास ने भी परिषद-चुनाव के बहिष्कार के गांधी के प्रस्ताव का कड़ा विरोध किया। वास्तव में, कांग्रेस के सभी वृद्धजनों ने असहयोग संबंधी गांधी के प्रस्ताव का विरोध किया।

अगले कदम के रूप में असहयोग के कार्यक्रम को प्रांतीय कांग्रेस समिति के सामने रखा गया। संयुक्त प्रांत, बंगाल, मद्रास एवं बॉम्बे की प्रांतीय कांग्रेस समितियों ने सर्वसम्मति से असहयोग के सिद्धांत को समर्थन दिया, लेकिन परिषद के बहिष्कार के विचार को अस्वीकार कर दिया। जहां एक ओर भारतीय राजनीति के परंपरागत आधारों ने गांधी के कार्यक्रम का समर्थन नहीं किया, जबकि भारतीय राजनीति के अपरंपरागत क्षेत्रों, जैसे- गुजरात व बिहार ने गांधी के कार्यक्रम का पूर्ण समर्थन किया।

असहयोग आंदोलन का आरंभ (1 अगस्त 1920)

1 अगस्त 1920 को नोटिस की अवधि समाप्त होने के बाद औपचारिक रूप से असहयोग आंदोलन की शुरुआत हुई। इसी दिन सुबह **तिलक का देहावसान** हुआ। यह आंदोलन इस दु:ख के समय में जनता द्वारा किए जाने वाले व्रत एवं प्रार्थनाओं में समाहित हो गया। हड़तालें की गईं और धरना प्रदर्शन हुए।

सितंबर 1920 कलकत्ता, विशेष कांग्रेस अधिवेशन (अध्यक्ष लाला लाजपत राय)

सितंबर, 1920 को कलकत्ता में अखिल भारतीय कांग्रेस समिति का एक विशेष अधिवेशन बुलाया गया बॉम्बे से कलकत्ता के लिए कांग्रेस और खिलाफत स्पेशल चलाए गए और कलकत्ता में प्रतिनिधियों और आगंतुकों की एक विशाल सभा देखी गई। इसी अधिवेशन में असहयोग के कार्यक्रम को कांग्रेस ने स्वीकार किया।

इस अधिवेशन की अध्यक्षता लाला लाजपत राय ने की थी और ऐसी संभावना थी कि गांधी के कार्यक्रम का कड़ा विरोध होगा। इसके विपरीत गांधी का प्रस्ताव एक हजार मतों के बहुमत से कांग्रेस द्वारा पारित किया गया। गांधी की सफलता के पीछे मुस्लिम एवं व्यापारी वर्ग का समर्थन था।

गांधी के समर्थकों में शामिल थे- मोतीलाल नेहरू, जितेंद्रलाल बनर्जी, सैफुद्दीन किचलू, शौकत अली, डॉ. अंसारी एवं याकूब हसन।

विरोधियों में शामिल थे- सी. आर. दास, पंडित मदन मोहन मालवीय एवं एनी बेसेंट।

कलकत्ता कांग्रेस अधिवेशन द्वारा अनुमोदित कार्यक्रम में शामिल थे-

- ब्रिटिश सरकार द्वारा दी गई उपाधियों का बहिष्कार।
- विदेशी वस्तुओं, विद्यालयों, न्यायालयों एवं परिषदों का बहिष्कार।
- खादी, राष्ट्रीय विद्यालयों एवं परंपरागत न्यायालयों को प्रोत्साहन।

गांधी ने प्रस्ताव रखा कि जब तक कि पंजाब एवं खिलाफत के अन्याय को सुधारा नहीं जाता और स्वराज/स्वराज्य नहीं दिया जाता, सत्याग्रह जारी रखा जाए। गांधी के इस प्रस्ताव को कांग्रेस ने अनुमोदित किया। इस निर्णय को अंतिम स्वरूप दिसम्बर 1920 में आयोजित होने वाले कांग्रेस के वार्षिक अधिवेशन में दिया जाना था।

नवंबर 1920 में भारतीय शासन अधिनियम, 1919 के अंतर्गत परिषदों के चुनावों का आयोजन किया गया। गांधी के परिषद के बहिष्कार को अच्छी प्रतिक्रिया मिली और सभी कांग्रेस प्रत्याशियों ने चुनाव का बहिष्कार किया। साथ ही, जो परिषद के बहिष्कार से सहमत नहीं थे, उन्होंने भी दल के अनुशासन को स्वीकार किया और चुनाव से दूर रहे। यहां तक कि मतदाताओं ने भी चुनाव से किनारा कर लिया था।

20 दिसंबर 1920, नागपुर कांग्रेस अधिवेशन (अध्यक्ष- सी. विजयराघवाचार्य)

20 दिसंबर 1920 को जब नागपुर में कांग्रेस अधिवेशन प्रारंभ हुआ, तो वातावरण में एक नया परिवर्तन था। विरोध के स्वर धीमे में हो गए थे। चुनाव संपन्न हो चुके थे, इसलिए परिषदों के बहिष्कार का मुद्दा अब नहीं बचा था। सबसे ज्यादा आश्चर्यजनक था, सी. आर. दास का गांधी के आलोचक से उनका उत्साही समर्थक बनना और उन्होंने ही असहयोग के मुख्य प्रस्ताव को प्रस्तुत किया।

नागपुर अधिवेशन की निम्न उपलब्धियां थीं-

- **अहिंसक असहयोग प्रस्ताव का समर्थन** किया, जिसमें तीन उद्देश्य निहित थे। पहला- खिलाफत के प्रश्न का संतोषजनक समाधान; दूसरा- पंजाब के अन्याय का समाधान एवं तीसरा- स्वराज/स्वराज्य की प्राप्ति।
- असहयोग के कार्यक्रम को विस्तारपूर्वक बताया गया, जिसे कांग्रेस द्वारा निर्धारित समय पर लागू करना था।
- नए संकल्पों की पूर्ति के लिए कांग्रेस को सक्षम बनाने हेतु इसके उद्देश्य एवं संगठनात्मक संरचना में परिवर्तन प्रस्तावित किए गए। **कांग्रेस का एक नया संविधान** (जिसे गांधी ने स्वयं तैयार किया था) अंगीकृत किया गया और दल को आधुनिक लोकतांत्रिक तरीके से पुनः संगठित किया गया। कांग्रेस को वास्तविक जन आधारित राजनीतिक दल में रूपांतरित करने का यह पहला बड़ा कदम था। इन परिवर्तनों में शामिल थे-
  - मोहल्ला और ग्राम स्तर से लेकर प्रांतीय स्तर तक कांग्रेस समितियों का गठन।
  - उच्च स्तर पर 350 सदस्यों की एक **अखिल भारतीय समिति** का गठन।
  - मुख्य कार्यकारी के रूप में कार्य करने हेतु 15 सदस्यीय **कार्यकारी समिति या कार्यकारिणी** का गठन किया गया। (यह प्रस्ताव सबसे पहले 1916 में तिलक द्वारा लाया गया था लेकिन उदरवादियो ने अस्वीकार कर दिया था।) यह समिति कांग्रेस को वर्ष भर कार्य करने एवं आंदोलनों को जारी रखने हेतु सक्षम बनाएगी।
  - भाषायी आधार पर प्रांतीय कांग्रेस समितियों का गठन।

- जहां तक संभव हो कांग्रेस को हिंदी **भाषा का इस्तेमाल** करना था।
- कांग्रेस की सदस्यता **21 वर्ष** की आयु पूरी कर चुके सभी स्त्री-पुरुष ग्रहण कर सकते थे। गरीबों को कांग्रेस से जोड़ने के लिए **वार्षिक सदस्यता शुल्क घटाकर 4 आना (25 पैसा)** कर दी गई।

- कांग्रेस का लक्ष्य 'संवैधानिक एवं विधिक साधनों से स्वशासन की प्राप्ति से परिवर्तित होकर शांतिपूर्ण एवं विधिक तरीकों से स्वराज/स्वराज्य की प्राप्ति हो गया था।'
- कांग्रेस के स्वराज्य के लक्ष्य को पुन: निर्धारित किया गया और अब इसका मतलब था **'यदि सम्भव हो तो साम्राज्य के अंदर स्वशासन और यदि आवश्यकता हो तो बाहर भी।'**
- इस कांग्रेस में हिंदू-मुस्लिम एकता, छुआ-छूत दूर करने और खादी को बढ़ावा देने के प्रस्ताव भी पारित किए गए।

यहां ध्यान देने योग्य बात है कि कांग्रेस में रूपांतरण की प्रक्रिया आरंभ हो चुकी थी, जो उसके सामाजिक आधार एवं नीतियों द्वारा स्पष्ट दिखाई देने लगा था। नागपुर अधिवेशन में कांग्रेस को जन आधारित गैर-संवैधानिक कार्यक्रमों को अपनाने के लिए प्रतिबंधित किया गया। अपने करिश्माई व्यक्तित्व एवं उत्कृष्ट विधियों के साथ गांधी कांग्रेस दल के एक नए नेता के रूप में उभरे। उन्होंने नारा दिया **'एक वर्ष में स्वराज्य'**। उनका कहना था कि यदि असहयोग के कार्यक्रम को पूर्णतया लागू कर दिया गया, तो एक वर्ष के अंदर स्वराज्य की प्राप्ति होगी।

नेता, जिन्होंने कांग्रेस छोड़ी

कुछ ऐसे वरिष्ठ नेता थे, जिन्होंने कांग्रेस छोड़ दी थी। मोहम्मद अली जिन्ना, जी. एस. खापर्डे, बिपिन चंद्र पाल और एनी बेसेंट कुछ ऐसे प्रमुख नेता थे, जिन्होंने इस दौरान कांग्रेस छोड़ दी थी। वे अब तक विरोध की परंपरागत विधियों (कानून की चारदीवारों में सीमित) में विश्वास करते थे।

असहयोग आंदोलन के कार्यक्रम (Program of Non-Cooperation Movement)

असहयोग के कार्यक्रम में दोनों विध्वंसात्मक एवं संरचनात्मक पक्ष शामिल थे।

विध्वंसात्मक पक्ष अथवा असहयोग के पक्ष में निम्नलिखित 7 बिंदु शामिल थे- उपाधियों एवं अवैतनिक पदों का परित्याग

1. शासकीय दरबारों एवं आधिकारिक कार्यक्रमों में शामिल होने से मना करना।
2. शासन से सहायता प्राप्त विद्यालयों एवं महाविद्यालयों का बहिष्कार।
3. ब्रिटिश न्यायालयों का बहिष्कार।
4. मेसोपोटामिया में सेवा के प्रस्ताव का सभी वर्गों द्वारा अस्वीकार किया जाना।
5. प्रांतीय एवं केंद्रीय विधान सभाओं के चुनावों का बहिष्कार।
6. विदेशी वस्तुओं का बहिष्कार।
7. असहयोग के कार्यक्रम को सरकारी सेवा से त्यागपत्र और करों का भुगतान न करने सहित सामूहिक सविनय अवज्ञा को शामिल करने के लिए बढ़ाया जा सकता है।
8. उपाधियों (titles) का समर्पण।

संरचनात्मक पक्ष जिनमें निम्नलिखित बिंदु शामिल थे-

1. लोगों से अनुशासन एवं आत्म-त्याग की भावना को विकसित करने का आग्रह किया गया।
2. राष्ट्रीय शैक्षिक संस्थाओं का निर्माण एवं एक राष्ट्रीय कोष की स्थापना।
3. पारस्परिक सामंजस्य के द्वारा विवादों को सुलझाना।
4. स्वदेशी वस्तुओं, चरखे और खादी को बढ़ावा देना।
5. लोगों से हिंदू-मुस्लिम एकता को बनाए रखने की अपील की गई।
6. अस्पृश्यता का अंत।
7. अहिंसा का सख्ती से पालन।

असहयोग आंदोलन के विभिन्न चरण (Various Phases of Non-Cooperation Movement)

असहयोग आंदोलन (इसे गांधी के प्रथम सविनय अवज्ञा आंदोलन से भी जाना गया) की पहले खिलाफत सम्मेलन द्वारा पहल की गई और बाद में कांग्रेस समिति द्वारा अपनाया गया। एक बार कांग्रेस द्वारा अपनाने के बाद, जनवरी 1921 के प्रारंभ से ही आंदोलन ने एक नई ऊर्जा प्राप्त की और धीरे-धीरे उसने गति प्राप्त की। गांधी ने अली बंधुओं के साथ मिलकर आंदोलन के समर्थन में पूरे देश का भ्रमण किया, हजारों लोगों को संबोधित किया एवं राजनीतिक कार्यकर्ताओं की बड़ी संख्या में बैठकें ली।

1920-22 के दौरान असहयोग के अलग-अलग पक्षों ने अलग-अलग समय पर केंद्रीय स्थान प्राप्त किया।

पहले चरण में (जनवरी से मार्च 1921 तक), विद्यालयों, महाविद्यालयों, न्यायालयों के बहिष्कार एवं चरखा के प्रोत्साहन पर मुख्य बल दिया गया। बड़ी संख्या में छात्र-समुदायों ने शैक्षिक संस्थाओं का बहिष्कार किया एवं करीब 90,000 छात्र-छात्राओं ने शासकीय विद्यालय एवं महाविद्यालय छोड़ दिए। शैक्षिक बहिष्कार मुख्य रूप से बंगाल में सफल रहा, जहां सी. आर. दास ने बहिष्कार को प्रोत्साहित करने में मुख्य भूमिका निभाई, जबकि कलकत्ता में **सुभाषचंद्र बोस** ने राष्ट्रीय महाविद्यालय (नेशनल कॉलेज) के प्राचार्य का पद संभालाकर देशी शिक्षा को प्रोत्साहित किया। पंजाब में भी शैक्षिक बहिष्कार को अच्छी प्रतिक्रिया मिली, जहां लाला लाजपत राय ने महत्वपूर्ण भूमिका निभाई।

न्यायालयों का बहिष्कार कम सफल, लेकिन अधिक नाटकीय रहा। अनेक प्रमुख वकीलों जैसे **देशबंधु सी. आर. दास, मोतीलाल नेहरू, एम. आर. जयकर, सैफुद्दीन किचलू, सरदार वल्लभभाई पटेल, सी. राजगोपालाचारी, टी. प्रकाशम एवं आसफ अली** ने अपनी वकालत छोड़ दी और अन्य लोगों के लिए प्रेरणा बने।

द्वितीय चरण में (अप्रैल से जून 1921), मुख्य केंद्र बिंदु अगस्त 1921 तक **तिलक स्वराज्य निधि** के लिए एक करोड़ रुपए एकत्रित करना और 30 जून तक कांग्रेस में एक करोड़ सदस्यों को शामिल करना व 20 लाख चरखे तैयार करना था। कांग्रेस की सदस्य संख्या 50 लाख तक पहुंची, जबकि तिलक निधि को अपने लक्ष्य (एक करोड़) से भी अधिक राशि प्राप्त हुई।

तीसरे चरण में (जुलाई 1921 से आगे), पुन: विदेशी वस्तुओं के बहिष्कार, नवंबर में **प्रिंस ऑफ वेल्स के भ्रमण** के बहिष्कार, चरखा व खादी के प्रचार-प्रसार एवं कांग्रेस कार्यकर्ताओं द्वारा जेल भरो कार्यक्रम पर मुख्य रूप से बल दिया गया।

सभी मुद्दों में से विदेशी कपड़ों का बहिष्कार सबसे अधिक सफल रहा। स्वयंसेवकों ने घर-घर जाकर विदेशी वस्त्रों को एकत्रित किया एवं उन्हें सामूहिक रूप से जलाया। शराब की दुकानों पर धरना दिया गया। हालांकि, यह योजना का मुख्य भाग नहीं था, फिर भी देश के विभिन्न भागों में इतना अधिक लोकप्रिय हुआ कि बिहार एवं उड़ीसा की सरकार को इतिहास के उन महान पुरुषों की सूची (जैसे- अलेक्जेंडर, नेपोलियन, जूलियस सीजर, शेक्सपियर एवं बिस्मार्क) प्रकाशित करनी पड़ी, जो शराब का सेवन किया करते थे।

खादी का प्रोत्साहन बहुत अधिक सफल रहा और शीघ्र ही वह राष्ट्रीय आंदोलन की गणवेश बन गई। मदुरई में जब गांधी छात्रों को संबोधित कर रहे थे, तब एक छात्र ने खादी के महंगे होने की शिकायत उनसे की। गांधी ने उत्तर में कहा कि तब तो एक ही समाधान है कि हम कम कपड़े पहने और उन्होंने अपनी धोती और कुर्ता को त्याग दिया और शेष जीवन में केवल एक लंगोट पहनी। इस तरह उन्हें **'अर्धनग्न फकीर'** का नाम दिया गया।

जुलाई 1921 में खिलाफत समिति ने एक प्रस्ताव पारित किया कि किसी भी मुस्लिम को ब्रिटिश भारतीय सेना में सेवा नहीं देना चाहिए, क्योंकि यह धार्मिक रूप से मुसलमानों के लिए गैर-कानूनी है। सितंबर में अली बंधुओं को राजद्रोह के अपराध में गिरफ्तार कर लिया गया। इसके विरोध में इस प्रस्ताव को देश भर में अनेक बैठकों में बार-बार दोहराया गया, जिससे शासन की प्रतिष्ठा को झटका लगा। स्वयं गांधी ने इस प्रस्ताव को दोहराते हुए एक घोषणा पत्र जारी किया और भारतीयों को इस दमनकारी सरकार से सभी संबंध तोड़ने को कहा।

प्रिंस ऑफ वेल्स का भ्रमण अगली नाटकीय घटना थी, जो 17 नवंबर 1921 से शुरू हुई। वे ब्रिटिश क्राउन के प्रति निष्ठा को प्रोत्साहित करने के लिए भारत आए थे। जिस दिन वे आये, उस दिन पूरे भारत में हड़ताल की गई। इसी दिन स्वयं गांधी ने राष्ट्रवादी उमर सौभानी की एलफिंस्टन कारखाने में विदेशी कपड़ों की विशाल होली जलाई। हालांकि, गांधी की बैठक से लौट रही भीड़ का सामना प्रिंस के स्वागत कार्यक्रम से लौट रही भीड़ से हुआ, जिससे अगले 3 दिन तक दंगे भड़के। मुख्य रूप से ब्रिटेन के प्रति वफादार समुदायों (जैसे- ईसाईयों, एंग्लो-भारतीय एवं पारसियों) को लक्ष्य बनाया गया और इसमें 59 लोगों की मृत्यु हुई। गांधी बहुत अधिक विचलित हुए और उन्हें 3 दिन का उपवास रखा।

प्रिंस जहां भी गए उन्हें खाली सड़कें एवं बंद दुकानें मिलीं। इस प्रकार के सफलतापूर्ण कार्यक्रम ने असहयोग आंदोलन के कार्यकर्ताओं को साहस से भर दिया और वे बहुत अधिक आक्रामक होने लगे। **कांग्रेस वॉलिंटियर कॉर्प्स** (कांग्रेस के स्वयंसेवी समूह) इतने शक्तिशाली होने लगी कि वे पुलिस के समानांतर कार्य करने लगे। नवंबर 1921 के मध्य तक देश एक विद्रोह की कगार पर था।

सरकार की प्रतिक्रिया

सरकार आंदोलन के बढ़ते प्रभाव को गहराई से समझ रही थी एवं प्रांतों से गुप्त प्रतिवेदन प्राप्त कर रही थी । सितंबर 1920 में आंदोलन के प्रारंभ में सरकार ने इन घटनाओं को यह सोच कर कि 'दमन केवल राष्ट्रवादियों को शहीद बनाता है और विद्रोह के जोश को बढ़ाता है', नजरअंदाज कर दिया था।

मई 1921 में सरकार ने **गांधी-रीडिंग वार्ता** (इस वार्ता में वायसराय रीडिंग ने गांधी को मनाने का प्रयत्न किया कि वे अली बंधुओं से हिंसात्मक भाषणों से दूर हटने के लिए कहें।) के द्वारा खिलाफत नेताओं एवं गांधी के बीच दरार पैदा करने का प्रयास किया था, लेकिन यह वार्ता असफल हुई।

दिसंबर 1921 तक सरकार ने अपनी नीति में परिवर्तन किया और दमन के साधन अपनाए-

- कांग्रेस एवं खिलाफत स्वयंसेवी समूह को गैर-कानूनी घोषित किया गया।
- जन-बैठकों एवं जुलूसों को प्रतिबंधित किया गया।
- समाचार पत्रों की आजादी को छीन लिया गया व कांग्रेस एवं खिलाफत के कार्यालयों में मध्य रात्रि में छापे मारे गए।
- अनेक स्थानों पर पुलिस ने लाठीचार्ज किया एवं यहां तक कि सत्याग्रहियों पर गोलीबारी भी की गई।
- बड़ी संख्या में कार्यकर्ताओं को गिरफ्तार किया गया। 1921 के अंत तक गांधी को छोड़कर सभी मुख्य नेताओं को जेल में डाल दिया गया।

इसी बीच दिसंबर के मध्य में वायसराय रीडिंग ने **मदन मोहन मालवीय** के माध्यम से कांग्रेस के साथ समझौता करने का एक निरर्थक प्रयास किया और दमन जारी रखा।

चौरी-चौरा कांड की ओर बढ़ता आंदोलन

- सरकार ने बिल्कुल भी नरम रुख नहीं अपनाया और गांधी के ऊपर सविनय अवज्ञा आंदोलन शुरू करने का अत्यधिक दबाव बना।
- **दिसंबर 1921 में कांग्रेस के अहमदाबाद अधिवेशन (इस अधिवेशन की अध्यक्षता सी. आर. दास ने की, जो अभी भी जेल में थे और उनके स्थान पर हाकिम अजमल खान ने कार्यकारी अध्यक्ष की भूमिका निभाई)** में दल ने उन्हें इस मुद्दे पर एक मात्र सत्ताधारी नियुक्त किया।
- जनवरी 1922 में सर्वदलीय सम्मेलन आयोजित हुआ, जहां गांधी ने असहयोग आंदोलन से जुड़े अपने मूल्यांकन को साझा किया और अपने विचारों पर एक सहमति बनाई।

- 1 फरवरी को गांधी ने वायसराय को अंतिम चेतावनी देते हुए कहा कि यदि सरकार ने दमन का त्याग नहीं किया और राजनीतिक बंदियों को नहीं छोड़ा, तो सविनय अवज्ञा आंदोलन शुरू किया जाएगा।
- वायसराय पर कोई असर नहीं पड़ा और फिर गांधी के पास कोई विकल्प नहीं बचा।
- गांधी ने **सूरत जिले के बारदोली तालुका** से सविनय अवज्ञा एवं कर नहीं देने का अभियान चलाने का निर्णय लिया। आंदोलन के प्रारंभ की **तिथि 5 फरवरी 1922 तय** की गई। कांग्रेस ने प्रांतीय कांग्रेस समितियों को जब जनता तैयार हो, तो जन आधारित सविनय अवज्ञा आंदोलन शुरू करने की सहमति दी। बंगाल के मिदनापुर एवं आंध्र के चिराला-पिराला व पेदानंदिपाडु में पहले से ही कर न देने के आंदोलन को स्वीकृति मिल चुकी थी। हालांकि, ऐसा प्रतीत होता है कि भाग्य ने बारदोली को राष्ट्रीय आंदोलन में अपनी भूमिका निभाने के लिए 6 वर्ष और इंतजार कराया।
- 5 फरवरी 1922 जिस दिन सविनय अवज्ञा आंदोलन आरंभ होना था, चौरी-चौरा घटना हुई और सारी परिस्थितियां बदल गई। संयुक्त प्रांत के गोरखपुर जिले के चौरी-चौरा नामक स्थान पर क्रोधित किसानों की भीड़ ने स्थानीय पुलिस स्टेशन पर हमला किया और आग लगा दी, जिसमें 22 पुलिसकर्मी मारे गए। हिंसात्मक घटना से क्षुब्ध होकर गांधी ने आंदोलन वापस ले लिया। (आंदोलन के पतन के बारे में आगे विस्तार से चर्चा की गई है।)

सहभागिता का विस्तार (Extent of Participation)

असहयोग आंदोलन अखिल भारतीय स्तर पर जन आधारित संघर्ष का पहला प्रयास था। इस आंदोलन को विभिन्न वर्गों जैसे- किसान, श्रमिक, कलाकार, दुकानदार, व्यापारी और सफेदपोश कर्मचारियों का समर्थन मिला।

मध्यम वर्ग

प्रारंभ में मध्यम वर्ग द्वारा आंदोलन को नेतृत्व प्रदान किया गया, लेकिन गांधी के कार्यक्रम के संबंध में उनकी अनेक शर्तें थीं। अभिजात राजनेताओं के परंपरागत केंद्रों जैसे कलकत्ता, बॉम्बे एवं मद्रास में प्रतिक्रिया सीमित थी और उपाधियों व शासकीय नौकरियों के बहिष्कार को उदासीन प्रतिक्रिया मिली।

भारतीय व्यवसायी वर्ग

बड़े व्यापारियों ने आंदोलन से दूरी बनाए रखी, क्योंकि उन्हें कारखानों में श्रमिकों की कमी का डर था। लेकिन नियमित व्यापारियों ने आर्थिक बहिष्कार, विशेषकर कपड़ा उद्योग के बहिष्कार का समर्थन किया, जिन्हें स्वदेशी के प्रोत्साहन से लाभ हुआ था।

भारतीय राजनीति में तुलनात्मक रूप से उभरने वाले नए नेताओं जैसे **बिहार में राजेंद्र प्रसाद** एवं **गुजरात में वल्लभभाई पटेल** ने अपनी महत्वाकांक्षाओं की अभिव्यक्ति गांधीवादी आंदोलन में पाई और उन्होंने गांधी को अपना पूर्ण समर्थन दिया।

महिला एवं छात्र-छात्राएं

महिलाओं एवं छात्र छात्राओं की प्रतिक्रिया बहुत प्रेरणादायक थी। महिलाओं ने बड़ी संख्या में आंदोलन में शामिल होकर विभिन्न स्वरूपों में सहभागिता की। उन्होंने विदेशी वस्तुओं, कपड़ों एवं शराब की दुकानों पर धरना दिया, उन्होंने पर्दा प्रथा को छोड़ा और तिलक-निधि के लिए अपने आभूषण भेंट किए। छात्र-छात्राओं ने बड़ी संख्या में सहभागिता की। हजारों छात्र-छात्राओं ने सरकारी विद्यालयों एवं महाविद्यालयों को छोड़ा और उस समय अस्तित्व में आए राष्ट्रीय विद्यालयों एवं महाविद्यालयों जैसे काशी विद्यापीठ, गुजरात विद्यापीठ, अलीगढ़ के जामिया इस्लामिया (अक्टूबर, 1920 में अलीगढ़ में एक नए राष्ट्रीय मुस्लिम विश्वविद्यालय के रूप में जामिया की स्थापना की गई। इसकी स्थापना एएमयू के कुछ छात्रों की मांग पर की गई थी, जिन्होंने महसूस किया था कि एएमयू का रुख ब्रिटिश समर्थक था बाद में जामिया को दिल्ली स्थानांतरित कर दिया गया था।) में प्रवेश लिया। डॉ. जाकिर हुसैन, आचार्य नरेंद्र देव एवं लाल लाजपत राय उन विशिष्ट शिक्षकों में से थे, जो इन राष्ट्रीय संस्थाओं में पढ़ाते थे। छात्र-छात्राओं ने सक्रिय रूप से आंदोलन में स्वयंसेवी कार्य किए।

किसान एवं मजदूर

किसानों एवं मजदूरों की सहभागिता असहयोग आंदोलन का सबसे विशिष्ट पक्ष था, जिसने इसे एक वास्तविक जन-आंदोलन में परिवर्तित कर दिया था।

डॉ. जाकिर हुसैन (1897-1969)- अलीगढ़ मुस्लिम विश्वविद्यालय के पूर्व छात्र एवं **जामिया मिलिया इस्लामिया** के संस्थापक सदस्य, डॉ. जाकिर हुसैन अपने समय के एक महान शिक्षाविद् थे। उन्होंने स्वतंत्र भारत के तीसरे राष्ट्रपति (1967-69) के रूप में कार्य किया। वे भारत के पहले **मुस्लिम राष्ट्रपति** थे और 1963 में उन्हें **भारत रत्न** से पुरस्कृत किया गया।

आंदोलन का प्रसार एवं स्थानीय विभिन्नताएं (Spread of the Movement and Local Variations)

1921 में ब्रिटिश शासन के विरुद्ध अनेक विरोध प्रदर्शन हुए और असहयोग आंदोलन को देश के विभिन्न भागों से निःसंदेह एक विशाल प्रतिक्रिया मिली। इस आंदोलन का विस्तार लगभग राष्ट्रीय स्तर का था। यूनाइटेड प्रोविंस (संयुक्त प्रांत), बिहार, उड़ीसा, असम एवं बॉम्बे विशेष रूप से सक्रिय थे। हालांकि, आंदोलन को भारतीय राजनीति के परंपरागत क्षेत्रों, जैसे- बंगाल, बॉम्बे एवं मद्रास से तुलनात्मक रूप से कम प्रतिक्रिया मिली। **स्थानीय समस्याओं से जुड़ने** के कारण आंदोलन की अभिव्यक्ति में कुछ महत्वपूर्ण स्थानीय विभिन्नताएं भी थीं। कांग्रेस के निर्देशों का हमेशा पालन नहीं किया गया।

यूनाइटेड प्रोविंस (संयुक्त प्रांत)

संयुक्त प्रांत से प्रतिक्रिया बहुत प्रभावी थी। असहयोग के कार्यक्रम शहरों में अच्छे से संगठित किए गए थे। संयुक्त प्रांत के ग्रामीण क्षेत्र में यह **किसान आंदोलन** के साथ उलझ गया। तालुकदार एवं व्यापारियों के विरुद्ध किसानों का गुस्सा बार-बार हिंसात्मक विरोध के रूप में फूट रहा था, जबकि कांग्रेस उनसे हर समय अहिंसा को बनाए रखने की अपील कर रही थी। रायबरेली, प्रतापगढ़, फैजाबाद व सुल्तानपुर जिलों में **बाबा रामचंद्र** के नेतृत्व में बड़े स्तर पर किसानों के दंगे भड़के। उनकी प्रमुख मांगों में शामिल थे- बेगार (जबरदस्ती श्रम कराना) व रसद (जबरदस्ती आपूर्ति कराना) की समाप्ति, नजराने की समाप्ति एवं संपत्ति से बेदखल न करना। 1921 के अंत में उग्र नेता **मदारी पासी** के नेतृत्व में एक शक्तिशाली किसान आंदोलन **'एका आंदोलन'** शुरू हुआ।

बिहार

बिहार में अनेक स्थानीय समस्याएं असहयोग आंदोलन के साथ जुड़ गईं। इन मुद्दों में शामिल थे- शासकीय बंजर भूमि पर पशुओं को चराने का अधिकार, पवित्र धागों को पहनने का अधिकार, गौ-संरक्षण का मुद्दा एवं किसान अधिकार। परिणाम स्वरूप बिहार के अनेक जिले जैसे- **चंपारण, सारण, पूर्णिया** आंदोलन के शक्तिशाली केंद्रों के रूप में उभरे।

असम

असम जैसे दूरस्थ प्रांत में भी आंदोलन को उत्साहपूर्ण समर्थन मिला। यहां चाय बागानों में काम करने वाले श्रमिकों ने अपनी शिकायतों का निवारण, इस आंदोलन में पाया। उन्होंने वेतन वृद्धि एवं कार्यस्थल में बेहतर सुविधाओं के लिए **'गांधी महाराज की जय'** का उद्घोष किया।

उड़ीसा

उड़ीसा में कनिका राज के काश्तकारों (tenants) ने अब्वाब कर का भुगतान करने से मना कर दिया।

राजस्थान

राजस्थान में एक बार पुनः किसान आंदोलनों ने असहयोग को गति प्रदान की। यहां किसानों ने उपकर एवं बेगार के विरुद्ध आवाज बुलंद की। **मेवाड़ में बिजोलिया आंदोलन** एवं **मोतीलाल तेजावत के नेतृत्व में भील आंदोलन** ने भी असहयोग आंदोलन से शक्ति प्राप्त की।

आंध्रा

आंध्रा में किसानों एवं जनजातियों को असहयोग आंदोलन में अपना समाधान मिला। उन्होंने वन कानूनों के विरुद्ध विरोध किया एवं चारागाह कानूनों को तोड़ने के लिए उन्होंने जबरन अपने पशुओं को वनों में भेजा। जनजातियों को संगठित करने एवं अपनी मांगों को असहयोग आंदोलन की मांगों से जोड़ने में **अल्लूरी सीताराम राजू** ने एक महत्वपूर्ण भूमिका निभाई।

पंजाब

पंजाब में असहयोग आंदोलन को कोई विशेष प्रतिक्रिया नहीं मिली, लेकिन यह गुरुद्वारों के सुधार एवं नियंत्रण के लिए किए जा रहे स्थानीय अकाली आंदोलन से जुड़ गया था। अकालियों ने गांधी के असहयोग के तरीकों का उपयोग किया और अत्यधिक दमन के बावजूद वे अहिंसक बने रहे। इस काल में सिखों, हिंदुओं एवं मुसलमानों के बीच अद्‌भुत सांप्रदायिक एकता देखी गई।

बंगाल

बंगाल में गांधीवादी विधियों को इतनी अच्छी प्रतिक्रिया नहीं मिली। कलकत्ता के अभिजन वर्ग गांधीवादी मार्ग के आलोचक थे। रबीन्द्रनाथ टैगोर ने गांधी के **प्रयासों की प्रशंसा की, लेकिन उनकी 'संकीर्णता' व 'चरखा संबंधी विचारों' की आलोचना** की। तथापि, शहरी एवं ग्रामीण जनता के बीच इस आंदोलन ने बड़े स्तर पर राजनीतिक जागरूकता पैदा की।

महाराष्ट्र

महाराष्ट्र में भी असहयोग आंदोलन को उत्साहवर्धक प्रतिक्रिया नहीं मिली, क्योंकि तिलक के समर्थकों ने गांधी के लिए कोई उत्साह नहीं दिखाया। हालांकि, यहां कुछ उग्रवादी घटनाएं घटीं, जैसे मालेगांव (नासिक) में कुछ स्थानीय नेताओं की गिरफ्तारी के बाद कुछ पुलिसकर्मियों को जलाकर मार दिया गया।

कर्नाटक

कर्नाटक में भी इसका प्रभाव बहुत कम था और मद्रास प्रेसिडेंसी में लोगों ने बहुत कम सहभागिता की। उपाधियों के समर्पण एवं वकालत के त्याग को लेकर कोई विशेष उत्साह नहीं देखा गया।

> **अब्वाब** विविध प्रकार के जुर्मानों, उपकरो एवं करों को इंगित करता है, जो स्थानीय मुखिया द्वारा जनता पर आरोपित किया जाता था, जैसे गृह कर, चारागाह कर, सिंचाई कर इत्यादि।

चौरी-चौरा (5 फरवरी 1922) एवं आंदोलन का पतन

5 फरवरी 1922 को, जिस दिन सविनय अवज्ञा आंदोलन शुरू होना था, चौरी-चौरा में एक घटना घटित हुई। इस घटना ने सारी परिस्थितियों को बदल दिया। उत्तर प्रदेश में गोरखपुर जिले के चौरी-चौरा नामक स्थान पर पुलिस ने कांग्रेस एवं खिलाफत कार्यकर्ताओं के जुलूस को रोकने का प्रयत्न किया। पुलिस के इस व्यवहार से नाराज होकर कुछ कार्यकर्ताओं ने उन पर हमला किया, जिसके जवाब में पुलिस ने गोलीबारी की। उत्तेजित होकर पूरे जुलूस के कार्यकर्ताओं ने पुलिस पर हमला किया और जब पुलिसकर्मियों ने पुलिस स्टेशन में शरण ली, तो पूरे पुलिस स्टेशन को ही जला दिया गया। इस घटना में 22 पुलिसकर्मी मारे गए।

इस हिंसात्मक घटना से क्षुब्ध होकर गांधी ने आंदोलन को वापस ले लिया। बारदोली में भी सविनय अवज्ञा को स्थगित कर दिया गया। गांधी ने अब जनता को सुझाव दिया कि वे अपनी ऊर्जा संरचनात्मक कार्यों में लगाएं।

आंदोलन के वापस लिए जाने पर प्रतिक्रिया

आंदोलन वापस लेने का गांधी का निर्णय अनेक कांग्रेसियों के लिए एक झटका था और जो अब भी आंदोलन के वापस लिए जाने का विरोध कर रहे थे। मोतीलाल नेहरू, सी. आर. दास, सुभाषचंद्र बोस, जवाहरलाल नेहरू एवं अन्य ने अपनी

नाराजगी जाहिर की। वे नहीं समझ पा रहे थे कि एक दूरस्थ गांव के कुछ लोगों के गैर-जिम्मेदाराना व गलत व्यवहार की सजा पूरे देश को क्यों दी जा रही थी।

- सुभाषचंद्र बोस ने अपनी आत्मकथा 'द इंडियन स्ट्रगल' (The Indian Struggle) में इसे एक **राष्ट्रीय आपदा** (National Calamity) की संज्ञा दी।
- जवाहरलाल नेहरू ने भी आंदोलन के वापस लिए जाने पर अपनी 'व्याकुलता व आश्चर्य' को व्यक्त किया।

आलोचनाओं के उत्तर में गांधी ने कहा कि 'आंदोलन अनजाने में अपने सही मार्ग से भटक गया था। हमें अपने ध्येय की ओर वापस आना होगा और हम पुनः आगे बढ़ सकते हैं।' गांधी के अनुसार इस घटना ने यह साबित कर दिया था कि देशवासी अभी तक पूर्ण रूप से अहिंसा के लिए प्रशिक्षित नहीं हुए हैं।

12 फरवरी 1922 को आंदोलन का अंत

12 फरवरी को **बारदोली** में कांग्रेस कार्यकारी समिति (कांग्रेस कार्यकारिणी) की एक बैठक आयोजित हुई। समिति ने चौरी-चौरा हिंसा की निंदा की एवं सविनय अवज्ञा आंदोलन (बारदोली क्रान्ति) को वापस लेने का समर्थन किया। इसमें किसानों से करों के भुगतान एवं काश्तकारों से लगान का भुगतान करने को कहा गया। इसी दिन से गांधी ने प्रायश्चित के रूप में 5 दिन का उपवास प्रारंभ किया। यह आंदोलन की औपचारिक समाप्ति थी। 10 मार्च 1922 को गांधी को उनके आश्रम में गिरफ्तार कर लिया गया और उन्हें 6 वर्ष के कारावास का दंड दिया गया।

गांधी की सुनवाई- गांधी की सुनवाई अहमदाबाद के जिला एवं सेशन जज **मिस्टर ब्रूमफील्ड** के समक्ष हुई। जज ने उनके साथ उदार व्यवहार किया एवं गांधी ने भी स्वयं को दोषी स्वीकार करके उनके कार्य को आसान बना दिया। उन्होंने न्यायालय को इस अपराध के लिए उनको कानून के तहत सर्वोच्च सजा देने का आग्रह किया। अभियुक्त के व्यक्तित्व एवं दोनों ही तरफ से किसी भी प्रकार की कड़वाहट न होने के कारण यह सुनवाई बहुत ही विलक्षण थी। गांधी के साथ-साथ न्यायधीश ने भी संयम एवं पारस्परिक सम्मान का आदर्श प्रस्तुत किया। सजा सुनाते समय न्यायधीश ने 12 वर्ष पूर्व **बाल गंगाधर तिलक** के प्रकरण में लिए गए निर्णय का अनुकरण किया और उनके समान धारा के अधीन सजा सुनाई। गांधी को सरकार के विरुद्ध असंतोष फैलाने के अपराध में 6 वर्ष के साधारण कारावास की सजा सुनाई गई। उन्हें **पूना के यरवदा जेल** में रखा गया। अस्वस्थ होने के कारण, उन्हें 5 फरवरी 1924 को रिहा कर दिया गया।

खिलाफत मुद्दे का अंत

नवंबर 1922 में मुस्तफा कमाल पाशा के नेतृत्व में तुर्की की जनता के एकजुट होने के बाद खिलाफत का मुद्दा भी समाप्त हो गया। उसने सुल्तान को उसकी राजनीतिक शक्ति से वंचित कर दिया और तुर्की को आधुनिक बनाने के लिए कई कदम उठाए। उसने तुर्की को एक धर्मनिरपेक्ष राज्य भी घोषित किया। पाशा ने तुर्की के संविधान से इस्लाम को अलग किया, महिलाओं को अधिकार दिए, यूरोपियन पद्धति के आधार पर विधिक संहिताएं लागू कीं। साथ ही, उसने आधुनिक उद्योगों को आरंभ किया। इन सभी सुधारों ने खिलाफत आंदोलन के आधार को समाप्त कर दिया। **पाशा ने 1924 में खलीफा के पद** को समाप्त कर दिया और इस प्रकार खिलाफत का मुद्दा पूरे विश्व से समाप्त हो गया।

असहयोग आंदोलन के वापस लेने के कारण (एक विश्लेषण)

1. चौरी-चौरा हिंसा से यह साबित हो गया था कि देशवासी अभी तक अहिंसक-आंदोलन के लिए पूर्णतया प्रशिक्षित नहीं हो पाए हैं। यह स्पष्ट था कि क्रांति चारों तरफ फैल गई थी, लेकिन कोई भी क्रांतिकारी नेतृत्व नहीं था। ऐसी परिस्थिति में इस बात का भय था कि आंदोलन को आगे जारी रखने से अव्यवस्था बढ़ेगी।
2. यह भी महसूस किया गया था कि आंदोलन धीरे-धीरे अपने मूल लक्ष्य से भटक रहा था और जमींदारों के विरुद्ध लगान न चुकाने के आंदोलन में परिवर्तित हो रहा था। मूल लक्ष्य विभिन्न वर्गों को समाहित करके एक जन-आंदोलन करना था, न कि एक वर्ग-क्रांति।

3. गांधी के द्वारा हर समय बार-बार अहिंसक बने रहने के निवेदन के बावजूद हिंसा की घटनाएं निरंतर घटित हो रही थीं। यह भय था कि इन घटनाओं के आधार पर सरकार द्वारा बड़े स्तर पर दमन किया जा सकता था। इससे अहिंसक-असहयोग की संपूर्ण रणनीति को झटका लगता, जो इस सिद्धांत पर आधारित थी कि शांतिपूर्ण विरोध करने वाले आंदोलनकारियों के विरुद्ध हथियार उठाने वाले दमनकारी बल कमजोर होने लगेंगे।
4. यदि आंदोलन को वापस नहीं लिया जाता, तो ऐसी संभावना थी कि सरकार द्वारा इसका दमन किया जाता, जिससे जनता हतोत्साहित होती और असहयोग के सिद्धांत पर प्रश्न चिन्ह लग जाता।
5. गांधी का निर्णय अंशत: इस तथ्य से भी प्रभावित था कि 1921 के अंत तक आंदोलन की तीव्रता में ह्रास दिखाई देने लगा था। छात्र-छात्राएं विद्यालय व महाविद्यालय की ओर वापस लौट रहे थे, वकील न्यायालय की ओर लौट रहे थे, व्यापारी विदेशी कपड़ों के बढ़ते संग्रह से ऊब चुके थे और रैलियों व बैठकों में लोगों की उपस्थिति घटने लगी थी।

गांधी के आलोचक यह समझने में असफल हो जाते हैं कि जन-आंदोलन सहज रूप से चक्रीय प्रवृत्ति का होता है और एक निश्चित ऊंचाई पर पहुंचने के बाद उसमें ह्रास होने की एक स्वाभाविक प्रवृत्ति होती है, क्योंकि जनता की त्याग एवं दमन को सहन करने की क्षमता असीमित नहीं होती है। यह कुछ समय का पतन संघर्ष के अगले चरण के लिए ऊर्जा संचित करने का अवसर देता है। अत: आंदोलन की वापसी को विश्वासघात की तरह नहीं देखना चाहिए, बल्कि यह रणनीति का ही एक अंतर्निहित भाग था।

अध्याय 6.10 से 6.15 तक की एक रूपरेखा-

असहयोग आंदोलन के वापस लेने के बाद अनेक राष्ट्रीय एवं राष्ट्र विरोधी ताकतों का उद्भव हुआ, जिन्हें अगले अध्यायों में समाविष्ट किया गया है-

- स्वराज्य पार्टी के सदस्य एवं परिषद में प्रवेश का उनका कार्यक्रम (1922-29)
- परिवर्तन-विरोधी (No-changers) एवं उनके संरचनात्मक कार्य (1922 के बाद)
- सांप्रदायिकता एवं मुस्लिम लीग व हिंदू महासभा का पुनरुत्थान (1922-37)
- समाजवाद की ओर झुका हुआ क्रांतिकारी आंदोलन (1922 के बाद)
- लेफ्ट/वाम आंदोलन का विकास एवं समाजवादी व साम्यवादी विचारों का प्रसार (1920-1930 के दशक)
- किसानों एवं श्रमिकों के आंदोलन (1920-1930 के दशक)
- प्रांतीय जनता के आंदोलन (1920-1930 के दशक)
- जातिगत आंदोलन (जैसे- सेल्फ रिस्पेक्ट मूवमेंट) (1920-1930 के दशक)

इस प्रकार हम देखते हैं कि **बीसवीं शताब्दी का तीसरा दशक अनेक कारणों से आधुनिक भारतीय इतिहास** का एक ऐतिहासिक काल था। इस काल में न केवल भारतीय जनता ने राष्ट्रीय आंदोलन में प्रवेश किया, बल्कि भारतीय परिदृश्य में अनेक राजनीतिक प्रवाहों (धाराओं) का उद्भव हुआ। इन सभी धाराओं कि जड़ें अहिंसा की गांधीवादी दर्शन में थीं, क्योंकि ये सभी इसी अवधारणा के सकारात्मक या नकारात्मक प्रतिक्रिया को लेकर उभरे।

नोट- अध्ययन के उद्देश्य से एक विषय वस्तु पर एक अध्याय बनाया गया है, ताकि 1947 तक की सभी घटनाओं को समाविष्ट किया जा सके। छात्र-छात्राएं अध्याय 6.16 से 6.19 का अवलोकन करते रहें, ताकि मुख्य राष्ट्रीय आंदोलन से समय-समय पर जुड़े रहें।

असहयोग आंदोलन का महत्व (Significance of Non-Cooperation Movement)

यह सत्य है कि यह आंदोलन खिलाफत को पुन: स्थापित करने एवं स्वराज्य प्राप्त करने के अपने मुख्य लक्ष्य को प्राप्त करने में असफल हुआ। फिर भी सामाजिक, आर्थिक एवं राजनीतिक कारणों से असहयोग आंदोलन भारत के स्वतंत्रता संघर्ष की एक युगांतरकारी घटना थी।

सामाजिक क्षेत्र में, इस आंदोलन का प्रभाव बहुत विशाल था। गांधी ने भारतीयों के बीच एकता की आवश्यकता एवं जाति, वर्ग, धर्म व लिंग की बाधाओं को हटाने पर बल दिया। परिणामस्वरूप, बैठकों एवं जुलूसों में सभी जातियों एवं समुदायों के लोगों ने एक साथ मिलकर कार्य किया और भोजन भी किया। पहली बार निम्न वर्ग के लोगों ने अन्य लोगों के साथ कंधे से कंधा मिलाकर कार्य किया, जिससे सामाजिक सुधारों को गति मिली। हिंदू-मुस्लिम एकता अपने चरम पर पहुंची और कई बार असहयोग व खिलाफत की सभाओं में अंतर कर पाना मुश्किल हो जाता था। स्वामी श्रद्धानंद, जो एक आर्य समाजी थे, को मुसलमानों द्वारा दिल्ली की जामा मस्जिद के मंच से उपदेश देने के लिए बुलाया गया, जबकि डॉ. सैफुद्दीन किचलू (एक मुस्लिम) को स्वर्ण मंदिर की कुंजी सौंपी गई। (असहयोग आंदोलन के दिनों में जो हिंदू-मुस्लिम एकता थी, वह पुनः कभी नहीं देखी गई।)

आर्थिक क्षेत्र में, इस आंदोलन का आर्थिक बहिष्कार 1905-08 के स्वदेशी आंदोलन से भी अधिक सफल साबित हुआ। इससे ब्रिटिश उद्योगों को हानि पहुंची, जबकि भारतीय उद्योगों को स्वदेशी के प्रोत्साहन से बहुत लाभ हुआ। चरखा एवं खादी की लोकप्रियता से भारतीय कपड़ा उद्योगों को विशेष तौर पर लाभ हुआ। ग्रामीण पुनर्सरचना एवं पंचायतों के द्वारा स्व-सहायता को बढ़ाने पर बल देने से कुल मिलाकर आर्थिक पुनरुत्थान हुआ।

यह आंदोलन भारत में पहला वास्तविक जन-आंदोलन था, जिसमें सभी वर्गों एवं समुदायों ने सहभागिता की। पहली बार राष्ट्रीय जागरूकता देश के दूरस्थ क्षेत्रों में पहुंची। भारतीय राष्ट्रीय कांग्रेस एक वास्तविक जन-आधारित दल के रूप में उभरा। इस आंदोलन ने आधुनिक तर्ज पर गरीब-गूंगे लाखों भारतीयों की क्षमता को प्रदर्शित किया। इस आंदोलन ने दर्शाया कि स्वतंत्रता केवल शिक्षित अभिजन वर्ग की नहीं, बल्कि पूरे देश की मांग है।

यह स्वीकार किया जाना चाहिए कि 1920-22 के मध्य के 2 वर्ष राष्ट्रीय आंदोलन के सबसे महत्वपूर्ण वर्ष थे, जब पूरा देश पहली बार ब्रिटिश शासन के विरुद्ध एक हो गया था।

सामाजिक, आर्थिक एवं राजनीतिक क्षेत्रों में उपर्युक्त सकारात्मक प्राप्तियों ने भारतीय जनता के आत्म-विश्वास एवं स्वाभिमान में अत्यधिक वृद्धि कर दी थी। इसने गुलामी एवं दमन की भावनाओं के स्थान पर लोगों में स्वतंत्रता व राष्ट्रीय गरिमा की भावना को भर दिया था। गांधी ने सत्य ही कहा था कि इस आंदोलन ने एक वर्ष में जो प्राप्त किया है वह पूर्ववर्ती विधियों द्वारा 30 वर्षों तक प्राप्त नहीं किया जा सकता था।

12 फरवरी 1922 को असहयोग आंदोलन के वापस लेने के साथ एक संघर्ष पूरा हुआ, लेकिन अभी युद्ध समाप्त नहीं हुआ था। 23 फरवरी को 'यंग इंडिया' में अपने एक लेख में गांधी ने लिखा, "अब समय आ गया है कि ब्रिटिश जनता को अनुभव कराया जाए कि 1920 में जो संघर्ष प्रारंभ हुआ था, वह ब्रिटिश शासन की समाप्ति के लिए लड़ाई थी, इससे कोई अंतर नहीं पड़ता कि अब यह संघर्ष एक महीने अथवा एक वर्ष और अनेक महीने अथवा अनेक वर्षों तक जारी रहे।"

प्रीलिम कैप्सूल

खिलाफत एवं असहयोग आंदोलन

दिनांक	कार्यक्रम	महत्वपूर्ण विवरण
1919–1922	खिलाफत आंदोलन	**वर्साय की संधि** के साथ प्रथम विश्व युद्ध समाप्त हुआ। विजयी ब्रिटेन ने तुर्की के सुल्तान को गद्दी से हटा दिया, जिसे खलीफा माना जाता था। भारतीय मुसलमानों ने खिलाफत आंदोलन संगठित किया। खिलाफत आंदोलन के उद्देश्य– 1. खलीफा की स्थिति को पुनः स्थापित करना चाहिए। 2. मुसलमानों के पवित्र स्थानों पर खलीफा के नियंत्रण को बनाए रखना चाहिए। 3 .युद्ध के बाद होने वाले क्षेत्रीय सामंजस्य में खलीफा के पास पर्याप्त क्षेत्र होना चाहिए।

1919 (बॉम्बे)	खिलाफत समिति	प्रमुख नेता- **अली बंधु,** मौलाना आजाद, हाकिम अजमल खान, हसरत मोहानी, डॉ. एम. ए. अंसारी।
नवंबर 1919 (दिल्ली)	अखिल भारतीय खिलाफत सम्मेलन	डॉ. हसरत मोहानी ने ब्रिटिश शासन के साथ असहयोग एवं ब्रिटिश वस्तुओं के बहिष्कार का आह्वान किया।
1920	कांग्रेस के साथ गठबंधन	**गांधी को अखिल भारतीय खिलाफत समिति का अध्यक्ष** नियुक्त किया गया। मई 1920 तक गांधी उदार बने रहे, लेकिन तुर्की के साथ संधि की शर्तों व पंजाब उपद्रव की हंटर समिति रिपोर्ट के प्रकाशन के बाद उनके व्यवहार में कठोरता आई।
जून 1920 (इलाहाबाद)	केंद्रीय खिलाफत समिति की बैठक	**कांग्रेसी एवं खिलाफत दोनों नेता इसमें शामिल** हुए। सरकार को अंतिम चेतावनी दी गई कि यदि खिलाफत एवं पंजाब के साथ हुए अन्याय को सुधारा नहीं गया, तो 1 अगस्त 1920 से आंदोलन प्रारंभ किया जाएगा। **तिलक ने धार्मिक प्रश्न पर हिंदू-मुस्लिम गठबंधन का विरोध किया।**
1 अगस्त 1920	असहयोग आंदोलन	असहयोग आंदोलन आरंभ हुआ। तिलक का देहावसान।
20 दिसंबर 1920 (नागपुर)	नागपुर कांग्रेस अधिवेशन	अध्यक्ष- सी. विजयराघवाचार्य **सी. आर. दास गांधी के आलोचक से परिवर्तित होकर उनके समर्थक बने** और वे असहयोग पर मुख्य प्रस्ताव लाए। अहिंसक-असहयोग के प्रस्ताव को असहयोग के तीन उद्देश्य के साथ समर्थन मिला जो निम्न प्रकार थे: 1. खिलाफत के प्रश्न का संतोषजनक समाधान, 2. पंजाब अन्याय का निवारण, 3. स्वराज्य की प्राप्ति। असहयोग के कार्यक्रम का विस्तार पूर्वक सुझाव दिया गया और कांग्रेस के निर्णय पर उनको लागू करना था। **कांग्रेस पार्टी का एक नया संविधान** (गांधी द्वारा हस्तलिखित) अपनाया गया। गांधी ने नारा दिया 'एक वर्ष में स्वराज्य'। **मोहम्मद अली जिन्ना, जी. एस. खापर्डे, बिपिन चंद्र पाल एवं एनी बेसेंट ने कांग्रेस छोड़ दी**, वे अब भी आंदोलन की कानूनी विधियों पर विश्वास करते थे।
जनवरी से मार्च 1921	असहयोग आंदोलन का प्रथम चरण	विद्यालयों, महाविद्यालयों, न्यायालयों के बहिष्कार एवं चरखा के प्रोत्साहन पर बल दिया गया। सी. आर. दास ने बहिष्कार को प्रेरित करने में अहम भूमिका निभाई। कलकत्ता में **सुभाषचंद्र बोस** नेशनल कॉलेज (राष्ट्रीय महाविद्यालय) के प्राचार्य बने। अनेक प्रमुख वकीलों, जैसे- सी. आर. दास, मोतीलाल नेहरू, एम. आर. जयकर, सैफुद्दीन किचलू, सरदार वल्लभभाई पटेल, सी. राजगोपालाचारी, टी. प्रकाशम एवं आसफ अली ने अपनी आकर्षक वकालत का त्याग कर दिया।

अप्रैल से जून 1921	द्वितीय चरण	मुख्य ध्यान **तिलक स्वराज्य निधि के लिए एक करोड़ रुपए** जमा करना था।
जुलाई 1921 के बाद	तृतीय चरण	इस चरण में नवंबर में प्रिंस ऑफ वेल्स के भ्रमण एवं विदेशी कपड़ों के बहिष्कार पर बल दिया गया। कांग्रेस स्वयंसेवी समूह ने समानांतर पुलिस का कार्य किया।
मई 1921	गांधी–रीडिंग वार्ता	वायसराय रीडिंग ने गांधी को मनाने का प्रयास किया कि वे अली बंधुओं से हिंसा को भड़काने वाले भाषणों से दूर रहने के लिए कहें, लेकिन वार्ता असफल रही।
दिसम्बर 1921	सरकार का दमन	कांग्रेस एवं खिलाफत स्वयंसेवी समूह को गैरकानूनी घोषित किया गया।
	अहमदाबाद कांग्रेस अधिवेशन	सी. आर. दास को अध्यक्ष बनाया गया, जबकि वो जेल में थे और उनके स्थान पर **हकीम अजमल खान ने कार्यवाहक अध्यक्ष** का कार्य किया।
1 फरवरी 1922	गांधी द्वारा वायसराय को अंतिम चेतावनी देना	गांधी ने चेतावनी दी कि यदि शासकीय दमन का त्याग नहीं किया गया एवं राजनीतिक बंदियों को छोड़ा नहीं गया, तो वे सविनय अवज्ञा आंदोलन शुरू कर देंगे। गांधी ने सूरत जिले के बारदोली तालुका से जन आधारित सविनय अवज्ञा एवं कर न देने का अभियान शुरू करने का निर्णय लिया। आंदोलन प्रारंभ करने की तिथि 5 फरवरी 1922 निश्चित की गई।
5 फरवरी 1922	चौरी–चौरा हिंसा	उत्तर प्रदेश में गोरखपुर जिले के चौरी–चौरा नामक स्थान पर किसानों की क्रोधित भीड़ ने एक स्थानीय पुलिस स्टेशन पर हमला किया और आग लगा दी, जिसमें 22 पुलिसकर्मी मारे गए। इस हिंसात्मक घटना से क्षुब्ध होकर गांधी ने आंदोलन वापस ले लिया और इसे एक **बहुत बड़ी** गलती बताया। सुभाषचंद्र बोस ने अपनी आत्मकथा 'द इंडियन स्ट्रगल' में इसे एक **राष्ट्रीय आपदा** की संज्ञा दी।
12 फरवरी 1922 (बारदोली)	कांग्रेस कार्यकारी समिति की बैठक, बारदोली	कांग्रेस कार्यकारी समिति ने सविनय अवज्ञा आंदोलन के वापस लेने का अनुमोदन किया, जिसे **बारदोली प्रस्ताव** के नाम से जाना गया।
10 मार्च 1922	गांधी की गिरफ्तारी	सुनवाई **मिस्टर ब्रूमफील्ड** के समक्ष हुई। सजा सुनाते समय न्यायाधीश ने **बाल गंगाधर तिलक** के प्रकरण के निर्णय को का अनुकरण किया और उन्हें तिलक के **समान ही धारा के अधीन सजा** दी। गांधी को 6 वर्ष के कारावास की सजा सुनाई गई और उन्हें पूना में यरवदा जेल में रखा गया।
नवंबर 1922	खिलाफत मुद्दे का अंत	मुस्तफा कमाल पाशा ने तुर्की को एक धर्मनिरपेक्ष राज्य घोषित किया और बाद में खलीफा के पद को भी समाप्त कर दिया। इस प्रकार खिलाफत का मुद्दा पूरे विश्व से समाप्त हो गया।

अध्याय

10 स्वराजी एवं संरचनात्मक कार्य (1922-1929)

1922 एवं 1929 के मध्य में स्वराजियों के रूप में भारतीय राजनीति में एक नई प्रवृत्ति का जन्म हुआ। परिषदों में प्रवेश एवं संरचनात्मक कार्य के उद्देश्यों के साथ मोतीलाल नेहरू एवं चितरंजन दास के नेतृत्व में स्वराज्य पार्टी की स्थापना हुई। स्वराजियों का काल नई समस्याओं एवं नए द्वंदों का साक्षी बना। अपने नए नेताओं व नए प्रकार के राजनीतिक कार्यक्रम के द्वारा इसने राष्ट्रीय आंदोलन को समृद्ध बनाया।

पृष्ठभूमि (Backdrop)

जब गांधी ने असहयोग आंदोलन आरंभ किया तो उन्होंने 'एक वर्ष में स्वराज/स्वराज्य' का नारा दिया था। इस नई आशा ने जनता की उम्मीदों को बढ़ा दिया, जिससे उन्होंने ओजस्वी ढंग से कार्य किया। आंदोलन के अचानक से वापस लिए जाने से असंतोष एवं व्याकुलता का वातावरण बना। जनता के नैतिक पतन का लाभ उठाकर सरकार ने दमन की नीति को पुनः प्रारंभ किया एवं ब्रिटिश प्रधानमंत्री लॉयड जॉर्ज ने अपने एक प्रसिद्ध भाषण में ब्रिटिश अभिजात तंत्र को बनाए रखने की बात कही।

विश्वासघात का अनुभव कर रहे नेताओं के एक वर्ग ने संघर्ष की गांधीवादी तरीकों की क्षमता पर प्रश्न चिन्ह लगाना शुरू कर दिया। सविनय अवज्ञा जांच समिति ने निष्कर्ष निकाला कि देश जन आधारित सविनय अवज्ञा के लिए तैयार नहीं था एवं संरचनात्मक कार्यक्रमों को भी एक सीमित प्रतिक्रिया मिली थी। उच्च मध्यमवर्गीय बुद्धिजीवी भी संरचनात्मक कार्यक्रम के विचार से वास्तव में कभी आकर्षित नहीं थे, क्योंकि वह मुख्य रूप से सामाजिक-आर्थिक सुधार का कार्यक्रम था। गांधी अब जेल में थे और वहां से वे अब कुछ विशेष नहीं कर सकते थे। उनके अभाव में, उनके द्वारा बनाई गई एकता में अब बिखराव आने लगा और कांग्रेस में अब खुले तौर पर विभाजन होने लगा। दो बुद्धिजीवियों, मोतीलाल नेहरू एवं चितरंजन दास ने नेतृत्व अपने हाथों में लिया और परिषदों में प्रवेश के अपने नए एजेंडे (कार्यक्रम) को सामने रखा।

चितरंजन दास (1870-1925)- देशबंधु नाम से विख्यात चितरंजन दास एक वकील एवं स्वतंत्रता सेनानी थे। 1894 में एक कड़ा कदम उठाते हुए दास ने अपनी लाभकारी वकालत छोड़कर परमाथनाथ मित्र के साथ **अनुशीलन समिति** की सदस्यता ग्रहण की। 1909 में उन्होंने सफलतापूर्वक अलीपुर षड्यंत्र प्रकरण में **अरविंदो घोष** का बचाव किया। असहयोग आंदोलन के दौरान वे एक मुख्य नेता के रूप में उभरे और उन्होंने अपने स्वयं के विदेशी कपड़ों को जलाकर ब्रिटिश कपड़ों के बहिष्कार की पहल की। (जबकि एक समय ऐसा था जब पेरिस से उनके कपड़े धूलकर आते थे।) ब्रिटिश शासन से संघर्ष के एक साधन के रूप में उन्होंने **'फॉरवर्ड'** नाम से एक समाचार प्रारंभ किया था जिसका नाम बाद में परिवर्तित कर 'लिबर्टी' रख दिया गया था। वे कलकत्ता म्युनिसिपल कॉरपोरेशन के **पहले मेयर** भी बने।

चितरंजन दास

1921 में असहयोग आंदोलन के दौरान **कोर्ट में गिरफ्तारी देने वाली पहली महिलाओं** में उनकी पत्नी बसंती देवी व बहन उर्मिला देवी थीं। 1922 में उन्होंने मोतीलाल नेहरू एवं एच. एस. सुहरावर्दी के साथ मिलकर 'स्वराज्य पार्टी' की स्थापना की। उनकी विरासत को सुभाषचंद्र बोस द्वारा आगे बढ़ाया गया।

मोतीलाल नेहरू (1861-1931)- वे एक वकील एवं भारतीय राष्ट्रीय कांग्रेस के प्रमुख नेता थे। एक कश्मीरी ब्राह्मण परिवार में जन्में मोतीलाल नेहरू ने यूनिवर्सिटी ऑफ कैंब्रिज से कानून में स्नातक किया एवं इलाहाबाद में अपनी वकालत शुरू की। उन्होंने एक दैनिक **'द इंडिपेंडेंट'** (The Independent, 1919) आरंभ किया और कांग्रेस के कुछ धनाढ्य नेताओं के रूप में उभरे। गांधी से प्रभावित होकर उन्होंने पाश्चात्य जीवन शैली का त्याग किया एवं असहयोग आंदोलन में सक्रिय भागीदारी की। हालांकि, उन्होंने चौरी-चौरा के बाद आंदोलन वापस लेने के गांधी के निर्णय की आलोचना की और स्वराज्य पार्टी की स्थापना करने में सहायता की।

मोतीलाल नेहरू

स्वराज्य पार्टी का गठन (1 जनवरी 1923) (Formation of Swaraj Party, 1 January 1923)

चितरंजन दास एवं मोतीलाल नेहरू ने प्रस्तावित किया कि परिषद् के अंदर से असहयोग होना चाहिए और उन्होंने उसे राजनीतिक संघर्ष में क्षेत्र में परिवर्तित कर दिया। उन्होंने सलाह दी कि राष्ट्रवादियों को परिषदों का बहिष्कार नहीं करना चाहिए, बल्कि उसमें प्रवेश करके उनकी कार्यवाही को अवरुद्ध कर संसद के नकारात्मक पक्ष को सबके सामने लाना चाहिए। इस प्रकार उन्हें अंदर से तोड़ना चाहिए।

कांग्रेस का गया अधिवेशन, दिसंबर 1922, सी. आर. दास (अध्यक्ष) एवं मोतीलाल नेहरू (सचिव): इस अधिवेशन में सी. आर. दास एवं मोतीलाल नेहरू ने परिषदों को या तो सुधारने अथवा समाप्त करने के कार्यक्रम को प्रस्तुत किया। राजगोपालाचारी के नेतृत्व में इस नए प्रस्ताव का विरोध किया गया, जिससे प्रस्ताव पारित नहीं हो सका। दास एवं मोतीलाल ने अपने-अपने पदों से त्यागपत्र दे दिया।

1 जनवरी 1923 को सी. आर. दास ने कांग्रेस खिलाफत स्वराज्य पार्टी (स्वराज्य पार्टी) के गठन की घोषणा की। इसने कांग्रेस के कार्यक्रमों को स्वीकार किया। केवल परिषद के चुनावों में भाग लेने का इसका कार्यक्रम कांग्रेस से अलग था। इस प्रकार नेहरू-दास के संयुक्त प्रस्ताव से कांग्रेस दो भागों, परिवर्तन-समर्थक (बाद में जिन्हें स्वराजी कहा गया) एवं परिवर्तन-विरोधी अथवा (रूढ़ीवादी गांधीवादी) में बंट गई।

परिवर्तन-समर्थक : वे संरचनात्मक कार्यों के साथ परिषद में प्रवेश को जोड़ना चाहते थे। उनका नेतृत्व **सी. आर. दास** एवं **मोतीलाल नेहरू** द्वारा किया गया और इसमें प्रमुख कांग्रेसी जैसे- अजमल खान, एन. सी. केलकर, सुभाष चंद्र बोस, विट्ठल भाई पटेल, हुसैन शहीद सुहरावर्दी शामिल थे।

परिवर्तन-विरोधी : इन्होंने परिषद में प्रवेश के विचार की भर्त्सना की और वे केवल संरचनात्मक कार्यक्रम पर ध्यान केंद्रित करना चाहते थे। इनका नेतृत्व गांधी द्वारा किया गया एवं इसमें सी. राजगोपालाचारी, राजेंद्र प्रसाद, वल्लभभाई पटेल, **जवाहरलाल नेहरू** एवं एम. ए. अंसारी शामिल थे।

सितंबर 1923 में मौलाना आजाद की अध्यक्षता में दिल्ली में कांग्रेस का विशिष्ट अधिवेशन हुआ, जिसमें नवंबर में होने वाले चुनावों में कांग्रेसियों को भाग लेने की अनुमति दी गई। स्वराजियों के पास चुनाव की तैयारी के लिए कुछ सप्ताह ही बचे थे। इसके बाद भी उन्होंने चुनाव में अच्छा प्रदर्शन किया। बहुत कम मताधिकार (लगभग केवल 3%) होने के बावजूद, उन्होंने कुछ प्रांतों में अच्छी जीत हासिल की।

काकीनाड़ा में कांग्रेस के वार्षिक अधिवेशन में पुनः परिषदों के अंदर से असहयोग करने की बात को दोहराया गया। संरचनात्मक कार्यक्रम के प्रयासों पर भी बल दिया गया। इस प्रकार कांग्रेस का एक और विभाजन टल गया।

चितरंजन दास एवं मोतीलाल नेहरू अत्यधिक सफल वकील थे। पहले वे उदारवादी थे, लेकिन 1920 में उन्होंने बहिष्कार एवं असहयोग की राजनीति को स्वीकार किया। उन्होंने अपनी वकालत छोड़कर एक पूर्णकालिक कार्यकर्ता के रूप में असहयोग आंदोलन में सहभागिता की। उन्होंने क्रमश: अपने कलकत्ता व इलाहाबाद के भव्य घर राष्ट्र को दान कर दिए थे।

नोट- ध्यान देने योग्य है कि 1923-1924 के दौरान स्वराजियों के साथ-साथ परिवर्तन-विरोधियों ने भी नगरपालिकाओं एवं स्थानीय निकायों के चुनावों में बड़ी संख्या में सहभागिता की थी। परिवर्तन-विरोधियों की इच्छा स्थानीय निकायों के माध्यम से संरचनात्मक कार्यों को प्रोत्साहित करना थी। इन दोनों के द्वारा निम्नलिखित पद प्राप्त किए गए-

- सी. आर. दास कलकत्ता के मेयर बने।
- सुभाषचंद्र बोस कलकत्ता के मुख्य कार्यकारी अधिकारी बने।
- विट्ठलभाई पटेल बॉम्बे कॉर्पोरेशन के अध्यक्ष बने।
- वल्लभभाई पटेल अहमदाबाद नगरपालिका के अध्यक्ष बने।
- राजेंद्र प्रसाद पटना नगरपालिका के अध्यक्ष बने।
- जवाहरलाल नेहरू इलाहाबाद नगरपालिका के अध्यक्ष बने।

गांधी एवं स्वराजी

गांधी द्वारा कड़ा रुख अपनाना

5 फरवरी 1924 को गांधी जेल से रिहा हुए और उन्होंने स्वराजियों के विरुद्ध कठोर कदम उठाए। जून 1924 में अखिल भारतीय कांग्रेस समिति की बैठक अहमदाबाद में आयोजित हुई, जहां स्वराजियों को समाप्त करने के उद्देश्य से गांधी एक प्रस्ताव लेकर आए।

- यह प्रस्ताव **हाथ से कताई** करने के सम्बंध में था, जिसके अनुसार प्रत्येक पदधारी को 1 महीने में 2000 यार्ड सूत कातना अनिवार्य कर दिया गया। ऐसा न करने पर सजा का प्रावधान भी रखा गया।
- परिषद के बहिष्कार को स्वीकार नहीं करने वालों से त्याग-पत्र मांगा गया।

गांधी का नरम होना

दास एवं नेहरू इससे बहुत अधिक व्यथित हुए, क्योंकि मतदाताओं के बीच उनकी लोकप्रियता का कारण कांग्रेस का नाम व उसके स्रोत थे। उन्होंने कठोर प्रतिरोध किया। परिणामस्वरूप, कुछ कारणों से गांधी ने अपने सख्त कदम में कुछ नरमी लाने का निर्णय लिया-

- जब फरवरी 1924 में गांधी जेल से रिहा हुए, तो बॉम्बे सरकार इस आशा में थी कि कांग्रेस में एक और विभाजन होगा। उनको भरोसा था कि गांधी स्वराजियों की निंदा करेंगे, जिससे वे कांग्रेस का पक्षत्याग कर देंगे। पर गांधी ने ऐसा कुछ नहीं किया यद्यपि वे स्वरजियों के कार्यक्रम को निरर्थक मानते थे।
- गांधी के, सी. आर. दास एवं मोतीलाल नेहरू, दोनों से अच्छे व्यक्तिगत संबंध थे। उन्हें उनकी कर्तव्यनिष्ठा पर पूरा भरोसा था। वे उन्हें एक ऐसे मूल्यवान एवं सम्मानीय नेताओं के रूप में देखते थे, जिन्होंने देश के लिए अनेक त्याग किए थे।
- इसके साथ ही परिषद में प्रवेश पहले ही हो चुका थे। उन्होंने महसूस किया कि परिषद में प्रवेश के वास्तविक तथ्य का जन-विरोध ठीक नहीं होगा और इसे एक कमजोरी की तरह देखा जाएगा।
- स्वराजियों ने 1923 के चुनाव में बहुत बड़ी सफलता प्राप्त की। परिषदों में उनका कद बढ़ा एवं उन्होंने परिषदों में बिना किसी प्रकार के समझौते के आचरण किया।

- अंत में, 1924 के अंत में बंगाल में आतंकवाद से लड़ने के लिए स्वराजियों की नागरिक स्वतंत्रता पर कठोर प्रहार किया गया। अनेक कांग्रेसियों, जिनमें सुभाषचंद्र बोस एवं दो स्वराजी अनिल बरान रॉय व एस. सी. मित्र शामिल थे, को गिरफ्तार कर लिया गया। गांधी ने अपनी एकता का परिचय दिया और स्वराजियों के समक्ष समर्पण किया।

6 नवंबर 1924 को गांधी ने स्वराजियों व परिवर्तन-विरोधियों के मध्य हो रहे संघर्ष को समाप्त करने के लिए मोतीलाल नेहरू व सी. आर. दास के एक **संयुक्त बयान** पर हस्ताक्षर करवाए कि स्वराज्य पार्टी विधानसभाओं में कांग्रेस की ओर से उसके एक अभिन्न अंग के रूप में कार्य करेगी (एक निर्णय जिसे बाद में बेलगांव कांग्रेस अधिवेशन में अनुमोदित किया)। इस प्रकार गांधी ने उन्हें समाहित करने का निर्णय लिया और कांग्रेस को एक और विभाजन से बचा लिया। उन्होंने स्वराजियों को अनुमति दी कि वे कांग्रेस की तरफ से सरकार का सामना करें। स्वराजियों ने इसके बदले गांधी के संरचनात्मक कार्य को करने हेतु अपनी इच्छा को अभिव्यक्त किया।

गांधी की अध्यक्षता में बेलगांव में कांग्रेस का अधिवेशन हुआ, जहां स्वराजियों एवं परिवर्तन-विरोधियों के बीच पारस्परिक विश्वास को बढ़ाने का प्रयास किया गया।

- **कांग्रेस की ओर से और कांग्रेस के एक अभिन्न भाग** के रूप में विधान सभाओं में कार्य करने हेतु स्वराज्य पार्टी को अनुमति देने के गांधी के निर्णय का कांग्रेस ने अनुमोदन किया।
- गांधी ने स्वराजियों को अपनी कार्यकारी समिति में सीटों में बहुमत दिया।
- गांधी ने भी विदेशी कपड़ों के बहिष्कार पर बल दिया एवं स्वराज्य की प्राप्ति के लिए संरचनात्मक कार्यक्रम (मुख्य रूप से खादी कातना, हिंदू-मुस्लिम एकता एवं अस्पृश्यता को हटाना) को एक मुख्य साधन के रूप में निर्धारित किया।

स्वराज पार्टी के उद्देश्य एवं लक्ष्य (Aims and Objectives of Swaraj Party)

स्वराज्य पार्टी के लक्ष्य एवं उद्देश्यों को उसके संविधान में उल्लेखित किया गया था, जो फरवरी 1923 को पहली बार प्रकाशित हुआ था। इसमें दिसंबर 1924 (बेलगांव कांग्रेस) तक अनेक बार परिवर्तन हुए, लेकिन जब कांग्रेस के साथ इसके संबंध निश्चित हुए, तो संविधान भी निश्चित हुआ। 1924 के संविधान में पार्टी का लक्ष्य "भारतीय लोगों के द्वारा वैधिक एवं शातिपूर्ण साधनों के द्वारा स्वराज की प्राप्ति" रखा गया। यद्यपि स्वराज की प्रकृति को स्पष्ट रूप से परिभाषित नहीं किया गया था। पार्टी के घोषणा पत्र में कहा गया कि विधानसभाओं के अंदर स्वराजी 'सरकार की व्यवस्था एवं प्रशासन पर नियंत्रण करने के भारतीयों के अधिकार की मांग करेंगे' और यदि सरकार इस मांग को अस्वीकार करती है तो **'एकरूपता, निरंतरता एवं सामंजस्य-पूर्ण अवरोध'** की नीति अपनाएंगे।

स्वराज्य पार्टी के कार्यक्रम

स्वराज्य पार्टी कांग्रेस का एक अभिन्न अंग थी और इसके एक विभाग के रूप में कार्य कर रही थी। अतएव इसके कार्यक्रम कांग्रेस के कार्यक्रमों से अधिक अलग नहीं हो सकते थे। परिषदों (अथवा 1919 के संविधान) को अंदर से तोड़ने के विचार के साथ स्वराज्य पार्टी ने परिषदों के अंदर अहिंसक-असहयोग का उपयोग करने की घोषणा की। इस उद्देश्य के साथ निम्नलिखित कार्यक्रम अपनाए गए-

परिषदों के अंदर- पार्टी ने निर्णय लिया कि जब संभव हो वे-

- अपने अधिकारों को मान्यता दिलाने के लिए बजट को अस्वीकार करेंगे।
- उन सभी प्रस्तावों को अस्वीकार करेंगे जिससे नौकरशाह अपनी शक्ति को मजबूत करते हैं।
- राष्ट्रीय जीवन के स्वास्थ्यवर्धक उन्नति के लिए आवश्यक प्रस्तावों को लाएंगे व आवश्यक विधेयकों का समर्थन करेंगे।
- कांग्रेस के संरचनात्मक कार्यक्रम में सहायता करेंगे।
- भारत से सार्वजनिक धन के निर्गम को रोकने के लिए एक निश्चित आर्थिक नीति का अनुसरण करेंगे।
- श्रम से जुड़े अधिकारों को प्रस्तावित करेंगे एवं जमींदार व काश्तकार, पूंजीपति व श्रमिक वर्गों के बीच सम्बन्धों में सामंजस्य स्थापित करने का प्रयास करेंगे।

परिषद के बाहर- पार्टी ने निम्न कार्य निश्चित किए-

- अंतर-सामुदायिक एकता,
- अस्पृश्यता को हटाना,
- देश में कृषक व औद्योगिक श्रमिकों को संगठित करना,
- देश के आर्थिक नियंत्रण की प्राप्ति,
- नगरपालिका से जुड़े मुद्दों पर राष्ट्रवादियों के नियंत्रण को स्थापित करना,
- कांग्रेस के संरचनात्मक कार्यों को करना,
- पारस्परिक एकता को संरक्षित करने के लिए एशियाई देशों के संघ का गठन,
- स्वराज्य के संघर्ष के लिए विदेशों से समर्थन प्राप्त करना।

स्पष्ट है कि स्वराज्य पार्टी के कार्यक्रम काफी व्यापक थे और चुनावों का ध्यान रखते हुए समाज के सभी वर्गों को संतुष्ट करने का प्रयास किया गया।

स्वराजियों की विधियां

स्वराजियों की परिषदको अंदर से 'एकरूपता, निरंतरता एवं सामजंस्य-पूर्ण अवरोध' द्वारा तोड़ने की नीति की तुलना **अंतर्ध्वंस की विधि** से की जा सकती है, जिसका सामना करने में ब्रिटिश शासन को खुले विद्रोह की अपेक्षा अधिक कठिनाई आई।

स्वराजियों की विधियों में शासकीय विधेयकों को पारित होने से रोकना, गतिरोध उत्पन्न करना, स्थगन प्रस्ताव लाना व ब्रिटिश शासन के परायेपन को उजागर करने के लिए प्रश्न पूछना शामिल थे। बाद में, स्वराजियों ने बहुधा सदन में आने और छोड़ने की विधि (method of frequently walking in and walking out) को अपनाया। यह विधि **'गतिशीलता में देशभक्ति'** (Patriotism in locomotion) के रूप में प्रसिद्ध हुई और स्वराजियों को एक उपनाम **'परिभ्रामी देशभक्त'** (peripatetic patriots) पड़ा।

स्वराजियों की विध्वंसात्मक विधियों में बजट के मतदान योग्य भाग एवं नौकरशाह की ओर से आने वाले प्रस्तावों को अस्वीकार करना शामिल था। उनकी संरचनात्मक विधियों में एक स्वास्थ्यवर्धक राष्ट्रीय जीवन को प्रोत्साहित करने के प्रस्तावों को लाना एवं नौकरशाह को विस्थापित करना शामिल था। स्वराज्य पार्टी ने भी विधायी निकायों में सदस्यों के व्यवहार के नियम बनाए। उन्हें आधिकारिक मनोनयन के द्वारा समितियों में सदस्य के रूप में सेवा देने की अनुमति नहीं थी।

परिषदों के अंदर कार्य करने की विधियों को समझाते हुए **सी. आर. दास** ने लिखा, "मैं चाहता हूं कि आप परिषदों में प्रवेश करें और वहां अपना बहुमत बनाएं तथा राष्ट्रीय मांगें प्रस्तुत करें। कार्यवाही को असंभव बना दिया जाए। यदि सरकार अपना काम प्रमाणीकरण के माध्यम से करने का प्रयास करेगी, तो सभी स्वराजी सदस्य त्याग-पत्र देकर इसे एक राजनीतिक मुद्दा बना देंगे। इन सबके बावजूद यदि सरकार नहीं झुकी, तो मतदाताओं को सुझाव दिया जाता है कि वे करों का भुगतान न करें और सविनय अवज्ञा को अपना लें।"

इस प्रकार सविनय अवज्ञा उनकी विधि का अंतिम विकल्प था।

चुनाव एवं स्वराजी

1919 के अधिनियम के प्रावधानों के अधीन 1920, 1923 एवं 1926 में तीन चुनाव आयोजित हुए।

असहयोग आंदोलन के कारण 1920 के चुनावों का कांग्रेस द्वारा बहिष्कार किया गया था।

1923 के चुनावों को स्वराजियों द्वारा लड़ा गया। उदारवादी उनके प्रमुख प्रतिद्वंदी थे। उदारवादियों ने पिछले चुनाव में भी भागीदारी की थी और सरकार के साथ सहयोग करने का कलंक उनके साथ जुड़ा हुआ था। दूसरी ओर स्वराजियों को

हीरो की तरह माना गया। वे 'गांधी के लोग' थे, जिन्होंने असहयोग आंदोलन के दौरान सरकार के रोष का सामना करना पड़ा था। परिषदों के अंदर असहयोग करने के उनके खुले एजेंडे का मतदाताओं के मध्य अच्छा प्रभाव था।

फलस्वरूप, स्वराजियों को बड़ी सफलता मिली। उन्हें मध्य प्रांत में पूर्ण बहुमत मिला एवं केंद्रीय सभा, बॉम्बे एवं बंगाल परिषदों में वे सबसे बड़ी पार्टी के रूप में उभरे। इस जीत के साथ वे अब **कांग्रेस के संसदीय भाग** के नाम से जाने गए। नीचे दी गई सारणी परिषदों में स्वराजियों द्वारा जीती गई सीटों की संख्या को दर्शाती है-

क्र.	विधायी निकाय	सीटों की कुल संख्या	स्वराजियों द्वारा जीती सीटें
1.	केंद्रीय विधान सभा	105	42
2.	मद्रास परिषद	98	..
3.	बॉम्बे परिषद	86	32
4.	बंगाल परिषद	111	36
5.	संयुक्त प्रांत परिषद	101	31
6.	पंजाब परिषद	71	9
7.	बिहार एवं उड़ीसा परिषद	73	13
8.	मध्य प्रांत परिषद	54	40
9.	असम परिषद	39	13
	कुल	633	174

निर्वाचित प्रत्याशियों में वकील पेशे वालों की संख्या बहुमत में थी। भू-स्वामी एवं व्यापारी भी अच्छी संख्या में निर्वाचित हुए।

1926 के चुनावों में स्वराजियों का प्रदर्शन निराशाजनक रहा। उन्हें प्रत्येक जगह भारी नुकसान हुआ। मध्य प्रांत, संयुक्त प्रांत एवं पंजाब में उनकी जबरदस्त हार हुई और उन्हें यहां क्रमशः केवल 1, 19 एवं 35 सीटें प्राप्त हुई। 1926 के अंत तक स्वराजियों ने अपना आधार खो दिया। **16 जून 1925** को **सी. आर. दास के देहावसान** के बाद 'स्वराज्य पार्टी' में शून्यता आ गई। जल्दी ही पार्टी विभाजन का एक घर बन गई और आपसी झगड़ों से बची हुई विश्वसनीयता भी चली गई।

विधानसभाओं में स्वराजियों के कार्य

1924-1925 के वर्ष में मोतीलाल नेहरू के नेतृत्व में स्वराजियों ने केंद्रीय विधानसभा में अनेक सफलताएं प्राप्त कीं। फरवरी 1924 के प्रारंभ में स्वराजियों (बहुमत में नहीं थे) ने 70 सदस्यों का एक गठबंधन बनाया, जिसे **राष्ट्रवादी पार्टी** (Nationalist Party) नाम से जाना गया। इसमें मदन मोहन मालवीय एवं जिन्ना के नेतृत्व में स्वतंत्र प्रत्याशी शामिल थे। 1924 में इसी गठबंधन ने विधानसभा की कार्यवाहियों में अपना प्रभुत्व जमाया।

स्वराजियों ने अनेक मुद्दों पर हस्तक्षेप किया और अक्सर सरकार के विरुद्ध मतदान कर पराजित किया। उनकी मांगों में तीन मुद्दे केंद्र में रहे। वे थे- स्थानीय शासन में संवैधानिक विकास, नागरिक स्वतंत्रता की प्राप्ति, राजनीतिक बंदियों की रिहाई व दमनकारी कानूनों की समाप्ति और तीसरा मुद्दा था, देसी उद्योगों का विकास। विधानसभा का निर्माण 1919 के अधिनियम के द्वारा हुआ था और इसमें वास्तविक शक्तियों का अभाव था। वायसराय किसी भी विधायन को प्रमाणित कर सकता था, यदि उस विधेयक को विधानसभा ने अस्वीकार कर दिया हो। इस तथ्य के बावजूद, स्वराजियों ने अनेक जीत हासिल कीं।

- बजट की पहली चार मांगों को अस्वीकार कर दिया और वित्त विधेयक को विधानसभा में प्रस्तावित होने की अनुमति नहीं दी।

- सी. विजयराघवाचार्य ने एक प्रस्ताव द्वारा प्रांतीय स्वायत्तता एवं भारत के लिए डोमिनियन के दर्जे की मांग।
- 1924 में मोतीलाल नेहरू के नेतृत्व में स्वराजियों ने एक संशोधन प्रस्तुत किया, जिसमें उन्होंने भारतीय संविधान सभा द्वारा एक **भारतीय संविधान** के निर्माण की मांग की। मोतीलाल नेहरू ने गोलमेज सम्मेलन के समर्थन में एक संकल्प प्रस्तुत किया। इस **गोलमेज सम्मेलन** में सभी भारतीयों, यूरोपियन एवं एंग्लो-भारतीय हितों का प्रतिनिधित्व कर पूर्ण उत्तरदायी शासन की एक योजना बनाना प्रस्तावित किया।
  - इसने भारत सरकार को **सर एलेक्जेंडर मुद्दीमान** (Alexander Muddiman) के **नेतृत्व में एक सुधार जांच समिति** (Reforms Enquiry Committee) नियुक्त करने को मजबूर कर दिया। इस समिति को 1919 के अधिनियम की कार्य-प्रणाली की जांच करना एवं समाधान सुझाना था।
  - सरकार ने कुछ प्रमुख भारतीयों (जैसे- मोतीलाल नेहरू, मोहम्मद अली जिन्ना, टी. बी. सप्रू, आर. पी. परांजपे एवं सर शिवास्वामी अय्यर) से समिति में कार्य करने हेतु निवेदन किया, लेकिन इस निवेदन को स्वराजियों के सिद्धांतों के कारण अस्वीकार कर दिया गया।
- स्वराजियों ने विरोध-स्वरूप वायसराय की पार्टियों में जाना अस्वीकार कर दिया।
- जब ली समिति (Lee Commission) के सुझावों (लोक सेवाओं के संगठन व शर्तों की जांच से संबंधित) को विधानसभा में अनुमोदन के लिए प्रस्तावित किया गया, तो मोतीलाल नेहरू ने एक संशोधन प्रस्तावित किया, जिसे बहुमत से समर्थन मिला।
- मध्य प्रांत एवं बंगाल में भी स्वराज्य पार्टी की सफलता प्रभावशाली थी। मध्य प्रांत में जहां उसे पूर्ण बहुमत मिला, वहीं बंगाल में वह सबसे बड़ी पार्टी के रूप में उभरी। इसे गतिरोध उत्पन्न करने एवं सरकार को उनकी विशेष शक्तियों पर निर्भर रहने के लिए बाध्य करने में सफलता मिली। अवरोध उत्पन्न करने की अपनी विधि से इसने इन प्रान्तों में **द्वैध शासन** को लगभग असफल बना दिया।
- मार्च 1925 में स्वराजियों ने **विट्ठलभाई पटेल** को केंद्रीय विधान विधान सभा के अध्यक्ष के रूप में निर्वाचित करने में सफलता प्राप्त की।
- स्वराजियों को अनेक विधेयकों पर सरकार को विफल करने में सफलता मिली। उदाहरणस्वरूप, 1928 में **पब्लिक सेफ्टी बिल** (Public Safety Bill) पर सरकार पराजित हुई। इस विधेयक के द्वारा सरकार ने अनेक अवांछनीय एवं विध्वंसकारी विदेशियों को निर्वासित करने का प्रस्ताव किया। (सरकार को भय था कि कम्युनिस्ट इंटरनेशनल द्वारा ब्रिटिश एवं अन्य विदेशी आंदोलनकारियों को भारत भेजा जा रहा था।)

स्वराजियों ने विधायी संस्थाओं के अंदर महत्वपूर्ण सफलता प्राप्त की और साथ ही उन्होंने संवैधानिक विधियों से जितना प्राप्त कर सकते थे, प्राप्त किया। उनके तरीकों ने सुप्त पड़े राजनीतिक वातावरण को ऊर्जावान बना दिया। उन्होंने अपने प्रश्नों एवं वाद-विवाद की कला से सरकार को शर्मिंदा कर दिया एवं भारत में ब्रिटिश शासन के नैतिक आधार को कमजोर बना दिया। वास्तव में, इस काल में संसदीय द्वंद युद्ध ने आधुनिक भारत में संसदीय राजनीति के इतिहास में एक बौद्धिक पृष्ठ जोड़ा। इनके वाद-विवाद को प्रेस द्वारा छापा जाता था एवं प्रत्येक सुबह लोगों द्वारा इसे उत्सुकता से पढ़ा जाता था।

परिवर्तन-विरोधियों द्वारा संरचनात्मक कार्य एवं स्वराजी (Constructive Work by the No-Changers as well as the Swarajists)

गांधीवादी संरचनात्मक कार्यों की रूपरेखा

गांधी के अनुसार, स्वतंत्रता-संघर्ष रूपी रथ के दो पहिए हैं, जन-आंदोलन एवं संरचनात्मक कार्य। संरचनात्मक कार्यक्रम के अंतर्गत गांधी द्वारा 18 कार्यक्रम सुझाए गए थे। उनमें सबसे महत्वपूर्ण थे- हिंदू-मुस्लिम एकता, अस्पृश्यता को हटाना, शराब

व अन्य मादक पदार्थों का निषेध, स्वदेशी एवं बहिष्कार। गांधी के अनुसार जब एक जन-आंदोलन का ह्रास होता है, तब लोगों की ऊर्जा को संरचनात्मक कार्यों की ओर मोड़ देना चाहिए। अतः जब एक बार असहयोग आंदोलन स्थगित हुआ, तो उन्होंने लोगों को संरचनात्मक कार्य करने का सुझाव दिया।

इस प्रकार, परिवर्तन-विरोधियों ने निचले स्तर पर संरचनात्मक कार्य किए। उन्होंने देश के विभिन्न भागों में सैकड़ों आश्रम स्थापित किए, जहां युवा पुरुष एवं महिलाएं चरखा व खादी को प्रोत्साहित करते थे एवं निचली जातियों व जनजातियों के लोगों के उत्थान के लिए कार्य करते थे। उन्होंने सैकड़ों राष्ट्रीय विद्यालय एवं महाविद्यालय स्थापित किए, जहां युवा भारतीयों को गैर-औपनिवेशिक विचारधारा में प्रशिक्षित किया जाता था।

वास्तव में, गांधीवादी संरचनात्मक कार्य, अपने लक्ष्य एवं विषय-वस्तु में बहु-आयामी थे। इसने जनता की ऊर्जा को सकारात्मक दिशा में मोड़ा। इसने अभिजात वर्गों को गांवों एवं निम्नजातियों की स्थिति से परिचय कराया एवं गरीबों की वित्तीय सहायता की आवश्यकता को पूरा किया। इस प्रकार इसने राष्ट्र-निर्माण की प्रक्रिया का शांतिपूर्ण तरीके से प्रोत्साहन किया। साथ ही इसने राष्ट्रीय आंदोलन के निष्क्रिय चरणों के दौरान कांग्रेस के राजनीतिक कार्यकर्ताओं को निरंतर कार्यरत बनाए रखा, लोगों के साथ उनके संबंधों को मजबूत बनाने में सहायता की एवं उनकी संगठनात्मक कौशल को प्रखर बनाया। इस तरह संरचनात्मक कार्यक्रम स्वतंत्रता सेनानियों को तैयार करने के एक महत्वपूर्ण साधन थे और साथ ही इससे नेताओं की परख भी हो जाती थी। यही संरचनात्मक कार्यकर्ता राष्ट्रीय आंदोलन के गतिशील चरण के दौरान मजबूती से कार्य करते थे।

स्वराजियों द्वारा संरचनात्मक कार्य

स्वराज्य पार्टी ने अपने दो लक्ष्य रखे थे- परिषद में प्रवेश एवं संरचनात्मक कार्य। यद्यपि स्वराज्य पार्टी उन राष्ट्रवादियों द्वारा स्थापित की गई थी, जो गांधी की असहयोग के दृष्टिकोण से अधिक सहमत नहीं थे। लेकिन गांधी के संरचनात्मक कार्यक्रम को नजरअंदाज करके, वे कुछ अच्छा प्राप्त नहीं कर सकते थे और गांधी का केवल संरचनात्मक कार्यक्रम ही था, जो उन्हें कांग्रेस व गांधी के साथ जोड़ सकता था। स्वराजी अपनी राजनीतिक शक्ति एवं प्रतिष्ठा के लिए कांग्रेस एवं गांधी के ऋणी थे। वे यह भी जानते थे कि भविष्य में एक दिन उन्हें परिषदों को छोड़ना पड़ेगा और परिवर्तन-विरोधियों के साथ सविनय अवज्ञा आंदोलन में भी शामिल होना पड़ेगा। इस प्रकार **संरचनात्मक कार्यक्रम में कांग्रेस के दोनों समूहों स्वराजियों व परिवर्तन-विरोधियों को एक उभयनिष्ठ/सार्वजनिक मंच** प्रदान किया। हालांकि, परिषद के कार्य में व्यस्त होने के कारण स्वराजी इस कार्यक्रम को उत्साह से लागू नहीं कर सके।

हिंदू-मुस्लिम एकता एवं जनता को राजनीतिक शिक्षा

प्रमुख स्वराजियों द्वारा इसे स्वराज्य की प्राप्ति के लिए एक पूर्व आवश्यकता माना गया। स्वराजियों का उदय उस समय हुआ, जब भारतीय राजनीति में हिंदू-मुस्लिम तनाव का सबसे बुरा दौर चल रहा था। लेकिन अन्य समूहों के समान स्वराजी भी हिन्दू-मुस्लिम एकता के आह्वान के अलावा इस दिशा में कुछ विशेष उपलब्धि नहीं हासिल कर सकें। 1926 में कांग्रेस ने जनता को सांप्रदायिक समरूपता एवं स्वस्थ राष्ट्रीय जीवन के लिए जनता को शिक्षित करने के लिए एक स्थायी प्रचार विभाग (Permanent Publicity Bureau) की स्थापना के लिए एक प्रस्ताव तैयार किया। **सरोजिनी नायडू, मोतीलाल नेहरू** एवं **मौलाना आजाद** को इस कार्य का प्रभारी बनाया गया।

स्वदेशी

गांधी की स्वदेशी की परिभाषा में न केवल चरखा व खादी शामिल थे, बल्कि देशी उद्योगों के सभी स्वरूपों को उन्होंने इसमें समाहित किया। स्वराजियों ने भी खादी की उपयोगिता का समर्थन किया था, लेकिन उस उत्साह से नहीं जिस उत्साह से रूढ़िवादी गांधीवादियों ने किया था। यद्यपि स्वराजियों को परिषद की बैठकों में खादी पहनकर जाना आवश्यक होता था (जैसा कि उनके निर्देशक पुस्तिका में था)। लेकिन जब खादी व चरखा को कांग्रेस की सदस्यता का आधार बनाने के लिए

एक गांधीवादी प्रस्ताव लाया गया, तो उन्होंने उसका कड़ा विरोध किया। उन्होंने गांधी के 'हाथों द्वारा कताई के प्रस्ताव' का विरोध किया, जिसमें उन्होंने कांग्रेस सदस्यों के लिए सूत कातना अनिवार्य कर दिया था। साथ ही उन्होंने ऐसा न करने पर दी जाने वाली सजा के प्रावधान को हटाने के लिए गांधी पर दबाव बनाया।

उपर्युक्त विवरण से स्वराजियों का रुख स्पष्ट था कि वे खादी के लिए सहयोग करने को हमेशा तैयार थे, लेकिन साथ ही वे खादी पर आवश्यकता से अधिक नहीं ध्यान देना चाहते थे।

अस्पृश्यता

भारतीय समाज से अस्पृश्यता को हटाने एवं दलित वर्गों के उत्थान के कार्य को कांग्रेस के साथ-साथ स्वराजियों से पूर्ण समर्थन मिला। 1924 में बेलगांव कांग्रेस अधिवेशन में स्वराजियों की पूर्ण सहमति से अस्पृश्यता पर एक प्रस्ताव पारित किया गया। दलितों के लिए मंदिर के द्वार खोलने का स्वराजियों ने पूरा समर्थन किया। उन्होंने विधायी संस्थाओं में दलित वर्गों के अधिकारों का पूर्ण समर्थन किया।

शराब एवं अन्य मादक पदार्थों का निषेध

सरकार शराब एवं अन्य मादक पदार्थों की बिक्री से अच्छा राजस्व प्राप्त करती थी। परिणामस्वरूप, ब्रिटिश सरकार ऐसे पदार्थों के उपभोग एवं बिक्री पर प्रतिबंध लगाने के समर्थन में नहीं थे। यह अनुभव करके कि कैसे विदेशी सरकार अपने तात्कालिक राजस्व के लिए भारतीय समाज के दीर्घकालीन हितों के साथ खिलवाड़ कर रही थी, स्वराजियों ने प्रतिबंध का समर्थन किया।

यह सच है कि स्वराजी 1922-1929 के दौरान कांग्रेस के संरचनात्मक कार्यक्रम के अभिन्न भाग थे। साथ में यह भी सच है कि यद्यपि उन्होंने संरचनात्मक कार्यक्रम को अपना समर्थन दिया था, लेकिन गांधीजी के आदर्शवाद से उनके विचार अधिक नहीं मिलते थे।

स्वराजियों का पतन (Decline of the Swarajists)

1923 में स्वराजी, परिषदों में प्रवेश के अपने कार्यक्रम के साथ एक आशा के साथ सामने आए थे, लेकिन 1924-1925 की सफलता अल्पकालिक थी और 1925-1927 में स्वराजियों का पतन देखा गया। वे कारण, जो उन्हें पतन की ओर ले गए उनमें शामिल थे-

पद की लालसा

परिषदों में प्रवेश के बाद स्वराजी विशेषाधिकारों का लाभ उठाने के इच्छुक नहीं थे। स्वराजियों ने अब अनेक पदों को स्वीकार करना शुरू किया और अनेक समितियों में भागीदारी की।

- मोतीलाल नेहरू ने पहले मुद्दीमान समिति में शामिल होने से मना कर दिया था, लेकिन अब उन्होंने **स्कीन समिति** (Skeen Committee) (सेना के भारतीयकरण पर 'भारतीय सैंडहर्स्ट समिति' के रूप में भी जाना जाता है) में शामिल होना स्वीकार किया।
- **विट्ठलभाई पटेल** विधान सभा के अध्यक्ष (स्पीकर) बने।
- रामास्वामी अयंगर लोक लेखा समिति में शामिल हुए।

उत्तरदायी सहयोग की भावना का उदय

सतत अवरोध की नीति ने उत्तरदायी सहयोग की भावना को बढ़ाना शुरू किया। अनेक स्वराजियों की असहयोग में कोई वास्तविक आस्था नहीं थी। सरकार ने भी स्वराजियों को कुछ सहयोग करने के लिए मना लिया था। जल्द ही पार्टी दो समूह में बंट गई थी- **उत्तरदायी-समूह एवं असहयोगी समूह**।

उत्तरदायी-समूह सुधार के लिए कार्य करना चाहते थे और जहां तक संभव हो पद धारण करना चाहते थे। कुछ प्रमुख उत्तरदायीवादी थे- **मदन मोहन मालवीय, लाला लाजपत राय, एन. सी. केलकर, एम. आर. जयकर** (इनमें से सभी हिंदू महासभा के सदस्य बन गए थे)। उत्तरदायिओं ने पार्टी के कार्यक्रमों के पुनर्विचार की मांग की। जब मोतीलाल नेहरू ने उन्हें यह कहकर फटकारा कि **स्वराज्य पार्टी के रोग-ग्रस्त अंग को अलग** कर देना चाहिए, तो उत्तरदायी-समूह केंद्रीय नेतृत्व के विरुद्ध खुले विद्रोह के लिए तैयार हो गए थे। बॉम्बे के स्वराजियों ने उत्तरदायी सहयोग के मार्ग की वकालत की और स्वराज पार्टी अब दल-बदल व मतभेद से गुजर रही थी।

◗ स्वराजियों का अभिजातीय परिदृश्य

स्वराजी उच्च-वर्गीय तत्वों का प्रतिनिधित्व करते थे, जो जनता की प्रत्यक्ष कार्यवाही में अधिक आस्था नहीं रखते थे और जो असहयोग आंदोलन में अनिच्छा से शामिल हुए थे। आंदोलन के असफल होने के बाद उन्होंने तुरंत संसदीय राजनीति का समर्थन किया। स्पष्ट वैचारिक आधार का अभाव, दलगत राजनीति की उपस्थिति एवं संरचनात्मक कार्य को बहुत कम समर्थन देने के कारण उनकी जनता से और दूरी बढ़ी।

◗ सांप्रदायिकता का बढ़ना

1923 के बाद सांप्रदायवाद अपने बुरे रूप में बढ़ने लगा और देश में अनेक सांप्रदायिक दंगे हुए। मुस्लिम लीग एवं हिंदू महासभा पुनः सक्रिय होने लगे।

1926-1927 के वर्षों में स्वराजियों एवं हिंदू महासभा के बीच वैचारिक खाई बढ़ने लगी। उत्तरदायी-समूह के मदन मोहन मालवीय एवं लाला लाजपत राय ने एक नया दल कांग्रेस इंडिपेंडेंस (Congress Independents) गठित किया एवं इसके माध्यम से हिंदुओं की रैली निकाली और तथाकथित हिंदू हितों के संरक्षण के लिए सरकार के साथ सहयोग का प्रस्ताव रखा। उनका मानना था कि सरकार का निरंतर विरोध हिंदुओं के हितों को नुकसान पहुंचा रहा है। उन्होंने यहां तक कि मोतीलाल नेहरू को हिंदू-विरोधी, गौ-हत्या का समर्थक एवं गौ-मांस खाने वाला बताया।

संकट अधिक गहरा होने पर गांधी ने हस्तक्षेप कर परिस्थिति को सुधारने का प्रयत्न किया। सितंबर 1924 में मौलाना मोहम्मद अली के घर पर दंगों के दौरान होने वाली अमानवीयता के प्रायश्चित के लिए उन्होंने 21 दिन का उपवास रखा, लेकिन इसका कोई फायदा नहीं हुआ।

बाद में, साबरमती में मोतीलाल नेहरू ने कांग्रेस के इन दो समूहों के बीच शांति स्थापित करने का प्रयत्न किया। **साबरमती-समझौता** भी निष्फल साबित हुआ और दल को एकजुट रखने में असफल हुआ। 1927 तक द्वैध शासन, जो मध्य प्रांत एवं बंगाल में नष्ट हो चुका था, को पुनः स्थापित किया गया। अब यह स्पष्ट था कि स्वराज्य पार्टी ने केवल स्वयं का विध्वंस किया, न कि 1919 के संविधान का।

उनके तरीके 1919 के संविधान को संशोधित करने अथवा समाप्त करने में फायदेमंद साबित नहीं हुए और स्वराजियों को दो बार केंद्रीय सभा से वॉक-आउट (सदन छोड़कर जाना) भी करना पड़ा। पहली बार 1926 में और दूसरी बार जनवरी 1930 में सविनय अवज्ञा आंदोलन के प्रारंभ होने के दौरान ।

◗ राष्ट्रवादी पार्टी का विघटन (Disintegration of the Nationalist Party)

नेशनलिस्ट पार्टी के नेतृत्व में गठबंधन की एकता अल्पकालिक साबित हुई। दल के गैर-स्वराजी सदस्यों ने अनुभव किया कि स्वराज्य पार्टी अपने मूल्यों से अधिक अपने हितों को वरीयता दे रही थी। इससे दरार बढ़ी और दल-बदल को प्रोत्साहन मिला व दल टूट गया। 1926 के चुनाव से पूर्व नेशनलिस्ट पार्टी (Nationalist Party) तीन स्पष्ट भागों में बंट गई थी-

- स्वराज्य पार्टी (अथवा कांग्रेस पार्टी)

- मदन मोहन मालवीय एवं लाला लाजपत राय के नेतृत्व में राष्ट्रवादी पार्टी। इसमें उत्तरदायी सहयोगी जैसे हिंदू महासभा एवं कांग्रेस के स्वतंत्र सदस्य शामिल थे।
- मोहम्मद अली जिन्ना के नेतृत्व में इंडिपेंडेंट पार्टी (Independent Party)

स्वराज्य पार्टी का कांग्रेस के साथ पुनः उद्भव

मई, 1927 तक देश की स्थिति बहुत नाजुक हो गई थी। स्वराजियों का पतन हो रहा था और सांप्रदायिकता तेजी से बढ़ रही था। ऐसे समय में गांधी ने लिखा "मेरी आशा अब केवल प्रार्थना में और प्रार्थना से उत्तर देने में है।" लेकिन ऐसा प्रतीत होता है कि राष्ट्रवादी लहर शांतिपूर्ण तरीके से पृष्ठभूमि के पीछे विकसित हो रही थी और साइमन कमीशन के विरुद्ध पुनः पूरा देश एक हो गया था।

1927 में **साइमन कमीशन** (भारत के लिए संविधान बनाने हेतु एक समिति, जिसके सभी सदस्य अंग्रेज थे।) की घोषणा हुई, जिसका सभी राष्ट्रवादियों ने एकमत होकर बहिष्कार किया। **लॉर्ड बिरकनहैड** ने भारतीयों को साइमन कमीशन से बाहर रखने का कारण सभी भारतीय राजनीतिक दलों में बहुत अधिक विभिन्नता होना बताया। उन्होंने भारतीयों को चुनौती दी कि वे ऐसा संविधान बनाएं, जिसे भारतीय समाज के सभी वर्ग स्वीकार करें।

भारतीयों ने इस चुनौती को स्वीकार किया और एक सर्वदलीय सम्मेलन बुलाया गया, जिसमें संविधान का प्रारूप बनाने के लिए मोतीलाल नेहरू के नेतृत्व में एक उपसमिति बनाई गई। इस समिति ने एक संविधान बनाया जिसे, **नेहरू रिपोर्ट** के नाम से जाना गया। 1928 के कलकत्ता अधिवेशन में स्वराजियों एवं परिवर्तन-विरोधियों ने एकमत होकर प्रस्तावित किया कि यदि सरकार ने नेहरू रिपोर्ट को **31 दिसंबर 1929** तक स्वीकार नहीं किया, तो कांग्रेस **पूर्ण स्वतंत्रता को अपने लक्ष्य** के रूप में घोषित करेगी और इस लक्ष्य को प्राप्त करने के लिए एक सविनय अवज्ञा आंदोलन भी आरंभ करेगी।

पूर्ण स्वतंत्रता प्राप्ति के लिए जन-आंदोलन के दूसरे दौर की तैयारीयां अब शुरू हो गई थीं। इसी के साथ स्वराज्य पार्टी के परिषद में प्रवेश का कार्यक्रम अप्रासंगिक हो गया और वे अब कांग्रेस के साथ मिल गए थे।

स्वराजियों का मूल्यांकन (Evaluation of the Swarajists)

असहयोग आंदोलन के अचानक से वापस लेने के कारण अनेक राष्ट्रवादी हतोत्साहित हो गए थे। आंदोलन को निष्क्रिय होने से रोकने के लिए बदलती परिस्थितियों के अनुसार स्वराजियों ने एक नई गतिविधि की वकालत की। उन्होंने राष्ट्र के समक्ष परिषदों में प्रवेश एवं संरचनात्मक कार्य के रूप में दो कार्यक्रमों को रखा। स्वराजियों ने ऐसे समय में राजनीतिक शून्यता को भरा जब राष्ट्रीय आंदोलन अपनी शक्ति की क्षतिपूर्ति कर रहा था। उन्होंने 1919 के सुधारों की कमियों को उजागर किया। 1925-1927 के वर्षों में ही स्वराज्य पार्टी के पतन को भी देखा गया। साइमन कमीशन की घोषणा एवं राजनीतिक परिस्थितियों में बदलाव के बाद उन्हें कांग्रेस के साथ मिलना पड़ा। हालांकि, इस बात से इंकार नहीं किया जा सकता कि 1922-1929 के दौरान स्वराजियों ने एक महत्वपूर्ण भूमिका निभाई व राजनीतिक परिवेश को जीवित बनाए रखा।

प्रीलिम कैप्सूल

स्वराजी एवं संरचनात्मक कार्य

दिनांक	घटनाएं	महत्वपूर्ण विवरण
दिसंबर 1922 (गया)	गया कांग्रेस अधिवेशन	सी. आर. दास (अध्यक्ष); मोतीलाल नेहरू (सचिव)। सी. आर. दास एवं नेहरू का परिषद प्रवेश का प्रस्ताव पराजित हुआ, यहां **राजगोपालाचारी** के नेतृत्व में बहुमत से इनका विरोध हुआ। सी. आर. दास एवं मोतीलाल ने अपने पदों से इस्तीफा दिया।
1 जनवरी 1923	कांग्रेस-खिलाफत स्वराज्य पार्टी का गठन	**सी. आर. दास (अध्यक्ष), मोतीलाल नेहरू (सचिव)** दो **लक्ष्य-परिषदों** में प्रवेश एवं **संरचनात्मक कार्य**। कांग्रेस दो भागों में विभाजित हुई- परिवर्तन-विरोधी (अथवा रूढ़िवादी गांधीवादी) एवं परिवर्तन-समर्थक (बाद में स्वराजी कहलाए)।
सितंबर 1923 (दिल्ली)	दिल्ली, विशेष कांग्रेस अधिवेशन	मौलाना आजाद (अध्यक्ष) स्वराजियों को नवंबर में होने वाले चुनाव में लड़ने की अनुमति दी गई।
नवंबर 1923	1923 परिषद चुनाव	संकीर्ण मताधिकार होने के बावजूद स्वरजियों ने बड़ी जीत हासिल की।
दिसंबर 1924 (बेलगांव)	बेलगांव कांग्रेस अधिवेशन	**गांधी (अध्यक्ष)** कांग्रेस ने गांधी के निर्णय कि स्वराज्य पार्टी को कांग्रेस की ओर से विधान सभाओं में कार्य करने की अनुमति दी जाए, प्रस्ताव का अनुमोदन किया।
16 जून 1925	सी. आर. दास का देहावसान	स्वराज्य पार्टी विभाजन का घर बन गई और उसकी लोकप्रियता भी घटी। नेशनलिस्ट पार्टी भी तीन भागों में बंट गई- ● स्वराज्य पार्टी अथवा कांग्रेस पार्टी, ● मदन मोहन मालवीय के नेतृत्व में नेशनलिस्ट पार्टी (इसमें उत्तरदायी सहयोगी जैसे- हिंदू महासभा एवं स्वतंत्र कांग्रेसी शामिल थे।), ● मोहम्मद अली जिन्ना के नेतृत्व में इंडिपेंडेंस पार्टी।
1926	1926 परिषद चुनाव	स्वराज्य पार्टी को बहुत भारी नुकसान हुआ।
1927	साइमन कमीशन की घोषणा	सभी राष्ट्रवादियों द्वारा बहिष्कार। **लॉर्ड बिरकनहैड** ने भारतीयों को स्वयं का संविधान बनाने की चुनौती दी।
1928	सर्वदलीय सम्मेलन	संविधान का प्रारूप बनाने के लिए मोतीलाल नेहरू के नेतृत्व में उपसमिति की नियुक्ति। **नेहरू समिति** ने एक संविधान का प्रारूप बनाया, जिसे नेहरू रिपोर्ट कहा गया।
1928 (कलकत्ता)	कलकत्ता कांग्रेस अधिवेशन	स्वराजियों एवं परिवर्तन-विरोधियों ने एकमत होकर अंतिम चेतावनी दी कि यदि 31 दिसंबर 1929 तक पूर्ण स्वतंत्रता की मांग नहीं स्वीकार की गई, तो सविनय अवज्ञा आंदोलन आरंभ किया जाएगा। कांग्रेस में जन-आंदोलन के अगले दौर की तैयारी की। परिषद में प्रवेश के कार्यक्रम अब अप्रासंगिक हो गए थे। स्वराज्य पार्टी पुनः कांग्रेस में मिल गई।

अध्याय

11 सांप्रदायिकता का उदय एवं विकास (द्वितीय विश्व युद्ध तक) (Rise and Growth of Communalism up to Second World War)

अपनी जनता की एकता को बनाए रखना किसी भी राष्ट्र के लिए एक महत्वपूर्ण आवश्यकता होती है, विशेषकर जब आप किसी साम्राज्यवादी ताकत से लड़ रहे हों। भारतीय जनता की एकता की परीक्षा उस समय हुई जब सांप्रदायिकता का विकास होने लगा। वास्तव में, 19वीं शताब्दी के भारत ने राष्ट्रवाद एवं सांप्रदायिकता, दोनों के उद्‌भव को साथ-साथ देखा गया। भारत में सांप्रदायिकता के जन्म के लिए अनेक कारक उत्तरदायी थे। जैसे- सामाजिक-आर्थिक विभिन्नता, ब्रिटिश नीतियों की भूमिका एवं सांप्रदायिक संगठन, जैसे- अखिल भारतीय मुस्लिम लीग एवं अखिल भारतीय हिंदू महासभा की गतिविधियां।

सांप्रदायिकता का अर्थ (Meaning of Communalism)

सांप्रदायिकता का अर्थ विभिन्न लोगों द्वारा विभिन्न प्रकार से लिया जाता है। इसे एक विश्वास, एक विचारधारा और यहां तक कि राजनीति के एक साधन की तरह देखा जा सकता है। इसलिए आवश्यक है कि पहले हम सांप्रदायिकता का अर्थ समझें।

सामान्यतया, सांप्रदायिकता अथवा **सांप्रदायिक विचारधारा का अर्थ किसी व्यक्ति द्वारा अपने सजातीय समूह अथवा धार्मिक समुदाय के प्रति पूरे समाज की अपेक्षा अधिक निष्ठा रखना** है। भारतीय संदर्भ में यह इस विश्वास को दर्शाता है कि हिंदू, मुस्लिम, सिख व इसाई विभिन्न धार्मिक समुदाय हैं और भारत एक राष्ट्र नहीं, बल्कि अनेक राष्ट्रों जैसे हिंदू-राष्ट्र, मुस्लिम-राष्ट्र इत्यादि से बना है। इस प्रकार से भारत अनेक धार्मिक समुदायों का केवल एक संघ है। अन्य शब्दों में, यह धार्मिक-पहचान के समर्थन को दर्शाता है और विभिन्न धार्मिक समुदायों, विशेषकर हिंदू एवं मुसलमान, के बीच संघर्ष भड़काने का प्रयास करता है। एक सांप्रदायिक व्यक्ति के लिए एक व्यक्ति की धार्मिक पहचान सबसे महत्वपूर्ण है और वह उस पर आवश्यकता से अधिक बल देता है। आधारभूत रूप से, भारत में सांप्रदायिक समस्या का कारण धार्मिक न होकर राजनीतिक अधिक है। सांप्रदायिक समस्या अथवा इसे **सांप्रदायिक त्रिकोण** कहा जाए तो बेहतर होगा, जिसका आधार ब्रिटिश शासन है और हिंदू व मुस्लिम इसकी दो भुजाएं हैं। सबसे शक्तिशाली भुजा इसका आधार अर्थात ब्रिटिश शासन है।

सांप्रदायिकता के स्तर- सामान्यत: सांप्रदायिकता को तीन स्तरों में परिभाषित किया गया है, जो इस प्रकार हैं-

1. यह विश्वास कि एक धार्मिक समुदाय से जुड़े लोगों के हित समान होते हैं। अन्य शब्दों में, वे सभी लोग जो एक समान धर्म से जुड़े होते हैं; उनके राजनीतिक, सामाजिक, आर्थिक एवं सांस्कृतिक हित भी एक समान होते हैं।
2. **उदार सांप्रदायिकता (1937 तक)**- यह विश्वास कि विभिन्न धार्मिक समुदायों के हित भी भिन्न-भिन्न होते हैं। अन्य शब्दों में, हिंदुओं के हित मुसलमानों से भिन्न होते हैं और मुसलमानों के हित हिंदुओं से। 1937 के पहले अधिकतर सांप्रदायिक ताकतें, इसी विचारधारा से संबंध रखती थीं। इनमें मुस्लिम लीग, हिंदू महासभा, अली बंधु, मोहम्मद अली जिन्ना एवं एन. सी. केलकर शामिल थे।
3. **उग्र सांप्रदायिकता (1937 के बाद)**- यह विश्वास कि ये हित न केवल **भिन्न** हैं, बल्कि परस्पर **विरोधी** भी हैं। अन्य शब्दों में, यह दर्शाता है कि हिंदू एवं मुस्लिम अपने विरोधी हितों के कारण एक साथ शांतिपूर्ण ढंग से नहीं रह सकते। उग्र सांप्रदायिकता भय व नफरत पर आधारित होती है और हिंसक भाषा अथवा व्यवहार का उपयोग करने की इनकी प्रवृत्ति होती है। 1937 के बाद मुस्लिम लीग एवं हिंदू सभा तेजी से उग्र सांप्रदायिकता की ओर झुकने लगे थे।

यह ध्यान देने योग्य है कि उपर्युक्त विश्वास यथार्थ पर नहीं, बल्कि हितों की गलत समझ पर आधारित थे। भारतीय समाज हमेशा सांप्रदायिक नहीं था। पूरे मध्य काल के दौरान हिंदू व मुसलमान समरसता के साथ रहे और धार्मिक पहचान को एक व्यक्ति की अन्य विभिन्न पहचानों (लिंग, जाति, व्यवसाय, क्षेत्र इत्यादि पर आधारित पहचानों) के समान ही देखा जाता था। भारत में सांप्रदायिकता विशेष परिस्थितियों का परिणाम थी और यह स्वतंत्रता संघर्ष के साथ तीव्र होती गई।

सांप्रदायिकता से संबंधित मिथक

सांप्रदायिकता से जुड़े अनेक मिथक हैं। यह व्यापक रूप से गलत समझा गया एक परिप्रेक्ष्य है।

- सांप्रदायिकता केवल राजनीति में धर्म का प्रवेश मात्र नहीं है। उदाहरण स्वरूप, महात्मा गांधी एवं अबुल कलाम आजाद ने राजनीति की परिभाषा धार्मिक शब्दों में की थी, लेकिन इससे राजनीति में सांप्रदायिकता नहीं आई।
- सांप्रदायिकता धार्मिक विभिन्नताओं से उत्पन्न नहीं होती। यह इस तथ्य से स्पष्ट है कि हिंदू और मुसलमानों के बीच धार्मिक विभिन्नताएं हमेशा से रही हैं और इसके बाद भी मध्यकालीन भारतीय समाज सांप्रदायिक नहीं था।
- सांप्रदायिकता भारतीय समाज में हमेशा से अस्तित्व में नहीं रही। यह आधुनिक भारत के कुछ बलों के सम्मिश्रण का एक परिणाम है।

भारत में सांप्रदायिकता के उदय एवं विकास के लिए उत्तरदायी कारक (Factors Responsible for the Rise and Growth of Communalism in India)

अधिकतर इतिहासकारों का विचार है कि सांप्रदायिकता मध्यकालीन समय का परिणाम नहीं थी। यद्यपि, धर्म लोगों के जीवन का एक महत्वपूर्ण भाग था और वे धर्म के कारण कभी-कभी लड़ते भी थे, लेकिन 1857 के पूर्व शायद ही कोई सांप्रदायिक विचारधारा रही थी। 1857 के संघर्ष में हिंदू और मुसलमानों का ब्रिटिश शासन के विरुद्ध कंधे से कंधे मिलाकर लड़ना इस बात को दर्शाता है। सांप्रदायिकता वास्तव में एक **आधुनिक परिदृश्य** (modern phenomenon) है और इसकी जड़ें औपनिवेशिक भारत की सामाजिक, आर्थिक एवं राजनीतिक संरचना में खोजी जा सकती हैं।

अनेक इतिहासकारों के अनुसार, सांप्रदायिकता के उदय के चिन्ह ब्रिटेन की भारत के ऊपर जीत के बाद दिखते हैं, जिसने भारतीय जीवन के प्रत्येक पक्ष अर्थात राजनीतिक, सामाजिक एवं आर्थिक को बड़े स्तर पर प्रभावित किया था। यह अनेक ऐसे कारकों की ओर ले गया, जिसने सांप्रदायिकता के उदय और विकास को समर्थन दिया। इन कारकों में शामिल थे-

19वीं शताब्दी के भारत में सामाजिक-आर्थिक कारकों की भूमिका

18वीं शताब्दी में भारत में ब्रिटिश शक्ति के उदय के साथ उत्तरकालीन मुगलों और उच्च वर्गीय मुसलमानों का पतन हुआ। उच्चवर्गीय मुसलमान अपनी भूमि के स्वामित्व एवं सेना, प्रशासन व न्यायपालिका में उच्च पदों के रोजगार से वंचित हो गए थे। परिणामस्वरूप, 19वीं शताब्दी के पहले सात दशकों तक उच्च वर्गीय मुसलमान बहुत अधिक ब्रिटिश-विरोधी एवं आधुनिक शिक्षा के शत्रु बने रहे। जबकि दूसरी ओर, हिंदुओं ने ब्रिटिश के साथ आए आधुनिक बलों के प्रति अधिक सकारात्मकता दिखाई। हिंदुओं ने मुसलमानों की अपेक्षा अंग्रेजी शिक्षा, प्रशासन, नए पद एवं संस्कृति को तेजी से अपनाया, जिससे हिंदू मध्यम वर्ग का उदय हुआ।

फलस्वरूप, हिंदुओं में सामाजिक व सांस्कृतिक जागरूकता मुसलमानों से पहले आई। इस प्रकार राजा राममोहन राय एवं सर सैयद अहमद खान के बीच, **समय का बहुत बड़ा अंतराल** होने से दोनों समुदायों के बीच विकास में भी अंतराल हो गया था, जिसने मुसलमानों के बीच असुरक्षा की भावना को जन्म दिया। इसका वर्णन कुछ हद तक राष्ट्रीय मुख्यधारा व राष्ट्रीय आंदोलन के आरंभिक चरण में मुसलमानों के अलगाव से किया जा सकता है, जिसका आधार मध्यमवर्गीय हिंदुओं के द्वारा बनाया गया था।

करीब एक पीढ़ी के बाद मुसलमानों ने अंग्रेजी शिक्षा (सैयद अहमद खान, अब्दुल लतीफ, बदरुद्दीन तैयबजी व अन्य के प्रयास से) को अपनाया और राज्य की सेवाओं में रोजगार की तलाश की। जवाहरलाल नेहरू के अनुसार राज्य सेवाओं में रोजगार के लिए **हिंदू व मुस्लिम मध्यम वर्गों में संघर्ष उत्पन्न हुआ और यह आधुनिक चरण में सांप्रदायिक समस्या** की शुरुआत थी। हालांकि, मध्यम वर्ग की एक बड़ी संख्या 1930 व 1940 के दशकों में इस प्रवृत्ति से दूर रही और धर्मनिरपेक्ष व वामपंथ की ओर झुकी।

बिपिन चंद्र- सांप्रदायिकता मध्यम वर्गों की महत्वाकांक्षाओं एवं हितों की एक अभिव्यक्ति थी। एक ऐसी सामाजिक स्थिति, जहां उनके लिए अवसर अपर्याप्त थे। सांप्रदायिक प्रश्न इस प्रकार एक मध्यमवर्गीय प्रश्न था।

ब्रिटिश नीति की भूमिका

भारत में सांप्रदायिकता के विकास में **'फूट डालो एवं शासन करो'** की ब्रिटिश नीति ने एक महत्वपूर्ण भूमिका निभाई। साथ में, यह भी याद रखना चाहिए कि ब्रिटिश सरकार ने सांप्रदायिकता सृजित नहीं की थी। उन्होने सांप्रदायिकता के विकास व उपयोग के लिए उत्पन्न हुई परिस्थितियों का केवल लाभ उठाया था।

'फूट डालो और शासन करो' की नीति की उत्पत्ति को 1857 के विद्रोह में खोजा जा सकता है। इस विद्रोह के दौरान हिंदू और मुसलमानों ने जो एकता दिखाई थी, उसने औपनिवेशिक शासकों को व्याकुल कर दिया था। इससे उन्होंने इस एकता को तोड़ने का निश्चय किया व जनता के बीच **'विभाजन करो एवं शासन करो'** की नीति को लाया गया। इस नीति को रियायत, प्रतिसंतुलन एवं बल की नीति भी समझा जा सकता है, क्योंकि एक को रियायत दूसरे को नुकसान पहुंचाकर ही दी जाती थी।

उदाहरण के तौर पर, विद्रोह के तुरंत बाद मुसलमानों का दमन किया गया और केवल दिल्ली में ही 27000 मुसलमानों को फांसी पर लटका दिया गया था (चूंकि बहादुर शाह द्वितीय ने विद्रोह का नेतृत्व किया था, ब्रिटिश का मानना था कि यह एक मुस्लिम षड्यंत्र था)। 1870 के बाद राष्ट्रीय आंदोलन के उदय के कारण इस नीति को बदला गया और मुसलमानों के लिए तुष्टीकरण की नीति अपनाई गई। हिंदुओं के हितों पर मुसलमानों को रियायतें दी गईं। इस प्रकार एक वर्ग के हित को साधने के लिए दूसरे के साथ प्रतिसंतुलन किया गया। अन्य शब्दों में, सांप्रदायिक एवं अलगाववादी प्रवृत्तियों को भारतीय राजनीति में प्रोत्साहित किया गया।

इस प्रकार सरकार के द्वारा अपने राजनीतिक लक्ष्य की प्राप्ति के लिए सांप्रदायिक विचारधारा का अनेक तरह से इस्तेमाल किया गया-

- मित्र बनाकर भारतीय समाज से समर्थन प्राप्त करना।
- भारतीय लोगों को एक राष्ट्र के रूप में एकजुट होने से रोकना। यदि भारतीय समाज के सभी वर्ग ब्रिटिश सरकार के विरुद्ध एक हो गए, तो वे ब्रिटिश साम्राज्य को भयभीत कर सकेंगे। अतः ब्रिटिश सरकार ने मुसलमानों को कांग्रेस से दूर रखने के सभी प्रयत्न किए। उन्होंने कांग्रेस के सभी दावों को खारिज किया कि वह भारतीय समाज के सभी वर्गों का प्रतिनिधित्व करती है। (पहले सांप्रदायिकता को उत्प्रेरित किया और फिर उसका उपयोग अपने राजनीतिक लक्ष्य की प्राप्ति में किया।)
- सांप्रदायिक गतिरोध, औपनिवेशिक शासन को जारी रखने का एक कारण बताया गया। ब्रिटिश शासन ने प्रमुख राजनीतिक दलों, जैसे- कांग्रेस; मुस्लिम लीग और हिंदू महासभा के बीच व्याप्त असहमति को उजागर किया व तर्क दिया कि भारतीय जनता आपस में बहुत अधिक बंटी हुई है और इस प्रकार स्वयं पर शासन करने में सक्षम नहीं है।

यहां यह भी ध्यान देना चाहिए कि केवल धर्म को ही 'बांटो और शासन करो' की नीति के अंतर्गत उपयोग किया गया था। वास्तव में, भारतीय समाज में व्याप्त प्रत्येक विभाजनकारी तत्व का उपयोग भारतीय जनता को एक होने से रोकने के लिए किया गया। बेशक यह सांप्रदायिक विभाजन ही था, जो सबसे अधिक फायदेमंद साबित हुआ।

उपर्युक्त के अलावा अन्य निम्न तरीके थे, जिससे ब्रिटिश सरकार ने सांप्रदायिकता को प्रोत्साहित किया-

- हिंदू, मुस्लिम एवं सिख के साथ अलग-अलग समुदाय की तरह व्यवहार करना।
- सांप्रदायिक नेताओं को आधिकारिक संरक्षण देना एवं उन्हें उनके समुदायों का वास्तविक प्रवक्ता तुरंत स्वीकार कर लेना। जबकि राष्ट्रवादी नेताओं के साथ ऐसा व्यवहार किया जाता था कि जैसे वे एक सूक्ष्म अल्पसंख्यक समुदाय का प्रतिनिधित्व करते हों।
- सांप्रदायिक प्रेस एवं आंदोलनों के साथ अत्यधिक सहिष्णुता दिखाना।
- सांप्रदायिक मांगों को तुरंत स्वीकार कर लेना। जैसे 1885-1905 के दौरान कांग्रेस के किसी भी मांग को नहीं माना गया, जबकि मुस्लिम लीग ने 1906 में जो सांप्रदायिक मांग की, उसे उसी वर्ष तुरंत स्वीकार कर लिया गया।
- सांप्रदायिक नेताओं को राजनीतिक लाभ देने के लिए पूर्ण वीटो देना।

भारतीय इतिहास का अवैज्ञानिक दृष्टिकोण

ब्रिटिश लेखक भी सांप्रदायिक विचारधारा फैलाने के लिए भारतीय इतिहास को एक सांप्रदायिक व विकृत रूप में प्रस्तुत करते थे। इसकी शुरुआत 19वीं शताब्दी में **ब्रिटिश इतिहासकार जेम्स मिल** द्वारा की गई, जिन्होंने भारतीय इतिहास के प्राचीन काल को हिंदू काल एवं मध्यकाल को मुस्लिम काल के रूप में वर्णित किया। हिंदू सांप्रदायवादियों ने इतिहास के इस विकृत दृष्टिकोण को तुरंत स्वीकार किया और भारत के प्राचीनकाल का महिमामंडन किया और मध्यकाल को बर्बर आक्रमण के एक युग के रूप में प्रदर्शित किया। इसी तरह मुसलमानों ने भी अरब के इतिहास को अपने गर्व और प्रतिष्ठा से जोड़ा।

इसने हिन्दू-मुस्लिम के बीच पहले से व्याप्त सामाजिक, सांस्कृतिक एवं आर्थिक विभिन्नताओं को एक नया ऐतिहासिक दृष्टिकोण दिया। इसका इतना अधिक प्रभाव हुआ कि मोहम्मद अली जिन्ना ने जब अपने दो राष्ट्रों के सिद्धांत का वर्णन किया, तो उन्होंने बताया कि हिंदू और मुसलमान दो राष्ट्र हैं, क्योंकि दोनों का इतिहास अलग है और **एक का हीरो दूसरे के लिए खलनायक है।**

19वीं शताब्दी के पुनरुत्थानवाद के सांप्रदायिक दुष्प्रभाव

औपनिवेशिक शासन के अंतर्गत पूरे विश्व के समाजों में पुनरुत्थानवाद एक सामान्य परिप्रेक्ष्य था। यह आत्म-सम्मान को पुनः स्थापित करने का एक प्रयास था, जिसका राजनीतिक पराधीनता के कारण क्षय हो गया था। भारत में भी सामाजिक-सांस्कृतिक सुधार एवं पुनरुत्थानवाद ने भारत के स्वर्णिम इतिहास के गौरव को पुनः स्थापित करने में सहायता की, लेकिन साथ ही इससे अवांछनीय नकारात्मक परिणाम भी सामने आए। वहाबियों ने दार-उल-इस्लाम (इस्लाम की दुनिया) की स्थापना के लक्ष्य से सभी गैर-मुसलमानों के विरुद्ध धर्म-युद्ध छेड़ा। इसी तरह दयानंद ने शुद्धि (गैर-हिंदुओं का हिंदू धर्म में परिवर्तन) एवं भारत के आर्यकरण का लक्ष्य रखा। यहां तक कि विवेकानंद के संदर्भ में, जिसमें उन्होंने वास्तविक उपलब्धियों के रूप में भारत के स्वर्णिम प्राचीन इतिहास की बात की थी, से भी मुसलमानों में प्रतिकूल प्रतिक्रिया हुई और उन्होंने अपने गर्व व प्रतिष्ठा के लिए पश्चिमी एशिया के इतिहास की ओर देखना शुरू किया।

सर सैयद अहमद खान के दृष्टिकोण में परिवर्तन और सांप्रदायिकता के प्रसार में उसकी भूमिका

सर सैयद अहमद खान की प्रारंभिक गतिविधियां किसी भी प्रकार की सांप्रदायिक भावना से मुक्त थीं। उन्होंने मुसलमानों के बीच सुधारों को लाने में महत्वपूर्ण भूमिका निभाई। 1875 में उन्होंने अलीगढ़ में **अलीगढ़ कॉलेज/मोहम्मडन एंग्लो**

ओरिएंटल कॉलेज (Muhammadan Anglo-Oriental College) की स्थापना की। इस कॉलेज को अनेक हिंदुओं से वित्तीय सहायता मिली और बाद में यही कॉलेज अलीगढ़ मुस्लिम विश्वविद्यालय के रूप में विकसित हुआ। इस कॉलेज का उद्देश्य मुसलमानों के लिए आधुनिक शिक्षा को प्रोत्साहित करना एवं ब्रिटिश संरक्षण को सुरक्षित करना था। इस प्रकार **अलीगढ़ आंदोलन की आधारशिला** रखी गई। (पाकिस्तान आंदोलन भी अलीगढ़ आंदोलन का एक अप्रत्यक्ष परिणाम माना जाता है।) उन्होने हिंदू व मुस्लिम समुदाय के मध्य समरसता की शिक्षा दी।

हालांकि, 1885 में भारतीय राष्ट्रीय कांग्रेस की स्थापना के बाद उनके दृष्टिकोण में परिवर्तन आया। उन्होंने कांग्रेस के साम्राज्यवाद-विरोधी एवं राष्ट्रवादी कार्यक्रम को, ब्रिटिश सरकार के प्रति अपनी निष्ठा एवं मुसलमानों के लिए अधिक से अधिक सरकारी नौकरियां प्राप्त करने के अपने लक्ष्य के विपरीत पाया। उन्होंने बाद में कांग्रेस को एक हिंदू संस्था कहकर अपनी नापसंदगी जाहिर की। उन्होंने इस बात पर भी जोर दिया कि **भारत एक हिंदू बहुल देश** है और यदि एक बार सत्ता का हस्तांतरण हो गया, तो हिंदूओं का मुसलमानों पर प्रभुत्व होगा। उन्होंने भारत में आधुनिक लोकतंत्र अथवा लोकतांत्रिक संस्थाओं की स्थापना का भी विरोध किया ।

सैयद अहमद खान ने **बनारस के राजा शिव प्रसाद** के साथ मिलकर कांग्रेस के विरोध में ब्रिटिश शासन के प्रति निष्ठा दिखाने के लिए एक आंदोलन संगठित करने का निर्णय लिया। 1888 में उन्होंने **यूनाइटेड इंडियन पैट्रियोटिक एसोसिएशन (United Indian Patriotic Association)** की स्थापना की। इसका उद्देश्य कांग्रेस का विरोध करना एवं लोगों को कांग्रेस में शामिल होने से रोकना था। इस प्रकार सर सैयद अहमद खान की विचारधारा ने सांप्रदायिकता के तीन मुख्य विचार प्रदान किए-

- एकजुट हुई राष्ट्रवादी ताकतों का विरोध,
- लोकतांत्रिक प्रक्रियाओं का विरोध,
- ब्रिटिश सरकार के प्रति निष्ठा।

यहां ध्यान देने योग्य है कि उपर्युक्त विचारधारा पूर्णतया गलत थी। यद्यपि कांग्रेस में अनेक हिंदू थे, लेकिन इस आधार पर इसे एक हिंदू संगठन निश्चित रूप से नहीं कहा जा सकता था। कांग्रेस के अनेक प्रमुख सदस्य मुस्लिम थे, जैसे- **बदरुद्दीन तैयब जी, अमीर मुशर्रफ ए. भीमजी एवं हामिद अली खान**। साथ ही कांग्रेस की मांगों में कोई हिंदू मांगे नहीं होती थीं। 1887 में कांग्रेस अधिवेशन की अध्यक्षता बदरुद्दीन तैयब जी के द्वारा की गई थी। इतना ही नहीं, लोकतांत्रिक संस्थाएं मुसलमानों के लिए खतरा नहीं थी, बल्कि यह समाज में व्याप्त सामंतवादी तत्वों के लिए खतरा थीं और सैयद अहमद खान स्वयं इसी सामंतवादी समाज से आते थे।

राष्ट्रीय आंदोलन पर हिंदू-छवि का प्रभुत्व

20वीं शताब्दी में राष्ट्रवादी आंदोलन ने हिंदूवादी छवि की अधिकता प्राप्त की, जिसने सांप्रदायिकता के विकास में सहयोग किया। उदाहरणस्वरूप, अनेक उग्रवादी राष्ट्रवादियों ने राष्ट्रवादी कार्यक्रम में हिंदू तत्वों को प्रस्तावित किया। तिलक ने राष्ट्रवादी भावनाओं को उत्तेजित करने के लिए गणेश एवं शिवाजी उत्सवों का उपयोग किया। अरविंदो ने भारत की अवधारणा एक माता एवं राष्ट्रवाद की अवधारणा एक धर्म के रूप में की। क्रांतिकारी देवी काली के समक्ष संकल्प लेते थे। विभाजन-विरोधी आंदोलन गंगा में डुबकी के साथ शुरू होता था। इस तरह की गतिविधियों के बाद मुसलमानों से पूरे उत्साह से राष्ट्रीय आंदोलन में सहयोग की अपेक्षा नहीं की जा सकती थी। यहां तक कि गांधी के रामराज्य की अवधारणा में भी धार्मिकता की झलक थी, जो मुसलमानों के लिए अस्वीकार्य थी।

उपर्युक्त बातों का यह अर्थ नहीं निकालना चाहिए कि आक्रामक राष्ट्रवादी मुस्लिम-विरोधी अथवा पूर्णतया सांप्रदायिक थे। इन राष्ट्रवादियों के द्वारा हिंदू तत्वों का उपयोग बिना किसी दुर्भावना के किया गया था, लेकिन मुसलमानों के मस्तिष्क में जहर घोलने के लिए इसका गलत उपयोग बुद्धिजीवी ब्रिटिश तत्वों के द्वारा किया गया। इस प्रकार हिंदू तत्वों की अधिकता ने न केवल मुसलमानों को राष्ट्रीय आंदोलन के प्रति अलगाववादी बना दिया, बल्कि हिंदू सांप्रदायिकता के लिए प्रारंभिक विचारधारा भी प्रदान की। इसी ने मुस्लिम राष्ट्रवादियों के बीच मुस्लिम रंग भर दिया।

सांप्रदायिक संगठनों की भूमिका

सांप्रदायिकता को और अधिक बढ़ाने में सांप्रदायिक संगठनों ने एक महत्वपूर्ण भूमिका निभाई। दो मुख्य संगठन अखिल **भारतीय मुस्लिम लीग** (1906) एवं **अखिल भारतीय हिंदू सभा** (1915) थे। उन्होंने सांप्रदायिक कार्यक्रमों को पुनः प्रारंभ किया और हिंदू व मुसलमानों के बीच अविश्वास की भावना को बढ़ाया। सांप्रदायिक संगठन अपने विशेष समुदाय के हित को प्रोत्साहित करने के साथ अप्रत्यक्ष रूप से ब्रिटिश साम्राज्यवादी हितों को भी प्रोत्साहित कर रहे थे। इसके साथ ही कुछ अवसरवादी नेताओं की व्यक्तिगत महत्वाकांक्षाएं भी इनके माध्यम से पूरी हो रही थी।

जवाहरलाल नेहरू- एक सांप्रदायिकता दूसरे को समाप्त नहीं करती, बल्कि एक-दूसरे को खिलाते हैं और दोनों मोटे हो जाते हैं/फलते-फूलते हैं।

राष्ट्रवादी बलों की कमजोरी

19वीं शताब्दी में सांप्रदायिकता के विकास को कठोर राष्ट्रवादी बलों एवं विचारधारा के द्वारा नियंत्रित किया जा सकता था। लेकिन राष्ट्रवादी ताकतें, जिसमें कांग्रेस भी शामिल थी, इस संबंध में असफल हुई। यद्यपि कांग्रेस धर्मनिरपेक्षता एवं राष्ट्रवाद के प्रति पूर्णतया समर्पित थी, लेकिन कुछ कमजोरियों के कारण वे सांप्रदायिक ताकतों के विरुद्ध लड़ाई में अन्ततः हार गई। वे सांप्रदायिकता की व्यापकता को समझने में असफल हुए। वे हिंदू पुनरुत्थानवादी प्रवृत्तियों को भी दबाने में असफल हुए, जो तेजी से बढ़ रही थीं और मुस्लिम जनता से उनका कोई संबंध नहीं था। (जैसे स्वदेशी आंदोलन के समय हिंदू प्रतीक एवं त्योहारों का उपयोग किया गया।)

कांग्रेस द्वारा मुस्लिम लीग से वार्ता के दौरान कुछ गलत निर्णय भी लिए गए। कांग्रेस ने मुस्लिम लीग को रियायतें दीं और समझौते किए गए, जिससे सांप्रदायिक विचारधारा को और अधिक बल मिला। राष्ट्रवादी नेता यह समझने में असफल हुए की संप्रदायवादियों को मनाना संभव नहीं था। 1937-1939 के दौरान जिन्ना को संतुष्ट करने के अनेक प्रयास किए और वे केवल तभी समझौता करने को तैयार थे, यदि कांग्रेस स्वयं को एक हिंदू दल स्वीकार कर ले। इस मांग को मानना कांग्रेस के लिए असंभव था, क्योंकि इसका अर्थ अपने राष्ट्रवादी व धर्मनिरपेक्ष चरित्र का त्याग करना था। अतः उस समय तुष्टीकरण की नहीं, अपितु सांप्रदायिकता पर सीधा प्रहार करने की आवश्यकता थी।

हालांकि, इस बात से इंकार नहीं किया जा सकता कि भारत में सांप्रदायिक समस्या बहुत अधिक जटिल हो गई थी, जिसका कारण विशेष रूप से ब्रिटिश सरकार का रवैया भी था। इससे कोई फर्क नहीं पड़ता था कि कांग्रेस लीग के लिए क्या प्रस्ताव लाती थी, सरकार सांप्रदायिक ताकतों को कांग्रेस से अधिक देने का प्रयास करती थी, ताकि एकीकरण के सारे प्रयास विफल हो जाएं।

20वीं शताब्दी में सांप्रदायिकता का विकास (Growth of Communalism in 20th Century)

बंगाल का विभाजन एवं विभाजन-विरोधी आंदोलन (1905)

वायसराय कर्जन ने बंगाल के विभाजन के दौरान सांप्रदायिक कार्ड खेला और हिंदू व मुसलमानों को वर्ग (हिंदू जमींदार और मुसलमान किसान) के आधार पर विभाजित करने का प्रयास किया। वे मुसलमानों को बढ़ती हुई राष्ट्रवादी शक्तियों के विरुद्ध उपयोग करना चाहते थे और उन्होंने बंगाल के विभाजन की योजना इस तरह बनाई कि एक नया मुस्लिम बहुल प्रांत बनाया जा सके। यहां उन्होंने शिक्षित मुसलमानों को एक मुस्लिम राजनीतिक शक्ति के रूप में सोचने के लिए प्रेरित किया ।

विभाजन-विरोधी आंदोलन के दौरान जब हिंदू तत्वों की अधिकता हुई, तो मुसलमानों के बीच भी अलगाववादी प्रवृत्ति का जन्म हुआ। बंकिम चंद्र चटर्जी एवं अन्य लेखकों ने भी अपने लेखों में मुसलमानों को विदेशी के रूप में प्रस्तुत किया, जिससे मुसलमानों के बीच असंतोष हुआ और वे राष्ट्रवादी आंदोलन से स्वयं को अलग करने लगे।

शिमला प्रतिनिधिमंडल (1 अक्टूबर 1906)

1 अक्टूबर 1906 को शिमला में आगा खां की अध्यक्षता में एक प्रतिनिधिमंडल लॉर्ड मिंटो से मिला। प्रतिनिधियों ने ब्रिटिश क्रॉउन के प्रति अपनी निष्ठा व्यक्त की, लेकिन साथ ही उन्होंने अपने भय को भी अभिव्यक्त किया। उन्होंने कहा कि यदि मुसलमानों के लिए आरक्षण को ध्यान में रखे बिना निर्वाचन के सिद्धांत को लाया गया, तो इससे उनके हितों को नुकसान होगा। इस प्रकार प्रतिनिधियों ने केवल उनकी जनसंख्या नहीं, बल्कि उनके **राजनीतिक महत्व** एवं ब्रिटिश साम्राज्य की रक्षा में उनकी सेवाओं के आधार पर मुस्लिम समुदाय के लिए आरक्षण की मांग की। ब्रिटिश शासन ने इन मांगों को कांग्रेस की बढ़ती मांगों के विरुद्ध एक प्रतिउत्तर की तरह देखा। इन मांगों को लॉर्ड मिंटो द्वारा तुरंत स्वीकार कर लिया गया एवं मुसलमानों के लिए पृथक निर्वाचन क्षेत्र व अधिभार को 1909 के अधिनियम के अंतर्गत प्रस्तावित किया गया।

राष्ट्रवादी नेताओं ने इस प्रतिनिधिमंडल की आलोचना की। हालांकि, मुस्लिम लीग के समर्थकों ने बल देकर कहा कि मुस्लिम हितों के संरक्षण के लिए मुसलमानों के मनोनयन की मांग 1880 से (सर सैयद अहमद खान के समय से) की जा रही थी और अब जब चुनाव प्रणाली की शुरूआत हुई, तो पृथक निर्वाचन की मांग उन मांगों में स्वाभाविक रूप से जुड़ गई थी। हालांकि, इस बात से इंकार नहीं किया जा सकता कि भारत में अपने साम्राज्यवादी हितों को साधने के लिए ब्रिटिश सरकार ने सांप्रदायिकता को बढ़ावा दिया। इस बात को इस तरह समझा जा सकता है कि क्यों अपनी स्थापना के तुरंत बाद लीग अपने लक्ष्यों को प्राप्त कर सकी, जबकि कांग्रेस अधिक पुरानी संस्था होने के बावजूद अपने लक्ष्यों को प्राप्त करने में अक्षम रही।

मुस्लिम लीग की स्थापना (30 दिसंबर 1906)

शिमला प्रतिनिधिमंडल के बाद मुस्लिम नेताओं ने एक **केंद्रीय मोहम्मडन संस्था** के विचार को आगे रखा। इस प्रकार 30 दिसंबर 1906 को **ढाका के नवाब सलीमुल्लाह** के नेतृत्व में एक **अखिल भारतीय मुस्लिम लीग** की स्थापना की गई। चूंकि इस राजनीतिक संगठन की स्थापना मुस्लिम राजनीतिक हितों के संरक्षण के लिए की गई थी, एतएव ब्रिटिश सरकार का ही इसे संरक्षण मिला। सरकार द्वारा सलीमुल्लाह को 14 लाख का कर्ज दिया गया और उन्होंने इसके बदले बंगाल में मुस्लिम बहुल प्रांत के निर्माण का समर्थन किया। लीग में **उच्चवर्गीय मुसलमान जैसे नवाब सलीमुल्लाह**, **आगा खां** एवं **नवाब मोहसिन-उल-मलिक** शामिल थे।

लीग के मुख्य लक्ष्य एवं उद्देश्य इस प्रकार थे-

- भारतीय मुसलमानों में ब्रिटिश शासन के प्रति निष्ठा की भावना को प्रोत्साहित करना।
- भारतीय मुसलमानों के राजनीतिक एवं अन्य अधिकारों का संरक्षण करना और उनकी आवश्यकता व महत्वाकांक्षाओं को उदार भाषा में सरकार के समक्ष रखना।
- जहां तक संभव हो, उपर्युक्त उद्देश्यों के साथ समझौता किए बिना, मुसलमान एवं अन्य समुदायों के बीच मित्रतापूर्ण संबंधों को प्रोत्साहित करना।

इस प्रकार, प्रारंभ से ही मुस्लिम लीग एक सांप्रदायिक संस्था थी, जिसका निर्माण केवल मुस्लिम समुदाय के हितों का संरक्षण करने के लिए हुआ था। इसका मुख्य उद्देश्य मुस्लिम बुद्धिजीवियों को कांग्रेस एवं राष्ट्रीय आंदोलन में शामिल होने से दूर रखना था। लीग की स्थापना एक निष्ठावान संस्था के रूप में हुई थी, जो निरंतर सरकार से समर्थन व संरक्षण लेती रही और उसे कभी निराशा भी नहीं हुई।

राष्ट्रवादियों के अधीन लीग (1913-1923)- 1913 से 1923 तक मुस्लिम लीग प्रगतिशील मुस्लिम नेताओं के प्रभाव में थी, जिन्होंने निष्ठावादियों का प्रभाव कम कर दिया था। देशभक्त मुसलमानों ने लीग की कमजोरियों को समझा

और एक आक्रामक राष्ट्रवादी **'अहरार आंदोलन' (Ahrar Movement, 1910)** शुरू किया। इसमें **मौलाना मोहम्मद अली, मौलाना मजहरुल हक, हुसैन इमाम एवं हकीम अजमल खान** शामिल थे। यह देशभक्त मुसलमान अलीगढ़ स्कूल, नवाबों व जमींदारों की निष्ठावान/वफादार राजनीति को पसंद नहीं करते थे। वे स्वशासन के आधुनिक विचारों से प्रेरित थे और उन्होंने सक्रिय रूप से आक्रामक राष्ट्रीय आंदोलन में भागीदारी की।

इसी प्रकार, **देवबंद** स्कूल के नेतृत्व में परंपरागत मुस्लिम विद्वानों का एक वर्ग था, जो राष्ट्रवादी भावनाओं से प्रेरित था। इनमें सबसे विख्यात विद्वान थे- **युवा मौलाना अब्दुल कलाम आजाद**। उन्होंने अपने राष्ट्रवादी विचारों को अपने समाचार पत्र **अल हिलाल** (1912) के माध्यम से प्रसारित किए।

1911 में तुर्की साम्राज्य एवं इटली के मध्य युद्ध आरंभ हुआ एवं 1912-1913 के दौरान तुर्की ने बाल्कन युद्ध (बाल्कन युद्ध के दौरान ब्रिटिश नीति तुर्की के साथ सहानुभूतिपूर्ण नहीं थी) लड़ा। इसी समय तुर्की के शासक मुसलमानों के धार्मिक-प्रमुख अथवा खलीफा थे। साथ ही, मुसलमानों के लगभग सभी पवित्र स्थान तुर्की में थे। स्वाभाविक रूप से, भारतीय मुसलमानों की सहानुभूति तुर्की के साथ थी और उन्होंने खलीफा-समर्थक व साम्राज्यवाद-विरोधी रुख अपनाया। डॉ. एम. ए. अंसारी की अध्यक्षता में एक मेडिकल मिशन (चिकित्सा-कार्यक्रम) तुर्की की सहायता के लिए भेजा गया। आगे 1920-1923 के दौरान खिलाफत एवं असहयोग आंदोलन के कारण मुस्लिम लीग की गतिविधियां स्थगित रहीं। इस प्रकार, 1913-1923 के दौरान मुस्लिम लीग की गतिविधियां राष्ट्रवादी नेताओं द्वारा नियंत्रित रहीं।

असहयोग आंदोलन के वापस लिए जाने के बाद मुस्लिम लीग में सांप्रदायिक तत्वों ने पुनः घर बना लिया। 1927 में साइमन कमीशन की नियुक्ति के बाद मुस्लिम लीग सक्रिय हुई और 1934 के बाद मोहम्मद अली जिन्ना (जो पहले प्रगतिशील मुस्लिम नेता थे, अब सांप्रदायिक राजनीति की ओर बढ़ रहे थे।) एक निर्विरोध नेता के रूप में उभरे ।

पृथक निर्वाचन क्षेत्र का प्रस्ताव (1909)

मार्ले-मिंटो सुधारों के अंतर्गत पृथक निर्वाचन-क्षेत्र का प्रस्ताव भारत में सांप्रदायिकता के विकास में ऐतिहासिक घटना थी। पृथक निर्वाचन क्षेत्र का अर्थ था ऐसा निर्वाचन क्षेत्र जिसमें केवल मुस्लिम शामिल होंगे। (सिखों एवं अन्य समुदायों के लिए भी पृथक निर्वाचन को बाद में विस्तारित किया गया।) व्यावहारिक रूप से इसका अर्थ था- मुस्लिम निर्वाचन-क्षेत्र, मुस्लिम मतदाता एवं मुस्लिम प्रत्याशियों को प्रस्तावित करना। इस प्रकार, इस व्यवस्था ने चुनावों एवं विधायिकाओं में सांप्रदायिक तनाव के वातावरण को जन्म दिया।

इसके साथ ही, गैर-मुस्लिम मतदाता एक मुस्लिम प्रत्याशी को मतदान कर सकते थे। मुसलमानों को **अधिभार** भी दिया गया। उनकी जनसंख्या से ज्यादा उन्हें विधानसभा में सीटें दी गई और अधिभार के सिद्धांत के अंतर्गत परिषदों में उनके प्रतिनिधित्व को न केवल उनकी संख्या बल, बल्कि उनके राजनीतिक महत्व व साम्राज्य की रक्षा में उनकी सेवा के अनुसार निश्चित किया गया। उन्हें सामान्य निर्वाचन क्षेत्र से भी चुनाव लड़ने की अनुमति दी गई।

इन प्रावधानों की कड़ी आलोचना हुई, क्योंकि इनका उद्देश्य भारतीय समाज में कोई संतुलन लाना नहीं, बल्कि मुस्लिम नेताओं को संतुष्ट करना था। उन्होंने पृथकतावाद को शामिल करते हुए एक ऐसी संस्थागत संरचना बनाई, जिसमें भारतीय राजनीतिक समूहों के मध्य सहमति बनना असंभव हो जाए।

हिंदू महासभा की स्थापना (1915)

अखिल भारतीय मुस्लिम लीग एवं पृथक निर्वाचन व्यवस्था लागू होने के बाद हिंदू नेताओं ने हिंदू-हितों की रक्षा के लिए एक हिंदू संगठन बनाने के बारे में विचार किया।

- 1909 में आर्य समाज के नेता लाला लाजपत राय, लालचंद एवं शादीलाल ने **पंजाब हिंदू सभा** की स्थापना की एवं लाहौर में इसके पहले अधिवेशन की अध्यक्षता पंडित मदन मोहन मालवीय (जिन्होंने बनारस हिंदू विश्वविद्यालय की स्थापना की थी) ने की। अगले कुछ वर्षों में पंजाब के बाहर अनेक हिंदू सभाओं की स्थापना हुई।

- 1910 में इलाहाबाद के कुछ प्रमुख हिंदुओं ने स्वयं को एक अखिल भारतीय हिंदू महासभा में संगठित करने के कदम उठाए।
- अप्रैल 1915 में हरिद्वार के कुंभ मेला के दौरान अखिल भारतीय हिंदू महासभा का पहला अधिवेशन हुआ। इस अधिवेशन की अध्यक्षता **कासिम बाजार के महाराज** ने की।

महासभा की आवश्यकता का वर्णन करते हुए पंडित मदन मोहन मालवीय ने कहा कि सदियों से मुस्लिम एवं ईसाई धर्मांतरण का कार्य कर रहे हैं, जबकि अधिकांश भारतीय मुस्लिम हिंदू धर्म से ही धर्मांतरित हुए थे। मुस्लिम लीग निरंतर विधायी संस्थाओं में प्रतिनिधित्व का दावा करती आ रही थी। उन्होंने समझाया कि इन सब प्रक्रियाओं को नियंत्रित करने के लिए हिंदुओं का संगठित होना आवश्यक है। अत: प्रारंभिक वर्षों में **शुद्धि** व **संगठन** सभा के उद्देश्य बने। मुस्लिम लीग की पाकिस्तान की मांग के विरुद्ध इसने **अखंड हिंदुस्तान** का नारा दिया।

1938 में **वी. डी. सावरकर** हिंदू महासभा के अध्यक्ष बने और कई बार पुनर्निर्वाचित हुए। उनके नेतृत्व में सभा ने राजनीतिक कार्यक्रम विकसित किए। सावरकर ने **हिंदू राष्ट्र** के सिद्धांत को लोकप्रिय बनाया। जिसके अनुसार भारत एक राष्ट्र है और केवल हिंदू राष्ट्र है व मुसलमानों को स्वयं को अल्पसंख्यक स्वीकार करना चाहिए। सावरकर की मृत्यु के बाद महासभा का नेतृत्व **डॉ. श्यामा प्रसाद मुखर्जी** ने किया, जिनका दृष्टिकोण और अधिक राष्ट्रवादी था।

हिंदू महासभा द्वारा हिंदू राष्ट्र के कार्यक्रम ने मुस्लिम लीग के रवैया को और सख्त बनाया। यह सच है कि मुस्लिम लीग पहला सांप्रदायिक संगठन था, लेकिन सांप्रदायिक जहर संक्रमणकारी साबित हुआ और हिंदू महासभा, अकाली दल एवं अन्य संगठन इसी के संक्रमण से अस्तित्व में आए।

लखनऊ समझौता (1916)

1916 में लखनऊ में दोनों दलों की संयुक्त अधिवेशन के दौरान भारतीय राष्ट्रीय कांग्रेस एवं मुस्लिम लीग के बीच कांग्रेस-लीग समझौता हुआ (जिसे लखनऊ समझौते के नाम से भी जाना गया) हस्ताक्षरित हुआ। अनेकं कारणों से जहां यह एक कदम आगे था, वही यह एक कदम पीछे भी था। **कांग्रेस ने मुस्लिम लीग के समर्थन को प्राप्त करने के लिए पृथक निर्वाचन व्यवस्था को स्वीकार किया।** इस प्रकार औपचारिक रूप से सांप्रदायिक राजनीति को बढ़ावा मिला। निम्नलिखित तथ्यों को भी याद रखा जाना चाहिए-

- यह समझौता दोनों दलों के नेताओं के बीच समझौता था, न कि जनता के बीच।
- इस आधार पर कि मुस्लिम लीग मुसलमानों के सभी वर्गों का प्रतिनिधित्व करती थी, इस समझौते को गलत ढंग से हिंदू-मुस्लिम समझौता कहा गया।
- शीघ्र ही लखनऊ समझौता अनावश्यक साबित हुआ, क्योंकि 1919 के भारत शासन अधिनियम में मुसलमानों को इस समझौते से भी कहीं अधिक प्रदान किया गया।

खिलाफत एवं असहयोग आंदोलन (1920-1923)

खिलाफत आंदोलन के दौरान भारत में ब्रिटिश सरकार पर दबाव बनाने के लिए (ताकि वे तुर्की के साथ उदार व्यवहार करें) मुसलमान, हिंदुओं का समर्थन लेने के लिए उत्साहित थे। भारत में हिंदू-मुस्लिम एकता को प्रोत्साहित करने का इसे एक उत्कृष्ट अवसर जानकर गांधी ने खिलाफत आंदोलन को पूरा समर्थन दिया। गांधी के असहयोग कार्यक्रम को पहले खिलाफत समिति ने अपनाया और बाद में कांग्रेस द्वारा अनुमोदित किया गया। फलस्वरूप, 1920-1922 का समय राष्ट्रीय आंदोलन में मुसलमानों की अभूतपूर्व सहभागिता का साक्षी बना।

दुर्भाग्यवश, कुछ मुसलमानों को छोड़कर अधिकतर मुस्लिम नेताओं का दृष्टिकोण पूर्णतया धर्मनिरपेक्ष अथवा सांप्रदायिक पक्षपात से मुक्त नहीं था। यह इस बात से स्पष्ट था कि उनके लिए मुख्य मुद्दा राष्ट्रीय स्वाधीनता नहीं, बल्कि खलीफा के अधिकार व पवित्र स्थानों का संरक्षण था। उनकी राजनीतिक अपील का आधार धार्मिक भावनाएं थीं। इसने राजनीतिक प्रश्नों को धार्मिक दृष्टिकोण से देखने की एक गलत आदत को बढ़ावा दिया।

◗ असहयोग आंदोलन के वापस लेने के बाद सांप्रदायिकता का पुनरुत्थान (1922-1927)

जैसे ही असहयोग आंदोलन को वापस लिया गया, हिंदू-मुस्लिम एकता भी धीरे-धीरे समाप्त होने लगी और सांप्रदायिकता अपने सबसे बुरे रूप में बढ़ने लगी। 1922 से 1927 के बीच सांप्रदायिकता के निम्न लक्षण देखे गए-

- बड़े स्तर पर **सांप्रदायिक दंगे** हुए। उत्तर प्रदेश में ही लगभग 91 दंगों की घटनाएं घटीं। गौ-हत्या एवं मस्जिदों के सामने गाने बजाने के मुद्दे बढ़े।
- इस काल में मुख्य सांप्रदायिक संगठनों, जैसे- मुस्लिम लीग एवं हिंदू महासभा (1915 में स्थापित होने के बाद सुषुप्त अवस्था में थी) का पुनरुत्थान देखा गया। यह समय उनके पुनरुत्थान के लिए अनुकूल था।
- स्वराजी सांप्रदायिक आधार पर दो भागों में विभाजित हो गए और कुछ उत्तरदायी स्वराजी हिंदू महासभा में शामिल हुए। सांप्रदायिकता का सामना करने के लिए कांग्रेस एक सुनियोजित रणनीति बनाने में असफल हुई।
- मुसलमानों के बीच **तबलिघ (कार्यक्रम)** एवं **तंजीम (संगठन)** जैसे आंदोलनों का उदय हुआ। यह अंशत: हिंदुओं के शुद्धि व संगठन की प्रतिक्रिया व अंशत: मोपला विद्रोह के दौरान किए गए जबरन धर्मांतरण की प्रतिक्रिया थी। इस प्रकार की सांप्रदायिक वृद्धि ने सारे वातावरण में कड़वाहट पैदा कर दी थी।
- 1925 में **राष्ट्रीय स्वयंसेवक संघ (आर. एस. एस.)** की स्थापना हुई।

उपर्युक्त के पीछे अनेक कारक उत्तरदायी थे। पहला, खिलाफत आंदोलन राजनीति में मुसलमानों के धार्मिक मुद्दे लेकर आया और आंदोलन वापस लेने के बाद भी धार्मिक मुद्दे पीछे नहीं हटे। इससे राजनीति में कुछ निश्चित धार्मिक तत्व शामिल हुए। दूसरा, पृथक निर्वाचन की व्यवस्था में शाश्वत रूप से सांप्रदायिकता के बीज निहित थे। इस व्यवस्था को 1919 के अधिनयम द्वारा और विस्तारित किया गया और इस तरह सांप्रदायिक आधार पर राजनीतिक मुद्दों को जोड़ने का स्थान मिल गया। अंत में, रोजगार के अवसरों के अभाव में युवाओं ने धर्म के उपयोग से रोजगार प्राप्ति की आशा देखी। इस प्रकार 1927 में राजनीतिक स्थिति भयावह हो गई थी, राष्ट्रवादी ताकतें विभाजित हो रही थीं और सांप्रदायिक भावना अपने चरम पर थी। ऐसे समय में **साइमन कमीशन** के विरोध के रूप में एकता को प्रस्तुत करने का एक अवसर देखा गया।

◗ साइमन कमीशन (1927), दिल्ली प्रस्ताव, नेहरू रिपोर्ट एवं जिन्ना के 14 बिंदु

1927 में साइमन कमीशन (भारत के लिए संविधान बनाने हेतु एक समिति, जिसमें सभी सदस्य अंग्रेज थे।) की घोषणा हुई, जिसका सभी राष्ट्रवादियों के द्वारा एकमत होकर बहिष्कार किया गया और इस तरह एक बार पुन: एकता प्राप्त करने का अवसर आया।

दिल्ली प्रस्ताव (दिसंबर 1927)

दिसंबर 1927 में कांग्रेस एवं मुस्लिम लीग के बीच बनी खाई को पाटने के उद्देश्य से प्रमुख मुस्लिम नेताओं का एक समूह दिल्ली में मिले। इनका उद्देश्य था कि दोनों संस्थाओं को एक मंच पर लाया जाए, ताकि ब्रिटिश शासन के समक्ष सामूहिक मांगों को रखा जा सके। इस बैठक की अध्यक्षता मोहम्मद अली जिन्ना ने की। एक नाटकीय ढंग से पहली और अंतिम बार लीग ने पृथक निर्वाचन को त्यागने की सहमति दी, लेकिन इसके लिए कांग्रेस को 4 प्रस्तावों को मानना था। यही प्रस्ताव दिल्ली प्रस्ताव के नाम से जाना गया। (अध्याय 6.16 में इसका विस्तार से वर्णन किया गया है।)

दिसंबर 1927 में कांग्रेस के मद्रास अधिवेशन में कांग्रेस ने दिल्ली प्रस्ताव की अधिकतर मांगों को स्वीकार करते हुए एक प्रस्ताव पारित किया। हालांकि, मुस्लिम लीग इस मुद्दे पर विभाजित हो गई और लीग का एक पृथक वार्षिक अधिवेशन **सर मियां मोहम्मद शफी** की अध्यक्षता में लाहौर में आयोजित हुआ। इस घटना ने भारत में सांप्रदायिक स्थिति को और नाजुक बना दिया। दिल्ली प्रस्ताव की मांगों को सर्वदलीय सम्मेलन (दिसम्बर 1928, कलकत्ता) में हिंदू सभा द्वारा भी अस्वीकार कर दिया गया। मुस्लिम लीग एवं हिंदू महासभा के बीच असंगति ने मुद्दों को और जटिल बना दिया तथा एकता के सभी प्रयास निष्फल साबित हुए।

आगे नेहरू रिपोर्ट (मोतीलाल नेहरू एवं तेज बहादुर सप्रू द्वारा तैयार की गई) को मुस्लिम लीग ने अस्वीकार कर दिया, क्योंकि इसमें उनकी सभी मांगों को शामिल नहीं किया गया था। इसके निम्नलिखित परिणाम हुए-

- जिन्ना ने इस रिपोर्ट को अस्वीकार कर दिया और इसे कांग्रेस के साथ **समझौते की विदाई** कहा। अब 'हिंदू-मुस्लिम एकता का यह दूत' मान चुका था कि भारत में हिंदू मानसिकता मुस्लिम अल्पसंख्यक को हासिए पर ले जा रही है।
- उन्होंने प्रथक निर्वाचन को जारी रखने की मांग की एवं अपने **14 बिंदु** तैयार किए, जो सांप्रदायिक मांगों की विषय-वस्तु बने। इन 14 बिंदुओं में पृथक निर्वाचन, विधानसभाओं में मुसलमानों के लिए आरक्षण, मुसलमानों के लिए नौकरियों में आरक्षण, नए मुस्लिम बहुल प्रांतों का निर्माण इत्यादि मांगें शामिल थीं।
- इससे जिन्ना में अलगाव उत्पन्न हुआ और वे सांप्रदायिकता की ओर बढ़ने लगे।
- इसने सविनय अवज्ञा आंदोलन के प्रति अधिकतर मुस्लिम नेताओं के मन में शत्रुता उत्पन्न की।

सांप्रदायिकता का एक जन-बल के रूप में रूपांतरित होना

1928-1929 की घटनाओं ने सांप्रदायिकता के एक अपरिवर्तनीय प्रवाह को जन्म दिया और यह सांप्रदायिकता का जन-बल में रूपांतरण का एक प्रारंभिक बिंदु साबित हुआ। 1940 तक सभी सांप्रदायिक मांगे, एक अंतिम मांग अर्थात मुसलमानों के लिए एक पृथक राष्ट्र पाकिस्तान की मांग, के समक्ष महत्वहीन हो गई थीं।

सविनय अवज्ञा आंदोलन से मुसलमानों का पृथक हो जाना (1930-1934)

कुछ मुस्लिम समूहों जैसे **जमात-ए-उलेमा-ए-हिंद, खुदाई खिदमतगार** एवं **स्टेट ऑफ कश्मीर** को छोड़कर सामान्यता सभी मुसलमान आंदोलन से अलग रहे। कांग्रेस ने लंदन में आयोजित तीन गोलमेज सम्मेलनों में से दो का बहिष्कार किया था, जबकि सांप्रदायिकतावादी तीनों में शामिल हुए थे।

सांप्रदायिक पुरस्कार अथवा कम्युनल अवॉर्ड (अथवा मैकडोनाल्ड अवॉर्ड, 1932)

16 अगस्त 1932 को ब्रिटिश प्रधानमंत्री रैम्जे मैकडोनाल्ड द्वारा निर्मित अल्पसंख्यक प्रतिनिधित्व के लिए एक प्रस्ताव लाया गया, जिसे कम्युनल अवार्ड (सांप्रदायिक पुरस्कार) कहा गया। इसके अनुसार मुस्लिम, सिख, दलित वर्ग, भारतीय ईसाई, यूरोपियन, बुद्ध एवं यहां तक की मराठा को भी पृथक निर्वाचन की व्यवस्था प्रदान की गई। अधिभार के सिद्धांत को भी लागू किया गया।

उग्र सांप्रदायिकता (1937 के बाद)

1937 के प्रांतीय चुनावों में मुस्लिम लीग का प्रदर्शन बेहद बुरा रहा और उसने उग्र सांप्रदायिकता का रास्ता अपनाने का निर्णय लिया। मुसलमानों के लिए एक पृथक राज्य की मांग अब तेजी से गति प्राप्त कर रही थी।

1935 के भारत शासन अधिनियम द्वारा प्रांतीय स्वायत्तता एवं व्यापक मताधिकार प्रदान किया गया। 1937 के आरंभ में पृथक निर्वाचन व्यवस्था के अंतर्गत जब चुनाव हुए तो परिणाम कुछ इस प्रकार थे-

- सामान्य निर्वाचन क्षेत्रों में कांग्रेस ने बड़ी जीत हासिल की, लेकिन मुस्लिम निर्वाचन क्षेत्रों में इसका प्रदर्शन निराशाजनक रहा।
- यहां तक कि मुस्लिम लीग, जो मुसलमानों का एक प्रतिनिधि होने का दावा करती थी, ने बहुत बुरा प्रदर्शन किया। उसे उत्तर पश्चिम सीमांत प्रांत (North-West Frontier Provinces) में एक भी सीट नहीं मिली और पंजाब में 84 में से केवल दो सीटें मिलीं। सिंध में 33 में से केवल 3 प्राप्त हुई। वह कहीं भी मंत्रिमंडल बनाने की स्थिति में नहीं थी।
- जमींदार एवं साहूकारों के दलों ने भी चुनावों में अच्छा प्रदर्शन नहीं किया।

  इस प्रकार संदेश स्पष्ट था कि

- कांग्रेस को जनता के करीब पहुंचने और उन्हें अपने साथ मिलाने की आवश्यकता है। वह मुस्लिम लीग को पूर्णतया नकार सकती थी। जैसा कि परिणाम से स्पष्ट हो गया था कि वह मुस्लिम जनता का प्रतिनिधित्व नहीं करती।

- मुस्लिम लीग को अपने अभिजात-वर्गीय चरित्र (राजकुमारों एवं जमींदारों का प्रभुत्व) को बदलने एवं मुस्लिम जनता के बीच एक आधार निर्माण करने की आवश्यकता थी।
- जमींदारों एवं साहूकारों ने अब अपना समर्थन सांप्रदायिक दलों को देने का निर्णय लिया, क्योंकि कांग्रेस एक उग्र-कृषक कार्यक्रम अपना चुकी थी और जिसके लिए उसने किसानों को भी सक्रिय कर दिया था। अतः सांप्रदायिक दलों ने अभूतपूर्व शक्ति प्राप्त करना शुरू कर दिया था।

अपने लक्ष्य की प्राप्ति के लिए, जिन्ना के नेतृत्व में मुस्लिम लीग ने स्वयं का प्रचार करने के लिए एक वृहत अभियान प्रारंभ किया और बंगाल, असम व पंजाब जैसे प्रांतों में कांग्रेस के साथ गठबंधन के द्वारा मंत्रिमंडल बनाने की आशा की। कांग्रेस ने मुस्लिम लीग के सदस्यों को सलाह दी कि यदि वे पद के उत्तरदायित्व स्वीकार करने के इच्छुक हों, तो वे कांग्रेस के वचन-पत्र पर हस्ताक्षर करें और इसके सदस्य बन जाएं। क्रोधित होकर जिन्ना ने कांग्रेस को सभी अल्पसंख्यकों को दबाने वाला एक हिंदू संगठन कहा। लीग ने अब इस बात का प्रसार करना शुरू कर दिया कि हिंदू बहुमत के कारण मुस्लिम अल्पसंख्यक खतरे में है। इसने एक अनैतिहासिक सिद्धांत सबके सामने रखा, जिसके अनुसार हिंदू एवं मुस्लिम दो पृथक राष्ट्र थे, जो कभी एक साथ नहीं रह सकते।

1938 में कांग्रेस मंत्रिमंडल के अधीन मुसलमानों के ऊपर हुए उत्पीड़न का **प्रतिवेदन तैयार करने के लिए पीरपुर** के राजा की अध्यक्षता में मुस्लिम लीग ने एक समिति नियुक्त की। पीरपुर प्रतिवेदन में हिंदुओं के द्वारा मुसलमान पर आरोपित अत्याचारों के प्रकरणों को गढ़ा गया। अक्टूबर 1939 में जब कांग्रेस ने द्वितीय विश्वयुद्ध के मुद्दे पर त्याग-पत्र दे दिया, तो लीग ने इस दिन को **'मुक्ति व धन्यवाद के दिन'** (Day of Deliverance and Thanks giving) के रूप में मनाया।

अंततः 1940 में मुस्लिम लीग के लाहौर अधिवेशन में जिन्ना ने अपने दो राष्ट्र के सिद्धांत को प्रतिपादित किया। जिसके अनुसार भारत दो राष्ट्रों, हिंदू राष्ट्र एवं मुस्लिम राष्ट्र, से मिलकर बना है; जो आर्थिक, राजनीतिक, सामाजिक, सांस्कृतिक एवं ऐतिहासिक रूप से भिन्न हैं। मुस्लिम एक अल्पसंख्यक नहीं, बल्कि एक राष्ट्र थे और इसलिए उन्हें अपना एक राष्ट्र प्राप्त करने का अधिकार है। (प्रेस में इस प्रस्ताव को पाकिस्तान की मांग के रूप में वर्णन किया गया और कुछ ने तो इसे पाकिस्तान प्रस्ताव कहना शुरू कर दिया था।) मुस्लिम सांप्रदायिक विचारों को हिंदू सांप्रदायिकतावादियों के द्वारा दोहराया गया, जिन्होंने घोषित किया कि हिंदू-राष्ट्र भी एक विशेष राष्ट्र था और भारत हिंदुओं का देश था। इस प्रकार दो राष्ट्रों के सिद्धांत को समर्थन मिला।

इस प्रकार 1940 के बाद जिन्ना के नेतृत्व में मुस्लिम लीग की उपर्युक्त गतिविधियों ने सांप्रदायिकता को एक जन-बल में रूपांतरित कर दिया, जो अंततः भारत के विभाजन और पाकिस्तान के रूप में पृथक राज्य के गठन की ओर ले गया।

पाकिस्तान आंदोलन-

- 1930 में मुस्लिम लीग के इलाहाबाद अधिवेशन में एक कवि एवं राजनीतिक विचारक **मोहम्मद इकबाल** ने पहली बार एक पृथक मुस्लिम राज्य के विचार को प्रतिपादित किया।
- 1933 में इस विचार को और अधिक मजबूती मिली, जब कैम्ब्रिज से स्नातक एक युवा **रहमत अली** ने पाकिस्तान शब्द गढ़ा। उसने पंजाब, अफगान प्रांत (उत्तर पश्चिम सीमांत प्रांत), कश्मीर, सिंध एवं बलूचिस्तान को मिलाकर भारतीय मुसलमानों के लिए एक राष्ट्र की कल्पना की और पाकिस्तान शब्द दिया।
- मार्च 1940 में मुस्लिम लीग के लाहौर अधिवेशन में मोहम्मद अली जिन्ना ने स्पष्ट शब्दों में हिंदुओं एवं मुसलमानों के लिए प्रथक-प्रथक राष्ट्र की घोषणा की। लीग ने भारत के विभाजन की मांग का एक प्रस्ताव (पाकिस्तान प्रस्ताव) पारित किया। अतः पाकिस्तान की मांग भारतीय मुसलमानों के लिए उनकी पवित्र कुरान के समान एक धार्मिक सिद्धांत बन गया।

- मौलाना मोहम्मद अली- 'हम विभाजित हुए और उन्होंने शासन किया।'
- महात्मा गांधी- 'बहुसंख्यक एवं अल्पसंख्यक समुदाय का प्रश्न ब्रिटिश शासन की उपज है और उसके वापस जाने के साथ ही समाप्त हो जाएगा।'

अध्याय

12 क्रांतिकारी आतंकवादी आंदोलन का द्वितीय चरण (1922 के बाद) (Second Phase of Revolutionary Terrorist Movement, After 1922)

प्रथम विश्व युद्ध के दौरान क्रांतिकारियों का कठोरता से दमन किया गया और 1918 के बाद उनके आंदोलनों का अस्थाई पतन हुआ। हालांकि, 1919 के अंत एवं 1920 के प्रारंभ में उनमें से अधिकतर को एक आम क्षमादान के तहत रिहा कर दिया गया था, क्योंकि सरकार मोंटेग्यू-चेम्सफोर्ड सुधारों के लिए एक समझौतापूर्ण वातावरण बनाना चाहती थी। इन सुधारों को कांग्रेस द्वारा अस्वीकार कर दिया गया और गांधी के नेतृत्व में असहयोग आंदोलन आरंभ हुआ। ऐसे समय में, सी. आर. दास के साथ मिलकर गांधी ने अनेक क्रांतिकारी आतंकवादी नेताओं से मुलाकात की एवं उनसे अहिंसक संघर्ष में शामिल होने और कुछ समय के लिए हिंसक आतंकवादी आंदोलन को स्थगित करने का आग्रह किया। परिणामस्वरूप, उनमें से अधिकतर नेता कांग्रेस के नागपुर अधिवेशन में शामिल हुए और कांग्रेस की सदस्यता ग्रहण की। जुगांतर/युगांतर दल ने भी असहयोग आंदोलन में गांधी का समर्थन किया। (हालांकि, शचींद्रनाथ सान्याल के नेतृत्व में क्रांतिकारियों का एक वर्ग सक्रिय रहा और बाद में उत्तरी भारत में हिंदुस्तान रिपब्लिकन आर्मी की स्थापना की गई।)

लेकिन यह एकीकरण अल्पकालिक साबित हुआ। असहयोग आंदोलन के अचानक से वापस लेने के कारण गांधी के नेतृत्व एवं उनके अहिंसक संघर्ष से बहुत अधिक असंतोष हुआ। इस बार न वे स्वराजियों की संसदीय राजनीति से और न ही संरचनात्मक कार्यों से आकर्षित हुए और एक बार पुनः क्रांतिकारियों ने बम के रास्ते को अपनाया। पुराने क्रांतिकारी नेताओं ने अपने संगठनों को पुनर्जीवित किया और पुरानी अनुशीलन एवं युगांतर समितियां पुनः सामने आईं। नए क्रांतिकारी असहयोग आंदोलन के बाद सामने आए, जिन्होंने उत्साहपूर्वक इस आंदोलन में अपना सहयोग दिया था। इनमें सुखदेव, भगवती चरण वोहरा एवं जगदीश चंद्र चटर्जी जैसे असहयोगी शामिल थे, जो अब क्रांतिकारी बन गए थे। (इसी चरण के दौरान युगांतर समूह चिटगांव शस्त्रागार में चढ़ाई करने में व्यस्त था। सितंबर 1938 में जाकर अंततः युगांतर समूह का कांग्रेस में विलय हो गया था।)

1922 के बाद जिन क्रांतिकारी आंदोलनों का भारत में उदय हुआ, वे व्यापक रूप से दो भागों में बंटे हुए थे- एक उत्तरी भारत (पंजाब, संयुक्त प्रांत बिहार व मध्य प्रांत) में एवं दूसरा बंगाल में। दोनों ही क्षेत्रों में क्रांतिकारी आतंकवादी आंदोलन व्यक्तिगत वीरता के कार्यों व धार्मिक राष्ट्रवाद की मानसिकता से आगे निकलकर जन आधारित, धर्म निरपेक्ष आंदोलन बनते जा रहे थे। दोनों ही धाराएं तीन नए सामाजिक बलों के प्रभाव में आई-

1. पहला प्रभाव आक्रामक व्यापार संघवाद (Trade Unionism) का था, जो युद्ध के बाद उभर चुका था। क्रांतिकारियों ने इन नए श्रमिक-वर्ग में व्यापक क्षमता देखी और इनके उपयोग के लिए उन्हें अब सही समय लगा।
2. दूसरा; वे रूस, चीन आयरलैंड, तुर्की व मिश्र के क्रांतिकारी आंदोलनों, विशेषकर रूसी क्रांति एवं युवा सोवियत संघ के उदय से प्रेरित थे। फलस्वरूप, पूरी दुनिया में उस समय के लगभग सभी क्रांतिकारी समूह सामाजिक विचारों के प्रभाव में आए। उनमें से लगभग सभी ने सोवियत संघ के नेताओं से संबंध स्थापित करने का प्रयत्न किया।
3. तीसरा प्रभाव नवोदित साम्यवादी समूह का पड़ा, जो मार्क्सवाद, समाजवाद एवं सर्वहारा वर्ग पर बल देते थे।

उत्तरी भारत में क्रांतिकारी (Revolutionaries in Northern India)

संदर्भ (Context)- राम प्रसाद बिस्मिल 1922 में गया कांग्रेस अधिवेशन में शामिल हुए और उन्होने असहयोग आंदोलन वापस लेने के गांधी के निर्णय का विरोध किया। जब गांधी ने अपने निर्णय को परिवर्तित करने से मना कर दिया, तो भारतीय राष्ट्रीय कांग्रेस दो समूहों में विभाजित हो गई- स्वराज्य दल एवं क्रांतिकारी दल। बाद में, बिस्मिल ने अपने सहयोगियों की सहायता से नए दल के संविधान का प्रारूप बनाया, जिसे **यलो पेपर संविधान (Yellow Paper Constitution)** के नाम से जाना गया। इसे बाद में कानपुर (1924) में दल की पहली संवैधानिक समिति की बैठक में अपनाया गया।

हिंदुस्तान रिपब्लिकन एसोसिएशन अथवा आर्मी (Hindustan Republican Association or Army, HRA, कानपुर, अक्टूबर 1924)

उत्तरी भारत में अनुभवी क्रांतिकारियों जैसे **शचीन्द्रनाथ सान्याल**, **राम प्रसाद बिस्मिल** एवं **योगेश चंद्र चटर्जी** के द्वारा क्रांतिकारियों को पुन: संगठित किया गया। इन क्रांतिकारियों का मानना था कि अखिल भारतीय संगठन एवं घनिष्ट समन्वय के द्वारा ही अच्छे परिणाम प्राप्त किए जा सकते हैं। तद्नुसार, अक्टूबर, 1924 में कानपुर में अखिल भारतीय संस्था के निर्माण के उद्देश्य से भारत के सभी भागों के क्रांतिकारियों की एक बैठक बुलाई गई। बैठक में रामप्रसाद बिस्मिल, सचिन सान्याल, जोगेश/योगेश चंद्र चटर्जी जैसे वरिष्ठ क्रांतिकारियों और भगत सिंह, सुखदेव, चंद्रशेखर आजाद, भगवती चरण वोहरा और शिव वर्मा जैसे युवा क्रांतिकारियों ने भाग लिया। विचार-विमर्श के परिणामस्वरूप निम्नलिखित उद्देश्यों के साथ हिंदुस्तान रिपब्लिकन आर्मी या एसोसिएशन (एचआरए) का गठन हुआ:

- सशस्त्र क्रांति (Armed revolution) के द्वारा ब्रिटिश शासन को समाप्त करना एवं
- संयुक्त राज्य भारत के एक संघीय गणतंत्र की स्थापना करना। जिसमें सार्वजनिक मताधिकार के आधार पर एक निर्वाचित सरकार होगी।

हिंदुस्तान रिपब्लिकन आर्मी की विचारधारा

एच. आर. ए. की विचारधारा का आधार सामाजिक क्रांतिकारी एवं साम्यवादी सिद्धांत थे। अपने घोषणा पत्र **द रिवॉल्यूशनरी** (The Revolutionary, शचीन्द्रनाथ सान्याल द्वारा लिखित) में घोषणा की कि 'यह आर्मी उन सभी व्यवस्थाओं के उन्मूलन के लिए बनाई गई है, जो मनुष्य का मनुष्य के द्वारा शोषण संभव बनाते हैं।' इसने सोवियत संघ की तरह भारत में भी रेल एवं वृहत् स्तरीय उद्योगों के राष्ट्रीयकरण (Nationalisation) का प्रस्ताव रखा। आर्मी ने किसान एवं श्रमिक संगठन बनाने एवं सशस्त्र क्रांति की ओर कार्य करने की योजना बनाई।

- शचीन्द्रनाथ सान्याल ने **बंदी जीवन** किताब लिखी, जो क्रांतिकारियों के लिए एक मार्गदर्शिका बन गई थी। वे एच. आर. ए. के घोषणा पत्र **द रिवोल्यूशनरी** के लेखक थे। 1924 के दौरान यंग इंडिया (Young India) में **सान्याल बनाम गांधी वाद-विवाद** प्रकाशित हुआ। वे चंद्रशेखर आजाद एवं भगत सिंह जैसे क्रांतिकारियों के मार्गदर्शक थे।
- शरतचंद्र चटर्जी ने **पाथेर दाबी** (Pather Dabi, 1926) उपन्यास लिखा, जिसका अर्थ था सड़क की मांगें। यह उपन्यास एक गुप्त संस्था पाथेर दाबी के बारे में था।

काकोरी कांड (9 अगस्त 1925)

हिंदुस्तान रिपब्लिकन आर्मी के नेताओं ने अपनी गतिविधियों को संचालित करने, प्रचार-प्रसार करने और हथियारों के संग्रह हेतु धन जुटाने के लिए शासकीय डकैतियों (सरकार के विरुद्ध डकैती) का निर्णय लिया। इस तरह की डकैतियों में एक काकोरी डकैती भी थी।

9 अगस्त 1925 को एच. आर. ए. के 10 क्रांतिकारियों ने सहारनपुर से लखनऊ जा रही 'आठ डाउन ट्रेन' को काकोरी (लखनऊ के समीप एक छोटा ग्रामीण स्टेशन) नामक स्थान पर रोका और रेल के शासकीय धन को लूटा। हालांकि, उनमें से अधिकतर को गिरफ्तार कर लिया गया और उन पर काकोरी डकैती प्रकरण का मुकदमा चलाया गया। सुनवाई के दौरान अभियुक्तों को जेल में यातनाएं दी गई और उनसे भूख हड़ताल (जो उन्होंने अपना विरोध दर्ज कराने के लिए की थी) तोड़ने का दबाव बनाया गया। जेल से अपने एक संदेश में राम प्रसाद बिस्मिल ने युवाओं से आग्रह किया कि उन्हें रिवाल्वर एवं पिस्तौल के विचार का त्याग कर देना चाहिए और गुप्त षड्यंत्र में शामिल नहीं होना चाहिए, बल्कि खुले तौर पर आंदोलन के लिए कार्य करना चाहिए। उन्होंने सांप्रदायिक समरसता स्थापित करने का आग्रह किया एवं कांग्रेस के नेतृत्व में एक साथ मिलकर ब्रिटिश शासन को समाप्त करने का आह्वान किया।

सुनवाई के अंत में **अशफाकउल्ला खान, रामप्रसाद बिस्मिल, रोशन सिंह** एवं **राजेंद्र लाहिरी** को मृत्युदंड दिया गया और उन्हें फांसी पर लटका दिया गया। चारों ने अपने अंतिम घंटों में अदम्य साहस का परिचय दिया। फांसी के तख्त की ओर बढ़ते हुए खान एवं बिस्मिल ने गीता एवं कुरान के श्लोकों व आयतों को दोहराया। अन्य चार को आजीवन कारावास के लिए अंडमान (काला पानी) भेजा गया। **चंद्रशेखर आजाद** एच. आर. ए. के एक अकेले नेता थे, जो फरार होने में सफल हुए।

हिंदुस्तान सोशलिस्ट रिपब्लिकन एसोसिएशन या आर्मी (Hindustan Socialist Republican Association or Army, HSRA, दिल्ली, सितंबर 1928)

चंद्रशेखर आजाद ने हिंदुस्तान रिपब्लिकन आर्मी के युवा क्रांतिकारियों को एक नए समूह के समर्थन से पुन: संगठित किया। इस नए समूह में पंजाब से **भगत सिंह, सुखदेव, भगवती चरण वोहरा** तथा संयुक्त प्रांत से **विजय कुमार सिन्हा, शिव वर्मा, यशपाल** व **जयदेव कुमार** शामिल थे। यह सभी प्रथम स्तर के विद्वान थे। चंद्रशेखर आजाद एवं यशपाल की सहायता से भगवती चरण वोहरा द्वारा क्रांतिकारी विचारों पर एक लोकप्रिय किताब **द फिलॉसफी ऑफ बम** (The Philosophy of Bomb) लिखी गई। इसने क्रांति को पुन: परिभाषित किया, 'स्वाधीनता; सामाजिक, राजनीतिक एवं आर्थिक...समाज के एक ऐसे नए स्वरूप को स्थापित करने का लक्ष्य, जिसमें राजनीतिक व आर्थिक शोषण असम्भव होगा।'

ये क्रांतिकारी 9 एवं 10 सितंबर 1928 को दिल्ली के **फिरोजशाह कोटला मैदान** में मिले और **हिंदुस्तान रिपब्लिकन एसोसिएशन या आर्मी** (एच.आर.ए.) का नाम परिवर्तित कर **हिंदुस्तान सोशलिस्ट रिपब्लिकन एसोसिएशन या आर्मी** (एच.एस.आर.ए.) रखा व अपने लक्ष्य के रूप में समाजवाद को स्वीकार किया। अत: सदस्यों ने अपनी गतिविधियों के लिए धन जुटाने के लिए शासकीय कोषालयों को लूटने का निर्णय लिया, न की निजी व्यक्तियों को।

चंद्रशेखर आजाद (1906-1931)- चंद्रशेखर आजाद का जन्म मध्य प्रदेश के अलीराजपुर जिले के भांवर (भाबरा) नामक गांव में हुआ था। उनका वास्तविक नाम चंद्रशेखर तिवारी था। जब वे 1921 में असहयोग आंदोलन में शामिल हुए, तो केवल 15 वर्ष के थे। जब उन्हें गिरफ्तार करके मजिस्ट्रेट के समक्ष प्रस्तुत किया गया, तो उन्होंने अपना नाम आजाद, पिता का नाम स्वतंत्र और अपने घर का पता जेल बताया। उस दिन से उन्हें आजाद नाम से जाना गया। असहयोग आंदोलन के अचानक से वापस लिए जाने पर आजाद बहुत निराश हुए और राम प्रसाद बिस्मिल के नेतृत्व में नवगठित हिंदुस्तान रिपब्लिकन आर्मी में शामिल हुए। एक क्रांतिकारी के रूप में लंबे समय तक **पंडित हरिशंकर ब्रह्मचारी** के नाम से छिपकर रहते रहे।

चंद्रशेखर आजाद

सांडर्स हत्या प्रकरण या द्वितीय लाहौर षड्यंत्र प्रकरण

हिंदुस्तान सोशलिस्ट रिपब्लिकन आर्मी व्यक्तिगत वीरतापूर्ण कार्य से तेजी से दूर निकलकर एक जन-आधारित सशस्त्र संघर्ष की योजना बना रही थी। इसी बीच 30 अक्टूबर 1928 को साइमन कमीशन के विरुद्ध प्रदर्शन के दौरान क्रूरता से लाठी चार्ज हुआ, जिसके परिणामस्वरूप लाला लाजपत राय की मृत्यु हुई। पंजाब के महान नेता व **शेर-ए-पंजाब** के नाम से विख्यात राय की इस तरह से हुई मृत्यु को युवा क्रांतिकारियों द्वारा एक राष्ट्रीय अपमान के रूप में देखा गया और उन्होंने एक बार पुनः व्यक्तिगत वीरतापूर्ण कार्य के द्वारा इस मृत्यु का प्रतिशोध लेने का निर्णय लिया।

17 दिसंबर 1928 को लाहौर में **भगत सिंह, चंद्रशेखर आजाद, सुखदेव** एवं **राजगुरु** ने जेम्स स्कॉट (जिसने लाठी चार्ज का आदेश दिया था) के स्थान पर एक पुलिस अधिकारी सांडर्स की हत्या कर दी। क्रांतिकारी गिरफ्तारी से बचकर फरार हुए और उन्हें भगवती चरण वोहरा की पत्नी दुर्गावती देवी (दुर्गा भाभी) के द्वारा शरण दी गई।

यद्यपि हत्या के बाद क्रांतिकारी फरार हो गए थे, लेकिन अधिकारियों ने उन्हें पकड़ने के लिए लाहौर में कोहराम मचा दिया। अपने द्वारा किए गए कार्यों के परिणामस्वरूप लोगों को उत्पीड़ित देखकर हिंदुस्तान सोशलिस्ट रिपब्लिकन आर्मी की पंजाब इकाई ने नाममात्र का अपराध करने एवं गिरफ्तारी देने के लिए दो स्वयंसेवकों को भेजने का निर्णय लिया। इस निर्णय को क्रियान्वित करते हुए 8 अप्रैल 1929 को भगत सिंह एवं बटुकेश्वर दत्त ने केंद्रीय विधानसभा में हानिरहित बम फेंके। जिसे विधानसभा बम प्रकरण के नाम से जाना गया।

विधानसभा बम प्रकरण

हिंदुस्तान सोशलिस्ट रिपब्लिकन आर्मी ने निम्न उद्देश्यों की पूर्ति के लिए दो स्वयंसेवकों को गिरफ्तारी हेतु भेजने का निर्णय लिया-

- इस छवि को मिटाना कि लाहौर की जनता को उनके कार्यों के कारण कष्ट सहन करना पड़ रहा था।
- अपनी नई विचारधारा एवं हिंदुस्तान सोशलिस्ट रिपब्लिकन आर्मी के कार्यक्रम को प्रसारित करने के लिए इस प्रकरण की सुनवाई का उपयोग करना।
- जनता द्वारा क्रांति की आवश्यकता के संबंध में जागरूकता फैलाना।
- दो सरकारी विधेयकों (**पब्लिक सेफ्टी बिल व ट्रेड डिसप्यूट बिल**) के विरुद्ध प्रदर्शन करना। इन विधेयकों के द्वारा जनता एवं मजदूरों की नागरिक स्वतंत्रता कम होना प्रस्तावित थी।

उपर्युक्त लक्ष्यों की प्राप्ति के लिए, आर्मी के नेताओं ने भगत सिंह एवं बटुकेश्वर दत्त को केंद्रीय विधान सभा में हानिरहित बम फेंकने के लिए प्रतिनिधि चुना। बम फेंकने का उद्देश्य किसी को मारना नहीं, बल्कि फ्रांसीसी अराजकतावादी शहीद वेलिअन्त के शब्दों में यह प्रदर्शित करना था कि 'बहरों को सुनाने के लिए ऊंची आवाज की आवश्यकता होती है।' (अत: बम के साथ जो उन्होंने पर्चे सभा में फेंके, उसमें लिखा हुआ था, 'बहरों को सुनाने के लिए'।)

8 अप्रैल 1929 को भगत सिंह एवं बटुकेश्वर दत्त ने सभा में बहुत ही कमजोर व हानि रहित बम फेंका और वहां से भागने का कोई प्रयास नहीं किया। केंद्रीय सभा बम प्रकरण की सुनवाई के दौरान पुलिस ने सांडर्स हत्याकांड को भी शामिल किया और अनेक क्रांतिकारियों के साथ भगतसिंह, सुखदेव, राजगुरु के विरुद्ध मुकदमा चलाया गया।

जतीन्द्र नाथ दास, HSRA

द्वितीय लाहौर षड्यंत्र प्रकरण की सुनवाई

(प्रथम लाहौर षड्यंत्र प्रकरण से भ्रमित न हों, जो कि 1915 में गदर षड्यंत्र के असफल होने के बाद हुआ था)

तीनों ने अपनी सुनवाई को प्रचार-प्रसार का एक मंच बना दिया। उन्होंने न्यायालय में साहसिक बयान दिए, जिन्हें प्रेस के द्वारा प्रकाशित किया गया और जनता द्वारा बड़ी उत्साह के साथ पढ़ा

गया। वे अदालत में प्रतिदिन प्रवेश करते समय 'इंकलाब जिंदाबाद' (क्रांति अमर रहे), 'साम्राज्यवाद मुर्दाबाद', 'सर्वहारा जिंदाबाद' के नारे लगाते थे और 'सरफरोशी की तमन्ना अब हमारे दिल में है' व 'मेरा रंग दे बसंती चोला' जैसे गीत गुनगुनाते थे। आश्चर्यजनक रूप से, उनके निडर व्यवहार ने उनका भी दिल जीता, जो अहिंसा में विश्वास रखते थे।

जेल में भूख हड़ताल- जेल में कैदियों की दयनीय स्थिति के विरुद्ध उनकी दीर्घकालीन भूख हड़ताल ने पूरे देश में सनसनी मचा दी थी। उनकी मांग थी कि यूरोपियन कैदियों के समान ही भारतीय राजनीतिक कैदियों के साथ समानता का व्यवहार होना चाहिए। जब इस भव्य भूख हड़ताल के **64वें दिन जतिन दास (जतीन्द्र नाथ दास) की भूख हड़ताल से मृत्यु हुई,** तो पूरा देश शोक में डूब गया और इसके बाद देश भर में अभी तक के इतिहास के सबसे बड़े प्रदर्शन हुए।

लाहौर षड्यंत्र प्रकरण में अनेक क्रांतिकारियों को दोषी ठहराया गया। उनमें से अधिकतर को अंडमान के केंद्रीय जेल में लंबे कारावास के लिए भेज दिया गया, जबकि भगत सिंह, सुखदेव और राजगुरु को **23 मार्च 1931** को फांसी पर लटका दिया गया। उनकी फांसी से पूरे देश में दुःख का पहाड़ टूट पड़ा था। हजारों लोगों की आंखों से आंसू फूट पड़े और उन्होंने उस दिन भोजन और कामकाज का त्याग कर दिया। अनेक वर्षों तक भगत सिंह के साहस की कहानी सुनाई जाती रही, उनके गीतों को गाया गया और वे एक वीर, एक शहीद और एक किंवदंती बन गए। उतरी भारत में भगत सिंह की लोकप्रियता इतनी अधिक बढ़ गई थी कि कुछ समय के लिए उन्हें गांधी के एक प्रतिद्वंदी के रूप में देखा जाने लगा था।

भगत सिंह का योगदान- क्रांतिकारी आतंकवाद की विचारधारा में एक बड़ा बदलाव तब आया, जब भगत सिंह, सुखदेव, भगवती चरण वोहरा, विजय कुमार सिंह एवं शिव वर्मा जैसे क्रांतिकारी समाजवादी एवं मार्क्सवादी विचारों की ओर आकर्षित हुए।

भगत सिंह
(1907-1921), HSRA

भगत सिंह, जिन्हें **शहीद** भगत सिंह भी कहा जाता है, का जन्म एक प्रख्यात देश-भक्त परिवार में पंजाब के लायलपुर जिले में हुआ। उनके पिता एक कांग्रेसी तथा उनके चाचा अजीत सिंह एक प्रसिद्ध क्रांतिकारी थे। उनके दादा आर्य समाज के अनुयायी, जबकि उनके पिता एवं चाचा गदर पार्टी के सदस्य थे। युवा भगत पर इन दोनों आंदोलनों का प्रभाव पड़ा। वे अपने समय के बहुत अधिक अध्ययन करने वाले राजनीतिक नेताओं में से एक थे। उन्होंने समाजवाद पर बहुत अधिक साहित्य पढ़ा और वे लाहौर के द्वारकादास पुस्तकालय में घंटों समय व्यतीत करते थे। असहयोग आंदोलन (1922) स्थगित होने से निराश होकर वे क्रांतिकारियों के समूह में शामिल हो गए थे।

वैचारिक पुनर्विचार (Ideological Rethinking)- 1929 में अपनी गिरफ्तारी के पहले ही भगतसिंह ने आतंकवाद एवं व्यक्तिगत वीरतापूर्ण कार्यों में आस्था का त्याग कर दिया था। वे इस बात से सहमत थे कि इन विधियों से कुछ प्राप्त नहीं हो सकता और केवल जन आधारित विधियों के द्वारा ही भारत को आजाद किया जा सकता है। यही कारण है कि भगत सिंह ने मैजिनी के युवा इटली आंदोलन की तर्ज पर एक समाजवादी युवा संगठन **'नौजवान भारत सभा'** (1926, वे स्वयं इसके संस्थापक सचिव बने) की स्थापना की। इस सभा को छात्र-छात्राओं, किसानों एवं श्रमिकों के बीच राजनीतिक कार्य करने के लिए बनाया गया था। बाद में सभा की बैठकों में अपने राजनीतिक भाषण में जान डालने के लिए उन्होंने **जादुई लालटेन** (Magic Lantern) का उपयोग किया। भगत सिंह एवं सुखदेव ने विद्यार्थियों की राजनीतिक शिक्षा के लिए **लाहौर स्टूडेंट्स यूनियन (Lahore Student's Union)** भी गठित किया था।

क्रांति को पुनः परिभाषित करना- सिंह ने खुले तौर पर आतंकवाद के विरुद्ध कोई घोषणा नहीं की थी, क्योंकि वे उन आतंकवादी क्रांतिकारी नेताओं से जुड़ी वीरतापूर्ण बलिदान की भावनाओं को ठेस नहीं पहुंचाना चाहते थे, जिन्होंने अपना जीवन न्यौछावर कर दिया था। वास्तव में, भगत सिंह एवं उनके कॉमरेड्स (साथियों) ने क्रांति के अर्थ को आक्रामकता अथवा हिंसा के उपयोग से अलग एक नए रूप में परिभाषित किया था। उनकी सुनवाई के दौरान उन्होंने क्रांति के अर्थ को स्पष्ट किया कि 'एक ऐसा उग्र परिवर्तन, जो समाज को समाजवादी आधार पर पुनर्गठित और मनुष्य के द्वारा मनुष्य के, राष्ट्र के द्वारा राष्ट्र के शोषण को समाप्त करेगा।'

धर्म एवं सांप्रदायिकता पर विचार- भगत सिंह उस समय के कुछ समकालीन नेताओं में से एक थे, जो सांप्रदायिकता के खतरे को पूर्णतया समझ चुके थे। उन्होंने लाला लाजपत राय की भी आलोचना की थी, जब वे 1924 के बाद सांप्रदायिक राजनीति की ओर मुड़ गए थे। चूंकि भगत सिंह उनकी खुले तौर पर आलोचना नहीं कर सकते थे, तो उन्होंने उनके विरुद्ध राजनीतिक-वैचारिक अभियान चलाया। उन्होंने **'द लॉस्ट लीडर'** (The Lost Leader) नाम से एक प्रचार-पुस्तिका छपवाई। यह पुस्तिका रॉबर्ट ब्राउनिंग की लोकप्रिय कविता पर आधारित थी, जिसमें ब्राउनिंग, वर्ड्सवर्थ (जो स्वतंत्रता के विरोधी हो गए थे) की आलोचना करते हैं। यह कविता इस पंक्ति से शुरू होती है कि 'कुछ चांदी के लिए उन्होंने हमें छोड़ दिया।' आगे, भगत सिंह ने नौजवान भारत सभा के दो नियम बनाए-

पहला, सांप्रदायिक विचारों को प्रसारित करने वाली सांप्रदायिक संस्थाओं से हमारा कुछ लेना-देना नहीं होगा व दूसरा, धर्म को मनुष्य का व्यक्तिगत मुद्दा मानते हुए जनता के बीच सहिष्णुता की भावना का निर्माण करना। वे चाहते थे कि लोग धर्म एवं अंधविश्वास की बेड़ियों को काटें तथा आलोचनात्मक व स्वतंत्र सोच को विकसित करें। अपनी शहादत के कुछ समय पहले उन्होंने एक लेख **''मैं नास्तिक क्यों हूं''** लिखा, जिसमें उन्होंने धर्म की आलोचना की और नास्तिकता व भौतिकवाद पर अपनी आस्था की घोषणा की।

इसी प्रकार हिंदुस्तान सोशलिस्ट रिपब्लिकन आर्मी ने 1929 में अपने घोषणा पत्र में घोषणा की, 'सर्वहारा वर्ग (Proletariat) की आशा अब समाजवाद में केंद्रित है, जो पूर्ण स्वतंत्रता की स्थापना की ओर ले जा सकता है और सभी प्रकार की सामाजिक विभिन्नताओं व विशेषाधिकारों को समाप्त कर सकता है।'

बंगाल में क्रांतिकारी (Revolutionaries in Bengal)

1922 के बाद क्रांतिकारियों की दूसरी धारा बंगाल में उदित हुई। बंगाल में क्रांतिकारियों ने भूमिगत रूप से कार्य करने को प्राथमिकता दी और साथ ही में प्रांतीय स्तर पर गांव में कांग्रेस के लिए भी कार्य करते रहे । छोटे शहरों एवं गांवों में कांग्रेस के संगठनात्मक आधार के रूप में कार्य करते हुए, वे कांग्रेस के जनाधार के संपर्क में आने में सक्षम हो गए । वास्तव में, उन्होंने सी. आर. दास के स्वराजी कार्यक्रम में सहयोग किया और अनेक वर्षों तक दास क्रांतिकारियों एवं कांग्रेस के बीच एक भावनात्मक कड़ी के रूप में कार्य करते रहे। उनकी मृत्यु के बाद कांग्रेस दो समूहों में विभाजित हुई- एक का नेतृत्व सुभाष चंद्र बोस एवं अन्य का नेतृत्व जे. एम. सेनगुप्ता ने किया। क्रांतिकारी भी दो भागों- युगांतर एवं अनुशीलन, में बंट गए थे। युगांतर ने बोस समूह का और अनुशीलन ने सेनगुप्ता समूह का समर्थन किया।

अब बंगाल के क्रांतिकारियों का भी व्यक्तिगत वीरतापूर्ण कार्य की विधि से मोहभंग हो चुका था। हालांकि, व्यवहार में कुछ घटनाओं में अब भी इस विधि का उपयोग किया जा रहा था। इस तरह का कार्य जनवरी 1924 में हुआ, जब कलकत्ता के अलोकप्रिय पुलिस कमिश्नर **चार्ल्स टेगार्ट** की हत्या करने का प्रयास किया गया। क्रांतिकारी **गोपीनाथ शाह** को बहुत अधिक विरोध के बावजूद गिरफ्तार कर फांसी पर लटका दिया गया। सरकार हरकत में आई और बड़े स्तर पर दमन प्रारंभ किया गया। बड़ी संख्या में कांग्रेसियों को गिरफ्तार किया गया, जिनमें **सुभाषचंद्र बोस** भी शामिल थे। इन कांग्रेसियों पर क्रांतिकारियों के प्रति सहानुभूति दिखाने का संदेह था।

सभी मुख्य नेताओं के जेल जाने के बाद क्रांतिकारी गतिविधियों में एक पतन देखा गया। इस पतन का कारण क्रांतिकारी समूहों, विशेषकर युगांतर एवं अनुशीलन के बीच लगातार मतभेद होना भी था ।

1926 के बाद अनेक क्रांतिकारियों को रिहा कर दिया गया और एक बार पुन: उन्होंने स्वयं को 'विद्रोह समूहों' के रूप में पुनर्संगठित करना शुरू किया। इन समूहों में सबसे प्रमुख था –सूर्य सेन के नेतृत्व में चिटगांव समूह। ये समूह **रूसी एवं आयरिश** क्रांतिकारियों से भी प्रभावित थे।

चटगांव शस्त्रागार लूट (18 अप्रैल 1930)

सूर्य सेन

(1894-1934)

सूर्य सेन एक असहयोगी थे और उन्होंने बाद में चिटगांव के एक गांव में एक राष्ट्रीय विद्यालय में एक शिक्षक के रूप में कार्य किया । यही कारण था कि उन्हें **'मास्टर दा'** के नाम से भी जाना गया। 1926 में उन्हें क्रांतिकारी गतिविधियों के कारण गिरफ्तार किया गया और 1928 में वे रिहा हुए। अपनी रिहाई के बाद यद्यपि वे निरंतर कांग्रेस के साथ कार्य करते रहे, लेकिन साथ ही वे अनेक युवा क्रांतिकारियों जैसे **गणेश घोष, अंबिका चक्रवर्ती, अनंत सिंह** एवं **लोकनाथ पाल** के संपर्क में आए। इन सबने एक साथ मिलकर ब्रिटिश शासन के विरुद्ध एक सशस्त्र विद्रोह की योजना बनाई। उन्होंने हथियार प्राप्त करने के लिए शस्त्रागारों को लूटने का निर्णय लिया और सबसे पहले चटगांव शस्त्रागार को चुना।

चटगांव में दो मुख्य शस्त्रागारों को लूटने की योजना थी। इसके लिए उन्होंने चिटगांव शाखा की **इंडियन रिपब्लिकन आर्मी (Indian Republican Army)** के नाम से छापामार की कार्रवाई की। 18 अप्रैल 1930 की रात को चटगांव शस्त्रागार पर 65 क्रांतिकारियों द्वारा छापा मारकर लूट की गई। गणेश घोष के 6 युवाओं के छोटे समूह ने पुलिस शस्त्रागार पर कब्जा कर लिया था। सभी क्रांतिकारी पुलिस शस्त्रागार के बाहर एकत्रित हुए, जहां सूर्य सेन ने **राष्ट्रीय ध्वज** फहराया और उन्होंने स्वयं को अस्थायी क्रांतिकारी सरकार का अध्यक्ष घोषित किया गया।

अपेक्षित पुलिस कार्यवाही को जानकर क्रांतिकारियों ने शहर को छोड़ा और चटगांव पर्वत श्रेणियों में शरण ली। 22 अप्रैल को **जलालबाद पहाड़ी** पर ब्रिटिश टुकड़ियों ने उन्हें घेर लिया। दोनों पक्षों के बीच कड़ा मुकाबला हुआ और फलस्वरूप 12 क्रांतिकारी एवं 80 ब्रिटिश सैनिक मारे गए। सूर्य सेन ने अब पड़ोसी गांवों में तितर-बितर होकर गोरिल्ला युद्ध लड़ने का निर्णय लिया। पुलिस के द्वारा अनेक संयुक्त कार्यवाहियों के बावजूद ग्रामीणों (अधिकतर मुस्लिम) की सहायता से वे 3 वर्ष तक पुलिस से बचे रहने में सफल रहे। सूर्य सेन को अंतत: गिरफ्तार कर लिया गया और उन पर मुकदमा चलाया गया। उन्हें 12 जनवरी 1934 को फांसी पर लटका दिया गया।

चिटगांव शस्त्रागार लूट ने बंगाल में एक बहुत बड़ा प्रभाव छोड़ा। बंगाली जनता के लगभग प्रत्येक वर्ग (जिनमें नौकरशाह, पुलिस व सेना भी शामिल थी) को प्रभावित किया। इस घटना से बंगाल में क्रांतिकारी गतिविधियां बड़े स्तर पर पुनर्जीवित हुईं और 3 वर्षों- 1930, 1931 एवं 1932 में 22 अधिकारियों एवं 20 गैर-अधिकारियों की मृत्यु हुई। केवल मिदनापुर में ही तीन ब्रिटिश मजिस्ट्रेट एवं दो पुलिस महानिरीक्षकों को मार दिया गया था।

सरकार द्वारा दमन

सरकार ने कड़े दमन के साथ प्रतिक्रिया दी और आतंक के शासन जैसा माहौल बना दिया। इसके लिए उन्होने 20 दमनकारी कानूनों का उपयोग किया। चटगांव में अनेक गांवों को जला दिया गया और अन्य अनेक गांवों पर जुर्माना लगाया गया। 1933 में **जवाहरलाल नेहरु को गिरफ्तार** किया गया और उन पर क्रांतिकारियों की वीरतापूर्ण कार्यों की प्रशंसा एवं शासकीय दमन की निंदा करने के अपराध में राजद्रोह का मुकदमा चलाया गया। उन्हें इस अपराध के लिए 2 वर्ष के कारावास की सजा दी गई।

बंगाल में क्रांतिकारी आतंकवाद के द्वितीय चरण के नए पक्ष

बंगाल में क्रांतिकारी आंदोलन के नए दौर ने तीन तरह से प्रगति प्राप्त की- महिलाओं की सहभागिता, सामूहिक कार्रवाई के प्रति बढ़ता रुख और मुस्लिम समुदाय का समर्थन।

- **महिलाओं की सहभागिता**- बड़ी संख्या में महिलाओं की सहभागिता बंगाल में क्रांतिकारी आंदोलन का एक विलक्षण पक्ष था। महिलाओं ने शरण दी, संदेशवाहक की तरह कार्य किया, हथियारों का संरक्षण किया और यहां तक कि हाथों में बंदूक उठाकर लड़ाई भी की।
  - चटगांव के पहाड़ताली में रेलवे संस्थान पर छापामार की कार्यवाही के दौरान **प्रीतिलता वाडेकर** की मृत्यु हुई।
  - सूर्य सेन के साथ **कल्पना दत्त** (जोशी) को गिरफ्तार कर मुकदमा चलाया गया। उन्हें आजीवन कारावास की सजा दी गई।
  - 2 दिसंबर 1931 को 2 स्कूली छात्राओं, **शांति घोष एवं सुनीति चौधरी**, ने जिला मजिस्ट्रेट की गोली मारकर हत्या कर दी।
  - फरवरी 1932 में **बीना दास** ने दीक्षांत समारोह में अपनी डिग्री प्राप्त करने के दौरान गवर्नर पर गोली चलाई।
- **सामूहिक कार्रवाई की ओर बढ़ता रुख**- बंगाली क्रांतिकारियों ने एक महत्वपूर्ण प्रगति यह है की, कि अब वे व्यक्तिगत वीरतापूर्ण कार्यों अथवा हत्याओं को छोड़कर सामूहिक कार्य व सशस्त्र विद्रोह की ओर बढ़ने लगे।
- **मुस्लिम समुदाय का समर्थन**- बंगाल के क्रांतिकारियों की एक अन्य प्रगति यह भी थी कि उन्होंने उनके पूर्वजों द्वारा प्राप्त हिंदू छवि को पीछे छोड़ते हुए मुसलमानों का अपने क्रांतिकारी कार्यों में समर्थन हासिल किया। अनेक विद्रोह-समूहों में मुसलमान भी शामिल हुए।
  - चटगांव समूह में अमीर अहमद, सत्तार, फकीर अहमद मियां एवं तुनु मियां जैसे मुसलमान शामिल थे।
  - सूर्य सेन एवं उनके सहयोगियों का ग्रामीण मुसलमानों ने सक्रिय समर्थन किया था।
  - विद्रोह-समूहों में से एक समूह की स्थापना कलकत्ता के अब्दुल रज्जाक खान ने की।
  - सिराजुल हक एवं हामिद-उल-हक को उनकी क्रांतिकारी गतिविधियों के कारण अंडमान में सजा के लिए भेजा गया ।
  - डॉ. फजलुल कादिर चौधरी ने हिजली डकैती में सहभागिता की और उन्हें भी अंडमान भेजा गया।
  - रजिया खातून भी युगांतर एवं अनुशीलन समितियों से जुड़ी थीं।

क्रांतिकारी आतंकवादी आंदोलन का पतन (Decline of Revolutionary Terrorist Movement)

1930 के दशक में अनेक कारणों से क्रांतिकारी आतंकवादी आंदोलन का क्रमिक रूप से पतन होने लगा -

- सरकार के दमन ने क्रांतिकारी समूहों का नाश कर दिया। उनमें से अधिकतर अब जेल में थे और कुछ अंडमान की केंद्रीय जेल में अपनी सजा काट रहे थे। वास्तव में, व्यापार संघ एवं साम्यवादी आंदोलनों के साथ भी ऐसी ही उग्रता से व्यवहार किया गया।
- 27 फरवरी 1931 को इलाहाबाद के अल्फ्रेड पार्क (अब **आजाद पार्क**) में पुलिस के एनकाउंटर में चंद्रशेखर आजाद की मृत्यु हुई। उनकी शहादत के साथ ही उत्तरी भारत में क्रांतिकारी आंदोलन का आभासी अंत हो गया था।
- सूर्य सेन के शहीद होने के साथ ही बंगाल में क्रांतिकारी आंदोलन की समाप्ति हुई ।

- क्रांतिकारियों (उनमें से अधिकतर जेल में सजा काट रहे थे) ने पहले से ही अपने संघर्ष के तरीकों के बारे में मंथन करना शुरू कर दिया था। उनमें से अनेक (जैसे भगत सिंह) मार्क्सवाद और समाजवाद की ओर बढ़े, कुछ क्रांतिकारी राजनीतिक दलों जैसे कम्युनिस्ट पार्टी, कांग्रेस समाजवादी दल, क्रांतिकारी समाजवादी दल एवं अन्य दलों में शामिल हुए और कुछ ने कांग्रेस के गांधीवादी समूह की सदस्यता ग्रहण की।
- कुल मिलाकर, राष्ट्रीय आंदोलन की मुख्य धारा अब गांधीवादी विचारधारा के अंतर्गत आ चुकी थी, जो पूर्णरूप से अहिंसक संघर्ष के लिए समर्पित थी।

क्रांतिकारी आतंकवादी आंदोलन का महत्व (Significance of the Revolutionary Terrorist Movement)

निःसंदेह, क्रांतिकारी आतंकवादी आंदोलन का दूसरा दौर ब्रिटिश शासन को हिंसक तरीके से समाप्त करने अथवा जन-आधारित सशस्त्र संघर्ष को संगठित करने के अपने उद्देश्य को प्राप्त करने में असफल रहा, लेकिन फिर भी अनेक प्रकार से उन्होंने राष्ट्रीय आंदोलन में महत्वपूर्ण सहयोग किया। उन्होंने भारतीय जनता में देश भक्ति और बलिदान की भावनाओं को पुनर्जीवित करने में सफलता प्राप्त की। उन्होंने भारतीय युवाओं को साहस व वीरतापूर्ण कार्यों के लिए प्रेरित किया और उनमें गर्व व आत्मविश्वास की भावना को पुनः संचारित किया।

क्रांतिकारियों का दूसरा चरण केवल पुनरुत्थानवादी नहीं था। वे उच्चस्तरीय बुद्धिजीवी थे, जिन्होंने आंदोलन को एक समाजवादी अभिमुखीकरण देने में सफलता प्राप्त की। **'इंकलाब जिंदाबाद'** का नारा, जो बाद में स्वतंत्रता आंदोलन का मुख्य नारा बन गया था, सबसे पहले क्रांतिकारियों ने ही लोकप्रिय बनाया था। अनेक राष्ट्रवादी नेताओं ने (जिनमें गांधी भी शामिल थे) उनकी देशभक्ति, साहस और भारतीय जनता के प्रति प्रेम की सराहना की। गांधी ने कहा था, 'भगतसिंह के साहस एवं बलिदान के समक्ष हमारे सिर झुके हुए हैं'। अखिल भारतीय कांग्रेस समिति ने 18 अगस्त 1929 को पूरे देश में **'राजनीतिक पीड़ितों के दिवस' (Political Sufferers, Day)** के रूप में याद किया।

अध्याय 13

भारत में वामपंथी आंदोलन का विकास (Growth of the Left Movement in India)

पृष्ठभूमि

1917 में रूसी क्रांति के परिणामस्वरूप निरंकुश जार शासन की समाप्ति हुई और पहले समाजवादी राज्य (Socialist State) की स्थापना हुई। रूस ने आगे चीन एवं एशिया के अन्य भागों पर अपने दावे का त्याग करके विश्व को अचंभित कर दिया। समाजवादी विचारों ने सबको, विशेषकर एशिया की जनता को, आकर्षित किया। भारत में इसने असहयोगियों, क्रांतिकारियों एवं बेरोजगार युवाओं को आकर्षित किया।

समाजवादी विचार भारतीयों के मन-मस्तिष्क में गहरे उतरने लगे थे। मुख्य रूप से, जवाहरलाल नेहरू एवं सुभाषचंद्र बोस ने इन विचारों को आत्मसात किया। 1920 के दशक में किसान एवं मजदूरों के आंदोलन तेजी से विकसित होने लगे थे। 1930 के दशक की आर्थिक मंदी के दौरान समाजवादी विचारों को और अधिक लोकप्रियता मिली।

इस पृष्ठभूमि में, 1920 के अंत और 1930 के प्रारंभ में भारत में वामपंथी दलों का उद्‌भव हुआ, जिसने स्वतंत्रता-संघर्ष एवं सामाजिक-आर्थिक मुक्ति के लिए संघर्ष को एक साथ मिला दिया। दो मुख्य दल, भारतीय साम्यवादी दल (कम्युनिस्ट पार्टी ऑफ इंडिया) एवं कांग्रेस समाजवादी दल (कांग्रेस सोशलिस्ट पार्टी) उभरे।

1929, 1936 व 1937 में जवाहरलाल नेहरू एवं 1938 व 1939 में कांग्रेस अधिवेशनों में सुभाष चंद्र बोस का कांग्रेस अध्यक्ष पद के लिए चुना जाना तथा कांग्रेस सोशलिस्ट पार्टी का उद्‌भव होना, उस समय कांग्रेस में भी वामपंथी प्रवृत्ति को दर्शाता है।

वामपंथ (Left) का अर्थ

वामपंथ शब्द के पीछे, इतिहास के साथ-साथ एक विचारधारा भी है। फ्रांसीसी क्रांति के दौरान फ्रांस की राष्ट्रीय सभा में तीन समूह थे- रूढ़ीवादी समूह (जो राजतंत्र एवं कुलीन वर्ग का समर्थक था और उनकी शक्तियों में कोई कमी नहीं चाहता था), उदारवादी समूह (जो शासन में सीमित सुधारों का समर्थक था) और उग्रवादी समूह (जो शासन की व्यवस्था में बहुत बड़ा बदलाव चाहता था, जैसे- संविधान को अपनाना और राजा की शक्तियों को सीमित करना)।

फ्रांसीसी सभा में बैठक व्यवस्था

फ्रांसीसी सभा में रूढ़िवादी स्पीकर के दाहिने ओर बैठे, उग्रवादी उसके बाएं (वाम) ओर बैठे तथा उदारवादी मध्य में। तब से वाम या वामपंथ शब्द राजनीतिक शब्द कोश में जोड़ा गया।

वामपंथी (Leftist)- वामपंथी ऐसे समूह (आंदोलन एवं विचारधारा) थे, जो समाज के शोषित वर्गों के हितों को ध्यान में रखते हुए सामाजिक-आर्थिक संरचना में उग्र सुधार चाहते थे।

दाक्षिणपंथी (Rightists)- दाक्षिणपंथी ऐसे समूह थे, जो अपने हित के लिए वर्तमान सामाजिक-आर्थिक व्यवस्था में किसी भी परिवर्तन का विरोध करते थे।

नरमदलवादी (Centrists)- ये वे समूह थे, जो सामाजिक-आर्थिक व्यवस्था में सीमित परिवर्तन चाहते थे।

सामान्यतया, **वामपंथ को समाजवाद** (Socailsim) का पर्याय माना जाता है, क्योंकि समाजवाद एक ऐसी विचारधारा है, जिसका उद्देश्य श्रमिकों का उत्थान एवं उन्हें उनके नियोक्ताओं, जैसे- पूंजीपतियों, के शोषण से संरक्षित करना है।

समाजवाद का अर्थ (Meaning of Socialism)

समाजवाद एक ऐसी विचारधारा है जिसका लक्ष्य कुछ शक्तिशाली अल्पसंख्यकों के द्वारा विशाल असहाय मानवता पर हो रहे शोषण को समाप्त करना है। अत: इसका उद्देश्य समाज में पूर्ण सामाजिक व आर्थिक समानता स्थापित करना है। यह समाज का एक ऐसा स्वरूप है, जो एक सर्वहारा क्रांति के द्वारा पूंजीवादी व्यवस्था को समाप्त करने के बाद स्थापित होगा। चूंकि यह पूंजीवाद ही है, जिसने समाजवादी आंदोलनों के विकास के लिए परिस्थितियां निर्मित कीं। अत: कोई भी समाज समाजवादी नहीं हो सकता, जब तक कि वह पूंजीवाद के दौर से न गुजरा हो।

समाजवाद उत्पादन के साधनों के निजी स्वामित्व को समाप्त कर उसके स्थान पर उत्पादन के साधनों का सार्वजनिक स्वामित्व स्थापित करता है। इसका अर्थ है कि सभी संसाधन, जो धन से निर्मित होते हैं, जैसे- भूमि, कारखाने, खदानें, बैंक इत्यादि अब एक व्यक्ति अथवा एक समूह की संपत्ति नहीं होगी। ये सभी संसाधन अब पूरे समाज की संपत्ति होंगे। हालांकि, इसका यह अर्थ नहीं है कि जनता के पास व्यक्तिगत रूप से कुछ नहीं होगा। समाजवादी समाजों में जनता अपने व्यक्तिगत संसाधन जैसे घर, गाड़ी, घरेलू सामग्री रख सकते हैं। वे केवल उन वस्तुओं का उपयोग नहीं कर सकते, जिनकी वजह से अन्य लोगों के श्रम का फल उनसे छिन जाता है। वास्तव में, जैसे उत्पादन बढ़ता जाता है वैसे ही प्रत्येक व्यक्ति अधिक से अधिक व्यक्तिगत सामग्रियों का स्वामी बनता जाता है, न कि कुछ व्यक्ति।

इस प्रकार समाजवाद एक वर्ग के द्वारा दूसरे वर्ग पर होने वाले शोषण का अंत करता है और इसका आधार प्रत्येक मनुष्य की समानता है। यह समानता केवल राजनीतिक अथवा वैधिक (जैसा कि पूंजीवादी समाजों में होता है) नहीं, बल्कि सामाजिक एवं आर्थिक भी है। समाजवाद निजी संपत्ति, जो सभी असमानताओं की जड़ है, को समाप्त करके सामाजिक-राजनीतिक न्याय की स्थापना करता है।

समाजवाद धर्म एवं राजनीति के पूर्ण पृथक्करण का वादा करता है। इसका मतलब यह नहीं है कि लोग अपने व्यक्तिगत विश्वास को नहीं मान सकते। केवल वे धर्म को सार्वजनिक जीवन, राजनीति और विद्यालयों में प्रचार हेतु उपयोग नहीं कर सकते। समाजवादी समाज सभी लोगों के लिए आधारभूत सामाजिक अधिकारों, जैसे- रोजगार, विश्राम, स्वास्थ्य, सुरक्षा, वृद्धावस्था में सुरक्षा, रहने के लिए घर, नि:शुल्क व समान शिक्षा एवं राज्य के प्रशासन में सहभागिता के अधिकार को सुनिश्चित करता है।

समाजवाद महिलाओं को भी पूर्ण समानता प्रदान करता है। यह इस समानता के लिए भौतिक आधार निर्मित करता है, जैसे जिन महिलाओं के साथ छोटे बच्चे हों, उनके कार्य के घंटे कम करना, कार्यस्थल पर शिशु-गृह (crèche) बनाना, सार्वजनिक रसोई इत्यादि। प्रगतिशील पूंजीवादी समाज इन सुविधाओं को प्रदान करता है, लेकिन वहां ये सुविधाएं अत्यधिक मंहगी होती हैं। इसके विपरीत, एक समाजवादी राज्य सभी महिलाओं के लिए न्यूनतम मूल्य पर इन सुविधाओं की गारंटी प्रदान करता है, क्योंकि यहां बच्चों को पूरे समाज का उत्तरदायित्व माना जाता है। समाजवादी राज्य सभी राष्ट्रीय मुक्ति आंदोलनों और शोषण के विरुद्ध श्रमिकों के आंदोलनों का समर्थन करता है।

इस प्रकार समाजवादी विचार मनुष्य के जीवन के अनुभव को राजा या शासकों के दृष्टिकोण से नहीं, अपितु एक पददलित व्यक्ति के दृष्टिकोण से देखता है। यह विचाधारा समाज को रूपांतरित करने के लिए श्रमिक जनता की भूमिका पर बल देती है और एक मानवीय एवं न्यायपूर्ण समाज के निर्माण के लिए श्रमिक जनता को संगठित करना चाहती है।

भारत में वामपंथी विचारधारा के उदय एवं विकास की ओर ले जाने वाली परिस्थितियां

भारत में वामपंथ का उदय प्रथम विश्व युद्ध की समाप्ति के बाद की विशिष्ट राजनीतिक-आर्थिक परिस्थितियों से हुआ और वामपंथी विचारधाराएं राष्ट्रवादी आंदोलन के साथ मिल गईं।

1. **प्रथम विश्व युद्ध के बाद की आर्थिक मंदी-** प्रथम विश्व युद्ध की समाप्ति के बाद भारत में वस्तुओं की कीमतों में बढ़ोत्तरी हुई, लेकिन नियोक्ता वेतन बढ़ाने के इच्छुक नहीं थे। इससे मजदूरों में अत्यधिक असंतोष व्याप्त हुआ और इस प्रक्रिया में मजदूरों को अपनी राजनीतिक भूमिका का एहसास हुआ। उदाहरणस्वरूप, बॉम्बे में रौलेट एक्ट का विरोध करने के लिए मजदूरों ने हड़ताल आयोजित की। धीरे-धीरे राष्ट्रवादी नेताओं ने भी मजदूरों की समस्याओं को उठाया और 1920 में **लाला लाजपत राय** की अध्यक्षता में बॉम्बे में ऑल इंडिया ट्रेड यूनियन कांग्रेस (All India Trade Union Congress) आयोजित हुई।
2. **मार्क्स के विचार एवं 1917 की रूसी क्रांति-** विश्वभर में वामपंथी आंदोलन यूरोप के औद्योगिक क्रांति का एक परिणाम था। सबसे महत्वपूर्ण समाजवादी विचारक कार्ल मार्क्स थे। पहली समाजवादी क्रांति 1917 की रूसी क्रांति (लेनिन की अध्यक्षता में बोल्शेविक पार्टी द्वारा) थी, जिसके परिणामस्वरूप विश्व में पहले समाजवादी देश के रूप में सोवियत रूस का उद्भव हुआ।
3. **तृतीय कम्युनिस्ट इंटरनेशनल (Third Communist International या कोमिन्टर्न) का गठन-** 1919 में सोवियत संघ की सरकार ने विभिन्न देशों के साम्यवादी दलों का एक अंतरराष्ट्रीय संगठन बनाने में सहायता की, जिसे तृतीय कम्युनिस्ट इंटरनेशनल (इस तरह की दो संस्थाएं पहले ही बनाई जा चुकी थीं) कहा गया। इसका उद्देश्य दुनिया भर के साम्यवादी क्रांतियों की सहायता करना था।
4. **भारत में व्यापार संघों का उदय-** भारत में इस आंदोलन के उद्भव के पीछे ग्रेट ब्रिटेन एवं रूस जैसे देशों में होने वाले समाजवादी आंदोलनों का प्रभाव था। बॉम्बे, कलकत्ता एवं मद्रास जैसे स्थानों पर औद्योगिक विकास के कारण बड़ी संख्या में मजदूर जनसंख्या का केंद्रीकरण हुआ। धीरे-धीरे, कार्यस्थल पर बेहतर परिस्थितियों एवं उच्च वेतन की मांग के लिए मजदूरों ने स्वयं को संगठित करना प्रारंभ किया। इस प्रकार व्यापार संघों का उदय हुआ और वामपंथी राजनीतिक दलों के गठन के लिए पृष्ठभूमि तैयार हुई।
5. **गांधी एवं जन-आंदोलन-** गांधी के स्वराज एवं स्वदेशी के नारे ने राष्ट्रीय आंदोलन को एक नया अभिमुखीकरण (Orientation) प्रदान किया। गांधी प्रारंभ से ही राष्ट्रीय आंदोलन को एक जन-आंदोलन में परिवर्तित करने को तैयार थे। उनके नेतृत्व में असहयोग आंदोलन के रूप में देश ने पहला वास्तविक जन-आंदोलन देखा। पहली बार देश अपनी जनता (अर्थात किसान, जनजाति, मजदूर एवं महिला) की शक्ति के साथ खड़ा हुआ। इसने समाजवादी आंदोलन रूपी फसल को बोने के लिए उपजाऊ भूमि तैयार कर दी थी।
6. **असंतुष्ट असहयोगी, क्रांतिकारी एवं बेरोजगार युवा** भारत में वामपंथी विचारधारा ने असहयोगियों के साथ-साथ उन लोगों को भी आकर्षित किया, जो गांधीवादी दृष्टिकोण एवं स्वराजी कार्यक्रम से खुश नहीं थे। उग्रवादियों का एक वर्ग गांधी के कमजोर एवं फीके सुधारवाद से अप्रसन्नता अनुभव कर रहा था और वे अहिंसा के मार्ग को ब्रिटिश साम्राज्यवाद के विरुद्ध एक वास्तविक क्रांतिकारी जन-संघर्ष के विकास में एक बाधा के रूप में देखते थे। क्रांतिकारी, जैसे- चंद्रशेखर आजाद एवं भगत सिंह भी समाजवाद की ओर मुड़ गए थे। शिक्षित मध्यमवर्ग का एक समूह बढ़ती बेरोजगारी के कारण 19वीं शताब्दी के उदारवाद से अलगाव अनुभव कर रहा था।
7. **1929 की आर्थिक मंदी-** 1929 के वर्ष में अमेरिका ने एक विकट आर्थिक मंदी का अनुभव किया, जो 1930 के आरंभ तक पूरे विश्व में फैली चुकी थी। सभी पूंजीवादी देशों में उत्पादन एवं विदेशी व्यापार में गिरावट आई, जिससे आर्थिक तनाव एवं बड़े स्तर पर बेरोजगारी फैली। जबकि दूसरी ओर सोवियत संघ में आर्थिक स्थिति बिल्कुल विपरीत थी। वहां कोई आर्थिक समस्या नहीं थी। पहली दो पंचवर्षीय योजनाएं सफलतापूर्वक पूर्ण हो चुकी थीं और औद्योगिक उत्पादन 4 गुना बढ़ चुका था। इस प्रकार 1929 की विश्व आर्थिक मंदी से पूंजीवाद की प्रतिष्ठा को हानि पहुंची एवं समाजवाद व मार्क्सवाद की ओर लोगों का ध्यान केंद्रित हुआ।

साम्यवाद (Communism) **क्या है?**

साम्यवाद एक दार्शनिक, सामाजिक, राजनीतिक एवं आर्थिक विचारधारा और आंदोलन है, जिसका अंतिम लक्ष्य साम्यवादी समाज की स्थापना है। इस साम्यवादी समाज में ऐसी सामाजिक-आर्थिक व्यवस्था होगी, जो उत्पादन के साधनों के सार्वजनिक स्वामित्व पर आधारित होगी तथा जहां सामाजिक वर्ग, पूंजी एवं राज्य का अभाव होगा। यह विचारधारा दो जर्मन राजनीतिक दार्शनिक कार्ल मार्क्स (1818-1883) एवं उनके घनिष्ठ साथी फ्रेडरिक एंगेल्स (Friedrich Engels, 1820-1895) द्वारा 1848 में प्रकाशित **'कम्युनिस्ट मेनिफेस्टो'** (Communist Manifesto, साम्यवादी घोषणा-पत्र) पर आधारित है। एक राजनीतिक व्यवस्था के रूप में साम्यवाद को कहीं लागू नहीं किया गया।

मार्क्सवाद (Marxism) **क्या है?**

यह कार्ल मार्क्स एवं फ्रेडरिक एंगेल्स की राजनीतिक एवं आर्थिक सिद्धांतों को दर्शाता है, जिसे बाद में उनके अनुयायियों ने विकसित किया और साम्यवाद का आधार बनाया।

समाजवाद एवं साम्यवाद में अंतर- साम्यवाद एवं समाजवाद आर्थिक एवं राजनीतिक संरचनाएं हैं, जो समानता को प्रोत्साहित एवं सामाजिक वर्गों को समाप्त करने पर बल देती हैं। दोनों शब्दों को परस्पर उपयोग किया जाता है, लेकिन उनमें जहां एक ओर समाजवाद मुख्य रूप से एक आर्थिक व्यवस्था है, जो किसी भी व्यापक राजनीतिक व्यवस्था के अंतर्गत अस्तित्व में रह सकती है, जबकि साम्यवाद मुख्य रूप से एक राजनीतिक व्यवस्था है, जो एक दलीय राज्य में केंद्रित होती है और जहां सभी प्रकार के राजनीतिक असहमति पर प्रतिबंध लगा दिया जाता है। साम्यवाद को इस प्रकार समाजवाद का अधिक उग्र रूप अथवा 'कठोर वामपंथ' माना जाता है।

भारत में वामपंथी आंदोलन की दो धाराएं

भारत में वामपंथी आंदोलन दो मुख्य धाराओं में विकसित हुआ-

1. **साम्यवाद**- इसने अंतरराष्ट्रीय साम्यवादी आंदोलन की एक शाखा के रूप में कार्य किया और इस पर व्यापक रूप से कोमिन्टर्न (Comintern) का नियंत्रण था।
2. **समाजवाद**- यह वामपंथ (मुख्य रूप से भारतीय राष्ट्रीय कांग्रेस के एक कांग्रेस सोशलिस्ट पार्टी के रूप में) के रूप में कार्य करता था, जिसका उद्देश्य लोकतांत्रिक समाजवाद की स्थापना करना था।

ये दोनों आंदोलन भारत में चल रहे साम्राज्यवाद-विरोधी आंदोलन के साथ फले-फूले।

कम्युनिस्ट पार्टी ऑफ इंडिया का ग़ठन (Formation of Communist Party of India)

ऐतिहासिक पृष्ठभूमि

कम्युनिस्ट पार्टी ऑफ इंडिया की स्थापना सबसे पहले कोमिन्टर्न के तत्वाधान में ताशकंद में एम. एन. रॉय (मानवेंद्र नाथ रॉय) द्वारा की गई।

एम. एन. रॉय

एम. एन. रॉय

एम. एन. रॉय का मूल नाम **नरेंद्रनाथ भट्टाचार्य** था। विभाजन-विरोधी आंदोलन (1905) में सहभागिता करने के कारण हाई स्कूल से निकाले जाने पर नरेन्द्र अनुशीलन समिति में शामिल हुए। क्रांतिकारी के रूप में अपने लक्ष्य का अनुकरण करते हुए उन्होंने अनेक देशों की यात्रा की और 1916 के ग्रीष्मकाल में अमेरिका पहुंचे। यहां पहुंचकर उन्होंने अपना नाम परिवर्तित किया और मार्क्सवादी साहित्य का

अध्ययन किया। ब्रिटिश जासूसों द्वारा समस्या उत्पन्न करने पर वे मैक्सिको भाग गए जहां उनकी मुलाकात रूसी साम्यवादी दूत **माइकल बोरोडीन** से हुई। रॉय ने कम्युनिस्ट पार्टी ऑफ मैक्सिको गठित करने में बोरोडीन की सहायता की। रूसी साम्यवादी नेता लेनिन के आमंत्रण पर वे यहां से रूस गए।

रॉय-लेनिन वाद-विवाद

जुलाई-अगस्त 1920 में रॉय कम्युनिस्ट इंटरनेशनल के दूसरे सम्मेलन में शामिल हुए। लेनिन का मत था कि औपनिवेशिक देशों में साम्यवादियों को बुर्जुआ (मध्यमवर्ग, जिसमें धनी एवं बुद्धिजीवी वर्ग शामिल थे) राष्ट्रवादियों के द्वारा चलाए जा रहे क्रांतिकारी आंदोलनों को सक्रिय समर्थन देना चाहिए। जबकि दूसरी ओर, रॉय का विचार था कि बुर्जुआ राष्ट्रवादी प्रगति के विरोधी थे और साम्यवादियों को स्वतंत्र रूप से मजदूरों एवं किसानों के दलों का निर्माण करके साम्राज्यवाद के विरुद्ध अपने संघर्ष को जारी रखना चाहिए। अंततः निर्णय लिया गया कि साम्यवादी बुर्जुआ राष्ट्रवादियों का साम्राज्यवाद के विरुद्ध संघर्ष में समर्थन देने के साथ-साथ स्वतंत्र रूप से मजदूरों एवं किसानों के साथ कार्य करेंगे ।

एम. एन. रॉय द्वारा ताशकंद में कम्युनिस्ट पार्टी ऑफ इंडिया की स्थापना (अक्टूबर, 1920)

लेनिन द्वारा अधिकृत होकर पूर्व, विशेषकर भारत, को क्रांति के लिए तैयार करने के लिए रॉय अक्टूबर 1920 में रूस के ताशकंद (अब उज्बेकिस्तान की राजधानी) रवाना हुए, जो अफगानिस्तान से अधिक दूर नहीं था। यहां उन्होंने भारतीय सीमा की जनजातियों को ब्रिटिश शासन के विरुद्ध सशस्त्र विद्रोह के लिए प्रशिक्षित करने हेतु **सैनिक स्कूल** की स्थापना की और **कम्युनिस्ट पार्टी ऑफ इंडिया (Communist Party of India, CPI)** का गठन किया। 1921 में सीपीआई को कम्युनिस्ट इंटरनेशनल से मान्यता मिली। 1922 में रॉय ने अपनी एक पत्रिका वैनगार्ड (Vanguard) को प्रकाशित करना शुरू की, जो बाद में सीपीआई का मुखपत्र बना।

पेशावर षड्यंत्र प्रकरण (1922-1923)

ताशकंद में अन्य महत्वपूर्ण घटना हजारों मुस्लिम मुहाजिरों (तीर्थ यात्रियों) का ब्रिटिश शासन के तुर्की के सुल्तान के प्रति व्यवहार से असंतुष्ट होकर, रॉय के सैनिक स्कूल में शामिल होना थी। इन मुहाजिरों की भारत वापसी के दौरान उन्हें पुलिस द्वारा पकड़ लिया गया और उन पर पेशावर में मुकदमा चलाया गया। इस प्रकरण को पेशावर षड्यंत्र प्रकरण के नाम से जाना गया, जिसने अनेक मुहाजिरों को धार्मिक कारावास की सजा सुनाई, जिसमें मियां मोहम्मद अकबर शाह एवं गोहर रहमान खान शामिल थे।

आरंभिक साम्यवादी समूह

- **वीरेंद्रनाथ चट्टोपाध्याय, भूपेंद्रनाथ दत्त एवं बरकतुल्लाह**- ये क्रांतिकारी भारत के बाहर कार्यरत थे और मार्क्सवाद में परिवर्तित हो गए थे।
- **श्रीपद अमृत डांगे**- गांधी जी द्वारा असहयोग आंदोलन के स्थगित किए जाने के बाद कुछ असहयोगी साम्यवाद की ओर मुड़ गए थे। ऐसे एक असहयोगी श्रीपद अमृत डांगे थे, जिन्होंने बॉम्बे में एक प्रारंभिक साम्यवादी समूह संगठित किया था। डांगे ने 1921 में एक किताब **'गांधी बनाम लेनिन' (Gandhi vs Lenin)** प्रकाशित की, जिसमें उन्होंने अपनी प्राथमिकता लेनिन के प्रति अभिव्यक्त की। 1922 में उन्होंने भारत के पहले समाजवादी साप्ताहिक **'सोशलिस्ट' (Socialist)** की स्थापना की। इस पत्रिका के द्वारा 16 सितंबर 1924 को डांगे ने भारतीय राष्ट्रीय कांग्रेस के एक भाग के रूप में **'इंडियन सोशलिस्ट लेबर पार्टी' (Indian Socialist Labour Party)** के गठन की घोषणा की।

श्रीपद अमृत डांगे (सीपीआई के संस्थापक सदस्य एवं भारतीय व्यापार संघ आंदोलन के एक मुख्य नेता)

- **सिंगरावेलु चेट्टियार (Singaravelu Chettier)**- एक वृद्ध साम्यवादी वकील सिंगरावेलु चेट्टियार ने **'लेबर किसान पार्टी ऑफ हिंदुस्तान'** **(Labour Kisan Party of Hindustan**, मई 1923 मद्रास) के गठन की घोषणा की एवं एक **'लेबर किसान राजपत्र' (Labour&Kisan Gazette)** आरंभ किया।

कानपुर बोलशेविक षड्यंत्र प्रकरण (1924)

भारत में ब्रिटिश सरकार भारतीय साम्यवादियों के विरुद्ध थी। 1924 में सरकार ने चार प्रमुख साम्यवादियों **मुजफ्फर अहमद, एस. ए. डांगे, शौकत उस्मानी** एवं **नलिनी गुप्ता** के विरुद्ध एक षड्यंत्र प्रकरण चलाया। इन सब पर भारत में ब्रिटिश शासन को समाप्त करने के उद्देश्य से एक क्रांतिकारी संगठन प्रारंभ करने का आरोप लगाया गया था। इस प्रकरण को कानपुर षड्यंत्र प्रकरण कहा गया, क्योंकि इसकी सुनवाई कानपुर में हुई थी। मई 1924 को इन सभी अभियुक्तों को 4 वर्ष के कठोर कारावास की सजा दी गई।

सीपीआई (मार्क्सवादी) का ध्वज

कम्युनिस्ट पार्टी ऑफ इंडिया का गठन (26 दिसंबर 1925, कानपुर)

1 सितंबर 1924 को कानपुर में सत्यभक्त ने इंडियन कम्युनिस्ट पार्टी (भारतीय साम्यवादी दल) के गठन की घोषणा की, जिसमें वे स्वयं सचिव बने। इसके अस्थाई संविधान में पूर्ण स्वतंत्रता की प्राप्ति की घोषणा की गई एवं भारतीय समाज को साम्यवादी आधार पर पुनर्गठित करने का लक्ष्य रखा गया।

26 दिसंबर 1925 को **सत्यभक्त** ने कानपुर में साम्यवादियों का एक अखिल भारतीय सम्मेलन आयोजित किया। इस सम्मेलन की अध्यक्षता सिंगरावेलु चेट्टियार ने की। कानपुर सम्मेलन से कम्युनिस्ट पार्टी ऑफ इंडिया की औपचारिक शुरुआत हुई। कानपुर सम्मेलन में दल की एक केंद्रीय समिति बनाई गई, जिसमें एस. वी. घाटे एवं जे. पी. बर्गरहट्टा को संयुक्त सचिव बनाया गया। सीपीआई ने अपने सभी सदस्यों को कांग्रेस के सदस्य के रूप में नामांकित होने और कांग्रेस के अंदर एक मजबूत वामपंथ गठन करने को कहा। 1925 के बाद ब्रिटिश साम्यवादियों ने भारतीय साम्यवादी आंदोलन संगठित करने के लिए भारत आना शुरू किया। 1930 में सीपीआई को कम्युनिस्ट इंटरनेशनल से औपचारिक मान्यता मिली।

'मजदूर एवं किसान दल' (Workers' and Peasants' Parties/WPP) की स्थापना

प्रारंभिक साम्यवादियों का मुख्य राजनीतिक कार्य सीपीआई के मुख्य संगठन के रूप में कार्य करने हेतु कांग्रेस के अंदर मजदूर एवं किसानों के अनेक दलों को संगठित करना था। अतः बंगाल, बॉम्बे, पंजाब व मेरठ में मजदूर एवं किसानों के दल गठित किए गए-

- **लेबर स्वराज्य पार्टी (बंगाल, 1925-1926)**- यह कांग्रेस का पहला संगठन था, जिसमें किसान एवं मजदूर शामिल थे। इसका नाम बदलकर बाद में 'बंगाल किसान एवं मजदूर पार्टी' रखा गया। **काजी नजरुल इस्लाम** की सहायता से **मुजफ्फर अहमद** द्वारा इसका गठन किया गया था। काजी नजरुल इस्लाम 49वीं बंगाली रेजिमेंट के एक हवलदार थे, जिन्हें बाद में बंगाली कवि के रूप में ख्याति पर प्राप्त हुई। अहमद ने भी एक पत्रिका **नवयुग** प्रारंभ की ।
- **कांग्रेस लेबर पार्टी (बॉम्बे, 1926)**- अपने कार्यक्रम एवं विचारधारा को प्रसारित करने के लिए इसने प्रेस का उपयोग किया एवं मराठी में एक पत्र **'क्रांति'** प्रकाशित किया ।
- **कीर्ति किसान पार्टी (Kirti Kisan Party) (पंजाब, 1926)**- इस दल की अध्यक्षता सोहन सिंह जोश के द्वारा की गई और इसमें 1914 के अनेक गदर सदस्य शामिल थे। इसकी मुख्य पत्रिका **कीर्ति** (श्रमिक) थी, जिसे भाई संतोख सिंह द्वारा पहले ही स्थापित किया जा चुका था। **मेहनतकश** एक अन्य महत्वपूर्ण पत्रिका थी, जो उर्दू में प्रकाशित होती थी।
- **मजदूर एवं किसान दल (WPP) (मेरठ, अक्टूबर 1928)**- इस दल के गठन के समय ब्रिटिश साम्यवादी **फिलिप स्प्राट** शामिल हुए थे।

- 1928 तक इन सभी प्रांतीय संगठनों का नाम बदलकर मजदूर एवं किसान दल (Workers' and Peasants' party/WPP) रखा गया और इसे एक अखिल भारतीय दल में परिवर्तित कर दिया गया। सभी साम्यवादी इस दल के सदस्य थे। इसका मुख्य उद्देश कांग्रेस के अंदर कार्य करना, इसके कार्यक्रमों में उग्रता लाना एवं इसे वास्तव में 'जनता का दल' बनाना था।

  जवाहरलाल नेहरू एवं सुभाष चंद्र बोस के साथ मिलकर मजदूर एवं किसान दलों ने कांग्रेस के अंदर एक मजबूत वामपंथ के निर्माण में एक महत्वपूर्ण भूमिका निभाई और राष्ट्रीय आंदोलन को एक वामपंथी रूप प्रदान किया। साम्यवादियों ने व्यापार संघों पर भी तीव्रता से अपने प्रभाव को बढ़ाया। 1927 के दौरान खड़्कपुर में साम्यवादियों द्वारा रेलवे कार्यशाला के मजदूरों की हड़ताल कराई गई। 1928 के दौरान बॉम्बे किसान एवं मजदूर दल द्वारा एक आम हड़ताल की गई, जिसके फलस्वरूप **गिरनी कामगार संघ (Girni Kamgar Union)** की स्थापना हुई।

साम्यवादियों का सरकार द्वारा दमन (1929)

वर्ष 1928 में मजदूरों की हड़तालें अपने चरम पर पहुंच चुकी थीं और सरकार ने व्यापार संघ आंदोलन को समाप्त करने एवं राष्ट्रीय आंदोलन से साम्यवादी प्रभाव को हटाने का निर्णय लिया। फिर इसके बाद, वर्ष 1929 में साम्यवादियों का कठोरता से दमन किया गया।

- **जन सुरक्षा अध्यादेश (Public Safety Ordinance)**- 13 अप्रैल 1929 को वायसराय लॉर्ड इरविन ने विध्वंसकारी तत्वों को हटाने के उद्देश्य से पब्लिक सेफ्टी ऑर्डिनेंस (जन सुरक्षा अध्यादेश) पारित किया। इस विधेयक को विधानसभा में प्रस्तावित किया गया था, लेकिन विधानसभा में पराजित होने के बाद इसे एक अध्यादेश के रूप में पारित करना पड़ा था।
- **ट्रेड डिसप्यूट्स एक्ट (Trade Disputes Act)**- इसी दौरान ट्रेड डिसप्यूट्स एक्ट पारित किया गया। इस कानून द्वारा औद्योगिक विवाद के समाधान के लिए प्राधिकरणों की नियुक्ति को अनिवार्य कर दिया गया, जन-उपयोगी सेवाओं (जैसे- डाक सेवा, रेलवे, जल एवं बिजली विभाग) में हड़ताल को गैरकानूनी बना दिया गया (हड़ताल के लिए प्रत्येक श्रमिक द्वारा हड़ताल पर जाने की योजना का नोटिस एक महीने पहले प्रशासन को देना अनिवार्य कर दिया था) एवं राजनीतिक प्रकृति की गतिविधियों से जुड़े व्यापार संघों की गतिविधियों को वर्जित कर दिया गया।
- **मेरठ षडयंत्र प्रकरण (1929-1933)**- 14 मार्च 1929 को लॉर्ड इरविन की सरकार ने 31 साम्यवादियों (बाद में और भी गिरफ्तार किए गए) को गिरफ्तार कर सबसे कठोर साम्यवाद-विरोधी रुख अपनाया। साम्यवादियों पर मेरठ में मुकदमा चलाया गया। उन पर कम्युनिस्ट इंटरनेशनल के निर्देशन में कार्य करते हुए आम हड़ताल व सशस्त्र विद्रोह के माध्यम से ब्रिटिश राजतंत्र की संप्रभुता को ब्रिटिश भारत से समाप्त करने का आरोप था।

  32 दोषियों में तीन अंग्रेज, दो साम्यवादी **फिलिप स्प्राट** व **बी. एफ. ब्राडले** एवं एक पत्रकार **लेस्टर हचिंसन** शामिल थे। अन्य भारतीय साम्यवादी जैसे **राधारमण मित्र** इत्यादि थे। इस प्रकरण की सुनवाई 4 वर्ष तक चली और सार्वभौमिक रूप से इसकी आलोचना हुई। साम्यवादियों के लिए एक असफलता बनने के स्थान पर मेरठ प्रकरण जल्द ही उनकी लोकप्रियता का कारण बना। अदालत में उनके भाषणों में ब्रिटिश विरोधी भावनाएं सामने आईं, जनता साम्यवादी विचारों से परिचित हुई और जिससे साम्यवादी आंदोलन की लोकप्रियता और अधिक बढ़ी।

  कांग्रेस ने एक केंद्रीय रक्षा समिति स्थापित की और रक्षा प्रकरण की वकालत प्रमुख राष्ट्रवादियों, जैसे- **जवाहरलाल नेहरू, के. एन. काटजू एवं एफ. एच. अंसारी** द्वारा की गई। गांधी जी ने जेल में भ्रमण किया और उन्होंने साम्यवादी नेताओं के प्रति सहानुभूति अभिव्यक्त की गई। इसी परिप्रेक्ष्य में केंद्रीय विधानसभा के कांग्रेसी सदस्यों ने जनसुरक्षा विधेयक (Public Safety Bill) का सफलतापूर्वक विरोध किया। यह विधेयक साम्यवादियों के विरुद्ध था। इस प्रकरण की सुनवाई करीब 3 वर्ष 6 महीने तक चली और मुजफ्फर अहमद, डांगे, जोगलेकर, स्प्राट, ब्रॉडले, उस्मानी एवं अन्य पर अपराध सिद्धि के साथ समाप्त हुई। इस सुनवाई से वामपंथी आंदोलन को तात्कालिक रूप से भारी झटका लगा।

साम्यवादियों की आत्मघाती वर्गीय राजनीति (1929)

यह आघात वैसे ही कम नहीं था, तभी साम्यवादियों ने अचानक से वर्गीय राजनीति की ओर बढ़कर स्वयं को इससे भी अधिक घातक स्थिति में डाल दिया। कोमिन्टर्न के छठे सम्मेलन में इसने **औपनिवेशिक देशों में अपनी संयुक्त मोर्चे की नीति** (औपनिवेशिक देशों में राष्ट्रीय बुर्जुआ के साथ गठबंधन) में परिवर्तन किया। परिणामस्वरूप, साम्यवादियों ने कांग्रेस से अपना संबंध तोड़ दिया और कांग्रेस को बुर्जुआ से जुड़े एक वर्ग दल के रूप में घोषित किया। उन्होंने आरोप लगाया कि बुर्जुआ नेताओं का लक्ष्य सरकार के साथ एक समझौता करना है ताकि वे जनता के ऊपर नियंत्रण कर सकें। कांग्रेस के वामपंथी नेता जैसे नेहरू एवं बोस को राष्ट्रीय आंदोलन के अंदर बुर्जुआ का एजेंट बताया गया। साम्यवादियों ने कांग्रेस के अहिंसक संघर्ष को ढोंग कहकर निंदा की और साम्राज्यवाद के विरुद्ध सशस्त्र संघर्ष की वकालत की। 1931 के गांधी-इरविन समझौते को कांग्रेस के विश्वासघात का प्रमाण बताया गया।

साम्यवादियों ने मजदूर-किसान दलों को विघटित किया और उसके स्थान पर एक स्वतंत्र व गैरकानूनी साम्यवादी दल की स्थापना का आह्वान किया। इस स्थिति का लाभ उठाकर सरकार ने 23 जुलाई 1934 को **सीपीआई पर प्रतिबंध** लगा दिया और साम्यवादियों को भूमिगत रूप से अथवा कांग्रेस या नवगठित कांग्रेस सोशलिस्ट पार्टी के निर्देशन में कार्य करने हेतु बाध्य किया।

दत्त-ब्राडले सिद्धांत

अगस्त 1935 में मॉस्को में कोमिन्टर्न के सातवें सम्मेलन में एक बार पुनः साम्यवादियों ने अपने पूर्व निर्णय में परिवर्तन किया और औपनिवेशिक देशों में बुर्जुआ के नेतृत्व में हो रहे राष्ट्रवादी आंदोलन में भाग लेने का निर्णय लिया। मजदूर वर्ग पर आधारित दलों के संयुक्त मोर्चे तक स्वयं को सीमित न रखते हुए, इसने फासीवाद का विरोध करने वाले सभी दलों से मिलकर एक **लोकप्रिय मोर्चा** (Popular Front) बनाने की योजना बनाई।

अतः भारतीय साम्यवादियों ने एक बार पुनः कांग्रेस के नेतृत्व में हो रहे राष्ट्रीय आंदोलन में सहभागिता करने का निर्णय लिया। भारत में इस सैद्धांतिक परिवर्तन का आधार एक दस्तावेज, जिसका शीर्षक ''भारत में साम्राज्यवाद-विरोधी जनवादी मोर्चा'' था। इसे दत्त-ब्राडले सिद्धांत (1936) के नाम से भी जाना गया। इस दस्तावेज में कहा गया कि 'राष्ट्रीय कांग्रेस साम्राज्यवाद-विरोधी जनवादी मोर्चे को लोगों को समझाने के कार्य में एक महत्वपूर्ण भाग निभा सकती है।' एक बार पुनः साम्यवादियों ने अपने सदस्यों से कांग्रेस में शामिल होने, उसके सुदृढ़ संगठन का उपयोग करने, कांग्रेस के अंदर वामपंथ को मजबूत करने एवं दक्षिणपंथ को बेदखल करने का आह्वान किया। पुनः साम्यवादियों ने सबसे आक्रामक साम्राज्यवाद-विरोधी होने की अपनी छवि को प्राप्त किया।

> सीपीआई के नेता पी. सी. जोशी ने 1939 में दल के साप्ताहिक **नेशनल फ्रंट** में लिखा, 'आज का सबसे बड़ा वर्ग-संघर्ष हमारा राष्ट्रीय संघर्ष है और कांग्रेस इसका एक मुख्य अंग है।'

भारत में प्रारंभिक साम्यवादियों द्वारा कठिनाइयों का सामना करना

प्रारंभिक साम्यवादियों को ब्रिटिश सरकार के साथ-साथ भारतीय समाज के उच्च-वर्ग की शत्रुता का सामना करना पड़ा। उन्हें धन एवं कैडर की कमी का भी सामना करना पड़ा।

कांग्रेस समाजवादी दल (Congress Socialist Party) का गठन (बॉम्बे, अक्टूबर, 1934)

1930-1934 के दौरान एक समाजवादी दल के गठन की पहल जेल में युवा कांग्रेसियों के एक समूह द्वारा की गई। इन युवाओं का गांधी जी के साथ-साथ साम्यवादियों की राजनीति से मोह भंग हो चुका था। फलस्वरूप, 1931 में जे. पी. नारायण एवं फूलन प्रसाद वर्मा द्वारा **बिहार समाजवादी दल** की स्थापना की गई। 1935 में **पंजाब समाजवादी दल** गठित किया गया।

1934 में सविनय अवज्ञा आंदोलन के स्थगन के बाद कांग्रेसियों के एक समूह ने परिषद की राजनीति में भाग लिया। ऐसे समय में, समाजवादी कांग्रेसी परिषद में प्रवेश के कारण कांग्रेस के क्रांतिकारी चरित्र में होने वाले ह्रास को रोकने के लिए कांग्रेस के अंदर एक समाजवादी दल बनाने के इच्छुक थे। इस प्रकार मई, 1934 में पटना में जयप्रकाश नारायण द्वारा पहली अखिल भारतीय कांग्रेस समाजवादी सम्मेलन बुलाया गया और इसकी अध्यक्षता आचार्य नरेंद्र देव द्वारा की गई। इस सम्मेलन में एक प्रस्ताव पारित हुआ, जिसमें कांग्रेस से एक समाजवादी कार्यक्रम स्वीकार करने के लिए कहा गया। इस प्रकार समाजवादी कांग्रेसियों ने एक अखिल भारतीय कांग्रेस समाजवादी दल (All India Congress Socialist Party) को संगठित करने के लिए भरसक प्रयत्न किए।

अंततः समाजवादी कांग्रेसी एक मंच पर आए और अक्टूबर 1934 में बॉम्बे में **जयप्रकाश नारायण, आचार्य नरेंद्र देव** एवं **मीनू मसानी** के नेतृत्व में कांग्रेस सोशलिस्ट पार्टी (CSP, कांग्रेस समाजवादी दल) की स्थापना की। अखिल भारतीय कांग्रेस समाजवादी दल (All India Congress Socialist Party) का पहला वार्षिक अधिवेशन **संपूर्णानंद** की अध्यक्षता में आयोजित हुआ। कांग्रेस के समाजवादियों में से नेहरू एवं बोस सीएसपी में शामिल नहीं हुए।

प्रारंभ से ही समाजवादी कांग्रेसी चार आधारभूत प्रस्तावों पर सहमत हुए। ये प्रस्ताव थे-

1. भारत में मुख्य संघर्ष स्वतंत्रता के लिए राष्ट्रीय संघर्ष है।
2. समाजवादियों को भारतीय राष्ट्रीय कांग्रेस के अंदर कार्य करना चाहिए।
3. उन्हें कांग्रेस एवं राष्ट्रीय आंदोलन को एक समाजवादी दिशा देना चाहिए। (वे चाहते थे कि कांग्रेस को मजदूर जनता के उत्थान के लिए उग्र सामाजिक-आर्थिक कार्यक्रमों को शामिल करना चाहिए। वे पूंजीवाद, जमींदारी-प्रथा एवं देशी रियासतों के उन्मूलन के पक्ष में थे।)
4. इसे प्राप्त करने के लिए श्रमिक एवं किसानों को संगठित कर उन्हें राष्ट्रीय आंदोलन का सामाजिक आधार बनाना चाहिए।

स्वतंत्रता एवं समाजवाद दल के दो जुड़वां उद्देश्यों के रूप में उभरे। इस अधिवेशन में भारत में समाजवादी समाज के लिए एक व्यापक रूपरेखा तैयार की, जिसमें शामिल थे-

- जनता को शक्ति का हस्तांतरण।
- देश का आर्थिक जीवन नियोजित एवं सरकार द्वारा नियंत्रित होना।
- राजकुमारों, जमींदारों एवं अन्य शोषक वर्गों को दिए जाने वाले मुआवजे की समाप्ति।
- किसान एवं श्रमिकों को कर्ज से ऋण मुक्ति।
- प्रत्येक को उसकी 'आवश्यकता अनुसार' के आधार पर आर्थिक वस्तुओं का वितरण।
- धर्म, जाति या लिंग के आधार पर राज्य भेदभाव नहीं करेगा।

समाजवादी कांग्रेसी, मार्क्सवाद एवं लोकतांत्रिक समाजवाद से प्रेरित थे। कांग्रेस द्वारा उनके कार्यक्रमों को स्वीकार कराने के लिए उन्होंने कड़ी मेहनत की।

जयप्रकाश नारायण श्रीवास्तव (1902-1979)- जे. पी. अथवा **लोकनायक** नाम से प्रसिद्ध जयप्रकाश नारायण राष्ट्रीय आंदोलन के एक मुख्य नेता थे। छपरा, बिहार (वर्तमान में बलिया जिला, उत्तर प्रदेश) में जन्मे जे. पी. उच्च शिक्षा के लिए अमेरिका गए और 1929 में वहां से एक मार्क्सवादी बनकर लौटे। इसी वर्ष वे गांधी के संरक्षण में कांग्रेस में शामिल हुए और भारत छोड़ो आंदोलन के दौरान उन्हें विशेष ख्याति प्राप्त हुई। उन्होंने एक किताब **व्हाई सोशलिज्म** (Why Socialism) लिखी। उन्हें 1965 में समाज सेवा के लिए मैग्सेसे पुरस्कार तथा मरणोपरांत 1999 में **भारत रत्न** मिला।

जयप्रकाश नारायण श्रीवास्तव

कांग्रेस समाजवादी दल (Congress Socialist Party) का मेरठ-शोध (1935)

इस शोध प्रबंध के अनुसार कांग्रेस समाजवादी दल का कार्य कांग्रेस के साम्राज्यवाद-विरोधी तत्वों को इसके वर्तमान बुर्जुआ नेतृत्व से अलग करना तथा उन्हें क्रांतिकारी समाजवाद के नेतृत्व के अधीन लाना था। हालांकि, यह विचार जल्दी ही अवास्तविक पाया गया और साम्यवादियों ने कांग्रेस के एकांतर वामपंथी नेतृत्व या संयोजित नेतृत्व को स्वीकार किया। इस बात को बाद में कांग्रेस के त्रिपुरी (1939) एवं रामगढ़ (1940) अधिवेशनों में अनुभव किया गया।

गौण वामपंथी दल (Minor Leftist Parties)

1930 के दशक में, विशेषकर 1939 में अन्य अनेक वामपंथीधाराओं का उद्भव हुआ। इनमें से अधिकतर व्यक्तित्व के आसपास केंद्रित रहीं और केंद्रीय नेतृत्व के जाने के बाद लगभग निष्क्रिय हो गई थीं।

फॉरवर्ड ब्लॉक (1939)

गांधी के साथ मतभेद होने के बाद बोस को कांग्रेस की अध्यक्ष पद से त्यागपत्र देने के लिए बाध्य किया गया और उसके बाद सुभाषचंद्र बोस एवं उनके अनुयायियों ने फॉरवर्ड ब्लॉक (Forward Block) की स्थापना की। वे द्वितीय विश्व युद्ध में ब्रिटिश शासन के साथ कांग्रेस के सहयोगात्मक व्यवहार के विरोधी थे और भारत में ब्रिटेन से लड़ने के लिए सैन्य सहायता लेने के लिए विदेश गए।

क्रांतिकारी समाजवादी दल (Revolutionary Socialist Party, 1940)

ब्रिटिश साम्राज्यवाद को हिंसक तरीके से समाप्त करने एवं भारत में समाजवाद की स्थापना के लिए इस दल का निर्माण किया गया। गांधी-बोस विवाद में इसने बोस का समर्थन किया।

अन्य वामपंथी दल

बोल्शेविक पार्टी ऑफ इंडिया (Boshevik Party of India, 1939) की स्थापना एन. दत्त मजूमदार द्वारा की गई, रिवाल्यूशनरी कम्युनिस्ट पार्टी (Revolutionary Communist Party, 1940) का आरंभ **सौम्येंद्रनाथ टैगोर** द्वारा किया गया तथा बोलशेविक लेनिनिस्ट पार्टी (Bolshevik-Leninist Party) की घोषणा 1941 में इंद्रसेन एवं अजीत रॉय द्वारा की गई।

भारत में साम्यवादी आंदोलन के अग्रदूत एम. एन. रॉय 1930 में पुन: भारत लौटे और रॉयवादी समूह को संगठित किया। हालांकि, 1940 में मोहभंग होने के बाद उन्होंने रेडिकल डेमोक्रेटिक पार्टी (Radical Democratic Party) गठित की। अब उन्होंने विचार दिया कि भारतीय क्रांति केवल सर्वहारा वर्ग द्वारा नहीं, बल्कि एक बहुवर्गीय दल के नेतृत्व से लाई जा सकती है।

वामपंथी आंदोलन की कमजोरियां (Weaknesses of the Left Movement)

नि:संदेह वे स्वतंत्रता सेनानियों में सबसे अधिक आक्रामक एवं बलिदानी थे, इसके बावजूद वे अनेक मोर्चे पर असफल हुए जैसे-

- वे समाजवादी विचारों एवं दलों के प्रभुत्व को स्थापित करने के अपने आधारभूत लक्ष्य को प्राप्त करने में असफल रहे।
- वे भारतीय यथार्थ का एक गहन अध्ययन करने में असफल रहे। जवाहरलाल नेहरू के अलावा सभी वामपंथियों ने कांग्रेस नेतृत्व को बुर्जुआ समझा और जनता के ऊपर नियंत्रण रखने के लिए साम्राज्यवादी बलों के साथ समझौता किया।
- वे संघर्ष की गांधीवादी रणनीति को समझने में असफल रहे।
- वे अनावश्यक रूप से गलत मुद्दों पर कांग्रेस नेतृत्व से लड़ते रहे।

- वे जनता के बीच उनके समर्थन को लगातार वास्तविकता से अधिक समझते रहे।
- लंबे समय तक विभिन्न वामपंथी समूह एक साथ काम करने में असफल रहे। यहां तक कि नेहरू एवं बोस भी अधिक समय तक साथ कार्य नहीं कर सके और 1939 में दोनों के रास्ते अलग हो गए थे।

कांग्रेस समाजवादी दल के गठन पर कांग्रेस की प्रतिक्रिया (Congress Reaction to the Formation of Congress Socialist Party)

कांग्रेस समाजवादी दल के गठन पर कांग्रेस की ओर से मिश्रित प्रतिक्रिया आई। दक्षिणपंथी कांग्रेसियों ने वर्ग-संघर्ष एवं संपत्ति के राजसात करने की समाजवादी बातों की आलोचना की। यहां तक कि महात्मा गांधी ने भी वर्ग संघर्ष/युद्ध के विचार को अस्वीकार कर दिया था। उन्होंने पूंजीपति, जमींदार एवं राजकुमारों के हृदय परिवर्तन की आवश्यकता की वकालत की, ताकि वे स्वयं को मालिक नहीं बल्कि मजदूर, काश्तकार एवं शासितों का न्यासी समझें।

हालांकि, युवा नेताओं जैसे जवाहरलाल नेहरू एवं सुभाषचंद्र बोस के हस्तक्षेप से समाजवादी विचारों को गति मिली और धीरे-धीरे कांग्रेस के राजनीतिक व्यवहार पर इसका प्रभाव पड़ने लगा।

भारतीय राष्ट्रीय कांग्रेस में समाजवादी विचारों का विकास: नेहरू एवं बोस की भूमिका (Growth of Socialist Ideas in Indian National Congress: Role of Nehru and Bose)

बीसवीं शताब्दी के प्रारंभ में विश्व के विभिन्न भागों में समाजवादी विचारों का बोलबाला रहा। इसके बाद भी इन विचारों को कांग्रेस में अनेक वर्षों तक प्रमुखता प्राप्त नहीं हुई। हालांकि, समाजवादी विचारों को युवा नेताओं, जैसे- जवाहरलाल नेहरू एवं सुभाष चंद्र बोस के प्रयासों से पहली बार गति प्राप्त हुई और धीरे-धीरे कांग्रेस के कार्यक्रम एवं राजनीतिक गतिविधियों पर इसका प्रभाव पड़ने लगा।

भारतीय राष्ट्रीय कांग्रेस में समाजवाद की उन्नति

भारतीय राष्ट्रीय कांग्रेस में समाजवाद का बीजारोपण सबसे पहले यूरोप एवं अन्य पश्चिमी देशों में रहने वाले भारतीय बुद्धिजीवियों एवं आक्रामक क्रांतिकारियों के माध्यम से हुआ। इनमें **मेडम कामा, श्यामजी कृष्ण वर्मा, शपुरजी शाखलटवाला, विरेंद्रनाथ चट्टोपाध्याय, भूपेंद्रनाथ दत्त, लाला हरदयाल, एम. एन. रॉय** एवं अन्य महत्वपूर्ण व्यक्ति शामिल थे। लेकिन इनमें से किसी ने भारतीय राष्ट्रीय कांग्रेस के एक मुख्य संगठन के रूप में कार्य नहीं किया। वास्तव में, प्रथम विश्व युद्ध के अंत तक भारतीय राष्ट्रीय कांग्रेस पर समाजवाद का कोई प्रभाव नहीं था। हालांकि, इसके बाद समाजवादी विचारों ने कांग्रेस की नीतियों को प्रभावित करना शुरू किया।

शुरुआत में, समाजवाद प्रारंभिक कांग्रेसी नेताओं को भयभीत करता हुआ प्रतीत हुआ। इसे आसानी से समझा सकता है क्योंकि उनमें से अधिकतर भारतीय समाज के उच्चवर्ग से संबंध रखते थे। (जैसे अंग्रेजी से शिक्षित मध्यमवर्ग, जिसमें कर लेने वाले मालिक, पेशेवर व उद्यमी शामिल थे।) इन तत्वों को आम व्यक्ति के दुर्भाग्य से सहानुभूति थी और उनकी यह सहानुभूति वहीं तक सीमित थी, जहां तक उनके हित प्रभावित न हो। परिणामस्वरूप, कांग्रेस मुख्य रूप से अभिजात-वर्गीय संस्था बनी रही और स्वदेशी आंदोलन (1905-1908) को छोड़कर भारतीय जनता तक पहुंचने का उसने कोई विशेष प्रयास नहीं किया।

पहला आमूलचूल परिवर्तन गांधी के उद्भव के बाद ही हुआ, जिन्होंने प्रारंभ से ही राष्ट्रीय आंदोलन को एक जन-आंदोलन बनाने का लक्ष्य रखा। उनके नेतृत्व में असहयोग आंदोलन के रूप में देश ने पहली बार वास्तविक राष्ट्रीय

जन-आंदोलन देखा। पहली बार देश अपनी जनता (किसान, जनजाति, मजदूर एवं महिला) की शक्ति के साथ उठ खड़ा हुआ। इस आंदोलन के वापस लिये जाने के बाद जो एकता का बिखराव हुआ, उसने कुछ महत्वपूर्ण प्रश्न उठाए-

- स्वाधीनता संघर्ष में लोगों की अधिकतम संभव सहभागिता को कैसे बढ़ाया जा सकता है?
- लोगों के विभिन्न वर्गों एवं समुदायों को राजनीतिक रूप से कैसे एक किया जा सकता है?
- संक्षिप्त में वे कौन से लक्ष्य हैं, जिनको प्राप्त करने के लिए राष्ट्रीय आंदोलन को प्रयास करना चाहिए?

यह गहन बौद्धिक एवं राजनीतिक अभ्यास था, जिसने कांग्रेस के अंदर समाजवादी विचारों को जन्म दिया।

जवाहरलाल नेहरू (1889-1964)- इलाहाबाद में मोतीलाल नेहरू के पुत्र के रूप में जन्में जवाहरलाल नेहरू ने त्रिनिटी कॉलेज, कैंब्रिज से कानून का अध्ययन किया। वापस आकर उन्होंने इलाहाबाद उच्च न्यायालय में वकालत की और 1920 के दशक में कांग्रेस के वामपंथी समूह के एक मुख्य नेता के रूप में उभरे और बाद में गांधी के संरक्षण में कांग्रेस के ही मुख्य नेता बने। अंततः वे स्वतंत्र भारत के **पहले प्रधानमंत्री** बने।

जवाहरलाल नेहरू

जवाहरलाल नेहरू की भूमिका

युवा जवाहरलाल नेहरू उन लोगों में से एक थे, जिन्होंने भारत के भविष्य के लिए गहन विचार-विमर्श किया। उन्होंने असहयोग आंदोलन में सक्रिय रूप से भागीदारी की और आंदोलन के दौरान उत्तर प्रदेश में प्रतापगढ़ एवं रायबरेली के किसानों के साथ कार्य किया। यद्यपि वे गांधी के नेतृत्व एवं उनके अहिंसक संघर्ष के प्रति प्रतिबद्ध थे, लेकिन असहयोग आंदोलन वापस लिए जाने पर उन्हें बहुत असंतोष हुआ था। असंतुष्ट होने के बावजूद वे न परिवर्तन-विरोधियों और न ही परिवर्तन-समर्थकों से आकर्षित हुए थे।

1926 में स्विट्जरलैंड में वे अपनी पत्नी कमला नेहरू का चिकित्सीय उपचार कराने के लिए यूरोप गए थे। यूरोप में डेढ़ वर्ष के अपने अस्थाई निवास के दौरान वे राजनीतिक विचारकों एवं समाजवादी विचारों के संपर्क में आए। फरवरी 1927 में ब्रूसेल्स में आयोजित **'औपनिवेशिक उत्पीड़न एवं साम्राज्यवाद विरोधी अंतर्राष्ट्रीय कांग्रेस' (International Congress Against Colonial Oppression and Imperialism)** में कांग्रेस का नेतृत्व किया। वहां उनकी अफ्रीका, लैटिन अमेरिका, मैक्सिको, चीन एवं अन्य एशियाई देशों के प्रतिनिधियों से मुलाकात हुई। उन्होने ब्रूसेल सम्मेलन में एक संगठन बनाया, जिसका नाम था **'साम्राज्यवाद-विरोधी एवं राष्ट्रीय स्वतंत्रता के लिए लीग' (The League Against Imperialism and for National Independence)**। जवाहरलाल नेहरू को लीग की कार्यकारी समिति का सदस्य नियुक्त किया गया। उन्हें अब समझ आया कि कैसे औद्योगिक विकास के द्वारा यूरोप में विकास हुआ और जिसको बनाए रखने के लिए कच्चे माल एवं नए बाजारों की निरंतर आपूर्ति की आवश्यकता होती थी। इससे साम्राज्यवाद बढ़ा और उपनिवेशों के लिए होड़ से एशिया, अफ्रीका एवं लैटिन अमेरिका में शोषण तीव्र हुआ। अब वे समझ सके कि कैसे वास्तव में भारत का स्वतंत्रता संघर्ष साम्राज्यवाद के विरुद्ध अंतर्राष्ट्रीय संघर्ष का एक भाग है।

नवंबर 1927 में उन्हें सोवियत संघ के भ्रमण के लिए आमंत्रित किया गया। वहां वे शासन एवं सामाजिक संरचना में होने वाले आदर्श प्रयोग को देखकर बहुत प्रभावित हुए। दिसंबर 1927 को भारत लौटकर जवाहरलाल नेहरू एक समाजवादी में परिवर्तित हो गए थे।

जब 1927 में जवाहरलाल भारत लौटे, तो यहां स्वराज्य के प्रकृति के ऊपर एक वाद-विवाद चल रहा था। साइमन कमीशन द्वारा प्रस्तावित संवैधानिक सुधारों को सभी समूह एवं दलों द्वारा अस्वीकार कर दिया गया था। साइमन बहिष्कार आंदोलन ने यह मुद्दा बना दिया कि भारत अपने लिए किस प्रकार का संविधान और किस प्रकार की स्वतंत्रता प्राप्त करना चाहता है।

जहां तक स्वराज्य के अर्थ का प्रश्न था, कांग्रेस के लिए इसका मतलब ब्रिटिश साम्राज्य के अंतर्गत भारत की 'डोमिनियन स्थिति' (Dominion Status) से था, जैसा कि ऑस्ट्रेलिया, न्यूजीलैंड एवं दक्षिण अफ्रीका में था। दूसरी ओर, जवाहरलाल नेहरू के लिए 'डोमिनियन के दर्जे' का मतलब केवल पीछे के रास्ते से ब्रिटिश सरकार द्वारा भारत के शोषण का स्थायीकरण करना था।

सर्वदलीय सम्मेलन में इस मुद्दे पर प्रमुखता से चर्चा हुई और सहमति बनी कि भारत के लिए संविधान-निर्माण के समय 'डोमिनियन की स्थिति' के सिद्धांत को ध्यान में रखना चाहिए। अब जवाहरलाल नेहरू के पास एक विपक्ष के निर्माण एवं पूर्ण स्वराज्य की मांग का समर्थन प्राप्त करने के अलावा कोई और विकल्प नहीं रह गया था। युवा सुभाष चंद्र बोस (1928 में जवाहरलाल नेहरू के समान कांग्रेस के एक महासचिव) उनमें से एक थे, जिन्होंने इस कार्य में उनकी सहायता की।

1929 के बाद जवाहरलाल नेहरू भारत में समाजवाद के एक प्रतीक बन गए थे। वे कांग्रेस के ऐतिहासिक लाहौर अधिवेशन के अध्यक्ष बने, जहां उन्होंने अपने अध्यक्षीय भाषण में घोषणा की, **'मैं एक समाजवादी एवं एक गणतंत्रवादी हूं और राजा व राजकुमार में विश्वास नहीं रखता।'** राजकुमारों की निरंकुशता के विरुद्ध भारतीय राज्यों में उन्होंने **प्रजा मंडल आंदोलन** का नेतृत्व किया। नेहरू को कांग्रेस के अध्यक्ष पद पर 1936 व 1937 में पुनर्निर्वाचित किया गया।

प्रजा मंडल आंदोलन (देशी रियासतों की जनता के सम्मेलन का आंदोलन) (States' Peoples' Conference Movement)- यह असहयोग आंदोलन के बाद 1920 में **देशी रियासतों में प्रारंभ हुए राष्ट्रीय आंदोलन** को इंगित करता है। इस समय के दौरान देशी रियासतों की प्रजा ने जनता का एक संगठन बनाया, जिसे प्रजामंडल कहा गया। इस आंदोलन में भारतीय रियासतों (जैसे- भोपाल, बड़ौदा, त्रावणकोर एवं हैदराबाद) के हजारों प्रतिनिधि एक मंच पर आए। यह आंदोलन सामंतवाद एवं उपनिवेशवाद दोनों के विरुद्ध निर्देशित किया गया था। लोग अपने अधिकारों के लिए सामंतवादी राजकुमारों के साथ-साथ ब्रिटिश प्रशासन से लड़े। आंदोलन के कार्यकर्ताओं ने देशी रियासतों में कांग्रेस के संरचनात्मक कार्यक्रम को शामिल किया। कांग्रेस ने जनवादी सम्मेलन (Peoples' Conference) के साथ हाथ मिलाया और उन्हें राष्ट्रीय आंदोलन के अंतर्गत लाए।

वे गांधीजी के बाद राष्ट्रीय आंदोलन के सबसे लोकप्रिय नेता के रूप में उभरे। नेहरू ने समाजवाद के **विचारों को अपने देशव्यापी भ्रमण, अपनी किताबों** (ऑटोबायोग्राफी एवं गिलिप्स ऑफ वर्ल्ड हिस्ट्री), लेखों एवं वक्तव्यों के माध्यम से लोकप्रिय बनाया। उन्होंने इस विचार को **'आर्थिक स्वतंत्रता के बिना राजनीतिक स्वतंत्रता निरर्थक है'**, को लोकप्रिय बनाया।

नेहरू एवं गांधी (1942)

नेहरू बनाम गांधी- इन्हीं वर्षों में नेहरू ने गांधी के साथ एक जटिल संबंध विकसित किया। उन्होंने वर्ग-संघर्ष को मानने से मना करने एवं न्यास के सिद्धांत को देने के लिए गांधी जी की आलोचना की। वास्तव में, अपनी आत्मकथा में उन्होंने एक पूरा अध्याय गांधीवादी विचारधारा के कुछ पक्षों के विरुद्ध तर्क करने में लगा दिया था। इसके बावजूद उन्होंने अन्य वामपंथी आलोचनाओं से गांधी का बचाव किया और जनता के हृदय तक पहुंचने की उनकी योग्यता की प्रशंसा की।

गांधीजी के प्रति नेहरू के दृष्टिकोण को मोहित सेन ने इस प्रकार व्यक्त किया है- "नेहरू का विश्वास था कि कांग्रेस का महत्वपूर्ण भाग नरमवादी नेताओं से मिलकर बना है और जिनका गांधी जी न केवल नेतृत्व करते हैं, बल्कि एक वास्तविक व्यापक जन-आंदोलन के लिए उनकी नितांत आवश्यकता है।"

इसी दौरान नेहरू ने कांग्रेस एवं गांधी जी के नेतृत्व में साम्राज्यवाद-विरोधी संघर्ष की प्रधानता को पुनर्संगठित किया और इस प्रकार वे कांग्रेस से स्वतंत्र किसी भी संगठन के पक्ष में नहीं थे। कांग्रेस के ध्वज तले समाजवाद के प्रसार के विचार को वे श्रेष्ठ मानते थे।

नोट- 1918 में गांधी जी ने **अहमदाबाद टेक्सटाइल लेबर एसोसिएशन** (Ahmadabad Textile Labour Association, TLA)) की स्थापना की, जिसके पंजीयन रजिस्टर में 14000 श्रमिक दर्ज हुए।

सुभाषचंद्र बोस की भूमिका

सुभाषचंद्र बोस की जवाहरलाल नेहरू से काफी समानताएं थी। दोनों ही मध्यवर्गीय पृष्ठभूमि से आते थे और दोनों ने ही विदेश में शिक्षा प्राप्त की थी। दोनों ही बुद्धिजीवी थे, जिन्होंने देश के लिए स्वयं को समर्पित कर दिया था।

सुभाषचंद्र बोस अपने छात्र जीवन से ही एक राजनीतिक कार्यकर्ता थे और उनको ख्याति तब मिली, जब उन्होंने सम्मानजनक भारतीय सिविल सेवा में मेरिट के आधार पर चयनित (1921) होने के वाबजूद शामिल होने से मना कर दिया था। उनके राजनीतिक संरक्षक गांधी नहीं, बल्कि **देशबंधु चितरंजन दास** थे, जिन्होंने 1922 में घोषित कर दिया था कि भारत को जनता के लिए स्वराज्य प्राप्त करना चाहिए, न कि वर्गों के लिए।

असहयोग आंदोलन के वापस लिए जाने पर सुभाष असंतुष्ट थे, लेकिन अपनी निष्ठा के कारण कुछ समय के लिए वे परिवर्तन-समर्थकों के समूह में शामिल हो गए थे। कलकत्ता के मुख्य प्रशासनिक अधिकारी (जुलाई से अक्टूबर, 1924) के रूप में कार्य करते हुए उन्होंने नागरिक मामलों पर विशेष ध्यान दिया। कुछ ऐसा ही कार्य जवाहरलाल नेहरू ने इलाहाबाद (अध्यक्ष, अप्रैल 1923 से अप्रैल 1925) में किया।

यद्यपि सुभाष के समाजवादी विचार जवाहरलाल नेहरू की तरह स्पष्ट और दृढ़ नहीं थे, लेकिन उन्होंने जवाहरलाल नेहरू के साम्राज्यवाद-विरोधी विचारों को सराहा और उनके पूर्ण स्वराज्य के लक्ष्य को अपना पूरा समर्थन दिया। जबकि वे जवाहरलाल नेहरू की तरह गांधी जी के नेतृत्व और साम्राज्यवाद-विरोधी संघर्ष की एक तकनीक के रूप में उनके अहिंसा में विश्वास को उतना नहीं मानते थे।

समाजवाद की ओर कांग्रेस के बढ़ते कदम (Congress March towards Socialism)

कांग्रेस के अंदर इंडिपेंडेंस फॉर इंडिया लीग का गठन (अगस्त 1928)

अगस्त 1928 में सुभाष चंद्र बोस के समर्थन से जवाहरलाल नेहरू ने **कांग्रेस के अंदर एक दबाव समूह** के रूप में **इंडिपेंडेंस ऑफ इंडिया लीग (Independence of India League)** आरंभ की। इस लीग के उद्देश्य थे-

- डोमिनियन के दर्जे की अवधारणा का विरोध,
- ब्रिटिश शासन से भारत की पूर्ण स्वतंत्रता के लिए वकालत करना और
- सामाजिक आधार पर एक भारतीय गणतंत्र की स्थापना के लिए कार्य करना।

कांग्रेस द्वारा पूर्ण स्वतंत्रता को लक्ष्य के रूप में स्वीकार करना (1928-1929)

दिसंबर 1928 में कांग्रेस के कलकत्ता अधिवेशन में जवाहरलाल एवं सुभाष डोमिनियन के दर्जे (Dominion Status) के स्थान पर पूर्ण स्वतंत्रता को कांग्रेस के लक्ष्य के रूप में स्वीकार करने संबंधी एक संयुक्त प्रस्ताव लाए। इस बार उन्हें केवल सीमित सफलता प्राप्त हुई, लेकिन इस लक्ष्य के बारे में जागरूकता बनाने में उन्हें निश्चित रूप से सफलता प्राप्त हुई। उनको वास्तविक सफलता एक वर्ष बाद लाहौर अधिवेशन (1929) में मिली, जब कांग्रेस ने पूर्ण स्वतंत्रता को लक्ष्य के रूप में स्वीकार किया।

कांग्रेस के अंदर वामपंथी समूह का उद्‌भव

अपने अनुयायियों सहित सुभाष चंद्र बोस एवं जवाहरलाल नेहरू कांग्रेस के अंदर शीघ्र ही एक वामपंथी समूह के रूप में उभरे। आगे आने वाले वर्षों में अनेक अवसरों पर जवाहरलाल नेहरू एवं सुभाष चंद्र बोस ने श्रमिक जनता के प्रति चिंता व्यक्त की और साम्राज्यवाद के शोषणकारी चरित्र की निंदा की। सामाजिक-आर्थिक न्याय पर उनके वार्तालाप ने युवाओं (यूथ लीग, हिंदुस्तानी सेवा दल, नौजवान भारत सभा एवं वॉलिंटियर्स मूवमेंट के द्वारा), छात्र-छात्राओं व मजदूरों (कांग्रेस के माध्यम से अखिल भारतीय व्यापार संघ, जिसकी अध्यक्षता 1929 में जवाहरलाल नेहरू एवं 1931 में सुभाष चंद्र बोस द्वारा की गई) की कल्पनाओं को पंख दिए।

मौलिक अधिकार एवं राष्ट्रीय आर्थिक कार्यक्रम पर कांग्रेस का प्रस्ताव (मार्च 1931)

मार्च 1931 में कांग्रेस के करांची अधिवेशन में मौलिक अधिकार एवं राष्ट्रीय आर्थिक कार्यक्रम पर घोषणा को स्वीकार किया गया। इस प्रस्ताव में घोषणा की गई, 'जन मानस के शोषण को समाप्त करने के लिए राजनीतिक स्वतंत्रता में वास्तविक आर्थिक स्वतंत्रता को शामिल करना चाहिए।' जवाहरलाल द्वारा मूलरूप से इसका प्रारूप बनाया गया और बाद के वर्षों में यह कांग्रेस के सामाजिक-आर्थिक कार्यक्रम का आधारभूत दस्तावेज बना। वास्तव में, समाजवाद की ओर यह कांग्रेस का एक महत्वपूर्ण कदम था।

कांग्रेस समाजवादी दल का गठन (अक्टूबर 1934)

जवाहरलाल एवं सुभाष, दोनों ही सविनय अवज्ञा आंदोलन के वापस लिए जाने पर खुश नहीं थे। आगे के वर्षों में, जवाहरलाल ने स्वयं को संयुक्त प्रांत के किसान आंदोलन में व्यस्त कर लिया, जबकि सुभाष ने स्वयं को श्रमिक वर्ग आंदोलन से जोड़ लिया। दोनों ही युवाओं व श्रमिक वर्गो की आशा थे और उनसे इन वर्गों की बहुत अपेक्षाएं थीं। अंततः इन अपेक्षाओं ने मई 1934 में कांग्रेस के अंदर कांग्रेस सोशलिस्ट पार्टी (कांग्रेस समाजवादी दल) के गठन को आसान बना दिया। हालांकि, न जवाहरलाल और न ही सुभाष इस दल में शामिल हुए, लेकिन उन्होंने इसके गठन का स्वागत किया और आवश्यकतानुसार इसे समर्थन दिया।

कांग्रेस के लखनऊ एवं फैजपुर अधिवेशन (1936)

अप्रैल 1936 में कांग्रेस के लखनऊ अधिवेशन में समाजवाद का समर्थन करते हुए जवाहरलाल नेहरू ने अपने अध्यक्षीय भाषण में कहा, "मैं समाजवाद के अलावा अन्य किसी मार्ग से भारतीय जनता की गरीबी, विशाल बेरोजगारी, दुर्दशा और शोषण को समाप्त होता नहीं देखता।"

1936 के अंत में कांग्रेस के फैजपुर अधिवेशन में, जो जवाहरलाल नेहरू की अध्यक्षता में आयोजित हुआ, **कांग्रेस ने एक कृषक कार्यक्रम** स्वीकार किया। इस कार्यक्रम के अंतर्गत लगान व राजस्व में कमी, सामंती ऋण व उगाही का उन्मूलन, सस्ते उधार का प्रावधान, काश्तकारों के लिए कार्यकाल की सुरक्षा, सहयोगी कृषि का आरंभ, कृषक-श्रमिकों के लिए आजीविका और कृषक संघ गठित करने का अधिकार शामिल थे।

1936 में ही जवाहरलाल नेहरू ने कांग्रेस कार्यकारी समिति में तीन कांग्रेसी समाजवादियों जयप्रकाश नारायण, नरेंद्र देव एवं अच्युत पटवर्धन को शामिल कराया।

कांग्रेस के समाजवादियों ने किसान आंदोलन में महत्वपूर्ण भूमिका निभाई। उदाहरणस्वरूप, **प्रो. एन. जी. रंगा, इंदुलाल याग्निक** एवं **स्वामी सहजानंद सरस्वती** ने **अखिल भारतीय किसान सभा (All India Kisan Sabha)** के संगठन में एक महत्वपूर्ण भूमिका निभाई थी और सहजानंद सरस्वती की अध्यक्षता में इस संगठन की पहली बैठक लखनऊ (1936) में हुई। कांग्रेस के समाजवादियों ने देशी राज्यों/रियासतों में होने वाले लोकतांत्रिक आंदोलनों में भी भाग लिया था।

1936 में कांग्रेस का चुनाव घोषणा पत्र (जिसमें घोषणा की गई थी कि कांग्रेस श्रम से जुड़े विवादों के निराकरण के लिए कदम उठाएगी और संघ बनाने व हड़ताल करने के उनके अधिकारों को सुरक्षित करने के लिए प्रभावी तरीके अपनाएगी), पहली ऑल इंडिया स्टेट्स पीपल्स कॉन्फ्रेंस (All India States' Peoples' Conference, 1936) का आयोजन, ऑल इंडिया स्टूडेंट्स फेडरेशन (All India Students' Federation) एवं प्रोग्रेसिव राइटर्स एसोसिएशन (Progressive Writers' Association) वामपंथ की कुछ अन्य उपलब्धियां थी।

समाजवादी विचारों के प्रभाव को गांधी पर भी देखा गया, जो धीरे-धीरे आर्थिक एवं वर्ग से जुड़े मुद्दों पर उग्र दृष्टिकोण अपनाने लगे थे। नेहरू के साथ-साथ गांधी ने भी बड़े पैमाने के उद्योगों में सार्वजनिक क्षेत्र के समर्थन में तर्क दिए ताकि कुछ हाथों में धन के संग्रह को रोका जा सके। उन्होंने 1942 में 'खेत जोतने वाले को भूमि के सिद्धांत' को स्वीकार करते हुए घोषणा की, 'भूमि उसी की है, जो उस पर काम करता है और किसी की नहीं'। 1945 में कांग्रेस ने जमींदारी के उन्मूलन का एक प्रस्ताव अंगीकार किया।

जवाहरलाल नेहरू एवं सुभाष चंद्र बोस का समाजवाद के लिए निरंतर कार्य करना- जवाहरलाल नेहरू निरंतर इस बात की वकालत करते आए थे कि विदेशी शासन से स्वतंत्रता प्राप्त करने के लिए आवश्यक है कि भारतीय जनता के सभी वर्गों विशेषकर पद-दलितों को लामबंद किया जाए। ब्रिटिश शोषणकारियों के देशी सहयोगी भारत में सभी जगह थे और इसलिए स्वतंत्रता संघर्ष को गरीबों को उनके तात्कालिक शोषणकारियों से स्वतंत्रता के संघर्ष के साथ जोड़ना था। इसके लिए उन्होंने आग्रह किया कि कांग्रेस के पास स्वतंत्र भारत के भविष्य की एक रूपरेखा होनी चाहिए, जिसमें निम्नलिखित बिंदु शामिल होंगे-

- सार्वभौमिक मताधिकार के आधार पर चुनाव।
- सभी व्यक्तियों के अधिकारों की गारंटी के लिए संविधान-निर्माण हेतु एक संविधान सभा।
- लंबे समय से हो रहे सामाजिक-आर्थिक अन्याय का उन्मूलन।
- आधुनिक औद्योगिक प्रणाली के आधार पर आर्थिक स्वतंत्रता की प्राप्ति।

जवाहरलाल निरंतर भारत में लोकतांत्रिक समाजवाद के लिए वकालत करते रहे और अंततः कांग्रेस को समाजवादी विचारों से प्रभावित करने में उन्हें सफलता मिली।

हरिपुर कांग्रेस अधिवेशन में गांधी के साथ सुभासचंद्र बोस (फरवरी 1938)

भारत के लिए औद्योगीकरण एवं योजनाबद्ध आर्थिक विकास पर बल देकर सुभाष चंद्र बोस ने कांग्रेस पर एक समाजवादी छाप छोड़ी। 1938 में जब बोस अध्यक्ष थे, तो उन्होंने कांग्रेस को आर्थिक योजना के लिए प्रतिबद्ध किया और जवाहरलाल की अध्यक्षता में **राष्ट्रीय योजना समिति (National Planning Committee)** का गठन किया। बोस 1938 में कांग्रेस के अध्यक्ष बने और गांधी के विरोध के बावजूद 1939 में इस पद पर पुनर्निर्वाचित हुए। अंततः गांधी और उनके अनुयायियों ने बोस को अध्यक्ष पद से त्यागपत्र देने के लिए मजबूर किया। त्यागपत्र के बाद सुभाष एवं उनके अनुयायियों ने फॉरवर्ड ब्लॉक (Forward Block) की स्थापना की। इस समय तक समाजवाद भारत के अधिकतर युवाओं के लिए एक स्वीकृत मत बन गया था।

सारभूत रूप से देखा जाए तो समाजवादी विचारों को कांग्रेस में हमेशा समर्थन नहीं मिला और कुछ प्रमुख कांग्रेसी इसके विपक्ष में भी रहे। जवाहरलाल एवं सुभाष बोस की भूमिका के महत्व को उनकी तात्कालिक सफलता या असफलता से नहीं, बल्कि उनकी ईमानदारी व समर्पण से आंकना चाहिए, जो उन्होंने अपने दृढ़विश्वास के अनुकरण में दिखाया।

अध्याय

किसान एवं मजदूर आंदोलनों का विकास (1920-1930 के दशक) (Growth of Peasants' and Workers' Movements, 1920s-1930s)

14

पिछले अध्याय में आपने 19वीं शताब्दी के दूसरे भाग के दौरान हुए किसान एवं मजदूर वर्ग के आंदोलनों के बारे में पढ़ा। आपने देखा कि कैसे इन आंदोलनों को औपनिवेशिक शासन के साथ-साथ जमींदारों एवं मिल मालिकों के उत्पीड़न के विरुद्ध निर्देशित किया गया था। इस अध्याय में आप 1920 एवं 1930 के दशक में हुए श्रमिक एवं किसान आंदोलनों के बारे में पढ़ेंगे और यह भी समझने का प्रयास करेंगे कि ये आंदोलन पूर्ववर्ती आंदोलनों से कैसे भिन्न थे।

भारतीय राजनीतिक परिदृश्य में अनेक ऐसे विशिष्ट कारकों (जैसे जन आधारित राजनीति का उद्भव, प्रथम विश्व युद्ध के सामाजिक-आर्थिक परिणाम एवं समाजवाद व साम्यवाद का उदय) का उद्भव हुआ, जिसने 1920 व 1930 के दशक के श्रमिक एवं किसान आंदोलनों को पिछले आंदोलनों से भिन्न बना दिया। 1920 के दशक में साम्यवादी आंदोलन के उदय से इन आंदोलनों में एक आक्रामक एवं क्रांतिकारी प्रवृत्ति का समावेश हुआ। वे अब पूरे देश में ट्रेड यूनियन अथवा किसान सभा के रूप में संगठित होने लगे थे।

1920-1922 एवं 1930-1934 के दो राष्ट्रीय जन आंदोलनों ने बड़े स्तर पर किसान एवं मजदूरों के आंदोलनों का राजनीतिकरण किया। 1929 की विश्व आर्थिक मंदी ने पूरे देश में किसान एवं मजदूरों की स्थिति को बदतर कर दिया था और अब उन्होंने न्याय व राहत की मांग करना शुरू कर दी थी।

1920 एवं 1930 के दशक में मजदूर आंदोलन (Worker Movements of the 1920s and 1930s)

भारत में व्यापार संघों का उद्भव क्यों हुआ?

मजदूरों की समस्याएं- मजदूरों की जीवन-शैली एवं उनके कार्यस्थल की कार्यकारी परिस्थितियां दयनीय थीं, जो भारत में व्यापार संघों के उदय का एक मुख्य कारण बना। इनमें कार्य के लंबे घंटे, कम वेतन, कार्य से बर्खास्तगी, कारखानों में अस्वस्थकर परिस्थितियां, बाल-श्रम, आवासीय असुविधा एवं अन्य अनेक सुविधाओं का अभाव शामिल थे।

मजदूर वर्ग की जनसंख्या मुख्य रूप से बॉम्बे (कपास-कपड़ा उद्योग का मुख्य केंद्र) एवं बंगाल (जूट एवं चाय उद्योग का मुख्य केंद्र) में केंद्रित थी। यहां मजदूर एक दिन में 12 से 18 घंटे कार्य करते थे। सप्ताह के अंत में अवकाश का कोई प्रावधान नहीं था। वे झुग्गी झोपडियों की बस्ती में रहते थे और जहां पानी, बिजली और स्वच्छता की कोई व्यवस्था नहीं रहती थी।

झरिया एवं गिरिडीह के कोयला खदानों में महिला एवं बच्चे तक सुरंगों में कार्य करते थे। देरी से आने पर एवं उत्पादन कम होने पर उन पर जुर्माना लगाया जाता था। साथ ही, उनके वेतन बहुत कम और शोषणकारी थे। वे मजबूर होकर स्थानीय काबुली साहूकारों से उधार लेते थे और कर्ज के चक्रव्यूह में फंस जाते थे। पेंशन या भविष्य निधि का कोई अस्तित्व नहीं था।

इस प्रकार श्रमिक, शोषण के उन सभी स्वरूपों से पीड़ित थे, जो इंग्लैंड एवं पाश्चात्य देशों के औद्योगीकरण के प्रारंभिक चरण में थे। इस औद्योगिक शोषण के साथ वे औपनिवेशिक शासन की बुराइयों को भी झेल रहे थे। औपनिवेशिक

परिस्थितियों ने भारतीय श्रमिक वर्ग आंदोलन को एक विशिष्ट स्वरूप दिया। भारतीय श्रमिक वर्ग को दो विरोधी ताकतों का सामना करना था- एक साम्राज्यवादी राजनीतिक शासन और दूसरा आर्थिक शोषण (साम्राज्यवादी एवं देशी, दोनों के हाथों से)। इन परिस्थितियों के साथ भारतीय श्रमिक-वर्ग आंदोलन राष्ट्रीय आंदोलन के राजनीतिक संघर्ष के साथ अपरिहार्य रूप से जुड़ गया।

इन शोषणकारी परिस्थितियों ने मजदूरों को एक साथ होने और व्यापार संघ बनाने के लिए प्रेरित किया, ताकि वे राजनीतिक रूप से सत्ता को प्रभावित कर सकें।

व्यापार संघों का अर्थ

व्यापार संघ मजदूरों के संगठन हैं, जो कारखानों एवं मिलों में उनकी कार्यकारी स्थितियों में सुधार के उद्देश्य से बनाए जाते हैं। 19वीं शताब्दी में भारत में बड़ी संख्या में कारखानों एवं मिलों का उद्‌भव हुआ और सैकड़ों मजदूरों ने दैनिक रूप से एक-दूसरे के साथ वार्तालाप करना शुरू किया। उन्होंने एक-दूसरे से अपनी समस्याएं साझा कीं और एक होने के लिए प्रेरित किया। यद्यपि उनमें से अधिकतर मजदूर अशिक्षित थे, लेकिन उनमें कुछ बुद्धिजीवी भी होते थे, जिन्होंने उन्हें शिक्षित करने का प्रयत्न किया, व्यापार संघों के लिए उन्हें संगठित किया और उनमें बहुत सुधार किया।

◗ आरंभिक संस्थाएं (Early Associations)

निम्न प्रयत्नों से व्यापार संघवाद का क्रमिक विकास हुआ-

- 1870 के दशक में बंगाल में **शशिपद बनर्जी** (एक ब्रह्म समाजी) ने वर्किंग मेंस क्लब (working men's club) का गठन किया। 1874 में उन्होंने एक पत्रिका **'भारत श्रमजीवी'** (Bharat Sramjibi) प्रकाशित की और जूट मिल के मजदूरों को शिक्षित करने के लिए रात्रि विद्यालय भी खोले।
- 1880 में बॉम्बे में **एन. एम. लोखंडे** ने एक साप्ताहिक **दीनबंधु** की शुरुआत की और 1890 में बॉम्बे मिल हैंड्स एसोसिएशन (Bombay Mill-Hands Association) स्थापित की।
- **भारत में पहला व्यापार संघ**- अप्रैल 1918 में मद्रास में **बी. पी. वाड़िया** (एनी बेसेंट के सहयोगी) द्वारा पहले व्यापार संघ की स्थापना की गई, जिसे **मद्रास लेबर यूनियन (Madras Labour Union)** के नाम से भी जाना गया।
- 1918 में अहमदाबाद में मोहनदास करमचंद गांधी के नेतृत्व में कपड़ा मिल के मजदूरों की एक हड़ताल हुई। यह हड़ताल 21 दिन चली और गांधी भूख हड़ताल पर थे। अंततः एक समझौता हुआ।
- 1920 में गांधी ने मजदूरों एवं नियोक्ताओं के बीच मध्यस्थता के लिए **मजदूर महाजन (Majdur Mahajan)** की स्थापना की और उनके बीच मैत्रीपूर्ण संबंध की वकालत की।

◗ श्रम पर गांधी जी का दर्शन (Gandhi's Philosophy on Labour)

गांधी ने वर्ग-युद्ध के विचार को अस्वीकार किया और उसके स्थान पर **न्यास के सिद्धांत** (पूंजीपतियों का मजदूरों के हितों का न्यासी होना) को रखा। वे पूंजीवाद, जमींदारी या देशी रियासतों के उन्मूलन की आवश्यकता में विश्वास नहीं रखते थे। उन्होंने वकालत की कि पूंजीपति, जमींदार एवं राजकुमारों के हृदय में परिवर्तन की आवश्यकता है, ताकि वे स्वयं को मजदूरों, काश्तकारों एवं प्रजा का न्यासी समझें, न कि मालिक।

श्रम पर गांधी का दर्शन समय की आवश्यकता को दर्शाता है। गांधी के न्यास व मध्यस्थता के सिद्धांत को अक्सर वर्ग-सहयोगी मानकर खारिज कर दिया गया। गांधी के प्रमुख अनुयायियों में से एक **आचार्य जे. बी. कृपलानी** के शब्दों में न्यासी शब्द का अर्थ है 'कोई मालिक नहीं होगा।'

1919-1922 के दौरान अपने अधिकारों के संरक्षण एवं औपनिवेशिक शासन से स्वतंत्रता प्राप्त करने के लिए श्रमिक वर्ग की गतिविधियों का पुनरुत्थान देखा गया।

- अप्रैल 1919 में पंजाब में हुए अन्याय एवं गांधी की गिरफ्तारी के बाद गुजरात में श्रमिक-वर्ग ने हड़ताल एवं प्रदर्शन को पुन: प्रारंभ किया।
- 1919-1921 के दौरान रौलट-आंदोलन एवं असहयोग व खिलाफत आंदोलन के समर्थन में रेलवे कर्मचारियों ने हड़ताल की।
- नवंबर 1921 में वेल्स के राजकुमार के भ्रमण के दौरान श्रमिको ने कांग्रेस की देशव्यापी आम हड़ताल के आह्वान का समर्थन किया।

ऑल इंडिया ट्रेड यूनियन कांग्रेस का गठन (Formation of All India Trade Union Congress, AITUC, बॉम्बे, 31 अक्टूबर 1920)

वर्ष 1919-1920 में अनेक औद्योगिक केंद्रों जैसे बॉम्बे, कलकत्ता, मद्रास, अहमदाबाद, जमशेदपुर एवं कानपुर में हड़तालों की एक शृंखला देखी गई। इसने हजारों मजदूरों को सक्रिय करने में सहायता की और इसी पृष्ठभूमि में 31 अक्टूबर 1920 को बॉम्बे में ऑल इंडिया ट्रेड यूनियन कांग्रेस गठित की गई। लोकमान्य तिलक, जिन्होंने बॉम्बे के श्रमिकों के साथ घनिष्ठ संबंध विकसित किया था, ने इस संगठन की स्थापना में एक महत्वपूर्ण भूमिका निभाई।

इसके प्रारंभिक अधिवेशन के अध्यक्ष **लाला लाजपत राय** (जो उसी वर्ष कांग्रेस के अध्यक्ष भी थे) एवं महासचिव **दीवान चमनलाल** (जो बाद में भारतीय श्रम आंदोलन के एक प्रमुख व्यक्ति के रूप में उभरे थे) थे। इस अधिवेशन में अनेक प्रमुख नेता जैसे- मोतीलाल नेहरू, एनी बेसेंट, सी. एफ. एंड्रूज, बी. पी. वाडिया एवं एन. एम. जोशी शामिल हुए।

ए.आई.टी.यू.सी. भारतीय श्रमिकों के एक केंद्रीय संगठन के रूप में स्थापित की गई थी। स्वराज्य पर प्रस्ताव लाते समय चमन लाल ने घोषणा की- ''यह स्वराज्य पूंजीपतियों के लिए नहीं, बल्कि श्रमिकों के लिए होगा।''

कांग्रेस की प्रतिक्रिया

1922 में कांग्रेस के गया अधिवेशन (सी. आर. दास की अध्यक्षता में) में ए.आई.टी.यू.सी. के गठन का स्वागत किया गया और इसके कार्यों में सहायता के लिए प्रमुख कांग्रेसियों की एक समिति बनाई गई। लाला लाजपत राय के अलावा अनेक कांग्रेसी ए.आई.टी.यू.सी. से घनिष्ठ रूप से जुड़े। इनमें सी. आर. दास (जिन्होंने तीसरे एवं चौथे अधिवेशन की अध्यक्षता की), सी. एफ. एंड्रयूज, जे. एम. सेन गुप्ता, सुभाषचंद्र बोस, जवाहरलाल नेहरू एवं सत्यमूर्ति शामिल थे।

1920 के दशक में श्रमिक जागरूकता बढ़ी और अनेक हड़तालें हुईं। यद्यपि 1929 तक अधिकांश श्रमिक व्यापार संघों में संगठित नहीं हो पाए थे। भाषा एवं समुदाय में विभिन्नता के साथ-साथ नियोक्ताओं एवं थोक व्यापारियों का विरोध मुख्य कारण थे, जिसने व्यापार संघों से मजदूरों को दूर रखा।

व्यापार संघवाद के विकास का काल (Period of Growth of Trade Unionism, 1920-29)

1922 के बाद श्रमिक वर्ग के आंदोलन में एक ठहराव आ गया था। श्रमिक वर्ग की गतिविधियों की अगली लहर 1927-1929 के दौरान तब आई, जब राष्ट्रीय परिदृश्य में स्पष्ट रूप से परिभाषित एक वामपंथी समूह का उद्भव हुआ।

1926 का ट्रेड यूनियन एक्ट (Trade Union Act of 1926, व्यापार संघ अधिनियम)- इस अधिनियम द्वारा व्यापार संघों को कानूनी संस्थाओं के रूप में मान्यता दी गई और व्यापार संघ की गतिविधियों के पंजीकरण एवं नियमन के लिए शर्तों का प्रावधान किया गया। साथ ही, कानूनी गतिविधियों के लिए अभियोजन से विमुक्ति दी गई, लेकिन राजनीतिक गतिविधियों पर कुछ प्रतिबंध लगाए गए।

ए.आई.टी.यू.सी. का जेनेवा-एम्स्टर्डम समूह एवं मस्कोवाइट समूह (The Geneva-Amsterdam Group and The Moscovite Group of AITUC)- 1926-1927 के दौरान ए.आई.टी.यू.सी. दो समूह, जेनेवा-एम्स्टर्डम समूह (सुधारवादी समूह) एवं मोस्कोवाइट समूह (क्रांतिकारी समूह) में विभाजित हो गया। पहला समूह चाहता था कि ए.आई.टी.

यू.सी. को एम्स्टर्डम इंटरनेशनल फेडरेशन ऑफ ट्रेड यूनियंस (आई.एफ.टी.यू., व्यापार संघों का अंतर्राष्ट्रीय संघ) से संबद्ध किया जाए। जबकि दूसरा समूह चाहता था कि मॉस्को स्थित रेड लेबर यूनियन (आर.आई.एल.यू.) से इसे संबद्ध किया जाए। अन्ततः साम्यवादी विचार का अधिक प्रभाव पड़ा।

1927 तक अनेक साम्यवादी समूहों ने स्वयं को कार्यकर्ताओं जैसे एस. ए. डांगे, मुजफ्फर अहमद, पी. सी. जोशी एवं सोहन सिंह जोश के नेतृत्व में **वर्कर्स एंड पीजेंट्स पार्टीज** (डब्ल्यू. पी. पी., मजदूर एवं किसान दल) में संगठित किया। इस दल ने कांग्रेस के एक वामपंथी समूह के रूप में कार्य किया और तीव्रता से प्रांतीय व अखिल भारतीय स्तर पर मजबूती प्राप्त की।

नवंबर 1927 में **ए.आई.टी.यू.सी.** ने **साइमन कमीशन का बहिष्कार** करने का निर्णय लिया और अनेक श्रमिकों ने विशाल बहिष्कार प्रदर्शन में सहभागिता की।

1928 तक व्यापार संघ आंदोलन पर साम्यवादी प्रभाव बहुत मजबूत हुआ और इस वर्ष अभूतपूर्व औद्योगिक अशांति देखी गई। बॉम्बे में साम्यवादियों के नेतृत्व में **गिरनी कामगार यूनियन** (Girni Kamgar Union, GKU) के तत्वावधान में कपड़ा उद्योग के श्रमिकों द्वारा ऐतिहासिक 6 महीने लंबी हड़ताल (अप्रैल से सितंबर 1928) की गई, जिसके बाद इस यूनियन ने मुख्य स्थान प्राप्त किया। साम्यवादी प्रभाव रेलवे, जूट मिल, नगर पालिका, पेपर मिल इत्यादि के मजदूरों पर भी पड़ा।

बॉम्बे

1924 में एक लाख से अधिक कपड़ा मजदूरों ने बोनस के न दिए जाने पर हड़ताल की। 1926 में टेक्सटाइल लेबर यूनियन (Textile Labour Union) गठित की गई, जिसके अध्यक्ष एन. एम. जोशी बनाए गए। हड़ताल ने सरकार को हस्तक्षेप करने पर मजबूर किया। 1928 में पुनः कपड़ा मजदूरों के द्वारा 6 महीने लंबी एक ऐतिहासिक हड़ताल की गई।

बंगाल

1928 में हावड़ा जिले के बौरिया में फोर्ट ग्लोस्टर मिल (Fort Gloster Mill) में मजदूरों ने काम बंद किया। यह हड़ताल इस मायने में अद्भुत थी कि इसमें करीब 15000 जूट मजदूरों ने 6 महीने से अधिक समय तक हड़ताल जारी रखी थी। इस हड़ताल ने भी सरकार को हस्तक्षेप करने के लिए मजबूर कर दिया था।

जमशेदपुर

1928 में टाटा स्टील फैक्ट्री (टाटा स्टील फैक्ट्री भारत का पहली आधुनिक स्टील कारखाना था, जिसकी स्थापना जमशेदजी टाटा ने जमशेदपुर में की थी। यहां करीब 20000 मजदूर कार्य करते थे और उन्होंने अपना एक श्रमिक संगठन भी स्थापित किया था।) के मजदूरों ने बड़ी संख्या में मजदूरों की बर्खास्तगी के विरुद्ध करीब 6 महीने तक काम रोक दिया था। यद्यपि हड़ताल पूर्णतया सफल नहीं रही, लेकिन इसने नियोक्ताओं को लेबर एसोसिएशन (मजदूर/श्रमिक संगठन, Labour Association) को मान्यता देने के लिए मजबूर कर दिया था।

अहमदाबाद एवं मद्रास भी व्यापार संघ आंदोलन के महत्वपूर्ण केंद्र थे।

इस प्रकार 1927-1929 के दौरान बंगाल, बॉम्बे एवं मद्रास में कारखानों एवं मिलों में अनेक हड़तालें हुईं। 1929 तक सरकार ने चिंतित होकर रिपोर्ट में लिखा, 'मुश्किल से ही कोई एक जन उपयोगी सेवा और उद्योग होगा, जहां पर पूर्ण रूप से या आंशिक रूप से साम्यवादी लहर का प्रभाव न पड़ा हो। यह लहर पूरे देश में छा चुकी है।'

1923 में मद्रास में सिंगारवेलु द्वारा **पहला मई दिवस** (श्रमिकों के सम्मान में मनाया जाने वाला एक दिवस) मनाया गया।

व्यापार संघवाद के पतन का काल (Period of Decline of Trade Unionism) (1929-35)

सरकार द्वारा साम्यवादियों का दमन (1929)

अब सरकार मजदूर-वर्ग के आक्रामक व राजनीतिक मिलीभगत, विशेषकर राष्ट्रवादियों व वामपंथियों के एक साथ होने से बैचेन होने लगी थी। सरकार ने अब श्रमिक आंदोलन पर दमन व रियायत के दोतरफा प्रहार शुरू किए। सरकार ने दमनकारी

कानून जैसे पब्लिक सेफ्टी एक्ट (जन सुरक्षा अधिनियम) एवं ट्रेड डिस्प्यूट्स एक्ट (व्यापार विवाद अधिनियम) पारित किए और श्रमिक आंदोलन के उग्र नेतृत्व की अंधाधुंध गिरफ्तारी की (मेरठ षड्यंत्र प्रकरण)। दूसरी ओर 1929 में श्रम पर रॉयल कमीशन की नियुक्ति करके रियायत की पेशकश की गई, ताकि मजदूरों को आंदोलन से दूर कर संवैधानिक एवं कोर्पोरेट सांचे में ढाला जा सके।

साम्यवादियों की वर्गीय राजनीति (Sectarian Politics of the Communists) (1929)

यह समस्या वैसे ही कम नहीं थी, तभी 1929 में भारत में श्रमिक आंदोलन को एक और झटका लगा, जब साम्यवादियों ने मुख्य राष्ट्रीय आंदोलन के अंदर कार्य करने की नीति को वापस ले लिया। इस निर्णय ने न केवल राष्ट्रीय आंदोलन से साम्यवादियों को अलग कर दिया, बल्कि श्रमिक-वर्ग पर उनकी पकड़ भी कमजोर हुई। गिरनी कामगार यूनियन की सदस्यता 1928 में 54000 से घटकर 1929 में मात्र 800 रह गई थी। वे ए.आई.टी.यू.सी. में भी अलग-थलग हो गए थे और 1931 में उन्हें बाहर का रास्ता दिखा दिया गया।

ए.आई.टी.यू.सी. में विभाजन

1929 में प्रारंभ हुई विश्व आर्थिक मंदी के बाद ए.आई.टी.यू.सी. में दो बार विभाजन हुआ। आर्थिक मंदी 1929 में अमेरिका से शुरू हुई और पूरे विश्व में फैल गई थी और भारत में 1936 तक इसका प्रभाव बना रहा। इस काल के दौरान सैकड़ों कारखाने बंद हुए, हजारों मजदूरों को अपनी नौकरियों से हाथ धोना पड़ा और व्यापार संघों का पतन हुआ। विभाजन ने व्यापार-संघ आंदोलन को आगे और कमजोर कर दिया।

पहला विभाजन

यह 1929 में हुआ, जब ए.आई.टी.यू.सी. के अध्यक्ष जवाहरलाल नेहरू थे। यह विभाजन इस मुद्दे पर हुआ कि संघ को श्रम पर रॉयल कमीशन का बहिष्कार करना चाहिए या नहीं। जहां एक ओर उग्रवादी बहिष्कार चाहते थे, तो दूसरी ओर उदारवादी इसमें शामिल होना चाहते थे। अंततः एन. एम. जोशी एवं वी. वी. गिरी के नेतृत्व में उदारवादियों ने ए.आई.टी.यू.सी. को छोड़ा और **ऑल इंडिया ट्रेड यूनियन फेडरेशन (All India Trade Union Federation)** की स्थापना की, जिसका अध्यक्ष वी. वी. गिरी को बनाया गया।

दूसरा विभाजन

यह 1929 में हुआ, जब साम्यवादियों ने ए.आई.टी.यू.सी. को छोड़कर **रेड ट्रेड यूनियन कांग्रेस (Red Trade Union Congress)** की स्थापना की।

कांग्रेस के हाथों में कमान सौंपकर साम्यवादी सविनय अवज्ञा आंदोलन से अलग हो गए थे। मजदूर अब कांग्रेस के नेतृत्व में थे और उन्होंने पहले सविनय अवज्ञा आंदोलन में बड़ी संख्या में भागीदारी की। बॉम्बे में सविनय अवज्ञा आंदोलन के दौरान कांग्रेस ने नारा दिया, "किसान एवं मजदूर कांग्रेस के हाथ एवं पैर हैं।" लेकिन 1931 से 1935 के दौरान श्रमिक वर्ग की गतिविधियों में गिरावट देखी गई, जब उन्होंने द्वितीय सविनय अवज्ञा आंदोलन (1932-1934) में सक्रिय रूप से सहभागिता नहीं की।

व्यापार संघवाद के प्रसार का काल (1935 से)

भारत में 1935 से व्यापार संघवाद के प्रसार का काल शुरू हुआ। साम्यवादी अपनी आत्मघाती वर्गीय-राजनीति को छोड़कर मुख्य राष्ट्रीय आंदोलन में शामिल हुए। 1935 में वे ए.आई.टी.यू.सी. में शामिल हुए और इस संघ में पुनः एकता स्थापित हुई।

विश्व आर्थिक मंदी का प्रभाव अब समाप्त हुआ और 1936 से अर्थव्यवस्था में सुधार होने लगा था। जब 1937 के चुनावों का प्रचार प्रारम्भ हुआ, तो ए.आई.टी.यू.सी. ने अपना समर्थन कांग्रेस प्रत्याशियों को दिया। कांग्रेस ने भी अपने घोषणा-पत्र में श्रमिक वर्ग के अधिकारों को संरक्षित करने के लिए अनेक उपायों की घोषणा की।

कांग्रेस मंत्रिमण्डल का गठन एवं व्यापार संघवाद का विकास

1937 में प्रांतों में कांग्रेस मंत्री-परिषद का गठन हुआ और 1937-1939 के दौरान व्यापार संघ आंदोलन में एक असाधारण उन्नति हुई व व्यापार संघों की संख्या दुगनी हुई। हड़तालों की संख्या में भी काफी वृद्धि हुई, जिनमें से अधिकतर को पूर्ण या आंशिक सफलता प्राप्त हुई। इस दौरान सबसे अधिक सफलता कानपुर में मजदूर हड़ताल को मिली, जो 55 दिनों तक चली और जिसमें 10000 मजदूर शामिल हुए। सरकार ने **बाबू राजेंद्र प्रसाद** की अध्यक्षता में **कानपुर श्रम जांच समिति** नियुक्त की।

कांग्रेस मंत्रिमण्डल ने श्रमिकों की मांगों के प्रति सहानुभूतिपूर्ण व्यवहार किया। कुछ लाभकारी कानून जैसे बॉम्बे इंडस्ट्रियल डिस्प्यूट्स एक्ट (Bombay Industrial Disputes Act, 1938), बॉम्बे शॉप असिस्टेंटस एक्ट (Bombay Shop Assistants Act, 1939), सी.पी. मेटरनिटी एक्ट (C.P. Maternity Act, 1939), बंगाल मेटरनिटी एक्ट (Bengal Maternity Act, 1939) बना।

1939 में जब द्वितीय विश्व युद्ध आरंभ हुआ, तो बॉम्बे के मजदूर दुनिया के पहले ऐसे मजदूरों में शामिल थे, जिन्होंने 2 अक्टूबर 1939 को युद्ध-विरोधी हड़ताल आयोजित की।

द्वितीय विश्व युद्ध का प्रभाव- 1941 में सोवियत संघ पर नाजी आक्रमण के बाद साम्यवादियों ने आग्रह किया कि अब मजदूर वर्ग का कर्तव्य है कि वे फासीवाद को हराने में मित्र राष्ट्रों की सहायता करें, जो समाजवाद के जन्म स्थान को नुकसान पहुंचा रहा है। (मित्र शक्तियों में फ्रांस, ब्रिटेन, रूस, जापान, इटली थे और बाद के वर्षों में अमेरिका शामिल हुआ; जबकि केंद्रीय शक्तियों में जर्मनी, ऑस्ट्रिया-हंगरी, बुल्गारिया एवं तुर्की शामिल थे।)

इस प्रकार साम्यवादी दल ने 1942 के भारत छोड़ो आंदोलन से स्वयं को दूर कर लिया था। उन्होंने नियोक्ताओं के साथ औद्योगिक शांति की नीति का भी अनुसरण किया, ताकि उत्पादन एवं युद्ध-प्रयास को नुकसान न पहुंचे। हालांकि, मजदूर वर्ग पूर्णतया भारत छोड़ो आंदोलन से अलग नहीं रहे और उन्होंने काम रोका व देश के अनेक भागों में हड़तालें कीं।

इस दौरान साम्यवादियों एवं समाजवादियों ने देश के किसान एवं मजदूरों को एक आंदोलन के अंतर्गत एक जुट करने का प्रयास किया।

1920 एवं 1930 के दशक में किसान आंदोलन (Peasant Movements of the 1920s and 1930s)

इस किताब में पहले ही आप 19वीं शताब्दी के द्वितीय भाग में हुए किसान-विद्रोह के बारे में पढ़ चुके हैं। आप समझ चुके हैं कि कैसे औपनिवेशिक सरकार के साथ-साथ जमींदारों ने किसानों का शोषण किया और कैसे उन्होंने इस शोषण के विरुद्ध हथियार उठाए। इस अध्याय में हम 1920 एवं 1930 के दशक में हुए किसान-विद्रोह के बारे में पढ़ेंगे और समझेंगे कि कैसे यह आंदोलन या विद्रोह अपने पूर्ववर्ती आंदोलन से भिन्न थे। अब किसान स्वयं को संगठित करने और शोषणकारी शक्तियों के विरुद्ध एक संयुक्त मोर्चे के रूप में प्रस्तुत करने के तरीके समझ चुके थे।

किसानों की समस्याएं (Problems of the Peasantry)

भारत में किसानों को बहुत कठिनाइयां झेलनी पड़ती थीं और उन्हें समाज के सबसे निचले सोपान में रखा जाता था। किसानों की कुछ आम समस्याएं थीं-

- किसानों पर भू-राजस्व का भारी बोझ होता था। इससे न केवल वे गरीब बने रहते थे, बल्कि उन्हें स्थानीय साहूकारों से कर्ज लेना पड़ता था, जो उनसे बहुत अधिक ब्याज लेते थे। किसान अक्सर स्वयं को कर्ज के चक्रव्यूह में फंसा हुआ पाते थे और यह कर्ज एक पीढ़ी से दूसरी पीढ़ी में हस्तांतरित हो जाता था।
- यदि भू-राजस्व का बोझ पर्याप्त नहीं होता था, तो जमींदार बटाईदारों अथवा काश्तकारों (किसानों) से **अब्वास, नजराना** जैसे तोहफे लेते थे।

- किसानों का उन भूमि पर, जिनको वे जोतते थे, कोई अधिकार नहीं होता था। जिससे वे हमेशा बेदखली के डर में जीते थे।
- प्रथम विश्व युद्ध के प्रारंभ होने के बाद किसानों के कष्ट और बढ़ गए थे, क्योंकि उन्हें युद्ध-निधि, सैन्य-सेवा इत्यादि में सहयोग करना पड़ता था।

ऐसी परिस्थितियों में सरकार का कर्तव्य था कि वे किसानों का संरक्षण करें, लेकिन सरकार भी जमींदारों के साथ मिली हुई थी और इस वजह से किसानों को मजबूर होकर अपनी मुक्ति के लिए विद्रोह करना पड़ा।

1920 के दशक में किसान आंदोलन (Peasant Movement during 1920s)

संयुक्त प्रांत

इस काल के दौरान संयुक्त प्रांत किसान गतिविधि के एक मुख्य केंद्र के रूप में उभरा। यहां **बाबा राम चंद्र** ने जमींदार एवं तालुकदारों के विरुद्ध अवध के किसानों को संगठित करने की पहल की। उन्होंने किसानों से कहा कि सरकार एवं जमींदारों द्वारा उन्हें दासत्व में रखा गया है और शोषणकारियों के विरुद्ध एक होकर ही वे स्वतंत्र हो सकते हैं।

बाबा राम चंद्र जन्म से एक महाराष्ट्रीय ब्राह्मण थे। 1905 में वे एक अनुबंधित श्रमिक के रूप में फिजी गए थे और 1917-1918 में अवध आए। यहां आकर उन्होंने किसानों के बीच काम किया, एक सन्यासी की वेशभूषा में स्वयं को ढाला, रामचरितमानस से उदाहरण दिए व किसानों को शोषणकारियों के विरुद्ध संघर्ष के लिए सक्रिय किया।

1920 में किसान-आंदोलन असहयोग आंदोलन के साथ जुड़ गया। 1921 में आंदोलन आक्रामक हुआ और रायबरेली, फैजाबाद व सुल्तानपुर में फैल गया; जिससे सरकार को अवध रेंट एक्ट, 1921 (Oudh Rent Act, 1921) को मजबूरन संशोधित करना पड़ा।

एका आंदोलन- 1922 के प्रारंभ में हरदोई, बाराबंकी, सीतापुर जैसे जिलों में **मदारी पासी के नेतृत्व** में किसानों ने एका आंदोलन आरंभ किया। प्रारंभिक पहल कांग्रेस एवं खिलाफत के नेताओं ने की और यह आंदोलन एका या एकता आंदोलन के नाम से विकसित हुआ। आंदोलन का मुख्य कारण उच्च लगान था, जो कुछ क्षेत्रों के निर्धारित लगान से सामान्यतया 50% से भी अधिक होता था। मदारी पासी एक आक्रामक किसान नेता थे और उन्होंने जमींदारों व प्रशासन को गम्भीर चुनौती दी। मार्च 1922 तक कठोर दमन के कारण एका आंदोलन का अंत हो गया था।

बिहार

उत्तरी बिहार में **स्वामी विद्यानंद** के नेतृत्व में किसान आंदोलन हुआ, जो मुख्य रूप से दरभंगा के राजा के विरुद्ध चलाया गया। राजा एक बड़े क्षेत्र का मालिक था और किसानों का शोषण करता था। दरभंगा राज के विरुद्ध चलाया गया आंदोलन यूपी के आंदोलन के समान आक्रामक नहीं था।

बंगाल

किसान कर न चुकाने के आंदोलन में शामिल हुए और **यूनियन बोर्ड** के करों का भुगतान करने से मना कर दिया। मिदनापुर जिला आंदोलन के मुख्य केंद्र के रूप में उभरा। सरकार के यूनियन बोर्ड में बढ़ोतरी न करने के निर्णय के साथ आंदोलन समाप्त हुआ।

मालाबार

1921 में जमींदारों के सतत उत्पीड़न के साथ-साथ ब्रिटिश सरकार की खिलाफत-विरोधी नीतियों के विरुद्ध मुस्लिम मोपला किसानों ने विद्रोह किया। 1921 का मोपला किसान-आंदोलन खिलाफत आंदोलन के साथ घनिष्ठ रूप से जुड़ गया था। जहां एक ओर खिलाफत आंदोलन में मुसलमान अली बंधुओं के नेतृत्व में एक हो गए थे, वहीं मोपला **अली मुसलियार** (एक सम्मानीय धर्मगुरु एवं स्थानीय खिलाफत नेता) के नेतृत्व में उठ खड़े हुए थे। मोपला विद्रोहियों ने सड़कों को जाम कर दिया था, टेलीग्राफ की लाइन को काट दिया था, रेलवे लाइन को उखाड़ फेंका था और यहां तक की कुछ यूरोपियन को मार दिया था।

अक्टूबर 1921 में विद्रोह का दमन करने के लिए सरकार ने एक मजबूत टुकड़ी भेजी। चारों ओर से घिरने के बाद इसे हिंदुओ की मिलीभगत के संदेह पर क्रोधित मोपलाओं ने हिंदुओं की नृशंस हत्या करना शुरू कर दी थी, जिसमें महिलाएं एवं बच्चे शामिल थे। सरकार ने बड़े स्तर पर दमन चक्र चलाया और हजारों मोपला मारे गए। (एक गैर-शासकीय अनुमान के अनुसार यह संख्या लगभग 10000 थी।) लगभग 3000 मोपलाओं को आजीवन कारावास की सजा दी गई और उन्हें अंडमान जेल भेज दिया गया।

मोपला विद्रोह के कठोर दमन के बाद यह समुदाय हतोत्साहित हो गया था और इसके बाद जब तक ब्रिटेन का शासन भारत में रहा, ये लोग किसी भी किसान और राष्ट्रीय राजनीतिक गतिविधि से अलग बने रहे।

गुजरात एवं बारदोली सत्याग्रह (1928)

राजनीतिक परिदृश्य में गांधी के उद्भव के बाद सूरत जिले के बारदोली तालुका बड़े स्तर पर राजनीतिकरण का साक्षी बना। 1927 में बारदोली में आंदोलन और तीव्र हो गया, जब कपास की कीमतों में गिरावट के बावजूद राजस्व में 30 % की वृद्धि कर दी गई। कांग्रेस नेताओं ने तुरंत इसका विरोध किया और **बारदोली जांच समिति** का गठन किया। समिति ने राजस्व में वृद्धि को अन्यायपूर्ण पाया। इसने 1928 में बारदोली सत्याग्रह के लिए पृष्ठभूमि तैयार की। वल्लभभाई पटेल एवं कुंवरजी मेहता जैसे नेताओं ने उन किसानों को लामबंद किया, जिन्होंने सरकार को राजस्व का भुगतान करने से मना कर दिया था। जनमत को प्रभावित करने के लिए **बारदोली सत्याग्रह पत्रिका** निकाली गई। सभी काश्तकारों/किसानों के द्वारा आंदोलन के प्रस्तावों का अनुसरण किया जाए। इस बात को निश्चित करने के लिए **प्रबुद्धजनों का एक समूह** बनाया गया। जिन्होंने आंदोलन का विरोध किया, उन्हें सामाजिक बहिष्कार झेलना पड़ा। महिलाओं की सहभागिता पर विशेष बल दिया गया। के. एम. मुंशी एवं लालजी नारायणजी ने आंदोलन के समर्थन में बॉम्बे विधान परिषद से त्यागपत्र दे दिया था।

सरकार द्वारा कठोर दमन एवं भूमि की जब्ती के बावजूद, यह आंदोलन सरकार को राजस्व कम करने हेतु पुनर्मूल्यांकन करने के लिए मजबूर करने में सफल रहा। इसी आंदोलन के दौरान बारदोली की महिलाओं ने बल्लभभाई पटेल को **'सरदार'** की उपाधि दी थी।

उपर्युक्त क्षेत्रों के अलावा किसानों ने मालाबार, राजस्थान, उड़ीसा एवं असम में शोषण के विरुद्ध विद्रोह किया।

1930 के दशक में किसान आंदोलन (Peasant Movement during the 1930s)

विश्व आर्थिक मंदी (1929 से) एवं सविनय अवज्ञा आंदोलन (1930) के दौरान 1930 के दशक में भारतीय किसानों में राष्ट्रव्यापी जागरूकता देखी गई। यहां तक कि आर्थिक मंदी के दौरान न ही सरकार ने अपने करों में कमी की और न ही जमींदारों से उनके लगान कम करने को कहा। फलस्वरूप, सविनय अवज्ञा आंदोलन में किसानों ने बड़े स्तर पर सहभागिता की और देश के अनेक भागों में इसने 'न कर, न लगान' आंदोलन का रूप ले लिया था। सविनय अवज्ञा आंदोलन ने किसान आंदोलन को सहयोग किया एवं साथ ही इसने युवा व आक्रामक राजनीतिक कार्यकर्ताओं के एक नए समूह को तैयार कर दिया था, जो सविनय अवज्ञा आंदोलन के गर्भ से जन्मे थे और बाद में वामपंथी विचारधारा के प्रभाव में फले-फूले। सविनय अवज्ञा आंदोलन के स्थगित होने के बाद इन पुरुष एवं महिलाओं ने किसानों को संगठित करने में स्वयं को लगा दिया था। इसी क्रम में 1934 में कांग्रेस सोशलिस्ट पार्टी के गठन ने वामपंथ को और मजबूत किया व किसान आंदोलन की एक प्रेरणा के रूप में कार्य किया।

संयुक्त प्रांत (यूपी)

1920 के दशक के समान ही 1930 के दशक में भी संयुक्त प्रांत किसान विद्रोह के एक मुख्य केंद्र के रूप में उभरा। जहां एक ओर कांग्रेस ने राजस्व न देने के आंदोलन का आह्वान किया, वहीं दूसरी ओर कुछ नेताओं ने लगान न देने का भी आंदोलन शुरू किया। **रायबरेली के कालका प्रसाद** जैसे नेताओं ने किसानों को सभी प्रकार के भुगतान करने से रोका। लेकिन सरकार ने पुनः कठोर दमन आरंभ किया और आंदोलन को दबा दिया।

राजस्व न देने के आंदोलन व लगान न देने के आंदोलन में क्या अंतर था? राजस्व न देने का आंदोलन सरकार के विरुद्ध था, जबकि लगान न देने का आंदोलन जमींदारों के विरुद्ध (क्योंकि काश्तकार/किसान जमींदारों को लगान देते थे) था।

बंगाल एवं बिहार

यहां आंदोलन कर न चुकाने तक सीमित रहा। मनभूम, सिंहभूम एवं दिनाजपुर के जनजातीय किसानों ने नमक सत्याग्रह में भाग लिया और जेल गए। इस क्षेत्र में अलोकप्रिय **चौकीदार कर** के विरुद्ध शक्तिशाली आंदोलन देखा गया।

मद्रास प्रांत

1928 में प्रो. एन. जी. रंगा के नेतृत्व में **आंध्रा रैयट्स एसोसिएशन (Andhra Ryots' Association)** का गठन किया गया, जिसके द्वारा जमींदार विरोधी संघर्ष आरंभ किया गया। इसका पहला निशाना **नेल्लोर जिले के वेंकटगिरी जमींदार** थे। इस संस्था ने किसानों की मांगों को आवाज दी। इन मांगों में लगान में कमी करना भी शामिल था। यह आंदोलन सविनय अवज्ञा आंदोलन के दौरान तेजी से बढ़ा और विशेषकर तंजौर, मदुरई एवं सालेम में मजबूत हुआ। आंध्रा में आंदोलन की एक अन्य विशेषता यह थी कि यहां किसान गतिविधियों के लिए **अर्थव्यवस्था एवं राजनीति के ग्रीष्मकालीन विद्यालय** संगठित किए गए। इन प्रशिक्षण शिविरों को उस समय के प्रमुख वामपंथी नेताओं द्वारा संबोधित किया गया था।

केरल में कांग्रेस सोशलिस्ट पार्टी के प्रयासों से एक शक्तिशाली किसान आंदोलन विकसित हुआ और **कृषक संगम** (किसान संगठन) की स्थापना हुई। किसानों की मुख्य मांगों में सामंतवादी करारोपण, नवीनीकरण शुल्क एवं अग्रिम लगान की समाप्ति शामिल थे। कृषक संगम ने 1929 के मालाबार टेनेंसी एक्ट/काश्तकारी अधिनियम (Malabar Tenancy Act, 1929) को संशोधित करने की मांग को लेकर एक शक्तिशाली अभियान किया। इस अभियान ने सफलतापूर्वक काश्तकारों के मुद्दे के बारे में जागरुकता फैलाई और इस बात को निश्चित किया कि आने वाले वर्षों में उनकी मांगे अपरिहार्य रूप से स्वीकार की जाएंगी।

पंजाब

यहां प्रारंभिक किसान आंदोलन पंजाब नौजवान सभा, कीर्ति किसान पार्टी, कांग्रेस एवं अकाली दल के द्वारा संगठित किए गए थे। 1937 में पंजाब किसान समिति ने एक नया जोश भरा। इसके द्वारा अमृतसर व लाहौर में भू-राजस्व का पुन:स्थापन, मुल्तान व मोंटगोमरी की नहर-उपनिवेशों में जल की कीमतों में वृद्धि जैसे मुद्दे त्वरित रूप से उठाए गए। यहां किसानों ने हड़ताल की और अन्तत: रियायतें प्राप्त करने में सफलता मिली।

महाराष्ट्र, बिहार व मध्य प्रान्त में किसान व जनजातियों ने **वन सत्याग्रह** पुन: शुरू किया और उन कानूनों को मानने से मना कर दिया, जो उनको वन संसाधनों के उपयोग से प्रतिबंधित करते थे।

आल इंडिया किसान सभा का गठन (Formation of All India Kisan Sabha, AIKS, लखनऊ, 1936)

1920 के दशक में साम्यवादियों व समाजवादियों के प्रयास से प्रान्तीय किसान सभा (या रैयतु) पहले ही गठित हो चुकी थी। लेकिन किसानों के केंद्रीय संगठन की आवश्यकता महसूस की गई और इसलिए 1936 में लखनऊ में **ऑल इंडिया किसान कांग्रेस** की स्थापना की गई। (बाद में जिसका नाम परिवर्तित कर ऑल इंडिया किसान सभा कर दिया गया था।)

आक्रामक किसान नेता व बिहार प्रांतीय किसान सभा के संस्थापक **स्वामी सहजानंद** को अध्यक्ष व आंध्रा में किसान आंदोलन के अग्रणी नेता **एन. जी. रंगा** को महासचिव निर्वाचित किया गया। पहले अधिवेशन में भाग लेने वाले नेताओं में जवाहरलाल नेहरू, राम मनोहर लोहिया, इंदुलाल याग्निक, जयप्रकाश नारायण, सोहन सिंह जोश, अहमद दिन एवं कमल सरकार शामिल थे। सम्मलेन ने एक किसान घोषणा-पत्र व इंदुलाल याग्निक द्वारा संपादित नियतकालिक पत्रिका निकालने का निर्णय लिया। किसान घोषणा-पत्र ने कांग्रेस के **फैजपुर अधिवेशन** में स्वीकार किए गए कृषक कार्यक्रम को अत्यधिक प्रभावित किया।

फ्लैशबैक (अब तक)- जवाहरलाल नेहरु की अध्यक्षता में कांग्रेस के फैजपुर अधिवेशन में कांग्रेस ने कृषक कार्यक्रम स्वीकार किया, जिसमें राजस्व व लगान में कमी, सामंतीय ऋण व आरोपण की समाप्ति, सस्ते ऋण का प्रावधान, काश्तकार/किसान के लिए कार्यकाल की सुरक्षा, सहकारी/साझा खेती का प्रारंभ, कृषि से जुड़े मजदूरों के लिए अच्छी मजदूरी एवं किसान संघ बनाने का अधिकार जैसे विषय शामिल थे।

उद्देश्य- किसान सभा ने अपने लक्ष्य का इस प्रकार वर्णन किया, ''आर्थिक शोषण से पूर्ण स्वतंत्रता प्राप्ति एवं किसान, मजदूर व अन्य शोषित वर्गों के लिए पूर्ण आर्थिक व राजनीतिक शक्ति प्राप्त करना।'' इसने निम्नलिखित मांगें भी रखीं-

- आर्थिक शोषण से किसानों की सुरक्षा।
- जमींदारी व तालुकदारी व्यवस्था का उन्मूलन एवं भूमि को जोतने वाले को भूमि सौंपना।
- राजस्व व लगान में कमी।
- साहूकारों को लाइसेंस व्यवस्था के अंतर्गत लाना।
- कर्जों का अधिस्थगन।
- कृषक मजदूरों को न्यूनतम वेतन।
- व्यावसायिक फसल के लिए निष्पक्ष कीमत।
- सिंचाई सुविधा इत्यादि।

स्वतंत्रता के लिए राष्ट्रीय संघर्ष में इन उद्देश्यों की प्राप्ति एक सुचारू संगठन व सक्रिय सहभागिता द्वारा ही संभव थी।

ऑल इंडिया किसान सभा ने घोषणा की कि किसानों की मुक्ति उनके स्वयं के संगठन से ही संभव है और कांग्रेस से अलग स्वतंत्र रूप से कार्य करने का निर्णय लिया।

ऑल इंडिया किसान सभा ने बलपूर्वक कहा, ''देश कि सभी साम्राज्यवाद-विरोधी ताकतों विशेषकर किसान व मजदूरों को शोषणकारियों अर्थात ब्रिटिश सरकार, जमींदार, भू-स्वामी, उद्योगपति व साहूकारों, के विरुद्ध प्रत्येक दिन के संघर्ष को विकसित करना है।''

ऑल इंडिया किसान सभा का दूसरा अधिवेशन **महाराष्ट्र के फैजपुर में कांग्रेस के अधिवेशन** के साथ ही हुआ। इसकी अध्यक्षता एन. जी. रंगा द्वारा की गई और इस अधिवेशन में लगभग 500 किसान शामिल हुए, जिनका स्वागत जवाहरलाल नेहरू, एम. एन. रॉय, नरेंद्र देव, एस. ए. डांगे, एम. आर. मसानी, युसुफ मेहराली, बंकिम मुखर्जी एवं अन्य अनेक नेताओं द्वारा किया गया। अपने अध्यक्षीय भाषण में रंगा ने घोषणा की, ''हम एक सामाजवादी राज्य व समाज की स्थापना के अंतिम चरण के लिए स्वयं को संगठित कर रहे हैं।''

प्रान्तों में कांग्रेस मंत्रिमंडल व किसान आंदोलन का विकास

1937-1939: किसान आंदोलन की उन्नति के वर्ष

प्रान्तों में कांग्रेस मंत्रिमंडल के गठन के साथ ही किसान आंदोलन के एक नए चरण की शुरुआत हुई। देश का परिदृश्य नई अपेक्षाओं के साथ उत्साह से भर गया। यह जानकर कि सत्ता में हमारे लोग हैं, स्वतंत्रता व शक्ति की भावना फूट पड़ी। अलग-अलग मंत्रिमंडलों ने किसान समर्थित अनेक विधेयक प्रस्तावित किए। जन-सक्रियता का मुख्य माध्यम किसान सम्मेलन व बैठकें आयोजित करना व प्रस्ताव पारित करना होता था।

बकाश्त आंदोलन (बिहार, 1937-1938)

यह किसान आंदोलन उन जमींदारों के विरुद्ध था, जो किसानों को बकाश्त भूमि से बेदखल कर देते थे। बकाश्त भूमि वह होती थी, जो मंदी के वर्षों में लगान न चुकाने पर जमींदारों द्वारा काश्तकारों/किसानों से छीन ली जाती थीं और इस जमीन

पर ये किसान अक्सर साझा खेती जारी रखते थे। जमींदार अक्सर इन काश्तकारों को बकाश्त भूमि से बेदखल कर देते थे। जब 1937 में कांग्रेस मंत्रिमंडल गठित हुई, तो किसान सभा ने सोचा कि बकाश्त के मुद्दे को उठाने व बकाश्त भूमि को काश्तकारों को पुनः लौटाने की मांग का यह उचित समय है। 1938 में **बकाश्त भूमि पुनर्स्थापन अधिनियम** व **बिहार टेनेंसी/काश्तकारी** अधिनियम पारित कर किसानों को बहुत राहत प्रदान की।

हतटोला आंदोलन (बंगाल)

यह किसान आंदोलन बंगाल के उत्तरी जिलों में हाट (साप्ताहिक बाजार) में अपनी उपज बेचने वाले किसानों ने उन जमींदारों के विरुद्ध शुरू किया, जो उन से उगाही करते थे।

बर्दवान सत्याग्रह

यह आंदोलन बंगाल के बर्दवान जिले में बंकिम मुखर्जी के नेतृत्व में **नहर कर** के विरुद्ध किया गया। नहर कर दामोदर नहर के निर्माण के बाद किसानों पर लगाया जाता था। सरकार द्वारा किसान सभा की मांगे अंशत: स्वीकार किए जाने के बाद यह आंदोलन वापस ले लिया गया।

बटाईदारों के आंदोलन

बटाईदार या साझा खेती करने वाले किसानों का आंदोलन 1939 में बंगाल में शुरू हुआ। बटाईदार किसान गरीब किसान थे, जो जमींदारों की भूमि जोतते थे और अपने उत्पादन का एक भाग उन्हें दे देते थे, लेकिन कार्यकाल की उनको कोई सुरक्षा नहीं थी और कभी भी उनको बेदखल किया जा सकता था। उत्तरी बंगाल के दीनाजपुर जिले में इस आंदोलन ने प्रबलता प्राप्त की और सरकार को किसानों के साथ समझौते के लिए मजबूर होना पड़ा।

गुजरात में **हली (अनुबंध श्रम) व्यवस्था** के उन्मूलन की मांग प्रमुख थी और यहां महत्वपूर्ण सफलता भी दर्ज की गई।

इस प्रकार, उपर्युक्त आंदोलनों के द्वारा किसानों ने संगठन की शक्ति को समझा।

किसान आंदोलन के प्रति कांग्रेस की प्रतिक्रिया (Congress Response to the Peasant Movement)

कांग्रेस नेता किसानों की शक्ति के बारे में जागरूक थे और साम्राज्यवादी-विरोधी आंदोलन में उनके महत्व को समझते थे। वे किसानो के मुद्दों और उनकी शिकायतों के बारे में चिंतित थे। 1937 में नेहरू ने कहा, ''किसान-समस्या भारत की प्राथमिक समस्या है और शेष सभी द्वितीयक/गौण हैं।''

हालांकि, कांग्रेस के दक्षिण पंथी, जो अभीजात वर्ग से आते थे, भारतीय किसानों के मध्य वर्ग-चेतना के उदय व उनकी मांगों विशेषकर जमींदारी के उन्मूलन से असहज महसूस कर रहे थे। वे चाहते थे कि किसान ब्रिटिश-विरोधी संघर्ष में सहायता करें, लेकिन जमींदारों से जुड़ीं उनकी शिकायतों को नजरअंदाज करने का प्रयास करते थे। परिणामस्वरूप, जब भी किसान जमींदारों के विरुद्ध विद्रोह करते, कांग्रेस उनको रोकने का प्रयास करती थी। जमींदारों के विरुद्ध लगान न देने के आंदोलन को अनुमति देने में भी कांग्रेस संकोच करती थी।

फलस्वरूप, किसानों ने शुरुआत से ही स्वतंत्र रूप से कार्य करने को चुना। यद्यपि ब्रिटिश शासन से स्वतंत्रता दिलाने के लिए उन्हें कांग्रेस नेतृत्व पर भरोसा था और किसी भी स्तर पर किसान नेताओं ने कांग्रेस का विरोध नहीं किया था, लेकिन जमींदारों व पूंजीपतियों के विरुद्ध संघर्ष के लिए उन्होंने अपने सामर्थ्य को प्राथमिकता दी।

> सहजानन्द- 'हम सब कांग्रेस के साथ उसके चमत्कार या मिथक के कारण नहीं जुड़े हुए हैं, बल्कि इसलिए जुड़े हैं, क्योंकि यह राष्ट्र का प्रतिनिधित्व करती है। जटिल समय में इसने कोई गलत कदम नहीं उठाया। मुक्ति के संघर्ष की इस जटिल स्थिति में हम सबको उसके हाथ मजबूत करने का प्रयास करना है।'

1939 में द्वितीय विश्वयुद्ध के शुरू होने के बाद किसान आंदोलन के बढ़ते ज्वार को नियंत्रित किया गया और इसी दौरान युद्ध के कारण न केवल कांग्रेस मंत्रिमंडल ने इस्तीफा दिया, बल्कि वामपंथियों का, उनके युद्ध-विरोधी रुख के कारण, कठोरतापूर्ण दमन किया गया।

अध्याय

15 देशी रियासतों की जनता के आंदोलन

भारत में ब्रिटिश-सर्वोच्चता की स्थापना एक लंबी एवं जटिल प्रक्रिया से हुई, जिसमें सीधी विजय, भय और यहां तक कि पूर्व औपनिवेशिक भारतीय राजनीतिक क्षेत्रों का समायोजन शामिल था। इस लंबी प्रक्रिया का यह परिणाम हुआ कि उपमहाद्वीप के 3/5 भाग पर ब्रिटिश शासन का सीधा शासन स्थापित हुआ, जबकि शेष 2/5 भाग पर अप्रत्यक्ष शासन अथवा सर्वोच्चता स्थापित हुई। अप्रत्यक्ष शासन के अंतर्गत आने वाले क्षेत्र पर भारतीय राजकुमारों का शासन जारी रहा और इस क्षेत्र को देशी रियासतें अथवा साधारण भाषा में भारतीय राज्यों के नाम से जाना गया।

इस अध्याय में आप 1920 से 1947 के काल में देशी रियासतों में हुए लोकप्रिय संघर्षों के बारे में अध्ययन करेंगे। आप इस मुद्दे पर भारतीय राष्ट्रीय कांग्रेस की नीति के साथ-साथ इन संघर्षों को प्रसारित करने में साम्यवादियों की भूमिका को भी समझेंगे।

देशी राज्यों/रियासतों से ब्रिटिश संबंध (British Relations with the Princely States)

भारत में ब्रिटिश आविर्भाव के समय लगभग 562 देशी रियासतें अस्तित्व में थी। इन 562 रियासतों में हैदराबाद जैसी विशाल (इटली के समान विशाल) और कुछ बिलवारी (जनसंख्या मात्र 27)जैसी छोटी रियासतें शामिल थीं। ईस्ट इंडिया कंपनी के समान ही अनेक भारतीय राज्यों को मुगल काल के बाद प्रमुखता मिली। इन्हें केंद्रीय मुगल सत्ता के पतन का लाभ हुआ। हैदराबाद जैसे राज्यों एवं कुछ राजपूत राज्यों को यद्यपि अंग्रेजों द्वारा जीता नहीं गया, लेकिन उन्होंने कंपनी की सर्वोच्चता स्वीकार की। कुछ राज्य जैसे मध्य भारत के राजपूत राज्यों ने मुगलों के साथ-साथ मराठाओं से भी अपनी स्वतंत्रता को बनाए रखा और इसके बाद वे ब्रिटिश हस्तक्षेप से भी बचे रहे। मराठा संघ को जीतने के बाद कुछ राज्यों को ब्रिटिश सरकार द्वारा भी स्थापित किया गया।

देशी रियासतों से ब्रिटिश सरकार के संबंध एक समान नहीं रहे, अपितु अनेक उतार-चढ़ाव के दौर से गुजरे-

- 1740 जव 1765- समानता के लिए संघर्ष
- 1765 जव 1813- घेरे की नीति
- 1813 जव 1857- अधीनस्थ पार्थक्य की नीति
- 1857 जव 1935- अधीनस्थ संघ की नीति
- 1935 जव 1947- समान संघ की नीति

1740-1765- समानता के लिए संघर्ष (Struggle for Equality)

1740 से पहले ईस्ट इंडिया कंपनी केवल एक व्यावसायिक संस्था थी। यूरोपियन की राजनीतिक महत्वाकांक्षाएं 1740 से शुरू हुई, जब कर्नाटक-युद्ध शुरू हुआ। इस युद्ध में डुप्लेसिस ने पहली बार भारतीय राजनीति में हस्तक्षेप किया। 1757 में अंग्रेजी कंपनी ने प्लासी का युद्ध जीता और वह बंगाल के नवाब के पीछे एक राजनीतिक शक्ति के रूप में उभरी। 1764 में कंपनी ने बक्सर का युद्ध जीता और बंगाल, बिहार एवं उड़ीसा की दीवानी प्राप्त की (इलाहाबाद की संधि, 1765)। इस

प्रकार 1740-1765 के काल में कंपनी अभी तक भारतीय राज्यों के अधीन थी और उनके साथ उनके समान समानता प्राप्त करने के लिए संघर्ष कर रही थीं।

1765-1813- घेरे की नीति (The Policy of Ring Fence)

इस समय के दौरान कंपनी ने बंगाल के कंपनी के क्षेत्र के चारों ओर बफर राज्य (अंत:स्थ राज्य) बनाने की नीति को अपनाया और उस समय अवध की रक्षा में ही बंगाल की सुरक्षा निहित थी। इस प्रकार मैसूर एवं मराठाओं के विरुद्ध वारेन हेस्टिंग्स के युद्ध के साथ-साथ देशी राज्यों/रियासतों के साथ वेलेजली की सहायक संधियां घेरे की नीति के अंतर्गत ही थीं।

सहायक संधि व्यवस्था (Subsidiary Alliance System) के अंतर्गत देशी रियासतों के शासकों को अपनी स्वतंत्र सेना रखने की अनुमति नहीं थी। उनकी सुरक्षा ईस्ट इंडिया कंपनी द्वारा की जानी थी, जिसके लिए उन्हें सहायक बल के लिए भुगतान करना होता था, जिसे कंपनी इस तरह की सुरक्षा के लिए प्रबंधित करती थी। यदि भारतीय शासक भुगतान करने में असफल होते थे, तो दंड/जुर्माना के रूप में उनके क्षेत्र का कुछ भाग ले लिया जाता था। यद्यपि 1764 में बक्सर के युद्ध के बाद इस तरह की संधि करने वाले पहले व्यक्ति अवध के नवाब थे, लेकिन बेलेजली की सहायक संधि की नीति का पहला शिकार 1798 में हैदराबाद के निजाम बने।

1813-1857- अधीनस्थ पार्थक्य की नीति (The Policy of Subordinate Isolation)

लॉर्ड हेस्टिंग्स (1813-1823) के समय की गई सहायक संधियां पारस्परिक मित्रता पर आधारित नहीं थीं, बल्कि भारतीय राज्यों को ब्रिटिश सरकार के साथ अधीनस्थ सहयोग के साथ कार्य करने के लिए मजबूर किया गया था। लॉर्ड हेस्टिंग्स के समय से लेकर 1857 तक कंपनी के निवासी अधिकारी (Resident officers) धीरे-धीरे एक विदेशी शक्ति के राजनयिक एजेंट से एक उत्कृष्ट सरकार के नियंत्रक अधिकारी के रूप में परिवर्तित हो गए थे। एक दूत की तरह कार्य करने के स्थान पर वह अक्सर एक तानाशाह के रूप में कार्य करता था।

1833 के चार्टर एक्ट के बाद अधीनस्थ प्रार्थक्य की नीति को और हवा मिली, क्योंकि इस एक्ट के द्वारा कंपनी का आदेश दिया गया कि वह जितने जल्दी संभव हो अपने व्यावसायिक कार्यों को समाप्त करे। भविष्य में व्यापार से होने वाली आय की समाप्ति को देखते हुए, कंपनी का **वित्तीय आधार व्यापार** व **व्यवसाय से भू-राजस्व** की ओर हस्तांतरित होना शुरू हुआ। इसने स्वाभाविक रूप से कंपनी को क्षेत्रीय प्रसार को जारी रखने के लिए प्रेरित किया। निदेशक मंडल ने गवर्नर जनरल को आदेश दिया कि वह सही एवं सम्माननीय समामेलन (कब्जे में करना) के प्रत्येक अवसर का लाभ उठाए। इसके बाद 1857 तक कंपनी के गवर्नर जनरलों ने खुले तौर पर अनेक क्षेत्रों को कब्जे में लिया। उत्तराधिकारी के न होने अथवा कुशासन के आधार पर ये समामेलन किए गए।

इस प्रकार विलियम बैंटिक ने मैसूर (1831), कछार (1832), कूर्ग (1834) एवं जैंतिया (1835) को कब्जे में किया। लॉर्ड ऑकलैंड ने करनाल, मंडावी (1839), कोलाबा एवं जालौन (1840) को कब्जे में लिया और लॉर्ड डलहौजी ने अनेक भारतीय राज्यों, जिनमें नागपुर, सतारा एवं अवध जैसे बड़े राज्य शामिल थे, को ब्रिटिश राज्य में शामिल किया।

1857-1935- अधीनस्थ संघ की नीति (The Policy of Subordinate Union)

1858 की महारानी की घोषणा में समामेलन की नीति के त्याग की घोषणा की गई। व्यपगत/लैप्स का सिद्धांत (हड़प नीति) समाप्त हुआ और भारतीय राज्यों को आश्वस्त किया गया कि क्राउन अब वर्तमान क्षेत्रीय स्वामित्व/अधिकार को और अधिक प्रसारित नहीं करना चाहता। नीति में परिवर्तन का कारण 1857 के विद्रोह के दौरान ब्रिटेन के प्रति राजकुमारों द्वारा दिखाई गई निष्ठा थी, जिसने यह प्रदर्शित किया कि भविष्य में होने वाले संभव विद्रोह को रोकने के लिए राजकुमारों का उपयोग किया जा सकता है।

हालांकि, समामेलन से विमुक्ति से बड़ी हानि हुई और भारतीय राजकुमारों की प्रतिष्ठा में कमी आई। कंपनी के शासन के दौरान प्राकृतिक उत्तराधिकारी न होने की स्थिति में केवल गवर्नर जनरल की सहमति आवश्यक थी। लेकिन 1857 के बाद मुगल सत्ता की परिकल्पना समाप्त हुई और भारत में क्राउन एक अविवादित **सर्वोच्च शक्ति** के रूप में उभरा। 1876 के रॉयल टाइटल्स एक्ट (Royal Titles Act of 1876) ने रानी को भारत की सम्राज्ञी (केसर-ए-हिंद) घोषित करके इस नए संबंध पर मुहर लगा दी।

साथ ही सभी उत्तराधिकारियों को ब्रिटिश क्राउन महामहिम से स्वीकृति लेनी होती थी। शासक अब राजगद्दी, वंशानुगत अधिकार की तरह नहीं, बल्कि ब्रिटिश क्राउन के एक पुरस्कार के रूप में प्राप्त करते थे। सामान्यत: प्रत्येक शासक को ब्रिटिश एजेंट के द्वारा गद्दी पर बिठाया जाता था और उसे राज्य पर स्वामित्व का अधिकार दिया जाता था, लेकिन संप्रभुता नहीं दी जाती थी। उनके शासन की निरन्तरता ब्रिटिश क्राउन के प्रति उनकी वफादारी पर निर्भर होती थी। भारत सरकार ने अपने पास भारतीय राज्यों के आंतरिक मामलों में हस्तक्षेप का अधिकार सुरक्षित रखा था और अनेक अवसरों पर इस अधिकार का उपयोग भी किया। उदाहरण स्वरूप, 1867 में टोंक के नवाब को अपने पुत्र के लिए इस्तीफा देने के लिए मजबूर किया गया। उन पर लावा के ठाकुर पर आक्रमण करने की साजिश में शामिल होने का आरोप था। 1875 में बड़ौदा के गायकवाड को कुशासन के आरोप में राजगद्दी से हटा दिया गया। इसके पश्चात, 1884 में कश्मीर के महाराजा पर ब्रिटिश रेसिडेंट थोप दिया गया और फिर 1891 में महाराजा को 'Council of Regency' के पक्ष में त्यागपत्र देने देतु विवश किया गया था।

1905 के बाद ब्रिटिश भारत में राजनीतिक असंतोष बढ़ने के बाद सरकार बचाव की मुद्रा में थी और राष्ट्रवादियों व क्रांतिकारियों के विरुद्ध एक संयुक्त मोर्चा बनाने के लिए भारतीय राजकुमारों के साथ हाथ मिलाने के लिए उत्सुक थे। इस प्रकार अधीनस्थ प्रार्थक्य की नीति ने प्रभावशाली रूप से अधीनस्थ संघ की नीति का मार्ग प्रशस्त किया।

राजकुमारों की सभा (अथवा नरेंद्र मंडल, फरवरी 1921)

सरकार एवं देशी रियासतों के बीच अत्यधिक सहयोग को राजकुमारों की सभा के गठन से और अधिक बल मिला। सभा का निर्माण भारतीय शासकों को एक-दूसरे से एवं अन्य विश्व से अलग रखने की ब्रिटिश नीति के पूर्ण परित्याग की पराकाष्ठा थी। यह ध्यान देना चाहिए कि सभा केवल एक सलाहकार संस्था थी। सभा में प्रतिनिधित्व के उद्देश्य से भारतीय राज्यों को तीन वर्गों में बांटा गया-

- 109 राज्य, जो पूर्ण विधायी एवं न्यायिक शक्ति का उपयोग करते थे।
- 127 राज्य, जो सीमित शक्तियों का उपयोग करते थे।
- 326 राज्य, जिन्हें जागीर या रियासत के रूप में वर्गीकृत कर सकते थे।

भारतीय राज्य समिति अथवा बटलर समिति, 1927

जल्द ही राजनीतिक हस्तक्षेप के अविच्छिन्न प्रभाव से राजकुमारों को चिंता होने लगी और उन्होंने संप्रभुता अथवा सर्वोच्च शक्ति के दायरे का प्रश्न उठाया। 1927 में नए संवैधानिक सुधारों के साथ उन्होंने ब्रिटिश सर्वोच्चता की प्रकृति एवं विस्तार का उचित तरीके से मूल्यांकन एवं स्पष्ट रूप से परिभाषित करने के लिए आग्रह किया। इस आग्रह से शासन द्वारा भारतीय राज्य समिति को नियुक्त किया गया और इसके अध्यक्ष सर हरकोर्ट बटलर (Sir Harcourt Butler) थे, जिसके नाम पर इस समिति को बटलर समिति के नाम से लोकप्रियता मिली। इस समिति का उद्देश्य भारतीय रियासतों और सर्वोच्च शक्ति के मध्य संबंध की जांच पड़ताल करना था।

समिति में अपना पक्ष रखने के लिए भारतीय राजकुमारों ने सर लेस्ली स्कॉट को अपना **विधिक सलाहकार** बनाया। स्कॉट ने भारतीय रियासतों का पक्ष रखते हुए कहा कि भारतीय राज्य मूल रूप से स्वतंत्र थे और उन भागों को छोड़कर,

जो रियासतों ने अपनी संप्रभुता के एक भाग के रूप में क्राउन को हस्तांतरित किया था, उनकी स्थिति ऐसे ही बनी रहनी चाहिए अथवा साधारण शब्दों में अवशिष्ट शक्तियां राजकुमारों के पास ही रहनी चाहिए। हालांकि, बटलर समिति ने अपनी रिपोर्ट में लिखा कि-

- सर्वोच्चता को सर्वोच्च ही रहना चाहिए। इसे अपने दायित्वों को बदलती आवश्यकताओं के अनुसार परिभाषित एवं अपनाकर पूरा करना चाहिए। इस प्रकार सर्वोच्चता की अवधारणा को अपरिभाषित छोड़ दिया गया।
- देशी रियासतों के साथ विचार-विमर्श के लिए क्राउन का एजेंट वायसराय होना चाहिए।

1935 से 1947- समान संघ की नीति (The Policy of Equal Federation)

भारतीय राजकुमारों को 1930-1932 में गोलमेज सम्मेलन में सहभागिता हेतु आमंत्रित किया गया। 1935 के भारत शासन अधिनियम में एक अखिल भारतीय संघ का प्रस्ताव दिया। इस भारतीय संघ के निर्माण हेतु शर्त थी कि

- जिन भारतीय राज्यों/रियासतों को काउंसिल ऑफ स्टेट (राज्य परिषद) में आधे से अधिक सीटें (लगभग 52) आवंटित की गई थीं, ऐसे राज्य इस संघ में शामिल होने के लिए सहमत होने चाहिए।
- उपर्युक्त वर्ग के भारतीय राज्यों/रियासतों की कुल जनसंख्या सभी भारतीय राज्यों/रियासतों की कुल जनसंख्या का कम से कम 50% होना चाहिए।

चूंकि उपर्युक्त शर्तें कभी पूरी नहीं हो सकती थीं, इसलिए प्रस्तावित संघ कभी अस्तित्व में नहीं आया। दूसरी ओर, 1937 के चुनावों में कांग्रेस की जीत ने देशी रियासतों में राष्ट्रीय आंदोलन को धीमी ही सही, लेकिन एक नई ऊर्जा प्रदान की।

देशी/भारतीय रियासतें और राष्ट्रीय आंदोलन (Princely States and The National Movement)

देशी रियासतों में कुशासन

देसी रियासतों ने **ब्रिटिश सरकार की सर्वोच्च शक्ति** को स्वीकार किया और इसके बदले में ब्रिटिश सरकार ने उन्हें आंतरिक एवं बाहरी रूप से सभी प्रकार के खतरों से सुरक्षा देने की गारंटी दी। पूरे इतिहास में आंतरिक विद्रोह अथवा बाहरी आक्रमण ने भ्रष्ट शासकों पर नियंत्रण का कार्य किया। ब्रिटिश शासन ने देशी रियासतों को इन दोनों नियंत्रणों से मुक्त किया और कुशासन के लिए बहुत गुंजाइश छोड़ी।

परिणामस्वरूप, अधिकतर शासकों ने अपनी प्रजा के कल्याण के प्रति उत्तरदायित्व का अनुभव नहीं किया। वे स्वेच्छाचारी थे और राज्यकीय राजस्व को अपने भोग विलास में उड़ा देते थे। वे खर्चीली शिकार पार्टीयां करते थे और अपने हरम में अनेक महिलाओं को रखते थे। स्वाभाविक रूप से, इसका बोझ प्रजा पर पड़ता था। जिन्हें मजबूरन उच्च कर देना होता था। ये कर कभी-कभी पड़ोसी ब्रिटिश भारतीय राज्यों से भी उच्च होते थे। दासता एवं जबरन मजदूर भी अनेक राज्यों में फली-फूली।

कुछ प्रबुद्ध शासक भी थे, जिन्होंने अपने राज्य में सामाजिक-राजनीतिक सुधार प्रस्तावित करने का प्रयास किया और औद्योगिक विकास को प्रोत्साहित किया। उन्होंने आधुनिक शिक्षा को प्रसारित एवं शासन में लोकप्रिय सहभागिता के कुछ मापदंड प्रस्तावित करने का प्रयास किया था। हालांकि, इन कदमों का ब्रिटिश सरकार द्वारा अक्सर विरोध किया जाता था, जो देशी रियासतों को किसी भी प्रकार के उत्तरदायी शासन एवं राष्ट्रीय आंदोलन से दूर रखना चाहते थे। इन राज्यों में ब्रिटिश प्रतिनिधि अथवा रेजिडेंट इस संबंध में कठोर नियंत्रण रखते थे।

लोकतंत्र एवं नागरिक स्वतंत्रता के विचार (Ideas of Democracy and Civil Liberties)

ब्रिटिश भारत में अपनी पकड़ बनाने के बाद राष्ट्रीय आंदोलन ने भारतीय राज्यों/देशी रियासतों को भी प्रभावित करना शुरू किया। लोकतंत्र एवं नागरिक स्वतंत्रता के विचार, जो राष्ट्रीय आंदोलन को संचालित कर रहे थे, की इन राज्यों में भी समान रूप से प्रासंगिकता थी। प्रारम्भ में इन विचारों को व्यक्तिगत राष्ट्रवादियों (जिनमें क्रांतिकारी आतंकवादी भी शामिल थे) द्वारा लाया गया, जो इन राज्यों में ब्रिटिश भारतीय राज्यों से आकर शरण लिए हुए थे। लेकिन क्रमिक रूप से राष्ट्रीय आंदोलन ने एक जन आधारित चरित्र प्राप्त किया एवं अब इसका प्रभाव और अधिक सामान्य हो गया।

प्रजामंडल अथवा देशी रियासतों की जनता के सम्मेलन (Praja Mandals or State Peoples' Conferences)

इन राज्यों में प्रजामंडल अथवा देशी रियासतों की जनता के सम्मेलन के रूप में पहले राजनीतिक संगठनों का उद्भव हुआ। आरंभ में ये संगठन हैदराबाद, मैसूर, बड़ौदा, काठियावाड़ राज्य, डेक्कन राज्य, जामनगर, इंदौर एवं नवानगर जैसे राज्यों में स्थापित हुए। इन संगठनों से **बलवंतराय मेहता, माणिकलाल कोठारी** एवं **सी. आर. अभ्यंकर** जैसे नेता उभर कर सामने आए। 1927 में उन्होंने भारतीय राज्यों की एक अखिल भारतीय सभा आयोजित की, जिसके परिणामस्वरूप **ऑल इंडिया स्टेट्स पीपल्स कॉन्फ्रेंस** (All India States People's Conference, AISPC) का गठन हुआ।

कांग्रेस एवं देशी रियासतें (The Congress and the Princely States)

देशी रियासतों के प्रति कांग्रेस की नीति 1920 में नागपुर में सामने आई, जब कांग्रेस ने देशी रियासतों के शासकों को **उत्तरदायी शासन** की स्थापना के आह्वान का एक प्रस्ताव पारित किया। हालांकि, भारतीय राज्यों/देशी रियासतों में राजनीतिक आंदोलन संगठित करने के प्रश्न पर कांग्रेस नीति बहुत जटिल थी। यद्यपि देशी रियासतों की जनता कांग्रेस की सदस्यता ग्रहण करने के लिए स्वतंत्र थी और इसके नेतृत्व में होने वाले संघर्ष में सहभागी हो सकती थी, लेकिन कांग्रेस के नाम पर वे देशी रियासतों में राजनीतिक गतिविधियां नहीं कर सकते थे। ऐसा वे केवल स्वयं के बल पर अथवा अन्य संगठनों जैसे प्रजामंडल के सदस्य के रूप में कर सकते थे।

स्पष्ट रूप से, कांग्रेस के इस निर्णय का कारण ब्रिटिश भारत एवं देशी रियासतों में व्याप्त राजनीतिक परिस्थितियों के मध्य बहुत अधिक अंतर का होना था। चूंकि कांग्रेस अपनी नीतियां ब्रिटिश भारत में व्याप्त परिस्थितियों के अनुसार बनाती थी, इसलिए देशी रियासतों में राजनीतिक आंदोलनों के प्रारंभिक स्तर पर वह स्वयं को प्रत्यक्ष रूप से नहीं जोड़ सकती थी। साथ ही, ये राज्य कानूनी रूप से स्वतंत्र थे और इन राज्यों में राजनीतिक परिस्थितियां बहुत भिन्न थीं। भारतीय राज्यों/देशी रियासतों की जनता को भी आवश्यकता थी कि ब्रिटिश भारत में होने वाला अधिक परिपक्व आंदोलन में सहभागिता के पहले, वे अपनी क्षमता का निर्माण करें व अपनी विशिष्ट मांगों को प्राप्त करने के लिए राजनीतिक जागरूकता को बढ़ाएं।

उपर्युक्त सीमाओं के बावजूद, कांग्रेस एवं इसके सदस्य निरंतर रूप से अनेक माध्यमों से इन रियासतों में संघर्ष को समर्थन देते रहे।

1920 व 1930 के दशक में राजनीतिक जागरूकता अनेक राज्यों में आगे बढ़ी। हालांकि, भारतीय राज्यों की जनता के आंदोलन में वास्तविक प्रगति 1935 के बाद हुई, जिसके दो महत्वपूर्ण कारण थे-

1. 1935 का भारत शासन अधिनियम (अखिल भारतीय संघ के गठन का प्रस्ताव) और
2. 1937 में अधिकतर ब्रिटिश भारतीय प्रान्तों में कांग्रेस मंत्रिमंडल का निर्माण होना।

1935 का भारत शासन अधिनियम एवं 1935 की संघीय योजना

1935 की संघीय योजना के अनुसार देशी रियासतों को ब्रिटिश भारत के साथ संवैधानिक सम्पर्क में लाना था, जबकि इस अधिनियम के पूर्व तक उनका ब्रिटिश क्राउन के साथ सीधा सम्बन्ध था। एक संघीय भारतीय विधायिका की स्थापना से इस योजना को मूर्त रूप देना था। उस संघीय विधायिका में ब्रिटिश भारत एवं भारतीय रियासतों, दोनों के प्रतिनिधियों का प्रतिनिधित्व होना था।

इस संघीय योजना की एक विशेष बात यह थी कि ब्रिटिश भारत के प्रतिनिधियों को जनता द्वारा चुना जाना था, जबकि देशी रियासतों के प्रतिनिधियों को वहां के शासकों द्वारा नामांकित किया जाना था। इन देशी रियासतों को दिए गए अधिभार के अनुपात में भी विसंगति थी। संक्षेप में, यह **संघीय संरचना राष्ट्रवादी शक्तिओं** को नियंत्रित करने के लिए बनाई गई थी।

इस संघीय योजना का सभी राष्ट्रवादियों ने विरोध किया और देशी रियासतों में भी नामांकन के स्थान पर चुनाव की मांग की। स्वाभाविक रूप से, इस मांग ने इन रियासतों में उत्तरदायी शासन की मांग को प्रमुख बना दिया। (प्रस्तावित संघ कभी अस्तित्व में नहीं आ सका, क्योंकि सहमति के लिए राज्यों की एक आवश्यक संख्या जरूरी थी, जो नहीं मिल सकी। केंद्रीय शासन 1946 तक 1919 के भारत शासन अधिनियम से संचालित होता रहा।)

कांग्रेस मंत्रिमण्डल (1937-1939)

ब्रिटिश भारत के अनेक प्रान्तों में कांग्रेस के मंत्रिमण्डल के निर्माण से भी रियासतों की जनता में विश्वास जाग उठा। इस प्रगति ने शासकों पर बहुत दबाव बनाया और 1938-1939 के वर्षों में देशी रियासतों में आंदोलन अपने चरम पर पहुंचे। प्रजामंडल अनेक स्थानों तक प्रसारित हुआ और राजकोट, त्रावणकोर, मैसूर, पटियाला, जयपुर, कश्मीर एवं उड़ीसा जैसे स्थानों पर संघर्ष शुरू हुए। कांग्रेस ने बलपूर्वक राजकुमारों से कहा कि वे लोकतांत्रिक प्रतिनिध्यात्मक शासन को प्रस्तावित करें व जनता को मौलिक नागरिक अधिकार प्रदान करें।

त्रिपुरी कांग्रेस अधिवेशन (मार्च 1939) एवं कांग्रेस नीति में परिवर्तन- देशी रियासतों में लोकप्रिय आंदोलनों के बढ़ने के साथ कांग्रेस ने भी स्वयं को इन राज्यों के आंदोलनों से जोड़ लिया। इस हेतु मार्च 1939 में कांग्रेस ने अपने त्रिपुरी अधिवेशन में एक प्रस्ताव पारित किया।

1939 में ही जवाहरलाल नेहरू **ए. आई. एस. पी. सी.** (लुधियाना सत्र) के अध्यक्ष चुने गए और यह ब्रिटिश भारत एवं भारतीय राज्यों में होने वाले लोकप्रिय आंदोलनों के सम्मिश्रण का एक प्रतीक बन गया।

भारतीय राज्यों/रियासतों में भारत छोड़ो आंदोलन (1942)

अगस्त 1942 में भारत छोड़ो आंदोलन आरंभ हुआ। कांग्रेस ने पहली बार रियासतों की जनता से आह्वान किया कि वे स्वतंत्रता के लिए हो रहे इस अखिल भारतीय संघर्ष में पूर्ण रूप से सहभागिता करें। अब रियासतों की जनता ने न केवल उत्तरदायी शासन की मांग की, बल्कि भारत की स्वतंत्रता व भारतीय राष्ट्र के एक अभिन्न भाग के रूप में रियासतों के लिए स्वतंत्रता की मांग की। भारत छोड़ो आंदोलन के बाद औपचारिक रूप से रियासतों की जनता का संघर्ष ब्रिटिश भारत की जनता के संघर्ष के साथ एकीकृत हो गया।

राजकुमारों ने हिंसक दमन के साथ इन संघर्षों को रोकने का प्रयत्न किया। निजाम ने इस लोकप्रिय आंदोलन को मुस्लिम-विरोधी, कश्मीर के महाराजा ने इसे हिंदू-विरोधी, जबकि त्रावणकोर के महाराजा ने इसे ईसाईयों द्वारा छेड़ा गया एक विद्रोह बताया। दमन के बावजूद देशी रियासतों की जनता के ये आंदोलन रियासतों की जनता के मध्य राष्ट्रीय जागरूकता को जागृत करने में सफल हुए।

भारतीय राज्यों/रियासतों के **एकीकरण का प्रश्न** (1945-1947)- द्वितीय विश्व युद्ध की समाप्ति के बाद ब्रिटिश सरकार से भारतीय हाथों में सत्ता के हस्तांतरण के संबंध में वार्ताएं प्रारंभ हुई। इस मोड़ पर आकर भारतीय रियासतों के भविष्य का प्रश्न जटिल हो गया।

इस प्रकार ब्रिटिश सरकार ने ब्रिटिश सर्वोच्चता के समाप्त होने के बाद देशी रियासतों को स्वतंत्र रहने का विकल्प नहीं दिया, बल्कि उन्हें बनाए गए दोनों नए डोमिनियनों में से किसी एक में शामिल होना था।

भारत की अंतरिम सरकार में **सरदार पटेल ने गृह मंत्रालय** को संभाला और राजकुमारों से बलपूर्वक कहा कि वे अपनी देशभक्ति का परिचय दें और रक्षा, विदेशी मामले व संचार जैसे तीन विषयों को समर्पित कर भारतीय संघ में शामिल हों। अधिकतर राज्यों को भारतीय संघ में शामिल कराने में उन्होंने महत्वपूर्ण भूमिका निभाई। इसके लिए उन्होंने राजनयिक, लोकप्रिय आंदोलन और यहां तक कि शस्त्र का भी प्रयोग किया। 15 अगस्त 1947 तक 136 रियासतों का भारतीय संघ में विलय हो गया था। कश्मीर ने 26 अक्टूबर 1947 को, जूनागढ़ व हैदराबाद ने 1948 में विलय-पत्र (Instrument of Accession) पर हस्ताक्षर किए। पुर्तगालियों द्वारा कब्जे में किए गए गोवा, दमन व द्वीव का दिसम्बर 1961 में भारत में विलय किया गया।

अध्याय 16

साइमन कमीशन एवं साइमन बहिष्कार आंदोलन (1927-1929) (Simon Commission and Simon Boycott Movement, 1927-1929)

अब तक-

असहयोग आंदोलन वापस लिए जाने के बाद अनेक राष्ट्रवादी एवं राष्ट्रवाद-विरोधी ताकतें उभरीं। इनमें प्रमुख थे- (पूर्व के अध्यायों में इन्हें शामिल किया जा चुका है।)

- स्वराजी एवं परिषद में प्रवेश के उनके कार्यक्रम (1922-1929)
- परिवर्तन-विरोधी एवं उनके संरचनात्मक कार्य (1922 के बाद)
- सांप्रदायिकता एवं मुस्लिम लीग व हिंदू महासभा का पुनरुत्थान (1922-1937)
- समाजवाद की ओर झुका हुआ क्रांतिकारी आंदोलन (1922 के बाद)
- वामपंथी आंदोलन का विकास तथा समाजवादी और साम्यवादी विचारों का प्रसार (1920-1930 के दशक)
- किसान एवं मजदूर आंदोलन (1920-1930 के दशक)
- देशी रियासतों की जनता के आंदोलन (1920-1930 के दशक)
- जाति आंदोलन जैसे- आत्म सम्मान आंदोलन (1920-1930 के दशक)

मई 1927 में देश की स्थिति बहुत गंभीर थी। स्वराजियों का पतन हो चुका था व सांप्रदायिकता अपने सबसे बुरे रूप में बढ़ रही थी। इसी समय गांधी ने लिखा, 'मेरी आशा केवल प्रार्थना एवं प्रार्थना के उत्तर में है।' लेकिन ऐसा प्रतीत होता है कि राष्ट्रवादी ताकतें शांतिपूर्ण तरीके से पृष्ठभूमि के पीछे विकसित हो रही थीं और जैसे ही साइमन कमीशन का मुद्दा आया, तो ये ताकतें एक साथ उठ खड़ी हुई।

साइमन कमीशन (8 नवाबर 1927)

1919 के भारत शासन अधिनियम के एक प्रावधान के अनुसार इस अधिनियम के पारित होने के 10 वर्ष बाद (अर्थात 1929 में) एक **भारतीय सांविधिक आयोग** अथवा रॉयल कमीशन को नियुक्त किया जाना था। इस आयोग का कार्य 1919 के अधिनियम के अंतर्गत भारत सरकार की कार्यप्रणाली की जांच पड़ताल करना था।

दूसरे शब्दों में, इस आयोग की नियुक्ति यह जानने के लिए की गई थी कि क्या भारत और अधिक संवैधानिक शासन को प्राप्त करने के योग्य है अथवा नहीं। इसके पीछे मुख्य विचार यह था कि भारत में संवैधानिक प्रगति क्रमिक रूप से प्राप्त होनी चाहिए। हालांकि, इस दृष्टिकोण की कुछ निश्चित कमियां थीं- एक अस्थाई संविधान इसे सफल बनाने की दिशा में जनता को बहुत कम प्रेरणा प्रदान करता था। इसके साथ ही, 10 वर्ष का समय संविधान की कार्य क्षमता के बारे में निष्कर्ष निकालने के लिए बहुत कम था और जो इससे असंतुष्ट थे, वे इसे अक्षम साबित करने का प्रयास कर रहे थे।

साइमन कमीशन समय से पूर्व क्यों नियुक्त किया गया?

साइमन कमीशन 8 नवंबर 1927 को इसके निर्धारित समय से 2 वर्ष पूर्व नियुक्त किया गया। ऐसा क्यों किया गया? ब्रिटिश सरकार ने घोषणा की कि भारत के प्रति उसके उदार व्यवहार के कारण वह ऐसा कर रहे थे। वास्तव में कारण कुछ और ही थे-

1. प्रथम, ब्रिटेन में राजनीतिक परिस्थिति ऐसी थी कि रूढ़िवादी टोरी सरकार को समय से पूर्व आयोग को नियुक्त करना पड़ा। 1927 में टोरी सरकार, लेबर पार्टी के हाथों चुनावी हार की आशंका से गुजर रही थी (1929 में चुनाव होने थे।) और अचानक से उन्होंने निर्णय किया कि सबसे प्रमुख उपनिवेश भारत के मुद्दे को वे अनुभवहीन लेबर पार्टी के हाथों में नहीं छोड़ सकते थे।
2. दूसरा, टोरी सरकार ऐसे समय में, जब भारत में सांप्रदायिक स्थिति खराब थी, प्रतिनिधिमंडल भेज कर यह दिखाना चाहती थी कि भारत अब संवैधानिक सरकार की नई किश्त के योग्य नहीं है।
3. तीसरा, भारत में राष्ट्रवादी विचार भी इस नियतकालिक जांच पड़ताल के विरुद्ध था और संवैधानिक व्यवस्था में पूर्ण सुधार की मांग उठ रही थी। भारतीय राष्ट्रवादी 1919 के संवैधानिक सुधारों को पहले ही अपर्याप्त घोषित कर चुके थे और वे संवैधानिक प्रश्न पर जल्दी पुनर्विचार के लिए मांग कर रहे थे। ब्रिटिश सरकार भी राष्ट्रवादी भारतीयों को तेजी से फैल रहे आंदोलन से भटकाना चाहती थी।
4. ऐसा भी विश्वास किया जाता है कि आयोग की जल्दी नियुक्ति का कारण स्वराज्य पार्टी एवं नेहरू व बोस के नेतृत्व में युवा गतिविधियों के द्वारा बनाया गया दबाव था। साथ में, एक विचार यह भी है कि यह आयोग स्वराज्य पार्टी को विभाजित करने के लिए एक सौदेबाजी के रूप में लाया गया था।

इस प्रकार ब्रिटिश सरकार ने समय से पहले सांविधिक आयोग की नियुक्ति की (इस आयोग को इसके अध्यक्ष के नाम पर साइमन कमीशन के नाम से जाना गया) और इसका उद्देश 1919 के अधिनियम की असफलता को दर्शाना था।

साइमन कमीशन का गठन

8 नवम्बर, 1927 को भारत सचिव **लॉर्ड बिरकनहैड** ने एक सात सदस्य भारतीय सांविधिक आयोग (Indian Statutory Commission) की स्थापना की घोषणा की। इसके अध्यक्ष सर जॉन साइमन थे और उनकी सहायता के लिए क्लिमेंट एटली को जिम्मेदारी दी गई। इस आयोग में सभी सदस्य ब्रिटिश थे। इस आयोग की नियुक्ति **प्रधानमंत्री स्टैंडली बाल्डविन** द्वारा की गई।

आयोग को सौंपी गई जिम्मेदारी

साइमन कमीशन को सरकार की व्यवस्था की कार्यप्रणाली, शिक्षा की उन्नति एवं ब्रिटिश भारत में प्रतिनिध्यात्मक संस्थाओं के विकास एवं इससे जुड़े मुद्दों की जांच पड़ताल करनी थी और उसके साथ ही यह रिपोर्ट देनी थी कि 'उत्तरदायी शासन के सिद्धांत को स्थापित करना आवश्यक है अथवा नहीं और यदि आवश्यक है तो किस स्तर तक इसे बढ़ावा देना चाहिए अथवा पहले से मौजूद उत्तरदायी शासन के स्तर में कितनी वृद्धि, संशोधन अथवा कमी करने की आवश्यकता है। साथ ही, स्थानीय विधानसभाओं के लिए द्वितीय सदन की स्थापना की आवश्यकता है अथवा नहीं।' आयोग की जांच पड़ताल के दौरान ब्रिटिश भारत एवं देशी रियासतों के मध्य संबंध के विषय को भी जोड़ा गया।

सदस्य

क्लिमेंट एटली (Clement Attlee), एडवर्ड कैडोगन (Edward Cadogan), जॉर्ज लेन-फॉक्स (George Lane–Fox), वरनोन हारटशोर्न (Vernon Hartshorn), डोनाल्ड हवार्ड (Donald Howard), हैरी लेवी लाव्सन (Harry Levy–Lawson), सर जॉन आल्सब्रूक साइमन (Sir John Allsebrook Simon)

आयोग के सभी 7 सदस्य अंग्रेज थे, जो ब्रिटिश संसद के सदस्य थे। ब्रिटिश सरकार ने भारतीयों को आयोग में शामिल न करने के पीछे दो तर्क दिए-

1. ब्रिटिश सरकार ने तर्क दिया कि चूंकि आयोग को ब्रिटिश संसद को रिपोर्ट देना है, इसलिए केवल ब्रिटिश सांसदों को ही नियुक्त किया गया। यह तर्क न्याय पूर्ण नहीं था, क्योंकि उस समय ब्रिटिश संसद में भी दो भारतीय सदस्य थे- **लॉर्ड सत्येंद्र प्रसन्ना सिन्हा** एवं **श्री शापुरजी दोराबजी सकलतवाला।**
2. उन्होंने यह भी घोषणा की कि किसी भी भारतीय को आयोग का सदस्य घोषित करना संभव नहीं था, क्योंकि संवैधानिक प्रश्न पर भारतीयों के मध्य एकरूपता नहीं थी। वास्तव में, बिरकनहैड को डर था कि एक मिश्रित आयोग में भारतीय सदस्य लेबर पार्टी के प्रतिनिधियों के साथ संगठित हो जाएंगे।

इसके साथ ही वायसराय इर्विन ने घोषणा की कि भारतीय स्वयं को शासित करने की योग्यता को अब तक स्पष्ट रूप से प्रस्तुत नहीं कर सके। हालांकि, बाल्डविन के पूर्ववर्ती कथन को ध्यान में रखते हुए उन्होंने कहा कि समय के साथ ही हम भारत के साथ अन्य अधीनस्थ राज्यों के समान सदस्यता पर विचार करेंगे। केंद्र एवं प्रांतों के अशासकीय सदस्य की एक संयुक्त समिति को समिति के सम्मुख अपने विचार अभिव्यक्त करना था। भारतीय विधानसभा भी ब्रिटेन में संयुक्त संसदीय समिति के साथ साइमन कमीशन की रिपोर्ट के बारे में चर्चा करने हेतु प्रतिनिधि भेज सकता था।

साइमन कमीशन का किसने विरोध किया?

इस श्वेत आयोग, जिसमें मुख्य रूप से संसद के ब्रिटिश सदस्य शामिल थे, को सभी राष्ट्रवादियों द्वारा एकमत होकर अस्वीकार कर दिया गया। इस आयोग की नियुक्ति में ब्रिटिश सरकार ने भारतीय मत को (ऐसे विषय पर जो उनसे सबसे ज्यादा संबंधित था) किनारा कर दिया। साथ ही, यह कहकर अपमानित किया कि भारतीय लोग इतने योग्य नहीं हैं कि वे स्वयं के लिए संविधान का निर्माण कर सकें।

थोड़े समय के लिए ही सही, लेकिन साइमन कमीशन ने देश के विभिन्न समूहों एवं दलों को एक कर दिया था। इस आयोग के बहिष्कार के आह्वान को निम्न का समर्थन मिला-

1. भारतीय राष्ट्रीय कांग्रेस
2. मुस्लिम लीग का एक वर्ग
3. तेज बहादुर सप्रू के नेतृत्व में लिबरल फेडरेशन
4. भारतीय उद्योग एवं व्यवसायिक कांग्रेस
5. हिंदू महासभा

इस मुद्दे पर मुस्लिम लीग बंटी हुई थी, लेकिन मोहम्मद अली जिन्ना ने सफलतापूर्वक बहुसंख्यक समूहों को बहिष्कार के समर्थन में खड़ा किया। जिन्ना के नेतृत्व में मुस्लिम लीग का यह वर्ग पृथक निर्वाचन को भूलने को भी तैयार था, यदि उसकी कुछ शर्तें मान ली जातीं। (दिल्ली प्रस्ताव)

इस प्रकार भारतीय जनमत भारतीय प्रतिनिधित्व के मुद्दे पर एक हो गया। कांग्रेस ने इस बहिष्कार के द्वारा असहयोग के जोश को पुनर्जीवित करने का प्रयास किया। क्रांतिकारियों, जैसे- भगत सिंह ने भी साइमन कमीशन का विरोध किया और उनका विचार था कि यह केवल भारतीय निर्णय करेंगे कि वे कैसा संविधान चाहते हैं।

हालांकि, कुछ ऐसे भी राजनीतिक समूह थे, जिन्होंने इस आयोग का विरोध नहीं किया। इनमें शामिल थे मोहम्मद शफी के नेतृत्व में मुस्लिम लीग, मद्रास में जस्टिस पार्टी, सेंट्रल सिख संघ एवं ऑल इंडिया अछूत फेडरेशन।

साइमन बहिष्कार आंदोलन (Simon Boycott Movement)

भारतीय राष्ट्रीय कांग्रेस के द्वारा यह बहिष्कार एक लोकप्रिय आंदोलन में बदल गया। 1927 में **मद्रास कांग्रेस अधिवेशन** (**डॉ. अंसारी** की अध्यक्षता में) के दौरान कांग्रेस ने इस आयोग का प्रत्येक स्तर एवं प्रत्येक स्वरूप में बहिष्कार करने का

निर्णय लिया। जवाहरलाल नेहरू ने तुरंत एक प्रस्ताव पारित कराया, जिसमें डोमिनियन के दर्जे के स्थान पर पूर्ण स्वतंत्रता को कांग्रेस का लक्ष्य बनाया गया। कार्यकारी समिति को अन्य संगठनों के साथ विचार-विमर्श से भारत के लिए एक संविधान तैयार करने हेतु अधिकृत किया गया।

3 फरवरी 1928 को साइमन कमीशन बॉम्बे पहुंचा और उसका स्वागत **साइमन वापस जाओ** के नारे से किया गया। सभी प्रमुख शहर बंद रहे व जन-रैलियों के साथ लोग सड़क पर उतरे और काले झंडे दिखाए गए। असहयोग आंदोलन के दिनों के दृश्य पुनर्जीवित हुए। इस भीड़ को यहां तक कि लाठी एवं बंदूक की गोलियों से भी पीछे नहीं किया जा सकता था।

वास्तव में, जहां भी (पुणे, विजयवाड़ा, लखनऊ, कलकत्ता, लाहौर) साइमन कमीशन गया, काले झंडों से उसका स्वागत किया गया। लखनऊ, जहां पर सदस्यों के लिए स्वागत समारोह रख गया था, में चौधरी खलीकुज्जमा ने काले रंग की पतंगे एवं गुब्बारे उड़ाए, जिन पर लिखा था, 'साइमन वापस जाओ'। मद्रास में टी. प्रकाशम साहसपूर्वक विरोध में उठ खड़े हुए।

युवा नेताओं का उदय

सुभाष चंद्र बोस

यह साइमन कमीशन ही था, जिसने राष्ट्रवादियों के एक नए समूह को पहली बार राजनीतिक कार्य का अनुभव प्राप्त करने का अवसर दिया। **जवाहरलाल नेहरू** एवं **सुभाषचंद्र बोस** युवा नेताओं में सबसे प्रमुख थे, जो साइमन कमीशन बहिष्कार-आंदोलन में उभरे। इसी आंदोलन के दौरान बड़ी संख्या में पूरे देश में युवा लीगों एवं संगठनों का निर्माण भी देखा गया। देश के युवा एवं छात्र-छात्राएं राष्ट्रीय आंदोलन में उतरते जा रहे थे और साथ ही वे समाजवाद के विचारों से भी प्रभावित हो रहे थे।

जवाहरलाल नेहरू

1927 में जवाहरलाल नेहरू ने 'साम्राज्यवाद के विरुद्ध लीग' (League Against Imperialism) द्वारा आयोजित ब्रूसेल्स कांग्रेस में भारतीय राष्ट्रीय कांग्रेस का प्रतिनिधित्व किया। उन्होंने युवा सोवियत संघ का भी भ्रमण किया और वहां के समाजवादी विचारों से बहुत अधिक प्रभावित होकर लौटे। भारत आकर उन्होंने समाजवाद को लोकप्रिय बनाने में सबसे महत्वपूर्ण भूमिका निभाई। इसी दिशा में, सुभाषचंद्र बोस, नौजवान भारत सभा एवं एक साम्यवादी समूह द्वारा संगठित श्रमिक व किसान दलों ने भी महत्वपूर्ण भूमिका निभाई।

पुलिस का दमन एवं लाला लाजपत राय की मृत्यु (Police Repression and Death of Lala Lajpat Rai)

लाला लाजपत राय (साइमन-विरोधी आंदोलन के दौरान देहावसान हुआ)

पुलिस के द्वारा क्रोधित होकर दमन किया गया एवं लाठीचार्ज उनका एक सामान्य तरीका बन गया। लखनऊ में **जवाहरलाल नेहरू** एवं **गोविंद बल्लभ पंत** पर पुलिस द्वारा लाठीचार्ज किया। लखनऊ में सबसे दर्दनाक घटना सामने आई, जहां साइमन-विरोधी आंदोलन का नेतृत्व करने के दौरान शेर-ए-पंजाब **लाजपत राय** पर बुरी तरह लाठी से प्रहार किया गया। अत्यधिक घाव के कारण 17 नवंबर 1928 को उन्होंने दम तोड़ दिया। (भगत सिंह ने उनकी मृत्यु का प्रतिशोध लेने का वादा किया और लाठीचार्ज के लिए उत्तरदायी पुलिस अधिकारी जेम्स स्कॉट को मारने का निर्णय लिया। प्रतिशोध के लिए उन्होंने अन्य क्रांतिकारियों राजगुरु, सुखदेव एवं चंद्रशेखर आजाद के साथ मिलकर एक षड्यंत्र रचा, लेकिन गलती से एक अन्य पुलिस अधिकारी जॉन सांडर्स को मार दिया।)

आयोग ने दो बार (फरवरी-मार्च 1928 एवं अक्टूबर 1928-अप्रैल 1929) भारत का भ्रमण किया। प्रत्येक बार इसका बहिष्कार किया गया। इसने बड़े स्तर पर पूरे देश का भ्रमण किया और एक रिपोर्ट तैयार की, जो मई 1930 में प्रकाशित हुई।

लॉर्ड बिरकनहैड द्वारा भारतीयों को चुनौती (Lord Birkenhead Challenges the Indians)

उस समय के भारत सचिव लॉर्ड बिरकनहैड ने भारतीयों को साइमन कमीशन से बाहर रखने को न्याय उचित बताते हुए तर्क दिया कि विभिन्न भारतीय राजनीतिक दलों के मध्य बहुत मतभेद थे और भारतीयों को चुनौती दी कि वे एक ऐसा संविधान बनाएं जो भारतीय समाज के सभी वर्गों द्वारा स्वीकार्य हो।

दिल्ली प्रस्ताव (दिसंबर 1927)

कांग्रेस एवं मुस्लिम लीग के मध्य खाई को पाटने एवं ब्रिटिश सरकार के समक्ष एक सार्वजनिक मांग प्रस्तुत करने हेतु, उन्हें तैयार करने के उद्देश्य प्रमुख मुस्लिम नेताओं का एक समूह मोहम्मद अली जिन्ना की अध्यक्षता में दिसंबर 1927 को दिल्ली में मिला। एक नाटकीय ढंग से पहली और आखरी बार लीग पृथक निर्वाचन की व्यवस्था को त्यागने के लिए सहमत हुई, यदि उसके 4 प्रस्तावों को मान लिया जाए-

1. सिंध को एक पृथक प्रांत के रूप में बॉम्बे प्रेसिडेंसी से पृथक किया जाना चाहिए। (मुस्लिम बहुल प्रांत)
2. अन्य प्रांतों की तर्ज पर उत्तर पश्चिम सीमांत प्रांत एवं बलुचिस्तान में सुधार किए जाने चाहिए व उनके साथ अन्य प्रांतों के समान ही संवैधानिक तरीके से व्यवहार होना चाहिए।
3. केंद्रीय विधान सभा में मुसलमानों का प्रतिनिधित्व कुल सदस्यों का 1/3 अथवा उससे अधिक होना चाहिए।
4. पंजाब एवं बंगाल में जनसंख्या के आधार पर प्रतिनिधित्व मिलना चाहिए (विधायिका में मुस्लिम बहुमत को संरक्षित करने के लिए) एवं अन्य प्रांतों में, जहां मुसलमान अल्पसंख्यक थे, पहले से चली आ रही 'सीटों के आरक्षण की प्रणाली' को जारी रखा जाए।

दिसंबर 1927 के मद्रास कांग्रेस अधिवेशन के दौरान कांग्रेस ने दिल्ली प्रस्ताव की अधिकांश मांगें स्वीकार करते हुए एक प्रस्ताव पारित किया। हालांकि, इस मुद्दे पर मुस्लिम लीग बंट गई और सर मियां मोहम्मद शफी की अध्यक्षता में लीग का एक प्रथक वार्षिक अधिवेशन लाहौर में आयोजित किया गया और इसके बाद भारत में सांप्रदायिक स्थिति बिगड़ने लगी ।

आगे, कांग्रेस का प्रस्ताव नेहरू रिपोर्ट के रूप में सामने आया।

सर्वदलीय सम्मेलन, नेहरू रिपोर्ट व जिन्ना के 14 बिंदु (All Parties Conference, Nehru Report and Jinnah's Fourteen Points)

सर्वदलीय सम्मेलन (डॉ. अंसारी की अध्यक्षता, फरवरी 1928)

भारतीयों ने चुनौती को स्वीकार किया एवं कांग्रेस के साथ-साथ अन्य संगठनों जैसे मुस्लिम लीग व हिंदू महासभा इत्यादि के प्रतिनिधि फरवरी, 1928 में एक सम्मेलन में मिले। इस सम्मेलन को सर्वदलीय सम्मेलन (All Parties Conference) के नाम से जाना गया। इस सम्मेलन में यह निर्णय लिया गया कि संविधान के निर्माण के समय **पूर्ण डोमिनियन/अधीनस्थ उत्तरदायी सरकार** के सिद्धांत को ध्यान में रखा जाना चाहिए। मद्रास कांग्रेस अधिवेशन में पूर्ण स्वतंत्रता के लक्ष्य को स्वीकार किया जा चुका था, लेकिन सर्वदलीय सम्मेलन में स्वशासित डोमिनियनों/अधीनस्थों के मॉडल के आधार पर पूर्ण प्रतिनिधि सरकार को लक्ष्य के रूप में स्वीकार किया गया। सभी संगठनों का समर्थन प्राप्त करने के लिए ऐसा किया गया ।

नेहरू रिपोर्ट (1928)

मई 1928 को सर्वदलीय सम्मेलन (बॉम्बे, डॉ. एम. ए. अंसारी की अध्यक्षता) में संविधान का प्रारूप बनाने हेतु एक उपसमिति मोतीलाल नेहरू की अध्यक्षता में नियुक्त की गई। इस प्रकार नेहरू समिति, साइमन कमीशन की नियुक्ति व बिरकनहैड की चुनौती की एक प्रतिक्रिया थी।

नेहरू समिति के सदस्य

मोतीलाल नेहरू (अध्यक्ष), सर तेज बहादुर सप्रू, सर अली इमाम, एम. एस. अनेय, मंगल सिंह, शुआब कुरेशी, जी. आर. प्रधान एवं सुभाषचंद्र बोस।

अगस्त 1928 में इस समिति की रिपोर्ट, जिसे नेहरू रिपोर्ट अथवा नेहरू समिति रिपोर्ट के नाम से लोकप्रियता मिली, को अंतिम रूप देकर स्वीकार किया गया। नेहरू रिपोर्ट में स्पष्ट रूप से कहा गया कि पूर्ण उत्तरदायी सरकार को एक दूरगामी कदम नहीं, बल्कि एक तात्कालिक कदम समझा जाना चाहिए। यह मांग 1919 के अधिनियम के क्रमिक विकास के सिद्धांत के विपरीत थी।

मुख्य सुझाव

नेहरू रिपोर्ट ने स्वयं को ब्रिटिश भारत तक सीमित रखा था, क्योंकि उन्होंने कल्पना की थी कि भविष्य में देशी रियासतें एवं ब्रिटिश भारत के बीच संघीय आधार पर मेल हो जाएगा।

- **डोमिनियन का दर्जा (Dominion Status)**- भारत को भी ब्रिटिश साम्राज्य में समान संवैधानिक दर्जा मिलना चाहिए जैसा कि अन्य डोमिनियनों/अधीनस्थों को मिला हुआ था अर्थात भारत की संसद को कानून बनाने की शक्ति होनी चाहिए ।
- **अल्पसंख्यक के लिए गारंटी एवं संरक्षण**
  - इसमें सुझाव दिया कि प्रस्तावित संविधान को **अंतःकरण एवं धर्म** की स्वतंत्रता प्रदान करना चाहिए।
  - **भाषायी आधार पर नए प्रांतों** को सृजित किया जाना चाहिए।
  - आत्म-निर्णय के सिद्धांत के आधार पर मुस्लिम बहुल प्रांतों को अलग राजनीतिक सांस्कृतिक पहचान देना चाहिए। सिंध को बॉम्बे प्रेसिडेंसी से पृथक किया जाना चाहिए एवं उत्तर पश्चिम सीमांत प्रांत को पूर्ण प्रांत का दर्जा मिलना चाहिए।
  - इसने पृथक सांप्रदायिक निर्वाचन प्रणाली को अस्वीकार किया एवं सुझाव दिया कि संयुक्त निर्वाचन प्रणाली के आधार पर चुनाव होना चाहिए, लेकिन साथ ही केंद्र एवं उन प्रांतों में जहां **मुस्लिम एक अल्पसंख्यक थे, उनके लिए सीटों को आरक्षित** रखा जाना चाहिए। साथ ही, उत्तर पश्चिम सीमांत प्रांत में गैर-मुसलमान के अल्पसंख्यक होने की स्थिति में उन्हें सीटें आरक्षित करने का प्रावधान किया गया।
  - बाद में, समिति ने दो अतिरिक्त सुझावों को जोड़ा- सांप्रदायिक प्रतिनिधित्व का 10 वर्ष बाद पुनर्विचार होना था एवं बलूचिस्तान को पूर्ण प्रांत का दर्जा दिया जाना था।
- **मौलिक अधिकार**- संविधान में नागरिकता को परिभाषित एवं मौलिक अधिकारों को घोषित करना चाहिए। रिपोर्ट में 19 मौलिक अधिकारों को शामिल किया गया, जिनमें सार्वभौमिक वयस्क मताधिकार, महिलाओं के लिए समान अधिकार, संघ बनाने की स्वतंत्रता एवं धर्म को प्रत्येक स्वरूप में राज्य से पृथक रखने जैसे अधिकार शामिल थे।
- **उत्तरदायी सरकार**- इसने केंद्र एवं प्रान्तों में उत्तरदायी सरकार का सुझाव दिया।
- **द्विसदनीय संसद (Bicameral Parliament)**- विधायी शक्तियां सम्राट एवं द्विसदनीय संसद में निहित होंगी एवं कार्यपालिका शक्तियां राजा में निहित होंगी, जिसका उपयोग गवर्नर जनरल द्वारा किया जाएगा। यही प्रावधान प्रांतों में गवर्नर एवं कार्यकारी परिषद के लिए होना चाहिए। यह सुझाव दिया गया कि भारतीय संसद में दो सदन सीनेट एवं प्रतिनिधि सभा होंगे। सीनेट में 200 सदस्य होंगे, जिन्हें प्रांतीय परिषदों द्वारा निर्वाचित किया जाएगा एवं इसका कार्यकाल

7 वर्ष होगा। वहीं दूसरी ओर, प्रतिनिधि सभा में 500 सदस्य 5 वर्ष के लिए वयस्क मताधिकार द्वारा निर्वाचित किए जाएंगे। गवर्नर जनरल (इसकी नियुक्ति ब्रिटिश सरकार द्वारा होगी, लेकिन वेतन भारतीय राजस्व पर भारित होगा) को कार्यकारी परिषद के सुझाव पर कार्य करना होगा, जो सामूहिक रूप से संसद के प्रति उत्तरदायी होगा। इसी प्रकार प्रांतीय परिषदें भी वयस्क मताधिकार के आधार पर 5 वर्ष के लिए निर्वाचित होंगी और गवर्नर को प्रांतीय कार्यकारी परिषद के सुझाव पर कार्य करना होगा।

- **न्यायालयों का पद सोपान (Hierarchy of Courts)**- उच्चंतम न्यायालय को सर्वोच्च स्थान पर रखते हुए न्यायालयों के पदसोपान को स्थापित किया जाना चाहिए।
- **संघीय सरकार (Federal Government)**- **पहली बार** यह सुझाव दिया गया कि प्रांतीय स्वायत्तता एवं भाषायी प्रांतों के आधार पर भारत को एक संघ बनाना चाहिए। इस प्रांतीय स्वायत्तता के अंतर्गत अवशिष्ट शक्तियां केंद्र के पास होंगी। इसी कारण से कुछ विद्वानों ने नेहरू रिपोर्ट प्रस्ताव को संघात्मक के स्थान पर एकात्मक अधिक बताया।

वास्तव में, नेहरू रिपोर्ट में कोई संघीय विशेषताएं नहीं थीं। यद्यपि सीनेट के संगठन में संघीय सिद्धांत को प्रस्तावित किया गया था, लेकिन प्रांतों को समान रूप से प्रतिनिधित्व नहीं दिया गया था। 1919 के अधिनियम के समान ही विकेंद्रीकरण को अपनाया गया था। अवशिष्ट शक्तियां केंद्र में निहित की गई थीं। केंद्र के साथ देशी रियासतों की स्थिति को भी स्पष्ट नहीं किया गया था।

देशी रियासतों की स्थिति

देशी रियासतों की स्थिति के संबंध में नेहरू समिति को एक जटिल समस्या का सामना करना पड़ा। 1927 में देशी रियासतों की प्रजा ने स्वशासन की संस्थाओं को प्रस्तावित करने के उद्देश्य **राज्य की जनता का सम्मेलन** (State Peoples Conference) संगठित किया। राजकुमारों ने भय महसूस किया और ब्रिटिश सरकार से सहायता मांगी, जिसके बाद ब्रिटिश सरकार ने इस मुद्दे के लिए सर हरकोर्ट बटलर (Sir Harcourt Butler) की अध्यक्षता में एक समिति नियुक्त की। **बटलर समिति** ने ब्रिटिश सर्वोच्चता के माध्यम से देशी रियासतों को संरक्षित करने पर बल दिया ।

नेहरू समिति द्वारा बटलर समिति की स्थापना की आलोचना की गई। नेहरू समिति ने वकालत की कि सर्वोच्चता से जुड़े सभी अधिकार भारतीय कॉमनवेल्थ को हस्तांतरित होना चाहिए और भारतीय रियासतें एवं भारतीय कॉमनवेल्थ के बीच होने वाले विरोध को सुप्रीम कोर्ट (उच्चतम न्यायालय) द्वारा सुलझाया जाना चाहिए।

अनेक प्रमुख राजकुमारों ने अब संघ के निर्माण का समर्थन किया। उन्होंने 'सर्वोच्चता सर्वोच्च है' (Paramountcy is paramount) के सिद्धांत के प्रति अपनी नाराजगी जाहिर की। उनका लक्ष्य सभी प्रकार के बाहरी हस्तक्षेप के प्रभाव से स्वतंत्रता, विशेषकर देशी रियासतों के आंतरिक मामलों में, प्राप्त करना था। इसलिए उन्होंने विचार किया कि एक अखिल भारतीय संघ के निर्माण द्वारा उनकी समस्या का समाधान हो जाएगा।

नेहरू रिपोर्ट में हिंदू सांप्रदायिकतावादियों को रियायतें-

- सभी जगह संयुक्त निर्वाचन प्रणाली अपनाई गई, लेकिन जहां मुस्लिम अल्पसंख्यक थे, वहां उन्हें सीटों का आरक्षण दिया गया।
- डोमिनियन/अधीनस्थ का दर्जा प्राप्त होने की स्थिति में सिंध को बॉम्बे प्रेसिडेंसी से अलग करने का प्रस्ताव किया गया और यह सिंध के अल्पसंख्यक हिंदूओं को अधिभार देने की शर्त पर था।
- प्रस्तावित राजनीतिक संरचना मुख्य रूप से एकात्मक थी, क्योंकि अवशिष्ट शक्तियां केंद्र में निहित की गईं थीं।

नेहरू रिपोर्ट का महत्व

समिति ने एक प्रशंसनीय संविधान प्रस्तावित किया था। इसका दृष्टिकोण पूर्णतया राष्ट्रवादी था, इसने देश को एक पूर्ण अंग के समान देखा, न कि विभिन्न विषम तत्वों जैसे राजकुमारों, भाषायी अथवा धार्मिक अल्पसंख्यकों एवं अन्य निहित स्वार्थों के एक पिंड के रूप में। वास्तव में, नेहरू रिपोर्ट भारत में किसी संगठन द्वारा किया गया एक महत्वपूर्ण रचनात्मक प्रयास था।

इसका सबसे महत्वपूर्ण योगदान यह था कि यह भारतीयों द्वारा सांप्रदायिकता की समस्या का समाधान करने का पहला एवं सबसे स्पष्ट प्रयास था। इसमें स्पष्ट रूप से कहा गया कि अल्पसंख्यक समुदायों को सुरक्षा का अनुभव कराने के लिए उन्हें संरक्षण एवं गारंटी देनी चाहिए और मुसलमानों के सम्बंध में उन्होंने ऐसा किया भी।

नेहरू रिपोर्ट को पारित करने में सर्वदलीय सम्मेलन का असफल होना

दिसंबर 1928 में सर्वदलीय सम्मेलन कलकत्ता में आयोजित हुआ। मुस्लिम लीग, हिंदू महासभा एवं सिख लीग की आपत्ति के कारण यह सभा इस रिपोर्ट को पारित करने में असफल हुई। मुस्लिम लीग एवं हिन्दू महासभा के बीच तालमेल न होने के कारण यह मुद्दा और जटिल बन गया एवं एकता के सभी प्रयास विफल हो गए। मुस्लिम लीग के एक वर्ग एवं खिलाफत के समर्थकों ने नेहरू रिपोर्ट को स्वीकार करने की इच्छा जाहिर की, लेकिन उनकी शर्त थी कि जिन्ना द्वारा प्रस्तावित 3 संशोधनों को माना जाए। इनमें से दो मांगें दिल्ली प्रस्ताव की तीसरी एवं चौथी मांगों के समान ही थीं। (पहली दो मांगें नेहरू रिपोर्ट द्वारा स्वीकार कर ली गईं थीं।) तीसरी एवं नई मांग यह थी कि अवशिष्ट शक्तियां प्रांतों में निहित होना चाहिए ।

जिन्ना द्वारा प्रस्तावित संशोधन (कलकत्ता संशोधन)

- केंद्रीय विधायिका में मुसलमानों का प्रतिनिधित्व कुल संख्या का एक तिहाई अथवा उससे अधिक होना चाहिए ।
- पंजाब एवं बंगाल में जनसंख्या के आधार पर प्रतिनिधित्व होना चाहिए (विधान परिषदों में मुसलमानों का बहुमत सुरक्षित करने के हेतु) और अन्य प्रांतों में, जहां मुसलमान अल्पसंख्यक थे, वर्तमान में लागू सीटों के आरक्षण की व्यवस्था को सतत रखना चाहिए।
- अवशिष्ट शक्तियां प्रांतों में निहित होना चाहिए।

मुस्लिम लीग द्वारा नेहरू रिपोर्ट को अस्वीकार किया जाना

मुस्लिम लीग की मुख्य आपत्तियां

- जहां 1916 के कांग्रेस-मुस्लिम लीग समझौते के अनुसार मुसलमानों के लिए पृथक निर्वाचन व जनसंख्या के आधार पर अधिभार की व्यवस्था को स्वीकार किया गया था, वहीं दूसरी ओर नेहरू रिपोर्ट ने इसे अस्वीकार कर दिया था।
- मुसलमानों ने अनुभव किया कि जहां एक ओर वे भारत के उत्तर-पूर्व व उत्तर-पश्चिम प्रांतों में बहुमत में होंगे और प्रांतीय विधायकों को नियंत्रित कर सकेंगे, वहीं दूसरी ओर वे केंद्र में हमेशा अल्पसंख्यक बने रहेंगे। इस प्रकार उन्होंने नेहरू रिपोर्ट के विपरीत मांग की कि अवशिष्ट शक्तियां प्रांतों को मिलनी चाहिए।

चूंकि जिन्ना द्वारा प्रस्तावित इन मांगों को सर्वदलीय सम्मेलन में अस्वीकार कर दिया गया था, तो वे आगा खां एवं मोहम्मद शफी के नेतृत्व वाले समूहों में शामिल हो गए थे।

इस प्रकार नेहरू रिपोर्ट को जिन्ना द्वारा अस्वीकार कर दिया गया और इसके निम्नलिखित परिणाम हुए-

1. जिन्ना ने नेहरू रिपोर्ट को अस्वीकार करते हुए इसे कांग्रेस के साथ समझौते की **अंतिम विदाई** कहा और हिंदू-मुस्लिम एकता का यह अग्रदूत अब यह मानने लगा था कि भारत में हिंदू मानसिकता अल्पसंख्यक मुसलमानों को हाशिए पर ले जाएगी।
2. 1 जनवरी 1929 को दिल्ली में अखिल भारतीय मुस्लिम सम्मेलन आयोजित हुआ और इसने दो सिद्धांतों पर बल देते हुए एक प्रस्ताव पारित किया। प्रथम, इसमें कहा गया कि भारत विविधताओं वाला एक विशाल देश है, इसलिए यहां एक संघीय व्यवस्था की आवश्यकता है। जिसमें सभी राज्यों को पूर्ण स्वायत्तता एवं अवशिष्ट शक्तियां प्रदान की जानी चाहिए। द्वितीय, मुसलमानों के लिए पृथक निर्वाचन की व्यवस्था तब तक जारी रहनी चाहिए, जब तक कि संविधान में उनके अधिकार एवं हित संरक्षित न हो जाएं।

3. मार्च 1929 में जिन्ना ने अपनी **14 सूत्रीय** मांगें प्रस्तावित कीं, जो सांप्रदायिक मांगों की एक मुख्य विषय वस्तु बनी। इन मांगों में संघीय सरकार, विधायिकाओं में मुसलमानों के लिए पृथक निर्वाचन प्रणाली, मुसलमानों के लिए नौकरियों में आरक्षण, नए मुस्लिम बहुल प्रांतों का निर्माण जैसी मांगें शामिल थीं।
4. इसने जिन्ना का मोह भंग किया एवं उन्हें सांप्रदायिकता की ओर बढ़ा दिया।
5. इसने सविनय अवज्ञा आंदोलन के प्रति अधिकतर मुस्लिम नेताओं के मन में शत्रुता को भर दिया।

जिन्ना के 14 बिन्दु (मार्च 1929)

मोहम्मद अली जिन्ना

जिन्ना ने भविष्य में बनाए जाने वाले संविधान में मुंसलमानों के अधिकार एवं हितों को संरक्षित करने के लिए 14 बिंदु प्रस्तावित किए। उन्होंने आगे स्पष्ट किया कि कोई भी संविधान मुसलमानों को स्वीकार नहीं होगा, यदि यह 14 बिंदु नहीं माने गए। उनके 14 बिंदु इस प्रकार थे-

1. **संघीय संविधान**- भविष्य के संविधान का स्वरूप संघीय होना चाहिए, जिसमें अवशिष्ट शक्तियां प्रांतों में निहित होंगी।
2. **प्रांतीय स्वायत्तता**- सभी प्रांतों को एक समान स्वायत्तता दी जानी चाहिए ।
3. **अल्पसंख्यकों का प्रभावशाली प्रतिनिधित्व**- देश के प्रत्येक प्रांत की विधायिका एवं अन्य निर्वाचित निकायों को अल्पसंख्यक वर्गों के एक पर्याप्त एवं प्रभावशाली प्रतिनिधित्व के सिद्धांत के आधार पर संगठित करना चाहिए। ऐसा करते समय किसी भी प्रांत में बहुसंख्यक को अल्पसंख्यक में परिवर्तित नहीं करना चाहिए।
4. **केंद्रीय विधायिका में मुस्लिम प्रतिनिधित्व**- केंद्रीय विधायिका में मुस्लिम प्रतिनिधित्व एक तिहाई से कम नहीं होगा।
5. **पृथक निर्वाचन प्रणाली**- सांप्रदायिक समूहों का प्रतिनिधित्व पृथक निर्वाचन प्रणाली के द्वारा जारी रहेगा। इस शर्त के साथ कि यह प्रत्येक समुदाय के लिए किसी भी समय पर संयुक्त निर्वाचन प्रणाली के समर्थन में पृथक निर्वाचन प्रणाली के त्याग के लिए खुला होगा।
6. **प्रांतों में मुस्लिम बहुसंख्यक का संरक्षण**- भविष्य में किसी भी समय पर आवश्यकता होने पर किए जाने वाले क्षेत्रीय पुनर्वितरण के कारण किसी भी तरह से पंजाब, बंगाल एवं उत्तर पश्चिम सीमांत प्रांत में मुस्लिम बहुसंख्यक प्रभावित नहीं होंगे।
7. **धार्मिक स्वतंत्रता**- धार्मिक स्वतंत्रता, जैसे- विश्वास, प्रार्थना एवं रीति-रिवाज की स्वतंत्रता व सभी समुदायों को प्रचार-प्रसार, संगठन एवं शिक्षा की गारंटी होगी।
8. **सांप्रदायिक निषेधाधिकार**- कोई भी विधेयक अथवा प्रस्ताव किसी भी विधायिका अथवा अन्य निर्वाचित निकाय से पारित नहीं होगा, यदि उस निकाय के किसी एक समुदाय के तीन-चौथाई सदस्य उसका इस आधार पर विरोध करें कि वह उनके लिए नुकसानदायक है।
9. **बॉम्बे प्रेसिडेंसी से सिंध का प्रथक्करण**- सिंध को बॉम्बे प्रांत से प्रथक होना चाहिए।
10. **उत्तर पश्चिम सीमांत प्रांत एवं बलूचिस्तान में सुधार**- उत्तर पश्चिम सीमांत प्रांत एवं बलूचिस्तान में उसी प्रकार सुधार होने चाहिए, जिस प्रकार अन्य प्रांतों में हो रहे हैं।
11. **सेवाओं में मुसलमानों का प्रतिनिधित्व**- राज्य एवं स्थानीय स्वशासन की संस्थाओं की सेवाओं में मुसलमानों को अन्य भारतीयों के समान पर्याप्त अंश प्रदान करने हेतु प्रावधान जोड़ा जाना चाहिए।
12. **मुसलमानों के लिए संवैधानिक संरक्षण**- मुस्लिम संस्कृति, शिक्षा, भाषा, धर्म, वैयक्तिक कानून एवं मुस्लिम परोपकारी संस्थाओं को संरक्षित करने के लिए संविधान में पर्याप्त सुरक्षा दी जानी चाहिए।
13. **कैबिनेट में मुस्लिम प्रतिनिधित्व**- केंद्र अथवा प्रांतों में कोई भी कैबिनेट तब तक नहीं बनाई जाएगी, जब तक कि उसमें कम से कम एक-तिहाई मुस्लिम मंत्री न हो।

14. भारतीय संघ के इकाई राज्यों की सहमति के बिना केंद्रीय विधायिका द्वारा संविधान में कोई भी परिवर्तन नहीं किया जा सकेगा।

नेहरू एवं बोस द्वारा भी नेहरू रिपोर्ट की आलोचना- कांग्रेस के अंदर भी जवाहरलाल नेहरू एवं सुभाष चंद्र बोस के नेतृत्व में युवा राष्ट्रवादियों ने डोमिनियन दर्जा स्वीकार करने के कारण नेहरू रिपोर्ट पर आपत्ति जताई। पूर्ण स्वतंत्रता अथवा पूर्ण स्वराज्य उनका नारा था और यहां तक कि कांग्रेस भी अपने पूर्व अधिवेशन में पूर्ण स्वराज्य का लक्ष्य स्वीकार कर चुकी थी, लेकिन सभी दलों में सहमति बनाने के लिए इसने समझौता करते हुए एक आम योजना के तहत नेहरू रिपोर्ट में 'अधीनस्थ या डोमिनियन दर्जे' को लक्ष्य के रूप में स्वीकार किया।

अगस्त 1928 में कांग्रेस के अंदर दबाब समूह की तरह कार्य करने हेतु सुभाषचंद्र बोस के समर्थन से जवाहरलाल नेहरू ने **इंडिपेंडेंस ऑफ इंडिया लीग (Independence of India League)** प्रारंभ की, जिसके उद्देश्य थे-

- डोमिनियन दर्जे (Dominion Status) की अवधारणा को चुनौती देना,
- ब्रिटिश शासन से भारत को पूर्ण स्वतंत्रता के समर्थन में वकालत करना, एवं
- समाजवादी आधार पर भारतीय गणतंत्र की स्थापना के लिए कार्य करना।

कांग्रेस का सरकार को अंतिम चेतावनी देना (Congress Gives Ultimatum to Government)

कलकत्ता कांग्रेस अधिवेशन (दिसंबर 1928, मोतीलाल नेहरू की अध्यक्षता में)

दिसंबर 1928 में कलकत्ता में कांग्रेस का अधिवेशन (अध्यक्ष-मोतीलाल नेहरू) हुआ, जिसमें **जवाहरलाल नेहरू, सुभाष चंद्र बोस** एवं **सत्यमूर्ति** के नेतृत्व में बहुत बड़ी संख्या में प्रतिनिधियों ने पूर्ण स्वराज्य को कांग्रेस के लक्ष्य के रूप में स्वीकार करने हेतु बल दिया। वरिष्ठ नेता जैसे गांधीजी एवं मोतीलाल नेहरू ने अनुभव किया कि डोमिनियन दर्जे को लेकर हमारी एकता बहुत ही कठिन स्थिति में पहुंच चुकी है और जल्दबाजी में इसका त्याग नहीं कर सकते। साथ ही, उन्होंने अनुभव किया कि सरकार को यह रिपोर्ट स्वीकार करने के लिए पर्याप्त समय देना चाहिए।

अंतत: कांग्रेस ने इस समस्या का एक मत होकर समाधान किया कि यदि **31 दिसंबर 1929** तक सरकार ने नेहरू रिपोर्ट को स्वीकार नहीं किया, तो कांग्रेस **पूर्ण स्वराज्य** को अपने लक्ष्य के रूप में घोषित कर देगी। साथ ही, वह इस लक्ष्य को प्राप्त करने के लिए एक सविनय अवज्ञा आंदोलन भी आरंभ कर देगी।

पूर्ण स्वतंत्र को प्राप्त करने हेतु जन-आंदोलन के दूसरे चरण हेतु तैयारियां-

- इसके साथ ही, स्वराज्य पार्टी का परिषद में प्रवेश का कार्यक्रम अब अप्रासंगिक हो गया था और वे कांग्रेस में मिल गए थे।
- गांधी ने अपने यूरोप भ्रमण के कार्यक्रम को निरस्त किया और **जनता से संपर्क करने के लिए भारत भ्रमण** का निर्णय लिया, ताकि जनता को प्रत्यक्ष राजनीतिक कार्यक्रम के लिए तैयार कर सकें। जेल से रिहा होने के बाद गांधी लगातार देश का भ्रमण कर रहे थे।
- गांधी जी के आग्रह पर कांग्रेस कार्यकारी समिति ने विदेशी वस्तुओं के बहिष्कार एवं उसके सार्वजनिक होली दहन के आक्रामक कार्यक्रम को करने हेतु एक **विदेशी वस्त्र बहिष्कार समिति (Foreign Cloth Boycott Committee)** का निर्माण किया।

कुछ अन्य घटनाओं ने भी देश का राजनीतिक माहौल ज्वलंत बनाए रखा। जैसे-

- 20 मार्च 1929 को सरकार ने 31 श्रमिक नेताओं को गिरफ्तार किया और उन्हें सुनवाई के लिए मेरठ ले गए।
- 8 अप्रैल 1929 को हिंदुस्तान सोशलिस्ट रिपब्लिकन आर्मी के भगत सिंह एवं बटुकेश्वर दत्त ने केंद्रीय विधान सभा में हानिरहित बम फेंका और जिसके बाद उन्हें गिरफ्तार कर लिया गया। जेल के दौरान इसी आर्मी के सदस्य जतिन दास की भूख हड़ताल के कारण मृत्यु हो जाने से पूरा देश शोक में डूब गया।

ब्रिटेन में लेबर सरकार का सत्ता में आना, मई 1929

मई 1929 में **रैम्जे मैकडोनाल्ड** की अध्यक्षता में लेबर पार्टी सत्ता में आई। साइमन कमीशन के प्रभावी बहिष्कार ने सबकी आंखें खोल दी थीं और वायसराय इर्विन को प्रतिनिधित्व के लिए लंदन बुलाया गया। भारत वापस लौटकर इर्विन ने 31 अक्टूबर 1929 को घोषणा की कि नई सरकार के अनुसार 1917 के मांटेग्यू घोषणा में ही डोमिनियन दर्जे की ओर स्वाभाविक प्रगति अंतर्निहित थी। उन्होंने **गोलमेज सम्मेलन (Round Table Conference)** बुलाने का आश्वासन दिया, ताकि भारत के सभी वर्गों के बीच सामंजस्य स्थापित किया जा सके।

दिल्ली घोषणा-पत्र/प्रस्ताव (2 नवम्बर 1929)

दो दिन बाद प्रमुख राष्ट्रवादी नेताओं ने दिल्ली घोषणा पत्र जारी किया, जिसमें मांग की गई कि **गोलमेज सम्मेलन का उद्देश्य** यह चर्चा करना नहीं होना चाहिए कि डोमिनियन दर्जा कब दिया जाएगा, अपितु इस योजना को लागू करने हेतु प्रारूप बनाने की चर्चा होनी चाहिए। यद्यपि वायसराय के कथन का सभी जगह स्वागत किया गया, लेकिन जल्द ही यह ब्रिटिश संसद में विवाद का विषय बन गया। हाउस ऑफ कॉमंस में की गई परिचर्चा से यह स्पष्ट हुआ कि ब्रिटिश सरकार भारत को डोमिनियन का दर्जा देने के विरुद्ध थी।

23 दिसम्बर 1929 को स्वयं इर्विन ने अपने पूर्व कथन के विपरीत गांधी जी एवं अन्य नेताओं से कहा कि वे ऐसा आश्वासन देने में असमर्थ हैं। इसके साथ ही सरकार को दिया गया एक वर्ष का समय पूरा हुआ। अब एक और जन-आंदोलन के लिए मंच तैयार हो चुका था।

कांग्रेस द्वारा पूर्ण स्वराज्य को लक्ष्य के रूप में स्वीकार करना

लाहौर कांग्रेस अधिवेशन (31 दिसंबर 1929, जवाहरलाल नेहरू द्वारा अध्यक्षता)

दिसंबर 1929 को कांग्रेस का वार्षिक अधिवेशन लाहौर में आयोजित हुआ। नेहरू ने एक ऊर्जावान वक्तव्य दिया और **पूर्ण स्वराज्य को लक्ष्य** के रूप में घोषित किया व जनता से विदेशी शासन के विरुद्ध संघर्ष में शामिल होने के लिए आह्वान किया। इसी अधिवेशन में सविनय **अवज्ञा आंदोलन** प्रारम्भ करने की घोषणा की गई। संघर्ष का कार्यक्रम तय नहीं किया गया था और इसे गांधी पर छोड़ दिया गया था। बाद में, साबरमती आश्रम में कार्यकारी समिति की बैठक हुई और सविनय अवज्ञा आंदोलन प्रारंभ करने के लिए सारी शक्तियां गांधी को प्रदान कर दी गई।

31 दिसम्बर 1929 की मध्य रात्रि में **रावी नदी** के किनारे जवाहरलाल नेहरू ने उत्साह एवं कठोर संकल्प की मिश्रित भावनाओं के बीच हाल ही में अपनाए गए तिरंगे को फहराया।

नोट- नेहरू को गांधी जी के आग्रह पर लाहौर अधिवेशन का अध्यक्ष बनाया गया था, जबकि 18 में से केवल तीन प्रांतीय कांग्रेस समितियां ही उनके समर्थन में थीं। उन्होंने आग्रह किया कि भविष्य की लड़ाई युवा महिला एवं पुरुषों द्वारा लड़ी जानी चाहिए।

स्वतंत्रता की प्रतिज्ञा (26 जनवरी 1930)

कांग्रेस ने **26 जनवरी 1930** को पहला स्वतंत्रता दिवस अथवा स्वराज्य दिवस मनाने की घोषणा की। इस दिन बैठकें करने व गांधी जी द्वारा तैयार स्वतंत्रता प्रतिज्ञा को दोहराने का निर्णय लिया गया। कांग्रेस के इस कार्यक्रम को बहुत अधिक सफलता मिली। शहरों एवं गांवों में प्रतिज्ञा दौराई गई और राष्ट्रीय ध्वज फहराया गया।

साइमन कमीशन की रिपोर्ट (7 जून 1930)

इस रिपोर्ट ने भारत में संवैधानिक सुधारों के लिए निम्नलिखित सुझाव दिए-

- केंद्र में उत्तरदायी शासन की स्थापना के लिए अभी इंतजार किया जाना चाहिए। इसे भविष्य में कभी स्थापित किया जाएगा।
- पृथक निर्वाचन प्रणाली को बनाए रखा जाए।
- पिछड़े वर्गों के लिए सीटों का आरक्षण।
- देश की विविधता को बनाए रखने के लिए संघात्मक शासन होना चाहिए। हालांकि, तात्कालिक रूप से एक अखिल भारतीय संघ को व्यावहारिक नहीं समझा गया।
- प्रांतों में द्वैध शासन की समाप्ति एवं वहां उत्तरदायी एकात्मक शासन की स्थापना।
- प्रांतों की सुरक्षा व शांति एवं अल्पसंख्यक वर्ग के संरक्षण के लिए गवर्नरों की विशेष शक्तियों को बनाए रखा जाए।
- सार्वभौमिक मताधिकार का प्रसार एवं विधायिकाओं में वृद्धि।
- ब्रिटिश भारत से बर्मा का पृथक्करण।

इस प्रकार समिति ने भारत में प्रांतीय स्वायत्तता का सुझाव दिया, लेकिन केंद्र में संसदीय उत्तरदायित्व को अस्वीकार कर वहां उत्तरदायी शासन की राष्ट्रीय मांग को नजरअंदाज कर दिया गया। कुल मिलाकर, यह कोई संवैधानिक योजना नहीं थी, जिसका विस्तार से परीक्षण किया जाए और इसको लगभग सभी भारतीय दलों ने इसे अस्वीकार कर दिया था।

प्रीलिम कैप्सूल

घटनाएं	महत्वपूर्ण विवरण
साइमन कमीशन (1927)	यह एक **भारतीय सांविधिक आयोग (Indian Statutory Commission)** था, जिसमें 7 सदस्य थे। यह सभी सातों सदस्य ब्रिटिश थे और ब्रिटिश पार्लियामेंट (संसद) के सदस्य थे। नियुक्ति- 8 नवंबर 1927 को प्रधानमंत्री **स्टेनली बाल्डविन** के द्वारा। अध्यक्ष- **सर जॉन साइमन** (क्लेमेंट एटली सहायक के रूप में) उद्देश्य- 1919 के अधिनियम के अंतर्गत भारत शासन अधिनियम की कार्यप्रणाली की जांच करना और सुझाव देना। मद्रास कांग्रेस अधिवेशन के दौरान कांग्रेस ने इस कमीशन का बहिष्कार करने का निर्णय लिया (**डॉ. अंसारी की अध्यक्षता** में, दिसंबर 1927) सभी राष्ट्रवादियों द्वारा एकमत होकर इसे अस्वीकार किया गया, क्योंकि इसमें सभी सदस्य ब्रिटिश थे और इसे **श्वेत आयोग (White Commission)** कहा गया। साइमन कमीशन 3 फरवरी 1928 को बॉम्बे पहुंचा और **'साइमन वापस जाओ'** के नारे से उसका स्वागत किया गया।

	साइमन-विरोधी आंदोलन का नेतृत्व करते हुए **लाला लाजपत राय** को लाठीचार्ज का सामना करना पड़ा और बाद में, घाव गहरे होने से कारण उनकी मृत्यु हुई। साइमन कमीशन ने बड़े स्तर पर देश का दौरा किया और एक रिपोर्ट तैयार की जो 7 जून 1930 को प्रकाशित हुई। इसने प्रांतों में द्वैध शासन को समाप्त करने एवं उत्तरदायी एकात्मक शासन स्थापित करने का सुझाव दिया।
नेहरू रिपोर्ट (1928)	**लॉर्ड बिरकनहैड** ने भारतीयों को एक ऐसा संविधान बनाने का चुनौती दी, जिसे भारतीय समाज के सभी वर्ग स्वीकार कर सकें। भारतीयों ने इस चुनौती को स्वीकार की और **एक सर्वदलीय सम्मेलन** आयोजित किया गया, जिसमें कांग्रेस, मुस्लिम लीग, हिंदू महासभा एवं अन्य शामिल हुए। **डॉ. एम. ए. अंसारी** द्वारा इसकी अध्यक्षता की गई। मई 1928 में सर्वदलीय सम्मेलन में **मोतीलाल नेहरू** की अध्यक्षता में संविधान का प्रारूप बनाने के लिए एक **उप समिति नियुक्त** की गई। नेहरू रिपोर्ट ब्रिटिश भारत तक सीमित रही। इसमें **डोमिनियन/अधिनस्थ दर्जे** (Dominion Status) का सुझाव दिया गया। इसमें पृथक सांप्रदायिक निर्वाचन को अस्वीकार किया गया और संयुक्त निर्वाचन के आधार पर चुनाव कराने का सुझाव दिया। इसमें **19 मौलिक अधिकारों** का सुझाव दिया। इसमें पहली बार एक संघ का सुझाव दिया गया। इसमें केंद्र एवं प्रांत में उत्तरदायी सरकार की स्थापना का सुझाव दिया। दिसंबर 1928 में **सर्वदलीय सम्मेलन कलकत्ता** में हुआ और मुस्लिम लीग, हिंदू महासभा एवं सिख लीग की आपत्तियों के कारण यह सम्मेलन नेहरू रिपोर्ट को पारित करने में असफल हुआ। जिन्ना ने इस रिपोर्ट को अस्वीकार किया। वे पुनः पृथक निर्वाचन प्रणाली की ओर लौटे और उन्होंने **14 बिंदु** निर्मित किए, जो सांप्रदायिक मांगों की एक मार्गदर्शिका बनी। जवाहरलाल नेहरू एवं सुभाष चंद्र बोस ने नेहरू रिपोर्ट का विरोध किया और **इंडिपेंडेंस फॉर इंडिया लीग** की स्थापना की और तात्कालिक लक्ष्य के रूप में पूर्ण स्वाधीनता को अपनाने की माँग की। कांग्रेस ने एकमत होकर निर्णय किया कि यदि 31 दिसंबर 1929 तक सरकार नेहरू रिपोर्ट को स्वीकार नहीं करती, तो कांग्रेस अपने लक्ष्य के रूप में **पूर्ण स्वतंत्रता** को घोषित करेगा और साथ में इस लक्ष्य की प्राप्ति के लिए सविनय अवज्ञा आंदोलन शुरू करेगा।
लाहौर कांग्रेस अधिवेशन (1929)	31 दिसंबर 1929 को कांग्रेस का वार्षिक अधिवेशन लाहौर में आयोजित हुआ। **रावी नदी** के किनारे अध्यक्ष जवाहरलाल नेहरू ने हाल ही में अपनाया गये तिरंगे को फहराया और भारत के लिए **लक्ष्य के रूप में पूर्ण स्वराज्य** को घोषित किया। सविनय अवज्ञा आंदोलन प्रारंभ करने की घोषणा की गई। कांग्रेस ने 26 जनवरी 1930 को **प्रथम स्वतंत्रता दिवस** मनाने का निर्णय लिया।

अध्याय

17 सविनय अवज्ञा आंदोलन 1930-1934 (सविनय अवज्ञा आंदोलन, गोलमेज सम्मेलन 1930-1932 एवं सांप्रदायिक पुरस्कार 1932)

सविनय अवज्ञा आंदोलन असहयोग आंदोलन के 8 वर्ष बाद कांग्रेस द्वारा आरंभ किया हुआ अगला जन-आंदोलन था। असहयोग आंदोलन के अचानक से वापस लिए जाने से लेकर ब्रिटिश सरकार द्वारा नेहरू रिपोर्ट को अस्वीकार किए जाने तक, ऐसे अनेक कारक थे जिसने सविनय अवज्ञा आंदोलन की पृष्ठभूमि तैयार की।

सविनय अवज्ञा आंदोलन की ओर कदम (Run up to Civil Disobedience Movement, CDM)

◗ कांग्रेस का कलकत्ता अधिवेशन (दिसंबर 1928)

आपको याद होगा कि दिसंबर 1928 में अपने कलकत्ता अधिवेशन में कांग्रेस ने ब्रिटिश सरकार को अंतिम चेतावनी दी थी कि यदि 31 दिसंबर 1929 तक नेहरू रिपोर्ट को स्वीकार नहीं किया गया, तो कांग्रेस पूर्ण स्वतंत्रता को अपने लक्ष्य के रूप में घोषित करगी और साथ ही इस लक्ष्य की प्राप्ति हेतु एक सविनय अवज्ञा आंदोलन आरंभ कर देगी।

◗ कांग्रेस का लाहौर अधिवेशन (दिसंबर, 1929)

ब्रिटिश सरकार को दिए गए समय की अवधि समाप्त होने के बाद लाहौर में अपने वार्षिक अधिवेशन में 31 दिसंबर 1929 को कांग्रेस ने पूर्ण स्वराज्य को अपना लक्ष्य घोषित किया और साथ ही गांधी के नेतृत्व में एक सविनय अवज्ञा आंदोलन आरंभ करने की घोषणा की। फरवरी 1930 में कांग्रेस कार्यकारी समिति साबरमती आश्रम में मिली और गांधी को सविनय अवज्ञा आंदोलन आरंभ करने की सारी शक्तियां सौंपी गईं।

◗ गांधी के ग्यारह बिंदु (जनवरी, 1930)

हालांकि, गांधी अपनी योजना के क्रियान्वयन को लेकर आश्वस्त नहीं थे और उन्होंने सविनय अवज्ञा आंदोलन को आरंभ करने से पूर्व एक बार पुनः सरकार के साथ मध्यस्थता करने का प्रयास किया। उन्होंने प्रशासनिक सुधारों के 11 बिंदु निर्मित किए और इन्हें 31 जनवरी 1930 को एक पत्र के द्वारा लॉर्ड इर्विन के सामने रखा। उन्होंने बल देकर कहा कि यदि इन 11 बिंदुओं को स्वीकार कर लिया गया, तो आगे किसी प्रकार के आंदोलन की आवश्यकता नहीं होगी। इन 11 बिंदुओं में पूर्ण स्वराज्य का सार निहित था। इन 11 बिंदुओं में शामिल थे-

1. नमक कर और साथ में नमक पर सरकार के एकाधिकार का अंत।
2. रुपये-स्टर्लिंग अनुपात में कमी।
3. भू-राजस्व आधा हो और इस पर विधायी नियंत्रण हो।
4. उच्च स्तरीय सेवाओं के वेतनमान को आधा किया जाए।
5. सैन्य व सिविल सेवा व्यय को आधा किया जाए।
6. भारतीय कपड़ा उद्योग एवं तटीय नौ-परिवहन को संरक्षण।

7. राजनीतिक बंदियों की रिहाई।
8. शराब पर पूर्ण प्रतिबंध।
9. अपराध जांच विभाग (Criminal Investigation Department, CID) में सुधार।
10. शस्त्र अधिनियम (Arms Act) में परिवर्तन- शस्त्र रखने एवं लाइसेंस जारी करने के अधिकार पर जनवादी नियंत्रण।
11. पोस्टल रिजर्वेशन बिल (Postal Reservation Bill) स्वीकार करें।

अनेक राष्ट्रवादी नेता गांधी के इन 11 बिन्दुओं से सहमत नहीं थे। जवाहरलाल नेहरू ने अपनी आत्मकथा में प्रश्न किया कि क्या गांधी का पूर्ण स्वराज्य हमसे अलग था, यदि नहीं तो फिर इन 11 बिंदुओं का क्या अर्थ था, जबकि हम पहले ही पूर्ण स्वराज्य की घोषणा कर चुके थे। आगे, **सरकार की प्रतिक्रिया** भी नकारात्मक निकली और लॉर्ड इर्विन ने गांधी के 11 बिंदुओं को स्वीकार करने का कोई आश्वासन नहीं दिया।

गांधी ने लिखा- 'घुटने के बल झुककर, मैंने ब्रेड मांगा और मुझे इसके स्थान पर एक पत्थर मिला। अंग्रेजी राष्ट्र केवल ताकत पर ही प्रतिक्रिया करते हैं। वायसराय के उत्तर से मुझे कोई आश्चर्य नहीं हुआ।'

सविनय अवज्ञा आंदोलन (1930 से 1931)

दांडी मार्च (12 मार्च से 6 अप्रैल 1930)

सरकार के हठीले व्यवहार को देखकर गांधी ने अब आंदोलन आरंभ करने का निर्णय लिया। **12 मार्च 1930** को गांधी ने अपने 78 अनुयायियों के साथ साबरमती आश्रम से दांडी समुद्र तट तक (लगभग 375 किलोमीटर अथवा 240 मील) अपनी ऐतिहासिक **दांडी मार्च** प्रारंभ की। 6 अप्रैल 1930 को गांधी दांडी पहुंचे और उन्होंने एक मुट्ठी नमक उठाकर ब्रिटिश कानून की अवज्ञा के प्रतीक के रूप में नमक कानून तोड़ा। गांधी ने घोषित किया, "भारत में ब्रिटिश शासन इस महान देश का नैतिक, भौतिक, सांस्कृतिक एवं आध्यात्मिक एकीकरण को लेकर आया। मैं इस शासन को अभिशाप मानता हूं। राष्ट्रद्रोह मेरा धर्म बन चुका है।" सुभाष बोस ने इस नमक मार्च को **नेपोलियन के 'पेरिस की ओर मार्च'** से तुलना की।

नमक मार्च (1930)

आंदोलन के कार्यक्रम में अहिंसा एवं **सत्य** के आग्रह के साथ निम्नलिखित बातें शामिल थीं-

- जहां तक संभव हो नमक कानून की अवज्ञा।
- सरकार को करों का भुगतान करने से मना करना।
- न्यायालय, महाविद्यालय एवं सरकारी सेवाओं का बहिष्कार।
- शराब एवं विदेशी वस्तुएं बेचने वाली दुकानों पर धरना देना।

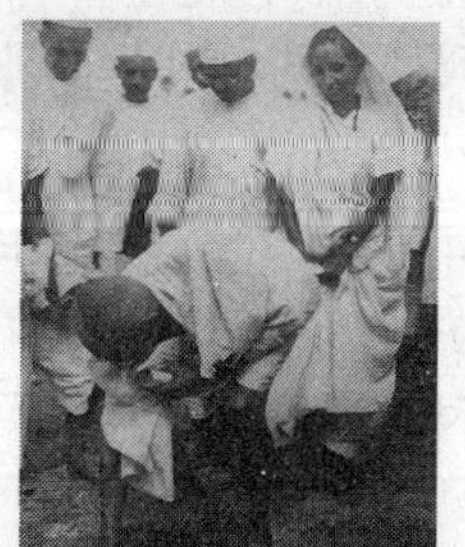

दांडी में गांधी, दक्षिण गुजरात, 5 अप्रैल 1930, नमक मार्च के अंत में समुद्र किनारे से नमक उठाते हुए। उनके साथ हैं उनके दूसरे बेटे मणिलाल गांधी एवं मिथुबेन पेटिट।

विरोध व्यक्त करने के लिए गांधी ने नमक को क्यों चुना?

प्रारंभ में नमक का चयन अनेक लोगों के लिए गुत्थी बन गया था। बाद में समझ में आया कि नमक के मुद्दे पर गांधी एक अच्छी रणनीति बुनने में सफल हुए। नमक कर एक सार्वजनिक समस्या थी, जिससे गरीब एवं अमीर, सभी वर्गों के लोग प्रभावित थे। यह गरीबों के लिए सभी करों में सर्वव्यापी कर था, जिससे वफादारी व पारस्परिक विश्वास जुड़ा हुआ था। इस दृष्टिकोण से, इससे बहुत अधिक भावनात्मक अपील जुड़ी हुई थी। नमक निर्माण से गरीबों को यद्यपि नगण्य आय होगी, लेकिन खादी के समान ही स्वसहायता से नमक बनाने से

उनको मनोवैज्ञानिक बल मिलेगा। खादी के समान ही यह शहरी अनुयायियों को जनता के दर्द से प्रतीकात्मक रूप से जोड़ने में सक्षम थी।

इसके साथ ही, नमक कानून का तोड़ना सविनय अवज्ञा आंदोलन की विनम्र शुरुआत को दिखाता है और इसके देशव्यापी उल्लंघन ने अहिंसक संघर्ष की शक्ति का प्रभावशाली प्रदर्शन किया। बाद में, नमक का निर्माण गांधी के संरचनात्मक कार्यक्रम का एक भाग बन गया था।

नमक सत्याग्रह

जहां एक ओर गांधी दांडी की ओर मार्च कर रहे थे, वहीं दूसरी ओर कांग्रेसी नेता नमक सत्याग्रह की रणनीति तैयार कर रहे थे। उन्होंने स्वयंसेवकों का नामांकन किया, जमीनी स्तर पर कांग्रेस समितियां बनाई, धन इकट्ठा किया एवं समर्थन प्राप्ति हेतु गांव व शहरों का भ्रमण किया। गांधी के आह्वान के साथ ही देश भर में नमक कानूनों को तोड़ा गया।

नमक सत्याग्रह के दौरान गांधी, मिथुबेन पेटिट एवं सरोजिनी नायडू (अंत में दाहिने ओर)

- तमिलनाडु में **सी. राजगोपालाचारी** के नेतृत्व में तंजौर तट पर त्रिचीनोपॉली से वेदारानीयम तक मार्च की और उन्हें 30 अप्रैल को गिरफ्तार कर लिया गया।
- मालाबार में वैकोम/वाइकॉम सत्यग्राह के **के. केलप्पन** ने नमक कानून तोड़ने के लिए कालीकट से पय्यनूर तक मार्च किया।
- उत्तर-पूर्व में सत्यग्राहियों के एक समूह ने नमक बनाने व नमक कानून तोड़ने के के लिए असम के सिलहट से बंगाल के नोआखली तक पैदल यात्रा की।
- आंध्रा में सत्याग्रहियों के अनेक समूहों ने गांवों से मार्च करके समुद्र तट पर पहुंचकर नमक कानून तोड़ा। नमक सत्याग्रह के मुख्यालय के रूप में अनेक **सिबिरुम** (सैन्य शैली के शिविर) स्थापित किए गए।

सरकार का दमन एवं जनवादी लहर

1930 के दौरान सरकार का रवैया मिला-जुला रहा। सरकार ने स्वयं को ऐसी स्थिति में पाया कि वह कुछ करे, तो समस्या और न करे तो समस्या। ऐसा द्वंद जो अहिंसक सविनय अवज्ञा की गांधीवादी रणनीति द्वारा रचा गया।

हालांकि, आंदोलन को तेजी से प्रसारित होता देख सरकार के पास कठोर दमन के अलावा और कोई विकल्प नहीं बचा था। अहिंसक सत्याग्रहियों के ऊपर किए गए अत्याचार का परिणाम उनके प्रति लोगों की सहानुभूति के उदय के रूप में सामने आया, जिससे लोगों की सहभागिता तेजी से बढ़ी।

जवाहरलाल नेहरू की गिरफ्तारी

14 अप्रैल 1930 को नमक कानून तोड़ने के कारण जवाहरलाल नेहरू को गिरफ्तार किया गया और उनकी गिरफ्तारी के विरोध में बड़े स्तर पर प्रदर्शन हुआ और पुलिस के साथ लोगों की भिंड़त हुई। सरकार ने अपनी दमनकारी मशीनरी को बढ़ाया और अधिकतर अन्य कांग्रेसी नेताओं को गिरफ्तार कर लिया। इसका परिणाम यह हुआ कि सविनय अवज्ञा आंदोलन का गांधीवादी विचार कमजोर पड़ने लगा और अनेक स्थानों पर हिंसक स्वरूप में विद्रोह हुए। कुछ मुख्य विद्रोह-

चिटगांव शस्त्रागार छापामारी (लूट)- 18 अप्रैल 1930 को बंगाल के क्रांतिकारियों ने चटगांव के शस्त्रागार में छापेमारी को अंजाम दिया। वास्तव में, 1930 में बंगाल में सविनय अवज्ञा आंदोलन के इतिहास में 56 क्रांतिकारी आतंकवादी घटनाएं घटित हुई। चिटगांव के नेता सूर्य सेन ने ग्रामीणों (अधिकतर मुसलमानों) की सहायता से भूमिगत रहने में सफलता प्राप्त की।

पेशावर विद्रोह- 23 अप्रैल 1930 को खान अब्दुल गफ्फार खान की गिरफ्तारी के बाद बहुत बड़े स्तर पर विद्रोह हुआ। खान उत्तर-पश्चिम सीमांत प्रांत में अनेक वर्षों से सक्रिय थे और उन्होंने अहिंसक क्रांतिकारियों का एक समूह **खुदाई खिदमतगार (ईश्वर के सेवक)** अथवा **रेड शर्ट्स (क्योंकि उनकी कमीज का रंग लाल था)** स्थापित किया, जिसने सविनय अवज्ञा आंदोलन में सक्रिय भूमिका निभाई।

पेशावर विद्रोह इसलिए भी यादगार है कि यहां की **गढ़वाल राइफल्स** की पलटन, जिसमें हिंदू सैनिक थे, ने मुस्लिम भीड़ के खिलाफ गोलीबारी करने से मना कर दिया था, जो सांप्रदायिक एकता का एक प्रतीक बन गया था। इस घटना ने साबित कर दिया था कि राष्ट्रवाद भारतीय सेना (जो भारत में ब्रिटिश शासन का एक मुख्य साधन था) में प्रविष्ट हो चुका था।

खान अब्दुल गफ्फार खान एवं खुदाई खिदमतगार आंदोलन- 1929 में खान अब्दुल गफ्फार खान (1890–1988) के नेतृत्व में खुदाई खिदमतगार (ईश्वर के सेवक) आंदोलन ने भारत के उत्तर-पश्चिम सीमांत प्रांत में अहिंसक तरीके से लोगों को ब्रिटिश सरकार के विरुद्ध लामबंद किया। गफ्फार खान एवं खुदाई खिदमतगार आंदोलन ने हजारों पश्तून (पठानों), जिन्हें उग्र योद्धा माना जाता था, को प्रेरित किया। इन पठानों ने हथियार त्यागकर नागरिक प्रतिरोध से ब्रिटिश शासन को चुनौती दी।

खान अब्दुल गफ्फार खान, जिन्हें बाचा खान के नाम से भी जाना जाता था।

यद्यपि गफ्फार खान के सुधार संबंधी कार्य, गांधी एवं भारतीय राष्ट्रीय कांग्रेस के साथ जुड़ने से पहले ही शुरू हो चुके थे, लेकिन उन्होंने बाद में उनके साथ एक औपचारिक गठबंधन भी बनाया और वे कांग्रेस के सविनय अवज्ञा आंदोलन के दौरान एक दुर्जेय बल के रूप में उभर रहे थे। उन्होंने 1930 में प्रांतीय चुनावों को जीतने में कांग्रेस की सहायता भी की। गफ्फार खान, जिन्हें बादशाह खान और सीमांत गांधी अथवा सरहदी गांधी के नाम से भी जाना जाता है, ने दुनिया की पहली अहिंसक सेना गठित की, जिसमें लगभग एक लाख पठान शामिल थे।

आंदोलन के सदस्यों को 'रेड शर्ट' (लाल कमीज) अथवा 'सुर्खो पोश' कहा जाता था।

1931 में भारतीय राष्ट्रीय कांग्रेस ने गफ्फार खान को अध्यक्षता का प्रस्ताव दिया, लेकिन उन्होंने यह कहकर मना कर दिया था कि वे एक साधारण सैनिक हैं और सेवा करना पसंद करते हैं। वे भारत के विभाजन के विरोधी थे और उन पर मुस्लिम-विरोधी होने का आरोप लगाया जाता था।

खुदाई खिदमतगार के अनुसरणकर्ता

1947 में जनमत संग्रह के परिणामस्वरूप सीमांत प्रांत स्वतंत्र पाकिस्तान का भाग बन गया। गफ्फार खान पाकिस्तान से असंतुष्ट थे और उन्होंने बाद में एक स्वायत्त पख्तूनिस्तान के निर्माण का समर्थन किया। इस कारण उन्हें पाकिस्तानी सरकार द्वारा कारावास में डाल दिया गया।

खान अब्दुल गफ्फार खान को 1962 में 'एमनेस्टी इंटरनेशनल प्रिज़नर ऑफ द ईयर' (Amnesty International Prisoner of the Year) नाम दिया गया। 1985 में शांति के नोबेल पुरस्कार हेतु उन्हें नामांकित किया गया। 1987 में वे पहले ऐसे व्यक्ति बने, जिन्हें भारतीय राष्ट्रीयता न होने के बावजूद भारत रत्न प्राप्त हुआ (ऐसे दूसरे व्यक्ति नेशनल मंडेला थे, जिन्हें 1990 में **भारत रत्न** मिला)। पेशावर में अपने घर में नजरबंदी के दौरान 1988 में उनकी मृत्यु हुई।

गांधी की गिरफ्तारी

हालांकि, 4 मई 1930 को अंततः वायसराय ने गांधी की गिरफ्तारी का आदेश दिया (उन्हें यरवदा जेल भेज दिया गया)। उनकी गिरफ्तारी का बड़े स्तर पर विरोध हुआ।

सोलापुर विद्रोह

सबसे अधिक उग्र प्रदर्शन 7 मई 1930 को महाराष्ट्र की औद्योगिक नगरी सोलापुर में हुआ। कपड़ा उद्योग के मजदूरों ने हड़ताल की, शराब की दुकानों को जला दिया और शासकीय सत्ता के सभी प्रतीकों पर हमला किया।

धरसना सत्यग्राह

21 मई 1930 को सरोजिनी नायडू (भारतीय राष्ट्रीय कांग्रेस की पहली भारतीय महिला अध्यक्ष), इमाम साहिब (दक्षिण अफ्रीका में संघर्ष के दौरान गांधी के सहयोगी) एवं गांधी जी के पुत्र मणिलाल 2000 सत्याग्रहियों को साथ लेकर गुजरात के धरसना सॉल्ट वर्क्स कारखाने में नमक कानून तोड़ने के लिए पहुंचे। पुलिस ने पहले ही इस क्षेत्र को घेर लिया था। जैसे ही सत्याग्रही आगे बढ़े, पुलिस ने उन पर स्टील से जड़ी लाठियों से हमला किया। घायल सत्याग्रहियों को उनके साथी ले जाते थे और दूसरी पंक्ति के सत्याग्रही आगे आ जाते थे।

जून अंत तक **कांग्रेस कार्यकारी समिति को गैर-कानूनी घोषित** कर दिया गया और मोतीलाल नेहरू, जो कांग्रेस अध्यक्ष की भूमिका निभा रहे थे, को गिरफ्तार कर लिया गया।

विरोध के प्रकार

यद्यपि नमक सत्याग्रह एवं अहिंसक शौर्य-प्रदर्शन (धरसना सत्यग्राह) विरोध के मुख्य तरीके थे, लेकिन जल्द ही विरोध के अन्य रूप भी उभरे। अनेक सामाजिक मुद्दों को उठाया गया। इनमें शामिल थे-

विदेशी वस्त्रों एवं शराब का बहिष्कार

विदेशी वस्त्रों एवं शराब के बहिष्कार में महिलाओं, छात्र-छात्राओं एवं युवाओं ने महत्वपूर्ण भूमिका निभाई। व्यापारिक जिलों में कांग्रेस के पहरेदार लगा दिए गए, ताकि यह निश्चित किया जा सके कि कोई भी व्यापारी इसकी अवहेलना न करे। अवहेलना करने वालों का सामाजिक बहिष्कार, उनके संगठनों के द्वारा उन पर जुर्माना एवं कांग्रेस द्वारा उन्हें ब्लैक लिस्ट करने का निर्णय लिया गया था।

रैयतवाड़ी क्षेत्रों में भू-राजस्व का भुगतान न करना

उदाहरण के तौर पर, गुजरात में खेड़ा, सूरत एवं भरूच जिलों में जनता ने कर न चुकाने का आंदोलन किया और भू-राजस्व देने से मना कर दिया।

जमींदारी क्षेत्रों में चौकीदारी कर के विरोध में आंदोलन

चौकीदार संरक्षक थे, ग्रामीण क्षेत्रों में पुलिस की तरह कार्य करते थे। उनको गांव पर लगाए जाने वाले कर से वेतन दिया जाता था और ग्रामीण लोग उन्हें बिल्कुल पसंद नहीं करते थे, क्योंकि वे अक्सर सरकार के जासूस एवं जमींदारों के परिचर की तरह कार्य करते थे। चौकीदार-कर विरोधी आंदोलन सबसे पहले स्थल-रुद्ध बिहार में प्रारंभ हुआ, जहां नमक सत्याग्रह की बिल्कुल संभावना नहीं थी। मुंगेर, सारण एवं भागलपुर जिले विशेष तौर पर प्रभावित हुए। इसमें चौकीदारों से त्यागपत्र देने का भी आह्वान किया गया। **राजेन्द्र प्रसाद** एवं **अब्दुल बरी** मुख्य नेताओं के रूप में उभरे।

बंगाल में भी मानसून के आने से नमक बनाना जब मुश्किल हो गया, तो वहां भी विरोध का तरीका बदलकर चौकीदार-विरोधी एवं **यूनियन बोर्ड विरोधी आंदोलन (Anti Union Board Agitation)** छिड़ गए।

वन सत्याग्रह

महाराष्ट्र, कर्नाटक एवं मध्य प्रांत में लोगों ने मुफ्त चारे, इमारती लकड़ियों एवं अन्य वन उत्पादों पर जनजातीय एवं किसान अधिकारों पर पाबंदी लगाने वाले वन कानूनों का शांतिपूर्ण उल्लंघन करके वन सत्याग्रह प्रारंभ किया। अन्य विशाल जनजातीय जनसंख्या वाले क्षेत्र भी इससे प्रभावित हुए।

कनिंघम सर्कुलर विरोधी आंदोलन (Anti Cunningham Circular Agitation)

असम में अलोकप्रिय **कनिंघम सर्कुलर** के विरुद्ध छात्र-छात्राओं के द्वारा एक शक्तिशाली आंदोलन प्रारंभ किया गया था। इस सर्कुलर द्वारा छात्र-छात्राओं को राष्ट्रीय आंदोलन से जुड़ी राजनीतिक गतिविधियों में सहभागिता करने पर प्रतिबंध लगाया गया था।

न राजस्व, न लगान अभियान (No-revenue No-rent campaign)

संयुक्त प्रांत में 'न राजस्व, न लगान अभियान' प्रारंभ हुआ एवं आगरा व रायबरेली इसके मुख्य केंद्र के रूप में उभरे। 'न राजस्व आंदोलन' जमींदारों द्वारा चलाया गया, जिसमें सरकार को भू-राजस्व न चुकाना शामिल था। 'न लगान आंदोलन' काश्तकार/किसानों द्वारा चलाया गया, जिसमें जमींदारों को लगान भुगतान न करना शामिल था।

राष्ट्रध्वज के सम्मान का समर्थन

पूरे देश में जनता ने कठोर दमन के बावजूद राष्ट्रध्वज के सम्मान का समर्थन किया।

विरोध के अन्य तरीके

इस आंदोलन के दौरान विरोध के अन्य अनेक स्वरूप उभरे। इनमें शामिल थे-

- **प्रभात फेरी**- इसमें महिला, पुरुष एवं बच्चे सुबह राष्ट्रीय गीत गाते हुए निकलते थे।
- **पत्रिका** या गैर-कानूनी समाचार-पत्र, जो अलोकप्रिय प्रेस अधिनियम की अवज्ञा करने हेतु पूरे देश में वितरित किए जाते थे।
- गांवों में राष्ट्रवादी संदेश देने के लिए **जादुई लालटेन (Magic lanterns)** का इस्तेमाल किया जाता था।
- बच्चों की **वानर सेना** संगठित की गई।(कुछ ऐसे उदाहरण भी मिलते हैं जहां लड़कियों ने अपनी **मंजरी/बिल्ली सेना** बनाने की इच्छा जाहिर की।)

कनिंघम सर्कुलर- जे. आर. कनिंघम उस समय असम के जन-सूचना के शक्तिशाली संचालक थे। उन्होंने 1930 में एक सर्कुलर जारी करके छात्र-छात्राओं की ब्रिटिश-विरोधी और स्वदेशी-समर्थक गतिविधियों पर पूर्णतया प्रतिबंध लगा दिया था। उन्होंने एक और आदेश जारी किया, जिसमें छात्र-छात्राओं को एक वचन पत्र पर हस्ताक्षर करने को कहा गया था। जिसके अनुसार यदि उन्होंने शासन विरोधी प्रदर्शनों अथवा आंदोलनों में सहभागिता की, तो उन्हें उनके विद्यालय एवं महाविद्यालय छोड़ने होंगे। साथ ही छात्र-छात्राओं एवं उनके परिजनों को अच्छे व्यवहार के आश्वासन को पूर्ण करने के लिए मजबूर किया गया। ऐसा न करने के कारण पूरे असम में हजारों छात्र-छात्राओं को अपने शैक्षिक संस्थानों को छोड़ना पड़ा।

लोकोपकारियों का एक समूह इन छात्र-छात्राओं के समर्थन में आया और उसने स्वदेशी विद्यालय शुरू करने का निर्णय लिया। ये स्वदेशी विद्यालय कलकत्ता, सिलहट, हबीगंज, करीमगंज, सिलचर एवं देश के अन्य भागों में स्थित राष्ट्रीय विद्यालयों की तर्ज पर स्थापित किए गए। ऐसा माना जाता है कि कामरूप अकादमी के संस्थापक अध्यक्ष राय बहादुर कालीचरण सेनगुप्ता थे।

विरोध का प्रभाव-

- विदेशी वस्त्र एवं अन्य विदेशी वस्तुओं का आयात कम हुआ।
- शराब, उत्पाद शुल्क एवं भू राजस्व से होने वाली शासकीय आय में भारी कमी आई।
- विधानसभाओं के चुनावों का बहिष्कार हुआ।

सहभागिता

इस आंदोलन को देश के विभिन्न भागो से उत्साह-पूर्ण समर्थन मिला और विभिन्न वर्गों की जनता ने इसमें सहभागिता की।

1. किसान- सविनय अवज्ञा आंदोलन में किसानों ने बड़े स्तर पर सहभागिता की। उन्होंने कानूनों का उल्लंघन किया, लाठियां झेलीं और गिरफ्तारियां दीं।

2. व्यापारी वर्ग- इस आंदोलन को व्यापारी-वर्ग से भी अच्छा समर्थन मिला। व्यापारिक समूह, जैसे- अहमदाबाद मिल मालिक, बॉम्बे के व्यापारी-वर्ग, छोटे व्यापारी एवं **जी. डी. बिरला** के नेतृत्व में कलकत्ता मारवाड़ियों ने राष्ट्रीय आंदोलन के प्रति अपनी सहानुभूति एवं पूर्ण एकता दिखाई। अनेक व्यापारियों ने सामुहिक रूप से शपथ ली कि जब तक आंदोलन चलेगा, वे विदेशी वस्तुओं का आयात नहीं करेंगे। परिणाम यह हुआ कि ब्रिटिश वस्तुओं के आयात्त में भारी गिरावट आई। 1929-1930 के दौरान आयात 1248 मिलियन यार्ड था, जो 1930-1931 में केवल 523 मिलियन यार्ड हो गया था।

3. महिलाएं- **महिलाओं की सहभागिता इस आंदोलन की सबसे महत्वपूर्ण** विशेषता थी। व्यापारिक, किसान एवं पेशेवर परिवारों की महिलाओं ने बड़ी संख्या में सहभागिता की। उन्होंने घर की एकांतता को छोड़ा और शोभायात्रा/जुलूसों में पुरुषों के साथ कंधे से कंधा मिलाकर मार्च किया, दुकानों के सामने धरना दिया, लाठियां खाई और यहां तक कि जेल भी गईं। यह स्पष्ट था कि भारतीय महिलाएं घरेलू एवं राष्ट्रीय स्वतंत्रता के लिए एक साथ संघर्ष कर रही थीं।

राष्ट्रीय आंदोलन में महिलाओं की सहभागिता को बढ़ाने में गांधी ने एक महत्वपूर्ण भूमिका निभाई। उनके अनुसार महिला, पुरुष की साथी है और बुद्धिमत्ता व क्षमताओं में समान है। यहां तक कि उन्होंने महिलाओं को सत्याग्रह के लिए अधिक उपयुक्त माना था। वास्तव में, विरोध के इस गांधीवादी स्वरूप में महिलाओं की परंपरागत छवि में आमूलचूल परिवर्तन करना शामिल नहीं था, बल्कि यह 'पुरुष छवि' ही थी, जिसे अहिंसा, आत्म-समर्पण व कष्ट पर बल देकर नारीत्व से जोड़ा गया।

बंगाल में क्रांतिकारी गतिविधियों में महिलाओं की सहभागिता की आलोचना हुई। महिला अधिकार के जाने-माने कार्यकर्ता रबीन्द्रनाथ टैगोर ने एक उपन्यास 'चार अध्याय' (1934) लिखा, जिसमें उन्होंने महिलाओं की स्त्रीत्व/नारीत्व-विहीन भूमिका की निंदा की।

4. जनजातियां- मध्य प्रांत, महाराष्ट्र एवं कर्नाटक में जनजातियों ने सक्रिय रुप से सहभागिता की।

5. शहरी प्रबुद्ध वर्ग- इस वर्ग का समर्थन असहयोग आंदोलन के समय दिए गए समर्थन से कम था। बहुत ही कम उदाहरण थे जहां छात्र-छात्राओं ने महाविद्यालय छोड़े हों अथवा वकीलों ने अपनी वकालत छोड़ी हो। बंगाल एवं उत्तरी भारत में आक्रामक शिक्षित युवा क्रांतिकारी आतंकवाद की ओर अधिक आकर्षित हुए। (विशेष रूप से भगत सिंह, जिनकी लोकप्रियता संक्षिप्त समय के लिए गांधी के बराबर हो गई थी।)

6. मजदूर वर्ग- मजदूरों की सहभागिता कम रही और सविनय अवज्ञा आंदोलन के दौरान कोई बड़ा श्रमिक विद्रोह नहीं हुआ। कांग्रेस ने अपने कार्यक्रम में औद्योगिक हड़ताल को शामिल नहीं किया था।

7. मुस्लिम वर्ग- मुस्लिम-वर्ग सविनय अवज्ञा आंदोलन से अलग रहा, लेकिन उनकी सहभागिता महत्वहीन नहीं थी। उत्तर-पश्चिम सीमांत प्रांत में उन्होंने बड़ी संख्या में सहभागिता की, बंगाल में मध्यम वर्गीय मुसलमानों और बिहार, दिल्ली व लखनऊ में मुस्लिम बुनकरों ने सहभागिता की एवं निम्न वर्गीय मुसलमानों ने भी सक्रियता से साथ निभाया।

क्षेत्रीय विभिन्नताएं

आंदोलन के प्रचार की दृष्टि से पूरे देश में महत्वपूर्ण क्षेत्रीय विभिन्नताएं थी। गुजरात, विशेष रूप से खेड़ा, बारदोली एवं अहमदाबाद, गांधीवादी सत्याग्रह के परंपरागत ह्रदय स्थल के रूप में उभरे। बॉम्बे शहर के गुजराती समुदाय ने भी बड़े उत्साह से सहभागिता की। तटीय आंध्रा एवं बिहार भी महत्वपूर्ण केंद्र के रूप में उभरे।

आंदोलन भारत के दूरस्थ पूर्वर्तीय क्षेत्र मणिपुर एवं नागालैंड तक पहुंच गया था। नागालैंड में **रानी गाइदिनल्यू (Rani Gaidinliu)** ने गांधी द्वारा बताए गए मार्ग का अनुसरण करते हुए ब्रिटिश शासन के विरुद्ध विद्रोह किया और एक साहसी नायिका के रूप में उभरी। 16 वर्ष की युवा रानी को 1932 में गिरफ्तार कर आजीवन कारावास की सजा सुनाई गई। उन्होंने अपनी युवावस्था असम की जेल में व्यतीत की और अंततः उन्हें 1947 में स्वतंत्र भारत की सरकार ने रिहा किया।

ऐसे क्षेत्र जहां पर कांग्रेस-संगठन कमजोर था और गांधीवादी विचारधारा वहां के लोगों को अधिक प्रभावित नहीं कर सकी, उन स्थानों से सीमित सहभागिता के प्रमाण मिले। इनमें महाराष्ट्र, कर्नाटक एवं मध्य प्रांत शामिल थे। बंगाल में सहभागिता का स्वरूप सबसे अधिक जटिल था। कुछ निश्चित क्षेत्र, जैसे- मिदनापुर व बांकुरा में शक्तिशाली गांधीवादी ग्रामीण आंदोलन देखा गया, जबकि अन्य क्षेत्रों में सांप्रदायिक दंगे एवं क्रांतिकारी गतिविधियां छाई रहीं।

रानी गाइदिनल्यू (1915-1993)- 13 वर्ष की आयु में गाइदिनल्यू 'हेराका धार्मिक आंदोलन' से जुड़ी, जो बाद में ब्रिटिश शासन को मणिपुर एवं नागा क्षेत्र के आसपास से निकालने के लिए एक राजनीतिक आंदोलन बन गया था। उन्होने अपने पूर्वज नागा के धार्मिक रीतियों का समर्थन किया और नागा द्वारा ईसाई धर्म में परिवर्तित होने का कड़ा विरोध किया। 1932 में 16 वर्ष की आयु में उन्हें गिरफ्तार कर आजीवन कारावास की सजा दी गई। 1937 में **जवाहरलाल नेहरू** शिलांग जेल में उनसे मिले और उन्हें 'रानी' की उपाधि दी।

सविनय अवज्ञा आंदोलन के पतन का पहला चरण

पूरे 1930 के दौरान शासन की प्रतिक्रिया मिलीजुली रही और बहुत हिचकिचाहट के बाद उन्होंने कठोर साधन अपनाए। इसी बीच साइमन कमीशन रिपोर्ट प्रकाशित हुई, जो एक दमनकारी दस्तावेज था। इस रिपोर्ट ने उदारवादी राजनीतिक जनमत को भी हतोत्साहित कर दिया।

9 जुलाई 1930 को वायसराय ने मैत्रीपूर्ण समझौते के रूप में एक गोलमेज सम्मेलन के सुझाव को दोहराया। उन्होंने डोमिनियन के दर्जे के लक्ष्य को भी याद दिलाया। उन्होंने कांग्रेस एवं सरकार के मध्य शांति की संभावनाओं को तलाशने का प्रयत्न किया। मोतीलाल नेहरू एवं उनके पुत्र जवाहरलाल नेहरू को गांधी से मुलाकात के लिए यरवदा जेल ले जाया गया, ताकि समझौते की ओर बढ़ा जा सके। गांधी ने गोलमेज सम्मेलन में कांग्रेस की सहभागिता के विचार को अस्वीकार कर दिया, लेकिन नवंबर 1930 में भारतीय राजनीतिक जनमत के कुछ निश्चित वर्गों को सहभागिता करने का आश्वासन दिया।

सितंबर-अक्टूबर 1930 तक आंदोलन थकान के दौर में प्रविष्ट हुआ। आक्रामक किसान एवं जनजातीय समूह को मारा गया, व्यापारियों का उत्साह तेजी से कम हुआ और उनमें से कई ने विदेशी वस्तुओं को न बेचने के अपने वादे को तोड़ दिया। सरकार द्वारा बड़े स्तर पर जब्ती करने के कारण भी किसानों का समर्थन कम हो गया था। लगभग सभी प्रमुख कांग्रेसी नेता नेपथ्य में चले गए थे। वहीं दूसरी ओर, क्रांतिकारी अपने पूरे जोश से सक्रिय थे और साम्यवादियों ने श्रमिक वर्ग की रैली निकाली व हड़तालें कीं। इस पूरे वातावरण से गांधी के मस्तिष्क में अराजकता का भय बढ़ने लगा था।

नवंबर 1930 में साइमन कमीशन रिपोर्ट पर चर्चा करने के लिए लंदन में पहला गोलमेज सम्मेलन (भारतीय एवं ब्रिटिश सरकार के बीच पहला समान स्तरीय सम्मेलन) आयोजित हुआ। कांग्रेस ने गोलमेज सम्मेलन का बहिष्कार किया था और इस कारण इसकी कार्यवाहियां व्यर्थ साबित हुईं। ब्रिटिश सरकार कांग्रेस की सहभागिता को लेकर बहुत चिंतित थी। इस प्रकार 25 जनवरी 1931 को ब्रिटिश प्रधानमंत्री एवं भारत के वायसराय ने बिना किसी शर्त गांधी जी एवं अन्य भारतीय नेताओं को रिहा कर दिया, ताकि मोतीलाल नेहरू के निवास पर उनसे मिल सकें और अगले गोलमेज सम्मेलन में सहभागिता हेतु सहमति बन सके। इन परिस्थितियों को देखकर गांधी ने अपना निर्णय बदला।

प्रथम गोलमेज सम्मेलन लंदन (12 नवंबर 1930 से 19 जनवरी 1931 तक)

भारतीय राजनीतिक जनमत के सभी पक्षों को विश्वास में लेने के बाद भारतीय संवैधानिक प्रश्न की चर्चा हेतु तीनों गोलमेज सम्मेलन (Round Table Conferences) लंदन में आयोजित हुए। भारतीय राष्ट्रीय कांग्रेस ने केवल द्वितीय गोलमेज सम्मेलन में सहभागिता की।

प्रथम गोलमेज सम्मेलन का उद्घाटन राजा जॉर्ज पंचम द्वारा लन्दन में 12 नवंबर 1930 को किया गया।

साइमन कमीशन रिपोर्ट पर चर्चा हेतु लॉर्ड इर्विन ने 12 नवंबर 1930 को लंदन में प्रथम गोलमेज सम्मेलन की औपचारिक शुरुआत की। इस सम्मेलन की अध्यक्षता प्रधानमंत्री रैम्जे मैकडोनाल्ड (लेबर पार्टी) ने की। कांग्रेस ने प्रथम गोलमेज सम्मेलन का बहिष्कार कर दिया था, क्योंकि उसके द्वारा सविनय अवज्ञा आंदोलन शुरू किया जा चुका था। कुल 89 व्यक्तियों को सम्मेलन में सहभागिता

हेतु आमंत्रित किया गया था। ब्रिटिश भारत के प्रतिनिधिमंडल में 58 सदस्य शामिल थे, जो विभिन्न दलों एवं हितों का प्रतिनिधित्व करते थे। कांग्रेस एवं भारतीय व्यापारिक नेता सम्मेलन से दूर रहे। इनमें से अनेक सविनय अवज्ञा आंदोलन में सहभागिता करने के कारण जेल में थे।

सहभागी सदस्य

भारत एवं भारतीय रियासतों का प्रतिनिधित्व करने के लिए सरकार ने सुरक्षित लोगों को चुना था। प्रमुख भारतीय सदस्य, जिन्होंने सहभागिता की-

- मुस्लिम वर्ग- आगा खां तृतीय (**ब्रिटिश भारतीय प्रतिनिधिमंडल के नेता**), मोहम्मद शफी, मौलाना मोहम्मद अली, फजलुल-हक एवं मोहम्मद अली जिन्ना।
- सिख- सरदार संपूर्ण सिंह, सरदार उज्जल सिंह।
- हिंदू महासभा- बी. एस. मुंजे, एम. आर. जयकर
- दलित वर्ग- बी. आर. अंबेडकर
- भारत के ईसाई- के. टी. पॉल
- पारसी- होमी मोदी
- उदारवादी- टी. बी. सप्रू, सी. वाय. चिंतामणि, श्रीनिवास शास्त्री, चिमनलाल हरिलाल सीतवट, जे. एन. बसु
- श्रमिक वर्ग के प्रतिनिधि- एन. एम. जोशी, बी. शिवा राव
- जस्टिस पार्टी- अर्कोट रामास्वामी मुदलियार, सर ए. पी. पात्रो
- महिला वर्ग- बेगम जहांनारा शहनवाज
- सामंत वर्ग- दरभंगा (बंगाल) के महाराजा कामेश्वर सिंह
- सिंधक्षेत्र- शाहनवाज भुट्टो, गुलाम हुसैन हिदायतुल्लाह
- देशी रियासतें- 16 सदस्यीय एक प्रतिनिधिमंडल (शासक अथवा उनके मनोनीत सदस्य), जिनमें अलवर, बड़ौदा, भोपाल, बीकानेर, जम्मू एवं कश्मीर, पटियाला, हैदराबाद, मैसूर व ग्वालियर के प्रतिनिधि शामिल थे।
- प्रमुख ब्रिटिश सहभागी- ब्रिटिश सरकार के मुख्य वक्ता रैम्जे मैकडोनाल्ड (लेबर पार्टी/श्रमिक दल) एवं सैमुअल होर (रूढ़िवादी दल)।

नोट- बीकानेर के महाराजा के नेतृत्व में राजकुमारों ने अखिल भारतीय संघ में शामिल होने की इच्छा व्यक्त की थी।

परिणाम

सम्मेलन में दो महत्वपूर्ण कदम उठाए गए, जिन्हें आज्ञा पत्र (Command Paper) में व्यक्त किया गया। प्रथम, इसमें ब्रिटिश भारतीय प्रांतों एवं भारतीय रियासतों के एक **अखिल भारतीय संघ (All India Federation)** के निर्माण का सुझाव दिया। दूसरा, निश्चित आरक्षण एवं संरक्षण के साथ रक्षा, विदेशी मामले एवं आर्थिक मुद्दों पर ब्रिटिश सरकार का नियंत्रण कायम रखते हुए **केंद्र में उत्तरदायी सरकार** का भी सुझाव दिया गया। इसी दौरान बी. आर. अंबेडकर ने अछूतों के लिए पृथक निर्वाचन प्रणाली की मांग की।

यद्यपि कुछ प्रमुख भारतीय नेता इस सम्मेलन में शामिल हुए थे, तथापि उन्हें भारतीय जनता का वास्तविक प्रतिनिधि नहीं माना जा सकता था। इस प्रकार यह सम्मेलन सांप्रदायिकतावादियों एवं प्रतिक्रियावादियों का एक सम्मेलन था, जिसकी कार्यवाहियां निरर्थक साबित हुईं।

शांति काल (Truce Period)

गांधी-इर्विन समझौता (अथवा दिल्ली समझौता, 5 मार्च 1931)

सर टी.बी. सप्रू एवं **सर एम. आर. जयकर** के प्रयासों से 14 फरवरी 1931 को गांधी-इर्विन वार्ता की पहल हुई। लंबी वार्ता का परिणाम 5 मार्च 1931 को दिल्ली समझौते के रूप में सामने आया, जिसे गांधी-इर्विन समझौता भी कहा गया। इस समझौते पर कांग्रेस की ओर से गांधी द्वारा एवं सरकार की ओर से इर्विन द्वारा हस्ताक्षर किए गए। इस प्रकार कांग्रेस एवं सरकार के मध्य यह **पहला समझौता** था, जिसमें दोनों पक्ष समकक्ष थे।

समझौते के अनुसार कांग्रेस ने निम्नलिखित बातें स्वीकार की-

- सविनय अवज्ञा आंदोलन को इसके विभिन्न रूपों सहित तुरंत वापस लेना।
- अगले गोलमेज सम्मेलन में सहभागिता करना (इसमें गांधी जी को कांग्रेस का प्रमुख प्रतिनिधि बनाया जाना)।
- ब्रिटिश वस्तुओं के बहिष्कार के कार्यक्रम को वापस लेना।

सरकार सहमत हुई-

- सविनय अवज्ञा आंदोलन से जुड़े आध्यादेशों को वापस लेना।
- ऐसे राजनीतिक बंदियों को रिहा करना, जिनके ऊपर हिंसा के आरोप न हो।
- जब्त की गई भूमि को वापस लौटाना, यदि उसे तीसरे पक्ष को न बेचा गया हो।
- ऐसे सरकारी कर्मचारियों से उदार व्यवहार करना, जिन्होंने अपनी सेवा से त्यागपत्र दे दिया था।
- ऐसी सजाओं में छूट देना, जो अभी तक लागू नहीं हुई थीं।
- आंदोलन के दौरान पीड़ित हुए लोगों को क्षतिपूर्ति का भुगतान करना।
- सरकार नमक कानून में संशोधन नहीं करेगी, लेकिन समुद्र किनारे विशिष्ट क्षेत्र में रहने वाले लोगों को स्वतंत्रतापूर्वक नमक संग्रहण व नमक निर्माण करने की अनुमति देगी।
- सरकार शांतिपूर्ण धरने के अधिकार पर भी सहमत हुई।

गांधी-इर्विन समझौते पर मिली-जुली प्रतिक्रिया

समझौता विवाद का एक विषय बन गया था। इसे किसान-हितों के साथ विश्वासघात के रूप में भी देखा गया।

कांग्रेस कार्यकारी समिति में समझौते के प्रति प्रतिक्रिया बहुत अधिक विभाजित थी। अनेक ने इसे जीत के रूप में देखा, क्योंकि वायसराय को गांधी के साथ समानता एवं शालीनता की शर्तों पर समझौते के लिए वार्तालाप करना पड़ा। हालांकि, अन्य अनेक लोगों ने इसे असफल माना, क्योंकि गांधी को ब्रिटिश शर्तों पर द्वितीय गोलमेज सम्मेलन में सहभागिता हेतु सहमति देनी पड़ी। **भगत सिंह, सुखदेव एवं राजगुरु के मृत्यु दंड की सजा को कम करने के गांधी के निवेदन को वायसराय ने नकार दिया** और तीनों को 23 मार्च 1931 को फांसी पर लटका दिया गया। पूर्ण स्वराज्य के लक्ष्य को प्राप्त किए बिना अचानक से आंदोलन को वापस लिए जाने से कांग्रेस के अनेक नेता असंतुष्ट थे। गुजरात के किसान, जिन्होंने अपना जीवन और संपत्ति समर्पित कर दी थी, ठगा हुआ महसूस कर रहे थे। (हालांकि, 1937 में बॉम्बे में कांग्रेस मंत्रिमंडल के सत्ता में आने पर उन्हें संपत्ति वापस कर दी गई थी।)

उपर्युक्त के बावजूद, भारतीय जनता ने इस समझौते को सरकार पर एक जीत के रूप में देखा। हजारों लोगों, जो जेल से रिहा हुए, के घर वापस लौटने पर उनका ऐसे सत्कार हुआ जैसे वे विजयी युद्ध से लौटे हों। जनता के लिए यह एंक शांति समझौता था, न कि आत्मसमर्पण, ताकि उनके सैनिक आराम कर सकें और अगले चरण के लिए तैयार हो सकें।

करांची का विशेष कांग्रेस अधिवेशन (29 मार्च 1931, सरदार पटेल की अध्यक्षता में)

गांधी-इर्विन समझौते का अनुमोदन करने हेतु करांची में कांग्रेस का एक विशिष्ट अधिवेशन बुलाया गया। यह अधिवेशन भगत सिंह की फांसी के कुछ दिनों बाद ही आयोजित हुआ और गांधी को कारांची में काले झंडे दिखाए गए।

करांची में कांग्रेस-प्रस्ताव

1. स्वयं को किसी भी प्रकार की राजनीतिक हिंसा से अलग करते हुए कांग्रेस ने तीनों शहीदों के साहस एवं आत्मसमर्पण की प्रशंसा की।
2. दिल्ली प्रस्ताव को अनुमोदित किया गया।
3. पूर्ण स्वराज्य के लक्ष्य को पुनः दोहराया गया।
4. करांची अधिवेशन में दो महत्वपूर्ण प्रस्ताव भी स्वीकार किए गए- एक **मौलिक अधिकारों** पर एवं दूसरा **राष्ट्रीय आर्थिक कार्यक्रम** (मूल रूप से जवाहरलाल नेहरू द्वारा इसका प्रारूप बनाया गया था) पर। इन प्रस्तावों के माध्यम से कांग्रेस ने पहली बार जनता के लिए स्वराज्य के अर्थ को परिभाषित किया। प्रस्ताव में घोषणा की गई, ''जनता के शोषण को समाप्त करने के लिए राजनीतिक स्वतंत्रता में भूख से तड़पते लाखों लोगों की वास्तविक आर्थिक स्वतंत्रता को शामिल किया जाना चाहिए।''

मौलिक अधिकारों एवं राष्ट्रीय आर्थिक कार्यक्रम पर करांची-घोषणा (Karachi Declaration on Fundamental Rights and the National Economic Programme)

मौलिक अधिकारों पर घोषणा में आधारभूत नागरिक अधिकारों, जैसे- भाषण, प्रेस, सभा करने एवं संगठन बनाने की स्वतंत्रता, कानून के समक्ष समानता, सभी धर्मों के संबंध में राज्य की निष्पक्षता, सार्वभौमिक वयस्क मताधिकार के आधार पर चुनाव एवं मुफ्त व अनिवार्य प्राथमिक शिक्षा शामिल थे।

राष्ट्रीय आर्थिक कार्यक्रम के प्रस्ताव में लगान एवं राजस्व में कमी, कृषि से जुड़े कर्ज में राहत, सूदखोरी पर नियंत्रण, श्रमिकों के लिए बेहतर स्थितियां, जैसे- जीविका योग्य वेतन, कार्य के सीमित घंटे, महिला श्रमिकों का संरक्षण; किसान एवं मजदूरों के लिए संघ बनाने व संगठित करने का अधिकार; प्रमुख उद्योगों, खदानों एवं यातायात के साधनों पर राज्य का स्वामित्व शामिल थे। इसमें अल्पसंख्यक वर्ग की संस्कृति, भाषा एवं लिपि को संरक्षित किए जाने का भी प्रावधान जोड़ा गया।

यद्यपि घोषणा विषय-वस्तु के आधार पर औसत थी, तथापि यह एक महत्वपूर्ण शुरुआत थी और कांग्रेस के कार्यक्रम में अनेक विषयों को पहली बार स्थान मिला। वास्तव में, **करांची-घोषणा** ने आने वाले वर्षों के लिए **कांग्रेस के सामाजिक-आर्थिक कार्यक्रम का एक आधारभूत दस्तावेज** तैयार कर दिया था।

द्वितीय गोलमेज सम्मेलन (लंदन , 1 सितंबर से 1 दिसंबर 1931 तक)

अक्टूबर 1931 के लंदन में द्वितीय गोलमेज सम्मेलन। ब्रिटिश प्रधानमंत्री रैम्जे मैकडोनाल्ड, महात्मा गांधी के दाहिनी ओर बैठे हैं। बाएं से चौथे स्थान पर डॉ. बी. आर. अंबेडकर हैं, जिन्होंने दलित-वर्ग का प्रतिनिधित्व किया था।

गांधी द्वारा द्वितीय गोलमेज सम्मेलन में सहभागिता

विशेष लेख- गांधी-इर्विन समझौता (मार्च 1931) एवं द्वितीय गोलमेज सम्मेलन (दिसम्बर 1931) के बीच के समय में भारत एवं ब्रिटेन में सरकार में परिवर्तन आया। अप्रैल 1931 में **लॉर्ड विलिंग्डन** ने दिल्ली में लॉर्ड इर्विन का स्थान लिया। 26 अगस्त 1931 को मैकडोनाल्ड की लेबर कैबिनेट ने त्यागपत्र दिया और रूढ़ीवादी दल के प्रभुत्व वाली एक नई गठबंधन सरकार उनके ही नेतृत्व में बनी। प्रमुख रूढिवादी नेता **सर सैमुअल होर** भारत सचिव बने। ब्रिटेन में सरकार के परिवर्तन से भारत में सरकार के रवैये में भी परिवर्तन आया।

अब ब्रिटेन में दोनों ही राजनीतिक एवं वित्तीय ताकतें, भारत को किसी भी प्रकार की राजनीतिक अथवा वित्तीय रियायत देने के विरोध में थीं। विंस्टन चर्चिल ने सरकार द्वारा **राजद्रोही फकीर** (seditious fakir) के साथ बात करने का कड़ा विरोध किया।

साथ ही, जब गांधी 29 अगस्त 1931 को लंदन की ओर जहाज से रवाना हो रहे थे, तो सम्मेलन से कोई विशेष अपेक्षा नहीं थी। कांग्रेस प्रथम गोलमेज सम्मेलन का बहिष्कार कर चुकी थी, जिसमें रैम्जे मैकडोनाल्ड ने केंद्र में उत्तरदायी शासन की स्थापना की एक आदर्श पेशकश की थी, लेकिन यह उत्तरदायी शासन रक्षा, विदेशी मामले एवं अर्थव्यवस्था पर ब्रिटिश नियंत्रण को प्रबंधित करते हुए 'आरक्षण एवं संरक्षण' की एक श्रृंखला के साथ थी। इसे चर्चा का विषय स्वीकार करते हुए गांधी ने कांग्रेस के मुख्य प्रतिनिधि के रूप में द्वितीय गोलमेज सम्मेलन में सहभागिता की।

सहभागी सदस्य

भारतीय प्रतिनिधियों में से अधिकांश को सरकार ने चुना हुआ था। जिनमें वफादार, संप्रदायिकतावादी, पेशेवर, बड़े जमींदार एवं देशी रियासतों के प्रतिनिधि शामिल थे। भारत के लिए स्वतंत्रता के आधारभूत प्रश्न पर गांधी को निष्प्रभावी करने के लिए सरकार ने इनका उपयोग किया।

अधिकांश मुख्य सहभागी ऐसे थे, जो पहले अधिवेशन के बाद दूसरे अधिवेशन में शामिल होने वापस लौटे थे। मुख्य चेहरों में महान राष्ट्रवादी एवं राजनीतिक नेता, जैसे- **गांधी, मदन मोहन मालवीय, सरोजनी नायडू, अली इमाम, महान कवि मोहम्मद इकबाल, पूंजीपति जी. डी. बिरला एवं एस. के. दत्त** (एक मुख्य भारतीय ईसाई) शामिल थे। सरकार की ओर से मुख्य वक्ता सर सैमुअल होर थे।

पटियाला के महाराजा के नेतृत्व में राजकुमारों ने अब अपने विचारों में परिवर्तन किया और एक संघ के स्थान पर एक परिसंघ की इच्छा जाहिर की। हालांकि, कुछ प्रमुख राज्य संघ के विचार पर अडिग बने रहे।

परिणाम

यह अधिवेशन मैकडोनाल्ड की घोषणा के साथ समाप्त हुआ। यह इस प्रकार थी-

- दो मुस्लिम प्रांत- सिंध एवं उत्तर पश्चिम सीमांत प्रांत।
- भारतीय सलाहकार समिति का गठन।
- तीन विशेषज्ञ समितियां- वित्त, मताधिकार एवं देशी रियासतें।
- यदि भारतीय सहमति में असफल हुए, तो एकपक्षीय सांप्रदायिक पुरस्कार की संभावना।

गांधी ने उसी योजना का सुझाव दिया, जो नेहरु रिपोर्ट द्वारा पहले ही सुझाव की जा चुकी थी। सांप्रदायिक समस्या की जटिलता को समझते हुए गांधी ने सुझाव दिया कि जब तक संवैधानिक समस्या नहीं सुलझ जाती, सांप्रदायिक निपटारे को लंबित रखा जाना चाहिए। सुझाव में अल्पसंख्यक प्रतिनिधियों को संतुष्ट किया और उनके रवैए को कठोर बनाया। मुस्लिम प्रतिनिधि निरंतर पृथक निर्वाचन प्रणाली पर बल देते रहे।

इस प्रकार द्वितीय गोलमेज सम्मेलन में गांधी की सहभागिता का अंत घोर असफलता के साथ हुआ। उनकी मुस्लिम नेताओं, बी. आर. अंबेडकर (अनुसूचित जाति के नेता) एवं भारतीय राजकुमारों से बहुत तकरार हुई।

परिवर्तित ब्रिटिश सरकार द्वारा गांधी-इर्विन समझौते को एक भूल की तरह देखना

गांधी भारत मे एक परिवर्तित राजनीतिक परिस्थिति में वापस लौटे। जब गांधी लंदन में थे, तब नए वायसराय लॉर्ड विलिंगडन के साथ-साथ भारत में उच्च अधिकारियों ने दिल्ली समझौते को एक भूल की तरह देखा। इस समझौते में ब्रिटिश सरकार ने कांग्रेस के साथ बराबरी के साथ समझौता किया था, जिससे ब्रिटिश प्रतिष्ठा कम हुई और कांग्रेस की प्रतिष्ठा बढ़ी थी। अब उन्होंने इसे बदलने का निश्चय कर लिया था- **'न समझौता, न कोई शांति, न कोई गांधी-वायसराय बैठक'**, सरकार का मुख्य वाक्य बन गया था। राष्ट्रीय आंदोलन के पुनरुत्थान को तात्कालिक रूप से नुकसान पहुंचाने व गांधी को सबसे पहले गिरफ्तार करने का उन्होंने निर्णय लिया।

सरकार का दमन-चक्र

24 दिसंबर 1931 को अब्दुल गफ्फार खान को गिरफ्तार कर लिया गया और उत्तर-पश्चिम सीमांत प्रांत में किसानों सहित खुदाई खिदमतगार का सरकार द्वारा कठोरता से दमन किया गया (क्रूर तरीकों से राजस्व उगाहने की सरकार की नीति के विरुद्ध खुदाई खिदमतगार किसानों का नेतृत्व कर रहे थे।)। 26 दिसंबर 1931 को जब जवाहरलाल नेहरू गांधी से मिलने बॉम्बे जा रहे थे, लेकिन रास्ते में ही उन्हें गिरफ्तार कर लिया गया।

28 दिसंबर 1931 को जब गांधी बॉम्बे में उतरे, तो राजनीतिक परिस्थिति पूर्णतया बदल चुकी थी। अगले दिन कांग्रेस कार्यकारी समिति की बैठक हुई और सविनय अवज्ञा आंदोलन को पुनः प्रारंभ करने का निर्णय लिया गया। 31 दिसंबर 1931 को जब गांधी ने वायसराय से बैठक के बारे में पूछा तो उसने मना कर दिया। इसके विपरीत 4 जनवरी 1932 को गांधी को भी शीघ्र ही गिरफ्तार कर लिया गया।

उसी दिन आंदोलन से निपटने के लिए वायसराय विलिंग्डन ने एक नई नीति प्रारंभ की। इस नई नीति, जिसे **सिविल सैन्य कानून** कहा गया, के अंतर्गत सभी कांग्रेसी संगठनों पर प्रतिबंध लगाने हेतु अध्यादेशों को जारी किया जाना शामिल था। नागरिक स्वतंत्रताएं समाप्त कर दी गईं और अधिकारीगण इच्छा अनुसार जनता और उनकी संपत्ति को अपने अधिकार में ले सकते थे। एक सप्ताह के अंदर सभी प्रमुख कांग्रेसी नेता सलाखों के पीछे थे।

पुनः सविनय अवज्ञा आंदोलन (द्वितीय सविनय अवज्ञा आंदोलन, 1932-1934)

इसी बीच, सविनय अवज्ञा आंदोलन पुनः शुरू हुआ और क्रोधित जनता से इसे जनवादी प्रतिक्रिया मिली। हालांकि, सविनय अवज्ञा आंदोलन के दूसरे चरण में जनता का वैसा समर्थन नहीं मिला, जैसा कि पहले चरण में मिला था और यह बात स्पष्ट हो चुकी थी कि यह आंदोलन लंबे समय तक नहीं चल सकेगा। इसके साथ ही, आंदोलन व दमन कुछ समय के लिए एक साथ चलने लगे। गुजराती व्यापारियों एवं क्रांतिकारी आतंकवादियों के समर्थन के कारण क्रमशः बॉम्बे सिटी एवं बंगाल अब ब्रिटिश सरकार के लिए भयानक सपने की तरह बन गए थे। लाखों जनता ने शराब एवं विदेशी कपड़े बेचने वाली दुकानों पर धरना दिया। लेकिन सरकार द्वारा भी समानांतर रूप से आतंक का शासन व्याप्त कर दिया था। कांग्रेस दफ्तरों को जब्त कर लिया गया और गांधी के सभी आश्रमों पर पुलिस द्वारा घेरा डाल दिया गया। राष्ट्रवादी साहित्य पर प्रतिबंध लगा दिया गया। आंदोलनकारियों को पीटा गया और उनकी संपत्ति जब्त कर ली गई। जेल में कैदियों को यातनाएं दी गईं और विशेष तौर पर महिलाओं को सत्याग्रह से दूर करने के लिए जेल की परिस्थितियों को कठिन बनाया गया।

वीभत्स यातनाओं के कारण कुछ महीनों में ही आंदोलन को प्रभावशाली तरीके से कुचल दिया गया और इसके बाद आंदोलन बस रेंगने लगा।

सांप्रदायिक पुरस्कार एवं पूना समझौता (Communal Award and Poona Pact)

सांप्रदायिक पुरस्कार (16 अगस्त 1932)

16 अगस्त 1932 को मैकडोनाल्ड ने अल्पसंख्यक प्रतिनिधित्व पर एक प्रस्ताव घोषित किया, जिसे सांप्रदायिक पुरस्कार अथवा **मैकडोनाल्ड पुरस्कार** के नाम से जाना गया। यह 'विभाजन करो एवं राज करो' की ब्रिटिश नीति की एक अन्य अभिव्यक्ति थी। मुस्लिम, सिख एवं ईसाई को पहले ही अल्पसंख्यक का दर्जा मिल चुका था। **सांप्रदायिक पुरस्कार ने दलित वर्गों को भी अल्पसंख्यक घोषित** किया और उन्हें भी पृथक निर्वाचन प्रणाली के लिए अधिकृत किया। इस प्रकार उन्हें शेष हिंदुओं से पृथक कर दिया गया। इसने सुझाव दिया कि

- प्रांतीय विधायिकाओं में वर्तमान सीटों को दोगुना किया जाए।
- अल्पसंख्यक वर्गों के लिए पृथक निर्वाचन व्यवस्था को बनाए रखना।
- जिस प्रांत में मुसलमान अल्पसंख्यक हो, वहां उन्हें अधिभार प्रदान करना।
- उत्तर-पश्चिम सीमांत प्रांत को छोड़कर सभी प्रांतीय विधायिकाओं में महिलाओं के लिए 3% सीटें आरक्षित करना।
- दलित वर्गों को अल्पसंख्यक समुदाय का दर्जा देना और उन्हें पृथक निर्वाचन प्रणाली के अधिकार के लिए अधिकृत करना।
- श्रमिक, पूंजीपति, व्यापारी एवं उद्योगपतियों को सीट वितरित करना।

कांग्रेस की प्रतिक्रिया

यह कांग्रेस द्वारा प्रस्तावित संविधान से बिल्कुल विपरीत था, जिसमें अल्पसंख्यकों को उनकी संस्कृति, धर्म एवं भाषा के संरक्षण की गारंटी वाला एक मौलिक अधिकार जोड़ा गया था। कांग्रेस ने पृथक निर्वाचन प्रणाली को भी अस्वीकार किया और सार्वभौमिक मताधिकार पर बल दिया। सांप्रदायिक निर्वाचन प्रणाली सांप्रदायिक भावनाओं को बढ़ाने वाली थी और यह एक राष्ट्रीय चेतना के विकास में बाधा थी।

कांग्रेस 1916 के कांग्रेस-लीग समझौते के अंतर्गत मुसलमानों के लिए पृथक निर्वाचन प्रणाली स्वीकार कर चुकी थी जो उसने ऐसा मुस्लिम लीग के साथ एक समझौते के रूप में किया था। यद्यपि कांग्रेस सांप्रदायिक पुरस्कार से पूर्णतया असहमत थी, लेकिन वह इसके समर्थन में नहीं थी कि दलित वर्गों की सहमति के बिना इस सांप्रदायिक अवार्ड में कोई परिवर्तन किया जाए। अत: कांग्रेस ने **'न स्वीकार करने और न इसे अस्वीकार'** करने का निर्णय लिया।

गांधी की प्रतिक्रिया

दूसरी ओर, गांधी सहित सभी राष्ट्रवादियों ने इस पुरस्कार का कठोरता से विरोध किया। गांधी ने दलित वर्गों के लिए पृथक निर्वाचन प्रणाली प्रदान करने का कड़ा विरोध किया। वे दलित वर्ग को हिंदू समाज का एक अभिन्न अंग मानते थे। उन्होंने अनुभव किया कि यह पुरस्कार इन वर्गों की पतित स्थिति का कोई उत्तर नहीं देता। उनके अनुसार पृथक निर्वाचन प्रणाली के स्थान पर अस्पृश्यता के पूर्णतया उन्मूलन की आवश्यकता थी। लेकिन जब दलित वर्गों को एक पृथक समुदाय की तरह माना गया, तो इस अस्पृश्यता के उन्मूलन का प्रश्न नहीं उठाया गया और अप्रत्यक्ष रूप से इस बात को आश्वस्त किया गया कि अछूत हमेशा अछूत बने रहेंगे।

पूना समझौता (24 सितंबर 1932)

बी. आर. अंबेडकर को सहमत करने के लिए गांधी यरवदा जेल में 20 सितंबर 1932 को आमरण अनशन पर बैठे। लगभग सभी जगह 20 सितंबर को उपवास एवं प्रार्थना का दिन माना गया व मंदिरों एवं कुओं को दलित वर्गों के लिए खोला गया।

अंबेडकर, एम. सी. राजा एवं **मदन मोहन मालवीय** ने मिलकर गांधी को मनाने की कोशिश की। 24 सितंबर 1932 को गांधी एवं अंबेडकर के बीच पूना समझौता हुआ। अंबेडकर ने यह समझौता गांधी के जीवन को बचाने के लिए किया। इस समझौते ने हिंदू जाति एवं अनुसूचित जाति के बीच के राजनीतिक मनमुटाव को टाल दिया। समझौता हुआ कि-

- दलित वर्गों के लिए पृथक निर्वाचन प्रणाली नहीं होगी और अंबेडकर ने संयुक्त निर्वाचन प्रणाली के सिद्धांत को स्वीकार किया।
- प्रांतीय विधायिकाओं में दलित वर्ग के लिए आरक्षित सीटों को **(71 सांप्रदायिक पुरस्कार में दी गई सीटें) से बढ़ाकर 147** किया जाना एवं केंद्रीय विधायिका में कुल 18% सीटें आरक्षित किया जाना।
- कुछ प्रतिशत जो सामान्य गैर-मुस्लिम निर्वाचक मंडल को वितरित किया गया था, वह भी दलित वर्गों के लिए आरक्षित होगा।
- कांग्रेस ने यह भी स्वीकार किया कि सिविल सेवाओं में भी दलित वर्गों को पर्याप्त प्रतिनिधित्व दिया जाएगा।

गांधी का हरिजन अभियान (Gandhi's Harijan Campaign)

गांधी प्रतिबद्ध थे कि सरकार के विभाजनकारी इरादे को सफल नहीं होने दिया जाए। उन्होंने जेल से ही छुआछूत के विरुद्ध अभियान शुरू किया।

- जेल से ही सितंबर 1932 में उन्होंने अखिल भारतीय छुआछूत विरोधी लीग (All India Anti Untouchability League) की स्थापना की और
- 1933 में उन्होंने एक साप्ताहिक **हरिजन** शुरू किया।
- अगस्त 1933 में वे जेल से रिहा हुए और उन्होंने **अपना सत्याग्रह आश्रम वर्धा में स्थानांतरित** कर लिया, जैसा कि 1930 में उन्होंने कसम खाई थी कि यदि स्वराज्य नहीं मिला, तो वे साबरमती आश्रम (अहमदाबाद) वापस नहीं लौटेंगे।
- नवंबर 1933 से जुलाई 1934 के दौरान उन्होंने देश की एक हरिजन यात्रा की, छुआछूत को हटाने का प्रचार किया और अपने नव स्थापित **हरिजन सेवा संघ** के लिए धन एकत्रित किया।
- गांधी ने दो बार, 8 मई और 16 अगस्त 1934 को उपवास किया, ताकि अपने प्रयासों की गंभीरता के बारे में लोगों को समझा सकें।

अपने पूरे प्रचार के दौरान रूढ़िवादी हिंदुओं के द्वारा हिंदू-धर्म (Hinduism) पर प्रहार करने का आरोप लगाया गया। इन तत्वों ने कांग्रेस के विरुद्ध सरकार का समर्थन करने का भी प्रस्ताव दिया। सरकार ने इसके बदले में अगस्त 1934 में **टेम्पल एंट्री बिल (मंदिर-प्रवेश विधेयक, Temple Entry Bill)** को पारित नहीं होने दिया।

अपने हरिजन कार्यक्रम के दौरान गांधी ने कुछ निश्चित विषयों पर बल दिया। उन्होंने तर्क दिया कि हिंदू शास्त्रों में छुआछूत को कोई स्वीकृति नहीं दी गई और उन शास्त्रों को भी नहीं मानना चाहिए, यदि वे मानव गरिमा के विरुद्ध हों। वे यह विश्वास करते थे कि वर्णाश्रम में कुछ भी पाप जैसा नहीं है जैसा की छुआछूत में है। गांधी के भाषणों में अन्य थीम (विषय) यह थी कि हिंदू जाति को आवश्यकता है कि वे उनके द्वारा सदियों से हरिजनों के ऊपर किए गए अन्याय के लिए प्रयाश्चित करें। यह बताता है कि कैसे वे अपने आलोचकों, जिसमें अंबेडकर भी शामिल थे, के प्रति शत्रु भाव नहीं रखते थे। उन्हें आशा थी कि एक दिन वे उनके विवेक और दिलों में अपील करके उन्हें जीत लेंगे।

गांधी एवं कांग्रेस के हरिजन कार्यक्रमों ने धीरे-धीरे हरिजनों के बीच राष्ट्रवाद के संदेश को पहुंचाया (जो देश के अनेक भागों में कृषक श्रमिक भी थे) और राष्ट्र व किसान संघर्ष में उनकी सहभागिता को सुनिश्चित किया।

तीसरा गोलमेज सम्मेलन (17 नवंबर से 24 दिसंबर 1932)

तीसरा एवं अंतिम गोलमेज सम्मेलन 17 नवंबर से प्रारंभ हुआ। इस सम्मेलन में केवल 46 प्रतिनिधि शामिल हुए और भारतीय राष्ट्रीय कांग्रेस के साथ-साथ ब्रिटेन में लेबर पार्टी ने इसका **बहिष्कार** किया था।

सहभागी

मुख्य सहभागियों में आगा खां तृतीय, बी. आर. अंबेडकर, एन. एम. जोशी, रामास्वामी मुदालियर, बेगम जहांनारा शहनवाज, टी. बी. सप्रू, सर पुरुषोत्तमदास ठाकुरदास एवं अन्य शामिल थे।

परिणाम

तृतीय गोलमेज सम्मेलन के बाद ब्रिटिश सरकार ने भारत के नए संविधान के लिए एक **श्वेत पत्र** (White Paper) तैयार किया। श्वेत पत्र, जो मार्च 1933 में प्रकाशित हुआ, में चार प्रमुख प्रस्ताव थे- संघवाद, प्रांतीय स्वायत्तता (प्रांतों में उत्तरदायी सरकार), केंद्र में द्वैध शासन एवं सुरक्षा उपाय, जो केंद्रीय व प्रांतीय कार्यपालिका में निहित थे। इस श्वेत पत्र की भारतीय दलों ने आलोचना की, क्योंकि यह पूर्ण स्वतंत्रता से दूर ले जाने वाला था।

परिणामस्वरूप, **लिनलिथगो** की अध्यक्षता में एक संयुक्त प्रवर समिति (Joint Select Committee) नियुक्त की गई। नवंबर, 1934 में इस समिति ने एक बहुमत वाली रिपोर्ट प्रस्तुत की। इस रिपोर्ट के आधार पर ब्रिटिश संसद में एक विधेयक प्रस्तुत किया गया, जो आवश्यक बहुमत से पारित हुआ। 2 अगस्त 1935 को शाही आज्ञा मिलने के साथ यह भारत शासन अधिनियम, 1935 बना।

सविनय अवज्ञा आंदोलन का पतन (Decline of Civil Disobedience Movement)

सविनय अवज्ञा आंदोलन का दूसरा चरण जनता से वैसी अपील नहीं कर सका, जैसे कि पहले चरण में की थी। साथ ही, सरकार के दमन ने भी इसके प्रभाव को कम कर दिया था। आंदोलन के कमजोर होने के साथ कांग्रेस के अंदर ही परिषद में प्रवेश और स्वराज्य पार्टी के पुनरुत्थान के लिए आवाज उठी। कांग्रेसी, जैसे- आसफ अली, एस. सत्यमूर्ति एवं डॉ. एम. ए. अंसारी परिषद में प्रवेश के समर्थन में थे। 1935 में सत्यमूर्ति ने मद्रास स्वराज्य पार्टी की स्थापना की। दूसरी ओर, आचार्य नरेंद्र देव एवं पुरुषोत्तम दास टंडन द्वारा परिषद में प्रवेश का विरोध किया गया। दोनों ही पक्षों ने कांग्रेस के विचार को अपनी ओर झुकाने का प्रयत्न किया।

अनेक बड़े भारतीय व्यापारिक समूहों ने भी ब्रिटिश सरकार के साथ सहयोग करना शुरू किया। उदाहरण स्वरूप, जापानी प्रतियोगिता के डर से लंकाशायर का पक्ष रखते हुए बॉम्बे मिल मालिकों ने अक्टूबर 1933 में **लीज-मोड़ी समझौता (Lees-Mody Pact)** किया। (1932 से ही जी. डी. बिरला एवं ठाकुरदास ने भी समझौते के लिए कांग्रेस पर दबाव बनाना शुरू कर दिया था।)

ऐसी परिस्थिति में गांधी ने जेल में शांति (संघर्ष विराम) एवं समझौते के बारे में सोचना शुरू कर दिया था। मई 1933 में उन्होंने तात्कालिक रूप से आंदोलन को स्थगित किया और **अप्रैल 1934 में औपचारिक रूप** से आंदोलन वापस ले लिया। एक बार पुनः उन्होंने राष्ट्रवादियों को सुझाव दिया कि वे अपनी ऊर्जा संरचनात्मक कार्यों में लगाएं, जिसमें उन्होंने अब हरिजन कार्यक्रम को केंद्र बिंदु बनाया। हालांकि, कांग्रेस के एक अन्य वर्ग ने परिषद की राजनीति की ओर लौटने का निर्णय लिया।

सविनय अवज्ञा आंदोलन का महत्व (Significance of Civil Disobedience Movement)

सच, अपने तात्कालिक लक्ष्य को प्राप्त करते हुए भारत की जनता का एक अन्य वीरतापूर्ण संघर्ष समाप्त हो गया था। आंदोलन वापस लेने के गांधी के निर्णय ने अनेक नेताओं, जिनमें नेहरू भी शामिल थे, को निराश किया। सुभाष चंद्र बोस एवं विट्ठल भाई पटेल (सरदार पटेल के बड़े भाई) ने **महात्मा गांधी को एक असफल राजनीतिक नेता** के रूप में घोषित किया।

यह भी सत्य था कि वायसराय विलिंग्डन और उनके साथी भारतीय राष्ट्रीय आंदोलन की प्रकृति को समझने में असफल रहे। भारतीय जनता पर किए गए कठोर दमन ने ब्रिटिश राज के प्रति उनकी आस्था को पूर्णतया झटका दे दिया था और स्वतंत्रता के लिए उनकी चाहत अब आगे और मजबूत होने लगी थी।

यह भी सत्य है कि पूर्ण स्वराज्य के अपने तात्कालिक लक्ष्य को प्राप्त करने में सविनय अवज्ञा आंदोलन असफल हुआ, तथापि लोगों का बलिदान बेकार नहीं गया। जनता की सामाजिक-आर्थिक विशेषकर किसानों की मांगों को पहली बार कांग्रेस के कार्यक्रम में शामिल किया गया और इससे भारतीय समाज के इन वर्गों की दृढ़ता में वृद्धि का भी संकेत मिला।

एक बार पुनः 1934 में जेल से रिहा हुए कैदियों का वीरों की तरह स्वागत किया गया। एक बार पुनः यह समय आराम करने और पुनर्संगठित होने का था। यह भी सामने आया कि जनता को केवल क्रूर बल से ही डराया जा सकता था और 1937 के चुनाव परिणाम से यह प्रदर्शित हुआ कि जनता को अब भी कांग्रेस में आस्था थी। इन चुनावों में कांग्रेस ने अधिकतर प्रांतों में बड़ी जीत हासिल की।

और इसके बाद

1935 में भारत शासन अधिनियम पारित हुआ, जो अनेक मामलों में अवनतिशील था। यह अधिनियम ऐसे समय में पारित हुआ, जब ब्रिटिश सरकार विजयी प्रतीत हो रही थी। हालांकि, सरकार की विजय अल्पकालिक साबित हुई, जब 1937 के चुनाव में कांग्रेस ने अधिकतर प्रांतों में जीत हासिल की।

अन्य महत्वपूर्ण विकास **वामपंथ का उद्भव** था, क्योंकि सविनय अवज्ञा आंदोलन ने जनता की अपेक्षाएं बढ़ा दी थीं और गांधीवादी अथवा क्रांतिकारी रणनीति से उन्हें प्राप्त नहीं कर सके थे। अतः गांधी के साथ-साथ क्रांतिकारियों से मोहभंग होने पर जनता का एक समूह वामपंथी विचारधारा की ओर आकर्षित हुआ।

अपने उग्र सामाजिक-आर्थिक कार्यक्रम के साथ जवाहरलाल नेहरू एक नए नेता के रूप में उभरे। 1934 तक कांग्रेस के अंदर एक समाजवादी समूह संगठित हुआ और कांग्रेस को वामपंथ को रियायत देने के लिए मजबूर होना पड़ा।

प्रीलिम कैप्सूल

सविनय अवज्ञा आंदोलन (1930–1934)

	घटनाएं	महत्वपूर्ण विवरण
दिसम्बर 1929	लाहौर कांग्रेस अधिवेशन	कांग्रेस ने सविनय अवज्ञा आंदोलन शुरू करने हेतु आधिकारिक घोषणा की।
जनवरी 1930	गांधी के 11 बिंदु	गांधी ने लॉर्ड इर्विन के समक्ष प्रशासनिक सुधारों के **11 बिंदु** प्रस्तुत किए और सविनय अवज्ञा आंदोलन शुरू करने के पहले एक बार पुनः सरकार से वार्तालाप करने का प्रयास किया।
12 मार्च 1930	सविनय अवज्ञा आंदोलन का प्रारंभ	गांधी ने साबरमती आश्रम से दांडी तक ऐतिहासिक **'दांडी मार्च'** प्रारंभ किया (240 मील, 24 दिन), इसमें 78 अनुयायी शामिल हुए और इस प्रकार सविनय अवज्ञा आंदोलन शुरू हुआ।

	घटनाएं	महत्वपूर्ण विवरण
6 अप्रैल 1930	गांधी का नमक कानून तोड़ना	गांधी दांडी पहुंचे और मुट्ठी भर नमक उठाकर ब्रिटिश कानून की अवज्ञा के प्रतीक स्वरूप नमक कानून तोड़ा। विरोध के स्वरूपों में शामिल थे- नमक निर्माण और बड़े स्तर पर त्यागपत्र, विदेशी वस्तुओं एवं शराब का बहिष्कार, रैयतवाड़ी क्षेत्रों में भू-राजस्व का भुगतान न करना, जमींदारी क्षेत्रों में चौकीदारी कर के विरुद्ध आंदोलन और वन सत्याग्रह जैसे वन कानूनों का शांतिपूर्ण उल्लंघन।
18 अप्रैल 1930	चटगांव शस्त्रागार छापा	सूर्य सेन के नेतृत्व में बंगाली क्रांतिकारियों द्वारा किया गया।
–	खान अब्दुल गफ्फार खान की भूमिका	● खान 7 वर्षों से उत्तर-पश्चिम सीमांत प्रांत में सक्रिय थे और उन्होंने अहिंसक क्रांतिकारियों का एक समूह **'खुदाई खिदमतगार'** (ईश्वर के सेवक) अथवा 'लाल कमीज' का गठन किया, जिसने सविनय अवज्ञा आंदोलन में सक्रिय भूमिका निभाई।
–	कनिंघम सर्कुलर विरोधी आंदोलन	असम में **कनिंघम सर्कुलर** के विरुद्ध छात्रों द्वारा एक शक्तिशाली आंदोलन प्रारंभ किया गया था। कनिंघम सर्कुलर के द्वारा छात्र-छात्राओं को राष्ट्रीय आंदोलन से जुड़ी राजनीतिक गतिविधियों में सहभागिता करने पर प्रतिबंध लगाया गया था।
–	न राजस्व, न लगान अभियान	यह संयुक्त प्रांत में प्रारंभ हुआ। आगरा एवं रायबरेली इसके महत्वपूर्ण केंद्रों के रूप में उभरे।
–		**महिलाओं की सहभागिता** सविनय अवज्ञा आंदोलन की सबसे प्रमुख विशेषता थी।
नवंबर 1930-जनवरी 1931	प्रथम गोलमेज सम्मेलन (लंदन)	ब्रिटिश प्रधानमंत्री लेबर पार्टी के **रैम्जे मैकडोनाल्ड** की अध्यक्षता। पहला सम्मेलन जिसमें भारतीय एवं ब्रिटिश सामान स्तर पर मिले। **कांग्रेस द्वारा बहिष्कार** किया गया, क्योंकि उसने सविनय अवज्ञा आंदोलन प्रारंभ कर दिया था। इसकी कार्यवाही अर्थहीन साबित हुई और ब्रिटिश सरकार कांग्रेस की सहभागिता के लिए चिंतित होती दिखी। इसके सुझाव थे 1) ब्रिटिश भारतीय प्रांतों एवं देशी रियासतों का एक अखिल भारतीय संघ का निर्माण 2) कुछ निश्चित आरक्षण एवं सुरक्षा कवच के साथ केंद्र में एक उत्तरदायी सरकार। तीनों गोलमेज सम्मेलन भारतीय संवैधानिक प्रश्न पर चर्चा हेतु लंदन में आयोजित हुए। भारतीय राष्ट्रीय कांग्रेस ने केवल दूसरे गोलमेज सम्मेलन में सहभागिता की। अंबेडकर ने तीनों गोलमेज सम्मेलनों में उपस्थिति दर्ज की।
25 जनवरी 1931	गांधी की रिहाई	संघर्ष-विराम/शांति काल प्रारंभ।
14 फरवरी 1931	गांधी-इर्विन वार्ता की पहल	**सर टी. बी. सप्रू** एवं **सर. एम. आर. जयकर** के प्रयासों द्वारा।

	घटनाएं	महत्वपूर्ण विवरण
5 मार्च 1931	गांधी-इर्विन समझौता(दिल्ली समझौता) सविनय अवज्ञा आंदोलन के पहले चरण का अंत	दोनों के बीच लंबी वार्ता दिल्ली समझौते के रूप में सामने आई। समझौते के संदर्भ में सरोजिनी नायडू ने उन्हें 'दो महात्मा' कहा। यह समझौता कांग्रेस की ओर से गांधी एवं सरकार की ओर से इर्विन द्वारा हस्ताक्षरित किया गया। यह पहला समझौता था, जो कांग्रेस एवं सरकार के बीच एक समान स्तरीय बैठक के बाद हुआ। समझौते के अनुसार **कांग्रेस तुरंत सविनय अवज्ञा आंदोलन** वापस लेने के लिए और **अगले गोलमेज सम्मेलन में सहभागिता** हेतु सहमत हुई।
29 मार्च 1931	करांची में कांग्रेस का विशेष अधिवेशन	यह अधिवेशन गांधी-इर्विन समझौते को अनुमोदित करने हेतु बुलाया गया। सरदार पटेल द्वारा अध्यक्षता की गई। **मौलिक अधिकार** (एम. एन. रॉय की सहायता से जवाहरलाल नेहरू द्वारा तैयार) एवं **राष्ट्रीय आर्थिक कार्यक्रम** पर प्रस्ताव अपनाए गए।
अप्रैल-अगस्त 1931	सरकार में परिवर्तन	लॉर्ड इर्विन के स्थान पर लॉर्ड विलिंग्डन वायसराय बने। मैकडोनाल्ड की लेबर कैबिनेट के स्थान पर एक नई गठबंधन सरकार आई, जिसमें **रूढ़िवादियों** का प्रभुत्व था। सर सैमुअल होर भारत सचिव बने। परिवर्तित सरकार ने कठोर निर्णय लिए, दिल्ली समझौते को एक गलती की तरह देखा।
सितंबर-दिसंबर 1931	द्वितीय गोलमेज सम्मेलन (लंदन)	कांग्रेस ने सहभागिता की और गांधी द्वारा प्रतिनिधित्व किया गया। गांधी ने जिन्ना को पूर्ण स्वतंत्रता दी, यद्यपि सांप्रदायिक समस्या सुलझाई नहीं जा सकती थी।
सितंबर 1931	सरकार का दमन	जब गांधी लंदन में थे, तभी विलिंग्डन ने राष्ट्रवादी आंदोलन के पुनरुत्थान के विरुद्ध एक कठोर एवं तात्कालिक झटका देने का निर्णय लिया। **नागरिक सैन्य कानून** की नीति प्रारंभ की गई और सभी कांग्रेसी संगठनों पर प्रतिबंध लगाने हेतु अध्यादेश पारित किए गए। गांधी जैसे ही गोलमेज सम्मेलन से वापस लौटे, उन्हें गिरफ्तार कर लिया गया। (4 जनवरी, 1932)
28 दिसंबर 1931	गांधी का लंदन से लौटना	गांधी परिवर्तित राजनीतिक परिस्थिति में वापस लौटे।
29 दिसंबर 1931	द्वितीय सविनय अवज्ञा आंदोलन का आरंभ	4 जनवरी 1932 को गांधी को गिरफ्तार कर लिया गया और कुछ ही महीनों में आंदोलन को प्रभावशाली ढंग से दबा दिया गया। इसके बाद बस यह धीमी गति से चलता रहा।

	घटनाएं	महत्वपूर्ण विवरण
16 अगस्त 1932	सांप्रदायिक पुरस्कार (मैकडोनाल्ड अवॉर्ड)	मैकडोनाल्ड ने अल्पसंख्यक प्रतिनिधित्व पर एक प्रस्ताव की घोषणा की, जिसे **सांप्रदायिक पुरस्कार** के नाम से जाना गया। इसने दलित वर्गों को अल्पसंख्यक घोषित किया और उन्हें पृथक निर्वाचन हेतु अधिकृत किया। कांग्रेस ने सांप्रदायिक पुरस्कार के प्रति असहमति जाहिर की। हालांकि, उसने इसे न ही स्वीकार करने और न ही अस्वीकार करने का निर्णय लिया। 20 सितंबर 1932 को यरवदा जेल में इस सांप्रदायिक पुरस्कार के विरोध में गांधी ने **आमरण अनशन** शुरू किया।
24 सितंबर 1932	पूना समझौता	अंबेडकर, एम. सी. राजा और मदन मोहन मालवीय के प्रयासों से यह गांधी एवं अंबेडकर के बीच संपन्न हुआ।
नवंबर-दिसंबर 1932	तृतीय गोलमेज सम्मेलन	इसमें 46 प्रतिनिधियों ने सहभागिता की और कांग्रेस के साथ-साथ ब्रिटेन में लेबर पार्टी ने भी इसका **बहिष्कार** किया था। मार्च 1933 में **श्वेत पत्र** प्रकाशित हुआ, जिसमें चार प्रमुख प्रस्ताव शामिल थे- संघ, प्रांतीय स्वायत्तता, केंद्र में द्वैध शासन एवं सुरक्षा कवच/उपाय। बाद में यह श्वेत पत्र 1935 के भारत शासन अधिनियम का आधार बना।
अप्रैल 1934	सविनय अवज्ञा आंदोलन का वापस लिया जाना	मई 1933 में गांधी ने तात्कालिक रूप से आंदोलन को स्थगित किया और अप्रैल 1934 में औपचारिक रूप से इसे वापस ले लिया गया।

अध्याय

18 संवैधानिक विकास: भाग-3 (1921-1935) (Constitutional Development: Part-3, 1921-1935)

इसी किताब में पहले आपने 1892 से 1920 के दौरान हुए संवैधानिक विकास के बारे में पढ़ा। इस अध्याय में आप 1920-1935 के दौरान हुए संवैधानिक विकास के बारे में पढ़ेंगे। यह भारतीय संविधान के आधारभूत चरित्र को समझने में आपकी सहायता करेगा। भारतीय संविधान के विकास के दौरान भारतीय जनता द्वारा जिन चुनौतियों का सामना किया गया, उनको भी समझ सकेंगे। साथ ही आप समझेंगे कि कैसे स्वतंत्रता संघर्ष एवं संवैधानिक विकास एक साथ कदम से कदम मिलाकर चलते रहे और एक-दूसरे के लिए पूरक साबित हुए।

1935 के अधिनियम की ओर ले जाने वाले कारक (Factors leading to the Act of 1935)

1919 के सुधारों से असंतोष

1919 के अधिनियम में अनेक कमियां थीं। इनमें से एक प्रांतों में द्वैध शासन की व्यवस्था थी, जो अनेक मोर्चों पर असफल साबित हुई। द्वैध शासन की विफलता और स्वशासी संस्थाओं की स्थापना करने मे सरकार की विफलता ने नए अधिनियम से व्यापक निराशा पैदा की और महात्मा गांधी के नेतृत्व में 'अहिंसक असहयोग आंदोलन' के रूप में एक नए आंदोलन को जन्म दिया। इसने शीघ्र ही गति पकड़ ली और भारतीय हाथों में सत्ता के पूर्ण हस्तांतरण की मांग करते हुए यह एक पूर्ण आंदोलन में बदल गया।

1920-1927 के दौरान राष्ट्रीय आंदोलन

1919 के अधिनियम से हुए मोहभंग ने 1920-1927 के दौरान राष्ट्रीय आंदोलन की प्रगति में बहुत हद तक सहयोग किया।

1920-1927 के दौरान सुधार प्रस्ताव

1919 के अधिनियम से असंतुष्ट होने के बाद भारतीयों ने 1920 और 1927 के मध्य अनेक सुधार प्रस्तावों को प्रस्तावित किया। 1921 में केंद्रीय विधानसभा में एक अशासकीय प्रस्ताव लाया गया, जिसमें प्रांतों में पूर्ण उत्तरदायी सरकार की स्थापना की मांग की गई थी। इसका कोई लाभ नहीं हुआ। 1924 में मोतीलाल नेहरू के नेतृत्व में स्वराजियों ने एक संशोधन प्रस्तावित किया, जिसमें भारतीय संविधान सभा द्वारा **भारतीय संविधान** के निर्माण की मांग गई थी। साथ ही, मोतीलाल नेहरू पूर्ण उत्तरदायी सरकार की एक योजना का सुझाव देने के लिए सभी भारतीय, यूरोपियन एवं आंग्ल-भारतीय हितों की चर्चा हेतु एक **गोलमेज सम्मेलन** के पक्ष में एक प्रस्ताव लेकर आए। इससे भारत सरकार ने मजबूर होकर सर **एलेग्जेंडर मुडिमैन** के नेतृत्व में 1919 के अधिनियम की कार्यप्रणाली की जांच करने व आवश्यक सुधारों का सुझाव देने हेतु **सुधार जांच समिति** नियुक्त की। इसी समय के दौरान लाहौर में मोहम्मद अली जिन्ना की अध्यक्षता में मुस्लिम लीग की बैठक हुई। इसने भी पूर्ण उत्तरदायी सरकार, प्रांतों के लिए पूर्ण स्वायत्तता सहित एक संघीय संविधान एवं पृथक निर्वाचन प्रणाली के द्वारा अल्पसंख्यक वर्ग हेतु पर्याप्त प्रतिनिधित्व की मांग की।

साइमन कमीशन (नवंबर 1927)

सभी श्वेत सदस्यों से बनी इस आयोग ने 1919 के अधिनियम के अंतर्गत कार्यरत भारत सरकार की कार्यप्रणाली की जांच की और नए सुधारों का सुझाव दिया, जिन्हें सभी राष्ट्रवादियों द्वारा एकमत होकर अस्वीकार कर दिया गया। **लॉर्ड बिरकनहैड** ने भारतीयों को एक ऐसे संविधान के निर्माण की चुनौती दी, जिसे भारतीय समाज के सभी वर्ग स्वीकार करें। इस चुनौती के बाद निम्नलिखित प्रस्ताव उभरकर सामने आए-

- मुस्लिम लीग द्वारा- **दिल्ली प्रस्ताव**, दिसंबर 1927
- कांग्रेस एवं अन्य दलों द्वारा **नेहरू रिपोर्ट**, अगस्त 1928
- ब्रिटिश सरकार द्वारा **श्वेत पत्र** (जो 1935 के अधिनियम का आधार बना)

नेहरू समिति रिपोर्ट (अगस्त,1928)

नेहरू रिपोर्ट ने स्पष्ट रूप से कहा कि पूर्ण उत्तरदायी सरकार को एक तात्कालिक मांग की तरह देखना चाहिए और इसने ब्रिटिश साम्राज्य के अंतर्गत **अधीनस्थ या डोमिनियन दर्जे (Dominion status)** की मांग की।

कांग्रेस के अंदर ही जवाहरलाल नेहरू एवं सुभाष चंद्र बोस के नेतृत्व में युवा राष्ट्रवादियों ने नेहरू रिपोर्ट पर आपत्ति जताई, क्योंकि इसमें डोमिनियन दर्जे को स्वीकार किया गया था। अगस्त 1928 में डोमिनियन दर्जे की अवधारणा को चुनौती देने व ब्रिटेन से पूर्ण स्वतंत्रता प्राप्ति की मांग को प्रबल बनाने के उद्देश्य से कांग्रेस के अंदर एक दबाव समूह के रूप में सुभाष चंद्र बोस के समर्थन से जवाहरलाल नेहरू ने **इंडिपेंडेंस ऑफ इंडिया लीग (Independence of India League)** प्रारंभ की।

जिन्ना के 14 बिंदु (मार्च 1929)

मुस्लिम नेताओं से विचार-विमर्श करने के बाद जिन्ना ने भविष्य में बनने वाले संविधान में मुसलमानों के अधिकारों एवं हितों के संरक्षण के लिए 14 बिंदु प्रस्तुत किए।

कांग्रेस द्वारा सरकार को अंतिम चेतावनी देना

कांग्रेस का कलकत्ता अधिवेशन (दिसंबर 1928)

दिसंबर 1928 को कलकत्ता में कांग्रेस अधिवेशन के दौरान कांग्रेस ने एकमत होकर प्रस्ताव पारित किया कि यदि **31 दिसंबर 1929** तक सरकार नेहरू रिपोर्ट को स्वीकार नहीं करती, तो कांग्रेस **पूर्ण स्वाधीनता को अपने लक्ष्य** के रूप में घोषित करेगी और इस लक्ष्य की प्राप्ति हेतु एक सविनय अवज्ञा आंदोलन भी प्रारंभ करेगी।

कांग्रेस द्वारा पूर्ण स्वराज्य को लक्ष्य के रूप में अपनाना (Congress Adopts Purna Swaraj as Goal)

कांग्रेस का लाहौर अधिवेशन (दिसंबर 1929)

31 दिसंबर 1929 को कांग्रेस का वार्षिक अधिवेशन लाहौर में आयोजित हुआ। कांग्रेस ने घोषणा की कि नेहरू रिपोर्ट अब वैध नहीं रही और भारत के लिए अब पूर्ण स्वराज्य लक्ष्य होगा। इसने यह भी घोषणा की कि गांधी के नेतृत्व में सविनय अवज्ञा आंदोलन प्रारंभ होगा।

गांधी के 11 बिंदु (जनवरी 1930)

हालांकि, गांधी अपनी कार्य-योजना के बारे में निश्चिंत नहीं थे और उन्होंने आंदोलन को प्रारंभ करने के पहले सरकार से समझौता करने का प्रयास किया। उन्होंने प्रशासनिक सुधारों के 11 बिंदु तैयार किए और इन्हें 31 जनवरी 1930 को एक पत्र के द्वारा लॉर्ड इर्विन के समक्ष प्रस्तुत किया। सरकार की प्रतिक्रिया नकारात्मक ही रही और लॉर्ड इर्विन ने गांधी के 11 बिंदुओं को स्वीकार करने का कोई आश्वासन नहीं दिया।

प्रथम गोलमेज सम्मेलन (12 नवम्बर 1930, लन्दन)

इसी बीच नवंबर 1930 में साइमन कमीशन रिपोर्ट पर चर्चा करने हेतु भारतीय एवं ब्रिटिश सरकार के बीच **पहला गोलमेज सम्मेलन** आयोजित हुआ। कांग्रेस ने गोलमेज सम्मेलन का बहिष्कार किया और इसकी कार्यप्रणाली काफी अर्थहीन साबित हुई। ब्रिटिश सरकार कांग्रेस की सहभागिता के लिए चिंतित थी और ब्रिटिश प्रधानमंत्री **रैम्जे मैकडोनाल्ड** एवं भारत के वायसराय ने बिना किसी शर्त के भारतीय नेताओं को रिहा किया, ताकि वे अगले गोलमेज सम्मेलन में सहभागिता हेतु सहमत हो जाएं।

गांधी का द्वितीय गोलमेज सम्मेलन में सहभागिता करना (दिसंबर 1931)

द्वितीय गोलमेज सम्मेलन में गांधी की सहभागिता घोर असफलता के साथ समाप्त हुई। गांधी ने स्वयं को मुस्लिम नेताओं, बी. आर. अंबेडकर एवं भारतीय राजकुमारों के साथ अंतहीन तकरार में उलझा हुआ पाया। इस अधिवेशन की समाप्ति मैकडोनाल्ड की एक घोषणा से हुई, जिसमें उन्होंने एकपक्षीय रूप से सांप्रदायिक पुरुस्कार के लागू करने की बात की, यदि भारतीयों के बीच सहमति नहीं बनती।

सांप्रदायिक पुरुस्कार (अथवा मैकडोनाल्ड अवार्ड, 16 अगस्त 1932)

इसी बीच 16 अगस्त 1932 को अल्पसंख्यक प्रतिनिधित्व पर **मैकडोनाल्ड** ने प्रस्ताव की घोषणा की, जिसे **सांप्रदायिक पुरस्कार** अथवा मैकडोनाल्ड अवार्ड के नाम से जाना गया। इस सांप्रदायिक पुरस्कार के द्वारा **दलित वर्गों** को अल्पसंख्यक घोषित किया गया और उन्हें पृथक निर्वाचन के लिए अधिकृत किया गया।

पूना समझौता (24 सितंबर 1932)

समझौते के अनुसार अंबेडकर ने संयुक्त निर्वाचन प्रणाली को स्वीकार किया और उसके बदले में दलित वर्गों को केंद्रीय विधानसभा व लोक सेवा में अधिक आरक्षण प्रदान किया गया।

तृतीय गोलमेज सम्मेलन (17 नवंबर से 24 दिसंबर 1932)

तृतीय गोलमेज सम्मेलन के परिणाम के रूप में मार्च 1933 में एक **श्वेत-पत्र (White paper)** जारी किया गया, जिसमें भारत के नए संविधान के आधार का वर्णन किया गया था। भारत सचिव सैमुअल होर के निरीक्षण में भारत शासन अधिनियम, 1935 के रूप में सुधारों को प्रस्तावित किया गया।

1935 का भारत शासन अधिनियम (The Government of India Act of 1935)

1935 का भारत शासन अधिनियम भारतीय संविधान के लिए बनाए गए श्वेत पत्र पर आधारित था, जिसे तृतीय गोलमेज सम्मेलन के बाद ब्रिटिश सरकार द्वारा तैयार किया गया था। पूर्ण स्वाधीनता के विचार को स्थान न देने के कारण सभी भारतीय दलों द्वारा श्वेत पत्र की आलोचना की गई। हालांकि, भारत शासन अधिनियम, 1935 के रूप में सुधारों को प्रस्तावित किया गया। इसमें **चार प्रमुख प्रावधान** शामिल थे- अखिल भारतीय संघ, प्रांतीय स्वायत्तता, केंद्र में द्वैध शासन एवं सुरक्षा-उपाय, जिसके अनुसार विशिष्ट शक्तियां केंद्रीय और प्रांतीय कार्यपालिका में निहित थीं।

यह अधिनियम एक **विस्तृत एवं वृहत** दस्तावेज था, जिसमें संघीय संविधान के बहुत ही जटिल प्रकार का वर्णन किया गया था एवं भारतीय मंत्रियों एवं प्रतिनिधियों के दुर्व्यवहार के विरुद्ध कानूनी संरक्षण प्रदान किया गया। **प्रस्तावना का अभाव**, इस अधिनियम की एक अन्य उल्लेखनीय विशेषता थी। (जबकि 20 अगस्त 1917 की मांटेग्यू की घोषणा पर आधारित एक प्रस्तावना 1919 के अधिनियम में जोड़ी गई थी।)

1935 के अधिनियम की आधारभूत अवधारणा यह थी कि- 'भारत सरकार, राजमुकुट की सरकार है, जिसका संचालन उन अधिकारियों द्वारा किया जाता है, जो अपनी सत्ता सीधे राजमुकुट से प्राप्त करते हैं।'

अधिनियम के स्रोत

इस अधिनियम के मुख्य स्रोतों में शामिल थे-

- साइमन कमीशन रिपोर्ट
- सर्वदलीय सम्मेलन की रिपोर्ट (नेहरू रिपोर्ट)
- तीनों गोलमेज सम्मेलनों की वार्ताएं
- श्वेत पत्र
- संयुक्त प्रवर समिति की रिपोर्ट
- लोथियन रिपोर्ट (Lothian Report), जिसने अधिनियम के निर्वाचन से संबंधित प्रावधानों को निर्धारित किया।

प्रांतीय भाग से संबंधित मुख्य प्रावधान

- **प्रांतीय स्वायत्तता**- इसका अर्थ था कि सभी प्रांतीय विभागों पर निर्वाचित सदस्यों का नियंत्रण होगा। पहली बार **अधिनियम द्वारा प्रांतों को एक पृथक विधिक निकाय** (legal entity) माना गया, अर्थात कुछ विशेष उद्देश्यों को छोड़कर भारत सरकार एवं भारत सचिव के नियंत्रण एवं निर्देशन से स्वतंत्र। प्रांतों की शक्ति एवं सत्ता का आधार अब **प्रत्यक्ष रूप से ब्रिटिश क्राउन/राजमुकुट** होगा।
- **प्रांतों में द्वैध शासन का अंत**- इसका यह भी अर्थ था कि प्रांतों में द्वैध शासन का उन्मूलन कर उसके स्थान पर प्रांतीय स्वायत्तता की स्थापना की गई। आरक्षित एवं स्थानांतरित विषयों के बंटवारे को समाप्त कर दिया गया और एक **पूर्ण उत्तरदायी सरकार की स्थापना** की गई, जो कुछ **निश्चित सुरक्षा-कवचों/उपायों** के अधीन थी।
- **प्रांतीय विधायिकाओं को प्रसारित किया गया**- 6 प्रांतों में द्विसदनीय विधायिका स्थापित की गई- बंगाल, मद्रास, बॉम्बे, संयुक्त प्रांत, बिहार एवं असम।
- **नए प्रांतों का निर्माण**- सिंध एवं उड़ीसा नए प्रांतों के रूप में निर्मित किए गए। इस प्रकार अधिनियम द्वारा 11 प्रांतों की स्थापना का प्रावधान किया, जिसमें सिंध और उड़ीसा भी शामिल थे। बर्मा को भारत से पृथक किया गया।
- **मताधिकार**- मताधिकार की शर्तों को कम किया गया, लेकिन इसके लिए अब भी **संपत्ति को योग्यताओं** को जारी रखा गया।
- **सांप्रदायिक प्रतिनिधित्व**- दुर्भाग्यवश, सांप्रदायिक प्रतिनिधित्व और अधिभार के सिद्धांत को और अधिक बढ़ाया गया।
- **गवर्नरों की विशेष शक्तियां**- अधिनियम ने गवर्नर को कुछ विषयों में विवेकानुसार कार्य करने हेतु निर्णायक शक्तियां प्रदान की। इन विषयों में विधायिका को आहूत करने, मंत्रियों की नियुक्ति, विधेयकों को अपनी सहमति अथवा असहमति देना शामिल थे। गवर्नर को कानून व व्यवस्था, अल्पसंख्यकों के हित, पिछड़ा वर्ग, भारतीय रियासतों एवं ब्रिटेन के व्यवसायिक हितों के संबंध में विशिष्ट कार्यपालिका शक्ति प्रदान की गई। गवर्नर अध्यादेश भी जारी कर सकता था।

संघीय भाग से संबंधित मुख्य प्रावधान

- **अखिल भारतीय संघ का प्रस्ताव**- अधिनियम द्वारा भारत सरकार के लिए **संघीय संरचना (Federal Structure)** का सुझाव दिया गया। इस संघ में ब्रिटिश प्रांत (गवर्नर व चीफ कमिश्नर के प्रांत) एवं भारतीय रियासतों को शामिल होना था। देशी रियासतों के लिए संघ में शामिल होना स्वैच्छिक था एवं संघ तभी बन सकता था, जब दो शर्तें पूरी हों-
  - प्रस्तावित राज्य परिषद में जिन राज्यों को आधे से अधिक सीटें (52) अधिकृत की गई थीं, उन राज्यों को संघ में शामिल होने के लिए सहमत होना चाहिए।
  - इस वर्ग के रियासतों की कुल जनसंख्या सभी भारतीय रियासतों की कुल जनसंख्या का कम से कम 50% होने चाहिए।

(चूंकि यह शर्तें कभी पूरी नहीं हो सकी, इसलिए **प्रस्तावित संघ कभी अस्तित्व** में नहीं आया। केंद्रीय सरकार 1946 तक **1919 के भारत सरकार अधिनियम** के प्रावधानों के अनुसार चलती रही।)

- **केंद्र में द्वैध शासन**- प्रांतों में द्वैध शासन को समाप्त कर इसे केंद्र के लिए प्रस्तावित किया गया। गवर्नर-जनरल के अधीन आरक्षित विभागों के अंतर्गत रक्षा, विदेशी मामले, धार्मिक मामले एवं जनजातीय क्षेत्र जैसे विषय शामिल थे, जिनका प्रशासन गवर्नर जनरल को कार्यकारी परिषद की सलाह पर करना था। हस्तांतरित विभागों का प्रशासन गवर्नर जनरल को लोकप्रिय मंत्रियों की सलाह से करना था और यह लोकप्रिय मंत्रिमंडल संघीय विधायिका के प्रति जवाबदेह थी।
- **द्विसदनीय केंद्रीय विधायिका (संघीय विधायिका)**- केंद्रीय विधायिका में क्राउन (राजमुकुट, ब्रिटिश राजा/रानी) के प्रतिनिधि के रूप में गवर्नर जनरल व दो सदन, राज्य परिषद (Council of States) एवं संघीय सभा (Federal Assembly), शामिल होने थे। दोनों सदनों में ब्रिटिश भारत एवं देशी रियासतों के प्रतिनिधि शामिल होने थे। ब्रिटिश भारत के प्रतिनिधियों को जनता द्वारा निर्वाचित होना था, जबकि देशी रियासतों के प्रतिनिधियों को वहां के शासकों द्वारा मनोनीत किया जाना था। देशी रियासतों को असंगत अधिभार दिया गया था। संक्षिप्त में, **देशी रियासतों से अपेक्षा थी कि वे राष्ट्रवादियों के ऊपर एक नियंत्रण** का काम करें।
  - राज्य परिषद अथवा उच्च सदन की अधिकतम सदस्य संख्या 260 थी, जिसमें 156 सदस्य ब्रिटिश भारत के एवं 104 सदस्य देशी रियासतों के थे। यह एक स्थाई सदन होना था, जिसके एक तिहाई सदस्यों का प्रत्येक तीन वर्ष में नवीनीकरण होना था।
  - संघीय सभा अथवा निम्न सदन में अधिकतम संख्या 375 थी, जिसमें से 250 सदस्य ब्रिटिश भारत से एवं 125 सदस्य भारतीय रियासतों से शामिल होने थे। इस सभा का कार्यकाल 5 वर्ष निर्धारित किया गया।
- **अन्य संघीय संस्थाएं**- अधिनियम ने एक **संघीय बैंक (भारतीय रिजर्व बैंक)** एवं एक **संघीय न्यायालय** का प्रावधान किया था, जो क्रमश: 1935 एवं 1937 में स्थापित हुए। 1935 के अधिनियम द्वारा रेलवे पर नियंत्रण के लिए एक नई संस्था संघीय रेलवे प्राधिकरण **(फेडरल रेलवे ऑथोरिटी)** का प्रावधान किया गया, जो मंत्रियों एवं कार्यकारी परिषद के सदस्यों के नियंत्रण से मुक्त था। इस संस्था में सात सदस्य थे, जो सीधे तौर पर गवर्नर जनरल को रिपोर्ट करते थे। इस प्रकार ब्रिटिश स्टेकहोल्डर्स/हिस्सेदारों को उनके निवेश की सुरक्षा के लिए आश्वस्त किया गया।
- **पृथक निर्वाचन प्रणाली का प्रसार**- पृथक निर्वाचन एवं अधिभार की व्यवस्था को और अधिक प्रसारित करते हुए इसमें न केवल **सामान्य (हिंदू व अनुसूचित जनजाति), मुस्लिम, सिख, यूरोपियन, भारतीय ईसाई** व **आंग्ल भारतीय** मतदाताओं को शामिल किया, बल्कि सामान्य वर्ग की महिला, पंजाब में सिख महिला, मुस्लिम महिला, मद्रास में भारतीय ईसाई महिला, बंगाल में आंग्ल भारतीय महिला मतदाताओं को भी शामिल किया गया। इसके अलावा व्यापार एवं उद्योग, **पूंजीपतियों, श्रमिक, विश्वविद्यालय, पिछड़ा वर्ग एवं जनजातियों** के लिए भी पृथक निर्वाचन की व्यवस्था की गई।

- **भारतीय परिषद की समाप्ति**- इस अधिनियम द्वारा भारत सचिव की भारतीय परिषद (Indian Council) को समाप्त किया गया, क्योंकि भारत में इसकी भारत-विरोधी नीतियों का बहुत विरोध हो रहा था। भारत सचिव को अब सलाहकार प्रदान किए गए, जिससे वह इच्छा अनुसार सलाह ले सकता था, लेकिन सेवाओं के विषय पर उसे सलाह लेना जरूरी था।

1935 के अधिनियम के अंतर्गत प्रस्तावित संघीय व्यवस्था की विशेष बातें

1935 के अधिनियम के अंतर्गत प्रस्तावित संघीय व्यवस्था संघवाद (Federalism) के इतिहास में अब तक की सबसे जटिल व्यवस्था थी। अच्छे संघवाद को दांव पर लगाकर इसने विरोधाभासी हितों को संतुष्ट करने का प्रयास किया।

- **संघ की परिकल्पना**-
  (क) अधिनियम के अंतर्गत प्रस्तावित संघ में दो अलग तत्वों को एक साथ लाने का प्रयास किया गया- भारतीय रियासतें, जो राजकुमारों के निरंकुश शासन के अधीन थीं और ब्रिटिश भारतीय प्रांत, जहां कुछ हद तक उत्तरदायी सरकार थी। इस प्रकार के समूह-निर्माण में तकरार होना तय था।
  (ख) इसके साथ ही, संघ के निर्माण के लिए जो प्रक्रिया बताई गई थी, वह भी अतार्किक थी। देशी रियासतों के लिए संघ में शामिल होना स्वैच्छिक था, जबकि ब्रिटिश भारत के लिए अनिवार्य। साथ ही, संघ तब तक अस्तित्व में नहीं आ सकता था जब तक कि कुछ निश्चित संख्या में राज्य इसे स्वीकार न कर लें। देशी रियासतों को संघ में शामिल करने हेतु प्रेरित करने के लिए उन्हें केंद्रीय विधानसभा में अनावश्यक प्रतिनिधित्व दिया गया। (भारतीय रियासतें, जिनकी जनसंख्या कुल जनसंख्या का केवल 24% था, को राज्य परिषद में 40% और संघीय सभा में 33.33% सीटें प्रदान की गई।)
  (ग) प्रस्तावित द्विसदनीय विधानसभा की एक अन्य विषम विशेषता यह थी कि ब्रिटिश भारत के प्रांतों को तो निर्वाचित होना था, जबकि भारतीय रियासतों को वहां के शासक राजकुमारों द्वारा मनोनीत किया जाना था। इसका उद्देश्य देशी रियासतों के मनोनीत सदस्यों का ब्रिटिश भारत के निर्वाचित प्रतिनिधियों के विरुद्ध एक **रूढ़िवादी अवरोध** के रूप में उपयोग करना था।
  (घ) हैरान करने वाली बात यह थी कि राज्य परिषद का निर्वाचन तो प्रत्यक्ष था, जबकि संघीय सभा का निर्वाचन अप्रत्यक्ष।
- **विलय पत्र (Instrument of Accession)**- इस दस्तावेज की योजना थी कि भारतीय रियासतों को प्रस्तावित संघ में शामिल होने के लिए मनाया जाए। लेकिन यह दस्तावेज एक समान नहीं था और प्रत्येक शासक के लिए विभिन्नताएं थीं, इस प्रकार जितने देशी रियासतें थीं, उतने संघीय समझौतों का निर्माण किया गया। (लगभग 600 देशी रियासतें थीं।)
- **केंद्र में द्वैध शासन**- केंद्र में एक पूर्ण उत्तरदायी सरकार का प्रावधान नहीं था। 1919 के अधिनियम के अंतर्गत प्रांतों में द्वैध शासन के सिद्धांत को लाया गया था, जिसे अब केंद्र में हस्तांतरित कर दिया गया। मुख्य विभाग जैसे रक्षा, विदेशी मामले एवं बजट का अधिकांश भाग आरक्षित रखा गया। (बजट का गैर-मतदान योग्य (non-votable) भाग गवर्नर जनरल के अधीन रखा गया, जो लगभग बजट का 80% था।)
- **गवर्नर जनरल की विवेकीय शक्तियां**- चार विषयों पर गवर्नर जनरल को विवेकीय शक्तियां थीं- रक्षा, विदेशी मामले, धार्मिक मामले एवं जनजातीय क्षेत्र। संघीय विधानसभा को इन विषयों के संबंध में गवर्नर जनरल की कार्यवाही पर प्रश्नचिन्ह लगाने का अधिकार नहीं था।
- **देशी रियासतों को विशाल प्रतिनिधित्व**- देशी रियासतों को संघीय विधानसभा में विशाल प्रतिनिधित्व दिया गया, जो उनकी जनसंख्या के हिसाब से बहुत अधिक था। जहां एक ओर ब्रिटिश प्रांतों को निर्वाचित प्रतिनिधि भेजने थे, वहीं दूसरी ओर देशी रियासतों को उनके मनोनीत सदस्यों को भेजने की स्वतंत्रता थी।

- **अर्द्ध-संघीय तत्व** (Quasi-federal elements)- गवर्नर जनरल को प्रांतीय सरकारों के मामलों में हस्तक्षेप करने का अधिकार दिया गया था, जो वास्तव में संघीय व्यवस्था को एकात्मकता की ओर झुका रहा था। परिणामस्वरूप, कुछ लेखकों ने इस अधिनियम के अंतर्गत प्रस्तावित सरकार को अर्द्ध-संघीय कहा।
- **तीन प्रकार की सूचियां**- विधायी शक्तियों को तीन विस्तृत सूचियों में विभाजित किया गया- केंद्रीय सूची, प्रांतीय सूची एवं समवर्ती सूची।
- **अवशिष्ट शक्तियां गवर्नर जनरल में निहित**- अवशिष्ट विधायी शक्तियां सामान्यतया केंद्र अथवा प्रांतों/इकाइयों में निहित होती हैं, लेकिन 1935 के अधिनियम के अंतर्गत इसे गवर्नर जनरल में निहित किया गया। देशी रियासतों के संबंध में अवशिष्ट शक्तियां, वहां के शासकों में निहित की गई।

  इस प्रकार गवर्नर जनरल में निहित शक्तियों को **संपूर्ण संविधान का केंद्र बिंदु** बनाया गया।

1935 के अधिनियम की आलोचनाएं (Criticisms of the Act of 1935)

- 1935 के अधिनियम द्वारा डोमिनियन दर्जे को प्रस्तावित नहीं किया गया। इस प्रकार अधिनियम का अर्थ उत्तरदायी सरकार से पूर्ण स्वतंत्रता की ओर परिवर्तन काल से था, लेकिन यह संक्रमण/परिवर्तन काल परिभाषित नहीं था।
- अधिनियम दो आधारभूत सिद्धांतों- संघवाद एवं संसदीय व्यवस्था, पर आधारित था। संघवाद के सिद्धांत को एकात्मकता की ओर झुकाकर प्रस्तावित किया गया और सुरक्षा-कवच एवं विशिष्ट प्रावधानों से उत्तरदायित्व के प्रावधानों से उसे विकृत किया गया।
- केंद्र में द्वैध शासन का अर्थ वहां पूर्ण उत्तरदायी सरकार का प्रस्तावित न होना था।
- संघीय विधायिका में देशी रियासतों के प्रतिनिधियों को वहां के राजकुमार द्वारा सीधे तौर पर नियुक्त किया जाना था। (उनका इस्तेमाल राष्ट्रवादियों पर नियंत्रण रखने के लिए किया जाना था।)
- मताधिकार को अब भी संपत्ति से संबंधित योग्यताओं तक सीमित रखा गया। यद्यपि मतदाताओं की संख्या 1919 में 5 मिलियन से बढ़कर 1935 में 30 मिलियन हो गई थी, लेकिन मताधिकार अब भी सीमित था, जो केवल कुल वयस्कों के 1/6वां भाग था। ब्रिटिश भारत की कुल जनसंख्या के केवल 14% को मतदान का अधिकार मिला।
- सांप्रदायिक एवं जातिगत निर्वाचन प्रणाली को और अधिक बढ़ाया गया।
- गवर्नर की विशिष्ट शक्तियां इस बात को आश्वस्त करती थीं कि राजनीतिक एवं आर्थिक शक्तियां, दोनो ही ब्रिटिश हाथों में केंद्रित रहें।
- निर्भरता पर आधारित भारत के संवैधानिक स्तर में कोई सुधार नहीं हुआ, क्योंकि भारतीय संघ को एक संप्रभु विधायिका बनाने का कोई इरादा नहीं था। यह भारतीय संविधान में संशोधन नहीं कर सकती थी और यह अधिकार ब्रिटिश संसद में बना रहा। भारतीय प्रशासन का उत्तरदायित्व अब भी ब्रिटिश संसद में था।
- अनेक अखिल भारतीय सेवाओं पर भारत सचिव का नियंत्रण बना रहा।

1935 के अधिनियम पर भारतीयों की प्रतिक्रिया

- कांग्रेस ने 1935 के अधिनियम की आलोचना की और इसे अस्वीकार कर दिया एवं इसके स्थान पर स्वतंत्र भारत के लिए संविधान के निर्माण हेतु वयस्क मताधिकार के आधार पर निर्वाचित संविधान सभा के निर्माण की मांग की। कांग्रेस ने निम्न आधार पर इस अधिनियम की आलोचना की-
  - डोमिनियन दर्जे को नकार दिया गया और यह एक स्वप्न बनकर रह गया।
  - इस अधिनियम द्वारा प्रांतीय स्वायत्तता पर गंभीर सीमाएं आरोपित की गई।

- सुरक्षा-कवच एवं विशेष शक्तियां एक चतुर संवैधानिक तरीका था, जिससे भारतीयों को एकजुट होने से रोका जा सके एवं पूर्ण स्वतंत्रता के देने में देरी की जा सके।
- यद्यपि इन प्रावधानों को परिवर्तन काल के लिए बनाया गया था, लेकिन परिवर्तन काल को भी परिभाषित नहीं किया गया था।
- सार्वभौमिक मताधिकार को प्रस्तावित नहीं किया गया। संपत्ति संबंधी योग्यताओं एवं पृथक निर्वाचन को भारत की जनता के लोकतांत्रिक अधिकारों के उल्लंघन के रूप में आलोचना की गई।
- यह अधिनियम भारत की जनता की महत्वाकांक्षाओं का प्रतिनिधित्व नहीं करता था।
- जहां एक ओर ब्रिटिश प्रांत के प्रतिनिधियों को जनता द्वारा चुना जाना था, वहीं दूसरी ओर देशी रियासतों के प्रतिनिधियों को वहां के शासकों द्वारा नामांकित किया जाना था। राष्ट्रवादियों ने मांग की थी कि देशी रियासतों के प्रतिनिधियों को भी निर्वाचित किया जाना चाहिए।
- उस समय के कांग्रेस के अध्यक्ष जवाहरलाल नेहरू ने नए संविधान के बारे में घोषित किया कि **''हमें एक ऐसी गाड़ी दी गई है, जिसमें सभी ब्रेक हैं, लेकिन इंजन नहीं हैं।''**

- उदारवादियों ने भी अधिनियम की आलोचना की, लेकिन वे सुधार के पक्ष में थे ताकि उत्तरदायी सरकार की ओर एक कदम बढ़ाया जा सके।
- मुस्लिम लीग ने भी अधिनियम की आलोचना की, लेकिन वह भी एक मौका देने के लिए तैयार थी।

अधिनियम के पीछे ब्रिटिश प्रेरणा (British Motives behind the Act)

इस अधिनियम के द्वारा ब्रिटिश सरकार राष्ट्रीय आंदोलन के विशाल भाग को औपनिवेशिक, संवैधानिक एवं प्रशासनिक दायरे में लाकर राष्ट्रीय आंदोलन को कमजोर करना चाहती थी। उन्हें आशा थी कि सविनय अवज्ञा आंदोलन के दौरान अपनी लोकप्रियता खो चुके संविधानवादियों एवं उदारवादियों के राजनीतिक मंतव्य को पुनर्जीवित करने में इससे सफलता मिलेगी। यह एक प्रयास था कि रियायतें देकर राष्ट्रवादियों को संविधानवादी बनाम गैर-संविधानवादी एवं वामपंथी बनाम दक्षिणपंथी के आधार पर बांटा जाए। ऐसी आशा थी कि संविधानवादियों को संसदीय खेल का प्रलोभन देने से वामपंथी इसे साम्राज्यवाद के साथ समझौते की तरह देखेंगे और कांग्रेस से अलग हो जाएंगे। दक्षिणपंथियों से अलग होने के बाद वामपंथियों का पुलिस के द्वारा दमन किया जा सकेगा।

ऐसी उम्मीद थी कि यदि एक बार कांग्रेसियों को सत्ता का स्वाद चखा दिया जाए, तो वे समर्पण की राजनीति की ओर वापस जाने के लिए अनिच्छुक हो जाएंगे। प्रांतीय स्वायत्तता से शक्तिशाली प्रांतीय नेताओं का जन्म होगा, जो कांग्रेस को प्रांतमय बना देंगे और उनका केंद्रीय नेतृत्व कमजोर हो जाएगा। पृथक निर्वाचन प्रणाली को बढ़ाना भारतीयों को एकजुट होने से रोकने का एक प्रयास था। साथ ही कुछ निश्चित समुदायों का समर्थन प्राप्त करना भी उसका उद्देश्य था, ताकि भारत में ब्रिटिश शासन को शाश्वत रूप से बनाए रखा जा सके।

उपर्युक्त प्रेरणाओं को मस्तिष्क में रखते हुए ब्रिटिश सरकार ने दमन की नीति को बदलकर उसके स्थान पर 1935 का अधिनियम पारित करके संवैधानिक रियायत की नीति का इस्तेमाल किया।

अधिनियम का लागू होना/प्रभाव में आना

भारत शासन अधिनियम को अगस्त 1935 में शाही आज्ञा (Royal Assent) मिली। भारत के संघ के निर्माण का प्रस्ताव कभी मूर्त रूप में नहीं आ सका और केंद्रीय सरकार 1919 के अधिनियम के प्रावधानों के द्वारा शासित होती रही। संघीय बैंक एवं संघीय न्यायालय की स्थापना क्रमश: 1935 एवं 1937 में हुई। प्रांतीय स्वायत्तता 1 अप्रैल 1937 से प्रभाव में आई। अधिनियम के अंतर्गत 1937 में चुनाव आयोजित किए गए।

निष्कर्ष (Conclusion)

इन सभी सीमाओं के बावजूद इस बात से इंकार नहीं किया जा सकता कि 1935 के अधिनियम ने संसदीय लोकतंत्र की ओर बढ़ने में भारत की सहायता की। यद्यपि कांग्रेस ने कठोरता से अधिनियम की निंदा की, लेकिन इसके बाद भी 1937 के चुनाव में इस अधिनियम की अलोकप्रियता को उजागर करने के उद्देश्य में भागीदारी की। अगले अध्याय में हम समझेंगे कि यह निर्णय कैसे स्वतंत्रता के लिए राष्ट्रवादी मांग के साथ समझौता नहीं था। हम कांग्रेस के अंदर संविधानवादियों के रवैए व उनके द्वारा सामना की गई चुनौतियों को भी समझेंगे।

1935 का अधिनियमः आलोचनात्मक मूल्यांकन (Critical Analysis: Act of 1935)

1935 के अधिनियम के अंतर्गत संघीय कार्यपालिका- संघीय कार्यपालिका में गवर्नर जनरल, गवर्नर जनरल की परिषद के सदस्य एवं मंत्रिमंडल को शामिल होना था। चूंकि इस अधिनियम के द्वारा प्रस्तावित **संघीय कार्यपालिका कभी अस्तित्व में नहीं आ सकी,** इसलिए परिषद के सदस्यों एवं मंत्रिमंडल की चर्चा की आवश्यकता नहीं है। कार्यकरी प्रमुख के रूप में गवर्नर जनरल की भूमिका अद्वितीय थी। ब्रिटिश भारत के संबंध में वह भारत का गवर्नर जनरल था और देशी रियासतों के लिए वह महामहिम (क्राउन) का प्रतिनिधि था। उसकी नियुक्ति महामहिम के द्वारा 5 साल के लिए की जाती थी। उसको ₹2,50,800 का वेतन मिलता था, जो भारत की संचित निधि पर भारित था।

गवर्नर जनरल को **चार विषयों पर विवेकाधिकार** था- रक्षा, विदेशी मामले, धार्मिक मामले एवं जनजातीय क्षेत्रों के मामले। अनेक विषयों जैसे कानून एवं व्यवस्था, अल्पसंख्यकों के हितों, लोक सेवा के सदस्यों, देशी रियासतों एवं ब्रिटिश व्यवसायिक हितों के संरक्षण के लिए अपने व्यक्तिगत निर्णय का उपयोग कर सकता था।

यह स्पष्ट है कि यह शक्तियां उत्तरदायी शासन के सिद्धांत के साथ मेल नहीं खाती थीं और ब्रिटिश सरकार की ओर से भारतीयों को वास्तविक सत्ता हस्तांतरित करने का कोई इरादा नहीं था।

केंद्रीय विधायिका- अधिनियम के द्वारा प्रस्तावित केंद्रीय विधायिका कभी अस्तित्व में नहीं आ सकी और अतः इससे जुड़े प्रावधानों की चर्चा करना का कोई महत्व नहीं है। फिर भी यह उस समय की राजनीतिक परिस्थिति की प्रबलता को दर्शाता है।

केंद्रीय विधायिका में महामहिम (क्राउन) के प्रतिनिधि के रूप में गवर्नर जनरल एवं दो सदन, राज्य परिषद एवं संघीय सभा को शामिल होना था। **राज्य परिषद** अथवा उच्च सदन की अधिकतम सदस्य संख्या 260 थी, जिसमें 156 सदस्य ब्रिटिश भारत के एवं 104 सदस्य देशी रियासतों के थे। यह एक स्थाई सदन होना था, जिसके एक तिहाई सदस्यों का प्रत्येक तीन वर्ष में नवीनीकरण होना था। संघीय सभा अथवा निम्न सदन में अधिकतम संख्या 375 थी, जिसमें से 250 सदस्य ब्रिटिश भारत से एवं 125 सदस्य भारतीय रियासतों से शामिल होने थे। इस सभा का कार्यकाल 5 वर्ष निर्धारित किया गया।

यह द्विसदनीय विधायिका अनेक हितों की एक अनोखा मिश्रण थी। देशी रियासतों को अनावश्यक रूप से अधिक प्रतिनिधित्व दिया गया।

गवर्नर जनरल एवं केंद्रीय विधायिका- विधायिका के संबंध में गवर्नर जनरल की शक्तियां इतनी अधिक थी कि विधायिका केवल नाम की विधायिका थी। निषेधाधिकार के साथ-साथ उसे अध्यादेश जारी करने अथवा कुछ विषयों पर विधानसभा के सत्र में होने के बावजूद **गवर्नर जनरल के अधिनियम** के रूप में स्थाई कानून-निर्माण की शक्ति दी गई थी। विधायिका को राजस्व उगाहने की पहल करने की कोई शक्ति नहीं थी और न ही संघ पर भारित राजस्व पर किसी प्रकार का नियंत्रण था। इस प्रकार विधायी एवं वित्तीय क्षेत्रों में इसके हाथ बंधे हुए थे और शक्तियां प्रतिबंधित थीं।

संघीय न्यायालय- इस अधिनियम के अंतर्गत एक संघीय न्यायालय का प्रावधान था और अनेक संस्थाओं में से संघीय न्यायालय **सबसे अधिक सफल** साबित हुई। अधिनियम के अनुसार न्यायालय में कम से कम तीन न्यायाधीश, एक मुख्य न्यायाधीश और अन्य दो सहायक न्यायधीश होना था और इसकी स्थापना दिल्ली में होना थी।

न्यायाधीशों को केवल साबित कदाचार के आधार पर हटाया जा सकता था। न्यायाधीशों के आचरण को केंद्रीय विधायिका के विचार-विमर्श का विषय नहीं बनाया जा सकता था। इस प्रकार न्यायालय की स्वतंत्रता को संवैधानिक तौर पर सुरक्षित किया गया। न्यायालय ने एक स्वतंत्र व निष्पक्ष संस्था के रूप में कार्य किया और देश में एक वास्तविक संघीय न्यायालय की आधारशिला रखी (बावजूद इसके कि संविधान की व्याख्या के संबंध में अंतिम निर्णय लेने का अधिकार लंदन में स्थित प्रीवी काउंसिल को था)।

प्रांतीय स्वायत्तता- भारतीयों के विचार में यह सबसे महत्वपूर्ण प्रावधान था और देश में इससे उत्साह का माहौल बना। शक्तियों के विभाजन की संघीय योजना के अंतर्गत तीन विधायी सूचियां बनाई गईं- संघीय सूची, प्रांतीय सूची एवं समवर्ती सूची। ब्रिटिश भारत के इतिहास में पहली बार शक्तियों का इतना स्पष्ट विभाजन किया गया। **प्रांतीय सूची** में सार्वजनिक कार्य, जन-सेवा, शिक्षा, सार्वजनिक स्वास्थ्य, स्थानीय शासन, कृषि, भूमि, खदानें एवं मछली पालन जैसे विषयों को शामिल किया गया।

प्रांतीय कार्यपालिका- प्रांत की कार्यपालिका शक्ति गवर्नर में निहित थी, जिसे भारत सचिव की सलाह पर महामहिम (क्राउन) द्वारा नियुक्त किया जाता था। गवर्नर को 'दिशा-निर्देश के साधन (Instrument of Instructions)' के अनुसार कार्यपालिका के प्रमुख रुप में अपनी शक्तियों का प्रयोग करना होता था। कानून-व्यवस्था, अल्पसंख्यक, जन-सेवा, पिछड़ा वर्ग, देशी रियासतों एवं ब्रिटिश व्यवसायिक हितों के संरक्षण से संबंधित विषयों पर गवर्नरों को बड़ी संख्या में **विशिष्ट कार्यपालिका शक्तियां** प्रदान की गई थीं। अतः अनेक भारतीयों द्वारा प्रांतीय स्वायत्तता की आलोचना की गई, क्योंकि इसमें प्रांतीय विधायिका के स्थान पर प्रांतीय गवर्नर को अधिक स्वायत्तता दी गई थी।

इन विशिष्ट शक्तियों के प्रयोग में वह गवर्नर जनरल के विवेक के अधीक्षण के अधीन था। इससे भी प्रांतीय स्वायत्तता प्रभावित हुई।

प्रांतीय विधायिका- सिंध एवं उड़ीसा को शामिल करते हुए इस अधिनियम में 11 प्रांतों की स्थापना का प्रावधान किया। छह प्रान्तों- बंगाल, मद्रास, बॉम्बे, सयुक्त प्रांत, बिहार एवं असम में **द्विसदनीय विधायिका** प्रस्तावित की गई। मुख्य धार्मिक अथवा जातीय समुदाय थे- **मुस्लिम, सिख, आंग्ल भारतीय, भारतीय ईसाई एवं यूरोपियन**। तथाकथित सामान्य संसदीय क्षेत्र के मतदाता विभिन्न हिंदू जाति अथवा संप्रदाय से आते थे। यहां भी **दलित वर्गों** को सीटें आरक्षित की गई। विशिष्ट हितों को पहचान दी गई जैसे उद्योग, व्यवसाय, भूस्वामी, विश्वविद्यालय, श्रम, पिछड़े क्षेत्र एवं जनजाति इत्यादि। सीटों की कुछ संख्या **महिलाओं** के लिए आरक्षित की गई। इस प्रकार अधिनियम के निर्वाचन संबंधी प्रावधानों को सांप्रदायिक पुरस्कार, जिसको पूना समझौते के द्वारा परिवर्तित किया गया था, के अनुसार निर्धारित किया गया। इसने देश में सांप्रदायिक विभाजन को हवा दी और भारत के विभाजन के लिए मार्ग प्रशस्त किया।

सभा के सदस्यों को प्रत्यक्ष निर्वाचन से चुना जाना था। प्रत्येक प्रांत में मताधिकार के नियम अलग-अलग थे। सामान्यतः, इसका निर्धारण इस आधार पर होता था कि एक व्यक्ति न्यूनतम कितना भू-राजस्व अथवा गृह-किराया देता था। न्यूनतम शैक्षिक योग्यता अथवा सैन्य सेवा को भी लिया गया। मताधिकार 1919 के अधिनियम के अंतर्गत 3% था, जो 1935 के अधिनियम के अंतर्गत 14% हो गया।

गवर्नर की विधायी शक्तियां- गवर्नर जनरल के समान ही प्रांतों के गवर्नरों को भी स्थाई अथवा अस्थाई चरित्र के विधायनों को अधिनियमित करने की शक्ति दी गई। वह ऐसा विधायिका की सहमति के बिना अपनी सत्ता के उपयोग से कर सकता था। उसे अध्यादेश जारी करने अथवा कुछ विषयों पर प्रांतीय विधान सभा के सत्र में होने के बावजूद **गवर्नर के अधिनियम** के रूप में स्थाई कानून-निर्माण की शक्ति दी गई थी। यद्यपि सामान्यतः गवर्नर अध्यादेश जारी करने के पूर्व गवर्नर जनरल की सहमति लेता था। वित्तीय विधेयकों को प्रस्तावित करने के पूर्व गवर्नर से सुझाव लेना आवश्यक था। इस प्रकार वित्तीय क्षेत्र में प्रांतीय विधायिका को कोई अधिकार नहीं था।

प्रांतीय विधायिका की विधायी शक्तियों को और भी सीमित किया गया था। जैसा कि कुछ विशेष प्रकार के विधेयकों को प्रस्तावित करने के लिए इसे गवर्नर जनरल की पूर्व अनुमति लेना आवश्यक था। साथ ही, महामहिम (क्राउन) गवर्नर अथवा गवर्नर जनरल द्वारा सहमति दिए गए अधिनियम को अंत में रोक भी सकता था।

स्पष्ट है कि गवर्नर स्वयं विधायी क्षेत्र में सर्वेसर्वा था। इसके ऊपर केवल गवर्नर जनरल और महामहिम ही थे।

अध्याय 19

1937 के चुनाव एवं कांग्रेस मंत्रिमंडल (Elections of 1937 and Congress Ministries)

सविनय अवज्ञा आंदोलन को वापस लिए जाने के बाद राष्ट्रवादियों के मध्य एक मुख्य वाद-विवाद सामने आया कि अब राष्ट्रीय आंदोलन में कौन-सा कदम उठाया जाए। यद्यपि सभी ब्रिटिश-साम्राज्यवाद से लड़ने के मुद्दे पर सहमत थे, लेकिन कौन-सा साधन अपनाया जाए इस विषय पर कांग्रेसियों में असहमति थी। मुख्य प्रतिक्रियाएं थीं-

1. **गांधी**- गांधी का सुझाव था कि पुन: संरचनात्मक कार्य, विशेषकर हरिजन कार्य, की ओर लौटना चाहिए। उन्होंने ग्रामीण शिल्प के पुनरुत्थान पर भी बल दिया। गांधी का तर्क था कि इससे जन-शक्ति को मजबूती मिल सकेगी और इससे जन-संघर्ष के अगले चरण के लिए उन्हें लामबंद करने में सहायता मिलेगी।
2. **नव-स्वराजी (The New Swarajists)**- कांग्रेस के एक अन्य वर्ग ने संघर्ष की संवैधानिक विधि के पुनरुत्थान की वकालत की और 1934 में आयोजित होने वाले केंद्रीय विधानसभा के चुनाव में सहभागिता करने का सुझाव दिया। इस वर्ग को नव-स्वराजी के नाम से भी जाना गया। इसका नेतृत्व **डॉ. अंसारी, आसफ अली, सत्यमूर्ति, भूलाभाई देसाई** एवं **बी. सी. रॉय** द्वारा किया गया। उनका तर्क था कि राजनीतिक अवसाद के काल में यह आवश्यक है कि परिषदों में कार्य करके जनता के मनोबल को बनाए रखा जा सके। उनके अनुसार इसका अर्थ सरकार के साथ सहयोग करना नहीं, बल्कि इसका उद्देश्य केवल एक अन्य राजनीतिक मोर्चे को खोलना है, जो कांग्रेस को संगठनात्मक रूप से मजबूत करने में सहायता करेगा और लोगों को अगले जन-संघर्ष के लिए तैयार करेगा।
3. **वामपंथी (The Leftists)**- कांग्रेसियों का एक अन्य वर्ग भी था, जो न ही गांधीवादी संरचनात्मक कार्य और न ही परिषद में प्रवेश के विचार से आकर्षित हुआ। वामपंथियों ने गैर-संवैधानिक जन आंदोलन के चलाए जाने की वकालत की। (आपको याद होगा कि 1930 के दशक में एक मजबूत वामपंथी प्रवाह विकसित हुआ था।) **जवाहरलाल नेहरू** वामपंथी प्रतिमान का प्रतिनिधित्व करते थे और उन्होंने उपर्युक्त दोनों विकल्पों को 'आध्यात्मिक पराजय' समझा। नेहरू ने संघर्ष-शांति-संघर्ष (Struggle-Truce-Struggle) की गांधीवादी रणनीति की आलोचना की और उसके स्थान पर उन्होंने संघर्ष-विजय (Struggle-Victory) की रणनीति अर्थात जब तक जीत हासिल न हो जाए, साम्राज्यवाद से स्थाई संघर्ष की नीति की वकालत की।

एक व्यस्त वाद-विवाद के बाद कांग्रेस ने 1937 के चुनावों में लड़ने का निर्णय लिया। एक बार पुन: संघर्ष के रास्ते को न अपनाकर संवैधानिक राजनीति को अपनाया गया। पूर्ववर्ती स्वराजी चरण के विपरीत इसका लक्ष्य परिषद को अंदर से तोड़ना नहीं, बल्कि परिषदों के कार्यों को होने देना था।

कांग्रेस को 7 प्रांतों में सरकार बनाने में सफलता प्राप्त हुई। कांग्रेस की जीत का कारण उसकी जनप्रिय नीतियां थीं। कांग्रेस मंत्रिमंडल के निर्माण को जनता के द्वारा अपने राज/शासन की तरह देखा गया और उन्होंने महसूस किया कि अब ब्रिटिश शासन के कुछ दिन बचे हुए हैं। कांग्रेसी मंत्रियों ने अनेक परेशानियों के बावजूद 2 साल से भी अधिक समय तक कार्य किया और जनता को राहत देने के लिए अपना श्रेष्ठ प्रदर्शन करने का प्रयास किया।

सितंबर 1939 में कांग्रेसी मंत्रियों ने त्याग-पत्र दे दिया और इस प्रकार उन्होंने इस संक्षिप्त काल के दौरान स्वतंत्रता संघर्ष में महत्वपूर्ण सहयोग किया।

संविधानवाद के लिए प्रयास (Efforts towards Constitutionalism)

संवैधानिक राजनीति को अपनाने के प्रयास सविनय अवज्ञा आंदोलन के द्वितीय चरण के दौरान शुरू हो चुके थे। द्वितीय सविनय अवज्ञा आंदोलन को बहुत कम प्रतिक्रिया मिली और कांग्रेस के अंदर संवैधानिक राजनीति की ओर लौटने की वकालत हेतु आवाज उठने लगी थी।

1933 में सत्यमूर्ति ने **मद्रास स्वराज्य पार्टी** की स्थापना की। के. एम. मुंशी, बी. सी. रॉय एवं रामास्वामी अयंगर स्वराज्य पार्टी को पुनर्जीवित करना चाहते थे। डॉ. एम. ए. अंसारी एवं राजगोपालाचारी भी परिषद में प्रवेश के समर्थन में थे। हालांकि, परिषद में प्रवेश का उद्देश अब पूर्ववर्ती स्वराजियों से दो तरह से भिन्न था-

1. इस बार इसका उद्देश्य संविधान को असाध्य नहीं, बल्कि उसे साध्य बनाना था।
2. बहुमत प्राप्त करने की स्थिति में पद को स्वीकार करना और मंत्रिमंडल का निर्माण करना था।

दूसरी ओर कुछ, कांग्रेसियों जैसे आचार्य नरेंद्र देव व पुरुषोत्तम दास टंडन, जिनका झुकाव समाजवाद की ओर था, ने परिषद में प्रवेश का विरोध किया। दोनों ही पक्ष, गांधीजी का समर्थन चाहते थे और कांग्रेस को अपने समर्थन में झुकाना चाहते थे। स्थिति को बिगड़ता हुआ देख और एक अन्य विभाजन को रोकने के लिए गांधी ने सभी को कार्य की स्वतंत्रता देते हुए कहा, 'मैं चाहता हूं कि अपने-अपने तरीकों से सभी वर्ग सभी दिशाओं में कार्य करें और एक-दूसरे की आलोचना न करें।'

कांग्रेस द्वारा चुनाव लड़ने का निर्णय लिया जाना

परिणामस्वरूप, मई 1934 में पटना में कांग्रेस के ध्वज तले चुनाव लड़ने के लिए एक संसदीय बोर्ड की स्थापना के लिए अखिल भारतीय कांग्रेस कमेटी की बैठक बुलाई गई। वामपंथियों को संतुष्ट करने के लिए गांधी ने लखनऊ कांग्रेस (अप्रैल 1936) की अध्यक्षता के लिए नेहरू को आगे किया।

गांधी की प्रतिक्रिया

इसी समय, गांधी इस बात को समझ चुके थे कि कांग्रेस के प्रमुख प्रभावों के साथ वे भी मुख्य धारा से बाहर हो चुके हैं। संसदीय राजनीति के साथ असहमति के कारण **गांधी ने सदस्यता शुल्क चार आना देने से इंकार करके अक्टूबर 1934 में कांग्रेस से त्यागपत्र** दे दिया। हालांकि, इससे दल पर उनकी पकड़ कमजोर नहीं हुई और कांग्रेस नीति पर उनका प्रभुत्व जारी रहा।

नेहरू की प्रतिक्रिया

दूसरी ओर, नेहरू कांग्रेस को प्रतिक्रियावादी तत्वों के अधीन नहीं छोड़ना चाहते थे। अन्य समाजवादियों के समान ही उन्होंने कांग्रेस में बने रहने का निर्णय लिया। उन्होंने साम्राज्यवाद-विरोधी संघर्ष को प्राथमिकता दी, जिसके लिए कांग्रेस में एकता का होना अत्यंत आवश्यक था। उनका विचार था कि कांग्रेस को क्रमिक रूप से उग्रता की ओर ले जाना बेहतर होगा, न कि इससे दूर होना।

कांग्रेस द्वारा स्थानीय निकायों का चुनाव लड़ना

1934 से कांग्रेस ने विधानसभा एवं स्थानीय निकायों के चुनाव (जब जिस समय आयोजित हुए) लड़े। उदाहरण के लिए, जब मद्रास प्रेसिडेंसी में चुनाव आयोजित हुए, तो एक **कांग्रेस सिविक बोर्ड (Congress Civic Board)** बनाया गया, ताकि स्थानीय चुनावों के लिए दल के प्रत्याशियों का चुनाव किया जा सके। प्रत्याशी को स्वदेशी को प्रोत्साहित करने, भ्रष्टाचार को हटाने और स्वास्थ्य व शैक्षिक सुविधाओं को सुधारने हेतु एक प्रतिज्ञा लेने को कहा गया। नवंबर 1934 में केंद्रीय विधानसभा के चुनाव आयोजित हुए और राष्ट्रीय स्तर की कुल 76 सीटों में से कांग्रेस प्रत्याशियों ने 55 सीटों पर

चुनाव लड़ा और 44 पर जीत हासिल की। जब अक्टूबर 1935 में मदुरई की नगरपालिका के चुनाव हुए, तो कांग्रेस ने 36 सीटों में से 21 पर जीत हासिल की।

चुनावों को संगठित एवं प्रबंधित करने की दृष्टि से इन चुनावों में कांग्रेस को बहुत अधिक अनुभव प्राप्त हुआ और ये चुनाव बहुत उपयोगी साबित हुए। कांग्रेस को अपनी लोकप्रियता के आधार का परीक्षण करने का अवसर मिला। हालांकि, प्रांतीय चुनावों में सहभागिता हेतु निर्णय लेने में कांग्रेस को काफी लंबा समय लगा और यह निर्णय लिया गया कि चुनाव में सहभागिता के मुद्दे को लखनऊ अधिवेशन के दौरान सुलझाया जाएगा।

लखनऊ कांग्रेस अधिवेशन (जवाहरलाल नेहरू की अध्यक्षता, अप्रैल 1936)

अपने अध्यक्षीय उद्‌बोधन में नेहरू ने समाजवाद की वकालत की, जिसे वे दुनिया एवं भारत की समस्याओं के समाधान की एक कुंजी मानते थे। **नेहरू ने तीन समाजवादियों** क्रमशः जयप्रकाश नारायण, आचार्य नरेंद्र देव एवं अच्युत पटवर्धन को **कांग्रेस कार्यकारी समिति** में स्थान दिया।

पारित किए गए प्रमुख प्रस्तावों में शामिल थे-

1. ''देशी रियासतों की जनता के पास आत्मनिश्चय का वही अधिकार है, जो भारत के अन्य भागों को है और कांग्रेस भारत के प्रत्येक भाग के लिए समान राजनीतिक, नागरिक एवं लोकतांत्रिक स्वतंत्रता का समर्थन करती है।'' साथ में, इस ओर भी इशारा किया कि स्वतंत्रता के लिए संघर्ष देशी रियासतों की जनता के द्वारा स्वयं ही किया जाना चाहिए।
2. कांग्रेस की प्रांतीय इकाइयों को कहा गया कि वे कृषि से जुड़ी पूछताछ करें और एक **अखिल भारतीय कृषक कार्यक्रम** (All IndiaAgrarian Programme) को बनाने में सहायता करें।
3. कांग्रेस ने एक **घोषणा-पत्र के आधार पर चुनाव लड़ने** का निर्णय लिया।

हालांकि, **पद स्वीकार करने के प्रश्न को लंबित** रखा गया। इस प्रकार, पद स्वीकार करने के प्रश्न को लंबित रखते हुए चुनाव लड़ने का प्रस्ताव, एक प्रकार से उन दो पक्षों के बीच समझौता था, जो चुनाव लड़ना चाहते थे और जो चुनाव का बहिष्कार करना चाहते थे। यह उल्लेखनीय है कि इस प्रकार के विचारों में मतभेद को कांग्रेस का आंतरिक मामला माना गया। जहां तक कांग्रेस और ब्रिटिश सरकार का प्रश्न था, इसने एक संयुक्त मोर्चे की तरह कार्य किया।

कांग्रेस का चुनाव घोषणा-पत्र

इसका प्रारूप संसदीय समिति द्वारा तैयार किया गया और इसका उद्देश्य कांग्रेस के राजनीतिक एवं आर्थिक कार्यक्रम की व्याख्या करना था। इसे अगस्त 1936 में अखिल भारतीय कांग्रेस समिति द्वारा अपनाया गया।

- घोषणा पत्र में कांग्रेस द्वारा **1935 के अधिनियम के पूर्ण रूप से अस्वीकार** किए जाने को पुनः निश्चित किया।
- घोषणा पत्र में स्पष्ट किया कि विधायिकाओं में कांग्रेसियों को भेजने का उद्देश्य सरकार के साथ सहयोग करना नहीं, बल्कि 1935 के अधिनियम का सामना करना और उसे समाप्त करना था।
- इसने घोषित किया कि राष्ट्रीय स्वतंत्रता ही भारतीयों की सामाजिक, आर्थिक समस्याओं और जनता के शोषण को समाप्त करने के लिए शक्ति प्रदान कर सकेगी।
- इसने घोषित किया कि कांग्रेस प्रतिनिधियों का कार्य सभी प्रकार के दमनकारी अधिनियम और विनियमों को समाप्त करना था।
- इसने निम्नलिखित वादे किए-
  - राजनीतिक- नागरिक स्वतंत्रता की स्थापना, राजनीतिक बंदियों की रिहाई, किसानों के साथ हुए अन्याय को ठीक करना।
  - सामाजिक- छुआछूत को हटाना, महिलाओं के लिए समान दर्जा, खादी व ग्रामीण उद्योग को प्रोत्साहन, सांप्रदायिक समस्या का संतोषजनक समाधान।

- औद्योगिक श्रमिकों को किए गए वादों में शामिल थे- जीवन जीने के उचित मानक, कार्य के नियमित घंटे, कार्यस्थल की बेहतर स्थिति, संघ बनाने का अधिकार, नियोक्ताओं के साथ विरोध को सुलझाने के लिए उचित मशीनरी एवं वृद्ध अवस्था में आर्थिक समस्याओं से संरक्षण।

नोट- लखनऊ अधिवेशन इसलिए भी महत्वपूर्ण था कि इस अधिवेशन के दौरान **स्वामी सहजानंद सरस्वती** की अध्यक्षता में **अखिल भारतीय किसान सभा** की पहली बैठक आयोजित हुई।

फैजपुर कांग्रेस अधिवेशन (जवाहरलाल नेहरू की अध्यक्षता, दिसंबर 1936)

इस अधिवेशन के दौरान कांग्रेस ने अनेक महत्वपूर्ण प्रस्ताव पारित किए, जो इस प्रकार थे-

- इसने अबीसिनिया पर इटली के आक्रमण और चीन पर जापान के आक्रमण की निंदा करते हुए प्रस्ताव पारित किए।
- भारत के लिए एक संविधान के निर्माण हेतु **संविधान सभा** के गठन की मांग की।
- **कांग्रेस ने एक कृषक कार्यक्रम भी स्वीकार** किया, जिसमें निम्नलिखित बातें शामिल थीं-
  - राजस्व एवं लगान में 50% कमी।
  - गैर-आर्थिक स्वामित्व के लगान एवं भूमि-कर से विमुक्ति।
  - कृषि आय पर कर।
  - साझा/बटाईदार कृषि।
  - बकाया लगान को समाप्त करना।
  - बेदखली के कानूनों में संशोधन।
  - किसान संघों को मान्यता देना।

यह उल्लेखनीय है कि उपर्युक्त कार्यक्रम जमींदारी एवं तालुकदारी व्यवस्था की समाप्ति के मुद्दे पर मौन था। (क्योंकि कांग्रेस के दक्षिणपंथी समूह जमींदारी व्यवस्था की समाप्ति के समर्थन में नहीं था।) यद्यपि किसान सभा के नेताओं ने इस कार्यक्रम का स्वागत किया, लेकिन उन्होंने इस आधार पर इसकी आलोचना भी की।

हालांकि, कृषक कार्यक्रम एक उन्नतशील दस्तावेज था और फैजपुर कांग्रेस अधिवेशन की एक मुख्य उपलब्धि थी। किसानों को कांग्रेस के साथ एकजुट करने में काफी लंबा समय लगा।

1937 के चुनाव

कांग्रेस संसदीय बोर्ड (Congress Parliamentary Board) के लिए कांग्रेस प्रत्याशियों के नाम **प्रांतीय कांग्रेस समितियों** (Provincial Congress Committees) के द्वारा सुझाव किए गए। कांग्रेस संसदीय बोर्ड को प्रत्याशियों के चयन हेतु अंतिम निर्णय लेने का अधिकार था। नामों का सुझाव देते समय संसदीय बोर्ड ने कुछ योग्यताओं, जैसे- कांग्रेस के अनुशासन के प्रति प्रतिबद्धता व इसके कार्यक्रमों का अनुसरण, दल की सेवा, जनता के बीच लोकप्रियता और चुनाव खर्च वहन करने की क्षमता पर विचार किया। योग्यता के आधार पर प्रत्याशियों के चयन के निष्कपट प्रयत्न के बावजूद कुछ प्रकरणों में जाति की भी महत्वपूर्ण भूमिका रही।

महात्मा गांधी एवं अब्दुल गफ्फार खान के साथ जवाहरलाल नेहरू (दिल्ली, 1937)

चुनाव अभियान

कांग्रेस ने बड़े स्तर पर चुनाव अभियान चलाया। जवाहरलाल नेहरू ने देशभर में चुनावी-भ्रमण किया और लगभग 5 महीनों में करीब 80000 किलोमीटर की यात्रा की। **गांधी जी ने एक भी चुनाव बैठक को संबोधित** नहीं किया, जबकि मतदाताओं

के मन में उनकी छवि बहुत अधिक थी। कांग्रेस को क्षेत्रीय दलों एवं सांप्रदायिक आधार पर बनाए गए दलों जैसे मुस्लिम लीग व हिंदू महासभा से भी चुनौती मिली।

चुनाव परिणाम

11 प्रांतों में चुनाव हुए और परिणाम कांग्रेस के लिए बहुत प्रेरणादायक थे। कांग्रेस ने 1161 सीटों पर चुनाव लड़ा, जिसमें से उसे 716 सीटें मिली। इसे पांच प्रांतों में स्पष्ट बहुमत मिला। इन प्रांतों में **संयुक्त प्रांत, बिहार, मध्य प्रांत, उड़ीसा एवं मद्रास** शामिल थे। **बॉम्बे, बंगाल, असम एवं उत्तर पश्चिम सीमांत प्रांत** में यह सबसे बड़े दल के रूप में सामने आई। सिंध एवं पंजाब में इसका प्रदर्शन खराब रहा। पंजाब में यूनियनिस्ट पार्टी ने स्पष्ट बहुमत प्राप्त किया।

उच्च सदन में कांग्रेस का प्रदर्शन

कांग्रेस ने उच्च सदन के चुनाव में अच्छा प्रदर्शन नहीं किया, क्योंकि मताधिकार केवल उच्च श्रेणी के लोगों तक सीमित था। उच्च श्रेणी के लोग, जिनमें जमींदार एवं साहूकार शामिल थे, ने सांप्रदायिक दलों को समर्थन देना शुरू कर दिया था, क्योंकि कांग्रेस ने उग्रवादी कृषक कार्यक्रम अपना लिया था। इसी समय से सांप्रदायिक दलों ने अपनी शक्ति को बढ़ाना शुरू किया।

आरक्षित निर्वाचन क्षेत्रों में कांग्रेस का प्रदर्शन

श्रमिक सीट को छोड़कर आरक्षित निर्वाचन क्षेत्रों में कांग्रेस का प्रदर्शन संतोषजनक नहीं था। कांग्रेस के प्रदर्शन के कुछ उदाहरण इस प्रकार हैं- (सभी 11 प्रांतों में)

- व्यवसाय एवं उद्योग के लिए 56 सीटें आरक्षित थीं। कांग्रेस ने 8 पर चुनाव लड़ा और केवल 1 सीट जीती।
- भू स्वामियों के लिए 37 सीटें आरक्षित थीं। कांग्रेस ने 8 पर चुनाव लड़ा और 4 जीतीं।
- श्रमिक वर्ग के लिए 38 सीटें आरक्षित थीं। कांग्रेस ने 20 पर चुनाव लड़ा और 18 जीतीं।
- मुसलमानों के लिए 482 सीटें आरक्षित थीं। कांग्रेस ने 58 पर चुनाव लड़ा और 26 जीतीं, जिसमें से 19 तो केवल उत्तर-पशिम सीमांत प्रांत से ही थीं। बंगाल, बॉम्बे, संयुक्त प्रांत, मध्य प्रांत एवं सिंध में इसे एक भी सीट नहीं मिली। हालांकि, यह भी उल्लेखनीय है कि **मुस्लिम लीग का प्रदर्शन भी बेहतर नहीं** था। उसे उत्तर-पश्चिम सीमांत प्रांत में एक भी सीट नहीं मिली। पंजाब में 84 आरक्षित सीटों में से केवल 2 सीटें मिलीं। मुस्लिम लीग किसी भी प्रांत में सरकार बनाने की स्थिति में नहीं थी।

क्रमांक	प्रान्त	कांग्रेस द्वारा जीती गई सीटें/कुल सीटें
1	संयुक्त प्रांत	134/228
2	बिहार	95/152
3	मध्य प्रांत	70/112
4	उड़ीसा	36/60
5	मद्रास	159/215
6	बॉम्बे	87/175
7	बंगाल	60/250
8	असम	35/108
9	उत्तर-पश्चिम सीमांत प्रांत	19/50
10	सिंध	8/60
11	पंजाब	18/175

पद स्वीकार करना

हम पहले देख चुके हैं कि पद स्वीकार करने के निर्णय को लंबित रखा गया था। मार्च 1937 में इस मुद्दे पर निर्णय लेने हेतु अखिल भारतीय कांग्रेस समिति मिली। आधारभूत प्रश्न यह था कि क्या पद स्वीकार करना औपनिवेशिक राज्य द्वारा एक सह-विकल्प की ओर ले जाएगा अथवा क्या मंत्रिमंडल का उपयोग औपनिवेशिक रणनीति को हराने में किया जा सकेगा।

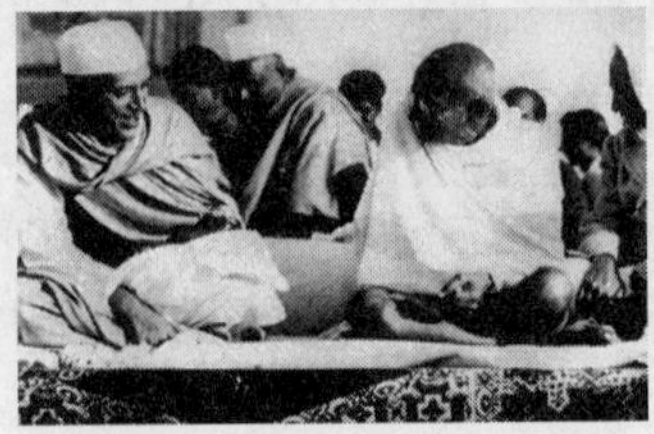

1937 में कांग्रेस के उद्घाटन पर नेहरू एवं गांधी

पद स्वीकार करने के विरुद्ध तर्क

वामपंथी नेताओं जैसे **जवाहरलाल नेहरू, सुभाष चंद्र बोस, एन. जी. रंगा, सहजानंद सरस्वती एवं इंदूलाल याग्निक** पद स्वीकार करने को साम्राज्यवाद के साथ सहयोग करने की तरह देखा। यह राष्ट्रीय आंदोलन के क्रांतिकारी चरित्र को दूर कर देगा, क्योंकि संवैधानिक-कार्य स्वतंत्रता एवं सामाजिक-आर्थिक न्याय जैसे हमारे मुख्य मुद्दों को भटका देगा।

पद स्वीकार करने के समर्थन में तर्क

दक्षिणपंथी नेता जैसे **सी. राजगोपालाचारी** पद स्वीकार करने के समर्थन में थे। उनका तर्क था कि वे परिषदों को संविधानवाद की ओर नहीं ले जाएंगे, बल्कि वे परिषदों का नेतृत्व करेंगे और क्रांति के लिए उनका उपयोग करेंगे। उन्होंने कहा कि वे भी समान रूप से 1935 के अधिनियम का सामना करने के लिए प्रतिबद्ध हैं और परिषद में प्रवेश थोड़े समय की रणनीति है, क्योंकि अभी हमारे पास जन-आंदोलन का विकल्प उपलब्ध नहीं है। मंत्रिमंडल के निर्माण के समर्थन में सबसे महत्वपूर्ण तर्क यह था कि इससे कांग्रेस किसान एवं मजदूरों के लिए कार्य करने हेतु सक्षम हो सकेगी।

अन्ततः **राजेंद्र प्रसाद ने सशर्त पद स्वीकार करने के प्रस्ताव** को आगे किया। शर्त यह थी कि गवर्नर मंत्रिमंडल की कार्यप्रणाली में हस्तक्षेप करने संबंधी अपनी विशेष शक्ति का प्रयोग नहीं करेंगे। प्रस्ताव स्वीकार किया गया और इसे गांधी की भी सहमति मिली। लेकिन जब **6 प्रांतों** (जहां कांग्रेस को बहुमत मिला था) के गवर्नरों ने कांग्रेसी नेताओं को मंत्रिमंडल बनाने के लिए आमंत्रित किया, तो गवर्नरों ने उनकी इस शर्त को मानने का आश्वासन देने से मना कर दिया। सरकार इससे भी आगे बढ़ी और इन प्रांतों में उसने **अंतरिम मंत्रिमंडल (Interim Ministries)** बनाई। ये अंतरिम मंत्रिमंडल बहुमत में नहीं थे और छह महीनों से ज्यादा पद पर नहीं बने रह सकते थे।

पद स्वीकार करने के समर्थन में कांग्रेस कार्यकारी समिति पर दबाव बनाने के लिए अब कांग्रेसियों जैसे राजगोपालाचारी के साथ-साथ भारतीय पूंजीपतियों जैसे जी. डी. बिरला ने जोरदार प्रयास किया। इस प्रकार जुलाई के पहले सप्ताह में कांग्रेस कार्यकारी समिति वर्धा में मिली। **गांधी ने अंततः पद के लिए सहमति दी और पद स्वीकार करने के समर्थन** में एक निर्णय लिया गया।

> पद स्वीकार करने पर गांधी के विचार- "पद स्वीकार करना, एक ओर क्रांति और दूसरी ओर जनवादी सविनय अवज्ञा आंदोलन को टालने का एक प्रयास था।"

अंतरिम मंत्रिमंडल के त्यागपत्र देने के बाद कांग्रेस मंत्रिमंडल का निर्माण हुआ और इस प्रकार स्वाधीनता के लिए भारत के संघर्ष में एक नये युग का प्रारंभ हुआ।

विभिन्न प्रांतों में कांग्रेसी प्रधानमंत्री (प्रीमियर)

(प्रांतीय मंत्रिमंडल के प्रमुख को प्रीमियर कहा जाता था, न कि मुख्यमंत्री)

क्र.	प्रान्त	कांग्रेसी प्रधानमंत्री
1	संयुक्त प्रांत	जी. बी. पंत
2	बिहार	श्री कृष्णा सिन्हा
3	मध्य प्रांत	डॉ. खरे
4	मद्रास	सी. राजगोपालाचारी
5	उड़ीसा	हरे कृष्ण महताब
6	बॉम्बे	बी. जी. खेर
7	उत्तर पश्चिम सीमांत प्रांत	डॉ. खान साहेब

सिंध में- **कांग्रेस ने गुलाम हुसैन हिदायतुल्लाह की मंत्रिमंडल का समर्थन किया।**

असम में- **कांग्रेस ने बोरदोलोई मंत्रिमंडल का समर्थन किया**

बंगाल में- फैज उल हक ने एक गठबंधन सरकार बनाने के लिए कांग्रेस को सहायता के लिए आमंत्रित किया, लेकिन जब कांग्रेस ने मना कर दिया, तो उसने मुस्लिम लीग के साथ हाथ मिलाया।

पंजाब में- कांग्रेस प्रभुत्वशाली भूमिका निभाने की स्थिति में नहीं थी।

6 महीनों तक कांग्रेस ने पद स्वीकार करने के निर्णय को विलंबित किया। लेखक रैनी धवन शंकर दास (द फर्स्ट कांग्रेस राज) के अनुसार यह देरी कांग्रेस के लिए निम्नलिखित कारणों से लाभदायक साबित हुई-

1. इस देरी ने इस बात को गलत साबित कर दिया कि कांग्रेस पद की भूखी थी।
2. इसमें कांग्रेस की एकता एवं अनुशासन को साबित किया कि कांग्रेस के उच्च आदेश के शब्द सर्वोच्च थे।
3. अब गवर्नर कांग्रेस के कार्य में हस्तक्षेप करने के पहले अनेक बार सोचेंगे।

संसदीय उप समिति (Parliamentary Sub-Committee)

ब्रिटिश सरकार को आशा थी कि वह कांग्रेस का प्रांतीयकरण (Provincialization) कर देंगे। इस आशा को धूमिल करने के उद्देश्य से एक केंद्रीय नियंत्रण बोर्ड, जिसे संसदीय उप समिति कहा गया, बनाया गया। इस उपसमिति में सरदार पटेल, मौलाना अब्दुल कलाम आजाद व राजेंद्र प्रसाद सदस्य थे।

कांग्रेस मंत्रिमंडल का कार्यभार संभालना (Congress Ministries at Work)

कांग्रेस मंत्रिमंडल के गठन से देश में मनोवैज्ञानिक वातावरण बदल गया। जनता ने अनुभव किया कि वे जीत की ताजा वायु में सांस ले रहे थे। खादी पहने हुए पुरुष एवं महिलाएं अब सचिवालय में दिखाई दे रहे थे और उन अधिकारियों को आदेश दे रहे थे, जो पहले उन्हें जेल में डालते थे। विधानसभा के सदस्यों एवं किसानों, जो विशाल संख्या में आए थे, में अंतर कर पाना कठिन था। कांग्रेस मंत्रिमंडल के गठन से कांग्रेस की प्रतिष्ठा में बहुत वृद्धि हुई और अब इसे एक वैकल्पिक राज्य-शक्ति के रूप में देखा जाने लगा।

अतः अब उत्तरदायित्व बहुत अधिक था। एक ओर, कांग्रेस को जनता की अपेक्षाओं को पूरा करने की चुनौती थी, तो दूसरी ओर सीमित शक्तियों के बीच ऐसा करना भी अपने आप में चुनौती थी। इसने जनता को भविष्य के स्वराज्य की एक झलक दिखाने का प्रयत्न किया। इसने **साधारण जीवन का उदाहरण** प्रस्तुत किया। कांग्रेसी मंत्रियों ने जबरदस्त रूप से

अपना वेतन 2000 रुपये प्रतिमाह से घटाकर ₹500 प्रति माह किया और वे रेलगाड़ी के द्वितीय अथवा तृतीय दर्जे में यात्रा करते थे। उन्होंने स्वयं को आम जनता के बीच आसानी से सुलभ बनाया और जनसेवा, ईमानदारी के नए मानक प्रस्तुत किए। पद पर रहते हुए लगभग ढाई वर्षों (28 महीनों) के दौरान कांग्रेस के कार्यों का संक्षिप्त विवरण इस प्रकार है -

नागरिक स्वतंत्रताओं की रक्षा (Defence of Civil Liberties)

अपने उद्‌भव से ही कांग्रेस नागरिक स्वतंत्रताओं के प्रसार एवं रक्षा के लिए प्रतिबद्ध थी और इसमें आश्चर्य नहीं है कि कांग्रेस मंत्रिमंडल ने इस संबंध में विशेष प्रयास किए-

- 1932 के दौरान प्रांतीय सरकारों ने जो आपातकालीन शक्तियां (पब्लिक सेफ्टी एक्ट के द्वारा) प्राप्त की थीं, उन्हें निरसित कर दिया गया।
- राष्ट्रवादी संगठनों एवं साहित्य पर लगे प्रतिबंध को हटा दिया गया।
- साम्यवादी अब कांग्रेसी प्रांतों में खुले तौर पर कार्य कर रहे थे। हालांकि, कम्युनिस्ट पार्टी ऑफ इंडिया पर प्रतिबंध जारी रहा, क्योंकि इसे केंद्रीय सरकार ने लगाया था।
- प्रेस पर प्रतिबंध को हटाया गया और जब्त किए गए हथियारों को लौटाया गया।
- सभी ब्रिटिश संस्थाओं में से सबसे अलोकप्रिय हुई पुलिस की शक्ति को कम किया गया।
- केंद्रीय जांच विभाग (Central Investigation Department) पर राजनीतिक कार्यकर्ताओं के दखल को रोका गया।
- हजारों राजनीतिक बंदियों एवं नजरबंदियों को रिहा किया गया।

राजनीतिक बंदियों की रिहाई कांग्रेस घोषणा-पत्र का एक भाग था। अनेक लोग बिना सुनवाई के जेल में थे। सबसे अधिक राजनीतिक बंदी बंगाल में थे, जहां पर कांग्रेस का शासन नहीं था। गांधी स्वयं उनकी रिहाई के लिए समझौता करने कलकत्ता गए और उन्होंने सफलतापूर्वक 1100 नजरबंदियों को रिहा कराया। संयुक्त प्रांत में भी अनेक बंदियों को छोड़ा गया जिनमें काकोरी प्रकरण के बंदी भी शामिल थे।

हालांकि, उन बंदियों को, जो अपनी पिछली सजा काला पानी (अंडमान की केंद्रीय जेल) में काट चुके थे, उन्हें संयुक्त प्रांत या बिहार में रखा गया। दोनों प्रांतों के मंत्रिमंडल उनको रिहा करने के लिए प्रतिबद्ध थे और इस मुद्दे पर 15 फरवरी 1938 को उन्होंने त्यागपत्र दे दिया था, लेकिन अंततः इसके बाद मार्च अंत तक उन्हें रिहा कर दिया गया। कांग्रेस ने राजनीतिक निर्वासित जैसे रासबिहारी घोष, अबनी मुखर्जी, मौलवी अब्दुला खान, पृथ्वी सिंह इत्यादि को वापस लाने के लिए कार्य किया। हालांकि, वे इस संबंध में ज्यादा कुछ नहीं कर सके।

साथ ही, नागरिक स्वतंत्रता के संबंध में कांग्रेस सरकार के कार्यों में कुछ कलंक भी थे- समाजवादी नेता युसुफ मेहराली एवं एस. एस. बाटलीवाला को उत्तेजक भाषणों के लिए मद्रास सरकार ने गिरफ्तार कर लिया था। बॉम्बे प्रांत के गृह मंत्री के. एम. मुंशी ने साम्यवादियों एवं वामपंथियों के विरुद्ध सी.आई.डी. का उपयोग किया।

किसान संरक्षण

नेहरू ने अनुभव किया कि भारत की असाधारण समस्या किसान समस्या हैं, बाकी सभी द्वितीयक या गौण हैं। हालांकि, अनेक बाधाओं के कारण कांग्रेस कृषक-संरचना में आमूलचूल परिवर्तन अथवा जमींदारी व्यवस्था को समाप्त करने का प्रयास नहीं कर सकी-

- प्रांतीय मंत्रिमंडल के पास पर्याप्त शक्ति अथवा वित्तीय स्रोत नहीं थे।
- कांग्रेस जमींदार वर्गों को अपनी ओर करने की चुनौती का सामना कर रही थी, ताकि औपनिवेशिक शत्रु को अलग-थलग किया जा सके और भारत में उन्हें सभी सामाजिक समर्थन से वंचित किया जा सके। इस कारण से कांग्रेस जमींदार वर्ग का सीधे तौर पर विरोध नहीं कर पा रही थी।

- कांग्रेस नेतृत्व समय की आवश्यकता के अनुसार कार्य कर रहा था। उनके मस्तिष्क में अनिश्चितता बनी हुई थी, क्योंकि वे तब तक ही पद पर रह सकते थे, जब तक कि राजनीतिक परिस्थितियां उनके अनुकूल थीं।
- 1938 तक यूरोप पर युद्ध के बादल छा चुके थे।
- लगभग सभी कांग्रेस शासित राज्यों-संयुक्त प्रांत, बिहार, बॉम्बे, मद्रास एवं असम में विधायी परिषद के रूप में प्रतिक्रियावादी द्वितीय सदन भी था। इन सदनों में पूंजीपति, भूस्वामी एवं साहूकारों का प्रभुत्व था।
- अंत में भारत में उस समय कृषक संरचना बहुत अत्यधिक जटिल व विविधता-पूर्ण थी, जो किसी प्रकार के संरचनात्मक सुधार को दुर्जेय बना रही थी।

इन बाधाओं के बावजूद कांग्रेस मंत्रिमंडल ने किसानों की समस्याओं को सुलझाने का प्रयास किया।

- बिहार में 1937-1938 में काश्तकारी पर विधायन/कानून पारित किया गया, जिसके द्वारा 1911 के बाद बढ़ाए गए सभी लगानों को समाप्त कर दिया गया। वर्तमान लगान के बकाया को कम किया गया और शेष बकाया पर लिए जाने वाले ब्याज को 12.5 से घटाकर 6.25% कर दिया गया। भू-स्वामियों को गैरकानूनी देय लेने से रोका गया। साझा खेती/बटाईदारी के दौरान भूस्वामियों का भाग कुल उत्पादन का 9/20 से अधिक नहीं होना तय किया गया।
- संयुक्त प्रांत ने अक्टूबर 1939 में एक काश्तकारी अधिनियम (Tenancy Act) पारित किया गया, जिसके द्वारा आगरा या अवध में सभी काश्तकारों को जोतों में पूर्ण पुश्तैनी/वंशानुगत अधिकार प्रदान किए गए। लगान न चुकाने के कारण काश्तकारों को गिरफ्तार नहीं किया जा सकता था। नजराना और बेगार जैसे गैरकानूनी कार्य समाप्त कर दिए गए।
- उड़ीसा में भी ऐसा ही काश्तकारी विधेयक विधायिका द्वारा पारित किया गया, लेकिन उसे गवर्नर की सहमति नहीं मिली, क्योंकि इसमें जमींदारों की आय 50 से 60% तक कम कर दी गई थी।
- मद्रास में तत्कालीन राजस्व मंत्री **टी. प्रकाशम** की अध्यक्षता में एक समिति गठित की गई, जिसने ऐसे प्रावधानों का सुझाव दिया, जिसका अर्थ जमींदारी व्यवस्था का लगभग समाप्त होना था। लेकिन विधेयक का प्रारूप बनाने से पूर्व ही मंत्रिमंडल ने त्यागपत्र दे दिया था।
- बॉम्बे, मध्य प्रांत एवं उत्तर-पश्चिम सीमांत प्रांत में काश्तकारी में सुधार किए गए, जिसमें काश्तकारी को अवधि की सुरक्षा देने जैसे सुधार प्रमुख थे।
- बॉम्बे में करीब 40000 भू-दासों, जिन्हें वहां **दुबला** कहा जाता था, को मुक्त कराया गया। कांग्रेस ने सफलतापूर्वक सविनय अवज्ञा आंदोलन के दौरान चलाए गए 'न लगान अभियान' के दौरान जब्त की गई भूमियों को लौटाया।
- बॉम्बे में पशुचारण पर लगाए गए शुल्क को समाप्त कर दिया गया और मद्रास में इसमें कटौती कर दी गई।

इस प्रकार कांग्रेस मंत्रिमंडल ने जमींदारी क्षेत्रों में लाखों काश्तकारों के हितों का संरक्षण किया। किसानों को साहूकारों से संरक्षित करने एवं सिंचाई की सुविधाओं को बढाने के प्रयास किए गए। यद्यपि उप-काश्तकारों एवं कृषक मजदूरों के हितों पर ठीक से ध्यान नहीं दिया गया, लेकिन इस बात से इकार नहीं किया जा सकता कि यह समय किसानों के मध्य असीम जागरूकता का समय था।

श्रमिक कल्याण

अपने चुनाव घोषणा-पत्र में कांग्रेस ने श्रमिक वर्गों से अनेक वादे किए और सामान्यतः कांग्रेस सरकार ने श्रमिकों के समर्थन में निर्णय भी लिए थे। श्रमिक मुद्दों के संबंध में कांग्रेस के आधारभूत दृष्टिकोण में शामिल थे-

- औद्योगिक शांति को प्रोत्साहित करने के साथ मजदूरों के हितों का ध्यान रखना।
- समाधान-मशीनरी (conciliation machinery) की स्थापना के द्वारा जहां तक संभव हो हड़तालों को कम करना।
- हड़तालों का आश्रय लेने से पहले अनिवार्य मध्यस्थता की वकालत करना।

- मजदूरों एवं पूंजीपतियों के बीच सद्भाव बनाना।
- मजदूरों की स्थिति को सुधारना एवं उनके बढ़े हुए वेतन को सुरक्षित करने का प्रयास करना।
  तदनुसार,
- बॉम्बे में **सूती कपड़ा जांच समिति नियुक्त** (Textile Enquiry Committee) की गई। इस समिति ने अन्य सुझावों के साथ मजदूरों के वेतन को बढ़ाने का भी सुझाव दिया। यह बढ़ा हुआ वेतन करोड़ों में था। मिल मालिकों के विरोध के बावजूद इन सुझावों को लागू किया गया।
- नवंबर 1938 में कांग्रेस सरकार ने **'औद्योगिक विवाद अधिनियम'** (Industrial Disputes Act) पारित किया, जिसमें प्रत्यक्ष कार्रवाई के स्थान पर सुलह-समझौता, मध्यस्थता और परस्पर विचार-विमर्श पर जोर दिया गया। एकाएक हड़ताल एवं तालाबंदी को रोकने के लिए भी इसमें प्रावधान दिए गए थे।
- संयुक्त प्रांत में कानपुर, श्रमिक-अशांति का एक मुख्य केंद्र बनकर उभरा और मई 1938 में बड़ी हड़ताल हुई। राजेंद्र प्रसाद की अध्यक्षता में एक **श्रम जांच समिति** स्थापित की गई, जिसने अन्य सुझावों के साथ-साथ मजदूरों की मजदूरी में बढ़ोत्तरी करते हुए न्यूनतम मजदूरी ₹15 प्रतिमाह करने, महिलाओं के लिए मातृत्व लाभ एवं वामपंथी प्रभुत्व वाली मजदूर सभा को मान्यता देना जैसे सुझाव शामिल थे। सरकार के अत्यधिक दबाव के बाद नियोक्ताओं ने अंततः इन सुझावों को स्वीकार किया।
- बिहार में भी राजेंद्र प्रसाद की अध्यक्षता में ऐसी ही एक श्रम जांच समिति स्थापित की गई।

सामाजिक सुधार के उपाय

कांग्रेस सरकार द्वारा अनेक सामाजिक सुधार के उपाय प्रस्तावित किए गए। इनमें शामिल थे-

- गांधीवादी संरचनात्मक कार्यों को सभी कांग्रेस शासित प्रांतों में गति प्राप्त हुई। प्रयासों में शामिल थे-
  - हरिजनों अथवा छुआछूतों के उत्थान के लिए अनेक उपाय किए गए, जैसे- हरिजनों के मंदिरों में प्रवेश, पानी के सार्वजनिक स्रोतों, सार्वजनिक दफ्तरों, अस्पतालों, शैक्षणिक संस्थाओं आदि का इस्तेमाल करने हेतु उन्हें सक्षम बनाने के लिए कानून बनाए गए। सरकारी सेवाओं में हरिजनों की संख्या बढ़ाने का भी प्रयास किया गया।
  - कुछ चुने हुए क्षेत्रों में मद्य-निषेध को प्रस्तावित किया गया।
  - खादी एवं ग्रामीण उद्योगों को समर्थन एवं सब्सिडी दी गई। मद्रास मंत्रिमंडल द्वारा खादी एवं **हथकरघा** के लिए 2 लाख रुपये का अनुदान दिया गया।
  - अस्पतालों में अवैतनिक चिकित्सा अधिकारियों की नियुक्ति करना।
  - सार्वजनिक भावनों हेतु निवेश में कटौती।
- जेल सुधार की योजना लाई गई।
- देशी औद्योगिकी को बढ़ावा देने के साथ-साथ आधुनिक उपक्रमों को भी बढ़ावा दिया, जैसे- ऑटोमोबाइल उद्योग।
- योजनाबद्ध विकास को प्रोत्साहित किया गया और तत्कालीन कांग्रेस अध्यक्ष सुभाष चंद्र बोस के द्वारा **राष्ट्रीय योजना आयोग** (1938) की स्थापना की गई।
- अन्य प्रमुख उपायों में मौलिक अधिकारों की घोषणा, जनजातियों के लिए कल्याण योजनाएं, मंत्रियों के वेतन में कटौती एवं मोपला वीभत्सता अधिनियम (Moplah Outrages Act) को निरसित करना शामिल था।
- कांग्रेस मंत्रिमंडलों ने शिक्षा, स्वास्थ्य एवं स्वच्छता पर विशेष ध्यान दिया। प्राथमिक, तकनीकी एवं उच्च शिक्षा तथा लड़कियों व हरिजनों की शिक्षा पर भी विशेष ध्यान दिया गया। सामूहिक साक्षरता अभियान आयोजित किए गए।

आधारभूत शिक्षा की वर्धा योजना

शिक्षा के क्षेत्र पर विशेष ध्यान दिया गया। 31 जुलाई 1937 को **हरिजन** में गांधी जी का एक लेख प्रकाशित हुआ। उस लेख के आधार पर वर्धा में 22-23 अक्टूबर 1937 के दौरान एक **अखिल भारतीय राष्ट्रीय शिक्षा सम्मेलन (वर्धा शैक्षिक सम्मेलन)** आयोजित किया गया। इस सम्मेलन की अध्यक्षता स्वयं गांधी ने की और नई तालीम के रूप में आधारभूत शिक्षा या बुनियादी शिक्षा की एक योजना प्रतिपादित की, जिसमें निम्न बातें शामिल थीं -

- देशभर में 7 वर्ष की आयु तक मुफ्त एवं अनिवार्य शिक्षा प्रदान किया जाना।
- शिक्षा का माध्यम मातृभाषा होनी चाहिए।
- व्यावसायिक एवं दस्तकारी के कार्यों का प्रशिक्षण, हस्तशिल्प के उत्पादन पर बल दिया।
- योजना का मुख्य सिद्धांत 'गतिविधि के माध्यम से सीखना' था और यह 'मैनुअल उत्पादक कार्य' के आसपास केंद्रित था, जो शिक्षकों के पारिश्रमिक उत्पन्न करेगा।

उपर्युक्त को मार्गदर्शन के रूप में लेते हुए डॉ. जाकिर हुसैन की अध्यक्षता में आधारभूत शिक्षा पर एक समिति बनाई गई। इस समिति ने कांग्रेस मंत्रिमंडल के द्वारा लागू किए जाने हेतु आधातभूत शिक्षा पर एक योजना सौंपी। इसका लक्ष्य का आदर्श नागरिक विकसित करना था और इसलिए शिक्षा से ज्यादा भारतीय संस्कृति को महत्व दिया गया। इस योजना में अंग्रेजी एवं धार्मिक शिक्षा के लिए कोई स्थान नहीं था। इस योजना का मुस्लिम लीग द्वारा विरोध किया गया।

कांग्रेस की शिक्षा नीति के कारण छात्र-छात्राओं के साथ-साथ शैक्षिक संस्थाओं की संख्या में भी वृद्धि हुई। हालांकि, कांग्रेस मंत्रिमंडल के त्यागपत्र के कारण इस योजना को आगे विकसित नहीं किया जा सका।

सार्वजनिक राजनीतिक गतिविधि को प्रोत्साहित करने के लिए पदों का उपयोग

पदों का उपयोग सार्वजनिक राजनीतिक गतिविधि को प्रोत्साहित करने एवं जनता को सक्रिय बनाने में किया गया, जो कांग्रेस की पद स्वीकार करने की रणनीति का एक भाग था। 10 जुलाई 1937 को कांग्रेस के अध्यक्ष के रूप में जवाहरलाल नेहरू ने सभी कांग्रेसियों को एक परिपत्रक भेजकर याद दिलाया कि विधायिका के बाहर संगठनात्मक व अन्य कार्य, उनके लिए महत्वपूर्ण रहने चाहिए।

विधायिकाओं के बाहर कांग्रेस के कार्यों में विविधताएं थीं-

- गांवों में कांग्रेस समितियां संगठित की गई।
- जिलों में स्थानीय शिकायतें सुनने के लिए **कांग्रेस शिकायत समितियां** स्थापित की गईं, जो विधायकों को रिपोर्ट करती थीं।
- न्याय प्रदान करने के लिए **कांग्रेस पुलिस स्टेशन** एवं पंचायतें स्थापित की गईं।
- दफ्तरों के लिए सार्वजनिक याचिकाओं की व्यवस्था की गई।
- देशी रियासतों के आंदोलन।
- सार्वजनिक साक्षरता अभियान।

नकारात्मक परिणाम

सार्वजनिक राजनीतिक गतिविधियों को प्रोत्साहित करने के लिए पदों के उपयोग की रणनीति से नए द्वंद पैदा हुए। कैसे एक दल, जो सरकार में था, सरकार में रहते हुए अपने ही विरुद्ध लोकप्रिय विरोध को संगठित कर सकता था?

कांग्रेस मंत्रिमंडलों ने नागरिक स्वतंत्रताओं को प्रोत्साहित किया और व्यापार संघों व किसान संगठनों को विकसित होने का पूरा मौका दिया। वामपंथी दलों ने खुले तौर पर कार्य करना शुरू किया-

- कम्युनिस्ट पार्टी ने बॉम्बे से अपना एक साप्ताहिक **द नेशनल फ्रंट (The National Front)** निकालना शुरू किया।
- कांग्रेस सोशलिस्ट पार्टी ने अपनी पत्रिका **द कांग्रेस सोशलिस्ट (The Congress Socialist)** निकाली।
- पंजाब के कीर्ति साम्यवादियो ने मेरठ (संयुक्त प्रांत) से **कीर्ति लहर** निकाली, क्योंकि वह पंजाब के नेतृत्व वाली यूनियनिस्ट पार्टी के रहते ऐसा ऐसा नहीं कर सकते थे।

कांग्रेसियों का एक वर्ग, जैसे- साम्यवादी, समाजवादी, राजशाही एवं क्रांतिकारी आतंकवादी, ने अनुभव किया कि नागरिक स्वतंत्रताओं का उपयोग विरोध के आक्रामक या हिंसक स्वरूप को उत्तेजित करने में किया जाना चाहिए।

उपर्युक्त के कारण लोकप्रिय आंदोलन का कांग्रेस सरकारों से आए दिन टकराव होना शुरू हुआ, जो सभी आक्रामक विरोधों को कानून व व्यवस्था की समस्या की तरह देखते थे। उदाहरण के तौर पर, बिहार में किसान आंदोलन का कांग्रेस सरकार से टकराव हुआ, जब किसान सभा ने बलपूर्वक भू-स्वामियों की भूमि छीनने लिए कहा। इसी दौरान **बिहार किसान सभा** और कांग्रेस नेतृत्व के बीच संबंध बिगड़े और बिहार में किसान सभा की गतिविधियों में सहभागिता करने पर कांग्रेसियों पर प्रतिबंध लगा दिया गया। शासन एवं विरोध के हिंसक स्वरूप एक साथ कैसे रह सकते थे?

कांग्रेस सरकार द्वारा लोकप्रिय विरोधों को संभालने के तरीकों से वामपंथी संतुष्ट नहीं थे और इस पर किसान व मजदूर आंदोलनों को दबाने का आरोप लगाया। **रजनी पाम दत्त** ने कांग्रेस सरकार की साम्यवादी आलोचना को इन शब्दों में समाहित किया- ''यह प्रभुत्वशाली उदारवादी नेतृत्व व्यवहार में साम्राज्यवाद के साथ सहयोग विकसित कर रहा था और खुले तौर पर उच्च वर्गीय भू-स्वामियों एवं उद्योगपतियों के हितों के लिए कार्य कर रहा था। यह नेतृत्व लगातार संघर्ष के सभी आक्रामक स्वरूपों के प्रति शत्रुता दिखा रहा था।''

इस प्रकार मंत्रिमंडल के निर्माण की नीति राष्ट्रीय आंदोलन में एक नए संकट की ओर ले जाने लगी। **गांधी एवं नेहरू, दोनों ने अनुभव करना शुरू किया कि मंत्रिमंडल की सकारात्मक भूमिका अब समाप्त** होती जा रही है।

त्रिपुरी संकट (मार्च 1939)

1938 में सुभाष चंद्र बोस को सर्वसम्मति से कांग्रेस का अध्यक्ष निर्वाचित किया गया। 1939 में उन्होंने पुनः अध्यक्ष के चुनाव के लिए खड़े होने का निर्णय लिया, लेकिन इस बार वे आक्रामक एवं उग्रवादी समूह का नेतृत्व कर रहे थे। कांग्रेस कार्यकारी समिति के कुछ सदस्यों, जैसे- सरदार पटेल, राजेंद्र प्रसाद एवं जे. बी. कृपलानी द्वारा इसका विरोध किया गया। उन्होंने घोषित किया कि कांग्रेस अध्यक्ष की स्थिति संवैधानिक मुखिया की तरह है, जो देश की एकता का प्रतिनिधित्व करता है। गांधी के समर्थन से इन नेताओं ने पट्टाभि सीतारमैया को उनके अध्यक्षीय उम्मीदवार के रूप में आगे किया।

अपने चुनावी अभियान के दौरान सुभाष चंद्र बोस ने खुले तौर पर गांधीवादियों पर समझौतावादी होने का आरोप लगाया। उन्होंने कहा कि ये समझौतावादी, संघवाद के प्रश्न पर समझौता करने के लिए कार्य कर रहे हैं और ये उन सभी राष्ट्रीय संघर्षों का विरोध करते हैं, जो उनके संसदीय कार्यों में विघ्न पहुंचाते हैं।

जनवरी 1939 में सुभाष चंद्र बोस ने चुनाव में विजय हासिल की और गांधी ने इसे पट्टाभि की पराजय नहीं, बल्कि अपनी पराजय माना। कांग्रेस कार्यकारी समिति के सदस्यों ने अनुभव किया कि वे एक ऐसे अध्यक्ष के साथ कार्य नहीं कर सकेंगे, जिसने उन पर सार्वजनिक रूप से आरोप लगाया और उनकी देशभक्ति पर संदेह किया। इसके बाद कांग्रेस कार्यकारी समिति के 12 सदस्यों ने त्यागपत्र दे दिया। **नेहरू** भी सुभाष चंद्र बोस के द्वारा साथियों पर लगाए गए आरोपों से संतुष्ट नहीं थे, लेकिन वे मतभेद नहीं चाहते थे और इसलिए **उन्होंने त्यागपत्र नहीं दिया।**

▶ त्रिपुरी कांग्रेस अधिवेशन (8-12 मार्च, 1939)

कांग्रेस की आंतरिक कलह त्रिपुरी अधिवेशन में अपने चरम पर पहुंच गई। ऐसा प्रतीत हुआ कि सुभाष चंद्र बोस अपनी जीत को गलत दिशा में ले जा रहे थे। कांग्रेसियों ने उन्हें अपना मत उनकी आक्रामक राजनीति के लिए दिया था, न कि गांधी के

स्थान पर सर्वोच्च नेता बनाने के लिए। परिणामस्वरूप, त्रिपुरी कांग्रेस अधिवेशन के दौरान **गोविंद बल्लभ पंत** एक प्रस्ताव लाए, जिसमें गांधी के नेतृत्व एवं पुरानी कांग्रेस कार्यकारी समिति में पूर्ण आस्था अभिव्यक्त की गई और सुभाष चंद्र बोस को कहा गया कि वे गांधी की सहमति से कांग्रेस कार्यकारी समिति के सदस्यों को मनोनीत करेंगे।

यह प्रस्ताव विशाल बहुमत से पारित हुआ और सुभाष चंद्र बोस एक शर्मनाक स्थिति में जा पहुंचे और उनके पास इस्तीफा देने के अलावा कोई विकल्प नहीं बचा। जवाहरलाल नेहरू ने दोनों पक्षों के बीच सुलह कराने का प्रयास किया, लेकिन सब बेकार रहा और इसके तुरंत बाद राजेंद्र प्रसाद को नया अध्यक्ष निर्वाचित किया गया। इस प्रकार सुभाष चंद्र बोस को साम्यवादियों के साथ-साथ समाजवादी कांग्रेसियों का समर्थन भी खोना पड़ा, जो राष्ट्रवादी आंदोलन को विभाजित करने के इच्छुक नहीं थे, जिसमें कांग्रेस एक मुख्य अंग था और गांधी एक मुख्य नेता।

> 1939 में कम्युनिस्ट पार्टी ऑफ इंडिया के पी सी जोशी ने घोषित किया, "आज सबसे बड़ा वर्ग-संघर्ष हमारा राष्ट्रीय संघर्ष है।"

इस प्रकार मई 1939 में सुभाष चंद्र बोस एवं उनके अनुयायियों ने कांग्रेस के अंदर एक नये दल **फॉरवर्ड ब्लॉक** की स्थापना की। 9 जुलाई को उन्होंने अखिल भारतीय कांग्रेस कमेटी के प्रस्ताव, जिसमें कांग्रेस कार्यकारी समिति के द्वारा उन पर अनुशासनात्मक कार्यवाही की बात थी, के विरुद्ध अखिल भारतीय विरोध का आह्वान किया। उन्हें बंगाल प्रांतीय कांग्रेस समिति के अध्यक्ष पद से हटा दिया गया और अगले 3 वर्षों तक कांग्रेस में कोई पद ग्रहण करने से वंचित कर दिया गया।

कांग्रेस के समक्ष चुनौतियां

अपने कार्यकाल के दौरान कांग्रेस को अनेक चुनौतियों का सामना करना पड़ा, जैसे-

- **दल की कमजोरियों का प्रकट होना**- इस काल के दौरान कांग्रेस पार्टी में कमजोरियां उभर कर सामने आईं। व्यक्तिगत के साथ-साथ वैचारिक संघर्ष सामान्य बातें हो गई थीं।
- **फर्जी सदस्यता**- इस समय के दौरान अनेक अवसरवादी एवं पद के भूखे लोग कांग्रेस में शामिल हुए और कांग्रेस अनुशासनहीनता व भ्रष्टाचार के भय से गुजरती रही।
- **साम्प्रदायिक दलों द्वारा प्रहार**- सांप्रदायिक दलों द्वारा कांग्रेस के विरुद्ध द्वेषपूर्ण अभियान छेड़ा गया। कांग्रेस पर अल्पसंख्यकों के साथ भेद-भाव करने का आरोप लगाया गया, जो तथ्य की अपेक्षा राजनीतिक कारणों से अधिक प्रेरित था।
- **कम्युनिस्ट समालोचना**- वामपंथी लोकप्रिय विरोधों से निपटने के लिए सरकार के अत्यधिक आलोचक बन गए।
- **त्रिपुरी संकट एवं सुभाष चंद्र बोस का इस्तीफा**- इस काल के दौरान कांग्रेस के दो अधिवेशन हुए थे। कांग्रेस का 51वां अधिवेशन **हरिपुरा**, गुजरात में सुभाष चंद्र बोस की अध्यक्षता में हुआ। हालांकि, संकट के बादल **त्रिपुरी** अधिवेशन में छाए। कांग्रेस के अध्यक्षीय चुनाव में सुभाष चंद्र बोस ने गांधी समर्थित पट्टाभि सीतारमैया को हराया और इसे वामपंथ की एक मुख्य जीत की तरह देखा गया। लेकिन बाद में बोस को अध्यक्षता से त्यागपत्र देने के लिए मजबूर किया गया। इस प्रकार कांग्रेस में संकट आया, लेकिन जल्द ही टल गया।

कांग्रेस मंत्रिपरिषद का त्यागपत्र (अक्टूबर 1939)

हिटलर की जर्मन साम्राज्यवाद के प्रसार की नीति के कारण पोलैंड पर जर्मनी के आक्रमण के साथ 1 सितंबर 1939 को द्वितीय विश्व युद्ध प्रारंभ हुआ। 3 सितंबर 1939 को ब्रिटेन एवं फ्रांस को मजबूर होकर पोलैंड की सहायता के लिए आगे आना पड़ा और वे युद्ध में शामिल हुए। 3 सितंबर को ही बिना अनुमति के भारत को भी ब्रिटेन के साथ युद्ध में धकेल

दिया गया। न ही राष्ट्रीय कांग्रेस और न ही केंद्रीय विधानसभा के निर्वाचित सदस्यों के साथ चर्चा की गई। अक्टूबर 1939 में विरोध स्वरूप कांग्रेस मंत्रिमंडल ने अपने पद से त्यागपत्र दे दिया। (अगले अध्याय में द्वितीय विश्व युद्ध के प्रति कांग्रेस के दृष्टिकोण के बारे में विस्तार से पढ़ें।)

गांधी ने त्यागपत्र का स्वागत किया और इसे एक कड़वी दवा की संज्ञा दी, जिसे कांग्रेस में व्याप्त अनुशासनहीनता व भ्रष्टाचार को समाप्त करने के लिए निगलने की आवश्यकता थी। त्यागपत्र का एक अन्य सकारात्मक प्रभाव यह था कि इसने युद्ध में सहभागिता के प्रश्न पर कांग्रेस के दक्षिणपंथी व वामपंथी समूहों को एकजुट कर दिया। त्यागपत्र से यह भी साबित हो गया कि कांग्रेस सत्ता नहीं, बल्कि विदेशी शासन से भारतीय जनता की स्वाधीनता चाहती थी। इस प्रकार पद को स्वीकार करना स्वतंत्रता संघर्ष के एक चरण की तरह साबित हुआ। जब पद छोड़ने का समय आया, तो मंत्रिमंडल ने तुरंत त्यागपत्र दे दिया।

कांग्रेस मंत्रिमंडल का मूल्यांकन

समग्र रूप से, अपने 28 महीनों के कार्यकाल में कांग्रेस मंत्रिमंडलों ने कुछ महत्वपूर्ण कार्य करने में सफलता प्राप्त की, जबकि 1935 के अधिनियम के अंतर्गत उन्हें सीमित शक्तियां प्राप्त थीं।

- यद्यपि वामपंथ आलोचक था, लेकिन इसकी अपेक्षाएं बड़े स्तर पर पूरी हुई।
- सांप्रदायिक दंगों का सामना करने में कांग्रेस मंत्रिमंडलों को निश्चित तौर पर सफलता मिली।
- संवैधानिक रियायतों की पेशकश करके कांग्रेसी नेताओं ने सफलतापूर्वक ब्रिटिश सरकार के 'बांटो और राज करो' के प्रयास को नाकाम कर दिया। उन्होंने सफलतापूर्वक साम्राज्यवाद की धारा में समाहित हुए बिना, पदों का इस्तेमाल अपने लक्ष्य की प्राप्ति में किया।
- कांग्रेस के प्रांतीयकरण का भय भी गलत साबित हुआ, क्योंकि मंत्रियों ने सफलतापूर्वक केंद्र के समक्ष एक संगठित मोर्चा प्रस्तुत किया।
- इंडियन सिविल सर्विसेज (ICS) के अधिकारियों का मनोबल निचले स्तर पर पहुंच गया और उन्होंने अनुभव करना शुरू किया कि अब भारत में ब्रिटिश राज के कुछ ही दिन शेष रह गया है।
- कांग्रेस का प्रभाव जनता के सभी वर्गों पर पड़ा।
- कांग्रेस मंत्रिमंडल, साम्राज्यवादी सरकार के एक विकल्प के रूप में उभरी और भारत में ब्रिटिश शासन के इस आधार को ध्वस्त किया कि भारतीय लोग शासन करने के योग्य नहीं थे।
- सबसे बड़ा लाभ मनोवैज्ञानिक था और जनता ने अनुभव किया कि वे जीत और स्वशासन की ताजा हवा में सांस ले रहे हैं। कांग्रेस मंत्रिमंडल के गठन से ब्रिटिश शासकों व भारतीय जनता के बीच शक्ति-संतुलन में परिवर्तन आया।

नोट- 1935 एवं 1939 के बीच का काल अनेक अन्य महत्वपूर्ण राजनीतिक विकासों (1935 के भारत शासन अधिनियम एवं कांग्रेस मंत्रिमंडल के गठन के अतिरिक्त) का साक्षी बना, जिसने कांग्रेस के साथ-साथ राष्ट्रीय आंदोलन में एक नया मोड़ ला दिया। इनमें शामिल थे-

1935-1939 के काल में हुए इन विकासों के लिए अध्याय 6.11 से अध्याय 6.15 का अवलोकन अवश्य करें।

इकाई 7

भारतीय राष्ट्रीय आंदोलन - भाग-2
(स्वतन्त्रता की ओर)

अध्याय

1

द्वितीय विश्व युद्ध के दौरान भारतीय राष्ट्रीय आंदोलन : भारत छोड़ो आंदोलन एवं आजाद हिंद फौज (1939-1945)

द्वितीय विश्व युद्ध (सितंबर, 1939) के प्रारंभ होने पर भारतीय लोगों में विविध प्रतिक्रियाएं हुई और कांग्रेस में भी इसी विषय पर चिंतन हो रहा था। एक लंबे वाद-विवाद के बाद गांधी ने व्यक्तिगत सत्याग्रह (1940-1941) प्रारंभ किया, लेकिन इसे उदासीन प्रतिक्रिया मिली। भारत को युद्ध में घसीटे जाने के 3 वर्ष बाद ही 1942 में कांग्रेस द्वारा भारत छोड़ो आंदोलन (इसे **अगस्त क्रांति** अथवा के **1942 के विद्रोह** के नाम से भी जाना गया) प्रारंभ किया गया। कांग्रेस भारत छोड़ो आंदोलन को संगठित करने की तैयारी में ही व्यस्त थी, लेकिन आंदोलन प्रारंभ होने से पहले ही सरकार ने दमन की कार्रवाई शुरू कर दी और महात्मा गांधी सहित सभी शीर्ष नेताओं को गिरफ्तार कर लिया गया। हालांकि, ब्रिटिश आशाएं तब धूमिल हो गई, जब जनता ने आंदोलन का नेतृत्व स्वयं अपने हाथों में ले लिया और 1857 के संघर्ष के समान ब्रिटिश शासन को चुनौती दी। शहरी केंद्रों से शुरू होकर आंदोलन शीघ्र ही ग्रामीण क्षेत्रों में फैल गया। स्थानीय स्तर पर नए नेताओं का उद्भव हुआ और उन्होंने गांधीवादी शांतिपूर्ण दृष्टिकोण से अलग हटने में हिचकिचाहट नहीं दिखाई व हिंसा को अपनाया। युवाओं व समाजवादियों की अभूतपूर्व सहभागिता, समानांतर सरकारों की स्थापना और भूमिगत आंदोलन भारत छोड़ो आंदोलन की कुछ उल्लेखनीय प्रवृत्तियां थीं।

यद्यपि ब्रिटिश सरकार ने अंत में आंदोलन को दबाने में सफलता प्राप्त की, लेकिन अब यह स्पष्ट हो गया था कि भारत में ब्रिटिश शासन के कुछ दिन ही बचे हैं। आगे सुभाषचंद्र बोस के नेतृत्व में स्थापित इंडियन नेशनल आर्मी (Indian National Army) से यह और स्पष्ट हो गया। इंडियन नेशनल आर्मी (आई.एन.ए.) ने वीरतापूर्ण संघर्ष किया और सशस्त्र संघर्ष में ब्रिटिश शासन से मुकाबला करने में भारतीय क्षमताओं को साबित किया।

इस अध्याय में हम भारत छोड़ो आंदोलन की ओर ले जाने वाली परिस्थितियों के साथ-साथ इंडियन नेशनल आर्मी के गठन व उसकी गतिविधियों की भी चर्चा करेंगे।

भारत छोड़ो आंदोलन की ओर ले जाने वाली घटनाएं (Events leading to the Quit India Movement) (1939-1941)

द्वितीय विश्वयुद्ध का प्रारंभ, 1 सितंबर 1939

द्वितीय विश्व युद्ध (1 सितंबर 1939 से 2 सितंबर 1945) एक वैश्विक युद्ध था, जिसमें महाशक्तियों समेत विश्व के अनेक देश शामिल हुए। महाशक्तियों द्वारा मित्र राष्ट्र (ब्रिटेन, फ्रांस, रूस) एवं धुरी राष्ट्र (जर्मनी, इटली, जापान) नाम के दो विरोधी सैन्य गठबंधन बनाये गए।

लिनलिथगो ने एकपक्षीय रूप से भारत को ब्रिटिश सरकार की ओर से एक युद्धरत राज्य घोषित कर दिया। इससे भारत पर एक वृहत स्तरीय **संवैधानिक संकट** घिर आया और प्रांतों में उत्तरदायी सरकार की नींव भी आहत हुई। घोषणा के तुरंत बाद युद्ध में सहयोग प्राप्त करने के लिए वायसराय ने कांग्रेस, मुस्लिम लीग और राजकुमारों से समझौता-वार्ता शुरू की।

कांग्रेस इस शर्त पर सहयोग करने को तैयार थी कि ब्रिटेन भारत को आधारभूत सत्ता तुरंत हस्तांतरित करे और युद्ध के बाद पूर्ण स्वतंत्रता का वादा करे। मुस्लिम लीग इस शर्त पर सहयोग करने को तैयार थी कि कांग्रेसी प्रांतों में मुसलमानों के साथ न्याय किया जाएगा और उनके अनुमोदन के बिना भविष्य में कोई भी संविधान नहीं बनाया जाएगा। केवल राजकुमारों ने बिना शर्त ब्रिटिश को समर्थन दिया।

युद्ध को लेकर भारतीयों के विचार

युद्ध के बारे में भारतीय जनता के विभिन्न वर्गों ने विभिन्न तरह से प्रतिक्रिया व्यक्त की -

- **भारत को ब्रिटेन के कठिन समय का लाभ उठाना चाहिए**- इस विचार के प्रतिपादकों का विश्वास था कि ब्रिटेन की कठिनाई भारत के लिए अवसर है। वे साम्राज्य के इस कमजोर समय का लाभ उठाकर ब्रिटिश शासन के विरुद्ध तुरंत एक मजबूत आंदोलन प्रारंभ करके स्वतंत्रता प्राप्त करना चाहते थे। उन्होंने युद्ध के लिए भारत के संसाधनों का उपयोग किए जाने के ब्रिटिश प्रयासों का विरोध किया। इनमें समाजवादी व सुभाष चंद्र बोस शामिल थे। समाजवादियों का तर्क था कि यह युद्ध साम्राज्यवादी था, क्योंकि दोनों ही पक्ष उपनिवेशों को प्राप्त करने अथवा बचाने के लिए लड़ रहे थे और किसी भी पक्ष का समर्थन करने का प्रश्न ही नहीं उठता।
- **भारत को ब्रिटेन की कठिनाई का लाभ नहीं उठाना चाहिए**- इस विचार के प्रतिपादकों का मानना था कि भारत को युद्ध प्रयासों में बिना शर्त के ब्रिटेन का सहयोग करना चाहिए। उन्हें आशा थी कि भारत की सेवा के कारण ब्रिटिश सरकार एक उदार रवैया अपनाएगी और स्वतंत्रता के लिए भारत की मांग स्वीकार करेगी। इनमें गांधीजी व सी. राजगोपालाचारी शामिल थे। गांधी ने मित्र राष्ट्रों को बिना शर्त समर्थन करने की वकालत की, क्योंकि उन्होंने पश्चिमी यूरोप के लोकतांत्रिक राज्य और सर्वसत्तावादी नाजियों के बीच स्पष्ट अंतर कर लिया था। हालांकि, समर्थन के अभाव में उन्होंने नेहरू के सशर्त समर्थन के विचार की ओर बढ़ने का निर्णय लिया।
- **भारत को सशर्त समर्थन देना चाहिए**- इस विचार के प्रतिपादकों का मानना था कि फासीवाद विश्व के लिए एक बड़ी चुनौती है और वे फासीवाद व नाजीवाद के विरुद्ध इस युद्ध में ब्रिटेन का साथ देना चाहते हैं, लेकिन एक शर्त पर कि ब्रिटिश तात्कालिक रूप से भारतीयों को एक अंतरिम सरकार प्रदान करे और भविष्य में भारत को पूर्ण स्वतंत्रता देने का वादा भी करे। इस विचार के प्रतिपादकों में जवाहरलाल नेहरू शामिल थे।
- **संदेहात्मक या ढुलमुल रवैया**- ये वे लोग थे जिनका रवैया या तो तटस्थ या संदेहास्पद था। उदाहरणस्वरूप, समाजवादी और साम्यवादी। इन्होंने 1941 में जर्मनी द्वारा रूस पर आक्रमण किए जाने के बाद युद्ध प्रयासों में सरकार का समर्थन करने का निर्णय लिया।

कांग्रेस एवं वैश्विक मुद्दे (1935-1939)- 1935 से 1939 का समय वैश्विक मुद्दों में कांग्रेस की सहभागिता के संबंध में एक महत्वपूर्ण समय था। इस समय तक कांग्रेस ने नस्लवाद एवं साम्राज्यवाद के विरोध पर आधारित एक विदेश नीति विकसित कर ली थी। 1930 के दशक में कांग्रेस ने विश्व के किसी भी भाग में साम्राज्यवाद के विरोध को दृढ़ किया और एशिया व अफ्रीका में हो रहे राष्ट्रवादी आंदोलनों को समर्थन की घोषणा की। इसने कठोरता से फासीवाद (उग्र सत्तावादी राष्ट्रवाद) की निंदा की, जो इटली, जर्मनी एवं जापान में विकसित हो रहा था।

कांग्रेस का रुख

पहले बताए गई लगभग सभी प्रतिक्रियाएं कांग्रेस में दिख रही थीं। यद्यपि कांग्रेस को फासीवादी आक्रमण के पीड़ितों से पूरी सहानुभूति थी, लेकिन वह आश्चर्य में थी कैसे एक गुलाम राष्ट्र दूसरे की स्वतंत्रता के लिए लड़ सकता है। आगे, कांग्रेस कार्यकारी समिति ने भारत के सहमति के बिना उसे युद्ध में धकेलने के निर्णय का कठोरता से विरोध किया और कहा कि 'भारत के लिए युद्ध और शांति के मुद्दे का निर्णय भारतीय जनता के द्वारा ही लिया जाना चाहिए।' इस प्रकार कांग्रेस ने मांग की कि युद्ध में भारत की सक्रिय भागीदारी से पहले भारत को स्वतंत्र कर देना चाहिए अथवा भारतीय हाथों में सत्ता का प्रभावशाली हस्तांतरण कर देना चाहिए।

कांग्रेस कार्यकारी समिति की बैठक (वर्धा, 10-14 सितंबर 1939)

वर्धा में आयोजित कांग्रेस कार्यकारी समिति की बैठक में इस संबंध में कांग्रेस द्वारा आधिकारिक निर्णय लिया गया। विभिन्न विचारों को समायोजित करने की राष्ट्रवादी परंपरा को ध्यान में रखते हुए सुभाष बोस, आचार्य नरेंद्र देव एवं जयप्रकाश नारायण को भी आमंत्रित किया गया।

वामपंथियों का मत था कि यह युद्ध एक साम्राज्यवादी युद्ध है, क्योंकि दोनों ही पक्ष औपनिवेशिक क्षेत्रों को प्राप्त करने अथवा बचाने में लगे हुए हैं और भारत को युद्ध में ब्रिटिश का समर्थन नहीं करना चाहिए। अतः इसके स्थान पर कांग्रेस को तुरंत एक सविनय अवज्ञा आंदोलन शुरू करके इस अवसर का लाभ उठाना चाहिए।

गांधी मित्र राष्ट्रों के प्रति एक सहानुभूतिपूर्ण दृष्टिकोण अपनाने के पक्ष में थे। ब्रिटिश के प्रति उनका व्यक्तिगत विचार सहयोगात्मक ही था, जैसा कि प्रथम विश्व युद्ध के दौरान था। लेकिन जब उन्होंने देखा कि उनके विचार का समर्थन उनके घनिष्ठ अनुयायियों, जैसे- सरदार पटेल और राजेंद्र प्रसाद भी नहीं कर रहे, तो उन्होंने नेहरू के मत का समर्थन करने का निर्णय लिया।

नेहरू का मत था कि यद्यपि न्याय मित्र राष्ट्रों की पक्ष में है, लेकिन इसके बाद भी ये सभी साम्राज्यवादी देश ही हैं। इस प्रकार उन्होंने अनुभव किया कि हमें ऐसा कुछ भी नहीं करना चाहिए, जिससे यूरोप में हिटलर और नाजीवाद की विजय हो जाए। इसलिए भारत को जब तक आजाद नहीं किया जाता, युद्ध में शामिल नहीं होना चाहिए और न ही ब्रिटेन के कठिन समय का लाभ उठाना चाहिए।

कांग्रेस ने अंततः नेहरू के विचार को स्वीकार किया और भारत ने ब्रिटिश सरकार को सशर्त समर्थन देने का निर्णय लिया। इस हेतु एक संकल्प पारित किया गया-

- पोलैंड पर नाजी के आक्रमण की निंदा की।
- घोषणा की कि भारत उस युद्ध में एक पक्ष नहीं बनेगा, जिसे लोकतांत्रिक जनता के लिए लड़ाई कहा जा रहा है। क्योंकि जिस लोकतांत्रिक स्वतंत्रता की बात की जा रही है वह भारत को क्यों नहीं दी जा रही।
- यदि ब्रिटेन लोकतंत्र व स्वतंत्रता के लिए लड़ रहा है, तो उसे पहले भारत को स्वतंत्र करके इसे साबित करना चाहिए।
- तुरंत केंद्र में एक उत्तरदायी सरकार स्थापित होनी चाहिए और भविष्य में स्वतंत्र भारत के संविधान को बनाने के लिए एक संविधान सभा बनानी चाहिए।
- इसके बाद ही भारत युद्ध प्रयास में अन्य लोकतांत्रिक देशों के साथ खुशी से शामिल होगा।

अब वायसराय एवं ब्रिटिश सरकार की प्रतिक्रिया का इंतजार था।

सरकार की प्रतिक्रिया

वायसराय लिनलिथगो ने एक आधिकारिक कथन/बयान जारी किया, जो इस प्रकार था- (17 अक्टूबर 1939)-

- 'ब्रिटेन आक्रमण का प्रतिरोध कर रहा है' से ज्यादा वायसराय ने ब्रिटिश युद्ध के लक्ष्यों को परिभाषित करने से इनकार कर दिया।

- वायसराय ने कहा कि 'भविष्य के प्रबंधन के भाग के रूप में सरकार भारत के अनेक समुदाय, दल व हितों तथा भारतीय राजकुमारों' से विचार-विमर्श करेगी कि कैसे 1935 के अधिनियम में सुधार किया जा सकता है।
- वायसराय ने आवश्यकता अनुसार विभिन्न वर्गों के विचारों को जानने के लिए तत्काल एक 'सलाहकार समिति' (consultative committee) की स्थापना के बारे में बात की।

इस प्रकार यह स्पष्ट था कि ब्रिटिश सरकार कोई वादा करने की मुद्रा में नहीं थी और न ही युद्ध उपरांत भारत की संवैधानिक स्थिति के बारे में स्वयं को वचनबद्ध करना चाहती थी। वायसराय लिनलिथगो भारतीयों विशेषकर मुस्लिम लीग, राजकुमारों व कांग्रेस के मध्य मतभेद का राग अलाप रहे थे। भारत सचिव जेटलैंड ने हाउस ऑफ लॉर्ड्स में हिंदु व मुसलमानों के मतभेद पर बल दिया और कांग्रेस को एक शुद्ध हिंदू संगठन बताया। साथ ही भारत पर नियंत्रण शिथिल करने के स्थान पर ब्रिटिश सत्ता के किसी भी भाग के विरुद्ध अवज्ञा को नियंत्रित करने के लिए भारत रक्षा नियमों (Defence of India Rules) की घोषणा की गई।

वायसराय के बयान से राष्ट्रीय नेताओं में तीव्र प्रतिक्रिया हुई। सर्वाधिक तीक्ष्ण प्रतिक्रिया गांधी की ओर से आई, जो पहले ब्रिटेन को बिना शर्त समर्थन देने की वकालत कर रहे थे। उन्होंने कहा कि ब्रिटिश अपनी पुरानी 'फूट डालो और शासन करो' की नीति पर अड़े हुए है।

22 अक्टूबर 1939 को कांग्रेस कार्यकारी समिति ने वायसराय के बयान की निंदा की और **कांग्रेस मंत्रिमंडल से त्याग-पत्र देने का आह्वान किया**, जिसे उन्होंने एक आज्ञाकारी सैनिक के समान दे दिया। असम, सिंध, पंजाब और बंगाल; इन चार प्रांतों को छोड़कर इस राजनीतिक विकास का परिणाम यह रहा कि प्रांतीय स्वायत्तता अब एक क्रियाशील संवैधानिक विशेषता नहीं बची थी, अपितु अतीत का एक भाग बन चुकी थी। अगले कुछ वर्षो में जैसे-जैसे कांग्रेस सक्रिय राजनीति से दूर जा रही थी, तो उसके स्थान पर लीग ने इस राजनीतिक निर्वात की ओर बढ़ना शुरू कर दिया था और वायसराय के साथ जिन्ना की चालबाजी के द्वारा उसने अपनी स्थिति को मजबूत किया। 22 दिसंबर 1939 को जनता द्वारा अंततः कांग्रेस शासन से (कांग्रेस मंत्रिमंडल के त्यागपत्र के बाद) स्वतंत्रता प्राप्त करने की राहत के एक प्रतीक के रूप में मुस्लिम लीग ने इस दिन को **धन्यवाद व मुक्ति दिवस** के रूप में मनाया।

पाकिस्तान प्रस्ताव (लाहौर, मार्च 1940)

अपने लाहौर अधिवेशन में मुस्लिम लीग ने भौगोलिक रूप से लगे हुए मुस्लिम बहुल क्षेत्रों, जैसे- उत्तर-पश्चिम व पूर्व, को समूह बनाने का आह्वान करते हुए 'पाकिस्तान प्रस्ताव' पारित किया। इसी अधिवेशन के दौरान जिन्ना ने अपने **दो राष्ट्र के सिद्धांत** को प्रतिपादित किया, जिसके अनुसार भारत दो राष्ट्रों, हिंदू राष्ट्र व मुस्लिम राष्ट्र, से मिलकर बना है; जो आर्थिक, राजनीतिक, सामाजिक, सांस्कृतिक, ऐतिहासिक रूप से भिन्न हैं। मुस्लिम एक अल्पसंख्यक नहीं, बल्कि एक राष्ट्र थे और इसलिए उनके द्वारा पाकिस्तान के रूप में अपना एक राष्ट्र प्राप्त करने का अधिकार न्यायपूर्ण है।

व्यक्तिगत सत्याग्रह (17 अक्टूबर 1940-दिसम्बर 1941)

कांग्रेस अब एक सविनय अवज्ञा आंदोलन शुरू करने के बारे में विचार कर रही थी, लेकिन एक बार पुनः इस मुद्दे पर दल के अंदर स्पष्ट मतभेद उभरे। गांधी सहित प्रभुत्वशाली नेताओं ने अनुभव किया कि निम्नलिखित पक्षों को ध्यान में रखते हुए अभी एक जन सत्याग्रह शुरू करने का वातावरण नहीं बना है-

- मित्र राष्ट्र, ब्रिटेन व फ्रांस, कुछ भी हो एक अच्छे कार्य के लिए लड़ रहे थे और युद्ध के दौरान उन्हें शर्मिंदा नहीं होना चाहिए।
- 1938-39 के दौरान कांग्रेस संगठन में भ्रष्टाचार बढ़ चुका था और कांग्रेस के अंदर मतभेद व अराजकता थी।
- जनता तैयार नहीं थी, हिंदू-मुस्लिम एकता में कमी थी और ऐसी स्थिति में एक सविनय अवज्ञा आंदोलन सरलता से सांप्रदायिक दंगों की ओर बढ़ सकता था।

रामगढ़ कांग्रेस अधिवेशन, मार्च 1940 (मौलाना अबुल कलाम आजाद की अध्यक्षता में)

ऐसे वातावरण में कांग्रेस रामगढ़ में मिली और आजाद ने घोषणा की, ''भारत नाजीवाद और फासीवाद की संभावना को सहन नहीं कर सकता, लेकिन वह ब्रिटिश साम्राज्यवाद से बहुत व्याकुल हो (थक) चुका है।'' हालांकि, अपने प्रस्ताव में रामगढ़ कांग्रेस ने घोषणा की, कि कांग्रेस एक सविनय अवज्ञा आंदोलन शुरू करेगी, जब वह इस उद्देश्य के लिए स्वयं को पर्याप्त परिपक्व अनुभव करेगी।

इस प्रस्ताव का वामपंथी समूहों के एक गठबंधन, जिसमें कांग्रेस समाजवादी, साम्यवादी व किसान सभा और फॉरवर्ड ब्लॉक के सदस्य शामिल थे, ने इसका विरोध किया। वे सभी एक हुए और सुभाष चंद्र बोस की अध्यक्षता में रामगढ़ में **एक समझौता-विरोधी सम्मेलन (anti-compromise conference)** आयोजित किया और साम्राज्यवाद के साथ किसी भी समझौते का प्रतिरोध करने व एक आक्रामक संघर्ष के लिए स्वयं को तैयार करने का संकल्प लिया।

अगले कुछ महीनों तक सरकार ने झुकने से मना कर दिया और अभिव्यक्ति, प्रेस, संगठन इत्यादि की स्वतंत्रताओं को छीनने के लिए अध्यादेश पर अध्यादेश जारी करती रही। जनता का धैर्य अब जवाब देने लगा था और उन्होंने महसूस किया कि अब समय आ गया है कि ब्रिटिश को बताया जाए कि उन्हें भारतीयों के धैर्य को कमजोरी समझने की गलती नहीं करनी चाहिए।

> **कांग्रेस अध्यक्ष-** 1940-1946 के दौरान अबुल कलाम आजाद कांग्रेस अध्यक्ष बने रहे। हालांकि, 1947 में स्वतंत्रता के समय जे. बी. कृपलानी कांग्रेस अध्यक्ष थे।

ब्रिटेन में सत्ता परिवर्तन और अगस्त प्रस्ताव (8 अगस्त 1940)

इसी बीच दो मुख्य कारणों से ब्रिटेन के रुख में नरमी आई- पहला, मई 1940 में ब्रिटेन में एक नई सरकार सत्ता में आई और विंस्टन चर्चिल प्रधानमंत्री (1940-45) बने। दूसरा, युद्ध में मित्र राष्ट्र एक के बाद एक हार का सामना कर रहे थे और हिटलर के नेतृत्व में नाजी ब्रिटेन के दरवाजे पर दस्तक दे रहे थे। युद्ध प्रयास में भारत का सक्रिय सहयोग प्राप्त करने के उद्देश्य से ब्रिटिश सरकार ने भारतीयों को कुछ निश्चित रियायतें देने का निर्णय लिया, जिसे अगस्त प्रस्ताव (August Offer) के नाम से जाना गया।

8 अगस्त 1940 को **वायसराय लिनलिथगो** एक प्रस्ताव लेकर आए। इसमें निम्न प्रावधान थे-

- भारतीय प्रतिनिधित्व को और अधिक बढ़ाकर **गवर्नर जनरल की कार्यकारी परिषद का प्रसार**।
- एक **युद्ध सलाहकार परिषद (War Advisory Council)** का गठन।
- युद्ध के बाद जितने जल्दी संभव हो वेस्टमिंस्टर प्रकार का **डोमिनियन का (Dominion Status)** प्रदान किया जाएगा।
- अपने भविष्य के संविधान के स्वरूप का निर्धारण करने के भारतीय जनता के नैसर्गिक अधिकार की स्वीकृति देने के लिए युद्ध के बाद एक **संविधान निर्माण संस्था** की स्थापना।
- **अल्पसंख्यक मत को पूर्ण महत्व** और उनके समर्थन के बिना किसी भी संविधान को स्वीकार नहीं किया जाएगा। (मुस्लिम लीग 1940 के लाहौर अधिवेशन में पहले ही पाकिस्तान की मांग कर चुकी थी।)
- नए संविधान की स्वीकार्यता ब्रिटिश दायित्वों, जैसे- रक्षा, अल्पसंख्यक अधिकार, देशी रियासतों के साथ संधियों के निर्वाह होने और अखिल भारतीय सेवाओं की स्थिति के अधीन थी।

अगस्त प्रस्ताव का महत्व

पहली बार भारतीयों को अपने संविधान निर्माण करने के अधिकार को मान्यता दी गई और संविधान सभा की मांग को स्वीकार किया गया। इस प्रकार जिसे 1935 के अधिनियम द्वारा इंकार कर दिया गया था, उसे युद्ध के बाद स्वीकार किया गया। जुलाई 1941 में वायसराय की कार्यकारी परिषद का विस्तार किया गया और पहली बार 12 में से 8 स्थान भारतीय प्रतिनिधित्व को दिए गए। रक्षा, वित्त एवं गृह विभाग को अंग्रेजों ने अपने पास रखा। एक **राष्ट्रीय सुरक्षा परिषद (National Defence Council)** की भी स्थापना की, जिसका कार्य पूर्णतः सलाह देना था।

प्रतिक्रियाएं

हालांकि, कांग्रेस द्वारा अगस्त प्रस्ताव को अस्वीकार कर दिया गया। नेहरू ने घोषित किया कि डोमिनियन के दर्जे (Dominion Status) की पूरी अवधारणा पहले ही अप्रासंगिक हो चुकी थी। मुस्लिम लीग ने अल्पसंख्यकों को दिए गए निषेधाधिकार का स्वागत किया, लेकिन उसने दोहराते हुए कहा कि भारत के विभाजन के अलावा यह कुछ स्वीकार नहीं करेगी। सितंबर 1940 में शिमला में वायसराय के साथ गांधी की लंबी, लेकिन निष्फल बैठक हुई। इसी बीच, सरकार पहले ही कांग्रेस कार्यकर्ताओं व स्थानीय नेताओं को नजरबंद करके गिरफ्तार करने की कार्रवाई शुरू कर चुकी थी। इस बात से आश्वस्त होकर कि भारत में ब्रिटिश का अपनी नीति को बदलने का कोई इरादा नहीं है, गांधी ने अब एक **निष्क्रिय सविनय अवज्ञा आंदोलन** शुरू करने का निर्णय लिया। यह सविनय अवज्ञा आंदोलन प्रत्येक स्थान पर कुछ चुने हुए व्यक्तियों द्वारा **व्यक्तिगत आधार पर सीमित सत्याग्रह** के रूप में किया जाना था।

व्यक्तिगत सत्याग्रह क्यों?

सत्याग्रह निम्नलिखित कारणों से व्यक्तिगत सहभागिता तक सीमित रहा–

- सत्याग्रह जहां एक ओर ब्रिटिश के इस दावे कि भारत युद्ध प्रयास में पूरे मन से शामिल है, को गलत साबित करेगा; वहीं दूसरी ओर इसका सीमित स्वरूप इस बात को आश्वस्त करेगा कि नाजीवाद के विरुद्ध युद्ध प्रयासों में भारत कोई बाधा उत्पन्न नहीं करेगा, जैसा कि एक जन-आंदोलन के प्रारंभ होने पर होता।
- यह ब्रिटिश को भारतीय मांगों को शांतिपूर्ण तरीके से स्वीकार करने का एक अन्य मौका प्रदान करेगा।
- यह जनता को अगले जन संघर्ष के लिए तैयार करेगा।

आचार्य विनोबा भावे (प्रथम सत्याग्रही, 17 अक्टूबर 1940)

विनोबा भावे, गांधी के आध्यात्मिक उत्तराधिकारी

प्रत्येक व्यक्तिगत सत्याग्रही को एक युद्ध-विरोधी भाषण देना था। यदि उसे गिरफ्तार नहीं किया जाता, तो वह अगले गांव में इसी कार्य को दोबारा दोहराएगा और ऐसा करता हुआ दिल्ली की दिशा में बढ़ता जाएगा। इस आंदोलन की इस पहल के कारण इसे **'दिल्ली चलो आंदोलन'** के नाम से भी जाना गया।

17 अक्टूबर 1940 को वर्धा के समीप **पौनार गांव** में विनोबा भावे ने एक युद्ध-विरोधी भाषण से व्यक्तिगत सत्याग्रह आरंभ किया। गांधी ने व्यक्तिगत रूप से विनोबा भावे को चुना था। उनके द्वारा विनोबा से पहले चुने हुए अन्य सत्याग्रही वल्लभभाई एवं नेहरू को आंदोलन शुरू होने से पहले ही गिरफ्तार कर लिया गया था। बाद में, **जवाहरलाल नेहरू दूसरे व्यक्तिगत सत्याग्रही** बने। मई 1947 तक 25000 से भी अधिक सत्यग्राहियों ने व्यक्तिगत सत्याग्रह के चलते अपनी गिरफ्तारी दी।

हालांकि, गांधी द्वारा अधिरोपित प्रतिबंधों के कारण व्यक्तिगत सत्याग्रह अधिक उपलब्धि प्राप्त नहीं कर सका। कांग्रेसियों की भी सहभागिता में कमी आई और चुने हुए सत्याग्रहियों ने अपने पदों (जो वे नगरपालिकाओं में लिए हुए थे) को त्यागने में अनिच्छा दिखाई।

बदलती युद्ध परिस्थिति के कारण सत्याग्रह का निलंबित होना

दिसंबर 1941 में कांग्रेस कार्यकारी समिति ने आंदोलन को निलंबित करने का निर्णय लिया। इस समय तक अंतर्राष्ट्रीय स्थिति भी बदल चुकी थी:

- ब्रिटेन को एक के बाद एक युद्ध में पराजय का सामना करना पड़ रहा था। वास्तव में, विश्व शक्ति के रूप में अपने पूरे इतिहास में ब्रिटेन के लिए द्वितीय विश्व युद्ध के वर्ष सबसे अधिक विनाशकारी थे।

- 22 जून 1941 को **जर्मनी ने रूस पर हमला** किया।
- 7 दिसंबर 1941 को **पर्ल हार्बर** के अमेरिकी बेड़े पर अचानक से हमला करके जापान एक नाटकीय ढंग से जर्मनी की ओर से युद्ध में शामिल हुआ।
- जापान ने तेजी से फिलीपींस, इंडोनेशिया, मलाया, बर्मा और हिंद-चीन (Indo-China) सहित दक्षिण-पूर्व एशिया पर अधिकार कर लिया।

गांधी पहले ही जापानी नारे **'एशियाइयों के लिए एशिया'** की निंदा कर चुके थे और उन्होंने जापानी वस्तुओं का त्याग करने के लिए भारतीयों से आह्वान किया। दिसंबर 1941 में कांग्रेस कार्यकारी समिति ने भी एक संकल्प पारित किया, जिसमें मित्र राष्ट्रों को पूर्ण सहायता देने का प्रस्ताव रखा गया, यदि ब्रिटेन युद्ध के बाद पूर्ण स्वतंत्रता व त्वरित रूप से मूलभूत सत्ता देने को सहमत हो जाए। यही समय था जब गांधी ने **जवाहरलाल नेहरू को अपना उत्तराधिकारी** चुनते हुए कहा कि 'राजाजी' (सी. राजगोपालाचारी) नहीं, अपितु जवाहरलाल नेहरू मेरे उत्तराधिकारी होंगे.. मैं जानता हूं कि मेरे जाने के बाद वह मेरी भाषा बोलेगा।'

नोट- इसी बीच 1941 में जब रूस पर जर्मनी के आक्रमण के बाद **कम्युनिस्ट पार्टी ऑफ इंडिया** ने युद्ध प्रयासों में सरकार का समर्थन करने का निर्णय लिया, तो उस पर लगा आठ वर्षीय प्रतिबंध हटा दिया गया।

क्रिप्स मिशन (22 मार्च, 1942)

जैसे ही मित्र राष्ट्रों के विरुद्ध युद्ध की स्थिति तेजी से खराब होने लगी, तो सोवियत संघ, संयुक्त राज्य अमेरिका (राष्ट्रपति रूजवेल्ट), चीन (राष्ट्रपति च्यांग काई शेक) और ब्रिटेन की लेबर पार्टी ने चर्चिल पर दबाव बनाया कि वह भारत में ब्रिटिश नीति पर पुनर्विचार करें और युद्ध में भारतीयों का सक्रिय समर्थन प्राप्त करने का प्रयास करें। फलस्वरुप, सरकार ने अनेक राजनीतिक बंदियों को रिहा किया और जब मार्च 1942 में **जापान ने रंगून पर कब्जा** कर लिया व भारत के दरवाजे पर युद्ध आ खड़ा हुआ, तब ब्रिटिश सरकार ने भारत में क्रिप्स मिशन को भेजने का निर्णय लिया।

युद्ध प्रयास में भारत का सक्रिय समर्थन प्राप्त करने के उद्देश्य से प्रधानमंत्री **विंस्टन चर्चिल** ने हाउस ऑफ कॉमंस के नेता सर स्टैफोर्ड क्रिप्स को भेजा। क्रिप्स एक वामपंथी सदस्य थे और भारतीय राष्ट्रीय आंदोलन के दृढ़ समर्थक रहे थे। वे अपने प्रस्तावों के साथ भारत पहुंचे और भारतीय नेताओं के साथ वार्तालाप शुरू की। उन्होने घोषित किया कि भारत में नई ब्रिटिश नीति का लक्ष्य **'भारत में यथाशीघ्र स्व-शासन का कार्यन्वयन करना है।'**

क्रिप्स प्रस्ताव

घोषणा का प्रारूप, जो क्रिप्स मिशन अपने साथ लाए थे, काफी निराशाजनक था और इसमें निम्नलिखित प्रस्ताव शामिल थे-

- **डोमिनियन का दर्जा (Dominion Status)**- महामहिम की सरकार का उद्देश्य एक ऐसे नए भारतीय संघ का निर्माण करना था, जो ब्रिटिश कॉमनवेल्थ के अंतर्गत एक डोमिनियन (Dominion) की तरह रहेगा, लेकिन घरेलू अथवा बाहरी मुद्दों के पक्षों में ब्रिटेन के अधीनस्थ नहीं रहेगा। (इस प्रकार युद्ध के तुरंत बाद भारत को डोमिनियन का दर्जा प्रदान किया जाना था। साथ ही, भारत को ब्रिटिश कॉमनवेल्थ के साथ अपने अनुसार संबंध स्थापित करने के निर्णय का अधिकार भी दिया जाना था, जिसमें कॉमनवेल्थ से अलग होने का अधिकार भी शामिल था।)
- **संविधान सभा (Constituent Assembly)**- युद्ध के तुरंत बाद भारत के लिए एक नया संविधान निर्माण करने हेतु एक संस्था के निर्वाचन करने की दिशा में कदम उठाए जाएंगे। भारतीय रियासतों को भी संविधान निर्माण की संस्था में प्रतिनिधित्व दिया जाएगा। (इस प्रकार संविधान सभा में ब्रिटिश भारत के साथ-साथ देशी रियासतों के सदस्य भी शामिल होने थे। नए संविधान के निर्माण का कार्य अब पूर्णतया भारतीय हाथों में था। संविधान सभा के सदस्यों को प्रांतीय सभाओं द्वारा निर्वाचित होना था और देशी रियासतों की स्थिति में वहां के शासकों द्वारा नामांकित होना था।)

- **प्रांतों को सम्मिलित न होने का भी अधिकार (प्रांतीय विकल्प अथवा स्थानीय विकल्प का प्रावधान)**- इस प्रकार बनाए गए संविधान को ब्रिटिश सरकार द्वारा इस शर्त पर स्वीकार किया जाएगा कि यदि कोई भारतीय प्रांत/देसी रियासत, यदि चाहे तो, भारतीय संघ से बाहर बना रह सकता है और ब्रिटेन से प्रत्यक्ष रूप से वार्तालाप कर सकता है। (इस प्रकार पाकिस्तान की मांग को समाहित किया गया। प्रांतीय विकल्प में पाकिस्तान के बीज को देखा जा सकता है।)
- **प्रांतों को अलग होने का अधिकार**- देश का विभाजन होने का स्थिति में प्रांतों को अलग होने का अधिकार होगा।
- **नस्लीय एवं भाषायी अल्पसंख्यकों को संरक्षण**- महामहिम की सरकार और संविधान निर्माण की सभा के मध्य एक संधि हस्ताक्षरित होनी थी, जिसमें ब्रिटिश द्वारा भारतीयों को उत्तरदायित्व के पूर्ण हस्तांतरण की स्थिति में उत्पन्न होने वाले सभी मुद्दे शामिल होंगे। इसमें नस्लीय एवं भाषायी अल्पसंख्यकों के संरक्षण के लिए भी प्रावधान बनाए जाएंगे।
- **रक्षा पर ब्रिटिश नियंत्रण**- जब तक नया संविधान नहीं बन जाता ब्रिटेन रक्षा एवं सैन्य कार्रवाइयों पर वास्तविक नियंत्रण बनाए रखेगा और गवर्नर जनरल की शक्तियां पहले के समान ही निरन्तर जारी रहनी थीं।

> - भारत सचिव एमरी ने इस घोषणा का वर्णन 'रूढ़ीवादी, प्रतिक्रियावादी एवं सीमित प्रस्ताव' के रूप में किया।
> - नेहरू (क्रिप्स के एक मित्र) ने बाद में लिखा, 'जब मैंने इन प्रस्तावों को पहली बार पढ़ा, तो मुझे बहुत असंतोष हुआ।'
> - नेहरू एवं मौलाना आजाद कांग्रेस की तरफ से आधिकारिक वार्ताकार थे।

क्रिप्स मिशन अपने पूर्ववर्ती प्रस्तावों से कैसे भिन्न था?

- स्वतंत्र भारत कॉमनवेल्थ से अलग हो सकता था।
- संविधान निर्माण का अधिकार अब **केवल** भारतीय हाथों में था। (न कि प्रमुखतः भारतीय हाथों में, जैसा कि अगस्त प्रस्ताव में इंगित किया गया था।)
- भारतीयों को अंतरिम सरकार के प्रशासन में विशाल साझेदारी की अनुमति दी गई थी।
- पहली बार संविधान सभा के लिए एक ठोस योजना प्रदान की गई थी।
- प्रांतों के सम्मिलित न होने और संघ से अलग होने के अधिकार को प्रदान करके **भारत के विभाजन का ब्लूप्रिंट** तैयार कर दिया था। ऐसे समय में जब भारतीयों द्वारा पाकिस्तान की मांग को शायद ही गंभीरता से लिया गया हो, ब्रिटिश नेताओं द्वारा इसे गंभीरता से लेने के कारण पाकिस्तान की मांग को वैधानिकता मिली।

क्रिप्स मिशन की असफलता के कारण (Reasons for failure of Cripps Mission)

- क्रिप्स प्रस्तावों को लगभग सभी भारतीय दलों द्वारा एकमत होकर अस्वीकार कर दिया गया था।
  - कांग्रेस ने भविष्य के किसी वादे पर निर्भर होने से इंकार कर दिया और ब्रिटेन के भारतीय रक्षा पर नियंत्रण के विचार को भी अस्वीकार कर दिया था। कांग्रेस ने प्रांतों के सम्मिलित न होने के सिद्धांत का विरोध किया, जो एक तरह से भारतीय एकता की जड़ों पर कुल्हाड़ी मारने के समान था। प्रांतो एवं देशी रियासतों को संघ से पृथक होने का अधिकार देकर एक तरह से देश का **बाल्कनीकरण/विखंडीकरण** का प्रस्ताव प्रदान किया गया था, जिसका सभी राष्ट्रवादियों द्वारा विरोध किया गया। कांग्रेस ने उस प्रावधान पर भी आपत्ति जताई, जिसके अनुसार संविधान सभा में देशी रियासतों का प्रतिनिधित्व जनता द्वारा नहीं, बल्कि शासकों के मनोनयन के माध्यम से होना था।
  - क्रिप्स प्रस्ताव में युद्ध उपरांत डोमिनियन का दर्जा दिए जाने का प्रावधान था, जिसे गांधी ने अस्वीकार करते हुए कहा कि यह **आगे की तारीख का ऐसा चेक था जिसका बैंक नष्ट** होने वाला था।
  - मुस्लिम लीग मुसलमानों के लिए एक पृथक राज्य (पाकिस्तान) के समर्थन में स्पष्ट घोषणा और अंतरिम सरकार में कांग्रेस के बराबर सीटें चाहती थी।

- उदारवादियों, हिंदू महासभा के साथ-साथ सिखों ने भारतीय संघ से पृथक होने के प्रावधान पर आपत्ति जताई।
- दलित वर्ग, सिख, भारतीय ईसाई, एवं आंग्ल-भारतीय अपने समुदायों के लिए और अधिक संरक्षण चाहते थे।

- **क्रिप्स का सीमित अधिकृत पत्र-** क्रिप्स अपने अनुसार बातचीत करने में अक्षम थे, क्योंकि उन्हें घोषणा के प्रारूप से अलग कुछ भी बात करने से मना किया गया था। उनका यह रवैया कि **'इसे स्वीकार करो या छोड़ दो'** गतिरोध का प्रमुख कारण बना।
- **क्रिप्स के प्रयत्नों को नाकाम करने का प्रयास-** क्रिप्स प्रस्ताव ब्रिटिश प्रधानमंत्री एवं वायसराय के लिए बहुत अतिवादी और भारतीयों के लिए बहुत रूढ़िवादी साबित हुआ। चर्चिल (प्रधानमंत्री), एमरी (भारत सचिव), लिनलिथगो (वायसराय) एवं वेवेल (मुख्य सेना अध्यक्ष) सहित अनेक ब्रिटिश नेता क्रिप्स मिशन को सफल नहीं होने देना चाहते थे और उन्होंने भारत में इसके प्रयत्नों को नाकाम करने का भरसक प्रयास किया।

क्रिप्स प्रस्तावों का मूल्यांकन

क्रिप्स योजना को कांग्रेस से लेकर मुस्लिम लीग तक, राजकुमारों से लेकर धार्मिक व नस्लीय अल्पसंख्यकों तक, सभी को खुश करने के लिए लाया गया था। हालांकि, यह किसी को प्रसन्न नहीं कर सकी। यह योजना 1940 के अगस्त प्रस्ताव की ही पुनरावृत्ति थी और भारतीय महत्वाकांक्षाओं को संतुष्ट करने में नाकाम रही। इस योजना ने यह संदेह उत्पन्न कर दिया कि क्या वास्तव में ब्रिटिश सरकार सत्ता के हस्तांतरण के लिए गंभीर थी। यह योजना युद्ध प्रयासों में भारतीय नेताओं का सक्रिय सहयोग प्राप्त करने के लिए पेश की गई एक रिश्वत के समान लग रही थी, न कि भारतीय गतिरोध को सुलझाने का एक सार्थक प्रयास। अप्रैल 1942 को भारतीयों को और अधिक निराश व क्रुद्ध छोडकर क्रिप्स मिशन ब्रिटेन वापस लौट गया।

भारत छोड़ो आंदोलन का तत्कालीन संदर्भ (Immediate Context to Quit India Movement)

भारत छोड़ो आंदोलन को तत्कालीन संदर्भ प्रदान करने वाले कारण इस प्रकार हैं-

1. **क्रिप्स मिशन का असफल होना-** अब यह स्पष्ट हो गया था कि ब्रिटिश सरकार भारतीय मांगों का कोई सम्मानजनक समाधान करने की दिशा में इच्छुक नहीं थी और युद्ध में भारत की इच्छा के विरुद्ध सहभागिता को जारी रखने के लिए प्रतिबद्ध थी। क्रिप्स मिशन की असफलता ने भारतीयों को निराश कर दिया था।
2. **युद्ध के कारण वस्तुओं का अभाव और बढ़ती कीमतें-** युद्ध के कारण उत्पन्न हुई वस्तुओं कि कमी और बढ़ती कीमतों ने भारतीयों को और असंतुष्ट कर दिया।
3. **ब्रिटिश अधिकारियों का मनमाना रवैया-** ब्रिटिश अधिकारियों के मनमाने रवैए से भी भारतीय जनता में काफी क्रोध उत्पन्न हुआ। जैसे- जापानियों द्वारा नावों के दुरुपयोग को रोकने के लिए बंगाल और उड़ीसा में नावों को जब्त कर लिया गया था, जिससे वहां के स्थानीय लोगों को परेशानी का सामना करना पड़ रहा था।
4. **मित्र राष्ट्रों की पराजय और ब्रिटेन के पतन का निकटस्थ होना-** मित्र राष्ट्रों की पराजय और ब्रिटेन के पतन के समाचार ने लोगों में उत्साह भर दिया।
5. **मलाया और बर्मा को ब्रिटिश द्वारा खाली कराने का तरीका-** मलाया एवं बर्मा को खाली कराने के ब्रिटिश तरीके ने भी आग में ईंधन का काम किया। ब्रिटिश रहवासियों को पहले निकाला गया, जबकि वहां की जनता को उनके हाल पर छोड़ दिया गया। दक्षिण-पूर्व एशिया से भारतीयों ने अपने पत्रों में ब्रिटिश उदासीनता की विस्तृत बातें लिखकर भारत में अपने रिश्तेदारों को भेजीं और यह भी बताया कि कैसे उन्हें जापानियों के लिए छोड़ दिया गया था। अत: यह भय था कि भारत में जापानियों के आक्रमण की स्थिति में ब्रिटिश इसी विश्वासघात को दोहरा सकते हैं।
6. **भारतीयों के बीच उत्साह भंग होना-** इन सभी कारणों से राष्ट्रवादी नेतृत्व ने अनुभव किया कि लोग निरुत्साही हो रहे थे और जापानी आक्रमण के दौरान किसी भी तरह से प्रतिरोध नहीं कर सकेंगे। अत: यह आवश्यक हो गया था कि लोगों को अवसाद से बाहर निकाला जाए और उन्हें उनकी शक्ति व मूल्य का स्मरण कराया जाए।

7. **ब्रिटिश शासन की स्थिरता में विश्वास का अब तक के सबसे निचले स्तर पर पहुंचना**- लोगों ने बैंकों से जमा पूंजी निकालना और सोने का संजय करना शुरू कर दिया था।

वास्तव में, अप्रैल से अगस्त 1942 का समय अत्यधिक तनाव का समय था। जापान लगभग देश के दरवाजे पर दस्तक दे चुका था और क्रिप्स मिशन के रूप में किए गए निरर्थक प्रयास ने अब नेताओं, जैसे- नेहरू और गांधी को भी युद्ध विरोधी बना दिया था, जो प्रारंभ में युद्ध प्रयासों में बाधा न पहुंचाने के लिए प्रतिबद्ध थे। वास्तव में, प्रतिदिन गांधी अब अधिकाधिक उग्र होते जा रहे थे। गांधी अब आश्वस्त हो चुके थे कि एक जन-संघर्ष के लिए सही समय आ चुका है और उन्होंने विभिन्न मंचों पर इसके बारे में बात करना शुरू कर दिया-

- **लुईस फिशर** को दिए गए अपने एक साक्षात्कार में उन्होंने कहा, 'मैं अब अधीर हो चुका हूं... मैं कांग्रेस को मनाने में सक्षम नहीं हो सकता.. मैं आगे बढ़ूंगा और जनता को स्वयं प्रत्यक्ष रूप से संबोधित करूंगा।'
- मई 1942 में गांधी ने **हरिजन** में लिखा, 'भारत में ब्रिटिश की उपस्थिति जापानियों को भारत पर आक्रमण करने का एक आमंत्रण है। इनके वापस जाने से उनका प्रलोभन समाप्त हो जाएगा।'

इस प्रकार गांधी व्यवस्थित तरीके से भारत को छोड़ने के लिए ब्रिटेन से बलपूर्वक आग्रह करने का मन बना चुके थे और उनके न मानने की स्थिति में एक जनवादी सविनय अवज्ञा आंदोलन शुरू करना चाहते थे। यद्यपि गांधी संघर्ष के मुहाने पर खड़े हुए थे, नेहरू इसके विरोध में बने रहे और अंत में ही माने।

अंततः विरोधी स्वरों (अनेक कांग्रेसियों के अपने स्वतंत्र विचार थे, जैसे- **सी. राजगोपालाचारी**। वे पाकिस्तान की मांग को मानने और युद्ध प्रयासों में ब्रिटेन का समर्थन करने के लिए कांग्रेस से अनुरोध कर रहे थे और इसी मतभेद के कारण उन्होंने 1942 में कांग्रेस से त्यागपत्र दे दिया था।) के बीच कांग्रेस ने आंदोलन प्रारंभ करने का निर्णय लिया। कांग्रेस ने आगे स्पष्ट किया कि इसका यह मतलब नहीं है कि ब्रिटेन को त्वरित रूप से भारत छोड़ना है, अपितु इसका मतलब है भारत की स्वतंत्रता की त्वरित स्वीकारोक्ति।

वर्धा में कांग्रेस कार्यकारी समिति की बैठक (14 जुलाई 1942)

जुलाई 1942 को वर्धा में कांग्रेस कार्यकारी समिति मिली और भारत छोड़ो प्रस्ताव को अपनाया गया, जिसे बाद में अखिल भारतीय कांग्रेस समिति के द्वारा अपनी बॉम्बे बैठक में अनुमोदित किया जाना था।

अखिल भारतीय कांग्रेस समिति द्वारा भारत छोड़ो प्रस्ताव का अनुमोदन/स्वीकार किया जाना (बॉम्बे, गवालिया टैंक मैदान, 8 अगस्त 1942)

बॉम्बे के गवालिया टैंक मैदान में एक ऐतिहासिक बैठक हुई, जहां अपने नेताओं को सुनने के लिए अभूतपूर्व संख्या में जनता एकत्रित हुई। गांधी के वक्तव्य का सर्वाधिक प्रभाव पड़ा- गांधी ने ब्रिटिश को भारत छोड़ने और भारत को ईश्वर के हाथों में छोड़ने लिए कहा। उन्होंने भारतीय जनता के सभी वर्गों से इस आंदोलन में सहभागिता करने के लिए अपील की और उन्हें **'करो या मरो'** का मंत्र दिया। या तो हम देश को आजाद कराएंगे या इस प्रयास में मर जाएंगे। हम अपनी दासता की नित्यता को देखने के लिए जीवित नहीं रहेंगे।' यहां तक कि उन्होंने बल देकर कहा कि प्रत्येक भारतीय, जो स्वाधीनता चाहता है और इसके लिए प्रयास कर रहा है, को उसे स्वयं का मार्गदर्शक बनना चाहिए। गांधी के वक्तव्य में देश के प्रत्येक वर्ग को विशिष्ट निर्देश दिए गए थे, जो इस प्रकार हैं-

- सरकारी लोक सेवकों से त्यागपत्र देने के स्थान पर उन्हें कांग्रेस के प्रति प्रत्यक्ष रूप से निष्ठा घोषित करने के लिए कहा गया।
- सैनिकों से उनके पद छोड़ने के लिए नहीं कहा, अपितु अपनी जनता के ऊपर फायर न करने के लिए कहा।
- राजकुमारों से विदेशियों के स्थान पर अपने देश की जनता की संप्रभुता को स्वीकार करने के लिए कहा गया।

1942 को अखिल भारतीय कांग्रेस समिति के द्वारा भारत छोड़ो प्रस्ताव को अंगीकार/स्वीकार किया गया। हालांकि, कांग्रेस ने जनता द्वारा पालन हेतु कोई विशेष ठोस निर्देश नहीं दिए और केवल प्रत्येक समय पूर्णतया हिंसक बने रहने के लिए उनसे अपील की।

भारत छोड़ो आंदोलन (The Quit India Movement) (8 अगस्त 1942-जून 1945)

कांग्रेस के आंदोलन शुरू करने से पहले ही सरकार ने कठोरतम रुख अपनाया। 9 अगस्त की सुबह गांधी सहित कांग्रेस के सभी प्रमुख नेताओं को गिरफ्तार कर लिया गया और उन्हें एक अज्ञात स्थान पर ले जाया गया। अखिल भारतीय कांग्रेस समिति एवं प्रांतीय कांग्रेस समितियों को प्रतिबंधित कर दिया गया। कांग्रेस को कार्रवाई हेतु योजना बनाने का समय नहीं मिला। अत: एक **त्वरित आंदोलन** उत्पन्न हुआ, जो स्वयं ही अपना स्वरूप लेता जा रहा था और जिसमें जनता स्वयं अपनी कार्रवाइयों को निर्देशित कर रही थी।

भारत छोड़ो आंदोलन के दौरान एक जुलूस

गिरफ्तारी की खबर के बाद देश भर में अभूतपूर्व जनवादी गुस्सा फूट पड़ा। चूंकि केंद्रीय एवं प्रांतीय स्तर के सभी मान्यता प्राप्त नेताओं को गिरफ्तार कर लिया गया था। अतएव स्थानीय क्षेत्रों से **नए नेता उभरे**, जिनमें विशेषकर विद्यार्थी शामिल थे।

शुरुआत में आंदोलन अधिकांशत: अहिंसक था। लोगों ने जुलूस निकाले और काम रोका। लेकिन शीघ्र ही सरकार के दमन ने जनता को हिंसा के लिए भड़का दिया। गांधीवादी सिद्धांतों को पीछे छोड़कर अनेक स्थानों पर जनता ने विरोध के अपने तरीके इजाद किए, जिनमें शामिल थे-

- ब्रिटिश सत्ता के प्रतीकों, जैसे- पुलिस स्टेशन, रेलवे स्टेशन और पोस्ट ऑफिस पर हमला करना।
- तार, टेलीफोन व विद्युत की लाइनें काटना और रेलों की पटरियां उखाड़ना।
- यातायात को अवरुद्ध करना और हड़ताल करना इत्यादि।

इन हमलों का उद्देश्य पुलिस और सैन्य बलों के संचलन को अवरुद्ध करना था, जिन्हें आंदोलन को दबाने के लिए तैनात किया गया था। मद्रास और बंगाल पर इसका अत्यधिक प्रभाव पड़ा था।

प्रवृत्तियां और प्रतिक्रियाएं (Trends and Responses)

भारत छोड़ो आंदोलन, जिसे **अगस्त क्रांति** अथवा **1942 की क्रांति** भी कहा जाता है, ने अनेक प्रवृत्तियों और प्रतिक्रियाओं को जन्म दिया:

समानांतर सरकारें (Parallel Governments)

अनेक स्थानों पर राज्य के नियंत्रण को तात्कालिक रूप से छीन लिया गया और जनता ने समानांतर सरकार अथवा स्वराज्य की स्थापना की:

- बलिया, यूपी (अगस्त, 1942)- यह पहली समानांतर सरकार थी, जिसे **चित्तूपांडे** के नेतृत्व में घोषित किया गया था। पांडे ने अनेक कांग्रेसी नेताओं को रिहा करने में भी सफलता प्राप्त की।
- **तामलुक, मिदनापुर जिला, बंगाल (दिसम्बर 1942)**- यहां **जातीय सरकार** की स्थापना की गई। इस समानांतर सरकार ने स्वयं के विभाग, जैसे- कानून व व्यवस्था, स्वास्थ्य, शिक्षा, कृषि इत्यादि स्थापित किए। इसने चक्रवात या तूफान पीड़ितों के लिए राहत कार्य किए, विद्यालयों के लिए अनुदान दिए, मध्यस्थता न्यायालय स्थापित किए और यहां तक की सशस्त्र विद्युत वाहिनी का गठन किया।

- **सतारा, महाराष्ट्र**- यहां नाना पाटिल के नेतृत्व में सबसे लंबे समय तक चलने वाली समानांतर सरकार, जिसे **प्रति सरकार** कहा जाता था, स्थापित हुई। इस सरकार ने न्यायदान मंडलों अथवा जन अदालतों की स्थापना की, शराब निषेध को लागू किया, ग्रामीण पुस्तकालय खोले और गांधी-विवाह (जिसमें किसी प्रकार के आडंबर की अनुमति नहीं थी, अछूतों को भी आमंत्रित किया जाता था इत्यादि) आयोजित किए। यह सरकार 1945 तक जारी रही।
- तालचर, उड़ीसा।
- उत्तर प्रदेश एवं बिहार में **आजमगढ़, गाजीपुर, मुंगेर, मुजफ्फरपुर** इत्यादि।

क्षेत्रीय प्रवृतियां (Regional Trends)

- शुरुआत में यह आंदोलन शहरी क्षेत्रों में अधिक मजबूत था, लेकिन बाद में ग्रामीण क्षेत्रों में इसने तीव्रता प्राप्त की; जहां एक लंबे समय तक यह जारी रहा।
- बॉम्बे, गुजरात, उत्तर प्रदेश, बिहार, बंगाल, उड़ीसा, असम, आंध्रा एवं कर्नाटक में आंदोलन के प्रति प्रतिक्रिया मजबूत थी।
- पंजाब, सिंध एवं उत्तर-पश्चिम सीमांत प्रांत में प्रतिक्रिया कमजोर थी।
- बिहार में जनवादी आंदोलन के परिणामस्वरूप पटना अन्य क्षेत्रों से कट गया था। स्कूली छात्र-छात्राएं, ग्रामीण जनता और गरीब मजदूर आंदोलन में शामिल हुए और सरकारी संपत्ति, विशेषकर रेलवे स्टेशनों पर रखे खाद्यान्नों को लूटा।
- उत्तर प्रदेश में आजमगढ़ जिले के मधुबन पुलिस स्टेशन पर जनता ने उग्र हमला किया।
- उड़ीसा में सरकारी बलों ने तालचर में प्रवेश करने के लिए आगे बढ़ रहे गोरिल्ला किसानों को नियंत्रित करने के लिए हवाई जहाजों का उपयोग किया।

किस ने सहभागिता की?

- **युवाओं** विशेषकर छात्र-छात्राओं, मजदूरों एवं किसानों ने विद्रोह को आधार प्रदान किया।
- **छात्र-छात्राओं** ने देश भर में विद्यालयों एवं महाविद्यालयों का बहिष्कार किया। उन्होंने जुलूस निकाले, गैर-कानूनी पत्रिकाओं को लिखा और वितरित किया तथा भूमिगत गतिविधियों के वाहक बने। बनारस हिंदू विश्वविद्यालय के छात्र-छात्राओं ने ग्रामीण क्षेत्रों में भारत छोड़ो के संदेश को प्रसारित करने का निर्णय लिया। उन्होंने 'स्टेशन फूंक दो', 'थाना जलाओ' और 'अंग्रेज भाग गया' जैसे नारों को लोकप्रिय बनाया।
- **मजदूरों** ने बॉम्बे, कानपुर, अहमदाबाद, जमशेदपुर और पुणे जैसे अनेक औद्योगिक क्षेत्रों में काम रोक दिया। अहमदाबाद में हड़ताल सबसे अधिक लगभग 3 महीने तक जारी रही।
- गांवों में **किसानों** ने विशाल भीड़ बनाई और निकटतम जिला, शहरों पर धावा बोलकर ब्रिटिश सत्ता के प्रतीकों पर हमला किया।
- **महिलाओं ने भी महत्वपूर्ण भूमिका निभाई**- अरुणा आसफ अली, सुचेता कृपलानी एवं उषा मेहता कुछ उदाहरण हैं।
- **निचले तबके के सरकारी अधिकारियों** ने भी इस आंदोलन को अपना मुक्तहस्त समर्थन दिया। वास्तव में, ब्रिटिश के प्रति निष्ठा में कमी आना, इस आंदोलन की एक उल्लेखनीय विशेषता थी।
- **व्यापारियों** ने दान एवं राजनीतिक कार्यकर्ताओं को आश्रय देकर इस आंदोलन को समर्थन दिया। हालांकि, व्यापारिक समुदाय से इस आंदोलन को बहुत कम प्रतिक्रिया मिली, क्योंकि युद्ध के दौरान उन्हें भारी लाभ हो रहा था।

किसने सहभागिता नहीं की?

भारत छोड़ो आंदोलन में सहभागिता न करने वाले वर्गों में मुस्लिम लीग, हिंदू महासभा और कम्युनिस्ट पार्टी ऑफ इंडिया शामिल थे। राजकुमार, भूस्वामियों (आम तौर पर) के साथ-साथ कुछ कांग्रेसी नेताओं जैसे राजगोपालाचारी ने आंदोलन में सहभागिता नहीं की और उसके स्थान पर युद्ध प्रयासों का समर्थन किया।

- **मुस्लिम लीग** ने भारत छोड़ो आंदोलन की निंदा की और उसके स्थान पर युद्ध प्रयासों में ब्रिटिश का समर्थन किया।
- **हिंदू महासभा** ने भी भारत छोड़ो आंदोलन की निंदा की और इसे 'नीरस, कायरता दिखाने वाला व हिंदू हितों के लिए हानिकारक बताया' और निष्ठावान हिंदू नेताओं जैसे वीर सावरकर, बी. एस. मुंजे एवं श्यामा प्रसाद मुखर्जी ने ब्रिटिश युद्ध प्रयासों का पूर्णतया समर्थन किया। राष्ट्रीय स्वयंसेवक संघ भी इससे दूर रही।
- **कम्युनिस्ट पार्टी ऑफ इंडिया** ने भी 1941 में रूस के युद्ध में शामिल होने और उसकी जनवादी युद्ध की रणनीति के कारण इस आंदोलन को अपना समर्थन नहीं दिया।

अपवाद (Exceptions)

हालांकि, भारत छोड़ो आंदोलन का आकर्षण कुछ ऐसा था कि उपर्युक्त वर्ग स्वयं को पीछे नहीं रख सके। यह सच है कि आंदोलन में कोई जनवादी मुस्लिम सहभागिता नहीं थी, लेकिन साथ ही आंदोलन के प्रति उनमें शत्रुता भी नहीं थी और किसी भी प्रकार के सांप्रदायिक टकराव का अभाव था। इसी प्रकार कम्युनिस्ट पार्टी के आधिकारिक निर्णय के विपरीत स्थानीय स्तर पर अनेक साम्यवादियो ने आंदोलन में सहभागिता की थी। छोटे जमींदारों ने भी अच्छी संख्या में सहभागिता की थी, जिसमें बड़े जमींदारों में से **एक दरभंगा के राजा** ने भी आंदोलन का समर्थन किया था। किसानों द्वारा जमींदार-विरोधी हिंसा का पूर्ण रूप से अभाव होना भी इस आंदोलन की एक रोचक विशेषता थी।

सरकार की प्रतिक्रिया (Government Response)

सरकार राष्ट्रवादियों पर टूट पड़ी और अगस्त क्रांति को निर्दयता से दबा दिया गया। वास्तव में, दमन की कोई सीमा नहीं थी और राष्ट्रवादी आंदोलन के विरुद्ध यह अब तक का सबसे कठोर दमन था। सरकार ने स्वयं को कठोरतम तरीकों से सुसज्जित किया और यहां तक कि आधारभूत नागरिक स्वतंत्रताओं को छीन लिया।

- प्रेस का पूर्णतया मुंह बंद कर दिया गया। (नेशनल हेराल्ड एवं हरिजन के प्रकाशन को संघर्ष के पूरे काल के दौरान पूर्णतया रोक दिया गया था।)
- सरकार ने बड़े स्तर पर गिरफ्तारियां की, लाठी चार्ज किया, कोड़े बरसाए, गोलीबारी की और यहां तक की गांवों और कांग्रेसी दफ्तरों को जला दिया।
- प्रदर्शनकारी भीड़ पर मशीन-गन का उपयोग किया गया और यहां तक कि ऊपर से बमबारी भी की गई।
- बंदियों को प्रताड़ित किया गया।
- सेना ने अनेक शहरों को कब्जे में लिया।
- उपद्रव द्वारा प्रभावित क्षेत्रों के रहवासियों से दंडात्मक जुर्माना वसूला गया।

आधिकारिक आंकड़ों के अनुसार 1943 के अंत तक 90000 से भी अधिक व्यक्तियों को गिरफ्तार किया गया था और 1000 से भी अधिक लोग पुलिस फायरिंग में मारे गए थे। 1857 के बाद भारत ने ऐसा निर्दयी दमन नहीं देखा था।

उपर्युक्त तरीकों के द्वारा 6 से 7 सप्ताह के अंदर संघर्ष के जनवादी चरण को दबाने में ब्रिटिश सक्षम हो सके। ऐसा करने में युद्ध के माहौल ने दो तरह से उनकी सहायता की-

- पहला, जापानियों से लड़ने के लिए ब्रिटिश ने भारत में एक व्यापक सैन्य बल तैनात किया था, जिसका उपयोग तुरंत भारत छोड़ो आंदोलन को दबाने में किया जा सका।
- दूसरा, अंतर्राष्ट्रीय आलोचना की परवाह किए बिना क्रूर तरीके से आंदोलन को दबाने में ब्रिटिश स्वयं को स्वतंत्र अनुभव कर रहे थे, क्योंकि विश्व की प्रमुख शक्तियां एक-दूसरे से लड़ने में बहुत व्यस्त थीं और उनके पास इतना समय नहीं था कि वे चिंता कर सकें कि ब्रिटिश सरकार भारत में क्या कर रही थी।

भूमिगत गतिविधियां (Underground Movement)

इस आंदोलन की एक उल्लेखनीय प्रवृत्ति भूमिगत नेटवर्क का उद्‌भव होना था। क्रूर शासकीय दमन के कारण प्रत्यक्ष रूप से कार्य करना संभव नहीं था, ऐसे में देश के विभिन्न भागों में भूमिगत गतिविधियां शुरू हुईं। 9 नवंबर 1942 को **जयप्रकाश नारायण** एवं **राम नंदन मिश्रा** हजारीबाग जेल से पलायन करके नेपाल सीमा की ओर पहुंचे और वहां से भूमिगत आंदोलन संचालित किया।

इसी प्रकार अरुणा आसफ अली, राम मनोहर लोहिया, अच्युत पटवर्धन, सुचेता कृपलानी एवं बीजू पटनायक जैसे नेताओं द्वारा भूमिगत सामाजिक गतिविधियां की गई। सबसे अधिक साहसी गतिविधि **कांग्रेस रेडियो** का शुरू होना था, जिसे बॉम्बे से संचालित किया गया था और उषा मेहता उसकी उद्‌घोषक या वाचक थीं।

यद्यपि भूमिगत गतिविधि में प्रत्यक्ष रूप से शामिल लोगों की संख्या सीमित थी, लेकिन देश भर से जनता के एक विशाल वर्ग से इन्हें बड़े स्तर पर समर्थन प्राप्त हुआ। अमीरों ने मुक्तहस्त दान देकर सहायता की, अन्य ने भूमिगत गतिविधियों हेतु छिपने के लिए आश्रय प्रदान किया, छात्रों ने कूरियर (संदेश वाहक) की तरह कार्य किया, ग्रामीणों ने पुलिस को सूचना देने से मना कर दिया, पायलट व ट्रेन चालकों ने उपयोगी सामान व विस्फोटकों की आपूर्ति की तथा शासकीय अधिकारी काम की सूचनाएं प्रदान करते रहे। भूमिगत गतिविधियों में, सामान्यतया, संचार व्यवस्था को अवरुद्ध करने के साथ-साथ सरकारी अधिकारियों पर कुछ हमलों की भी योजना बनाई गई थी। हालांकि, भूमिगत गतिविधियों का सबसे महत्वपूर्ण योगदान जनवादी चरण के क्रूर दमन के बाद भी भारत छोड़ो आंदोलन के उत्साह को बनाए रखना था।

हिंसा के प्रति कांग्रेस का रुख

कांग्रेस नेतृत्व ने हिंसा की निंदा नहीं की, लेकिन साथ ही उन्होंने जनता द्वारा की जा रही हिंसा का उत्तरदायित्व लेने से मना कर दिया था। कुछ कांग्रेसियों ने अनुभव किया कि विशेष परिस्थितियों के कारण ऐसी हिंसा ने दस्तक दी है।

हिंसा पर गांधी की प्रतिक्रिया और उनका उपवास

सरकार द्वारा निरंतर आग्रह किए जाने के बावजूद गांधी ने जनता द्वारा हिंसा का सहारा लिए जाने की निंदा करने से मना कर दिया। इसके स्थान पर उन्होंने इसके लिए **सरकार को जिम्मेदार ठहराया** और कहा कि यह राज्य की ही बृहत्काय हिंसा थी, जिसने जनता को हिंसा के लिए उत्तेजित किया।

साथ ही, सरकार द्वारा हिंसा का उपयोग किए जाने के विरुद्ध अपना विरोध दर्ज करने के लिए 10 फरवरी 1943 को गांधी ने जेल (**आगा खान पैलेस**) में उपवास शुरू किया। उपवास के समाचार से जनता में बड़ी भारी प्रतिक्रिया हुई। भारत और विश्व भर में उनकी रिहाई की मांग उठने लगी। वायसराय की कार्यकारी परिषद के तीन भारतीय सदस्यों (**एम. एस. अनेय, एन. आर. सरकार व एच. पी. मोदी**), जिन्होंने पहले 1942 के विद्रोह के दमन में सरकार का समर्थन किया था, ने त्यागपत्र दे दिया। जहां एक ओर चिंतित राष्ट्र गांधी के जीवन के लिए प्रार्थना कर रहा था, वहीं दूसरी ओर ब्रिटिश सरकार एक कदम आगे बढ़कर उनके अंतिम संस्कार का ही प्रबंध करने लगी थी। इस प्रकार गांधी के उपवास ने जनता के मनोबल को बढ़ाने और पूरे विश्व के सामने ब्रिटिश के दंभी रवैये को उजागर करने में उल्लेखनीय सफलता प्राप्त की।

मुस्लिम लीग द्वारा 23 मार्च 1943 को पाकिस्तान दिवस मनाना

जहां एक ओर भारत छोड़ो आंदोलन चल रहा था, वहीं दूसरी ओर मुस्लिम लीग ने पाकिस्तान दिवस मनाया और जिन्ना ने घोषित किया कि भारत में सभी मुसलमानों का अंतिम राष्ट्रीय लक्ष्य पाकिस्तान की मांग है। 1943 में लीग ने अपने लिए एक नया नारा **'विभाजन करो और छोड़ो' (Divide and Quit)** अपनाया।

20 अक्टूबर 1943- लार्ड लिनलिथगो के स्थान पर लॉर्ड वेवेल (तब तक प्रमुख सेनाध्यक्ष) गवर्नर जनरल बने। लिनलिथगो का वायसराय के रूप में कार्यकाल अब तक के सभी गवर्नर जनरलों के कार्यकालों में सबसे लंबा 7.5 वर्ष था। साथ ही, संवैधानिक उन्नति के दृष्टिकोण से यह सबसे निरर्थक समय साबित हुआ था। लिनलिथगो 1935 के अधिनियम के अंतर्गत एक अखिल भारतीय संघ की स्थापना करने हेतु बड़े उत्साह से भारत आए थे। यह तो प्राप्त हुआ ही नहीं और साथ में हमेशा के लिए बड़ी क्षति उठानी पड़ी।

राजगोपालाचारी फार्मूला (सी. आर. फार्मूला अथवा राजाजी फार्मूला, मार्च 1944)

मार्च 1944 में सी. राजगोपालाचारी ने **पाकिस्तान के आधार** को स्वीकार करते हुए कांग्रेस-लीग सहयोग के लिए एक फार्मूला विकसित किया। गांधी के पूर्ण अनुसमर्थन के साथ इसे विकसित किया गया था। इसमें निम्नलिखित बातों को शामिल किया गया था-

1. मुस्लिम लीग स्वतंत्रता की मांग का समर्थन करेगी और इस संक्रमणकालीन दौर के लिए अंतरिम सरकार के निर्माण में कांग्रेस का सहयोग करेगी।
2. युद्ध के उपरांत उत्तर-पश्चिम व उत्तर-पूर्व के मुस्लिम बहुल क्षेत्रों में एक **जनमत संग्रह** द्वारा यह निर्णय लिया जाएगा कि इन क्षेत्रों से मिलाकर पृथक राज्य बनाया जाए अथवा नहीं।
3. विभाजन के समय प्रमुख मुद्दों पर समझौते किए जाएंगे।
4. उपर्युक्त शर्तें तभी बाध्यकारी होंगी, जब ब्रिटेन द्वारा भारत सरकार को पूर्ण रूप से सत्ता का हस्तांतरण किया जाएगा।

अपने प्रत्युत्तर में जिन्ना ने गांधी को लिखकर इन शर्तों का स्पष्टीकरण करने को कहा। जिन्ना का विचार था कि चूंकि मुस्लिम एक पृथक राष्ट्र है; इसलिए विवादित क्षेत्रों में विभाजन के लिए मत देने का अधिकार सम्पूर्ण जनता को नहीं, बल्कि केवल मुसलमानों को ही होना चाहिए। अन्य शब्दों में, उन्होंने केवल मुसलमानों के लिए आत्म-निर्णय के अधिकार का दावा किया। गांधी ने इस विचार एवं दो राष्ट्र के सिद्धांत को स्वीकार करने से मना कर दिया।

जवाहरलाल नेहरु, भूलाभाई देसाई एवं राजेंद्र प्रसाद (मध्य में)

यह स्पष्ट है कि जहां एक ओर कांग्रेस पूरे देश के लिए स्वतंत्रता प्राप्ति हेतु चिंतित थी और इस दिशा में मुस्लिम लीग के सहयोग को प्राप्त करने को उत्सुक थी, वही मुस्लिम लीग विभाजन के विचार और कांग्रेस को दो राष्ट्र के सिद्धांत के लिए सहमत करने की धुन में लगी हुई थी। जिन्ना रक्षा, वाणिज्य और संचार जैसे विषयों को लेकर बनने वाले एक केंद्र के विरोध में थे। कांग्रेस व मुस्लिम लीग के उद्देश्य और व्यवहार में उग्र मतभेद होने के कारण राजगोपालाचारी फार्मूला धुएं में उड़ गया। जी. डी. सावरकर के नेतृत्व में हिंदू नेताओं ने भी इस फार्मूले की निंदा की।

नोट- 6 मई 1944 को चिकित्सीय आधार पर गांधी को रिहा कर दिया गया और कांग्रेस ने दलीय पुनर्संगठन पर विशेष ध्यान केंद्रित करते हुए संरचनात्मक कार्यों को पुन: प्रारंभ किया।

देसाई-लियाकत समझौता (जनवरी 1945)

कांग्रेस एवं लीग के मध्य चल रहे गतिरोध को समाप्त करने का यह एक अन्य प्रयत्न था। जहां गांधी एवं संपूर्ण कांग्रेस कार्यकारी समिति को भारत छोड़ो आंदोलन के दौरान सलाखों के पीछे डाल दिया गया था; वहीं भूलाभाई देसाई उन कांग्रेसी

नेताओं में से एक थे, जो स्वतंत्र थे। देसाई (केंद्रीय विधानसभा में कांग्रेस पार्टी के नेता) लियाकत अली खान (मुस्लिम लीग के उपनेता) से सदन में मिले और केंद्र में एक अंतरिम सरकार बनाने हेतु प्रारूप का प्रस्ताव उन्हें सौंपा, जिसमें निम्नलिखित बातें शामिल थीं-

1. केंद्रीय विधानसभा में कांग्रेस एवं लीग द्वारा समान संख्या में सदस्यों को मनोनीत किया जाएगा। (कांग्रेस एवं मुस्लिम लीग के बीच इस समता को स्वीकार करने के दूरगामी परिणाम होते।)
2. अल्पसंख्यकों का प्रतिनिधित्व (20%)
3. मुख्य सेनाध्यक्ष (कमांडर-इन-चीफ)

इन आधारों पर भी समझौता नहीं हो सका।

शिमला सम्मेलन की प्रत्याशा में कांग्रेस नेताओं का जेल से रिहा होना (14 जून 1945)

हिटलर द्वारा आत्महत्या करने और इसके बाद जर्मनी के आत्मसमर्पण के साथ 18 मई 1945 को यूरोप में युद्ध समाप्त हुआ। (इन 3 वर्षों के दौरान कांग्रेसी नेता जेल में थे।) इंग्लैंड में निकट भविष्य में आम चुनाव होने थे और भारत में वायसराय ने कांग्रेस के साथ समझौता करने के लिए एक प्रस्ताव तैयार करना शुरू किया, जिसे **वेवेल प्रस्ताव** अथवा **वेवेल योजना** कहा गया। भारतीय नेताओं से बातचीत के रास्ते खोलने के लिए एक सम्मेलन आयोजित करने का प्रस्ताव रखा गया। परिण ाामस्वरूप, 14 जून 1945 को सरकार ने राष्ट्रवादियों को रिहा किया, ताकि वे शिमला सम्मेलन में सहभागिता कर सकें। इसी के साथ **भारत छोड़ो आंदोलन की आधिकारिक समाप्ति** हुई।

भारत छोड़ो आंदोलन का मूल्यांकन (Evaluation of Quit Indian Movement)

सकारात्मक परिणाम (Positive Outcomes)

यह सच है कि भारत छोड़ो आंदोलन अथवा 1942 के विद्रोह को अल्पकाल में ही दबा दिया गया था, लेकिन इसने, भारत में राष्ट्रवादी भावनाओं की गहराई एवं जनता ने संघर्ष के लिए जिस क्षमता व समर्पण को विकसित किया था, को अच्छी तरह से प्रदर्शित किया। इसने भारत में ब्रिटिश शासन के नैतिक आधार को गम्भीर झटका दिया और साथ ही इस भ्रम को भी ध्वस्त किया कि अधिकांश भारतीय निष्ठावान थे और ब्रिटिश शासन को निरंतर जारी रखना चाहते थे।

इस आंदोलन ने विशाल रूप से यह स्पष्ट किया कि भारत में ब्रिटिश अवांछनीय थे। इस आंदोलन का सबसे बड़ा योगदान यह था कि स्वाधीनता की मांग अब एक आवश्यकता बन चुकी थी और भविष्य में ब्रिटिश के साथ कोई भी बातचीत सत्ता के हस्तांतरण के तरीके पर ही हो सकती थी।

नकारात्मक परिणाम (Negative Fallouts)

आंदोलन का सबसे बुरा परिणाम मुस्लिम लीग का मजबूत होना था, जो इस समय के दौरान शक्तिशाली होती जा रही थी। जब कांग्रेसी नेता जेल में क्षीण हो रहे थे, वहीं लीग गांव में अपना आधार मजबूत कर रही थी और न केवल एक इस्लामिक राज्य, बल्कि मुस्लिम किसानों के लिए किसान आदर्शलोक का भी वादा कर रही थी। आंदोलन की निंदा और युद्ध-प्रयासों में ब्रिटिश का समर्थन करके मुस्लिम लीग ब्रिटिश के करीब आ रही थी और भारत की संवैधानिक राजनीति में एक मुख्य स्थान प्राप्त कर रही थी। मुस्लिम लीग, जो 1937 में एक प्रांत में भी स्वयं मंत्रिमंडल नहीं बना सकी थी, अब अपनी स्थिति को मजबूत कर रही थी और 5 प्रांतों (असम, बंगाल, पंजाब, उत्तर-पश्चिम सीमांत प्रांत) में अपना शासन स्थापित करने की स्थिति में थी। इन सबने पाकिस्तान की मांग को वास्तव में करीब ला दिया और भविष्य में देश के संवैधानिक विकास की दिशा में गंभीर संकट उत्पन्न कर दिया।

प्रीलिम कैप्सूल

भारत छोड़ो आंदोलन की ओर बढ़ते कदम

घटनाएं	वर्ष	मुख्य विवरण
द्वितीय विश्व युद्ध का प्रारंभ	1 सितंबर 1939	वायसराय लिनलिथगो ने **एकपक्षीय** रूप से भारत को ब्रिटिश की ओर से युद्धरत राज्य घोषित किया।
कांग्रेस कार्यकारी समिति की बैठक, वर्धा	10-14 सितंबर 1939	कांग्रेस ने अंततः नेहरू के दृष्टिकोण को अपनाने का निर्णय लिया और ब्रिटिश को **सशर्त समर्थन** दिया।
वायसराय लिनलिथगो का बयान	17 अक्टूबर 1939	ब्रिटिश सरकार ने कोई वादा करने और युद्ध के बाद भारत के संवैधानिक विकास की ओर स्वयं को प्रतिबद्ध करने से मना कर दिया। एक सलाहकार समिति के निर्माण की बात की।
कांग्रेस मंत्रिमंडल का त्यागपत्र	22 अक्टूबर 1939	कांग्रेस मंत्रिमंडल ने भारत को युद्ध में धकेलने के ब्रिटेन के एकपक्षीय निर्णय का विरोध किया। चार प्रांतों में प्रांतीय सरकारें जारी रहीं- असम, सिंध, पंजाब एवं बंगाल।
मुक्ति दिवस	22 दिसंबर 1939	कांग्रेस मंत्रिमंडल के इस्तीफे के बाद मुस्लिम लीग ने **मुक्ति दिवस** मनाया।
पाकिस्तान प्रस्ताव, लाहौर	मार्च 1940	मुस्लिम लीग ने मुसलमानों के लिए एक पृथक वतन पाकिस्तान के निर्माण का आह्वान करते हुए **पाकिस्तान प्रस्ताव** पारित किया।
रामगढ़ कांग्रेस अधिवेशन	मार्च 1940	**मौलाना अबुल कलाम आजाद की अध्यक्षता।** एक संकल्प पारित किया गया, जिसमें घोषित किया गया कि जैसे ही अनुकूल परिस्थितियां आएंगी कांग्रेस एक सविनय अवज्ञा आंदोलन शुरू करेगी। अनेक वामपंथी समूह एकजुट हुए और सुभाष चंद्र बोस की अध्यक्षता में रामगढ़ में एक **समझौता-विरोधी** सम्मेलन आयोजित किया। इस सम्मेलन का अंत एक आक्रामक संघर्ष के लिए स्वयं को तैयार करने के संकल्प के साथ हुआ।
अगस्त प्रस्ताव	8 अगस्त, 1940	पहली बार संविधान-निर्माण करने के भारतीयों के अधिकार को मान्यता दी गई और **संविधान सभा** की मांग को स्वीकार किया गया।

व्यक्तिगत सत्याग्रह	17 अक्टूबर 1940	आचार्य विनोबा भावे पहले सत्याग्रही बने। उन्हें युद्ध-विरोधी भाषण देते हुए एक गांव से दूसरे गांव दिल्ली की दिशा में बढ़ना था। इस तरह जिस आंदोलन की पहल की गई, उसे **दिल्ली चलो** आंदोलन के नाम से जाना गया। भावे ने अपना पहला युद्ध-विरोधी भाषण वर्धा के समीप **पौनार गांव** में दिया। **जवाहरलाल नेहरू** दूसरे व्यक्तिगत सत्याग्रही बने।
क्रिप्स मिशन	22 मार्च 1942	मार्च में **जापान ने रंगून को कब्जे** में किया और इस तरह युद्ध भारत के दरवाजे पर आ खड़ा हुआ, जिसके कारण ब्रिटिश को मजबूर होकर क्रिप्स-मिशन को भारत भेजना पड़ा। प्रधानमंत्री **विंस्टन चर्चिल** ने युद्ध-प्रयास में भारत का सक्रिय समर्थन प्राप्त करने के उद्देश्य से हाउस ऑफ कॉमंस के नेता सर स्टैफोर्ड क्रिप्स को भेजा। क्रिप्स ने घोषित किया कि भारत में नई ब्रिटिश नीति का उद्देश्य 'भारत में यथाशीघ्र स्व-शासन का कार्यन्वयन करना है।' प्रस्ताव में शामिल थे- डोमिनियन का दर्जा, संविधान सभा, प्रांतों के सम्मिलित न होने का अधिकार, प्रांतों को संघ से अलग होने का अधिकार, नस्लीय व भाषायी अल्पसंख्यकों का संरक्षण एवं रक्षा पर ब्रिटिश नियंत्रण। गांधी ने इन प्रस्तावों को स्वीकार किया और युद्ध के बाद डोमिनियन के दर्जे दिए जाने के प्रस्ताव को **'एक ऐसा चेक बताया जिसकी बैंक नष्ट होने वाली थी'**। क्रिप्स के **'इसे स्वीकार करो या छोड़ दो'** के रवैए ने गतिरोध और बढ़ा दिया।
वर्धा में कांग्रेस कार्यकारी समिति की बैठक	14 जुलाई 1942	कांग्रेस कार्यकारी समिति ने भारत छोड़ो प्रस्ताव अपनाया, जिसे बाद में अखिल भारतीय कांग्रेस समिति में इसकी बॉम्बे बैठक में अनुमोदित अथवा स्वीकार किया जाना था।
भारत छोड़ो आंदोलन (QIM)	8 अगस्त 1942	अखिल भारतीय कांग्रेस समिति बॉम्बे के **गवालिया टैंक मैदान** में मिली और भारत छोड़ो प्रस्ताव को स्वीकार किया। अगले दिन सुबह गांधी सहित सभी प्रमुख नेताओं को गिरफ्तार कर लिया गया, अतः जो सामने आया वह एक **त्वरित/तत्कालीन** आंदोलन था, जो स्वयं अपना मार्ग बना रहा था और जनता स्वयं अपने कार्यों को निर्देशित कर रही थी।
पाकिस्तान दिवस	23 मार्च 1943	जैसे ही भारत छोड़ो आंदोलन आगे बढ़ा, लीग ने पाकिस्तान दिवस मनाया और एक नया नारा **बांटो और छोड़ो** अपनाया।

सी. राजगोपालाचारी फार्मूला	मार्च 1944	यह कांग्रेस और लीग के बीच सहयोग लाने का एक फार्मूला था। युद्ध के बाद जनमत संग्रह के आधार पर पाकिस्तान के विचार को स्वीकार करने की बात कही गई। यह फार्मूला गांधी के पूर्ण अनुसमर्थन से विकसित हुआ।
देसाई-लियाकत योजना	जनवरी 1945	इसने केंद्र में अंतरिम सरकार के निर्माण का प्रस्ताव किया, जिसमें केंद्रीय विधानसभा में कांग्रेस एवं लीग द्वारा समान संख्या में मनोनीत व्यक्ति शामिल होने थे।
कांग्रेस नेताओं की जेल से रिहाई	14 जून 1945	8 मई 1945 को जर्मनी के समर्पण के साथ यूरोप में युद्ध समाप्त हुआ। शिमला सम्मेलन की प्रत्याशा में कांग्रेस नेताओं को रिहा कर दिया गया और इस प्रकार भारत छोड़ो आंदोलन की आधिकारिक समाप्ति हुई।

इंडियन नेशनल आर्मी या आजाद हिंद फौज (Indian National Army)

भारत छोड़ो आंदोलन भारत में ब्रिटिश के विरुद्ध लड़ा गया था, जबकि इंडियन नेशनल आर्मी ने विदेशी धरती से ब्रिटिश के विरुद्ध संघर्ष छेड़ा।

इंडियन नेशनल आर्मी का पहला चरण (First Phase of INA)

इंडियन नेशनल आर्मी या आजाद हिंद फौज एक सशस्त्र बल था, जिसे द्वितीय विश्व युद्ध के दौरान दक्षिण-पूर्व एशिया में भारतीय राष्ट्रवादियों द्वारा गठित किया गया था। आई.एन.ए. के विचार की परिकल्पना सबसे पहले ब्रिटिश भारतीय सेना के एक अधिकारी **कैप्टन मोहन सिंह** द्वारा की गई थी, जिन्होंने युद्ध के दौरान पीछे हटती हुई ब्रिटिश सेना में शामिल होने के स्थान पर जापानियों की सहायता करने का निर्णय लिया था। एक धार्मिक व्यक्ति **ज्ञानी प्रीतम सिंह** और जापानी सेना के एक अधिकारी **मेजर फुजिवारा** ने उन्हें भारत की स्वाधीनता के लिए कार्य करने हेतु प्रेरित किया। सिंगापुर के पतन के बाद 40000 भारतीय सैनिकों ने फुजिवारा के समक्ष समर्पण किया था, जिन्हें उन्होंने मोहन सिंह को सौंप दिया था। इस प्रकार 1942 में भारतीय युद्ध बंदियों (Indian prisoners of war, POW) को शामिल करके पहली आई.एन.ए. स्थापित हुई। इसका मुख्य उद्देश्य भारत की स्वाधीनता के लिए लड़ना था।

दक्षिण-पूर्व एशिया के सजातीय भारतीयों द्वारा आई.एन.ए. को वृहत समर्थन मिला, जो पहले ही भारतीय स्वाधीनता के समर्थन में मलाया में स्थानीय लीगों की स्थापना कर चुके थे। यद्यपि अनेक प्रमुख नेता थे, लेकिन मुख्य नेतृत्व एक कुशल व अनुभवी क्रांतिकारी **रासबिहारी बोस** के हाथों में था, जो प्रथम विश्व युद्ध के बाद से ही जापान में स्व-निर्वासन में रह रहे थे। उन्होंने द्वितीय विश्व युद्ध से मिले अवसर का उपयोग ब्रिटेन के विरुद्ध एक सशस्त्र संघर्ष के लिए भारतीयों को सक्रिय करने में किया।

मार्च 1942 में रासबिहारी बोस ने मलाया से बर्मा तक रहने वाले सभी भारतीय नेताओं का एक सम्मेलन टोक्यो में आयोजित किया और **इंडियन इंडिपेंडेंस लीग** (Indian Independence League) के गठन की घोषणा की। इसके बाद जून 1942 में बैंकॉक में लीग की बैठक हुई, जिसे **बैंकॉक सम्मेलन** (Bangkok Conference) के नाम से जाना गया। इसके निम्नलिखित परिणाम हुए-

- इसने रासबिहारी बोस को इसका अध्यक्ष नियुक्त किया।
- आई.एन.ए. को बढ़ाने का निश्चय किया गया। (जिसमें अब तक करीब 40000 भारतीय सैनिक थे।)

- कैप्टन मोहन सिंह को आई.एन.ए. का कमांडर नियुक्त किया गया और आई.एन.ए. आंदोलन का नेतृत्व करने के लिए **सुभाषचन्द्र बोस** को आमंत्रित किया गया।

हालांकि, दिसंबर 1942 में एशिया में जापान के युद्ध में आई.एन.ए. की भूमिका को लेकर जापानियों और आई.एन.ए. के नेतृत्व के बीच मतभेद उभरने के बाद पहली आई.एन.ए. का पतन हुआ और उसे विघटित कर दिया गया।

आई.एन.ए. का दूसरा चरण (Second Phase of INA)

जुलाई 1943 में सुभाष बोस के सिंगापुर आने के साथ ही आई.एन.ए. का दूसरा चरण शुरू हुआ। उन्होंने यहां आकर आई.एन.ए. को पुनर्जीवित किया। 5 जुलाई 1943 को रासबिहारी बोस ने इंडियन इंडिपेंडेंस लीग एवं आई.एन.ए. का नेतृत्व सुभाष बोस के हाथों में सौंपा। आई.एन.ए. के सैनिकों द्वारा सुभाष बोस को अब **नेताजी** कहा जाने लगा।

सुभाष चंद्र बोस का जीवनः एक नजर में (Life of Subhash Chandra Bose at a glance)

सुभाष चंद्र बोस

सुभाष चंद्र बोस (1897-1945)- उड़ीसा के कटक में जन्मे बोस भारतीय स्वाधीनता आंदोलन के एक मुख्य नेता के रूप में उभरे। उन्होंने स्वतंत्रता संघर्ष में शामिल होने के लिए शाही सिविल सेवा (भारतीय लोक सेवा) से त्यागपत्र दिया, लेकिन द्वितीय विश्व युद्ध के दौरान नाजी जर्मनी और साम्राज्यवादी जापान के साथ गठबंधन द्वारा भारत को स्वतंत्रता दिलाने के उनके प्रयास ने उनके पीछे एक विवादास्पद विरासत छोड़ी।

कलकत्ता विश्वविद्यालय से स्नातक करने के बाद बोस इंग्लैंड गए, जहां वे भारतीय सिविल सेवा (भारतीय लोक सेवा) की परीक्षा में शामिल हुए और चौथी रैंक हासिल की (1920)। हालांकि, जलियांवाला बाग हत्याकांड के बाद भारत में जो राजनीतिक विकास हुआ, उसने बोस को भावनात्मक रूप से विक्षुब्ध कर दिया और उन्होंने भारतीय सिविल सेवा से त्यागपत्र दे दिया। इसी वर्ष वे भारत लौटे और चितरंजन दास व गांधी के प्रभाव में आए तथा भारतीय राष्ट्रीय कांग्रेस में शामिल हुए। सी. आर. दास उनके 'राजनीतिक गुरु' बने।

दिसंबर 1921 में अपनी राष्ट्रवादी गतिविधियों के कारण वे पहली बार जेल गए। 1923 में उन्हें कलकत्ता का मेयर निर्वाचित किया गया, लेकिन शीघ्र ही उन्हें गिरफ्तार करके बर्मा की मांडले जेल में (1924-1927) निर्वासित कर दिया गया। अपनी रिहाई के बाद उन्होंने **इंडिपेंडेंस ऑफ इंडिया लीग (अगस्त, 1928)** के गठन में सहायता की। 1928 के कलकत्ता कांग्रेस में जब गांधीजी स्वयं भारत के लिए डोमिनियन के दर्जे की मांग हेतु संकल्प प्रस्तुत कर रहे थे, उसी समय बोस ने भारत के लिए पूर्ण स्वाधीनता की मांग का एक संशोधन लाने का प्रयास किया। बोस ने 1929 -1931 के दौरान एआईटीयूसी (AITUC) के अध्यक्ष के रूप में काम किया और भारतीय राष्ट्रीय कांग्रेस के एक मुख्य वामपंथी नेता के रूप में उभरे व भारत के युवा, छात्र-छात्राओं व श्रमिकों का ओजस्वी नेतृत्व किया। 1930 में बोस ने सविनय अवज्ञा आंदोलन में सहभागिता की, लेकिन इस आधार पर की भगत सिंह एवं अन्य क्रांतिकारियों को नहीं बचाया जा सका, उन्होंने **गांधी-इर्विन समझौते** व असहयोग आंदोलन को स्थगित करने का विरोध किया।

1938 में उन्होंने भारतीय राष्ट्रीय कांग्रेस के **हरिपुरा** (गुजरात) अधिवेशन की अध्यक्षता की। सुभाष बोस ही थे, (न कि जवाहरलाल नेहरू) जिन्होंने अपने अध्यक्षीय भाषण में सबसे पहले आर्थिक योजना की आवश्यकता और एक राष्ट्रीय योजना समिति के निर्माण की बात की थी। उन्होंने 17 दिसंबर 1938 को बॉम्बे में अखिल भारतीय राष्ट्रीय योजना समिति का शुभारंभ किया।

1939 में गांधी के विरोध के बावजूद वे पुनः भारतीय राष्ट्रीय कांग्रेस के अध्यक्ष निर्वाचित हुए, लेकिन कांग्रेस कार्यकारी समिति के सदस्यों (जो गांधी के अत्यधिक समर्थक थे) द्वारा निरंतर व संगठित विरोध के चलते उन्हें त्यागपत्र देना पड़ा। अपने त्यागपत्र के बाद उन्होंने उसी वर्ष **फॉरवर्ड ब्लॉक (Forward Block)** का गठन किया और 1940 में उन्हें घर के अंदर नजरबंद कर दिया गया। हालांकि, जनवरी 1941 में घर में किए गए नजरबंद से एक पठान (**जियाउद्दीन** के उपनाम से) के वेश में भाग निकलने में सफल हुए और कलकत्ता से पेशावर पहुंचे। यहां से अपने मित्र भगतराम की सहायता से वे काबुल पहुंचे और उसके बाद सहायता के लिए सोवियत संघ गए। 1941 में जब सोवियत संघ मित्र राष्ट्रों की ओर से युद्ध में शामिल हुआ, तो उन्होंने बर्लिन की ओर पलायन किया। वहां वे **ऑरलैंडो मैजोट्टा** के उपनाम से हिटलर से मिले।

उन्होंने जर्मनी में हिटलर की सहायता से **स्वतंत्र भारत केंद्र (Free India Center)** और बर्लिन में **स्वतंत्र भारत रेडियो** (इसे बर्लिन रेडियो भी कहा गया) शुरू किया और 3000 युद्ध बंदियों को शामिल करके एक **स्वतंत्र भारत सैन्य टुकड़ी (Free India Legion)** भी बनाई। इस स्वतंत्र भारत सैन्य टुकड़ी अथवा भारतीय सैन्य टुकड़ी को अनेक नामों जैसे **मुक्ति सैन्य टुकड़ी**, स्वतंत्र सैन्य टुकड़ी अथवा टाइगर सैन्य टुकड़ी के नाम से जाना गया और इसका मुख्यालय जर्मनी के ड्रेस्डन में था। भारतीय सैनिक टुकड़ी के सैनिकों द्वारा ही सुभाष चंद्र बोस को पहली बार **नेताजी** कहकर पुकारा गया था। बोस ने बर्लिन रेडियो से भारत-समर्थित और ब्रिटिश-विरोधी भाषणों का प्रसारण किया और स्वतंत्र भारत केंद्र से उन्होंने जय हिंद का लोकप्रिय नारा दिया।

7 दिसंबर 1941 को जापान जर्मनी की ओर से युद्ध में शामिल हुआ और उस समय के ब्रिटिश के सबसे बड़े नौसेना के अड्डे सिंगापुर को कब्जे में किया (1942)। इसके बाद जापान ने शीघ्रता से मलाया से बर्मा तक का पूरा क्षेत्र अपने कब्जे में किया। जून, 1943 में आबिद हुसैन के उपनाम से बोस टोकियो पहुंचे और जापानी प्रधानमंत्री तोजो (Tojo) से मिले, जिन्होंने बोस को आश्वस्त किया कि भारत में जापान का कोई क्षेत्रीय उद्देश्य नहीं है। 2 जुलाई 1943 को वे सिंगापुर पहुंचे और आई.एन.ए. के नेतृत्व को अपने हाथों में लिया।

बोस की गतिविधियां एवं आई.एन.ए. (Activities of Bose and the INA)

बोस ने आई.एन.ए के दो मुख्यालय क्रमशः सिंगापुर एवं रंगून में स्थापित किए। 21 अक्टूबर 1943 को उन्होंने स्वतंत्र भारत की प्राविधिक/अस्थायी सरकार अथवा **आजाद हिंद सरकार** की स्थापना की और स्वयं को इस सरकार का प्रधानमंत्री व मुख्य सेनाध्यक्ष घोषित किया। इस अस्थाई सरकार ने शीघ्र ही मित्र राष्ट्रों- ब्रिटेन एवं संयुक्त राज्य अमेरिका के विरुद्ध युद्ध की घोषणा की और इसे धुरी राष्ट्रों द्वारा मान्यता भी दी गई। नवंबर 1943 में जापानियों ने अंडमान एवं निकोबार द्वीप के प्रशासन को इस अस्थाई सरकार को सौंप दिया। बोस ने स्वयं इन द्वीपों का भ्रमण किया और इनका नाम बदलकर क्रमशः **शहीद द्वीप** एवं **स्वराज द्वीप** रखा। अप्रैल 1944 में रंगून में **'आजाद हिंद बैंक'** की शुरुआत की।

6 जुलाई 1944 को **गांधी जी को राष्ट्रपिता के नाम से संबोधित करने वाले सुभाष पहले व्यक्ति बने।** उन्होंने आजाद हिंद रेडियो से वक्तव्य के दौरान यह सम्बोधन किया। सुभाष बोस ने 'जय हिंद', 'दिल्ली चलो' जैसे नारे दिए। इनमें सबसे अधिक लोकप्रिय 'तुम मुझे खून दो, मैं तुम्हें आजादी दूंगा' हुआ। (इसे उन्होंने मलाया में दिया था।)

आई.एन.ए. ने **आजाद, गांधी एवं नेहरू** के नाम पर तीन लड़ाकू ब्रिगेड (युद्ध वाहिनी) बनाई। बाद में **सुभाष ब्रिगेड** एवं **रानी झांसी ब्रिगेड** के नाम से दो और बनाई गई। रानी झांसी ब्रिगेड में सभी महिलाएं थीं। आई.एन.ए. ने **आजाद हिंद रेडियो (Azad Hind Radio)** से नियमित रूप से प्रसारण किया और विदेशों में रह रहे भारतीय से धन एवं संसाधन का महत्वपूर्ण योगदान प्राप्त किया।

इंफाल अभियान (Imphal Campaign): इंफाल अभियान में आई.एन.ए. ने जापानी सेना को साथ लिया। इन बलों ने बर्मा से भारत की ओर मार्च करना शुरू किया और उन्हें सशस्त्र संघर्ष में ब्रिटिश को हराकर भारत को स्वतंत्र करने की आशा थी। हालांकि, ऐसा कुछ नहीं हुआ और इंफाल अभियान अंततः दो कारणों से असफल हुआ- 1. इस अभियान में जिस सैन्य टुकड़ी ने सहभागिता की थी, उसके साथ जापानी सेना ने भेदभाव पूर्ण व्यवहार किया। उन्हें राशन, शस्त्र इत्यादि देने से मना कर दिया गया और इससे वे हतोत्साहित हो गए थे। 2. मानसून ने भी उनके अभियान में बाधा उत्पन्न कर दी थी। द्वितीय विश्व युद्ध में नियति भी जापान के साथ नहीं थी व उसका पतन हुआ और अंततः दक्षिण पूर्व एशिया में ब्रिटेन के समक्ष उसे समर्पण करना पड़ा। ऐसी परिस्थितियों में सुभाष बोस टोक्यो की ओर रवाना हुए, लेकिन रास्ते में **फॉर्मोसा द्वीप** के पास एक एयर क्रैश (विमान दुर्घटना) (ताइपेई, 18 अगस्त 1945) में उनकी मृत्यु हुई। हालांकि, अनेक लोग इस घटना में विश्वास करने से मना करते हैं।

आई. एन. ए. का महत्व (Significance of INA)

यह सत्य है कि सशस्त्र संघर्ष के द्वारा भारत को स्वतंत्र कराने के अपने लक्ष्य को प्राप्त करने में आई.एन.ए. असफल हुई, लेकिन इसने निश्चित रूप से भारत के स्वाधीनता संघर्ष के इतिहास में एक अमिट छाप छोड़ी। आई.एन.ए. की गतिविधियों ने यह आश्वस्त कर दिया कि अब ब्रिटिश सरकार भारतीय सैनिकों की निष्ठा पर लंबे समय यक निर्भर नहीं रह सकती। आई.एन.ए. की संरचना ने भारतीय राष्ट्रवाद के विचार को पुनः सुनिश्चित किया, जिसमें हिंदू, मुस्लिम एवं सिख ने एक राष्ट्र के रूप में आई.एन.ए. के ध्वज तले लड़ाई लड़ी। रानी झांसी बिग्रेड भारतीय महिलाओं की क्षमता और राष्ट्रीय जनता के प्रति उनकी प्रतिबद्धता को सबके सामने लेकर आई।

यद्यपि फासीवादी शक्तियों के साथ सहयोग करने की सुभाष बोस की रणनीति की राष्ट्रवादियों द्वारा आलोचना की गई थी, लेकिन यह याद रखना चाहिए कि उन्होंने जो कुछ किया, वह भारत की स्वतंत्रता के लिए किया। वे जापानी प्रभुत्व से आई.एन.ए. को स्वतंत्र बनाए रखने के लिए प्रतिबद्ध थे और उन्होंने सोवियत संघ के विरुद्ध भारतीय सैन्य टुकड़ी के उपयोग पर आपत्ति भी जताई थी। सुभाष चंद्र बोस ने सफलतापूर्वक पूरे देश के सामने देशभक्ति और साहस का एक प्रेरणादायक उदाहरण प्रस्तुत किया और सभी देशवासियों द्वारा उन्हें नेताजी सुभाष चंद्र बोस के नाम से पुकारा जाता था।

अध्याय 2

युद्धोत्तर राष्ट्रीय आंदोलन (Post-War National Movement) (1945–1947)

हिटलर की आत्महत्या (30 अप्रैल 1945) और उसके बाद जर्मनी के समर्पण (8 मई 1945) के साथ यूरोप में द्वितीय विश्व युद्ध का अंत हुआ। इसी के साथ भारत में स्वतंत्रता संघर्ष ने एक नए चरण में प्रवेश किया।

1945-47 का समय संक्षिप्त, लेकिन भारतीय राष्ट्रीय आंदोलन का एक महत्वपूर्ण काल था। यद्यपि यह समय पिछले दशकों में हुए सभी राजनीतिक गतिविधियों की एक पराकाष्ठा का प्रतिनिधित्व करता था, लेकिन यह द्वितीय विश्व युद्ध और उसका प्रभाव ही था, जिसने इस काल के दौरान की घटनाओं को स्वरूप प्रदान किया।

द्वितीय विश्व युद्ध का प्रभाव (Impact of the Second World War)

भारतीयों पर प्रभाव

भारत छोड़ो आंदोलन के पतन के बाद भारतीय राजनीतिक परिदृश्य काफी शांत रहा। हालांकि, युद्ध के समय उत्पन्न हुई जनता की पीड़ा पृष्ठभूमि में व्याकुलता पैदा कर रही थी।

- **अभाव-** भारतीय कृषि एवं औद्योगिक उत्पादों को मित्र राष्ट्रों की मांगों की पूर्ति के लिए लगा दिया गया था। इससे जमाखोरी एवं कालाबाजारी में तीव्र वृद्धि हुई और परिणामस्वरूप कृत्रिम अभाव और मुद्रास्फीति (कीमतों में बढ़ोत्तरी) बढ़ी।
- **मुद्रास्फीति (Inflation)-** आधारभूत उत्पादों की कमी से कीमतों में भारी वृद्धि हुई।
- **बंगाल में अकाल-** अभाव और मुद्रास्फीति का संचयी प्रभाव 1943 के बंगाल के विनाशकारी अकाल के रूप में सामने आया, जिसके कारण 3 मिलियन से भी अधिक लोगों की भूख से मृत्यु हुई। शेष देश की स्थिति इससे भिन्न नहीं थी, लेकिन ऐसे अकाल के द्वारा अन्य स्थानों पर बर्बादी नहीं हुई।
- **भारतीयों को उनके सहयोग के लिए प्रतिफल देने में ब्रिटिश की असफलता-** भारतीय असंतोष तब और अधिक बढ़ गया, जब युद्ध के दौरान भारतीयों द्वारा किए गए सहयोग व समर्थन के लिए प्रतिफल देने में (एक तरह से एहसान चुकाने में) ब्रिटिश सरकार असफल हुई।

ब्रिटिश सरकार पर प्रभाव

1945 में युद्ध के अंत में ब्रिटिश की जीत हुई, लेकिन साथ ही अब वे थके हुए थे और आंतरिक रूप से टूट चुके थे।

- **युद्ध से थकी हुई सेना-** कई वर्षों के थका देने वाले युद्ध के बाद यूरोपियन सैनिक एवं अधिकारी अब घर जाने के लिए व्याकुल होने लगे थे, न कि भारतीय जनता के स्वतंत्रता संघर्ष का दमन करने के लिए भारत में अनिश्चितकाल के रुकना चाहते थे।
- **ध्वस्त अर्थव्यवस्था-** यद्यपि ब्रिटेन युद्ध में जीतने वाले पक्ष की ओर था, लेकिन उसकी अर्थव्यवस्था और सैन्य शक्ति ध्वस्त हो चुकी थी। ब्रिटेन को अपने जीर्णोद्धार के लिए अभी वर्षों लगने थे। परिणामस्वरूप, ब्रिटिश सरकार अब मानसिक और भौतिकरूप से ऐसी स्थिति में नहीं थी कि वह अन्य भारत छोड़ो आंदोलन का मुकाबला कर सके।

व्यापक विरोध के समक्ष अब यह बहुत ही मुश्किल हो गया था कि भारतीय धन का उपयोग ब्रिटिश हित को बढ़ाने में किया जा सके। साथ ही अब भारत ब्रिटेन का कर्जदार नहीं रहा था, अपितु ब्रिटेन ने ही भारत से करीब 33,000 मिलियन पाउंड लिए थे।

- **आई.सी.एस में यूरोपियन की भर्ती में कमी**- प्रथम विश्व युद्ध के बाद से ही आई.सी.एस. पर ब्रिटिश प्रभुत्व समाप्त हो चुका था। 1939 तक ब्रिटिश एवं भारतीय अधिकारियों में समता आ चुकी थी। इसके अलावा यूरोपियन अधिकारी अब अभिजात वर्गीय परिवारों से नहीं आते थे, जो 'श्वेत लोगों के बोझ' में विश्वास करते थे। ये अधिकांश अधिकारी ऐसे थे, जिनके लिए भारत में सेवा करना एक अन्य नौकरी के समान ही था। द्वितीय विश्व युद्ध ने इस समस्या को और गंभीर बना दिया। भारतीय शत्रुता को देखते हुए यूरोपियन लोगों के लिए अब भारतीय सिविल सेवा पेशे की दृष्टि से भी एक आकर्षक विकल्प नहीं रही थी। निरंतर आपदा प्रबंधन से जुड़े कर्तव्यों, जैसे- अकाल का सामना करना, ब्लैक आउट को लागू करना, एक परेशानी बन चुकी थी और पहली बार **1943 के समय युद्ध के चरमोत्कर्ष के दौरान व्यवहारिक रूप से ही आई.सी.एस. में ब्रिटिश लोगों का प्रवेश** रुक गया था। मध्य 1940 तक यूरोपियन आई.सी.एस. अधिकारियों की संख्या अल्पसंख्यक की स्थिति में आ गई थी (614 भारतीयों के विपरीत 587 यूरोपियन) और इस प्रकार यह परंपरागत साम्राज्यवाद के अंत का प्रतीक स्वरूप था।
- **ब्रिटेन में सत्ता परिवर्तन**- युद्ध के बाद युद्ध के समय बनी गठबंधन सरकार का स्थान लेबर पार्टी की सरकार ने ले लिया और इस सरकार के अनेक सदस्य कांग्रेस की मांगों का समर्थन करते थे।
- **शक्ति संतुलन में परिवर्तन**- इस युद्ध ने विश्व में शक्ति संतुलन को परिवर्तित कर दिया था। संयुक्त राज्य अमेरिका एवं सोवियत संघ (अब रूस) नई विश्व शक्तियों के रूप में उभरे और दोनों ने ही भारत की स्वाधीनता की मांग का समर्थन किया।

अत: स्थिति को नियंत्रित करने की ब्रिटिश शक्ति अब लगभग जा चुकी थी और भारत की स्वतंत्रता की संभावना अपना आकर ले रही थी।

युद्ध के बाद ब्रिटिश नीति (British Policy after the War)

उपर्युक्त कारकों के कारण ब्रिटिश सरकार अब इस स्थिति में नहीं थी कि वह भारतीय जनमत को नकार सके और इसके बाद ब्रिटिश रुख में परिवर्तन आया।

साथ ही, उपनिवेशवाद और साम्राज्यवाद की समाप्ति के विपरीत द्वितीय विश्व युद्ध ने **नव-उपनिवेशवाद (Neo-colonialism)** की संभावना को पंख दिए।

इस प्रकार युद्ध के बाद ब्रिटिश नीति जैसे भी संभव हो भारतीयों को विभाजित करके भारत में **कुछ समय के लिए भविष्य को सुरक्षित** करने के उद्देश्य से निर्देशित हो रही थी। स्वयं को बहुलवादी बताकर, वे जाति, धर्म, भाषा और संस्कृति के आधार पर भारतीयों में व्याप्त सभी विभेदों को बढ़ाने का प्रयास कर रहे थे।

इस दिशा में सबसे अधिक सफल ब्रिटिश-प्रयत्न उनके द्वारा खेला गया सांप्रदायिक कार्ड था। शुरुआत से ही उन्होंने कांग्रेस को प्रतिसंतुलित करने के लिए मुस्लिम लीग के उपयोग की नीति को अपनाया था। मुस्लिम लीग को भारतीय मुसलमानों की इकलौती प्रतिनिधि संस्था की मान्यता दी गई और उसकी पाकिस्तान की मांग का उपयोग कांग्रेस की संवैधानिक वार्तालाप को विफल बनाने में किया गया। भारत छोड़ो आंदोलन के दौरान जब सभी प्रमुख कांग्रेसी नेता सलाखों के पीछे थे, तब कुछ प्रांतीय मंत्रिमंडलों में मुस्लिम लीग को स्थान देने के लिए पीछे के रास्ते से अनुमति दी गई थी।

निम्नलिखित कारणों से कांग्रेस इस ब्रिटिश नीति का जवाब (प्रत्युत्तर) देने में असफल रही:

- कांग्रेस ने सांप्रदायिकता के प्रति एक आत्मसंतुष्ट दृष्टिकोण अपनाया और सीधे तौर पर ही इस दावे को अनदेखा किया कि वह पूर्णत: एक हिंदू संगठन है।

- कांग्रेस ने मुस्लिम जनता का समर्थन प्राप्त करने के लिए कोई गंभीर प्रयास नहीं किया।
- कांग्रेसी नेताओं द्वारा 'वंदे मातरम' और 'रामराज्य' जैसे नारों के उपयोग ने न केवल मुसलमानों को दूर किया, बल्कि मुस्लिम लीग की स्थिति को भी मजबूत किया।

निरंतर शासकीय संरक्षण और कांग्रेस द्वारा इसे नियंत्रित करने में असफल होने से पाकिस्तान आंदोलन तीव्र गति से आगे बढ़ता रहा। इस आंदोलन को शिक्षित मुस्लिम मध्यम वर्गों से बेहद समर्थन मिला, जिन्होंने पाकिस्तान के निर्माण में मुसलमानों की सभी समस्याओं का निदान देखा, जहाँ मुस्लिम किसान हिंदू बनियाओं व जमींदारों के शोषण से मुक्त होंगे, वहीं मुस्लिम व्यापारी प्रभुत्वशाली हिंदू व्यापारिक घरानों से स्वतंत्र होंगे।

ऐसी स्थिति ने जिन्ना को हठी रवैया अपनाने का मौका दिया और वे अपनी इस बात पर अड़े रहे कि मुस्लिम लीग ब्रिटिश के साथ किसी भी संवैधानिक प्रश्न पर वार्तालाप के लिए कांग्रेस का समर्थन तभी करेगी, जब पाकिस्तान की मांग को स्वीकार किया जाएगा। जिन्ना ने राष्ट्रवादी आंदोलन के कमजोर होने की परवाह भी नहीं की और अपने इस निर्णय पर अड़े रहे।

इस पूरे घटनाक्रम ने ब्रिटिश के सामने दो तरफा जीत की स्थिति पैदा की अर्थात दोनों ही स्थिति में उसकी जीत थी। पाकिस्तान की मांग को स्वीकार न करने का अर्थ भारत में ब्रिटिश शासन का स्थायीकरण था, जबकि मांग स्वीकार करने का अर्थ विभाजित भारत में कठपुतली शासनों को बनाने का अवसर प्राप्त करना था।

1945-47 के दौरान मुख्य मुद्दे (Dominant themes during 1945-47)

यह स्पष्ट है कि पाकिस्तान की मांग के इर्द-गिर्द घूमती सांप्रदायिक उलझनें 1945 व 1947 के दौरान भारतीय राजनीतिक परिदृश्य पर हावी रही। साथ ही, ब्रिटिश और उनके सहयोगियों के विरुद्ध यदा-कदा जनवादी असंतोष का उद्भव हुआ। अतः इस दौरान उत्पन्न हुई दो प्रभावशाली थीमों (विषयों/मुद्दों) को निम्न शीर्षकों में समझा जा सकता है-

1. समझौतावादी वार्तालाप के प्रयास/बातचीत द्वारा समाधान के प्रयास
2. युद्धोपरांत जनवादी असंतोष

बातचीत के जरिए समाधान के प्रयास (Attempts at a Negotiated Settlement)

जैसे ही (मई 1945 में जर्मनी के समर्पण के साथ) युद्ध समाप्त हुआ, ब्रिटिश सरकार ने कैद किए हुए कांग्रेसी नेताओं से वार्तालाप शुरूआत करने की आवश्यकता का अनुभव करना शुरू किया, ताकि उन्हें युद्धोपरांत की कठिनाइयों का लाभ उठाने से रोका जा सके। गवर्नर जनरल वेवेल के अनुसार कांग्रेस की ऊर्जा को आंदोलन से हटाकर कुछ लाभदायक दिशाओं, जैसे- भारत की प्रशासनिक समस्याओं को सुलझाने और संवैधानिक समस्याओं का समाधान करने के प्रयास में लगाने की आवश्यकता थी।

वेवेल योजना (14 जून 1945) एवं शिमला सम्मेलन (25 जून 1945)

लॉर्ड वेवेल

भारत के संवैधानिक गतिरोध को सुलझाने के प्रयास हेतु वेवेल विचार-विमर्श के लिए इंग्लैंड गए।

14 जून 1945 को वेवेल ने एक रेडियो प्रसारण के माध्यम से ब्रिटिश सरकार के प्रस्तावों की घोषणा की, जिसे वेवेल योजना के नाम से भी जाना गया। इस योजना का उद्देश्य वर्तमान राजनीतिक स्थिति को सुगम बनाना और भारत को उसके पूर्ण स्वशासन के लक्ष्य की ओर आगे बढ़ाना था। इसी कारण उन्होंने कांग्रेस के प्रमुख नेताओं को नजरबंदी से रिहा करने की भी घोषणा की, ताकि उनके साथ वार्तालाप को आगे बढ़ाया जा सके। साथ ही, वेवेल ने 25

जून को शिमला में एक सर्वदलीय सम्मेलन बुलाने की अपनी इच्छा जाहिर की; जिसमें वह विभिन्न राजनीतिक दलों और अल्पसंख्यक समूहों का प्रतिनिधित्व करने वाले भारतीय नेताओं को आमंत्रित करना चाहते थे। इस सम्मेलन का मुख्य उद्देश देश के राजनीतिक मत के संगठित प्रतिनिधित्व को समाहित करते हुए केंद्र में एक नई **कार्यकारी परिषद (Executive Council)** के गठन के लिए विचार-विमर्श करना था।

इसी दिन एमरी (भारत सचिव) ने घोषणा की कि मार्च 1942 का प्रस्ताव अब भी बिना किसी परिवर्तन के अपनी संपूर्णता के साथ मौजूद है।

वेवेल योजना के मुख्य तत्व इस प्रकार थे-

जब तक नया संविधान विचाराधीन है, वेवेल ने गवर्नर जनरल की कार्यकारी परिषद अथवा कार्यकारिणी की पुनर्सरचना का प्रस्ताव रखा।

- गवर्नर जनरल एवं मुख्य सेनाध्यक्ष (कमांडर इन चीफ) को छोड़कर कार्यकारी परिषद के सभी सदस्यों को भारतीय नेताओं में से नामांकित किया जाएगा। (अत: नई परिषद अपनी संरचना में भारतीय होगी।)
- परिषद में मुस्लिम एवं हिंदुओं को समान अनुपात में प्रतिनिधित्व दिया जाएगा।
- यदि अस्तित्व में आ सकी, तो पुनर्गठित परिषद को 1935 के अधिनियम के ढांचे के तहत अंतरिम सरकार की तरह कार्य करना था। (ऐसा इसे विधानसभा के प्रति उत्तरदायी हुए बिना करना था।)
- गवर्नर जनरल अपने निषेधाधिकार (वीटो) को बनाए रखेगा, लेकिन वह इसका उपयोग अनावश्यक रूप से नहीं करेगा।
- बाहरी मामलों (Eñternal Affairs) के विभाग को गवर्नर जनरल से लेकर परिषद के भारतीय सदस्य को हस्तांतरित किया जाएगा। (जनजातीय एवं सीमांत मुद्दों को छोड़कर, जिन्हें भारत की प्रतिरक्षा के एक भाग के रूप में रखा गया था।)
- कार्यकारी परिषद में नामांकन के लिए अनेक दलों के प्रतिनिधियों की एक संयुक्त सूची वायसराय को सौंपी जानी थी। यदि संयुक्त सूची संभव न हो, तो पृथक सूचियां भी सौंपी जा सकती थीं।

परिणामस्वरूप, सरकार ने कांग्रेस पर लगा प्रतिबंध हटा दिया, कांग्रेस कार्यकारी समिति के सदस्यों को रिहा किया और उन्हें अन्य के साथ, विशेष रूप से मुस्लिम लीग के साथ, शिमला सम्मेलन में शामिल होने के लिए आमंत्रित किया। रिहा हुए नेताओं से अपेक्षा थी कि वे युद्ध और सरकारी दमन की कठिनाइयों द्वारा हतोत्साहित हुई जनता से मिलें। उत्साही भीड़ के द्वारा उनका स्वागत किया गया, जो उनकी रिहाई का इंतजार कर रही थी। यहाँ तक कि शिमला में भी बड़ी संख्या में ग्रामीण लोग ऊंचे वृक्षों पर बैठकर अपने नेताओं की एक झलक पाने के लिए घंटों इंतजार कर रहे थे।

शिमला सम्मेलन

25 जून 1945 को वायसराय की अध्यक्षता में अपने तय कार्यक्रम के अनुसार सम्मेलन हुआ। यद्यपि अगले 4 दिनों तक एक ऐसा सूत्र (फार्मूला) विकसित करने का गंभीर प्रयास किया गया, जो एक नई कार्यकारी परिषद के संविधान में सहायता कर सके, लेकिन सफलता नहीं मिल सकी।

शिमला समझौते की असफलता

कार्यकारी परिषद के मुस्लिम सदस्यों को चयनित करने के तरीके को लेकर गतिरोध बना रहा और यही मुख्य मुद्दा था जिसका समाधान निकालने में यह सम्मेलन असफल हुआ। लीग ने बलपूर्वक कहा कि प्रत्येक भारतीय मुसलमान के लिए बोलने का केवल उसे ही अधिकार है और इसलिए केवल उसे ही परिषद के लिए सभी मुस्लिम सदस्यों को चुनने का अधिकार होना चाहिए। लीग यहीं नहीं रुकी और उसने प्रस्तावित परिषद में दो-तिहाई बहुमत के द्वारा एक **सांप्रदायिक निषेधाधिकार (communal veto)** की मांग की, जिसके अनुसार यदि मुस्लिम सदस्य किसी निर्णय का विरोध करते हैं, तो ऐसे निर्णय को साधारण बहुमत के स्थान पर दो-तिहाई बहुमत से ही पारित किया जा सकेगा।

कांग्रेस ने इस दावे का विरोध किया। एक राष्ट्रीय संस्था के रूप में वह यह स्वीकार नहीं कर सकती थी कि उसे केवल हिंदुओं का प्रतिनिधित्व करने वाली एक संस्था समझा जाए (साथ ही इसका अर्थ कांग्रेस को उच्च जाति के हिंदुओं की एक संस्था के रूप में देखना था।)। इसके स्थान पर कांग्रेस ने मुस्लिम कोटे में से दो कांग्रेसी मुसलमानों को शामिल करने का प्रस्ताव दिया। मौलाना अबुल कलाम आजाद (उस समय कांग्रेस के अध्यक्ष) और अब्दुल गफ्फार खान शिमला में कांग्रेसी प्रतिनिधि के रूप में मौजूद थे।

लीग की मांगों ने वायसराय सहित सभी को शर्मिंदा किया। लीग के इस अधिकार को स्वीकार करने का अर्थ यूनियनिस्ट पार्टी ऑफ पंजाब (Unionist Party of Punjab) के मुसलमानों के प्रतिनिधित्व को भी मना करना था, जिसने युद्ध के दौरान ब्रिटिश का पूर्णतया समर्थन किया था। वायसराय ने अनुभव किया कि पंजाबी मुसलमानों के प्रतिनिधित्व हेतु एक गैर-लीग प्रतिनिधि के रूप में मलिक खिज्र हयात खान के एक नामित उम्मीदवार को परिषद में शामिल होना चाहिए। अन्ततः वायसराय ने एकाएक ब्रिटिश प्रस्तावों का परित्याग कर इस शिमला सम्मेलन को अपने प्रारंभ होने के तीन दिन बाद ही विघटित कर दिया।

इस प्रकार पूर्ववर्ती प्रयासों के समान कांग्रेस व मुस्लिम लीग के बीच सहमति बनाने में असफल होने के साथ शिमला सम्मेलन की भी समाप्ति हुई। शिमला सम्मेलन की असफलता का उत्तरदायित्व अंशतः वेवेल और अंशतः जिन्ना के ऊपर आया। वेवेल को पूरी योजना पर लीग को निषेधाधिकार का उपयोग करने की अनुमति नहीं देनी चाहिए थी।

शिमला सम्मेलन का महत्व (Significance of Simla Conference)- वायसराय द्वारा सम्मेलन को विघटित किए जाने में, जैसा कि आगे के विकासों से उजागर हुआ, सभी मुसलमानों के लिए बोलने के मुस्लिम लीग के एकाधिकार को आधिकारिक मान्यता देना और भविष्य की सभी बातचीत के लिए लीग को निषेधाधिकार की शक्ति देना निहित था। वार्तालाप की असफलता ने जिन्ना व मुस्लिम लीग की स्थिति को और मजबूत किया, जो 1945-46 के चुनावों में स्पष्ट रूप से प्रकट हुआ।

क्लीमेंट एटली, ब्रिटेन के प्रधानमंत्री, 1945-51 (लेबर पार्टी)

ब्रिटेन में लेबर पार्टी का सत्ता में आना (जुलाई, 1945)

जुलाई 1945 में क्लीमेंट एटली के नेतृत्व में लेबर पार्टी ने चुनावों में भारी जीत हासिल की और रूढ़िवादी नेता विंस्टन चर्चिल के नेतृत्व में युद्ध के समय बनी गठबंधन सरकार का स्थान लिया। यह चुनाव लिबरल पार्टी के साथ-साथ आर्चीबाल सिंक्लेयर के नेतृत्व में एक बड़ी क्षति थी।

कलीमेंट एटली के नेतृत्व में बनी नई लेबर सरकार ने भारत के पुराने मित्र **लॉर्ड पैथिक लॉरेंस** को भारत सचिव नियुक्त किया। लेबर पार्टी के नेता भारत में राष्ट्रवादियों के प्रति उनकी सहानुभूति के लिए जाने जाते थे और पहले ही भारत को स्वतंत्रता देने के लिए स्वयं को प्रतिबद्ध कर चुके थे। बहुत पहले 1938 में लंदन के पास लेबर पार्टी के प्रमुख नेता, जिनमें क्लीमेंट एटली, स्टैफोर्ड क्रिप्स एवं हैरोड लास्की शामिल थे, जवाहरलाल नेहरू से मिल चुके थे और 'सार्वभौमिक मताधिकार' के आधार पर विधिपूर्वक निर्वाचित संविधान सभा द्वारा बनाए गए भारतीय संविधान को स्वीकार करने के लिए सहमत हो गए थे।

हालांकि, एक बार सत्ता में आने के बाद लेबर पार्टी का दृष्टिकोण मुश्किल से ही अग्रगामी था-

- 21 अगस्त 1945 को वायसराय ने आने वाले शीतकाल में भारतीय विधायिकाओं (केंद्र के साथ-साथ प्रांतों में भी चुनाव लंबित थे। केंद्र में अंतिम बार 1934 में और प्रांतों में अंतिम बार 1937 में चुनाव हुए थे।) के चुनावों को आयोजित करने की घोषणा की।

- 19 सितंबर 1945 को वायसराय ने भारत के लिए 'शीघ्र ही पूर्ण स्वशासन' के वादे का नवीनीकरण किया और सावधानीपूर्वक 'स्वतंत्रता' शब्द के उपयोग से परहेज किया।
- एक संविधान सभा के निर्माण के लिए विधायिकाओं के निर्वाचित सदस्यों और भारतीय राजकुमारों के प्रतिनिधियों के साथ वार्तालाप आयोजित किया गया। (इस प्रकार आसानी से सार्वजनिक मताधिकार के आधार पर एक निर्वाचित संविधान सभा के निर्माण हेतु पूर्व में दिए गए लेबर पार्टी के आश्वासन से बचकर निकले।)

आम चुनाव (दिसंबर 1945)

1945-46 की सर्दियों में केंद्र के साथ-साथ प्रांतीय विधायिकाओं के सदस्यों के निर्वाचन के लिए ब्रिटिश भारत में आम चुनाव आयोजित हुए।

चुनाव प्रचार/अभियान (Election Campaign)

दो मुद्दे चुनाव अभियान के मुख्य आधार बने; पहला, **1942 का दमन** और दूसरा, **आई.एन.ए. (आजाद हिंद फौज) का मुकदमा**। वास्तव में, जेल से रिहा होने के तुरंत बाद से ही कांग्रेसी नेता 1942 के दौरान शासन द्वारा की गई ज्यादती के मुद्दे को उठाए हुए थे। वे अपने भाषणों में शासकीय कार्रवाई की निंदा करते थे, दमन की घटनाओं का विस्तार से ब्यौरा देते थे और उनकी जांच करवाने का वादा करते थे। जांच की बढ़ती मांग ने सेवाओं के उत्साह को भंग कर दिया। संयुक्त प्रांत के गवर्नर विली ने स्वयं माना था कि ऐसी विधियों का यदाकदा उपयोग किया गया, जिसका कोई बचाव नहीं कर सकता था।

कांग्रेस द्वारा सर्वाधिक उठाए गए आई.एन.ए. के मुद्दे ने जनता की भावनाओं को छुआ। बॉम्बे में युद्धोपरांत आयोजित हुए अपने पहले अधिवेशन (21-23 सितंबर 1945) में अखिल भारतीय कांग्रेस समिति ने इस मुद्दे के समर्थन में घोषणा करते हुए एक प्रस्ताव स्वीकार किया। कांग्रेस पार्टी ने आई.एन.ए. के युद्ध बंदियों का बचाव किया और भूलाभाई देसाई, तेज बहादुर सप्रू, के.एन. काटजू, नेहरू एवं अरूणा आसफ अली जैसे वकील नेता ऐतिहासिक लाल किले की सुनवाई (इसी अध्याय में आई.एन.ए. की सुनवाई के बारे में विस्तार से पढ़ें) के दौरान अदालत में बचाव पक्ष की ओर से प्रस्तुत हुए।

मुस्लिम लीग ने चुनाव एक स्पष्ट सांप्रदायिक नारे **'लीग और पाकिस्तान के लिए दिया गया मत इस्लाम के लिए मत है'** के साथ लड़ा। चुनावी बैठकें मस्जिदों में आयोजित हुई और पीरों (पवित्र व्यक्ति) से कहा कि वे फतवा (दिशा-निर्देश) जारी करके सभी मुसलमानों से लीग के लिए मत देने को कहें। कांग्रेस और लीग के बीच चुनाव को गीता और कुरान के बीच चयन की तरह प्रस्तुत किया गया। इस तरह के सांप्रदायिक प्रचार के बाद परिणाम को लेकर शायद ही कोई आश्चर्य था और लीग ने मुस्लिम सीटों पर भारी जीत हासिल की।

चुनाव परिणाम (Election Results)- मुस्लिम लीग लाभदायक स्थिति में थी। यह मुस्लिम जनता के बड़े भाग को आकर्षित करने में सक्षम हो पाई, इसके पीछे शासकीय संरक्षण और उसके 'इस्लाम खतरे में' जैसे आह्वान की बड़ी भूमिका रही। कांग्रेस भी, विशेषकर स्वाधीनता की प्रत्याशा में, अपनी लोकप्रियता के चरम पर थी। लेकिन अंशतः वास्तविक और अंशतः अवास्तविक सांप्रदायिक विभिन्नताओं पर आधारित अभेद्य धार्मिक प्रचार-प्रसार के समक्ष कांग्रेस ने स्वयं को लाचार पाया।

कांग्रेस का प्रदर्शन (Congress Performance)

- **भारतीय राष्ट्रीय कांग्रेस सबसे बड़ी पार्टी के रूप में उभरी:** कांग्रेस ने सामान्य निर्वाचन क्षेत्रों (गैर-मुस्लिम क्षेत्र) में भारी जीत हासिल की और 91.3 % वोट प्राप्त किए।
- **केंद्र में:** इसने केंद्रीय विधानसभा में 102 सीटों में से 57 सीटें जीती।
- **प्रान्तों में:** इसने बहुमत प्राप्त किया एवं सिंध, पंजाब व बंगाल को छोड़कर सभी प्रांतों में मंत्रिमंडल बनाने में सफलता प्राप्त की। इस प्रकार **असम, उत्तर-पश्चिम सीमांत प्रांत, संयुक्त प्रांत, मध्य प्रांत, बिहार, उड़ीसा, बॉम्बे** एवं **मद्रास** में कांग्रेस ने मंत्रिमंडल बनाए।

लीग का प्रदर्शन (League's Performance)

- अखिल भारतीय मुस्लिम लीग को मुस्लिम निर्वाचन क्षेत्रों में समान रूप सफलता प्राप्त हुई और इसे मुस्लिम मत का 86.6% प्राप्त हुआ।
- **केंद्र में:** इसने केंद्रीय विधानसभा की सभी 30 मुस्लिम सीटों पर जीत दर्ज की।
- **प्रान्तों में:** प्रान्तों में इसे 509 मुस्लिम सीटों में से 443 सीटें प्राप्त हुई।
- हालांकि, समग्र रूप से लीग को भारी झटका लगा। वह 11 प्रांतों में से केवल **सिंध और बंगाल** में ही मंत्रिमंडल बना सकी और यहाँ भी शासकीय और यूरोपीय समर्थन से वह ऐसा करने में सफल हो सकी। लीग ने उत्तर-पश्चिम सीमांत प्रांत और असम को कांगेस के हाथों गवांया और वह यूनियनवादियों को पंजाब से हटाने में भी असफल हुई।

पंजाब में यद्यपि मुस्लिम लीग सबसे बड़ा दल था, लेकिन वह अपनी सरकार नहीं बना सकी और उस के स्थान पर यूनियनिस्ट पार्टी के नेता मलिक खिज्र हयात के नेतृत्व में कांग्रेस, अकाली सिख एवं यूनियनवादियों ने एक गठबंधन करते हुए मंत्रिमंडल बनाया।

परिणाम का विश्लेषण (Result Analysis)– यह याद रखना चाहिए कि भारत में मुस्लिम लीग के समर्थन-आधार का शायद ही परीक्षण हुआ था। पृथक निर्वाचन के आधार पर चुनाव आयोजित हुए थे, जिसके अंतर्गत मुस्लिम सीटों के उम्मीदवारों के लिए केवल मुसलमान ही मत दे सकते थे। कांग्रेस, जिसने भारत की जनता की विविधता के लिए एक सामान्य हित खोजने हेतु स्वयं को वैचारिक रूप से प्रतिबद्ध किया था, ने एक धार्मिक समुदाय के मतों को प्राप्त करने का प्रयास कर रहे दलों को मात देने में स्वयं को अत्यधिक मुश्किल में पाया। इस प्रकार कांग्रेस पार्टी को मुस्लिम निर्वाचन क्षेत्रों में असमान प्रतिस्पर्धा का सामना करना पड़ा। साथ ही, मताधिकार भी अत्यधिक सीमित था। मुश्किल से कुल जनसंख्या के 10% को ही यह अधिकार प्राप्त था। अतः यह कहना कठिन है कि क्या होता यदि चुनाव सार्वभौमिक मताधिकार के आधार पर होते; यदि हम भविष्य में हुए राजनीतिक विकास (कांग्रेस की 1952 की जीत, पूर्वी पाकिस्तान में लीग की पराजय और पश्चिमी पाकिस्तान के घटनाक्रम को नियंत्रित करने में उसकी सफलता) को विशेष रुप से ध्यान में रखकर विचार करें।

1945 के आम चुनावों का महत्व (Significance of General Elections, 1945)

- भारतीय राष्ट्रीय कांग्रेस एक बड़े दल के रूप में उभरा।
- लीग ने सभी मुस्लिम निर्वाचन क्षेत्रों में जीत दर्ज की और इस प्रकार ये चुनाव जिन्ना के लिए एक रणनीतिक जीत साबित हुई। (यद्यपि दल अन्य किसी भी सीट को जीतने में असफल रहा)
- यद्यपि कांग्रेस की जीत हुई, लेकिन लीग ने मुस्लिम मतों को एकजुट कर लिया था और इस प्रकार एक पृथक मुस्लिम वतन प्राप्त करने हेतु उसे समझौतावादी शक्ति प्राप्त हो गई थी।
- ब्रिटिश भारत में ये अंतिम आम चुनाव थे और बाद में 1951 में भारत में व 1970 में पाकिस्तान में चुनाव हुए।

कैबिनेट मिशन (Cabinet Mission), 1946

जैसे ही चुनाव समाप्त हुए, एटली सरकार ने बिना समय गवांए प्रमुख दलों से वार्तालाप शुरू किया। इसने तीन सदस्यीय ब्रिटिश कैबिनेट का एक उच्च स्तरीय मिशन भेजा। इस मिशन का उद्देश्य **भारत में शांतिपूर्ण सत्ता के हस्तांतरण** के लिए उपायों व तरीकों को तलाशना था। इसे कैबिनेट मिशन के नाम से जाना गया।।

सदस्य

1. पैथिक लारेंस (भारत सचिव)
2. स्टैफोर्ड क्रिप्स (व्यापार बोर्ड के अध्यक्ष)
3. ए. वी. अलेग्जेंडर (एडमिरैलिटी के प्रथम लॉर्ड या नौसेना मंत्री)

उद्देश्य (Objectives)–

- भारत में सत्ता के शांतिपूर्ण हस्तांतरण के उपायों को खोजना।
- संवैधानिक मुद्दों का समाधान करना।

कैबिनेट मिशन का संदर्भ (Context to Cabinet Mission)– मार्च 1946 तक भारत उफान/उत्तेजना के एक उच्च बिंदु पर पहुँच चुका था और ब्रिटिश समझ चुके थे कि निम्न कारणों से अब समय उनके हाथों से निकलता जा रहा है-

- भारत के साथ-साथ ब्रिटेन पर द्वितीय विश्व युद्ध का प्रभाव। (जिसका पहले ही वर्णन किया चुका है।)
- देश भर में यत्र-तत्र हो रहे जनवादी असंतोष का प्रभाव। (इस अध्याय के अंत में वर्णन किया गया है।)
- प्रांतों में कांग्रेसी शासन का मनोबल बढ़ाने में यह अत्यधिक महत्वपूर्ण साबित हुआ।
- समझौता और दमन की ब्रिटिश नीति के तहत अब एक बार पुनः समझौते का समय आ गया था। लेकिन क्रिप्स मिशन की असफलता के बाद स्वतंत्रता के अलावा प्रस्ताव करने के लिए कुछ विशेष नहीं बचा था।
- ब्रिटिश भारतीय सरकार ने अनुभव किया कि एक और अन्य जन-आंदोलन को टालने और भविष्य में भारत-ब्रिटेन के अच्छे संबंधों को सुनिश्चित करने के लिए एक समझौता आवश्यक है।

अब ब्रिटिश नीति निर्माताओं ने महसूस किया कि पुरानी शैली के ब्रिटिश शासन को अब लंबे समय तक बनाए नहीं रखा जा सकता। अतः अब ब्रिटिश नेताओं का उद्देश्य भारत से सुखद वापसी, सत्ता के शांतिपूर्ण हस्तांतरण और भविष्य में भारत-ब्रिटेन के अच्छे संबंधों को सुनिश्चित करना था। भारत के भविष्य का निर्णय करने के लिए अब मंच तीन किरदारों, ब्रिटिश सरकार, कांग्रेस और मुस्लिम लीग के लिए सज चुका था। समझते हैं किं प्रत्येक पक्ष क्या चाहता था-

ब्रिटिश– जहाँ तक संभव हो विभाजित करके ब्रिटिश अपने पीछे एक कमजोर भारत छोड़ना चाहते थे, ताकि नव उपनिवेशवादियों के लिए रास्ता बन सके।

बिपिन चंद्र के विचार-

दूसरी ओर इतिहासकर बिपिन चंद्र का विचार ही कि ब्रिटिश अपने पीछे एक संयुक्त, मित्रवत भारत छोडना चाहते थे, जो कॉमनवेल्थ की प्रतिरक्षा में एक सक्रिय सहयोगी बनेगा। एक विभाजित भारत प्रभावी सहयोगी नहीं बन सकेगा। इस विचार के समर्थन में बिपिन चंद्र प्रधानमंत्री एटली के हाउस ऑफ कॉमन्स में दिये गए बयान को उद्धृत करते हैं, 'हमें अल्पसंख्यकों के अधिकारों के लिए अत्यधिक सचेत हैं और अल्पसंख्यकों को भय मुक्त जीवन जीने के लिए सक्षम होना चाहिए। साथ ही, **हम अल्पसंख्यकों को बहुमत की प्रगति पर वीटो की अनुमति नहीं दे सकते।'**

यह बयान मुस्लिम लीग के प्रति ब्रिटिश नीति में बदलाव को दर्शाता है।

कांग्रेस– कांग्रेस एक केंद्र सरकार सहित संयुक्त भारत चाहती थी और स्वाधीनता के बाद ही अल्पसंख्यक संरक्षण के लिए योजना बनाई जाएगी।

मुस्लिम लीग– मुस्लिम लीग भारतीय मुसलमानों के लिए एक पृथक वतन चाहती थी।

कैबिनेट मिशन का भारत पहुँचना (24 मार्च, 1946)

24 मार्च 1946 को तीनों कैबिनेट मंत्री नई दिल्ली पहुँचे और संवैधानिक प्रश्न को सुलझाने के लिए वायसराय एवं अनेक भारतीय नेताओं के साथ लंबा वार्तालाप किया। यह वार्तालाप 7 सप्ताह तक चला और जिन्ना की पाकिस्तान व मुसलमानों के लिए आत्म निर्णय के अधिकार की मांग को लेकर गतिरोध हुआ। एक बार पुनः भारत के विभाजन के आधारभूत मुद्दे पर कांग्रेस एवं मुस्लिम लीग किसी भी समझौते पर नहीं पहुँच सके। अंततः मिशन ने ऐसे प्रस्तावों को, जिन्हें वे सर्वश्रेष्ठ प्रस्ताव समझते थे, आगे करने का निर्णय लिया। इन प्रस्तावों को 16 मई 1946 के एक बयान में शामिल किया गया और इसे कैबिनेट मिशन योजना के नाम से जाना गया।

कैबिनेट मिशन योजना, 16 मई 1946- मिशन ने कुछ हद तक एक जटिल योजना बनाई, जिसे तीन भागों में बांटा जा सकता है:

- पाकिस्तान की योजना का परीक्षण और उसका अस्वीकार किए जाना।
- एक दीर्घकालीन योजना।
- एक अल्पकालीन योजना (अंतरिम सरकार)।

पाकिस्तान की योजना का परीक्षण और इसका अस्वीकार किया जाना- यद्यपि वायसराय एवं ए. वी. अलेग्जेंडर की सहानुभूति जिन्ना के साथ थी, लेकिन उसके बावजूद निम्नलिखित कारणों से एक संपूर्ण पाकिस्तान (असम, बंगाल, पंजाब, सिंध, उत्तर पश्चिम सीमांत प्रांत एवं बलूचिस्तान, इन 6 प्रांतों को मिलाकर) की मांग को अस्वीकार कर दिया गया:

- पाकिस्तान के निर्माण के बाद भी सांप्रदायिक अल्पसंख्यक की समस्या का समाधान नहीं होगा, क्योंकि पश्चिमी पाकिस्तान में रहने वाले गैर-मुस्लिम जनता का प्रतिशत कुल जनसंख्या का 37.93% होगा और इसी प्रकार पूर्वी पाकिस्तान में रहने वाले गैर-मुस्लिम जनता का प्रतिशत 48.31 होगा।
- मिशन ने आगे एक वैकल्पिक प्रस्ताव के बारे में विचार किया, जिसके तहत पाकिस्तान का निर्माण इन प्रांतों के केवल मुस्लिम बहुल क्षेत्रों से किया जाएगा। ऐसे पाकिस्तान के निर्माण के लिए आवश्यक रूप से बंगाल, असम और पंजाब का विभाजन करना पड़ेगा और ऐसा करना सभी क्षेत्रीय और भाषायी संबंधों के विरुद्ध होता और साथ ही इससे विशाल आर्थिक व प्रशासनिक समस्याएं भी बढ़ती। इसके अलावा जिन्ना को भी इससे संतुष्टि नहीं होने वाली थी, क्योंकि वे खंडित पाकिस्तान के विचार के विरोधी थे।
- बंगाल, असम और पंजाब के पूर्णतया गैर-मुस्लिम जिलों को पाकिस्तान में शामिल करने का कोई न्यायोचित आधार नहीं था। (मिशन के अनुसार प्रत्येक तर्क जो पाकिस्तान के समर्थन में उपयोग किया जा सकता था, वह समान रूप से गैर-मुस्लिम क्षेत्रों को पाकिस्तान से बाहर रखने के पक्ष में उपयोग किया जा सकता था।)
- भारत की यातायात व्यवस्था के साथ-साथ डाक व तार व्यवस्था को विभाजित करना हानिकारक होगा।
- देशी रियासतों को दोनों राष्ट्रों में से किसी एक में शामिल होना कठिन होगा।
- पाकिस्तान के दोनों भाग (अर्द्धांश) करीब 700 मील दूर होंगे और युद्ध अथवा शांति के समय दोनों भागों के बीच संचार हिंदुस्तान के सद्भाव पर निर्भर करेगा। (सबसे महत्वपूर्ण रूप से मिशन का मानना था कि एक संयुक्त भारत कॉमनवेल्थ की रक्षा में एक सक्रिय सहयोगी की तरह कार्य कर सकेगा।)

दीर्घकालीन योजना- एक दीर्घकालीन समझौते के लिए निम्न योजना का सुझाव दिया गया-

- **भारतीय संघ (Union of India)**- ब्रिटिश भारत और देशी रियासतों को शामिल करते हुए एक भारतीय संघ होना चाहिए, जो रक्षा, विदेश मामले और संचार जैसे विषयों पर कार्य करेगा। (भारतीय संघ का अर्थ प्रांतों और देशी रियासतों के **परिसंघ** से था। **एक केंद्रीय सरकार** का प्रस्ताव था, जिसको कुछ विशेष विषयों को नियंत्रित करना था।)
- **पूर्ण प्रांतीय स्वायत्तता (Full Provincial Autonomy)**- प्रांतों को पूर्ण स्वायत्तता होनी चाहिए। संघीय विषय एवं सभी अवशिष्ट शक्तियों को छोड़कर शेष सभी विषय प्रांतों में निहित होना चाहिए। (अतः इसने एक केंद्र के अधीन सभी भारतीय क्षेत्रों के एक कमजोर/शिथिल संघ को प्रस्तावित किया।) देशी रियासतें सभी शक्तियों व विषयों को अपने पास बनाये रखेंगी, केवल उनको छोड़कर जो संघ को सौंपे गए थे। प्रांतों को कार्यपालिका व विधायिका सहित समूह बनाने की स्वतंत्रता होगी और प्रत्येक समूह उन प्रांतीय विषयों को निर्धारित करेगा, जिन्हें वे उभयनिष्ठ (common) बनाना चाहते हों।

- **समूहीकरण (Groupings)**- 6 हिंदू बहुल प्रांत- बॉम्बे, संयुक्त प्रांत, बिहार, मध्य प्रांत, उड़ीसा और मद्रास समूह 'क' बनाएंगे। उत्तर-पश्चिम के मुस्लिम बहुल प्रांत- पंजाब, उत्तर-पश्चिम सीमांत प्रांत एवं सिंध ग्रुप 'ख' का निर्माण करेंगे। उत्तर-पूर्व के मुस्लिम बहुल प्रांत- बंगाल और असम समूह 'ग' का निर्माण करेंगे। चीफ कमिश्नर के प्रांतों में से तीन (दिल्ली, अजमेर-मारवाड़ व कुर्ग) समूह 'क' में शामिल होंगे और एक (बलूचिस्तान) समूह 'ब' में शामिल होगा। (अत: 'प्रांतों की पूर्ण स्वायत्तता' और 'समूहीकरण' का अर्थ मुस्लिम लीग को **पाकिस्तान का आधार** प्रदान करना था। यह स्पष्ट था कि समहू 'ब' और समूह 'स' मुसलमानों के नियंत्रण के अधीन होंगे। प्रांतों को यह शक्ति दी गई थी कि वे नए संविधान के अंतर्गत होने वाले आम चुनावों के बाद अपनी-अपनी विधायिकाओं के निर्णय के द्वारा अपने निश्चित समूहों से बाहर आ सकते थे।)
- **संविधान सभा (Constituent Assembly)**- अप्रत्यक्ष चुनाव (क्योंकि वयस्क मताधिकार के आधार पर प्रत्यक्ष चुनाव में अधिक समय लगता) के द्वारा एक संविधान-निर्माण सभा शीघ्र स्थापित होनी चाहिए। इस उद्देश्य से प्रत्येक प्रांत को उसकी जनसंख्या के अनुपात में सीटें आवंटित की जानी थीं, मोटे तौर पर एक मिलियन (10 लाख) जनसंख्या पर एक सीट का अनुपात तय किया गया। इस प्रकार प्रत्येक प्रांत के लिए जो कुल सीटें आवंटित हुई, उन्हें मुख्य समुदायों के बीच उनकी जनसंख्या के आधार पर विभाजित किया जाना था और इस तरह प्रत्येक समुदाय को जो प्रतिनिधि आवंटित किए गए (जो सीटें आवंटित की गई) उनका निर्वाचन विधानसभा में उसी समुदाय के सदस्यों के द्वारा किया जाएगा। (इस उद्देश्य के लिए सामान्य, मुस्लिम एवं सिख समुदायों को मान्यता दी गई।) इस प्रकार से निर्वाचित प्रतिनिधि देशी रियासतों के प्रतिनिधियों के साथ एक संस्था/निकाय के रूप में नई दिल्ली में मिलेंगे और एक संविधान सभा का निर्माण करेंगे। इसके बाद संविधान सभा तीन प्रथक वर्गों में बंट जाएगी- समूह 'क' होगा वर्ग 'क' और इसी तरह अन्य दो समूह भी।
- **प्रांतीय अथवा समूह संविधान (Provincial or Group Constitutions)**- इन सभी वर्गों को अपने-अपने प्रांतीय संविधानों के निर्माण का अधिकार होगा और यदि आवश्यकता हुई, तो समूहों के लिए संविधान भी बना सकेंगे। साथ ही अपने-अपने प्रांतों में प्रांतीय विधायिका और कार्यपालिका स्थापित कर सकेंगे।
- **संघ का संविधान (Union Constitution)**- समूह संविधानों के लिए समझौता करने के बाद ये समूह एक साथ मिलकर संघ के संविधान का निर्माण करेंगे।

अल्पकालीन योजना (अंतरिम सरकार)- चूंकि इस प्रक्रिया में काफी समय लगता, इसलिए मिशन ने एक अल्पकालीन तरीका भी सुझाया। मिशन ने अल्पकालीन योजना के रूप में केंद्र में एक अंतरिम सरकार (Interim Government) के निर्माण का प्रस्ताव दिया और इस सरकार को सभी मुख्य राजनीतिक दलों का समर्थन होगा और इस सरकार में **युद्ध-सदस्य** सहित सभी प्रमुख विभागों को भारतीय हाथों में सौंपा जाएगा।

कैबिनेट मिशन योजना के गुण

- इसका मुख्य गुण यह था कि इसने संविधान सभा के निर्माण के लिए जनता की शक्ति के लोकतांत्रिक सिद्धांत (democratic principle) को प्रस्तावित किया, न कि अधिभार (weightage) के सिद्धांत को।
- विभाजन के विचार को अलग कर दिया गया और अखिल भारतीय संघ की कल्पना की गई।

कैबिनेट मिशन योजना के दोष

- जहाँ एक ओर मुस्लिम अल्पसंख्यकों को अत्यधिक संरक्षण दिया गया, वहीं ऐसा संरक्षण अन्य अल्पसंख्यकों, जैसे- पंजाब में सिखों को नहीं दिया गया।
- प्रांतीय समूहीकरण के संबंध में जो प्रावधान था, उसकी विभिन्न प्रकार से व्याख्या की जा सकती थी।

विश्लेषण (Analysis)- कैबिनेट मिशन योजना अव्यवस्थित भारत को एक केंद्र के अंतर्गत लाने का उत्सुक प्रयास था। ऐसा भारत जो सांप्रदायिक रूप से पृथक व स्वायत्त इकाइयों से बना था और बाल्कनिकरण (विखंडीकरण) की कगार पर खड़ा था। नव उपनिवेशवादियों के लिए मैदान छोड़ने की जल्दी में उन्होंने अनेक महत्वपूर्ण बातों को नजरअंदाज कर दिया। साथ ही यह योजना एक समझौते के समान थी। पाकिस्तान की मांग को अस्वीकार करके इसने कांग्रेस को तसल्ली देने की कोशिश की (तुष्ट किया) और साथ ही मुस्लिम बहुल क्षेत्रों का निर्माण करके मुस्लिम लीग को तसल्ली देने का भी प्रयास किया। इस प्रकार शुरुआत में कांग्रेस एवं लीग दोनों का ही इस योजना, विशेषकर दीर्घकालीन योजना, को स्वीकार करने की ओर झुकाव दिख रहा था।

आपत्तियां (Objections)- शीघ्र ही प्रांतों के समूह अथवा वर्ग बनाने के प्रावधानों के ऊपर आपत्तियां आने लगी। जहाँ एक ओर लीग ने इनकी व्याख्या अनिवार्य प्रावधानों की तरह की, वहीं कांग्रेस इन्हें वैकल्पिक बताती रही, क्योंकि अनिवार्य समूहीकरण से कांग्रेस द्वारा प्रशासित उत्तर-पश्चिम सीमांत प्रांत एवं असम जैसे मुस्लिम बहुल प्रांत अपने निश्चित समूह में असहाय अल्पसंख्यक की स्थिति में आ जाएंगे। कांग्रेस ने प्रस्तावित संविधान सभा में देशी रियासतों से सदस्यों को निर्वाचित न किए जाने का भी विरोध किया। सिख समुदाय भी समूह-व्यवस्था से विचलित था और उनको लग रहा था कि समूह 'ख' के प्रांतों में उन्हें मुस्लिम बहुमत के मध्य बिना पर्याप्त संरक्षण के छोड़ा जा रहा है।

- 6 जून को लीग ने योजना को स्वीकार करने की घोषणा की, क्योंकि अनिवार्य समूह-व्यवस्था में पाकिस्तान का आधार निहित था।
- 7 जुलाई को नेहरू ने घोषित किया, 'संविधान सभा में जाने के निर्णय के अलावा हम किसी भी चीज से बंधे हुए नहीं है।' (क्योंकि सभा का अर्थ था एक संप्रभु संस्था, जो कैबिनेट मिशन के द्वारा बनाए गए नियमों को संशोधित कर सकती थी।)

कैबिनेट मिशन की असफलता (Failure of the Cabinet Mission)- जुलाई 1946 के अंत तक कांग्रेस के साथ-साथ लीग ने कैबिनेट मिशन योजना का उपयोग न करने के विरुद्ध निर्णय लिया। इस निर्णय के दो कारण बताए गए- पहला, समूह-व्यवस्था पर मतभेद का होना और दूसरा, कैबिनेट मिशन स्वयं समूह-व्यवस्था के पीछे अपने इरादे और निश्चित निर्णय को स्पष्ट करने में अक्षम रही। वास्तव में, मिशन जानबूझकर इसे स्पष्ट करने से मना कर रहा था, यहाँ तक कि उनसे स्पष्ट करने को कहा गया तब भी उसने ऐसा नहीं किया और शायद उसे आशा थी कि यह अस्पष्टता कांग्रेस और लीग के मतभेदों के बीच सामंजस्य स्थापित करने में सहायक हो जाए। इसके विपरीत इसने मामले को और बिगाड़ दिया।

सकारात्मक परिणाम- उपर्युक्त के बावजूद, इसकी कुछ सकारात्मक उपलब्धियाँ भी थीं-

- भारत के भविष्य की समस्या को, जो अब तक एक बादल के समान थी, उसे जटिल वास्तविकता के धरातल पर लाया गया था।
- इसने यह प्रदर्शित कर दिया था कि ब्रिटेन में लेबर सरकार जितनी जल्दी संभव हो भारत से वापस जाने के अपने वादे को बनाए रखने पर अडिग थी।

वेवेल की विभाजनकारी योजना (Wavell's Breakdown Plan)- मई 1946 में भारत में तेजी से विकसित हो रही राजनीतिक स्थिति से निपटने के लिए वेवेल द्वारा कैबिनेट मिशन के समक्ष एक योजना प्रस्तुत की गई। इसने चरणबद्ध तरीके से भारत छोड़ने का प्रस्ताव रखा, जिसकी शुरुआत हिंदू बहुल प्रांतों से होनी थी। इस प्रकार योजना के अनुसार बचे हुए देश को कांग्रेस के हाथों में छोडकर ब्रिटिश बल 6 मुस्लिम प्रांतों तक सिमट जाते। इसने भारत के विभाजन से बचने के लिए स्वयं पंजाब व बंगाल के विभाजन को प्रस्तावित किया और इन दोनों प्रांतों में मुस्लिम हितों को झटका दिया, ताकि एक पृथक मुस्लिम वतन के मुस्लिम लीग के एजेंडे को रोका जा सके। हालांकि, पूरी योजना को अस्वीकार कर दिया गया और विभाजन का भाग माउंटबेटन योजना में शामिल किया गया।

सांप्रदायिक नरसंहार (Communal Carnage) (16 अगस्त 1946 से प्रारम्भ)

कैबिनेट मिशन की असफलता ने मुस्लिम लीग को इतना हतोत्साहित कर दिया था कि उसने अपने चुनाव के बाद के नारे **'लेकर रहेंगे पाकिस्तान, लड़ के लेंगे पाकिस्तान'** पर कार्य करने का निर्णय लिया।

16 अगस्त 1946 को लीग द्वारा **सीधी कार्रवाई दिवस (Direct Action Day)** मनाया गया, जो एक तरह से हिंसा के लिए आमंत्रण था। यह उल्लेखनीय है कि सीधी कार्रवाई हिंदुओं के विरुद्ध निर्देशित थी, न कि ब्रिटिश शासन के विरुद्ध। सांप्रदायिक नरसंहार की शुरुआत कलकत्ता से हुई, जहाँ सुहारावर्दी के नेतृत्व वाली बंगाल मंत्रिमंडल ने यद्यपि सक्रिय रूप से उकसाया नहीं, लेकिन निष्क्रिय रूप से इसे देखती रही और परिणामस्वरूप, गैर-मुस्लिम लोगों पर व्यापक हिंसात्मक हमले हुए। जब तक सेना व्यवस्था को काबू कर पाती, 4 हजार लोग अपनी जिंदगी गवां चुके थे और इसे कलकत्ता के भीषण हत्याकांड के नाम से जाना गया।

इस प्रकार भारतीय परिदृश्य तेजी से रूपांतरित हुआ और सांप्रदायिक दंगे देश के अन्य भागों में भी भड़क उठे।

बॉम्बे- बॉम्बे दंगों में 300 से भी अधिक लोगों ने जान गवांई।

नोआखाली एवं टिप्पेरा (पूर्वी बंगाल)- 400 से अधिक लोगों ने अपनी जान गवांई और अनेक महिलाओं के साथ दुष्कर्म हुआ।

बिहार- नोआखाली में हिंसा का बदला तुरंत बिहार में लिया गया और 7000 से अधिक हत्याएं हुई।

गढ़मुक्तेश्वर (यूपी)- करीब 1000 लोगों को मौत के घाट उतार दिया गया।

उत्तर पश्चिम सीमांत प्रांत- यूपी और बिहार में हुए नरसंहार का बदला अब उत्तर पश्चिम सीमांत प्रांत में लिया गया और मुस्लिम, हिंदू व सिखों द्वारा लाहौर, अमृतसर, मुल्तान, अटक एवं रावलपिंडी में सांप्रदायिक दंगे किए गए, जिसमें मध्य 1947 तक करीब 5000 से अधिक लोग मारे गए। हिंदू और मुसलमान संप्रदायिकतावादी एक-दूसरे पर हिंसा शुरू करने का आरोप लगाते रहे और क्रूरता में एक दूसरे से प्रतिस्पर्धा करते रहे।

फास्ट फॉरवर्ड- पूरे 1947 के दौरान सांप्रदायिक नरसंहार बड़े स्तर पर जारी रहा और परिणामस्वरूप असंख्य जानें गई, अपहरण हुए, अनेक महिलाओं का बलात्कार किया गया और धार्मिक के साथ-साथ व्यक्तिगत संपत्ति के साथ तोड़-फोड़ की गई। विभाजन के बाद 1946 और 1948 के दौरान भारतीय उपमहाद्वीप में जो नरसंहार हुआ और उसमें जो मानव पीड़ा व अमानवीयता हुई, वह सभ्यता के लिखित इतिहास में कम ही मिलती है।

नोट- इसी बीच संविधान सभा के लिए प्रस्तावित चुनावों को सभी प्रांतों में अब तक पूर्ण कर लिया गया था। कांग्रेस ने 210 सामान्य सीटों में से 199 जीतीं और लीग ने 78 मुस्लिम सीटों में से 73 पर जीत हासिल की। जिन्ना ने तर्क दिया कि चूंकि सभा के 296 सदस्यों में से कांग्रेस को 211 सदस्यों का समर्थन प्राप्त है, तो इस तरह मुस्लिम कांग्रेस की दया पर निर्भर रहेंगे। अत: उन्होंने पाकिस्तान के लिए एक पृथक संविधान सभा की मांग की।

अंतरिम सरकार (2 सितम्बर, 1946)- सांप्रदायिक नरसंहार के बीच सितंबर 1946 में कैबिनेट मिशन के एक अल्पकालीन योजना के तहत प्रस्तावित केंद्र में अन्तरिम सरकार अस्तित्व में आई और जवाहरलाल नेहरू इसके वास्तविक अध्यक्ष बने।

अंतरिम सरकार को अपने निर्माण के दौरान भी उन्हीं चुनौतियों का सामना करना पड़ा, जो शिमला सम्मेलन के दौरान की गई थीं। जिन्ना इस बात पर अड़ गए कि एक सिख और एक अनुसूचित जाति के सदस्य के अलावा इस सरकार में कांग्रेस के पांच हिंदू उम्मीदवारों और लीग के पांच मुस्लिम उम्मीदवारों के बीच एकरूपता होनी चाहिए। कांग्रेस ने ऐसी मांग, जिसमें अंतरिम सरकार के उम्मीदवारों की सूची में हिंदू, मुसलमान और अन्य को कितनी भी संख्या में शामिल करने के अधिकार का दावा किया गया था, को अस्वीकार कर दिया।

यदि व्यापक जन-विद्रोह शुरू न होता तो, एक बार फिर वेवेल वार्ता को स्थगित कर देता, जैसा कि उसने शिमला सम्मेलन के दौरान किया था। साथ ही महामहिम की सरकार ने अनुभव किया कि भारत के साथ भविष्य में उनके दीर्घकालीन हितों और अच्छे संबंधों के लिए कांग्रेस का समर्थन एक पूर्व आवश्यकता है। अतः वेवेल ने अंतरिम सरकार के साथ आगे बढ़ने का निर्णय लिया, यद्यपि यह सरकार कांग्रेस पार्टी, जिसका जनमानस के ऊपर अत्यधिक प्रभाव था, के द्वारा अकेले ही बनाई गई थी। इस प्रकार वायसराय ने कांग्रेस को अंतरिम सरकार बनाने के लिए कहा और कांग्रेस ने सकारात्मक प्रतिक्रिया दी।

तदनुसार, **2 सितंबर 1946** को 200 वर्षों के इतिहास में पहली बार भारतीय प्रशासन की बागडोर भारतीय नेताओं को शामिल करके बनाई गई एक पूर्ण जनवादी गवर्नर जनरल की कार्यकारी परिषद ने संभाली। **नेहरू इसके पहले उपाध्यक्ष** थे।

अंतरिम सरकार की कार्यपद्धति- हालांकि इस अंतरिम सरकार में अनेक विपदाएं आनी ही थी। **सांप्रदायिक नरसंहार** के सामने यह असहाय साबित हुई, क्योंकि सेना एक ब्रिटिश कमांडर-इन-चीफ के नेतृत्व में कार्य कर रही थी। वायसराय की अध्यक्षता होने के कारण यह कभी-कभी उसके निषेधाधिकार शक्ति का विरोध नहीं कर सकी।

मुस्लिम लीग का अंतरिम सरकार में शामिल होना (26 अक्टूबर 1946)- सांप्रदायिक आग धधक रही थी और मुस्लिम लीग के द्वारा एक गृह युद्ध शुरू करने की संभावना छाई हुई थी। ब्रिटिश अब अनुभव करने लगे थे कि लीग, जो उनका ही सृजन था, ने अब ऐसे सांप्रदायिक दैत्य का आकार धारण कर लिया है, जिसे अब शांत नहीं किया जा सकता था। ऐसी परिस्थितियों में ब्रिटिश ने मुसलमानों को तुष्ट करने की अपनी नीति को पुनः अपनाने का निर्णय लिया। तदनुसार, वेवेल (जिन्हें भारत सचिव पैथिक लॉरेंस का समर्थन था) ने मुस्लिम लीग को अंतरिम सरकार में शामिल होने हेतु मनाया और वह 26 अक्टूबर 1946 को इस सरकार में शामिल हुई।

लीग को पाकिस्तान के विचार अथवा सीधी कार्रवाई की योजना को छोड़े बिना और यहाँ तक कि कैबिनेट मिशन योजना से सहमत हुए बिना अंतरिम सरकार में शामिल होने की अनुमति दी गई।

लीग अंतरिम सरकार में शामिल क्यों हुई? (Why did the League join the Interim Government?)

- इसे अंदर से तोड़ना या कमजोर करना, जैसा कि जिन्ना सार्वजनिक रूप से घोषित कर चुके थे कि अंतरिम सरकार गृह युद्ध को जारी रखने का केवल एक अन्य मोर्चा है।
- सरकार में पकड़ बनाना, ताकि पाकिस्तान के लक्ष्य को और आगे बढ़ाया जा सके।
- यह प्रदर्शित करने के लिए कि लीग और कांग्रेस में सहयोग असंभव है। वित्त मंत्री **लियाकत अली खान** लगातार अन्य विभागों के कार्यों को असमर्थ बना रहे थे।

लीग के अंतरिम सरकार में शामिल होते ही यह दो स्पष्ट विरोधी खेमों में बंट गई थी, जिससे इसकी स्थिति एक नाममात्र की सरकार की तरह हो गई थी।

संविधान सभा की पहली बैठक (9 दिसम्बर, 1946)

संविधान सभा की पहली बैठक: 6 दिसंबर 1946 को उद्घाटन के बाद संविधान सभा 9 दिसंबर 1946 को नई दिल्ली में मिली और **सच्चिदानंद सिन्हा** को इसका अंतरिम/अस्थायी अध्यक्ष नियुक्त किया गया।

11 दिसंबर को सभा ने **डॉ. राजेंद्र प्रसाद** को अपना स्थायी अध्यक्ष निर्वाचित किया। न्यायविद बी. एन. राव को सभा का संवैधानिक सलाहकार नियुक्त किया गया। इन्होंने संविधान का मूल प्रारूप तैयार किया। (एक विस्तृत प्रारूप बाद में प्रारूप समिति के अध्यक्ष बी. आर. अंबेडकर द्वारा प्रस्तुत किया गया था।) 2 दिन बाद जवाहरलाल नेहरू ने अपना प्रसिद्ध 'उद्देश्य प्रस्ताव' (Objective Resolution) प्रस्तुत किया, जिसने सभा के एक 'स्वतंत्र संप्रभु गणतंत्र' के दृढ़ संकल्प को घोषित किया और जो बाद में संविधान की प्रस्तावना भी बनी।

यद्यपि लीग अंतरिम सरकार में शामिल हुई, लेकिन इसने संविधान सभा में सहभागिता करने से इंकार कर दिया, जबकि महामहिम के 6 दिसंबर 1946 के बयान में समूह-निर्माण के उसके संस्करण को समर्थन दे दिया गया था। इसके स्थान पर लीग ने सभा को अप्रतिनिधिक (क्योंकि मुस्लिम बहुल प्रांत इसमें शामिल नहीं हुए थे) कहकर इसके विघटन की मांग की थी। जिन्ना अब प्रत्यक्ष रूप से पाकिस्तान चाहते थे, न कि किसी मिशन योजना के द्वारा।

लीग के विघटनकारी व्यवहार (कार्य न करने देने की प्रवृत्ति) से परेशान होकर 5 फरवरी 1947 को अंतरिम सरकार के कांग्रेसी सदस्यों ने वेवेल को एक पत्र लिखकर लीग के सदस्यों के इस्तीफे की मांग की। अब संकट के बादल घुमड़ने लगे थे।

इस तरह सरकार के दो फाड़ हो गए थे और मुख्य समुदाय एक-दूसरे के गले काटने को तैयार थे, पूरे देश पर उदासी के बादल मंडराने लगे थे। ऐसे वातावरण में एक जनवादी विद्रोह ही एक आशा की किरण थी, जो अपने राष्ट्र की स्वतंत्रता के लिए अपने मतभेदों से ऊपर उठाने की आम भारतीय लोगों की क्षमता को प्रदर्शित कर सकती थी।

युद्धोत्तर जनवादी उपद्रव (Post-War Popular Unrest)

द्वितीय विश्व युद्ध की समाप्ति के तुरंत बाद का समय जनवादी पहल के एक व्यापक विस्तार का साक्षी बना। 1945-47 के दौरान हुए जनवादी उपद्रवों ने अनेक विद्रोह और बगावतों का रूप धारण किया, जिन्हें व्यापक रूप से दो प्रकारों में वर्गीकृत किया जा सकता है-

- उपद्रव, जो ब्रिटिश प्रशासन से सीधे विरोध की ओर ले गया।
- उपद्रव, जिसने प्रत्यक्ष रूप से ब्रिटिश शासन के समर्थकों, जैसे- कुछ निश्चित भूस्वामियों, राजकुमारों और पूंजीपतियों से सीधा विरोध करके ब्रिटिश शासन को अप्रत्यक्ष रूप से कमजोर किया।

जनवादी विद्रोह संख्या में अनेक थे और केवल कुछ का ही नीचे वर्णन किया गया है-

सीधा विरोध या टकराव (Direct Confrontations)

आई.एन.ए. मुकद्दमा (अथवा लाल किला की सुनवाई, नवम्बर 1945-मई 1946)

पहला जनवादी आक्रोश आई.एन.ए. के मुकदमों के कारण फूट पड़ा: आत्मसमर्पण कर चुके आई.एन.ए. सैनिकों और अधिकारियों का कोर्ट मार्शल, जो ब्रिटिश भारतीय सेना में पहले अपनी सेवा दे चुके थे। उन पर ब्रिटिश राजमुकुट के प्रति निष्ठा की शपथ तोड़ने का आरोप था। पहली और सबसे प्रसिद्ध लगभग 10 सुनवाइयाँ दिल्ली के लाल किले में हुई, अतः इन्हें 'लाल किले की सुनवाई' के नाम से जाना गया।

आई.एन.ए. सुनवाई की ऐतिहासिक विशेषताएँ

- **आई.एन.ए. मुकदमे को कांग्रेस द्वारा उठाया गया**- नवंबर 1945 में दिल्ली के ऐतिहासिक लाल किले में मुकदमा शुरू हुआ। आई.एन.ए. के इस मुकदमे को कांग्रेस ने उठाया और अपने चुनाव प्रचार का मुख्य आधार बनाया। अनेक कांग्रेसी नेता आई.एन.ए. कैदियों के बचाव पक्ष की ओर से प्रस्तुत हुए। सबसे बड़ी बैठक कलकत्ता के देशप्रिय पार्क में हुई, जिसे शरत बोस, नेहरू एवं पटेल द्वारा संबोधित किया गया।
    - 5 से 11 नवंबर को **आई.एन.ए. सप्ताह (INA Week)** और 12 नवंबर को **आई.एन.ए. दिवस (INA Day)** के रूप में मनाया गया। कांग्रेस ने **आई.एन.ए. राहत एवं जांच समिति (INA Relief and Enquiry Committee)** गठित की, जो रिहा हुए व्यक्तियों को धन एवं भोजन उपलब्ध कराती थी और उन्हें कुछ रोजगार देने का भी प्रयास करती थी।
- **मुद्दे का भारतीय बनाम ब्रिटिश में बदलना**- शुरुआत में इन पथभ्रष्ट हुए सैनिकों व अधिकारियों के लिए क्षमा/दया की अपील की गई थी, लेकिन शीघ्र ही आई.एन.ए. के इन व्यक्तियों को सबसे अधिक वीर व देशभक्त पुकारा जाने

लगा और सरकार के निर्णय की निंदा की गई। अतः यह मुद्दा अब **भारतीय बनाम ब्रिटिश** बनने लगा था। अब आई.एन.ए. के सैनिकों व अधिकारियों के द्वारा किए गए कार्यों के गलत अथवा सही के प्रश्न पर वाद-विवाद नहीं किया जा रहा था, अपितु भारतीयों से जुड़े एक मुद्दे पर निर्णय लेने के ब्रिटिश अधिकार पर वाद-विवाद हो रहा था।

- **समाचार पत्रों में प्राथमिक कवरेज**- समाचार पत्रों में इस सुनवाई को प्राथमिकता दी जा रही थी। **'देशभक्त न कि गद्दार'** शीर्षक से प्रचार पुस्तिकाएँ व्यापक रूप से प्रसारित की जा रहीं थीं।
- **व्यापक भौगोलिक पहुँच**- आई.एन.ए. अभियान की एक अन्य महत्वपूर्ण विशेषता इसकी व्यापक भौगोलिक पहुँच थी। दिल्ली, बॉम्बे, कलकत्ता, मद्रास, संयुक्त प्रांत के शहर व पंजाब मुख्य केंद्र के रूप में उभरे। कुर्ग, बलूचिस्तान एवं असम जैसे दूरस्थ स्थानों पर भी इसका प्रसार हुआ।
- **विविध सामाजिक एवं राजनीतिक समूह की सहभागिता**- मुस्लिम लीग, सीपीआई, यूनियनिस्ट पार्टी, अकाली, जस्टिस पार्टी, राष्ट्रीय स्वयंसेवक संघ, हिंदू महासभा और सिख लीग ने आई.एन.ए. मुकदमे का अनेक प्रकार से समर्थन किया। आई.एन.ए. के सैनिकों व अधिकारियों प्रति सहानुभूति ने जाति, रंग और संप्रदाय के बंधनों को लांघ दिया था।
- **जनता की सहभागिता ने विविध स्वरूप प्राप्त किए**- किसी ने धन दान दिया, कोई बैठकों में शामिल हुआ, किसी ने कार्य रोका, तो किसी ने कैदियों के रिहा होने की मांग उठाई।
- **ब्रिटिश राज के परंपरागत रक्षण साधनों/बचावकर्ताओं पर प्रभाव**- आई.एन.ए. आंदोलन की सबसे महत्वपूर्ण विशेषता राज के परंपरागत रक्षण साधनों का प्रभावित होना था; सैन्य बलों के साथ-साथ अन्य शासकीय कर्मचारियों (पुलिस एवं नौकरशाह) पर प्रभाव पड़ना। इस प्रकार यहाँ तक कि ब्रिटिश राज के निष्ठावान वर्ग भी आई.एन.ए. की सहानुभूति के ज्वार में समा गए।
    - भारत में सैन्य बल ब्रिटिश राज के मुख्य साधन थे। सैन्य बलों से जुड़े अनेक व्यक्ति आई.एन.ए. की बैठकों में (अक्सर गणवेश में) शामिल होते थे। रॉयल इंडियन एयर फोर्स (Royal Indian Air Force, RIAF) में व्यापक हड़तालें हुई। जबलपुर में इंडियन सिग्नल कॉर्प्स (Indian Signal Corps) ने भी हड़ताल की। कमांडर-इन-चीफ ने स्वयं स्वीकार किया कि भारतीय सेना में आई.एन.ए. के लिए सहानुभूति की भावना व्याप्त हो चुकी है।
    - पुलिस एवं नौकरशाही ब्रिटिश राज के दो अन्य मुख्य साधन थे। उन्होंने भी राष्ट्रवादी झुकाव का परिचय देना शुरू किया। उदाहरणस्वरूप, बिहार एवं दिल्ली में पुलिस बल ने भी हड़ताल की।
    - आई.एन.ए. के कुछ सदस्य ऐसे परिवारों से संबंध रखते थे, जहाँ निष्ठा की परंपराएं चली आ रहीं थीं। (जैसे पी. के. सहगल पंजाब उच्च न्यायालय के पूर्व न्यायाधीश के पुत्र थे।)
- **तीन विद्रोह (The Three Upsurges)**- आई.एन.ए. के मुकदमे को लेकर बढ़ती राष्ट्रवादी भावना का चर्मोत्कर्ष तीन विद्रोह के रूप में सामने आया-
    1. आई.एन.ए. मुकदमे को लेकर 21 नवंबर 1945 को कलकत्ता में।
    2. 11 फरवरी 1946 को कलकत्ता में एक आई.एन.ए. अधिकारी को 7 वर्ष की सजा दिए जाने के विरुद्ध विरोध हुआ।
    3. 18 फरवरी 1946 को बॉम्बे में जब रॉयल इंडियन नेवी (RIN) के नाविकों ने हड़ताल कर दी।

विद्रोह का पैटर्न (स्वरूप)- तीनों विद्रोहों में एक समान पैटर्न देखा गया। विद्रोह की पहल एक समूह (जैसे छात्र-छात्राओं या नाविकों) द्वारा की गई, इसमें सहानुभूति रखने वाले शहरी लोग शामिल हुए और इन सहानुभूति रखने वाले लोगों के साथ देश के अन्य भागों के लोग शामिल हुए।

1. 21 नवंबर 1945 का विद्रोह- कर्नल प्रेम सहगल, कर्नल गुरबक्श सिंह ढिल्लन और **मेजर जनरल शाहनवाज खान** का संयुक्त कोर्ट मार्शल आई.एन.ए. के मुकदमों में पहला और सबसे मशहूर था। जब इन तीनों वीरों, जो क्रमशः हिंदू, मुस्लिम और सिख समुदाय से आते थे और भारतीय एकता के प्रतीक थे, पर मुकदमा चलाया गया, तो देश भर में एक व्यापक विरोध फूट पड़ा। आई.एन.ए. के कैदियों को रिहा करने की मांग को लेकर बड़े स्तर पर बैठकें हुई, जुलूस निकाले गए और भाषण दिए गए।

कलकत्ता, हालांकि मुख्य केंद्र के रूप में उभरा। 21 नवंबर 1945 को फॉरवर्ड ब्लॉक के आह्वान पर छात्रों ने डलहौजी स्क्वायर में प्रशासनिक क्वार्टर्स की ओर मार्च किया। रास्ते में लीग के साथ-साथ साम्यवादी छात्र संगठनों के सदस्य इसमें शामिल हुए। इन छात्रों ने राष्ट्रीय, लीग और लाल झंडे को एक साथ बांधकर एक संयुक्त साम्राज्यवाद-विरोधी संघर्ष की आवश्यकता को प्रदर्शित किया।

प्रदर्शनकारियों को सशस्त्र पुलिस द्वारा रोका गया और उन पर गोलियां चलाई गईं, जिसमें एक हिंदू और एक मुस्लिम छात्र की मृत्यु हुई। इन मौतों की खबर से पूरे शहर में आग भड़क उठी और अगले दो दिन लगातार जनता की पुलिस के साथ मुठभेड़ हुई, जिसके परिणामस्वरूप लगभग 30 लोगों की मौत हुई और लगभग 150 पुलिस और सेना के वाहन नष्ट हुए।

इन आंदोलनों, जो सांप्रदायिकता से परे थे, के महत्व को समझते हुए सरकार ने कदम पीछे करते हुए पहले (दिसंबर 1945 में) यह घोषणा कि केवल उन्हीं आई.एन.ए. सदस्यों पर मुकदमा चलाया जाएगा, जो हत्या और निर्दयता के दोषी थे और फिर इसके बाद (जनवरी 1946 में) सरकार ने आरोपियों के पहले बैच के विरुद्ध सुनाई गई सजा को भी माफ कर दिया।

2. 11 फरवरी 1946 का विद्रोह- फरवरी 1946 में जब **आई.एन.ए. के राशीद अली** को सात साल के कारावास की सजा सुनाई गई, तो उसके विरोध में विद्रोह भड़क उठा और दो दिन के बाद ही समाप्त हुआ। इस उपद्रव में 84 मौतें हुई और 300 लोग घायल हुए।

3. 18 फरवरी 1946 का विद्रोह

रॉयल इंडियन नेवी विद्रोह (आर.आई.एन. सैन्य विद्रोह 18 फरवरी 1946) (Royal Indian Navy Revolt, RIN Mutiny)

रॉयल इंडियन नेवी विद्रोह (सैन्य बलों में एक विद्रोह) का जन-चेतना पर एक नाटकीय प्रभाव पड़ा और जो आज तक एक किवदंती बनी हुई है।

रॉयल इंडियन नेवी के नाविकों ने विदेशों में सेवा दी थी और वे दुनिया के विभिन्न भागों में हुए विकासों से परिचित थे। उन्होंने ब्रिटिश अधिकारियों द्वारा किए गए जा रहे नस्लीय व्यवहार का पूर्णतया विरोध किया। वे भारत में हो रहे उपद्रव (विशेषकर आई.एन.ए. मुकदमे को लेकर हो रहे) के बारे में जागरूक थे।

18 फरवरी 1946 को उनका बढ़ता हुआ गुस्सा अचानक से उनको परोसे जा रहे भोजन की निम्न गुणवत्ता को लेकर फूट पड़ा और बॉम्बे में एच.एम.आई.एस. तलवार (HMIS Talwar) के नाविकों ने निम्न के विरोध में हड़ताल शुरू की-

- उनके साथ किए जाने वाले व्यवहार (नस्लीय भेदभाव)।
- एच.एम.आई.एस. तलवार पर 'भारत छोड़ो' लिखने के लिए एक नाविक बी. सी. दत्त की गिरफ्तारी।

इन नाविकों के साथ 22 पड़ोसी जहाजों और समुद्री तटों पर बने बैरकों के अन्य नाविक शामिल हुए। एक बार पुनः हड़ताल करने वालों ने राष्ट्रीय, लीग और लाल झंडों को एक साथ फहराया। उन्होंने एम. एस. खान की अध्यक्षता में एक **नवल सेंट्रल कमेटी (Naval Central Committee)** निर्वाचित की और मांगों का एक समूह बनाया, जिसमें निम्न बातें शामिल थीं-

- आई.एन.ए. के बंदियों की रिहाई।
- अन्य सभी राजनीतिक बंदियों की रिहाई।
- हिंद-चीन एवं जावा से भारतीय सेनाओं की वापसी।
- बेहतर भोजन, बेहतर व्यवहार।
- यूरोपियन नाविकों के समान ही भारतीयों को भुगतान।

20 फरवरी को बैरक एवं जहाजों के नाविकों को ब्रिटिश बलों ने घेर लिया। शीघ्र ही दोनों के बीच गोलीबारी हुई और बंदूकों से युद्ध छिड़ गया।

22 फरवरी को यह विद्रोह भारत के सभी नौसैनिक अड्डों में फैल गया, जिसमें 78 जहाज, 20 समुद्र किनारे बने बैरक और 20000 नाविक शामिल थे। यह अब तक के ब्रिटिश प्रशासन का सबसे चिंताजनक प्रत्यक्ष टकराव था। नौसेना के इस विद्रोह ने अभूतपूर्व जन-सहानुभूति, विशेषकर छात्र-छात्राओं और मजदूरों की, प्राप्त की और विशेषकर बॉम्बे में खून-खराबा हुआ। कराची भी इसके एक मुख्य केंद्र के रूप में उभरा।

23 फरवरी को, हालांकि, **वल्लभभाई पटेल** और **जिन्ना** ने नागरिकों को आत्मसमर्पण के लिए मनाया और विद्रोह का अंत हुआ।

तीनों विद्रोहों का मूल्यांकन: यद्यपि ये विद्रोह अल्पकालिक थे और इनकी सहभागिता कुछ वर्गों व कुछ शहरी केंद्रों तक सीमित थी, इसके बावजूद इसने ब्रिटिश सरकार को कुछ रियायतें देने के लिए मजबूर कर दिया, जैसे- पहले (दिसंबर 1945 में) यह घोषणा कि केवल उन्हीं आई.एन.ए. सदस्यों पर मुकदमा चलाया जाएगा, जो हत्या और निर्दयता के दोषी थे और फिर इसके बाद (जनवरी 1946 में) सरकार ने आरोपियों के पहले बैच के विरुद्ध सुनाई गई सजा को भी माफ कर दिया। साथ ही हिंद-चीन व इंडोनेशिया से भारतीय सैनिकों को वापस बुलाया।

विद्रोहों के प्रति कांग्रेस का रुख- यद्यपि कांग्रेस ने जनता के साहस की सराहना की, लेकिन उनकी रणनीति और समय के चुनाव के कारण इन विद्रोहों का आधिकारिक समर्थन नहीं किया। यद्यपि इन आंदोलनों का नेतृत्व साम्यवादियों, समाजवादियों और फॉरवर्ड ब्लॉक के सदस्यों द्वारा किया गया था, उसके बाद भी कांग्रेस ने इस क्रांतिकारी स्थिति को प्रसारित करने का प्रयास किया था।

कुछ विद्वान कांग्रेस पर विद्रोहों के दौरान बातचीत में मग्न होने और यहाँ तक कि सत्ता की लालसा में रहने का आरोप लगाते हैं। दूसरी ओर, इतिहासकार बिपिन चंद्र का मत है कि वास्तव में ये विद्रोह साम्राज्यवाद विरोधी तीव्र भावना की एक अभिव्यक्ति थी, जो कांग्रेस द्वारा आई.एन.ए. के बंदियों के बचाव मे किए गए कार्यों से पोषित हुई थी।

गांधी का रुख- 1946 में हरिजन में प्रकाशित गांधी के बयान से स्पष्ट होता है कि नाविकों ने सरदार पटेल द्वारा दिए गए आत्मसमर्पण के सुझाव को मानकर उन की पीड़ा को कम कर दिया था। गांधी ने अनुभव किया कि यह एक अविवेकी कदम था, यदि जनता को कोई शिकायत थी, तो उन्हें अपने पसंद के राजनीतिक नेताओं द्वारा हस्तक्षेप के लिए इंतजार करना चाहिए था। ऐसा न करके जनता विचारहीन और अज्ञानी हो गई थी।

अन्य अप्रत्यक्ष टकराव

इसी दौरान अन्य अनेक प्रत्यक्ष टकराव या विरोध भी जारी रहे, जैसे-

- 1946 के मध्य फरवरी में इलाहाबाद में करीब 80000 लोगों ने सरकार द्वारा असैन्य जनता के राशन की आपूर्ति को कम करने के निर्णय के विरुद्ध प्रदर्शन किया।
- अप्रैल, 1946 में दिल्ली, बिहार, बंगाल व अंडमान में व्यापक पुलिस हड़ताल हुई। इसमें वामपंथियों ने सहयोग किया था।
- जुलाई 1946 में डाक कर्मचारियों ने कुछ समय के लिए काम रोक दिया। वास्तव में, एक अखिल भारतीय रेलवे कर्मचारियों की हड़ताल की संभावना में पूरा जुलाई का वातावरण तनावपूर्ण बना रहा।

अप्रत्यक्ष टकराव अथवा विरोध (Indirect Confrontations)

जैसा कि पहले ही बताया जा चुका है, ऐसे टकराव प्रत्यक्ष रूप से कुछ भू-स्वामियों, राजकुमारों और पूंजीपतियों से होते थे और अप्रत्यक्ष रूप से ब्रिटिश राज को कमजोर बनाते थे।

किसानों और मजदूरों द्वारा इन विरोधों की पहल की गई। ये विरोध मुख्य रूप से आर्थिक समस्याओं के कारण उत्पन्न हुए थे। ये किसानों व मजदूरों के निकटतम शोषणकारियों, जैसे- भू-स्वामी और पूंजीपतियों के विरुद्ध हड़तालों के रूप में सामने आए और इस प्रकार उनके औपनिवेशिक मालिकों के हाथ भी कमजोर हुए। सामूहिक रूप से इन्हें 1940 के दशक की

हड़ताल की लहर के नाम से जाना जाता है, इन हड़तालों ने चारों तरफ अवज्ञा और आत्मविश्वास की एक मनोदशा पैदा की।

वारलियों (वार्लियों) का किसान आंदोलन (महाराष्ट्र, 1945-46)- वार्ली स्वदेशी जनजाति या आदिवासी किसान थे, जो बॉम्बे के थाना जिले के उम्बेरगांव, दहानू, पालघर व जवाहर तालुका में बहुलता में रहते थे। वार्ली अपना अधिकांश भू-स्वामित्व साहूकारों के हाथों में गंवा चुके थे और वे स्वयं काश्तकार और यहाँ तक कि मजदूर की स्थिति में आ गए थे। कठिनाई के समय अधिकातर को वेथ बिगार और बेगार (बिना वेतन के श्रम) भी करना पड़ता था।

1945 में वार्लियों को पहली बार महाराष्ट्र किसान सभा द्वारा संगठित किया गया था। बाद में **गोदावरी पुरुलेकर** के नेतृत्व में वार्लियों ने वेथ बिगार और कम वेतन के विरोध में हड़ताल शुरू की। भूस्वामियों ने पुलिस की सहायता से उन्हें आतंकित करके बदला लिया। अनेक हिंसक संघर्ष हुए और धीरे-धीरे 1946 तक दमन के चलते वार्ली आंदोलन कमजोर हो गया।

बकाश्त किसानों के आंदोलन (बिहार, 1946-47)- यह किसान आंदोलन बकाश्त भूमि को लेकर पिछले दशक में विकसित हुआ। काश्तकार भू-स्वामियों के साथ बटाईदारी (साझाखेती) के रूप में खेती करते थे और लगान देते थे। 1929-37 के मंदी के दौरान जब काश्तकार लगान नहीं दे पा रहे थे, तो इन खेती की जाने वाली भूमि को जमींदारों द्वारा छीन लिया गया। काश्तकारों द्वारा जमींदारों को गवाई यह भूमि बकाश्त भूमि कहलाती थी।

रैयती और जिरत भूमि के अलावा जमींदार बकाश्त भूमि से भी लगान लेते थे।

रैयती भूमि- ये वे भूमियां थीं, जिनका लागन संबंधी निपटारा जमींदार काश्तकारों के साथ मिलकर करते थे।

जिरत भूमि- ये वे भूमियां थी, जो जमींदार अपने स्वामित्व में रखते थे और इन पर खेतिहर मजदूर खेती करते थे।

बकाश्त भूमि- ये वे भूमियां थीं, जो काश्तकारों को उन की इच्छा अनुसार अलग-अलग दरों पर किराए पर दी जाती थीं।

बकाश्त किसानों को निरंतर बेदखली का सामना करना पड़ रहा था, क्योंकि ऐसा करना जमींदारों के लिए लाभदायक हो रहा था- नए बकाश्त किसान को स्वामित्व प्राप्त करने के लिए नई सलामी और उच्च लगान का भुगतान करना होता था। जमींदारों ने इन किसानों को बेदखल करके 1885 के काश्तकारी अधिनियम को दरकिनार करने की कोशिश की थी, क्योंकि अधिनियम के अनुसार यदि ये किसान 12 वर्ष तक बकाश्त किसान के रूप में कार्य करते हैं, तो उन्हें कुछ स्वामित्व के अधिकार होंगे।

1937-39 के दौरान किसानों ने किसान सभा के ध्वज तले उनकी बेदखली का पहली बार विरोध किया। 1946 में यह मामला एक बार पुनः गर्म हो गया, जब कांग्रेस ने बिहार में चुनाव लड़ा और जमींदारी व्यवस्था को समाप्त करने का वादा किया। जमींदारों ने असुरक्षा का अनुभव किया और बकाश्त किसानों को बेदखल करके सभी बकाश्त भूमियों को जिरत भूमि में बदलने का प्रयास किया, क्योंकि उन्हें आशा थी कि वे कम से कम जिरत भूमि को बनाये रखने में सक्षम रहेंगे।

जमींदारों के इस कार्य का स्वाभाविक रूप से किसानों ने प्रतिरोध किया, जो एक बार पुनः किसान सभा के नेतृत्व में विरोध के लिए उठ खड़े हुए। इस आंदोलन से हिंसक मुठभेड़, आगजनी, लूट, क्षति और यहाँ तक कि मौतें हुई।

फास्ट फॉरवर्ड

1947 में बिहार बकाश्त डिसप्यूट सेटेलमेंट एक्ट **(Bihar Bakasht Disputes Settlement Act)** पारित हुआ, जिसका बहुत कम प्रभाव पड़ा। 1948 में कांग्रेस सरकार द्वारा **बिहार जमींदारी उन्मूलन अधिनियम (Bihar Abolition of Zamindari Act)** पारित होने के साथ यह आंदोलन अंततः थम गया।

त्रावणकोर आंदोलन (1946)- 1946 में उत्तर-पश्चिम त्रावणकोर के चेर्तला (शेरतलाई)-एलेप्पी क्षेत्र में साम्यवादियों के नेतृत्व में त्रावणकोर के महाराजा और उनके दीवान के विरुद्ध एक शक्तिशाली व्यापार संघ-सह-कृषक आंदोलन (trade union cum agrarian movement) विकसित हुआ।

इसी दौरान महाराज और उनके **दीवान सी. पी. रामास्वामी अय्यर** भारत से ब्रिटिश के जाने के बाद एक स्वतंत्र त्रावणकोर राज्य बनाने की योजना बना रहे थे। वे त्रावणकोर में एक अनुत्तरदायी सरकार अधिरोपित करना चाहते थे, जिसमें सारी वास्तविक शक्तियाँ दीवान में निहित होंगी और दीवान को महाराज द्वारा नियुक्त किया जाएगा। साम्यवादियों ने किसान और मजदूरों को सक्रिय किया और इस योजना के विरुद्ध एक व्यापक अभियान चलाया। सत्ताधारियों ने विरोधियों के विरुद्ध आतंकित करने वाले बलों का उपयोग किया, भेदभावपूर्ण गिरफ्तारियाँ की और उन्हें यातनाएं दी गईं।

पुन्नपरा-वायलार प्रसंग- 22 अक्टूबर 1946 को राज्य हिंसा के विरुद्ध प्रतिक्रिया के रूप में मजदूरों ने एलेप्पी क्षेत्र में एक आम हड़ताल का आह्वान किया और पुन्नपरा में पुलिस शिविर पर हमला भी किया। इसके जवाब में सेना को वायलार में शरण लिए हुए मजदूरों पर आक्रमण करने का आदेश दिया गया। इसका अंत 800 लोगों के एक भयंकर नरसंहार के साथ हुआ और इस घटना ने लोगों को आतंकित करने के स्थान पर राज्य की स्वतंत्रता की चाल के विरुद्ध उनके दृढ़ निश्चय को और अधिक मजबूत कर दिया।

तेभागा आंदोलन (बंगाल, 1946-47)- यह संभवत: युद्धोपरांत हुए सभी कृषक आंदोलनों में सबसे अधिक व्यापक आंदोलन था, जिसमें बंगाल के 19 जिले और 6 मिलियन (60 लाख) किसान शामिल हुए। साथ ही इसमें मुसलमानों का प्रतिशत भी बहुत उच्च था।

तेभागा आंदोलन एक किसान आंदोलन था, जो सबसे पहले सितंबर 1946 में बंगाल प्रांतीय किसान सभा के नेतृत्व में शुरू हुआ। यह शोषणकारी बटाईदारी व्यवस्था और जोतदारों (ठेकेदारों) के विरुद्ध था, जो उत्पादन का बड़ा भाग ले लेते थे। इस प्रकार इस आंदोलन ने खेतिहरों अथवा काश्तकारों को आधे उत्पादन के स्थान पर तीन-चौथाई उत्पादन की मांग की। (कुछ स्रोतों में यह वर्णित है कि किसानों की मांग ने भू-स्वामी के हिस्से को आधे से घटाकर एक-तिहाई कर दिया था, इसलिए इसका नाम 'तेभागा' पड़ा।)

बटाईदारी (साझे में खेती करना)- बटाईदारी कृषि का एक प्रकार है, जिसमें एक भूस्वामी एक काश्तकार को भूमि उपयोग करने देता है और बदले में अपनी भाग वाली भूमि पर उत्पादित फसल का एक हिस्सा ले लेता है।

जोतदार- जोतदार बंगाल के गांवों में अमीर किसानों का एक वर्ग था, जो भू-स्वामियों (जमींदारों) तथा काश्तकारों (रैयतों) के बीच एक नए ग्रामीण शोषणकारी वर्ग के रूप में उभरा। ।

आंदोलनकारियों ने **'तेभागा चाई'** अथवा 'हम चार में से तीन भाग चाहते हैं' का नारा बुलंद किया। फसल को लेकर उत्पन्न हुआ यह प्रतिवाद शीघ्र ही हिंसात्मक टकराव की ओर ले गया। कलकत्ता और नोआखाली में हुए सांप्रदायिक नरसंहार के बावजूद मुस्लिम किसानों ने बड़ी संख्या में इसमें सहभागिता की। महिलाओं ने भी सक्रिय भूमिका निभाई। हालांकि, यह आंदोलन सरकारी दमन, कांग्रेस और मुस्लिम लीग की उदासीनता, बंगाल के लगान-उपजीवी (पट्टे पर देने वाला) मध्यम वर्ग की शत्रुता और बिगड़ती सांप्रदायिक स्थिति के कारण शिथिल पड़ गया और अंतत: मार्च 1947 में इसे निलंबित कर दिया गया।

तेलंगाना आंदोलन (हैदराबाद राज्य, 1946-51)- तेलंगाना आंदोलन हैदराबाद राज्य के तेलुगू भाषी क्षेत्र में उदय हुआ। इसके उद्भव का कारण शोषणकारी कृषक परिस्थितियाँ थीं। किसानों को दो तरफा शोषण से गुजरना पड़ रहा था, एक ओर जागीरदार उनका शोषण कर रहे थे, तो दूसरी ओर देशमुख (पूर्व राजस्व किसान) और पटेल-पटवारी (कर संग्रहकर्त्ता)।

1860 के दशक में देशमुख व पटेल-पटवारियों का रोजगार छिन गया था, जब निजाम की सरकार ने प्रत्यक्ष रूप से भू-राजस्व का संग्रह करना शुरू किया। यद्यपि उनको मुआवजे के तौर पर काफी भूमि दी गई थी, लेकिन भूमि के प्रति उनकी लालसा बनी रही। राजस्व अधिकारी के रूप में अपने ज्ञान का उपयोग करके उन्होंने सर्वेक्षण दस्तावेजों में हेरफेर की और भूमि हथियाने की होड़ में लग गए। उन्होंने ग्रामीणों पर गैर-कानूनी कर लगाए और उन पर **वेट्टी** अथवा मुफ्त श्रम (जिसे वेट्टीचाकरी अथवा बेगार भी कहा जाता है।) के लिए दबाब बनाना शुरू किया।

इन्हीं सब अनाचारों के विरुद्ध तेलंगाना के किसान विद्रोह के लिए उठ खड़े हुए। एक साम्यवादी संगठन **आंध्रा महासभा** ने उनका नेतृत्व किया।

4 जुलाई 1946 को जनगांव के विसुनुरि देशमुख के सशस्त्र अनुचरों ने किसानों की शांतिपूर्ण सभा पर गोलीबारी की और डोड्डी कोमारैया को मार दिया। इस घटना ने किसानों को हथियार उठाने पर मजबूर किया और उन्होंने एक सशस्त्र किसान आंदोलन शुरू किया।

शीघ्र ही निजाम की सरकार द्वारा आंध्रा महासभा और कम्युनिस्ट पार्टी को गैर-कानूनी घोषित कर दिया गया। कठोर दमन के प्रयत्न के बावजूद सत्ताधारी इस आंदोलन को विघटित करने में असफल रहे, जो 1951 के अंत तक अक्षय रूप से जारी रहा। इस प्रकार यह आंदोलन अब तक का सबसे लंबा और सबसे आक्रामक आंदोलन साबित हुआ।

युद्धोपरांत जनवादी-विद्रोह का महत्व व प्रभाव-

- युद्धोपरांत हुए उपद्रव लोगों के मस्तिष्क में व्याप्त आक्रामकता की एक अभिव्यक्ति थी।
- इसने प्रदर्शित किया कि राष्ट्रवादी भावनाएं भारत के अप्रभावित वर्गों और क्षेत्रों तक व्याप्त हो चुकी हैं।
  - ब्रिटिश भारतीय सरकार अब किसी विद्रोह को दबाने में सशस्त्र बलों के साथ-साथ नागरिक प्रशासन के भारतीय कर्मचारियों पर निर्भर नहीं रह सकती थी।
  - आई.एन.ए. मुकदमे ने स्पष्ट रूप से प्रदर्शित कर दिया था कि देशभक्ति के विचार अब सशस्त्र बलों के मन में प्रवेश कर चुके हैं, जो कि भारत में ब्रिटिश राज का एक मुख्य साधन था।
  - सशस्त्र बलों के एक विद्रोह (आर.आई.एन विद्रोह) का जनता के मन पर ऐसा प्रभाव पड़ा कि वे अब स्वयं को स्वतंत्र समझने लगे थे।
- देशभर में बड़े स्तर पर हुए किसान एवं मजदूर विद्रोहों ने भी भारतीय जनता के दृढ़ निश्चय और आत्मविश्वास की मनोदशा को अभिव्यक्त किया।
- जब अहिंसक आंदोलन को बल से रोका गया, तो इसने सरकार के पीछे खड़े क्रूर बल को उजागर किया। इससे भारत में ब्रिटिश शासन की प्रतिष्ठा के साथ-साथ इसके भारत पर शासन करने के नैतिक आधार का भी पतन हुआ।
- जनवादी उपद्रव ने कैबिनेट मिशन को सत्ता के शांतिपूर्ण हस्तांतरण के तरीकों को खोजने हेतु त्वरित घोषणा के लिए संदर्भ प्रदान किया।

1945-47 के दौरान हुए जनवादी विद्रोहों ने शोषण के विरुद्ध एकजुट होकर खड़े होने की भारतीय महिलाओं और पुरुषों की विशाल क्षमता को प्रदर्शित किया। जब कांग्रेस एवं मुस्लिम लीग शक्ति संघर्ष में उलझे हुए थे, तब जन-असंतोष ही राष्ट्रवादियों के लिए एक आशा की किरण के रूप में उभरी थी।

अध्याय

3

सांप्रदायिकता, विभाजन एवं भारत की स्वतंत्रता (Communalism, Partition and Freedom of India)

1940 तक भारत में सांप्रदायिकता के उदय एवं विकास के बारे में आप पहले ही परिचित हो चुके हैं। यह 1940 में मुस्लिम लीग का लाहौर अधिवेशन ही था, जहाँ अब तक की सर्वोच्च सांप्रदायिक मांग अर्थात पाकिस्तान के लिए मांग रखी गई। अत: 1940 का दशक सांप्रदायिकता का एक निर्णायक चरण था, जिसका समापन 1947 में पाकिस्तान के वास्तविक जन्म के साथ हुआ।

उग्र सांप्रदायिकता का काल (पाकिस्तान की मांग की पृष्ठभूमि)

फ्लैश बैक

चरम या उग्र सांप्रदायिकता (1937 के बाद): अत्यधिक सांप्रदायिकता भय और घृणा पर आधारित है और इसमें हिंसक भाषा या व्यवहार का उपयोग करने की प्रवृत्ति होती है। 1937 के बाद मुस्लिम लीग और हिंदू महासभा का झुकाव तेजी से चरम सांप्रदायिकता की ओर हुआ।

पाकिस्तान की मांग उन निश्चित बदलावों का परिणाम थी, जो 1937 के बाद भारतीय राजनीतिक परिदृश्य में उभरे। 1937 के बाद का काल हिंदू सांप्रदायिक बलों के साथ-साथ मुस्लिम सांप्रदायिक बलों, दोनों की सांप्रदायिक राजनीति का साक्षी बना और इस सांप्रदायिक राजनीति में ब्रिटिश ने एक उत्प्रेरक की भूमिका निभाई। आधुनिक भारतीय इतिहास में इसे **सांप्रदायिक त्रिकोण (Communal Triangle)** के नाम से जाना जाता है, ब्रिटिश शासन इस त्रिकोण का आधार था तथा हिन्दू व मुस्लिम सांप्रदायिक बल इसकी दो भुजाएं थीं। आइए हम क्रमश: इन तीनों बलों की भूमिका का परीक्षण करते हैं-

मुस्लिम सांप्रदायिक बलों का उग्र चरण (Extremist Phase of Muslim Communal Forces)

1937 का वर्ष भारत में सांप्रदायिकता के इतिहास में एक महत्वपूर्ण मोड़ था। 1937 के प्रांतीय चुनावों में लीग ने खराब प्रदर्शन किया और 492 आरक्षित सीटों में से वह केवल 109 सीटें ही जीत सकी, जो कुल मुस्लिम मतों का केवल 4.8 प्रतिशत था। संदेश स्पष्ट था कि लीग को अपने अभिजन-तंत्री चरित्र (राजकुमार और जमींदारों का प्रभुत्व) को छोड़ने और मुस्लिम जनता के बीच एक आधार बनाने की आवश्यकता थी। यह कैसे संभव था? यदि लीग मुस्लिम जनता की सामाजिक-आर्थिक समस्याओं को उठाता, तो उसे राजकुमार और भू-स्वामियों को नाराज करने का खतरा उठाना पड़ता और इस प्रकार उनसे मिले वर्तमान आधार को खोना पड़ता।

अत: मुस्लिम लीग ने मुस्लिम जनता की धार्मिक भावनाओं से अपील करने का निर्णय लिया। जिन्ना एवं लीग के अन्य नेताओं ने हिंदू राज्य की स्थापना होने का डर दिखाया और **'इस्लाम खतरे में'** जैसे नारों को बुलंद किया और इन नारों ने समान रूप से सभी मुसलमानों को प्रभावित किया। उन्होंने घोषित किया कि कांग्रेस का उद्देश्य स्वतंत्रता नहीं, अपितु भारत में हिंदू राज की स्थापना करना है, जो उसे उसके वास्तविक उद्देश्य अर्थात मुसलमानों पर प्रभुत्व और इस्लाम की तबाही

करने में सक्षम बनाएगा। एक बार हिंदू राज का डर उनके मन में बैठ गया, तो एक अलग वतन (जहाँ वे अपने धर्म का स्वतंत्र और निर्भय होकर पालन कर सकें) की आवश्यकता के लिए उन्हें आसानी से समझाया जा सकेगा।

इस प्रकार जिन्ना एवं लीग के अन्य नेताओं ने मुसलमानों से अपील की कि यदि वे 'हिन्दू हमले से' अपने धर्म को बचाना चाहते हैं, तो लीग का समर्थन करें। इस प्रकार के **सांप्रदायिक प्रचार-प्रसार भय, निंदा और नफरत** से भरे हुए थे। 1937 के बाद लीग द्वारा अपनाई गई भय और नफरत की ऐसी राजनीति से ही पाकिस्तान की मांग स्पष्ट रूप से निकली।

अब तक- अंततः 1940 में मुस्लिम लीग के लाहौर अधिवेशन में जिन्ना ने अपने दो राष्ट्र के सिद्धांत को प्रतिपादित किया, जिसके अनुसार भारत दो राष्ट्रों, हिंदू राष्ट्र व मुस्लिम राष्ट्र, से मिलकर बना है; जो आर्थिक, राजनीतिक, सामाजिक, सांस्कृतिक, ऐतिहासिक रूप से भिन्न हैं। मुस्लिम एक अल्पसंख्यक नहीं, बल्कि एक राष्ट्र थे और इसलिए उनके द्वारा पाकिस्तान के रूप में अपना एक राष्ट्र प्राप्त करने का अधिकार न्यायपूर्ण है। (प्रेस ने शीघ्र ही इस संकल्प का पाकिस्तान के लिए एक मांग की तरह वर्णन किया और इसे **पाकिस्तान संकल्प** भी कहना शुरू कर दिया।)

इस प्रकार, 1940 के बाद मुस्लिम सांप्रदायिकता अल्पसंख्यक भय को भुनाने पर आधारित न होकर एक पृथक मुस्लिम राज्य की आक्रमक मांग पर आधारित हो गई। जिन्ना के नेतृत्व में मुस्लिम लीग की उपर्युक्त गतिविधियों ने सांप्रदायिकता को एक जन-बल में रूपांतरित कर दिया और जिससे अंततः भारत का विभाजन हुआ और एक पृथक राज्य पाकिस्तान का निर्माण हुआ।

हिंदू सांप्रदायिक बलों का उग्रवादी चरण (Extremist Phase of Hindu Communal Forces)

1937 के प्रांतीय चुनावों में हिंदू संप्रदायिकतावादियों ने अपने मुस्लिम समकक्ष से भी बुरा प्रदर्शन किया। उन्हें भी अपने जन आधार को प्रसारित करने की आवश्यकता थी और उन्होंने भी हिंदू जनता की धार्मिक भावनाओं से अपील करने का निर्णय लिया।

हिंदू महासभा एवं **राष्ट्रीय स्वयंसेवक संघ** का नेतृत्व अब अधिक उग्र नेताओं क्रमशः वी. डी. सावरकर (जिन्होंने मदन मोहन मालवीय का स्थान लिया) और एम. एस. गोलवलकर द्वारा किया जा रहा था। सावरकर ने सार्वजनिक रूप से घोषित किया, 'हिंदू-मुस्लिम मतभेद के समाधान का एक ही रास्ता इस बात को स्वीकार करने में है कि भारत हिंदुस्तान था (हिंदुओं की भूमि) और बहुमत द्वारा शासित इस लोकतांत्रिक राज्य में मुसलमानों को अल्पसंख्यक समुदाय के दर्जे को स्वीकार करना चाहिए।' गोलवलकर की किताब **वी (We)** हिंदू सांप्रदायिकता का घोषणा-पत्र बनी।

इस प्रकार, हिंदू संप्रदायिकतावादियों ने दावा किया कि भारत हिंदुओं का एक राष्ट्र है और मुसलमानों को या तो यह देश छोड़ देना चाहिए अथवा एक द्वितीय दर्जे के नागरिक की तरह रहना चाहिए, अल्पसंख्यकों की तरह विशेषाधिकार अथवा अन्य विशेष व्यवहार तो दूर की बात है। यह दो राष्ट्र सिद्धांत का हिंदू संप्रदायवादी रूप था। उन्होंने न केवल मुसलमानों के विरुद्ध नफरत फैलाई, बल्कि कांग्रेस की 'हिंदुओं के शत्रुओं' का समर्थन करने के लिए कटु आलोचना भी की।

1946-47 तक हिंदू साम्प्रदायिकतावादियों की भाषा अत्यधिक विद्वेषपूर्ण हो गई थी। जैसे ही सांप्रदायिक दंगे आग की तरफ फैलने लगे और कांग्रेस उसे रोकने में असफल होने लगी, तो हिंदू सांप्रदायिकतावादियों ने स्वयं को हिंदुओं के रक्षक के रूप में प्रस्तुत करने का प्रयास किया। उन्होंने अहिंसा और सांप्रदायिक समरसता की 'प्रभावहीन' बातचीत के लिए कांग्रेस की निंदा की एवं इसके स्थान पर हिंदुओं को बदला लेने के लिए भड़काया और मुसलमानों को सबक सिखाने की शिक्षा दी।

विभाजन के समय सांप्रदायिक वातावरण से हिंदू सांप्रदायिकतावादियों को विस्तार का पूरा मौका मिला और उनका रुख अब अत्यधिक उग्र हो गया था। जब मुसलमानों के लिए एक अलग राज्य बना दिया गया, तो उन्होंने शेष भारत को एक हिंदू राज्य घोषित करने की मांग की। उन्होंने राज्य को उखाड़ फेंकने का प्रयत्न किया और जब वे ऐसा करने में असमर्थ हुए, तो वे कांग्रेस सरकार के कटु आलोचक बन गए। यहाँ तक कि गांधी जी को भी नहीं बख्शा गया और उन पर भी हिंदू राष्ट्र को धोखा देने का आरोप लगाया गया।

◗ ब्रिटिश बलों की भूमिका (The Role of the British Forces)

भारत में सांप्रदायिकता की प्रगति में **'फूट डालो और शासन करो'** की ब्रिटिश नीति ने एक महत्वपूर्ण भूमिका निभाई। इस नीति के अंतर्गत मुस्लिम सांप्रदायिकता को ब्रिटिश सरकार से पूरा समर्थन व संरक्षण मिला। शुरुआत से ही ब्रिटिश ने भारतीयों को वर्ग, जाति एवं धर्म के आधार पर बांटने का प्रयास किया। लेकिन यह धर्म का ही विभाजन था, जो सबसे अधिक शक्तिशाली साबित हुआ। भारत में अपने साम्राज्यवादी हितों को बनाए रखने के लिए ब्रिटिश ने मुस्लिम लीग का उसके गठन से ही पोषण किया और सांप्रदायिकता को प्रेरित किया।

अक्टूबर 1939 में जब कांग्रेस मंत्रिमंडलों ने द्वितीय विश्व युद्ध के मुद्दे पर इस्तीफा दे दिया और पार्टी सक्रिय राजनीति से दूर चली गई, तब इस राजनीतिक निर्वात को भरने के लिए लीग आगे बढ़ी तथा वायसराय के साथ जिन्ना की पैंतरेबाजी द्वारा लीग ने अपनी स्थिति मजबूत की।

1940 में कांग्रेस ने त्वरित वास्तविक शक्ति के स्थानांतरण की मांग की और इसका विरोध करने के लिए लीग ने पाकिस्तान की मांग उठाई। ब्रिटिश ने भी देरी नहीं की और सत्ता के हस्तांतरण में देरी करने के लिए इस मांग को मुख्य आधार बनाया। ब्रिटिश सरकार ने घोषित किया कि जब तक हिंदू और मुसलमानों के बीच सत्ता के हस्तांतरण के तरीके को लेकर समझौता नहीं हो जाता, वह ऐसा नहीं कर सकते।

1942 में क्रिप्स प्रस्तावों के द्वारा ब्रिटिश सरकार ने पीछे के रास्ते से पाकिस्तान की मांग को समायोजित करने का प्रयास किया (प्रांतों को भारतीय संघ में सम्मिलित न होने एवं अलग होने का अधिकार देकर)। ऐसे समय में जब पाकिस्तान की मांग को भारतीयों द्वारा गंभीरता से नहीं लिया जा रहा था, ब्रिटिश नेताओं द्वारा इस पर गंभीरता से विचार करने से पाकिस्तान की मांग को वैधानिकता मिली।

जून 1945 में शिमला सम्मेलन में वायसराय वेवेल के रवैए में लीग को सभी मुसलमानों के लिए बोलने के एकाधिकार को आधिकारिक मान्यता और भविष्य के सभी समझौतों में लीग को वीटो शक्ति देना निहित था। (बावजूद इसके कि पिछले चुनाव में इसका प्रदर्शन इस दावे का समर्थन नहीं करती)। दूसरी ओर, कांग्रेस के 'राष्ट्रीय चरित्र' पर ब्रिटिश सरकार निरंतर प्रश्न उठाती रही।

मार्च 1946 में कैबिनेट मिशन को भेजा गया और मुस्लिम लीग के प्रति ब्रिटिश नीति में बदलाव देखा गया। ब्रिटिश का विचार था कि 'फूट डालो और शासन करो' की पुरानी नीति अब लंबे समय तक उपयुक्त नहीं होगी। इसके स्थान पर उन्होंने अनुभव किया कि भविष्य में एक संयुक्त भारत में ब्रिटिश हितों को बेहतर तरीके से संरक्षित किया जा सकेगा। उनका मानना था कि ब्रिटेन के साथ मित्रवत बना हुआ संयुक्त भारत कॉमनवेल्थ की रक्षा में एक सक्रिय सहभागी के रूप में उभर सकेगा। तदनुसार, 15 मार्च 1946 को प्रधानमंत्री एटली ने हाउस ऑफ कॉमंस में घोषित किया, 'हम अल्पसंख्यक को बहुमत की प्रगति पर वीटो लगाने की अनुमति नहीं दे सकते।' इस बयान ने मुस्लिम लीग के प्रति ब्रिटिश नीति में बदलाव की ओर इशारा किया। यह मिशन शिमला सम्मेलन के विपरीत था, जहाँ वेवेल ने जिन्ना को वीटो करने और समझौता-वार्ता को भंग करने की खुली छूट दे दी थी। साथ ही, यह भी सत्य है कि पाकिस्तान की योजना को जिंदा बनाए रखा गया और इसे समूहीकरण के विवादास्पद प्रावधान द्वारा पिछले रास्ते से प्रवेश देने की इजाजत दी गई।

कैबिनेट मिशन की असफलता से मुस्लिम लीग इतनी असंतुष्ट हुई कि उसने चुनाव बाद का अपना नारा 'लड़ के लेंगे पाकिस्तान' बनाने का फैसला लिया और 16 अगस्त 1946 को लीग के द्वारा 'सीधी कार्रवाई' दिवस मनाया गया। इसके बाद एक सांप्रदायिक प्रलय की शुरुआत हुई, जो पूरे देश में आग की तरह फैलने लगी व 1947 तक निरंतर जारी रही।

सितंबर 1946 में अंतरिम सरकार के गठन के समय ब्रिटिश सरकार इस द्वंद में थी कि लीग और कांग्रेस के एक योजना पर सहमत होने तक इंतजार किया जाए अथवा अकेले कांग्रेस के साथ ही अंतरिम सरकार को बनाने की ओर बढ़ा जाए। व्यापक जन-विद्रोह शुरू न होता तो, एक बार फिर वेवेल वार्ता को स्थगित कर देता, जैसा कि उसने शिमला सम्मेलन के

दौरान किया था। साथ ही महामहिम की सरकार ने अनुभव किया कि भारत के साथ भविष्य में उनके दीर्घकालीन हितों और अच्छे संबंधों के लिए कांग्रेस का समर्थन एक पूर्व आवश्यकता है। इसके बाद, 2 सितंबर 1946 को कांग्रेस को एक अंतरिम सरकार बनाने के लिए आमंत्रित किया गया और यह पूर्ववर्ती ब्रिटिश व्यवहार में स्पष्ट बदलाव था।

हालांकि, अक्टूबर 1946 में एक महीने के अंदर ही ब्रिटिश सरकार मुसलमानों को सांत्वना देने की अपनी पुरानी नीति की ओर लौटी। बढ़ती सांप्रदायिक आग और एक गृह युद्ध की संभावना, जो लीग के द्वारा छेड़ा जा सकता था, को ध्यान में रखते हुए वेवेल ने लीग को अंतरिम सरकार में शामिल होने के लिए मनाया (26 अक्टूबर 1946)।

फ्लैश बैक (अब तक)- इसके बाद यह सरकार स्पष्ट रूप से दो विरोधी खेमों में बंट चुकी थी।

9 दिसंबर 1946 को पहली बार संविधान सभा नई दिल्ली में मिली। यद्यपि लीग अंतरिम सरकार में शामिल हो चुकी थी, इसके बावजूद इसने संविधान सभा में सहभागिता करने से मना कर दिया और साथ ही इस सभा को अप्रतिनिधिक कहकर इसे विघटित करने कि मांग की। 5 फरवरी 1947 को अंतरिम सरकार के कांग्रेस सदस्यों ने वेवेल को पत्र लिखकर मुस्लिम लीग के सदस्यों के इस्तीफे की मांग की। स्पष्टतया, अब संकट के बादल घुमड़ने लगे थे।

विभाजन एवं स्वतंत्रता (Partition and Freedom)

एटली की घोषणा (20 फरवरी 1947) ब्रिटिश के वापस जाने की समय सीमा का निर्धारण

20 फरवरी 1947 को एटली की घोषणा ने सिर पर आए राजनीतिक संकट को तात्कालिक रूप से टाल दिया। यह घोषणा थी कि-

- ब्रिटिश 30 जून 1948 तक भारत से वापस चले जाएंगे।
- वायसराय के रूप में वेवेल का स्थान लॉर्ड माउंटबेटन लेंगे।
- यदि संविधान सभा पूर्णतया प्रतिनिध्यात्मक नहीं बनी अर्थात मुस्लिम बहुल प्रांत इसमें शामिल नहीं हुए, तो शक्ति का हस्तांतरण एक से अधिक सत्ताओं को किया जाएगा।

यह बयान उस समय आया जब शासकीय सत्ता स्थिति को संभालने में विफल हो चुकी थी और यह आशा थी कि एक निश्चित दिनांक, दोनों युद्धरत दलों को एक साथ ला देगी। हालांकि, यह आशा भ्रामक साबित हुई।

जिन्ना जानते थे कि अब केवल उन्हे अकेले ही पाकिस्तान की अपनी गांग के साथ खड़े रहना होगा। इस घोषणा के संबंध में पंजाब के गवर्नर ने चेतावनी दी कि यह घोषणा अंतिम सांप्रदायिक निर्णायक मुठभेड़ की एक भूमिका थी, जिसमें प्रत्येक व्यक्ति जितनी चाहे सत्ता छीन सकता था, यदि आवश्यकता पड़े तो बल से भी। लीग द्वारा देश के विभाजन के लिए उग्र आंदोलन शुरू करने के साथ ही उनका यह बयान जल्द ही सही साबित हुआ। इसने पंजाब, असम और उत्तर-पश्चिम सीमांत प्रांत में अबाधित हिंसा शुरू की, ताकि इन प्रांतों में गैर-लीग मंत्रिमंडलों को भंग किया जा सके और खिज्र हयात खां के नेतृत्व में बनी पंजाब के गठबंधन मंत्रिमंडल को हटाने में इसे सफलता भी मिली। लीग अब स्पष्ट रूप से युद्ध के रास्ते पर थी।

भारत में लॉर्ड माउंटबेटन का आगमन (Lord Mountbatten Arrives in India)

30 जून 1948 तक ब्रिटिश राज को समेटने के कार्य के लिए माउंटबेटन को भारत भेजा गया। 22 मार्च 1947 को लॉर्ड माउंटबेटन भारत पहुँचे और कैबिनेट मिशन योजना के आधार पर समाधान ढूंढने के उद्देश्य से सीधे संवैधानिक समस्या पर

कार्य करना शुरू कर दिया। उन्होंने अपने कार्य की शुरुआत बहुत उत्साह से की, लेकिन जल्द ही वे समझ गए, विशेषकर जिन्ना से बातचीत करने के बाद, कि एक संयुक्त भारत को लेकर कोई समाधान नहीं हो सकता था।

लॉर्ड माउंटबेटन

जिन्ना के साथ कैबिनेट मिशन योजना के बारे में चर्चा के दौरान माउंटबेटन ने निष्कर्ष निकाला, 'वे ऐसे दिखावा कर रहे थे कि जैसे वे सुन ही नहीं रहे हो। उनके साथ तर्क करना संभव नहीं था.. वे जो कुछ कह रहे थे, वे जो कुछ थे, उसमें उनके पाकिस्तान का ही इरादा था।'

अत: उन्होंने अपनी ऊर्जा को एटली के 20 फरवरी के बयान (जिसमें कहा गया था कि शक्ति एक से अधिक सत्ताओं को भी हस्तांतरित की जा सकेगी) पर आधारित एक वैकल्पिक योजना पर लगाना शुरू किया।

प्लान बाल्कन/डिकी बर्ड प्लान/इस्मे योजना (Plan Balkan/Dickie Bird Plan/Ismay Plan)

यह योजना माउंटबेटन द्वारा प्रस्तावित 3 जून योजना के पहले मार्च-मई 1947 के दौरान एक समिति, जिसमें लॉर्ड माउंटबेटन, जनरल सर हेस्टिंग्स इस्मे और सर जॉर्ज एबेल शामिल थे, द्वारा प्रस्तुत की गई थी। इसमें अनेक प्रांतों को शक्ति के हस्तांतरण की परिकल्पना की गई थी। (जैसा कि एटली की घोषणा में बात की गई थी कि यदि संविधान सभा पूर्णतया प्रतिनिध्यात्मक नहीं बनी, तो शक्ति का हस्तांतरण एक से अधिक सत्ताओं को किया जा सकेगा।) पंजाब एवं बंगाल विधानसभाएं विभाजन के मुद्दे पर मतदान करेंगे और यदि वे विभाजन के पक्ष में मत देते हैं, तो इस तरह से बनी अनेक इकाइयां और सर्वोच्चता की समाप्ति के बाद स्वतंत्र हुई देशी रियासतों के पास भारत या पाकिस्तान में शामिल होने अथवा स्वतंत्र रहने का विकल्प रहेगा। भारतीय नेताओं (विशेषकर जवाहर लाल नेहरू) की तीव्र प्रतिक्रिया के बाद, हालांकि, इस योजना को तुरंत त्याग दिया गया था। इस योजना को लीग द्वारा भी अस्वीकार कर दिया गया, क्योंकि वह एक संयुक्त पाकिस्तान चाहती थी।

स्पष्ट रूप से, इस योजना को बाल्कन योजना के नाम से जाना गया, क्योंकि इसमें भारत को अनेक संप्रभु राज्यों में विभाजित करने की योजना प्रदान की गई थी। इस योजना को 'इस्मे प्लान' भी कहा जाता है, क्योंकि इसे जनरल इस्मे ने दिल्ली में प्रांतीय गवर्नरों के सामने प्रस्तुत किया था।

माउंटबेटन योजना : विभाजन योजना (The Mountbatten Plan: The Partition Plan) (इसे 3 जून योजना के नाम से भी जाना जाता है।)

योजना

- एक साधारण बहुमत के द्वारा यह निर्णय लेने के लिए कि प्रांत का विभाजन हो अथवा नहीं, पंजाब एवं बंगाल की विधानसभाओं को दो वर्गों (एक वर्ग मुस्लिम बहुल जिलों के प्रतिनिधित्व के लिए एवं दूसरा वर्ग प्रांत के शेष जिलों के प्रतिनिधित्व के लिए) में मिलना था। यदि वे विभाजन के पक्ष में मतदान करते हैं, तो **दो डोमिनियनों (two dominions)** एवं दो संविधान सभाओं का निर्माण किया जाएगा।
- यह घोषित किया गया कि सत्ता का हस्तांतरण डोमिनियन दर्जे के आधार पर **15 अगस्त 1947** को दो उत्तराधिकारी राज्यों- भारत और पाकिस्तान, को किया जाएगा।
- इसमें उत्तर-पश्चिम सीमांत प्रांत के लिए एक **जनमत संग्रह (referendum)** का प्रावधान था, जिसके अनुसार यह पता लगाया जाएगा कि इस प्रांत को भारत अथवा पाकिस्तान में से किसमें शामिल होना है। इसमें सिलहट के मुस्लिम बहुल जिले में भी एक जनमत संग्रह के लिए प्रावधान किया गया था, जिसके अनुसार इस जिले को निर्णय करना था कि वह पूर्वी बंगाल में शामिल होना चाहेगा अथवा असम का ही भाग बना रहेगा। सिंध को भी अपना निर्णय स्वयं लेना था।

- विभाजन होने की स्थिति में एक **सीमा आयोग (Boundary Commission)** के गठन का प्रावधान किया गया।
- इसने वर्तमान सत्र में डोमिनियन दर्जे के आधार पर एक अथवा दो उत्तराधिकारी सत्ताओं को शक्ति हस्तांतरित करने के लिए एक विधायन लाने का प्रस्ताव किया और इसी दौरान ये डोमिनियन निश्चित करेंगे कि उन्हें ब्रिटिश कॉमनवेल्थ में बने रहना है अथवा नहीं।
- सर्वोच्चता (Paramountcy) की समाप्ति के बाद **देशी रियासतें दोनों डोमिनियनों- भारत अथवा पाकिस्तान, में से किसी में भी शामिल होने के लिए स्वत्रंत होंगी।** (लेकिन यह बयान स्वतंत्रता के विकल्प के संबंध में देशी रियासतों की स्थिति को स्पष्ट नहीं करता था और इस तरह रियासतों को स्वतंत्र रहने के स्वप्न देखने के लिए मुक्त छोड़ दिया गया।)

योजना में कांग्रेस को दी गई रियायतें

चूंकि कांग्रेस अपने संयुक्त भारत के आदर्श के साथ सबसे बड़ा समझौता कर रही थी, इसलिए माउंटबेटन योजना के द्वारा इसकी अन्य सभी मांगें स्वीकार कर ली गईं-

- देशी रियासतों को स्वतंत्रता का विकल्प नहीं दिया गया। (यद्यपि माउंटबेटन ने इस विषय में कांग्रेस का पक्ष लिया था, लेकिन 3 जून की योजना में इस प्रावधान के संबंध में अस्पष्टता बना रही।)
- बंगाल को स्वतंत्रता देने से मना कर दिया गया।
- हैदराबाद को पाकिस्तान में सम्मिलित करने को अस्वीकार कर दिया गया।

भारतीय प्रतिक्रिया

माउंटबेटन योजना को सभी भारतीय दलों द्वारा स्वीकार किया गया, यद्यपि ऐसा बहुत ही अनिच्छा के साथ किया गया। अब वे विभाजन की अनिवार्यता को मान चुके थे। 1947 के प्रारंभ से ही कांग्रेस ने इसे स्वीकार करना शुरू कर दिया था-

- 20 अप्रैल 1947 को नेहरू ने एक भाषण में कहा, 'मुस्लिम लीग पाकिस्तान ले सकती है, यदि वह इसे लेने की इच्छा रखती है, लेकिन इस शर्त पर कि वे भारत के उन भागों को नहीं लेंगे, जो पाकिस्तान में शामिल होने की इच्छा नहीं रखते।'
- 28 अप्रैल को राजेंद्र प्रसाद ने संविधान सभा में घोषित किया, 'हो सकता है कि भारतीय संघ (यूनियन) में सभी प्रांत शामिल न हो... इसके लिए हमें तैयार रहना चाहिए।'

परिणाम

- बंगाल एवं पंजाब विधानसभाओं के हिंदू सदस्यों ने विभाजन के पक्ष में निर्णय लिया। पूर्वी बंगाल एवं पश्चिमी पंजाब ने पाकिस्तान में शामिल होने का निर्णय लिया, जबकि पश्चिम बंगाल और पूर्वी पंजाब ने भारत में शामिल होने का निर्णय लिया।
- सिलहट एवं उत्तर-पश्चिम सीमांत प्रांत का जनमत संग्रह पाकिस्तान के पक्ष में रहा।
- दो सीमा आयोग गठित किए गए।

इस प्रकार माउंटबेटन योजना भारत के विभाजन की आधार बनी।

माउंटबेटन योजना का मूल्यांकन (Analysis of Mountbatten Plan)

- **अधिकतम एकता को बनाए रखते हुए भारत का विभाजन किया**- यह योजना कांग्रेस एवं लीग दोनों की मांग को दिमाग में रखते हुए बनाई गई थी। पाकिस्तान बनाना था, लेकिन इसे इस तरह बनाना था कि जहाँ तक संभव हो वह छोटा बने, ताकि कांग्रेस की एक संयुक्त भारत की मांग को भी समायोजित किया जा सके। इसके साथ ही, चूंकि कांग्रेस अपने संयुक्त भारत के आदर्श के साथ समझौता कर बड़ी रियायत कर रहा था, इसलिए इसकी अन्य सभी मांगों को माना जाना था। (उदाहरणस्वरूप, देशी रियासतों को स्वतंत्र होने का विकल्प नहीं दिया जाना।) कांग्रेस के साथ सद्भाव को बनाए रखने एवं भारत द्वारा डोमिनियन दर्जे को स्वीकार करने व इसके कॉमनवेल्थ में शामिल होने

हेतु मनाने के लिए ब्रिटेन के लिए ऐसा करना महत्वपूर्ण था। भारत और पाकिस्तान में से ब्रिटेन भारत को कॉमनवेल्थ में शामिल करने हेतु उत्सुक था, क्योंकि इसकी आर्थिक व रक्षात्मक क्षमता ज्यादा बेहतर थी।

- **डोमिनियन का दर्जा (Dominion Status)**– कांग्रेस ने डोमिनियन के दर्जे को गतिरोध समाप्त करने और बदतर हो रही सांप्रदायिक स्थिति का प्रभार लेने का, केवल एक साधन माना। इससे नए प्रशासन को कुछ और समय मिल जाता, क्योंकि ब्रिटिश अधिकारी कुछ समय के लिए और रुक सकते थे और भारतीय नेताओं को व्यवस्थित होने और प्रभार लेने के लिए समय मिल जाता।
- **समय पूर्व की तारीख, 15 अगस्त**– अत: 3 जून योजना ने घोषित किया कि 15 अगस्त 1947 तक डोमिनियन दर्जे के आधार पर दो उत्तराधिकारी राज्यों- भारत एवं पाकिस्तान, को शक्ति का स्थानांतरण कर दिया जाएगा। ब्रिटेन ने कांग्रेस के डोमिनियन के दर्जे को समझौते को सुनिश्चित करने के लिए समय से पहले ही 15 अगस्त की तारीख निश्चित की। इसने ब्रिटिश सरकार को बिगड़ती सांप्रदायिक स्थिति की जिम्मेदारी को छोड़ने की भी अनुमति दी।

गांधी के साथ माउंटबेटन

जिन्ना के साथ माउंटबेटन

भारतीय स्वतंत्रता अधिनियम, 1947 (The Indian Independence Act, 1947)

स्वतंत्रता की अंतिम योजना माउंटबेटन योजना पर भारतीयों की सहमति होने के बाद 4 जुलाई 1947 को लेबर सरकार के **क्लीमेंट एटली** एवं गवर्नर जनरल लॉर्ड माउंटबेटन द्वारा हाउस ऑफ कॉमंस में **भारतीय स्वतंत्रता विधेयक (Indian Independences Bill)** प्रस्तावित किया गया। भारत की जनता को सत्ता हस्तांतरित करने के उद्देश्य से इस विधेयक को प्रस्तावित किया गया और 18 जुलाई को इसे शाही सहमति मिली। इसके मुख्य प्रावधानों में शामिल थे-

- 15 अगस्त 1947 से भारत में दो स्वतंत्र डोमिनियनों की स्थापना होगी, जो क्रमशः भारत एवं पाकिस्तान नाम से जाने जाएंगे।
- दोनों डोमिनियन के बीच सीमाओं का निर्धारण सीमा आयोग (**सर सिरिल रेडक्लिफ** की अध्यक्षता में तथा इसे रेडक्लिफ आयोग भी कहा गया) के द्वारा किया जाएगा।
- पाकिस्तान के क्षेत्रों में पूर्वी बंगाल (असम प्रांत के सिलहट जिले सहित), पश्चिमी पंजाब, सिंध, बलूचिस्तान तथा उत्तर-पश्चिम सीमांत प्रांत शामिल होंगे।
- दोनों डोमिनियनों की संविधान सभाएं अपने-अपने देश के लिए संविधान बनाने के लिए स्वतंत्र थीं।
- जब तक नया संविधान अपनाया नहीं जाता, तब तक प्रत्येक डोमिनियन की वर्तमान संविधान सभाएं एक **डोमिनियन विधायिका** की तरह कार्य करेंगी और प्रत्येक डोमिनियन 1935 के भारत शासन अधिनियम के प्रावधानों के तहत शासन करेगा।
- दोनों नए डोमिनियनों के लिए क्राउन (राजमुकुट) द्वारा नए गवर्नर जनरल नियुक्त किए जाएंगे। साथ ही, एक व्यक्ति भी दोनों का गवर्नर जनरल बन सकेगा। (माउंटबेटन स्वतंत्र भारत के पहले गवर्नर जनरल बने, जबकि जिन्ना पाकिस्तान के पहले गवर्नर जनरल बने।)

- गवर्नर जनरल को मार्च, 1948 तक पर्याप्त शक्तियाँ दी गईं, ताकि वह भारतीय स्वतन्त्रता अधिनियम, 1947 के प्रावधानों को प्रभावी रूप से लागू करने के लिए आदेश जारी कर सके।
- इस अधिनियम ने भारतीय रियासतों पर ब्रिटिश क्राउन की सर्वोच्चता समाप्त की। देशी रियासतों एवं दोनों नए डोमिनियनों के बीच समझौते हेतु वार्तालाप होना था।
- **भारतीय रियासतें** दोनों नए डोमिनियनों में से किसी एक में शामिल होने के लिए स्वतंत्र थीं। (अधिनियम ने क्राउन के प्रति उनके सभी दायित्वों से मुक्त कर दिया था और अब वे तकनीकी रूप से स्वतंत्र थे।)
- भारत सचिव के पद को समाप्त कर दिया गया और उसके कार्य को **कॉमनवेल्थ मुद्दों के सचिव (Secretary of Commonwealth Affairs)** को दे दिया गया।
- शाही उपाधियों में से 'भारत का सम्राट' और 'भारतीय सम्राट' जैसे शब्दों को समाप्त कर दिया गया।

भारतीय स्वतंत्रता अधिनियम, 1947 की 'ब्रिटिश संसद द्वारा अधिनियमित किए गए अभी तक के सभी कानूनों में आदर्श एवं महान कानून के रूप में प्रशंसा की गई।' इस अधिनियम ने ब्रिटिश भारत के अंतिम अध्याय को समाप्त किया और स्वतंत्र भारत के एक नए अध्याय की शुरुआत की।

वो विनाशकारी 72 दिन

3 जून से 15 अगस्त 1947 के 72 दिनों में सत्ता हस्तांतरण एवं देश का विभाजन दोनों कार्य तीव्र गति से हुए। भारतीय दृष्टिकोण से यह बहुत ही विनाशकारी साबित हुआ। कुछ वरिष्ठ ब्रिटिश अधिकारियों (इनमें कमांडर-इन-चीफ ऑचिंक्लिक भी शामिल थे) के अनुसार एक शांतिपूर्ण विभाजन के लिए कम से कम कुछ वर्षों के समय की आवश्यकता थी। योजना ने विभाजन के बाद उत्पन्न होने वाली समस्याओं के समाधान के लिए कोई संस्थागत ढांचा प्रदान नहीं किया था। जिन्ना द्वारा माउंटबेटन को भारत और पाकिस्तान दोनों के लिए एक संयुक्त गवर्नर जनरल के रूप में कार्य करने से इंकार कर दिए जाने से स्थिति और खराब हो गई। जिन्ना स्वयं के लिए ये पद चाहते थे। दिसंबर 1947 में संयुक्त रक्षा मशीनरी को भी समाप्त कर दिया गया। इस समय तक कश्मीर पहले ही सैन्य विवाद का एक अड्डा बन चुका था।

नरसंहार : विभाजन की त्रासदी (Massacres : The Tragedy of Partition)

देश के विभाजन के साथ व्यापक स्तर पर हिंदू-मुस्लिम दंगे और नरसंहार हुआ। विभाजन की इस त्रासदी के पीछे अनेक कारण थे, जिनमें शामिल थे-

- **माउंटबेटन की भूमिका-** माउंटबेटन के दो निर्णयों- समय से पूर्व 15 अगस्त की तारीख को चुनना और सीमा आयोग की घोषणा करने में देरी करना, ने पंजाब में स्थिति को बदतर बनाने में बड़ी भूमिका निभाई थी। वरिष्ठ ब्रिटिश अधिकारियों, जिनमें कमांडर-इन-चीफ लॉकहार्ट (15 अगस्त से 31 दिसंबर 1947 तक भारतीय सेना के कमांडर-इन-चीफ) भी शामिल थे, के अनुसार पंजाब त्रासदी नहीं हुई होती यदि विभाजन एक वर्ष देरी से किया जाता। साथ ही, यद्यपि सीमा आयोग अधिनिर्णय (Boundary Commission Award) 12 अगस्त तक तैयार हो चुका था, लेकिन माउंटबेटन ने सत्ता के हस्तांतरण तक इसकी घोषणा को रोककर रखा, ताकि आगे आने वाली अव्यवस्था की जिम्मेदारी को छोड़ सकें। इसकी वजह से लाहौर और अमृतसर के बीच बसे गांवों में रह रहे लोग अपने घरों में इस सोच में रहते रहे कि वे सीमा के सही क्षेत्र (या दिशा) में हैं। जैसे ही अंतिम समय में इस सीमा आयोग के निर्णय की घोषणा की गई, तो उन्माद से भरा देशांतरण (पलायन) हुआ और जिसका समापन अक्सर नरसंहार के साथ हुआ। अधिकारी अपने कर्तव्यों का निर्वाहन करने के स्थान पर अपने स्थानांतरण के प्रबंधन में व्यस्त थे, यदि ये अपना कर्तव्य निभाते, तो भयंकर हत्याओं को रोक सकते थे।

- **विभाजन की अन्तिमता को स्वीकार न करना**- लाखों लोगों ने विभाजन की घोषणा होने के बाद लंबे समय तक इसे स्वीकार करने से मना कर दिया था और इसे एक अंतिम समय का उन्मादी मुद्दा बना दिया था। यहाँ तक कि गांधी एवं नेहरू जैसे नेता भी विभाजन को केवल तात्कालिक मानते थे।
- **यह विश्वास कि विभाजन शांतिपूर्ण होगा**- यह मान लेना कि विभाजन शांतिपूर्ण होगा, एक बहुत ही अवास्तविक सोच थी। एक बार पाकिस्तान दे दिया, तो फिर लड़ाई किस लिए? जनता के स्थानांतरण की कोई तैयारी नहीं की गई और न ही दंगों का पूर्व अनुमान लगाया गया।

रेडक्लिफ आयोग- जैसा कि 1947 के अधिनियम द्वारा निर्धारित किया गया था सर सिरिल रेडक्लिफ (इस प्रकार रेडक्लिफ आयोग नाम पड़ा) की अध्यक्षता में दो सीमा आयोग गठित किए गए। दोनों क्षेत्रों के विभाजन का कार्य गुप्त रूप से किया गया और अंतिम सीमा अधिनिर्णय 12 अगस्त को तैयार हुआ। हालांकि, यह अधिनिर्णय और अधिक देरी व विवादों से बचने के लिए 17 अगस्त को ही प्रकाशित किया गया और इसमें भारत एवं पाकिस्तान के बीच हुए सीमांकन के बारे में विवरण दिया गया। भारत और पाकिस्तान के बीच बनाई गई इस रेखा को रेडक्लिफ लाइन कहा गया। वर्तमान में भी यह पश्चिम और पूर्व में क्रमशः भारत-पाकिस्तान और भारत-बांग्लादेश की सीमाओं का निर्धारण करती है।

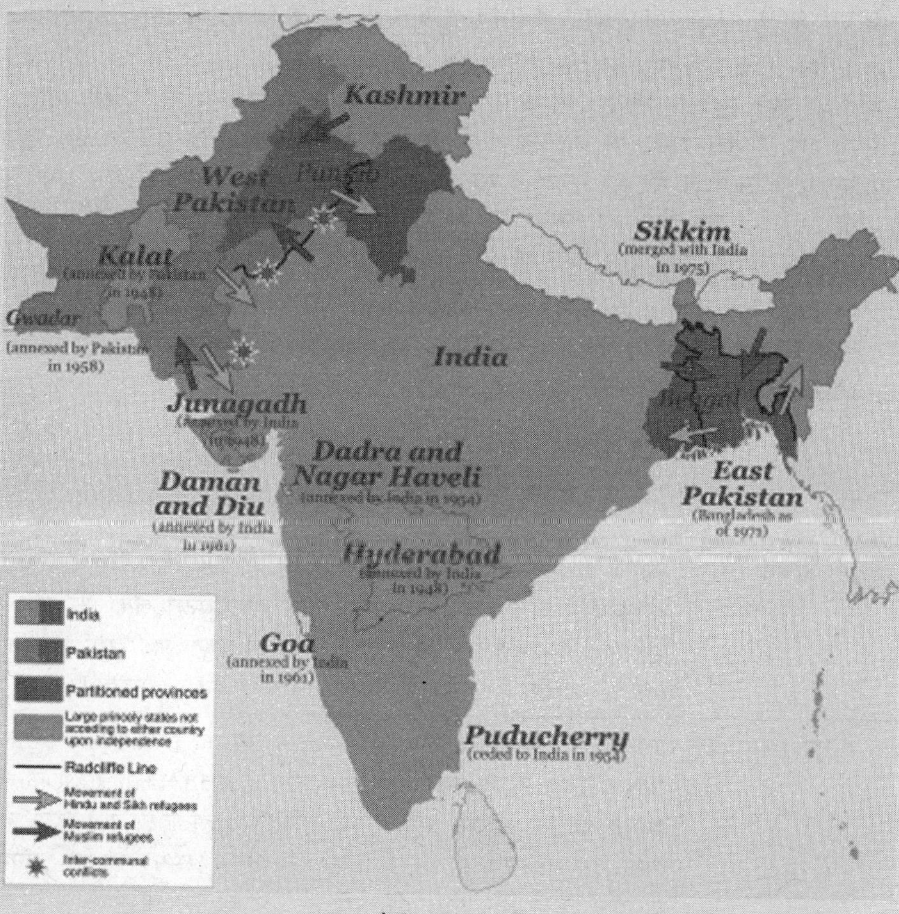

भारत के विभाजन का मानचित्र

स्वतंत्रता दिवस (15 अगस्त 1947)

लाल किले पर लहराता हुआ भारत का राष्ट्रीय ध्वज

14 अगस्त की रात को संविधान सभा मिली और एक यादगार वक्तव्य में जवाहरलाल नेहरू ने सभी सदस्यों से राष्ट्र की सेवा की एक प्रतिज्ञा लेने का आह्वान किया। मध्य रात्रि में भारत एवं पाकिस्तान दोनों को स्वतंत्रता प्रदान की गई। 15 अगस्त की सुबह स्वतंत्र भारत स्वाधीनता एवं विभाजन की दोहरी वास्तविकता के साथ जागा। स्वतंत्र भारत के पहले प्रधानमंत्री जवाहरलाल नेहरू की अध्यक्षता में एक नए मंत्रिमंडल ने शपथ ग्रहण की। सरदार वल्लभ भाई पटेल गृह मंत्री बने।

इस प्रकार एक नए राष्ट्र का जन्म हुआ और भारत में लगभग 200 वर्ष के ब्रिटिश राज का अंत हुआ।

जवाहरलाल नेहरू का 'नियति के साथ साक्षात्कार अथवा वादा' (ट्रिस्ट विद डेस्टनी, Tryst with Destiny) भाषण– यह भाषण भारत की स्वतंत्रता की पूर्व संध्या पर स्वतंत्र भारत के पहले प्रधानमंत्री जवाहरलाल नेहरू द्वारा दिया गया और इस भाषण को बीसवीं शताब्दी के महान भाषणों में से एक माना जाता है।

'कई सालों पहले, हमने नियति के साथ एक वादा किया था, और अब वक्त आ गया है कि हम अपना वादा निभाएं, पूरी तरह न सही पर बहुत हद तक तो निभाएं। आधी रात के समय, जब दुनिया सो रही होगी, भारत जीवन और स्वतंत्रता के लिए जाग जाएगा। ऐसा क्षण आता है, मगर इतिहास में विरले ही आता है, जब हम पुराने से बाहर निकलकर नए युग में कदम रखते हैं, जब एक युग समाप्त हो जाता है, जब एक देश की लंबे समय से दबी हुई आत्मा मुक्त होती है। यह संयोग ही है कि इस पवित्र अवसर पर हम भारत और उसके लोगों की सेवा करने के लिए तथा सबसे बढ़कर मानवता की सेवा करने के लिए समर्पित होने की प्रतिज्ञा कर रहे हैं।... '

प्रीलिम कैप्सूल

विभाजन और स्वतंत्रता की ओर

घटनाएं	वर्ष	महत्वपूर्ण विवरण
एटली की घोषणा	20 फरवरी 1947	घोषणा के अनुसार ब्रिटिश **30 जून 1948** को भारत से वापस चले जाएंगे। **वाइसराय के रूप** में लॉर्ड वेवेल का स्थान **लॉर्ड माउंटबेटन** लेंगे और यदि संविधान सभा पूर्ण प्रतिनिध्यात्मक नहीं होती अर्थात मुस्लिम बहुल प्रांत इसमें शामिल नहीं होते, तो एक से अधिक सत्ताओं को शक्ति हस्तांतरित की जा सकेगी।
माउंटबेटन योजना	3 जून 1947	इसने घोषित किया कि यदि बंगाल एवं पंजाब की विधानसभाएं विभाजन के पक्ष में मतदान करती हैं, तो भारत एवं पाकिस्तान दो उत्तराधिकारी राज्यों को डोमिनियनों के आधार पर **15 अगस्त 1947** तक शक्ति का हस्तांतरण कर दिया जाएगा। इसने उत्तर-पश्चिम सीमांत प्रांत एवं सिलहट (असम) में एक **जनमत संग्रह** का प्रावधान किया और **सीमा आयोग** की स्थापना का भी प्रावधान किया। **भारतीय रियासतें किसी भी एक डोमिनियन में शामिल होने के लिए स्वतंत्र होंगी।**

घटनाएं	वर्ष	महत्वपूर्ण विवरण
भारतीय स्वतंत्रता अधिनियम, 1947	18 जुलाई 1947	भारतीय नेताओं द्वारा माउंटबेटन योजना पर सहमत होने के बाद **क्लीमेंट एटली** की लेबर सरकार द्वारा इस अधिनियम को पारित किया गया। अन्य प्रावधानों के साथ इस अधिनियम में निम्नलिखित उल्लेख किए गए– जब तक एक नया संविधान नहीं अपना लिया जाता, तब तक प्रत्येक डोमिनियन की वर्तमान संविधान सभाएं **डोमिनियन विधानसभा** की तरह कार्य करेंगी और प्रत्येक डोमिनियन का शासन **भारत शासन अधिनियम, 1935** के प्रावधानों के अनुसार चलाया जाएगा। भारत सचिव का पद समाप्त कर दिया गया और इसके कार्यों को **कॉमनवेल्थ मुद्दों के सचिव** को दे दिया गया।
स्वतंत्रता दिवस	15 अगस्त 1947	भारत स्वतंत्रता एवं विभाजन की दोहरी वास्तविकता के साथ जागा। जवाहरलाल नेहरू ने स्वतंत्र भारत के पहले प्रधानमंत्री के रूप में शपथ ग्रहण की। सरदार वल्लभभाई पटेल गृह मंत्री बने।

देशी रियासतें एवं विभाजन (Princely States and Partition)

भारतीय स्वतंत्रता अधिनियम के तहत देशी रियासतें दोनों डोमिनियनों में से किसी एक में शामिल होने के लिए स्वतंत्र थीं। देशी रियासतों की जनता के आंदोलन और सरदार पटेल की चतुर कूटनीति के चलते अधिकांश ने भारत में शामिल होने का निर्णय लिया। कुछ समय तक जो अपने निर्णय पर डटे रहे वे थे–

1. **जूनागढ़ के नवाब**– जूनागढ़ काठियावाड़ के तट पर एक छोटी रियासत थी। इसके नवाब ने पाकिस्तान में सम्मिलित होने की घोषणा की, जबकि यहाँ की जनता भारत में शामिल होना चाहती थी। अंतत: भारतीय सैन्य दलों ने रियासत को कब्जे में लिया और एक जनमत संग्रह आयोजित किया गया, जो भारत के पक्ष में गया।
2. **हैदराबाद के निजाम**– निजाम अपने निर्णय पर बरकरार बना रहा, क्योंकि वह स्वतंत्र रहने का विचार कर रहा था। हालांकि, तेलंगाना क्षेत्र में एक आंतरिक विद्रोह फूट पड़ा, जिसके बाद भारतीय सैन्य दलों ने हैदराबाद की ओर मार्च किया और रियासत को 1948 में भारत में शामिल होने के लिए मजबूर कर दिया।
3. **जम्मू एवं कश्मीर के महाराजा**– महाराजा ने भी अपने निर्णय में देरी की और पाकिस्तान की अनियमित सशस्त्र दलों द्वारा कश्मीर पर हमला किए जाने के बाद ही भारत में शामिल होने का फैसला लिया।

कांग्रेस एवं विभाजन (Congress and Partition)

कुछ विद्वान नेहरू एवं पटेल सहित कांग्रेसी नेताओं पर सत्ता के प्रलोभन के सामने झुकने और ब्रिटिश के साथ एक समझौता (जिससे देश के विभाजन के बदले उन्हें सत्ता प्राप्त हुई) करने का आरोप लगाते हैं। वास्तव में, विभाजन कांग्रेस पार्टी के कुछ नेताओं की व्यक्तिगत असफलता का परिणाम नहीं, बल्कि पूरे संगठन की असफलता का परिणाम था। स्वाधीनता-असफलता का द्वंद (independence-failure duality) कुछ नहीं, बल्कि कांग्रेस के नेतृत्व में हुए साम्राज्यवाद-विरोधी आंदोलन की सफलता-असफलता के द्वंद (success-failure dichotomy) का ही प्रतिबिंब था।

दो मोर्चों पर असफलता

1. कांग्रेस पिछले कुछ वर्षों में मुस्लिम जनता को राष्ट्रीय मुख्यधारा में लाने में असफल बनी रही।
2. यह 1937 से ही सांप्रदायिकता के बढ़ते ज्वार को काबू करने में भी असफल रही। जब देश सांप्रदायिक दंगों से घिर गया और स्थिति बेकाबू हो गई, तब कांग्रेस नेताओं ने निष्कर्ष निकाला कि विभाजन अथवा गृह युद्ध, दोनों बुराइयों में से विभाजन कम विनाशकारी है।

कांग्रेस के सामने विकल्पः विभाजन या गृह-युद्ध- अंतरिम सरकार की असफलता ने विभाजन के पक्ष में राष्ट्र के भविष्य पर आभासी मुहर लगा दी थी। अंतरिम सरकार पाकिस्तान के लिए संघर्ष का एक अन्य अखाड़ा बन चुकी थी। इसको प्रांतों में हस्तक्षेप की कोई शक्ति नहीं थी और जब कलकत्ता एवं नोआखाली में दंगे भड़के, तो कांग्रेसी नेता लाचार तमाशाबीनों की तरह नरसंहार को देखने के अलावा और कुछ नहीं कर सकते थे। उन्होंने महसूस करना शुरू किया कि ऐसी परिस्थितियों में पदों पर बने रहना निरर्थक है और विभाजन की कीमत पर होने वाली त्वरित सत्ता हस्तांतरण से कम से कम उन्हें व्यवस्था को बहाल करने और ऐसी हत्याओं को समाप्त करने की वास्तविक शक्ति मिलेगी।

कांग्रेस के सामने विकल्पः विभाजन या बाल्कनीकरण (विखण्डीकरण)- 'विभाजन या विखंडीकरण' एक अन्य विकल्प था, जिसका कांग्रेसी नेता सामना कर रहे थे। यदि वे विभाजन चुनते, तो ब्रिटिश सरकार कांग्रेस की अन्य सभी बातों को स्वीकार करने के लिए तैयार थी, जिसमें देशी रियासतों को स्वतंत्रता का विकल्प न दिया जाना शामिल था, इस प्रकार देश के विखंडीकरण की संभावना को खारिज किया जा सकता था। अतः विकल्प स्पष्ट था- देशी रियासतों को स्वतंत्रता देना भारतीय एकता के लिए पाकिस्तान से भी अधिक खतरनाक था।

कांग्रेस के सामने विकल्पः धर्मनिरपेक्ष संस्था या हिंदू संस्था- जिन्ना की मांग थी कि मुस्लिम लीग को भारतीय मुसलमानों के एकमात्र प्रतिनिधि के रूप में मान्यता दी जाए। इसको स्वीकार करने का अर्थ मुसलमानों के लिए कांग्रेस के दरवाजे बंद करना और प्रभावी रूप से गैर-धर्मनिरपेक्ष कहलाया जाना था। धर्मनिरपेक्षता कांग्रेस नेताओं के बीच एक पोषित लक्ष्य था, जिससे वे अलग होने को तैयार नहीं थे। साथ ही, गैर-धर्मनिरपेक्ष बनना कांग्रेस के मुस्लिम सदस्यों के साथ-साथ भारतीय जनता और उनके भविष्य के साथ भी विश्वासघात होता।

सांप्रदायिक उलझन- अपने अंतिम वर्षों में सांप्रदायिक उलझन ऐसी बन चुकी थी कि जितना आप इसे सुलझाने का प्रयास करते, उतना ही इसके धागे बुरी तरह से उलझने लगते थे। प्रत्येक बार कांग्रेस रियायत करती और जिन्ना अपनी मांग को और ऊँचा कर लेते थे। प्रत्येक बार कांग्रेस झुकती थी और लीग की ऐसी सफलताओं से प्रभावित होकर अधिक से अधिक लोग उसमें शामिल हो जाते थे। अतः रियायत के प्रत्येक दौर से केवल दोनों सांप्रदायिक बलों (हिंदू एवं मुसलमान) की पकड़ मजबूत होती थी। हिंदू सांप्रदायिकतावादी स्वयं को हिंदू हितों का हिमायती बताने से नहीं चूकते थे और कांग्रेस पर सांप्रदायिक समरसता के नाम पर हिंदुओं को दुर्बल बनाने का आरोप लगाते थे।

ऐसे समय में सांप्रदायिकता के विरुद्ध तुष्टिकरण की नहीं, अपितु एक पूर्ण संघर्ष की जरूरत थी। कांग्रेस इस सांप्रदायिक गणित को समझने और सांप्रदायिकता के बलों का सामना करने के लिए एक दीर्घकालीन रणनीति बनाने में असफल रही।

विभाजन स्वीकार करनाः आत्मसमर्पण का एक अंतिम कार्य- यद्यपि कांग्रेसी नेताओं ने जिन्ना की दो राष्ट्र सिद्धांत (two nation theory) को स्वीकार करने और अपनी धर्मनिरपेक्ष विचारधारा को छोड़ने से इंकार कर दिया था, लेकिन उन्होंने लीग को अनेक महत्वपूर्ण रियायतें दीं-

- 1942 में क्रिप्स मिशन के समय मुस्लिम बहुल प्रांतों की स्वायत्तता को स्वीकार किया गया।
- 1944 में जिन्ना के साथ अपनी वार्ता में गांधी ने इस बात को मान्यता दी कि मुस्लिम बहुल प्रांतों को आत्मनिर्णय का अधिकार होगा।
- 1946 में कैबिनेट मिशन योजना के समय कांग्रेस ने सभी वैकल्पिक प्रावधानों {जैसे मुस्लिम बहुल प्रांत (समूह ख एवं ग), यदि चाहे तो एक पृथक संविधान सभा बना सकते हैं} को स्वीकार करने को इच्छुक थी। कांग्रेस ने केवल

अनिवार्य समूहीकरण का विरोध किया, जिसके कारण उत्तर-पश्चिम सीमांत प्रांत एवं असम को उनकी इच्छा के विपरीत समूह में जाना पड़ रहा था।

- दिसंबर 1946 में जब ब्रिटिश कैबिनेट ने लीग की इच्छा अनुसार समूहीकरण को मान्यता दी, तो कांग्रेस ने चुपचाप स्वीकार कर लिया।
- फरवरी 1947 में एटली की घोषणा के बाद नेहरू ने लियाकत अली खान से सहयोग के लिए अपील की।

इस प्रकार 3 जून योजना के अंतर्गत विभाजन को स्वीकार करना, जिन्ना की पृथक मुस्लिम राज्य की अडिग मांग के समक्ष अंतिम आत्मसमर्पण का कार्य था। साथ में, यह भी याद रखना चाहिए कि यद्यपि राष्ट्रवादी नेताओं ने विभाजन को स्वीकार कर लिया था, लेकिन उन्होंने दो राष्ट्र के सिद्धांत को नहीं माना था और स्वतंत्र भारत में एक धर्मनिरपेक्ष राज्य की स्थापना का प्रयास किया।

अत्यधिक विडंबना तब हुई जब पाकिस्तान बनने के बाद जिन्ना ने दो राष्ट्र सिद्धांत को वापस लेने का प्रयास किया अर्थात पाकिस्तान में धर्मनिरपेक्षता को लाने का प्रयास किया। 11 अगस्त, 1947 को पाकिस्तान की संविधान सभा में उन्होंने घोषित किया कि 'आप किसी भी धर्म, जाति अथवा संप्रदाय के हो सकते हो, इसका राज्य के कार्य का कोई लेना देना नहीं है।' अब उनके द्वारा उस जिन्न को बोतल में वापस लाने का प्रयास निरर्थक ही था, जिसे उन्होंने ही सांप्रदायिक राजनीति के लिए आजाद किया था।

गांधी एवं विभाजन

विभाजन की संभावना गांधी के लिए अत्यंत तनावपूर्ण थी। वे न केवल जिन्ना के हठ, अपितु अपने अनुयायियों- नेहरू व पटेल की शक्ति के प्रति तथाकथित प्रलोभन को देखकर भी असंतुष्ट अनुभव कर रहे थे। लेकिन उन्हें सबसे अधिक विश्वासघात का अनुभव उनके लोगों अर्थात जनता से हुआ, जो सांप्रदायिकता के ज्वार में ऐसे पड़े कि उसे ठीक करना अब बस से बाहर हो गया था। अब केवल मुस्लिम ही नहीं, बल्कि हिंदू एवं सिख भी थे, जो विभाजन चाहते थे।

समाजवादियों ने जब उनसे राष्ट्र की एकता के लिए अपनी ओर से एक संघर्ष शुरू करने की अपील की (जैसा कि वे 1942 में करने के इच्छुक थे), तो गांधी ने मना कर दिया। एक जन नेता कैसा, जिसके पीछे जनता ही न हो ? वे सहज रूप से अनुभव कर सकते थे कि जनता के हृदय में क्या हलचल चल रही है...और जो पहले से ही था उसे एक रूप दे सकते थे। 1947 में उन्होंने कबूल किया कि 'आज मैं एक स्वस्थ भावना के चिन्ह नहीं देखता और इसलिए मुझे तब तक इंतजार करना होगा, जब तक समय नहीं आ जाता।'

हालांकि, वह समय कभी नहीं आया। सभी कुछ तेजी से आगे बढ़ रहा था और 3 जून को विभाजन की घोषणा हुई, जिसे 15 अगस्त को लागू करना था। ऐसे मोड़ पर यह माना जाता है कि गांधी अपना जीवन समाप्त करना चाहते थे, लेकिन वे संयुक्त भारत की मशाल को अपने दिल में जलाते हुए और अपने मन में 'एकला चलो' के मंत्र को लिए हुए वीरतापूर्ण तरीके से खड़े रहे।

14 जून 1947 को गांधी साहस के साथ अखिल भारतीय कांग्रेस समिति की बैठक में गए और कांग्रेसियों को एक अपरिहार्य आवश्यकता के रूप में विभाजन स्वीकार करने का सुझाव दिया, लेकिन उनसे यह भी कहा कि इसे वे अपने दिल में स्वीकार न करें और जुनून थमने के बाद इसे पलटने का प्रयास जारी रखें।

वे पूर्वी बंगाल एवं बिहार के गांवों में नंगे पैर घूमे और अपनी उपस्थिति से मुसलमानों को सहज अनुभव कराया। उन्होंने लोगों को शस्त्र त्यागने के लिए मनाकर और अपने उपवास की धमकी देकर अर्थहीन सांप्रदायिक उन्माद से अकेले ही लड़ने का प्रयास किया। इसी कारण उन्हें माउंटबेटन ने **'वन मैन बाउंड्री फोर्स' (One man boundary force)** कहा।

हमारे राष्ट्रपिता महात्मा गांधी ने स्वतंत्रता दिवस का दिन सांप्रदायिक दंगों से सर्वाधिक प्रभावित कलकत्ता के एक मोहल्ले में उपवास और सूत कातकर बिताया। 30 जनवरी 1948 को बिरला हाउस (अब गांधी स्मृति) के मैदान में शाम की प्रार्थना के लिए जाते समय, एक हिंदू कट्टरपंथी नाथूराम विनायक गोडसे द्वारा उनकी गोली मारकर हत्या कर दी गई। 'हमारे जीवन से प्रकाश जा चुका है और अब हर तरफ अंधेरा है', यह कहते हुए लाखों लोगों के साथ जवाहरलाल नेहरू ने शोक व्यक्त किया।

मौलाना अबुल कलाम आजाद एवं विभाजन

मौलाना आजाद 1940–46 के दौरान कांग्रेस अध्यक्ष रहे। वे मोहम्मद अली जिन्ना और विभाजन के मुखर विरोधी थे और धर्मनिरपेक्ष भारत में सह-अस्तित्व के साथ रहने की मुसलमानों की सामूहिक इच्छा का प्रतिनिधित्व करते थे। 15 अप्रैल 1946 में कांग्रेस अध्यक्ष के रूप में उन्होंने प्रेस को दिए अपने बयान में कहा, 'मैंने मुस्लिम लीग द्वारा बनाई गई पाकिस्तान की योजना को प्रत्येक संभव दृष्टि से विचार किया है.... इस योजना को प्रत्येक दृष्टिकोण से समझने के बाद मैं इस निष्कर्ष पर पहुँचा हूँ कि यह न केवल भारत के लिए अपितु विशेष रूप से मुसलमानों के लिए हानिकारक है... और वास्तव में, यह समाधान की अपेक्षा समस्याएं अधिक निर्मित करती है।'

जैसा कि उनकी आत्मकथा **'इंडियन विंस फ्रीडम' (Indian Wins Freedom, 1957)** से प्रमाणित होता है, विभाजन के विरुद्ध उनका मुख्य तर्क था कि यह मुसलमानों के लिए दोनों तरफ से हानिकारक होगा और ऐसे दो राष्ट्रों को जन्म देगा, जो निरंतर एक-दूसरे के विरोधी होंगे। 'दोनों देश सेना पर ध्यान देंगे और समाज विकसित नहीं हो पाएगा।' उन्होंने समुचित ही यह भविष्यवाणी की थी।

जिन्ना के कठोर रवैया को बदलने के अपने प्रयास में मौलाना आजाद को कटु आलोचना का सामना करना पड़ा और यहाँ तक कि प्रत्यक्ष रूप से उनका अपमान भी हुआ। उन पर 'शो-बॉय अध्यक्ष' (Show-boy President) होने का आरोप लगाया गया, जिन्हें दुनिया की आंखों में धूल झोंकने के लिए नियुक्त किया गया था। हालांकि, आजाद निरंतर हिंदू-मुस्लिम एकता में अपनी आस्था प्रकट करते रहे।

ब्रिटेन और विभाजन

ब्रिटिश सरकार भारत को संयुक्त रख सकती थी, यदि ऐसा करने के लिए उसके पास दृढ़ निश्चिय होता। सांप्रदायिक ताकतों का मजबूती के साथ दमन करते हुए, उससे इस दिशा में एक सक्रिय हस्तक्षेप की जरूरत थी। इसके स्थान पर ब्रिटिश ने कांग्रेस एवं लीग के बीच सरल रास्ता निकालते हुए मध्यस्था का प्रयास किया। इसमें भी उनका निजी स्वार्थ ही था, क्योंकि ऐसा करने में उन्हें अपनी साख बढ़ने की आशा थी।

अंतिम विश्लेषण के रूप में हम कह सकते हैं कि मुख्य रूप से, भारत का विभाजन 1940 के बाद मुस्लिम लीग द्वारा भारतीय मुसलमानों के लिए एक पृथक संप्रभु राज्य प्राप्त करने के अथक प्रयासों का परिणाम था। राजनीतिक एवं प्रत्यक्ष कार्रवाइयों के संयोजन से जिन्ना के चतुर नेतृत्व (कायदे आजम अथवा महान आयोजक) के अधीन मुस्लिम लीग परिस्थिति को एक ऐसे गतिरोध की ओर ले जाने में सक्षम हो गई थी, जहाँ से निकलने का केवल विभाजन ही एक रास्ता था। इस पूरी प्रक्रिया में मुस्लिम लीग को ब्रिटिश सरकार का सक्रिय संरक्षण मिला, जो इस सांप्रदायिक कार्ड का उपयोग राष्ट्रीय आंदोलन के विरुद्ध करना चाहती थी। कांग्रेस न केवल मुस्लिम जनता से अपील करने में असफल हुई, अपितु सांप्रदायिक गणित को समझने व सांप्रदायिक ताकतों का सामना करने के लिए एक दीर्घकालीन रणनीति बनाने में भी असफल रही। 15 अगस्त को जैसे ही भारत विभाजन एवं स्वतंत्रता की दोहरी वास्तविकता के साथ जागा, युवा भारत के कंधों पर रक्तपात का विषाद भी पसरा हुआ था। जिससे पीछा छुड़ाया गया, वह एक विदेशी आवरण था; जबकि वर्षों का पिछड़ापन और असमानता अब देश की चिंता के विषय थे और लंबी दौड़ की अब बस शुरुआत हुई थी।

परिशिष्ट

1

भारतीय राष्ट्रीय कांग्रेस के सत्र

वर्ष	स्थान	अध्यक्ष	महत्वपूर्ण विवरण
1885	बॉम्बे	डब्ल्यू.सी. बनर्जी	कांग्रेस का पहला सत्र। इसमें 72 प्रतिनिधियों ने भाग लिया।
1886	कलकत्ता	दादाभाई नौरोजी	नौरोजी पहले **पारसी** अध्यक्ष थे।
1887	मद्रास	बदरुद्दीन तैयबजी	तैयबजी पहले **मुस्लिम** राष्ट्रपति थे।
1888	इलाहाबाद	जॉर्ज यूल	जॉर्ज यूल पहले **ईसाई** राष्ट्रपति थे।
1889	बॉम्बे	सर विलियम वेडरबर्न	–
1890	कलकत्ता	फ़रोज़शाह मेहता	–
1891	नागपुर	आनंद चार्लू	'राष्ट्रीय' शब्द को कांग्रेस के नाम से जोड़ा गया।
1892	इलाहाबाद	डब्ल्यू.सी. बनर्जी	–
1893	लाहौर	दादाभाई नौरोजी	–
1894	मद्रास	अल्फ्रेड वेब	–
1895	पूना	सुरेंद्रनाथ बनर्जी	–
1896	कलकत्ता	रहीमतुल्लाह एम. सयानी	बंकिम चंद्र चटर्जी द्वारा वंदे-मातरम गाया।
1897	अमरोती	सी. शंकरन नायर	–
1898	मद्रास	आनंद मोहन बोस	–
1899	लखनऊ	रोमेश चंद्र दत्त	–
1900	लाहौर	नारायण गणेश चंद्राकर	–
1901	कलकत्ता	सर दिनशॉ वाचा	–
1902	अहमदाबाद	सुरेंद्रनाथ बनर्जी	–
1903	मद्रास	लाल मोहन घोष	–
1904	बॉम्बे	सर हेनरी कॉटन	–
1905	बनारस	गोपाल कृष्ण गोखले	बंगाल विभाजन के खिलाफ नाराजगी इस सत्र में व्यक्त की।

वर्ष	स्थान	अध्यक्ष	महत्वपूर्ण विवरण
1906	कलकत्ता	दादाभाई नौरोजी	**'स्वराज' का** पहली बार उल्लेख किया गया और स्वदेशी, बहिष्कार और राष्ट्रीय शिक्षा का समर्थन करने वाला संकल्प पारित किया गया।
1907	सूरत	रास बिहारी घोष	कांग्रेस दो गुटों (उदारवादी और उग्रवादियों) में विभाजित हुई, जिसे **'सूरत विभाजन'** के नाम से जाना जाता है।
1908	मद्रास	रास बिहारी घोष	कांग्रेस का संविधान तैयार किया गया।
1909	लाहौर	पंडित मदन मोहन मालवीय	धर्म के आधार पर पृथक निर्वाचक मंडल के गठन पर दी गई अस्वीकृति (भारतीय परिषद अधिनियम, 1909)।
1910	इलाहाबाद	सर विलियम वेडरबर्न	–
1911	कलकत्ता	पंडित बिशन नारायण धर	रवींद्रनाथ टैगोर द्वारा लिखित जन गण मन पहली बार गाया गया था।
1912	बांकीपुर	आर.एन. मुधलकर	
1913	कराची	नवाब सैयद मुहम्मद बहादुर	
1914	मद्रास	भूपेंद्र नाथ बोस	
1915	बॉम्बे	भगवान सत्येंद्र प्रसन्न सिन्हा	
1916	लखनऊ	अंबिका चरण मजूमदार	लखनऊ संधि (कांग्रेस और मुस्लिम लीग के बीच) के साथ-साथ कांग्रेस के दो गुटों (नरमदल और गरमदल) के विलय के परिणाम के साथ समाप्त हुआ।
1917	कलकत्ता	एनी बेसेंट	एक महिला की अध्यक्षता में पहला सत्र।
1918	दिल्ली	पंडित मदन मोहन मालवीय	–
1918	बॉम्बे	सैयद हसन इमाम	विशेष सत्र
1919	अमृतसर	पंडित मोतीलाल नेहरू	–
1920	कलकत्ता	लाला लाजपत राय	विशेष सत्र। गांधी ने असहयोग का प्रस्ताव रखा।
1920	नागपुर	सी. विजयराघवचारी	कांग्रेस के लिए नया संविधान बनाया गया। असहयोग आंदोलन का समर्थन करने का प्रस्ताव पारित।
1921	अहमदाबाद	हकीम अजमल खान	सी.आर. दास (अध्यक्ष) जेल में थे और हकीम अजमल खान कार्यवाहक अध्यक्ष थे।
1922	गया	सी.आर. दास	स्वराज पार्टी का गठन।
1923	काकीनाडा	मौलाना मोहम्मद अली	अखिल भारतीय खादी बोर्ड का गठन।
1923	दिल्ली	मौलाना अबुल कलाम आजाद	विशेष सत्र। मौलाना आजाद किसी सत्र की अध्यक्षता करने वाले सबसे युवा राष्ट्रपति बने।
1924	बेलगाम	महात्मा गांधी	**एकमात्र सत्र** जिसकी अध्यक्षता महात्मा गांधी ने की थी।
1925	कानपुर	सरोजिनी नायडू	पहली **भारतीय महिला** अध्यक्ष।

वर्ष	स्थान	अध्यक्ष	महत्वपूर्ण विवरण
1926	गुवाहाटी	एस. श्रीनिवास अयंगर	कांग्रेस कार्यकर्ताओं के लिए पहली बार खादी अनिवार्य कर दी गई।
1927	मद्रास	डॉ. एम.ए. अंसारी	स्वतंत्रता प्रस्ताव को अपनाना और साइमन आयोग का बहिष्कार।
1928	कलकत्ता	पं. मोतीलाल नेहरू	–
1929	लाहौर	पं. जवाहरलाल नेहरू	**'पूर्णा स्वराज'** प्रस्ताव पारित; सविनय अवज्ञा आंदोलन प्रारंभ; इस सत्र से 26 जनवरी को प्रतिवर्ष स्वतंत्रता दिवस के रूप में मनाया जाने लगा।
1930	कोई सत्र नहीं	पं. जवाहरलाल नेहरू	पंडित नेहरू अध्यक्ष पद पर बने रहे।
1931	कराची	वल्लभ भाई पटेल	मौलिक **अधिकारों** और राष्ट्रीय **आर्थिक** कार्यक्रम पर प्रस्ताव पारित; गांधी-इरविन समझौते का समर्थन किया गया।
1932	दिल्ली	अमृतलाल रणछोड़दास सेठ	–
1933	कलकत्ता	श्रीमती नेली सेनगुप्ता	–
1934	बॉम्बे	राजेंद्र प्रसाद	कांग्रेस सोशलिस्ट पार्टी का गठन।
1935	कोई सत्र नहीं	राजेंद्र प्रसाद	राजेंद्र प्रसाद अध्यक्ष पद पर बने रहे।
1936	लखनऊ	पं. जवाहरलाल नेहरू	अध्यक्ष ने कांग्रेस से **समाजवाद** को अपने लक्ष्य के रूप में अपनाने का आग्रह किया।
1937	फैजपुर	पं. जवाहरलाल नेहरू	पहला सत्र जिसे किसी गांव में आयोजित किया जाएगा।
1938	हरिपुरा	सुभाष चंद्र बोस	पं. जवाहरलाल नेहरू की अध्यक्षता में राष्ट्रीय योजना समिति का गठन किया गया।
1939	त्रिपुरी	सुभाष चंद्र बोस	सुभाष चंद्र बोस ने पट्टाभि सीतारामैया को हराया, बोस के इस्तीफा देने के बाद राजेंद्र प्रसाद ने अध्यक्ष का पदभार संभाला; 3 मई 1939 को इस्तीफे के बाद बोस ने फॉरवर्ड ब्लॉक की स्थापना की।
1940	रामगढ़	मौलाना अबुल कलाम आजाद	व्यक्तिगत **सत्याग्रह** का प्रस्ताव पारित।
1941 – 1945	कोई सत्र नहीं	मौलाना अबुल कलाम आजाद	मौलाना अबुल कलाम आजाद अध्यक्ष पद पर बने रहे।
1946	मेरठ	आचार्य जे.बी. कृपलानी	–
1947	दिल्ली	राजेंद्र प्रसाद	–
1948	जयपुर	डॉ. पट्टाभि सीतारामैया	–

नोट-

- वर्ष 1930, 1935 और 1941-1945 में कांग्रेस का कोई सत्र आयोजित नहीं किया गया।
- दादाभाई नौरोजी और पंडित जवाहरलाल नेहरू ने कांग्रेस के सत्रों की अध्यक्षता सबसे अधिक समय तक की।

परिशिष्ट

2

समाचार पत्र और पत्रिकाएं

समाचार-पत्र/पत्रिकाओं के नाम	प्रकाशन का स्थान	प्रारंभ हुआ	संस्थापक/संपादक
बंगाल गजट (या कलकत्ता जनरल विज्ञापनदाता)	कलकत्ता	1780	जेम्स ऑगस्टस हिक्की (आयरिश)
मद्रास कूरियर (यह मद्रास से पहला समाचार-पत्र था)	मद्रास	1784	–
इंडिया गजट	कलकत्ता	1787	हेनरी विवियन डेरोजियो इससे जुड़े थे।
बॉम्बे हेराल्ड (यह बॉम्बे से पहला समाचार-पत्र था)	बॉम्बे	1789	–
इंडियन हेराल्ड	मद्रास	1795	इसकी शुरुआत आर. विलियम्स द्वारा की गयी और हम्फ्रेस द्वारा प्रकाशन किया गया।
दिग्दर्शन (प्रथम बंगाली मासिक)	कलकत्ता	1818	–
बंगाल गजट (प्रथम बंगाली समाचार-पत्र)	कलकत्ता	1818	हरिश्चंद्र रे
संबाद कौमुदी (बंगाली साप्ताहिक)	कलकत्ता	1821	राजा राम मोहन राय
मिरत-उल-अखबार (पहली फारसी पत्रिका)	कलकत्ता	1822	राजा राम मोहन राय
जाम-ए-जहां-नुमाह (उर्दू में पहला समाचार-पत्र)	कलकत्ता	1822	अंग्रेजी फर्म
बंग-दूत (चार भाषाओं में साप्ताहिक- अंग्रेजी, हिंदी, फारसी और बंगाली)	कलकत्ता	1822	राजा राम मोहन राय, द्वारकानाथ टैगोर व अन्य। राजा राम मोहन राय, द्वारकानाथ टैगोर व अन्य।
ईस्ट इंडियन (दैनिक)	–	19th cent.	हेनरी विवियन डेरोजियो

समाचार-पत्र/पत्रिकाओं के नाम	प्रकाशन का स्थान	प्रारंभ हुआ	संस्थापक/संपादक
बॉम्बे समाचार (गुजराती में पहला समाचार)	बॉम्बे	1822	–
बॉम्बे टाइम्स (1861 के बाद- द टाइम्स ऑफ इंडिया)	बॉम्बे	1838	रॉबर्ट नाइट द्वारा नींव रखी, लेकिन थॉमस बेनेट द्वारा प्रारंभ किया गया था
रास्त गोफतर (एक गुजराती पाक्षिक)	कलकत्ता	1851	दादाभाई नौरोजी
हिन्दू पैट्रीअट	कलकत्ता	1853	गिरीश चंद्र घोष, लेकिन बाद में हरीश चंद्र मुखर्जी ने संभाला।
सोमप्रकाश (पहला बंगाली राजनीतिक)	कलकत्ता	1858	द्वारकानाथ विद्याभूषण
इंडियन मिरर	कलकत्ता	1862	देबेंद्रनाथ टैगोर
नेशनल पेपर	कलकत्ता	1865	देबेंद्रनाथ टैगोर
अमृत बाजार पत्रिका (शुरुआत में बंगाली, बाद में अंग्रेजी दैनिक)	जेसोर जिला	1868	शिशिर कुमार घोष और मोती लाल घोष
मद्रास मेल (पहला भारतीय संध्या समाचार पत्र)	कलकत्ता	1868	–
बंगदर्शन (बंगाली)	कलकत्ता	1873	बंकिम चंद्र चटर्जी
इंडियन स्टेट्समैन (बाद में केवल द स्टेट्समैन)	कलकत्ता	1875	रॉबर्ट नाइट
द हिंदू (साप्ताहिक के रूप में प्रारंभ हुआ)	मद्रास	1878	जी.एस. अय्यर, वीरराघवचारी और सुब्बाराव पंडित
द ट्रिब्यून	लाहौर	1881	दयाल सिंह मजीठिया
मराठा (अंग्रेजी साप्ताहिक) और **केसरी** (मराठी दैनिक)	बॉम्बे	1881	तिलक, चिपलूनकर, आगरकर एवं तिलक से पहले क्रमशः आगरकर और केलकर इसके संपादक थे।
स्वदेश मित्रम (तमिल)	मद्रास	–	जी.एस. अय्यर
परिदसक (साप्ताहिक)	--	1886	बिपिन चंद्र पाल
युगांतर	बंगाल	1906	बरिंद्र कुमार घोष
संध्या	बंगाल	1906	ब्रह्मबंध उपाध्याय
कल	बंगाल	1906	--
इंडियन सोसिऑलोजिस्ट	लंदन	–	श्यामजी कृष्ण वर्मा
बंदे मातरम	पेरिस	–	मैडम भीखाजी कामा
तलवार	बर्लिन	–	वीरेंद्रनाथ चट्टोपाध्याय
गदर	सैन फ्रांसिस्को	–	गदर पार्टी (लाला हरदयाल)

समाचार-पत्र/पत्रिकाओं के नाम	प्रकाशन का स्थान	प्रारंभ हुआ	संस्थापक/संपादक
बॉम्बे क्रॉनिकल (दैनिक)	बॉम्बे	1913	फिरोजशाह मेहता
द हिंदुस्तान टाइम्स	दिल्ली	1920	के.एम. पणिक्कर
बहिष्कृत भारत (मराठी पाक्षिक)	--	1927	बी.आर. अंबेडकर
कुड़ी अरासु (तमिल)	तमिलनाडु	1910	ई.वी. रामासामी नयकर (पेरियार)
क्रांति	महाराष्ट्र	1927	एस.एस. मिराजकर, के.एन. जोगलेकर, एस.वी. घाटे
बंदी जीवन	बंगाल	--	शचींद्रनाथ सान्याल
नेशनल हेराल्ड	--	1938	जवाहरलाल नेहरू

परिशिष्ट

3

भारत में प्रेस का विकास
(Development of Press in India)

- प्रथम भारतीय समाचार पत्र
  - बंगाल गजट/कलकत्ता जनरल एडवरटाइजर, 29 जनवरी 1780
- प्रेस को शासित करने वाले प्रमुख अधिनियम
  - सेंसरशिप ऑफ प्रेस एक्ट, 1799 (लॉर्ड वेलेजली द्वारा)
  - लाइसेंसिंग रेगुलेशन, 1823 (जॉन एडम द्वारा)
  - 1825 के नियमन (लॉर्ड एम्हर्स्ट द्वारा)
  - 1835 का प्रेस अधिनियम (लॉर्ड मेटकाफ द्वारा)
  - 1857 का लाइसेंसिंग एक्ट (लॉर्ड कनिंग द्वारा)
  - 1860 का भारतीय दण्ड संहिता (लॉर्ड कनिंग द्वारा)
  - प्रेस एंड रजिस्ट्रेशन ऑफ बुक्स एक्ट, 1867 (लॉर्ड लोरेंस द्वारा)
  - वर्नाकूलर प्रेस एक्ट, 1 मई 1878 (लॉर्ड लिटन द्वारा)
- 20वीं शताब्दी में प्रेस
  - न्यूजपेपर्स (इंसाइटमेंट टू ओफेन्सेस) एक्ट, जून, 1908
  - इंडियन प्रेस एक्ट भारतीय प्रेस अधिनियम, 1910
  - ऑफिशियल सीक्रेट्स एक्ट, 1923
  - इंडियन प्रेस (इमरजेंसी पॉवर्स) एक्ट, 1931 (लॉर्ड विलिंग्डन द्वारा)
  - प्रेस जांच समिति, मार्च, 1947
- निष्कर्ष

प्रेस (मुद्रणयंत्र या छापाखाना) से तात्पर्य प्रिंट (मुद्रित) मीडिया जैसे- समाचार पत्र, पत्रिका, किताब, पुस्तिका, पत्रक इत्यादि से है। समाचार एजेंसियां और प्रेस सिंडिकेट भी प्रेस शब्द के अंतर्गत ही आते हैं। जैसे-जैसे आवश्यकता का अनुभव हुआ, प्रेस के कार्य समय के साथ-साथ विकसित होते गए, जिसमें सरकार की नीतियों को जनता तक पहुंचाना, जनता के साथ चर्चा करना, जनता की आवश्यकताओं से सरकार को अवगत कराना एवं राष्ट्रीय व अंतर्राष्ट्रीय घटनाओं की रिपोर्टिंग करना शामिल है।

विश्व संदर्भ में प्रिंटिंग या मुद्रण-क़ला के आविष्कार का श्रेय चीन को जाता है। चीनी ही पहले थे, जिन्होंने पेपर/पृष्ठ का निर्माण किया। यहां तक कि पहली किताब चीन में ही मुद्रित हुई। कुछ इतिहासकार मुद्रण कला को विश्व के लिए

बौद्ध धर्म का एक उपहार मानते हैं, क्योंकि बौद्ध साहित्य को व्यापक रूप से उपलब्ध कराने के लिए लकड़ी के खंडों का उपयोग करके मुद्रण का पहला प्रयास चीनी बौद्ध साधुओं के द्वारा किया गया था।

बाद में 1455 में पुनर्जागरण काल के दौरान यूरोप में जर्मनी के मैन्ज सिटी में एक सुनार योहानेस गुटेनबर्ग ने धातु की चल-प्रकार (movable-type) की एक मुद्रण प्रेस (प्रिंटिंग प्रेस) विकसित की, जिससे बाइबल की करीब 300 प्रतियां छापी गई और इस प्रकार प्रिंटिंग क्रांति का आरंभ हुआ। लैटिन में छपी 'गुटेनबर्ग बाइबिल' यूरोप में छपी पहली किताब थी। परिणामस्वरूप, अन्य यूरोपीय देशों में भी प्रिंटिंग प्रेस का उपयोग होने लगा, जिसने जनसंचार के एक नए युग की शुरुआत की और समाज की संरचना स्थायी रूप से बदल दी। वास्तव में, कुछ विद्वानों के अनुसार यह प्रिंटिंग प्रेस या मुद्रण यंत्र ही था, जिसने आधुनिक युग की शुरुआत की।

यूरोपीय चलित धातु प्रकार (movable metal types) की प्रिंटिंग प्रेस को ईसाई धर्म के प्रचार के उद्देश्य वर्ष 1550 में पुर्तगाली धर्म प्रचारकों/मिशनरियों द्वारा गोवा में लाया गया। उन्होंने ईसाई संतों और उपदेशों पर किताबें छापी (सितंबर, 1556 में पहली किताब 'डॉक्ट्रीना क्रिस्टा' छपी)। चूंकि उन्हें भारतीय भाषाओं को सीखने की आवश्यकता थी और इसलिए उन्होंने मराठी एवं कोंकणी भाषाओं में व्याकरण और शब्दावली को छापा, लेकिन इनकी लिपि रोमन ही थी। 1578 में तमिल में 'डॉक्ट्रीना क्रिस्टा' (Doctrina Christa) को छापा गया और यह एक भारतीय भाषा में छपने वाली पहली किताब बनी।

हालांकि, जिस प्रेस को आज हम जानते हैं, उसे भारत में ब्रिटिश द्वारा लाया गया। जब 1674 में भीमजी परिख (सूरत में ब्रिटेन के मुख्य ब्रोकर/दलाल) की तकनीक में गहरी रुचि थी और उन्होंने इंग्लैंड से एक प्रिंटर/मुद्रण यंत्र प्राप्त किया एवं बॉम्बे में एक छापाखाना स्थापित किया। अगले 100 वर्षों तक हालांकि कोई भी समाचार पत्र कंपनी के क्षेत्र में प्रकाशित नहीं हो सका, क्योंकि कंपनी के अधिकारियों व कर्मचारियों को डर था कि कहीं उनके कदाचार और निजी व्यापार के दुरुपयोग के समाचार लंदन न पहुंच जाएं।

प्रारंभिक समाचार पत्र स्थानीय यूरोपीय जनता के एक भाग के रूप में कार्य करते थे और वही विषय-वस्तु प्रस्तुत करते थे, जो उनकी रुचि का होता था। साथ ही ये समाचार पत्र अंग्रेजी कंपनी के असंतुष्ट अधिकारियों व कर्मचारियों द्वारा शुरू किए गए थे, जो अपना कॉलम कंपनी के अधिकारियों की बुराइयों और कदाचार को उजागर करने के लिए समर्पित करते थे। इनमें से अधिकांश लेख अपमानजनक होते थे। इस प्रकार सामान्य तौर पर ब्रिटिश प्रशासन देश में समाचार पत्रों के मुद्रण के लिए इच्छुक नहीं था।

1776 में विलियम बोल्ट को केवल समाचार पत्र शुरू करने की अपनी इच्छा अभिव्यक्त करने के कारण ही यूरोप निर्वासित कर दिया गया था। इसी प्रकार बाद के संपादक और प्रकाशकों के साथ भी के प्रति शत्रुता दिखाई गई, यद्यपि उनमें से अधिकांश अंग्रेज अथवा यूरोपीय होते थे। साथ ही, यह भी सत्य है कि ब्रिटिश शासन के अन्तर्गत प्रेस की स्वतंत्रता से प्रेस के नियंत्रण के बीच उतार-चढ़ाव उस समय के गवर्नर जनरल और वॉयसराय के व्यक्तित्व और उनके मूल्यों पर निर्भर करता था।

यद्यपि भारत में प्रेस की शुरुआत यूरोपीय संस्था के रूप में हुई थी, तथापि भारतीयों ने इसकी क्षमता को समझने में अधिक समय नहीं लिया। परिणामस्वरूप, 19वीं शताब्दी के बाद के वर्षों में भारतीय समाचार पत्रों का एक स्वर्णिम अध्याय शुरू हुआ।

पहला भारतीय समाचार पत्र (First Indian Newspaper)

बंगाल गजट/कलकत्ता जनरल एडवरटाइजर (Gazette/Calcutta General Advertiser); 29 जनवरी 1780

- यह भारत में पहला समाचार पत्र था। साथ ही, भारत का यह पहला अंग्रेजी भाषा का समाचार पत्र था। इसकी शुरुआत ईस्ट इंडिया कंपनी से एक क्लर्क जेम्स ऑगस्टस हिक्की द्वारा की गई, जो अपने साप्ताहिक समाचार पत्र के द्वारा सरकार की मुखर आलोचना करता था। हिक्की को भारतीय प्रेस का जनक माना जाता है।

- यह समाचार पत्र ईस्ट इंडिया कंपनी के स्टाफ के बारे में मसालेदार कहानियां छापता था। लेकिन जब हिक्की वॉरेन हेस्टिंग्स की पत्नी पर दोषारोपण में लिप्त हो गया, तब उसे बलपूर्वक निर्वासित कर दिया गया और उसका समाचार पत्र मार्च, 1782 में बंद हो गया।

इसके बाद बॉम्बे, कलकत्ता और मद्रास में एक के बाद एक अनेक समाचार पत्र अस्तित्व में आए। इन समाचार पत्रों के संपादकों ने हिक्की के अनुभव से सीखा और ब्रिटिश सरकार के साथ किसी भी प्रकार के टकराव से स्वयं को बचाए रखा। इसके बाद भी कंपनी के अधिकारियों को चिंता थी कि यह समाचार पत्र लंदन न पहुंच जाए और उनके कदाचार और गलत कार्यों को उजागर न कर दे। इस प्रकार उन्होंने छापाखाना और संपादकों पर प्रतिबंध लगाना शुरू कर दिया। 1795 में मद्रास सरकार ने पहली बार सेंसरशिप को प्रस्तावित किया, जब **मद्रास गैजेट** को प्रकाशन से पूर्व सरकार के सभी सामान्य आदेशों को सेंसरशिप के लिए सैन्य सचिव के समक्ष प्रस्तुत करना आवश्यक हो गया। वास्तव में, पूर्व सेंसरशिप, निर्वासन और डाक विशेषाधिकार तीन ऐसे साधन थे, जिनका उपयोग समस्या उत्पन्न करने वाले संपादकों से निपटने के लिए किया जाता था।

प्रेस को शासित करने वाले महत्वपूर्ण अधिनियम (Important Acts Governing the Press)

सेंसरशिप ऑफ द प्रेस एक्ट (Censorship of the Press Act, 1799) (लॉर्ड वेलेजली द्वारा)

- प्रथम प्रेस नियमन का गठन, सभी समाचार पत्रों पर पूर्व-सेंसरशिप की शुरुआत की।
- इस अधिनियम ने प्रेस पर लगभग युद्ध के समय लगाए जाने वाले प्रतिबंध आरोपित किए। समाचार पत्रों को सभी सामग्रियों के निरीक्षण हेतु प्रस्तुत करना होता था और प्रत्येक अंक पर मुद्रक, संपादक और स्वामी का नाम छपा होना आवश्यक था। रविवार के दिन प्रकाशन पर प्रतिबंध था। इन नियमों का उल्लंघन करने पर तुरंत निर्वासन की सजा का प्रावधान था।
- वेलेजली नियमन ने वास्तव में प्रेस को अनेक वर्षों तक घेराबंदी की अवस्था में रखा और हम लॉर्ड वेलेजली से लेकर लॉर्ड मिंटो के काल तक समाचार पत्र व प्रेस की उन्नति में लगभग विराम देखते हैं।
- इस अधिनियम ने सरकार की आलोचना को न केवल मौन करने में, अपितु भारतीय जनता को जागृत करने की प्रेस की शक्ति को दबाने में सफलता प्राप्त की।
- वेलेजली नियमन को अंततः 1818 में लॉर्ड हेस्टिंग्स के द्वारा समाप्त कर दिया गया।

लॉर्ड मिंटो का स्थान लॉर्ड हेस्टिंग्स (1813-1823) ने लिया, जिसे शिक्षा एवं प्रेस पर उदार विचार रखने के लिए जाना गया। 1818-1857 के दौरान प्रारंभिक दौर में बंगाल और उसके बाद भारत के अन्य भागों से भी बड़ी संख्या में दैनिक, साप्ताहिक और मासिक पत्रिकाएं और समाचार पत्र निकलने लगे। सेराम्पोर (श्रीरामपुर) मिशनरी भारतीय भाषाओं में पत्रकारिता में अग्रगामी थे और अप्रैल, 1818 में उनके द्वारा निकाला गया पहला वर्नाकुलर (देशीभाषा) समाचार पत्र **दिग्दर्शन** था। इसी वर्ष जून में उन्होंने एक अन्य पत्रिका **समाचार दर्पण** आरंभ किया। आज के 'द स्टेट्समैन' का प्रणेता 'द फ्रेंड ऑफ इंडिया' (The Friend of India, 1818 में) का भी जन्म हुआ। भारत में अंग्रेजी प्रेस के एक अन्य अग्रदूत एक व्यापारी जेम्स सिल्क बकिंघम ने 1818 में कलकत्ता जनरल (Calcutta Journal) की शुरुआत की। भारतीय स्वामित्व के पहले समाचार पत्र **बंगाल गजट** (Bengal Gazette, 1818) का प्रारंभ एक शिक्षक और सुधारक गंगाधर भट्टाचार्य के द्वारा किया गया।

हेस्टिंग्स ने बकिंघम के लाइसेंस को रद्द करने से मना कर दिया, जो बहुत कुछ उनके राजनीतिक सचिव जॉन एडम की इच्छाओं के विरुद्ध था। इसके बाद 1818 में नियमनों की एक श्रृंखला पारित की गई, जिसे एडम के नियमनों (Adam's Regulations of 1818) के नाम से जाना गया, जिसने समाचार पत्रों की विषय-वस्तु पर एक सख्त निगरानी रखने का कार्य किया।

राजा राममोहन राय और जेम्स सिल्क बकिंघम ने अब प्रेस की स्वतंत्रता के लिए मांग उठाई। भारतीय पत्रकारिता विशेष तौर पर वर्नाकुलर पत्रकारिता के महान व्यक्तित्व राजा राममोहन राय ने 1821 में बंगाली में अपने साप्ताहिक **संवाद कौमुदी**

और 1822 में फारसी में **मिराज-उल-अकबर** निकाली। 'संवाद कौमुदी' के माध्यम से राममोहन ने सती प्रथा के उन्मूलन के लिए सक्रिय रूप से प्रचार किया। अपनी पत्रिका के द्वारा राममोहन ने एक ओर मिशनरियों की आलोचना की और वहीं दूसरी ओर भारतीय समाज के आधुनिकीकरण के लिए कार्य किया। उनके फारसी साप्ताहिक में अधिकांश स्थान अंतर्राष्ट्रीय मुद्दों पर जनमत को शिक्षित करने के लिए समर्पित रहता था।

भारत बनाम ब्रिटिश प्रेसः वर्नाकूलर प्रेस का विकास-

राजा राममोहन राय द्वारा शुरू की गई जागरूकता देश के अन्य भागों में भी फैली और अनेक भारतीय स्वामित्व के समाचार पत्रों एवं राष्ट्रवादी समाचार पत्रों का तीव्र गति से विकास हुआ। भारतीय प्रेस (वर्नाकुलर/देशी-भाषा के साथ-साथ अंग्रेजी में) एवं ब्रिटिश प्रेस के मध्य एक स्पष्ट विभाजन दिखने लगा, जो 1857 के विद्रोह के बाद और स्पष्ट हुआ। जहां एक ओर आंग्ल-भारतीय प्रेस सरकार के कदमों और नीतियों का समर्थन करते थे, वहीं भारतीय संपादक विद्रोह के प्रति सहानुभूति को साझा करते थे और इस प्रकार भारतीय प्रेस राष्ट्रवादी होने लगी थी। उदाहरणस्वरूप, हिंदू पैट्रीअट (Hindu Patriot) ने 1857 के विद्रोह और नील विद्रोह के दौरान अतिराष्ट्रवादी गतिविधियां प्रदर्शित की थीं। इसने 1861 में 'नील दर्पण' नाटक प्रकाशित किया और इस प्रकार यह ब्रिटिश अन्याय के विरुद्ध विरोध का एक मुखपत्र बन गया था।

बढ़ते वर्नाकुलर/देशी-भाषा के भय के प्रति ब्रिटिश प्रतिक्रिया अपेक्षाकृत कम थी। इसका मुख्य कारण ब्रिटिश अधिकारियों की कमी होना था, जो सीधे तौर पर उनकी विषय वस्तु को पढ़ सकें। हालांकि, भारतीय प्रेस ने धीरे-धीरे प्रतिबंधों को आमंत्रित करना शुरू कर दिया। 1823 का एडम का गैग (Adam's gag) और 1857 का कनिंग का गैगिंग एक्ट (Canning's Gagging Act) ब्रिटिश की अपेक्षा भारतीय प्रेस के विरुद्ध निर्देशित था। लेकिन यह लिटन का 1857 का वर्नाकुलर प्रेस एक्ट था, जिसने सीधे तौर पर भारतीय प्रेस को प्रभावशाली ढंग से प्रभावित किया।

हेस्टिंग्स के जाने के बाद जनवरी, 1823 में 7 महीनों के लिए जॉन एडम को कार्यवाहक गवर्नर जनरल नियुक्त किया गया और उसे अपने प्रतिक्रियावादी विचारों को अभिव्यक्त करने का मौका मिल गया। अब उसने नए विनियमनों की घोषणा की, जो शायद अब तक के सर्वाधिक व्यापक और कठोर विनियमन थे, जिन्हें **एडम-गैग** (Adam's Gag) के नाम से जाना गया।

लाइसेंसिंग विनियमन (Licensing Regulations, 1823) (जॉन एडम द्वारा)-

- पहली बार प्रेस की लाइसेंस-व्यवस्था (प्रकाशन से पूर्व अनिवार्य लाइसेंस) को प्रारंभ किया; प्रथम प्रेस अध्यादेश को गठित किया।
- अध्यादेश के अनुसार व्यवसायिक मुद्दों को छोड़कर सभी मुद्दों के मुद्रण के लिए एक पूर्व लाइसेंस आवश्यक कर दिया गया। इसने संपादकों पर कठोर विनियमन आरोपित किए और ईस्ट इंडिया कंपनी के कर्मचारियों को समाचार पत्रों के साथ किसी प्रकार के संबंध रखने को प्रतिबंधित कर दिया गया। राजनीतिक लेखों को निषिद्ध किया गया, लेकिन सामाजिक व धार्मिक समाचार विशेष तौर पर मिशनरियों के समाचारों, को बढ़ावा दिया गया।
- कलकत्ता जर्नल के संपादक जे. एस. बकिंघम को इसी वर्ष इंग्लैंड निर्वासित कर दिया गया (मार्च, 1823), वे प्रेस को अनुत्तरदायी सरकार पर नियंत्रण के लिए आवश्यक मानते थे।
- एडम के विनियमन मुख्य रूप से भारतीय प्रेस के विरुद्ध थे (भारतीय भाषाओं में प्रकाशित और भारतीयों द्वारा संपादित)। कलकत्ता जर्नल को छोड़कर किसी भी अंग्रेजी समाचार पत्र को 1823 में लाइसेंस से वंचित नहीं किया गया था। लेकिन राममोहन के मिरात-उल-अकबर के प्रकाशन को रोकना पड़ा था।
- लाइसेंस व्यवस्था को बाद में 1823 में मेटकाफ के अधिनियम द्वारा समाप्त कर दिया।

1825 के विनियमन (लॉर्ड एम्हर्स्ट के द्वारा)- एडम का स्थान लॉर्ड एम्हर्स्ट (1823-1828) ने लिया और वह भी प्रेस पर नियंत्रण रखना पसंद करता था। उसके विनियमन ने कंपनी के कर्मचारियों को प्रेस के साथ किसी भी प्रकार के सम्बन्ध को प्रतिबंधित कर दिया।

लॉर्ड एम्हर्स्ट का स्थान विलियम बैंटिक (1828-1835) ने लिया, जिसने प्रेस के प्रति उदार रवैया अपनाया। भारत के प्रथम गवर्नर जनरल बैंटिक को उनके सामाजिक और शैक्षिक सुधारों के लिए जाना जाता है। उसने वर्नाकुलर (देशी भाषा) प्रेस के महत्व को समझा और परिणामस्वरूप उसके कार्यकाल में वर्नाकुलर प्रेस ने तेजी से प्रगति करना प्रारंभ किया।

1835 का प्रेस एक्ट (लॉर्ड मेटकाफ द्वारा)- बैंटिक के उत्तराधिकारी चार्ल्स मेटकाफ (1835-1836) का प्रेस की स्वतंत्रता के पक्ष में सशक्त विचार था। उसने उस समय के सुप्रीम काउंसिल के विधायी सदस्य लॉर्ड मैकाले को प्रेस एक्ट का प्रारूप बनाने के लिए आमंत्रित किया। मैकाले के प्रस्ताव में लाइसेंस विनियमन का उन्मूलन, बिना पूर्व अनुमति के समाचार पत्र प्रारंभ करने की स्वतंत्रता एवं सम्पूर्ण ब्रिटिश भारतीय साम्राज्य में एकसमान प्रेस कानूनों की स्थापना शामिल थे। इन प्रस्तावों को अधिनियम में शामिल किया गया और इस अधिनियम को ब्रिटिश भारत के इतिहास में सबसे उदार प्रेस अधिनियम माना गया।

इस प्रकार लाइसेंस अधिनियम का स्थान मैटकाफ के अधिनियम ने ले लिया। इस अधिनियम ने भारतीय समाचार पत्रों की उन्नति का समर्थन किया और 1835 एक निर्णायक वर्ष साबित हुआ। 1835 से लेकर 1875 तक भारतीय प्रेस प्रगति करती रही एवं ज्ञान के साथ-साथ भारतीय महत्वाकांक्षाओं व राष्ट्रवाद की भावनाओं को पंख देती रही। वास्तव में, इस काल में सभी वर्गों में प्रेस के उदय को देखा गया और चार्ल्स मेटकाफ को **भारतीय प्रेस का मुक्तिदाता (Liberator of Indian Press)** कहा गया।

चार्ल्स मेटकाफ का स्थान लॉर्ड ऑक्लैंड (1836-1842) ने लिया और उसने भी मेटकाफ की नीति को आगे बढ़ाया और अनेक संपादकों के साथ सौहार्दपूर्ण संबंध को बनाए रखा।

1857 का लाइसेंसिंग एक्ट (लॉर्ड कैनिंग के द्वारा)

लॉर्ड कैनिंग के समय के दौरान विद्रोह फूट पड़ा। जैसे ही विद्रोह शुरू हुआ एक अध्यादेश के द्वारा प्रेस की स्वतंत्रता का गला घोंट दिया, बाद में इस अधिनियम को 1857 के अधिनियम क्रमांक 15 (Act No. XV of 1857) के नाम से जाना गया, जिसके द्वारा मेटकाफ अधिनियम द्वारा निर्धारित की गई पंजीकरण प्रक्रिया के साथ लाइसेंस व्यवस्था को पुनः स्थापित किया गया।

प्रेस की स्वतंत्रता की अत्याधिक कटौती की गई और प्रेस के विरुद्ध अनेक निर्दयी उपायों को पुनर्जीवित किया गया। सरकार को किसी भी प्रकार के मुद्रित मुद्दे के प्रकाशन और वितरण को प्रतिबंधित करने हेतु अधिकार दिया गया। यह अधिनियम भारतीय और आंग्ल-भारतीय दोनों प्रकार के समाचार पत्रों पर लागू था। बाद में अपनी प्रतिष्ठा में सुधार करने की इच्छा से कैनिंग ने 1858 में अधिनियम को समाप्त करने की अनुमति दी। इस अधिनियम के वापस लिए जाने के तुरंत बाद प्रिंट मीडिया अपनी उन्नति की ओर पुनः बढ़ा।

भारतीय दंड संहिता (India Penal Code, 1860) (लॉर्ड कैनिंग) - कैनिंग ने भी 1860 में भारतीय दंड संहिता को अपनाया। इसमें मानहानि और अश्लीलता जैसे अपराधों को शामिल किया गया, जिन्हें लेखकों और प्रकाशकों को अपने लेखों, में शामिल करने से बचना था। इसके बाद भारतीय दंड संहिता में प्रेस के माध्यम से सार्वजनिक व्यवस्था को होने वाले अनेक खतरों को शामिल किया गया। राष्ट्रद्रोह (धारा 124 अ) को 1870 में, वर्गों के बीच शत्रुता प्रोत्साहित करने (धारा 1853 अ) को 1898 में, अपमानजनक धार्मिक भावना भड़काने (धारा 295 अ) को 1927 में और राष्ट्रीय एकीकरण के विरुद्ध प्रतिकूल प्रभाव डालने वाले प्राख्यान (धारा 153 ब) को 1927 में शामिल किया गया।

प्रेस एंड रजिस्ट्रेशन ऑफ बुक्स एक्ट (Press and Registration of Books Act, 1867) (लॉर्ड लॉरेंस के द्वारा)-

- 1864 में लॉर्ड लॉरेंस (1864-1869) भारत के वॉयसराय बने। इन्हीं के समय के दौरान पीआरबी अधिनियम (PRB Act) पारित हुआ, जो भारत में सर्वाधिक समय तक बना रहने वाला प्रेस विनियमन था।
- अधिनियम की मूल भावना में प्रेस के प्रति अविश्वास था। हालांकि, इस अधिनियम का उद्देश्य प्रेस की स्वतंत्रता पर शासकीय नियंत्रण स्थापित करना नहीं था, बल्कि सरकार को प्रिंटिंग प्रेसों की गतिविधियों के बारे में जागरूक बनाए रखना था।
- इस अधिनियम के अनुसार प्रावधान था कि प्रत्येक किताब अथवा समाचार पत्र पर मुद्रक अथवा प्रकाशक और छपने के स्थान का नाम मुद्रित होना चाहिए। साथ ही किताब के प्रकाशन के 1 माह के भीतर उसकी एक प्रति बिना किसी शुल्क के स्थानीय सरकार को देनी होगी।
- इसमें शासन को पंजीकरण-व्यवस्था के द्वारा प्रिंटिंग प्रेसों (छापाखानों) और समाचार पत्रों को विनियमित करने और भारत में छपने वाली किताबों और अन्य मुद्दों को सुरक्षित करने को कहा।

1857 के बाद उग्र राष्ट्रवादी नेताओं के नेतृत्व में भारतीय प्रेस का उदय राष्ट्रवादी संघर्ष के एक भाग के रूप में हुआ। द्वारकानाथ विद्याभूषण द्वारा 'सोम प्रकाश' (1858 में), गिरीश चंद्र घोष एवं सुरेन्द्रनाथ बनर्जी द्वारा 'बंगाली' (1862 में), देवेंद्र नाथ टैगोर द्वारा 'इंडियन मिरर' (1862 में), शिशिर कुमार घोष और मोतीलाल घोष द्वारा 'अमृत बाजार पत्रिका' (1868 में), बाल गंगाधर तिलक द्वारा 'केसरी' और 'मराठा' (1881 में), दादा भाई नौरोजी द्वारा 'वॉइस ऑफ इंडिया' (1883 में), गोपाल गणेश आगरकर द्वारा 'सुधारक' (1888 में), जी सुब्रमण्यम अय्यर द्वारा 'हिंदू' (1878 में) एवं 'स्वदेश मित्र' (1882 में) प्रारंभ की गई।

इस काल में भारतीय भाषा में प्रगति देखी गई और उपर्युक्त में से अनेक को देशी भाषा में प्रकाशित किया गया, जिसने भारतीय पत्रकारिता के रंग रूप को परिवर्तित कर दिया। उदाहरणस्वरूप, 'अमृत बाजार पत्रिका' बंगाली में, 'केसरी' मराठी में और 'स्वदेश मित्र' तमिल में प्रकाशित होती थी।

स्पष्ट रूप से, देशी भाषा की प्रेस (वर्नाकूलर प्रेस), जो राजा राममोहन राय के समय से उन्नत हो रही थी, ने 1857 के बाद गति पकड़ी। 1870 तक भारत में लगभग 644 समाचार पत्र प्रकाशित होते थे, जिनमें से करीब 400 देशी भाषा में थे। वर्नाकुलर प्रेस ने अंग्रेजी समाचार पत्रों को न केवल संख्या में, अपितु प्रभाव में भी पीछे छोड़ दिया और ये धीरे-धीरे शासकीय नीतियों के अधिक आलोचक बनने लगे।

1876 में लॉर्ड लिटन भारत के वॉयसराय बने। देश में एक भयंकर अकाल (1876-1878) पड़ने के बावजूद महारानी के स्वागत में एक भव्य दिल्ली दरबार (1877) आयोजित करने के उनके निर्णय की प्रेस द्वारा कटु आलोचना की गई और नए उभरते हुए भारतीय बुद्धिजीवियों द्वारा लिटन को मैकाले और मेटकाफ की एक घातक विरासत के रूप में देखा गया। देशी भाषा के प्रेस के बढ़ते प्रभाव से चिंतित और इस बात से आश्वस्त होकर कि ये राष्ट्रीय चेतना को प्रसारित कर रहे हैं, लॉर्ड लिटन ने 1878 में वर्नाकुलर प्रेस एक्ट पारित किया।

वर्नाकूलर प्रेस अधिनियम, 1 मार्च 1878 (Vernacular Press Act) (लॉर्ड लिटन द्वारा)

- **गेगिंग एक्ट (Gagging Act)** के नाम से बदनाम यह अधिनयम विशेष रूप से भारतीय भाषा के समाचार पत्रों के विरूद्ध निर्देशित था। इसमें अंग्रेजी भाषा के समाचार पत्रों को शामिल नहीं किया गया था।
- यह अधिनियम भारत में प्रेस की स्वतंत्रता के लिए एक बड़ा झटका था और भारतीय भाषाओं के समाचार पत्रों को इस कानून के कारण बहुत कठिनाइयों का सामना करना पड़ा।

- इस अधिनियम के अनुसार जिला मजिस्ट्रेट और पुलिस कमिश्नर को किसी समाचार पत्र के मुद्रक और प्रकाशक से बलपूर्वक कुछ विशिष्ट प्रकार की सामग्री प्रकाशित न करने से रोकने, उनसे सुरक्षा जमा निधि की मांग करने और इस अधिनियम के अनुसार यदि कोई मुद्रित विषय-वस्तु आपत्तिजनक पाई जाए तो उसे जब्त करने का अधिकार दिया गया। इस अधिनियम ने पहली बार सरकार को सर्च वारंट जारी करने का अधिकार दिया। यहां तक कि कोर्ट के आदेश के बिना सरकार को छापाखानों में प्रवेश करने का अधिकार दिया गया।
- इस संबंध में मजिस्ट्रेट के निर्णय को अंतिम माना जाएगा और उसके विरुद्ध कोर्ट में अपील नहीं की जा सकेगी।
- यह अधिनियम मुख्य रूप से 'अमृत बाजार पत्रिका' (जो उस समय द्विभाषी साप्ताहिक) के विरुद्ध था, जिसने नाटकीय ढंग से स्वयं को पूरी तरह से अंग्रेजी समाचार पत्र में परिवर्तित कर दिया था, ताकि अधिनियम की कठोर शर्तों से स्वयं को बचा सके।
- इस अधिनियम के अंतर्गत 'सोम प्रकाश', 'ढाका प्रकाश', 'भारत मिहिर' एवं 'सहचर' के विरुद्ध कार्रवाई की गई।
- इस अधिनियम का भारत के साथ ही इंग्लैंड में भी व्यापक रूप से विरोध हुआ। इस प्रकार 1881 में लॉर्ड रिपन द्वारा इसे निरस्त कर दिया गया।
- लिटन ने एक 'भारत के प्रेस कमिश्नर' के पद की भी स्थापना की, जिसका मुख्य कार्य प्रेस एवं सरकार के बीच संबंध को बनाए रखना और प्रेस को सही सूचना प्रदान करना था।

लॉर्ड लिटन के बाद लॉर्ड रिपन (1880-1884) वॉयसराय बने। सुधार और समझौते की अपनी नीति के अनुरूप रिपन ने वर्नाकुलर प्रेस एक्ट को समाप्त कर दिया। लेकिन इस अधिनियम के कारण जो असंतोष उत्पन्न हुआ था, उसने पहले ही भारत के बढ़ते स्वतंत्रता आंदोलन की ज्वाला में ईंधन का काम कर दिया था।

20वीं शताब्दी में प्रेस (Press in the 20th Century)

शताब्दी के मोड़ पर लॉर्ड कर्जन को भारत का वॉयसराय (1899-1905) नियुक्त किया गया। उसकी साम्राज्यवादी नीतियों, विशेषकर बंगाल का विभाजन, ने जनाक्रोश को बढ़ाया और विभाजन-विरोधी आंदोलन (1905-1908) का उदय हुआ। इसके हिंसक दमन से क्रांतिकारियों का उदय हुआ और उनकी पत्रकारिता सामने आई। अरविंदो घोष द्वारा संपादित 'वंदे मातरम' (1905) ('वंदे मातरम' विभाजन-विरोधी आंदोलन का नारा था, जिसकी शुरुआत बिपिन चंद्र पाल ने की थी), बारिंद्र कुमार घोष द्वारा 'युगांतर' (1906) एवं लाला लाजपत राय द्वारा 'वंदे मातरम' (उर्दू साप्ताहिक, लाहौर) की शुरुआत की गई।

तिलक के समाचार पत्र मराठा एवं केसरी ने राष्ट्रवाद के संदेश को प्रसारित करने में एक महत्वपूर्ण भूमिका निभाई। अपने समाचार पत्रों के माध्यम से तिलक ने विभाजन-विरोधी आंदोलन के मुद्दों का राष्ट्रीयकरण किया और क्रांतिकारियों के कार्यों की सराहना की। इसके कारण उन पर तीन बार राष्ट्रद्रोह का मुकदमा चलाया गया।

लॉर्ड कर्जन का स्थान लॉर्ड मिंटो द्वितीय ने लिया, उन्हें अशांत परिस्थिति विरासत में मिली और उसने प्रेस विनियमन के क्षेत्र को बढ़ाकर क्रांतिकारियों द्वारा उत्पन्न चुनौती से निपटने का प्रयास किया। इस प्रकार 20वीं शताब्दी के प्रारंभ में क्रांतिकारियों की गतिविधियों को नियंत्रित करने के लिए कठोरतम प्रेस कानूनों को लागू किया गया। समाचार पत्रों पर अनेक प्रतिबंध लगाए गए और क्रांतिकारी गतिविधियों पर टिप्पणी करने व उनसे संबंधित समाचार को छापने से रोका गया।

न्यूज पेपर्स (इंसाइटमेंट टू ऑफेंस) एक्ट या समाचार पत्र (अपराधों के लिए उकसाना) अधिनियम, जून, 1908 (लॉर्ड मिंटो द्वारा)

- इस अधिनियम द्वारा मजिस्ट्रेट को ऐसी प्रेस, जहां से ऐसा समाचार पत्र निकलता हो, जिसने हत्या को उकसाने से संबंधित और हिंसा से संबंधित कोई मुद्दा छापा हो, को जब्त करने का अधिकार दिया गया।
- इस अधिनियम के अंतर्गत शासन ने 9 समाचार पत्रों के विरुद्ध मुकदमा चलाया और 7 प्रेसों को जब्त किया।

भारतीय प्रेस अधिनियम (Indian Press Act), 1910

- यह अधिनियम बंगाल विभाजन के बाद हुई हिंसा की चुनौती और बढ़ती ब्रिटिश हत्याओं से निपटने के लिए पारित किया गया। यह बहुत व्यापक कानून था और इसमें दोनों प्रकार के अपराधों (हिंसा के साथ-साथ राष्ट्रद्रोह) को शामिल किया गया।
- इसने मजिस्ट्रेट को अधिकार दिया कि वह प्रेसों से सुरक्षा जमा राशि प्राप्त करें और जहां उसे उचित लगे, उसे जब्त करें। साथ ही मजिस्ट्रेट को अधिकार दिया गया कि वह सर्च (छानबीन) कर सके और समाचार पत्र की प्रतियों व प्रेस को सरकार द्वारा जब्त घोषित कर सके, ऐसे समाचार पत्रों, जिसमें आपत्तिजनक सामग्री हो, के डाक द्वारा हस्तांतरण को रोक सके।
- इस अधिनियम के अंतर्गत 991 प्रेसों और समाचार पत्रों के विरुद्ध कार्रवाई की गई।
- इस अधिनियम के कुछ प्रावधानों को आगे डिफेंस ऑफ इंडिया रेगुलेशंस (Defence of India Regulations, 1914) के अंतर्गत बढ़ाया गया, जिसे प्रथम विश्व युद्ध के शुरू होने के दौरान घोषित किया गया था।
- 1921 में प्रेस-विधायन की जांच-पड़ताल के लिए सर तेज बहादुर सप्रू (उस समय वॉयसराय की कार्यकारी परिषद के विधि सदस्य) की अध्यक्षता में एक प्रेस समिति नियुक्त की गई। इस समिति के सुझाव के आधार पर 1908 और 1922 के अधिनियमों को कुछ प्रावधानों को अन्य कानूनों में शामिल करने के बाद निरसित कर दिया गया।

ऑफिशियल सीक्रेट्स एक्ट या आधिकारिक गोपनीयता अधिनियम (Official Secrets Act), 1923- इस अधिनियम द्वारा वर्गीकृत की गई किसी भी आधिकारिक सूचना के प्रकाशन को प्रतिबंधित कर दिया गया।

इंडियन प्रेस (इमरजेंसी पावर्स) एक्ट/Indian Press (Emergency Powers) Act या भारतीय प्रेस (आपातकालीन शक्तियां) अधिनियम, 1911 (लॉर्ड विलिंगटन द्वारा)

- अप्रैल, 1931 में लॉर्ड विलिंगटन भारत के वॉयसराय बने। उनकी निगाहों में गांधी-इरविन समझौता एक गलती थी और उसने सविनय अवज्ञा आंदोलन का दमन करने के लिए कदम उठाए। भारतीय राष्ट्रीय कांग्रेस को अवैध घोषित किया गया और इंडियन प्रेस (इमरजेंसी पावर्स) एक्ट, 1931 पारित किया गया।
- इस अधिनियम ने सविनय अवज्ञा आंदोलन का दमन करने के लिए प्रांतीय सरकारों को व्यापक शक्तियां प्रदान की और उन्हें अधिकार दिया कि वह भारतीय नेताओं के नाम व चित्र के साथ-साथ कांग्रेस की बैठकों के नोटिस और अन्य राजनीतिक घटनाओं को मुद्रित होने या छपने से प्रतिबंधित कर सकें। इसने प्रेस पर एक कर्त्तव्य आरोपित किया कि वे कार्यकारिणी के कहने पर सुरक्षा जमा राशि उपलब्ध कराएं। प्रेसों पर कार्यकारी नियंत्रण और दंड की व्यवस्था, यहां तक कि लोकतांत्रिक इंग्लैंड के लिए भी विदेशी थी। अधिनियम की प्रस्तावना 'प्रेस के बेहतर नियंत्रण के लिए' वास्तव में आक्रामक व रोषकारी थी।

द्वितीय विश्व युद्ध (1939-1945) के दौरान राष्ट्रद्रोह से संबंधित सामग्रियों से निपटने के लिए केंद्र शासन को सशक्त बनाने के लिए डिफेंस ऑफ इंडिया एक्ट (Defence of Indian Act) पारित किया गया। पूर्व-सेंसरशिप को पुनः लागू किया गया और भारतीय राष्ट्रीय कांग्रेस से जुड़े हुए सभी समाचार पत्रों पर प्रतिबंध लगा दिया गया। प्रारंभ में प्रेस ब्रिटिश के समर्थन में थे, लेकिन बाद में विरोध उत्पन्न हुआ और अनेक समाचार पत्रों ने गांधी और राष्ट्रीय आंदोलन का समर्थन करना शुरू कर दिया। प्रेस के दमन के परिणामस्वरूप भारतीय प्रेस के अधिकारों के एक संरक्षक के रूप 1940 में **ऑल इंडिया न्यूजपेपर्स एडिटर्स कॉन्फ्रेंस अर्थात अखिल भारतीय समाचार पत्र संपादक सम्मेलन (All India Newspapers' Editors Conference)** का गठन हुआ।

अगस्त, 1942 में भारत छोड़ो आंदोलन के दौरान प्रेस पर नए प्रतिबंध आरोपित किए गए। जैसे-जैसे युद्ध आगे बढ़ता गया और भारत की स्वतंत्रता के स्पष्ट संकेत मिलने लगे, सेंसरशिप निरंतर निरर्थक साबित होने लगी और जैसे ही युद्ध समाप्त हुआ, प्रेस का नियंत्रण भी समाप्त होने लगा।

प्रेस जांच समिति (Press Enquiry Committee), मार्च, 1947- भारत की संविधान सभा द्वारा सूत्रबद्ध किए गए मौलिक अधिकारों के प्रकाश में प्रेस कानूनों के परीक्षण के लिए इस समिति को नियुक्त किया गया था।

निष्कर्ष (Conclusion)

प्रेस और राष्ट्रीय आंदोलन ने एक-दूसरे के साथ एक पारस्परिक लाभकारी संबंध साझा किया और दोनों ने एक-दूसरे के विकास व उन्नति से लाभ प्राप्त किया। धीरे-धीरे प्रेस स्वतंत्रता आंदोलन का एक सबसे महत्वपूर्ण हथियार बन कर उभरी और यही कारण है कि भारतीय बुद्धिजीवी वर्ग और नेताओं जैसे- राजा राममोहन राय, दादा भाई नौरोजी, बाल गंगाधर तिलक, गोपाल कृष्ण गोखले, चित्तरंजन दास, मोतीलाल नेहरू, सुभाष चंद्र बोस, गांधी और अन्य ने इसका राष्ट्रवादी संवाद और राष्ट्रीय चेतना को उत्प्रेरित करने के एक माध्यम के रूप में उपयोग किया।

यद्यपि ब्रिटिश प्रशासन ने कानूनों के माध्यम से प्रेस को नियंत्रित करने और दबाने का प्रयास किया, लेकिन वे देश में प्रेस के विकास का प्रभावशाली ढंग से दमन नहीं कर सके। भारतीय प्रेस को जनता का अत्यधिक समर्थन प्राप्त हुआ और इसने स्वाधीनता संघर्ष को प्रोत्साहित करने की एक महत्वपूर्ण भूमिका निभायी।

गांधी के अनुसार, 'समाचार पत्र के उद्देश्यों में से एक उद्देश्य जनवादी भावनाओं को समझना और उन्हें अभिव्यक्ति प्रदान करना, दूसरा उद्देश्य जनता के बीच इच्छित भावनाओं को उत्प्रेरित करना और तीसरा सार्वजनिक कमियों को निडरता से अभिव्यक्त करना है।'

फ्लैश-फॉरवर्ड

- प्रेस (आपत्तिजनक मामला) अधिनियम/ Press (Objectionable Matter) Act, 1951- स्वतंत्रता के बाद यह अधिनियम 2 वर्ष के लिए अस्थाई रूप से लागू किया गया था, लेकिन बाद में इसे फरवरी, 1956 तक बढ़ा दिया गया था। इस अधिनियम ने सरकार को प्रेस और समाचार पत्रों से आपत्तिजनक विषय-वस्तु छापने के लिए सुरक्षा जमा राशि की मांग और उसे जब्त करने का अधिकार दिया गया। पीड़ित व्यक्ति को न्यायालय के द्वारा सुनवाई करने की मांग का अधिकार दिया गया था। इस अधिनियम का एआईएनईसी (AINEC) और इंडियन फेडरेशन ऑफ वर्किंग जर्नलिस्ट (Indian Federation of Working Journalists, 1950) के द्वारा विरोध किया गया और इसके बाद सरकार ने 1952 में भारतीय प्रेस की कार्यप्रणाली की जांच के लिए जे एस राजध्याक्ष की अध्यक्षता में पहले प्रेस आयोग का गठन किया।
- **कामकाजी पत्रकार और अन्य समाचार पत्र कर्मचारी (सेवा की शर्तें) एवं विविध प्रावधान अधिनियम, 1955 (Working Journalists and other Newspaper Employees (Conditions of Service) and Miscellaneous Provisions Act)** 1955- प्रथम प्रेस आयोग के प्रावधानों के आधार पर यह अधिनियम पारित किया गया। इसने कामकाजी पत्रकारों एवं समाचार पत्रों के अन्य कर्मचारियों की सेवा शर्तों में सुधार का प्रयास किया।

परिशिष्ट

4

शिक्षा का विकास
(Development of Education)

नोट- शिक्षा के विकास का अध्ययन करने से पहले अध्याय 3.3 का अवलोकन करें।

- क्राउन के अधीन शिक्षा
    - हंटर शिक्षा आयोग (1882-1883)
    - भारतीय विश्वविद्यालय अधिनियम (1904)
    - शिक्षा नीति पर शासकीय प्रस्ताव (21 फरवरी 1913)
    - सैडलर यूनिवर्सिटी कमीशन (1917-1919)
    - द्वैध शासन के अंतर्गत शिक्षा (1921-1937)
    - हार्टोग समिति (1929)
    - सेंट्रल एडवाइजरी बोर्ड ऑफ एजुकेशन (CABE, 1935)
    - प्रांतीय स्वायत्तता के अंतर्गत शिक्षा (1936-1937 से 1946-1947)
    - आधारभूत शिक्षा की वर्धा योजना (1937)
    - शिक्षा का सर्जेंट प्लान (1944)
- स्वतंत्रता के बाद शिक्षा
    - राधाकृष्ण समिति (1948-1949)
    - यूनिवर्सिटी ग्रांट कमिशन विश्वविद्यालय नियामक आयोग (1953)
    - मुदलियार समिति (1952-1953)
    - कोठारी शिक्षा समिति (1964-1966)
    - शिक्षा पर राष्ट्रीय नीति (1968)
    - नई शिक्षा नीति (1986)
- ब्रिटिश शासन के अंतर्गत तकनीकी शिक्षा का विकास

क्राउन के अधीन शिक्षा (Education under the Crown)

हंटर शिक्षा आयोग (Hunter Education Commission, 1882-1883)

लंबे समय से इंग्लैंड में पादरी यह आरोप लगाते रहे हैं कि भारत में 1854 के वुड्स डिस्पैच के द्वारा बनाई गई नीति के अनुसार शिक्षा की व्यवस्था नहीं की जा रही है। इस पृष्ठभूमि में 1882 में लॉर्ड रिपन ने 1854 से भारतीय साम्राज्य में

शैक्षिक प्रगति का पुनर्विलोकन करने के लिए डब्ल्यू. डब्ल्यू. हंटर की अध्यक्षता में भारतीय शिक्षा आयोग नियुक्त किया। आयोग को मुख्य रूप से देश में प्रारंभिक शिक्षा (प्राथमिक और माध्यमिक) की अवस्था और उसमें सुधार करने के तरीकों को प्रस्तुत करना था। आयोग को भारतीय विश्वविद्यालयों की सामान्य कार्य प्रणाली की जांच-पड़ताल नहीं करना था। इस आयोग के मुख्य सुझाव थे

- इसने प्राथमिक शिक्षा के प्रसार और सुधार में राज्य की भूमिका पर बल दिया। इसका अर्थ देशी भाषा (वर्नाकुलर) के माध्यम से जनता को शिक्षा प्रदान करना था। शिक्षा के प्रबंधन को इस काल के दौरान पारित किए गए स्थानीय स्वशासन के अंतर्गत बनाई गई स्थानीय निकायों को स्थानांतरित कर दिया गया था।
- इसने माध्यमिक एवं महाविद्यालयीन शिक्षा में **निजी उपक्रमों (private enterprise)** की भूमिका पर बल दिया और साथ ही सुझाव दिया कि इस संबंध में निजी उपक्रमों को प्रेरित करने के लिए पूरे मनोयोग से प्रयत्न किए जाने चाहिए, इसमें अनुदान व्यवस्था और शासकीय सहायता प्राप्त विद्यालयों के साथ समान व्यवहार शामिल था।
- इसने प्रेसिडेंसी शहरों के बाहर महिला शिक्षा के लिए सुविधाओं में कमी की ओर ध्यान केंद्रित किया और इसके प्रसार के लिए सुझाव दिए।

अगले 20 वर्षों के दौरान देश ने शिक्षा में भारतीय लोकोपकारी गतिविधि में वृद्धि को देखा गया और माध्यमिक व महाविद्यालयीन शिक्षा के प्रसार में अभूतपूर्व वृद्धि देखी गई। अनेक विश्वविद्यालयों जैसे- पंजाब विश्वविद्यालय (1882 में) और इलाहाबाद विश्वविद्यालय (1887 में) स्थापित किए गए, जिनमें अध्यापन के साथ-साथ परीक्षा से संबंधित कार्य किए जाते थे। इस काल में एक अन्य उल्लेखनीय विकास 1896 में अखिल भारतीय सेवा के रूप में **भारतीय शिक्षा सेवा (Indian Educational Service)** को सृजित किया गया, जिसमें इंग्लैंड में होने वाली प्रतियोगी परीक्षा के माध्यम से भर्ती की जाती थी।

हालांकि, 19वीं शताब्दी में देश में राजनीतिक अस्थिरता में वृद्धि को देखा गया और एक बार पुनः भारत में शैक्षिक नीति सवालों के घेरे में आने लगी। राष्ट्रवादी विचार के अनुसार उपनिवेशवादियों के हाथों में शिक्षा केवल शासक की विचारधारा को प्रसारित करने का एक साधन रह गई है। टैगोर ने औपनिवेशिक शिक्षा के व्यक्तिगत आत्मसम्मान को प्रभावित करने वाला ज्ञान का एक कटोरा कहकर निंदा की, गांधी ने इसे गुलाम बनाने वाली और प्रतिगामी कहकर आलोचना की।

आधिकारिक विचार था कि निजी प्रबंधन के अधीन शैक्षिक गुणवत्ता का पतन हुआ है, विद्यालयों और महाविद्यालयों में अनुशासनहीनता में वृद्धि हुई है और शैक्षणिक संस्थाएं राजनीतिक क्रांतिकारियों के उत्पादन के केंद्र बन चुके हैं। गवर्नर जनरल लार्ड कर्जन (1899-1905), जिसका उद्देश्य मुख्य रूप से राजनीतिक और अंशतः शैक्षिक था, ने गुणवत्ता और दक्षता के नाम पर शिक्षा पर आधिकारिक नियंत्रण को बढ़ाया (जबकि वास्तविक उद्देश्य शिक्षा को ऐसे प्रतिबंधित करना था कि शिक्षित युवाओं की वफादारी ब्रिटिश राज्य के प्रति बनी रहे।) और भारतीय विश्वविद्यालय अधिनियम, 1904 (Indian Universities Act, 1904) को पारित किया गया।

भारतीय विश्वविद्यालय अधिनियम (Indian Universities Act, 1904) - सितंबर, 1901 में कर्जन ने शिमला में एक गोल मेज सम्मेलन बुलाया, जिसमें भारत के विश्वविद्यालयों के प्रतिनिधि शामिल हुए। तत्पश्चात जनवरी, 1902 में भारतीय विश्वविद्यालयों की स्थिति की जांच-पड़ताल करने और उनके संविधान व कार्यप्रणाली में सुधार करने हेतु सुझाव देने के लिए सर थॉमस रैले की अध्यक्षता में एक इंडियन यूनिवर्सिटी कमीशन (और रैले कमीशन) नियुक्त किया गया। इस कमीशन के प्रतिवेदन के आधार पर इंडियन यूनिवर्सिटी एक्ट, 1904 पारित किया गया। इस अधिनियम में निम्न प्रावधान थे-

- विश्वविद्यालयों को अध्ययन और अनुसंधान, प्रयोगशालाएं और पुस्तकालयों की स्थापना और विद्यार्थियों के प्रत्यक्ष शिक्षण के लिए आवश्यक प्रावधान बनाना चाहिए।
- एक विश्वविद्यालय के अध्येताओं / सदस्यों की संख्या 50 से कम और 100 से अधिक नहीं होनी चाहिए और एक सदस्य को जीवनपर्यन्त के स्थान पर 6 वर्षों के लिए पद पर रहने की व्यवस्था होनी चाहिए।

- अधिकांश सदस्यों को सरकार के द्वारा मनोनीत किया जाना था। कलकत्ता, मद्रास और बॉम्बे विश्वविद्यालयों में निर्वाचित सदस्यों की संख्या प्रत्येक के लिए 20 निर्धारित की गई (अन्य विश्वविद्यालयों के लिए यह संख्या 15 थी)।
- इस अधिनियम ने विश्वविद्यालयों पर गवर्नर के नियंत्रण में वृद्धि की।
- संबद्धता की कठोर शर्तों एवं सिंडीकेट के द्वारा समय-समय पर निरीक्षण के प्रावधान द्वारा निजी महाविद्यालयों पर विश्वविद्यालय का नियंत्रण बढ़ाया गया। किसी भी कॉलेज की संबद्धता और संबद्धता की समाप्ति की अनुमति के लिए शासकीय अनुमोदन आवश्यक हो गया था।

राष्ट्रवादियों द्वारा इस अधिनियम को एक प्रतिगामी कदम बताते हुए इसका विरोध किया गया। यहां तक की 1917 के सैडलर कमिशन (Sadler Commission) द्वारा बाद में यह टिप्पणी की गई कि 1904 के अधिनियम ने भारतीय विश्वविद्यालयों को विश्व के सर्वाधिक शासकीय विश्वविद्यालयों में से बना दिया है। राष्ट्रवादियों ने अनुभव किया कि अपने सुधारों के माध्यम से कर्जन शिक्षा में निजी उद्यमों और देश की राष्ट्रवादी भावनाओं के विकास को नाकाम करना चाहता था।

कर्जन की नीति का एक अच्छा परिणाम 1902 में उच्च शिक्षा के सुधार के लिए 5 वर्षों के लिए प्रतिवर्ष 5 लाख रुपए के एक अनुदान की संस्वीकृति होना था (तब से इस प्रकार के शासकीय अनुदान स्थायी विशेषता बन गए)। आने वाले वर्षों में सभी स्तरों पर शासकीय समर्थित और शासकीय मान्यता प्राप्त शिक्षा संस्थानों की बड़ी संख्या में वृद्धि हुई। सरकारी विद्यालयों में शिक्षण और शिक्षकों के प्रशिक्षण के क्षेत्र में भी सुधार देखा गया। हालांकि, प्राथमिक शिक्षा का प्रसार संतुष्टि से अभी दूर था।

राष्ट्रवादी अब सरकार से प्राथमिक शिक्षा के लिए दिए जाने वाले धन में वृद्धि, भारतीयों की सहभागिता, वैज्ञानिक व तकनीकी शिक्षा की पहल और ऐसी शिक्षा की मांग करने लगे, जो राष्ट्रीय महत्वाकांक्षाओं के प्रति उत्तरदायी हो।

शिक्षा नीति पर शासकीय प्रस्ताव (Government Resolution on Education Policy, 21 फरवरी 1913)– 1906 में बड़ौदा राज्य ने अपने संपूर्ण क्षेत्र में अनिवार्य प्राथमिक शिक्षा की शुरुआत की। राष्ट्रवादियों ने विचार करना शुरू कर दिया कि ऐसा पूरे ब्रिटिश भारत में क्यों नहीं किया सकता? 1910-1913 के दौरान गोपाल कृष्ण गोखले ने इस मुद्दे को विधान परिषद में पूरी तत्परता से उठाया और 1911 में अनिवार्य प्राथमिक शिक्षा विधेयक की रूपरेखा बनाकर जन-शिक्षा के मुद्दे को एक राष्ट्रीय एजेंडा बनाया। अंतत: 21 फरवरी 1913 को भारत सरकार ने निरक्षरता को समाप्त करने की नीति को स्वीकार करने वाला एक प्रस्ताव पारित किया (लेकिन इसने अनिवार्य शिक्षा के सिद्धांत को अस्वीकार कर दिया)। इसमें प्रांतीय सरकारों को बलपूर्वक निर्देशित किया गया कि वे जनता के गरीब तबके को मुफ्त प्रारंभिक शिक्षा प्रदान करने के लिए कदम उठाएं और इस दिशा में निजी प्रयासों को प्रेरित करें।

सैडलर यूनिवर्सिटी कमीशन (Sadler University Commission, 1917-1919)– यद्यपि 1917 में भारत सरकार द्वारा सैडलर कमीशन को कलकत्ता विश्वविद्यालय की समस्याओं की जांच-पड़ताल करने के लिए नियुक्त किया था, तथापि इसके द्वारा विद्यालय से लेकर महाविद्यालय के सम्पूर्ण क्षेत्र पर प्रतिवेदन दिया गया। इसकी अध्यक्षता लीड्स यूनिवर्सिटी के वाइस चांसलर डॉ. एम. इ. सैडलर द्वारा की गई और इस कमीशन में दो भारतीय सदस्य सर आशुतोष मुखर्जी और डॉ. जियाउद्दीन अहमद शामिल थे। इसके मुख्य सुझाव थे–

- इसने 12 वर्षीय विद्यालयीन कोर्स की स्थापना का सुझाव दिया। छात्र-छात्राओं को इंटरमीडिएट परीक्षा के मूल्यांकन के बाद विश्वविद्यालय में प्रवेश मिलना था। इसका उद्देश्य विद्यार्थियों को विश्वविद्यालय स्तर के लिए तैयार करना और अयोग्य अभ्यार्थियों को विश्वविद्यालय में प्रवेश से रोकना था। इस प्रकार इसने संस्थाओं के नए प्रकार, जिन्हें इंटरमीडिएट कॉलेज कहा गया, के निर्माण का भी सुझाव दिया, जिन्हें स्वतंत्र रूप से अथवा चुने हुए हाई स्कूलों के साथ जोड़कर संचालित किया जाना था। माध्यमिक एवं इंटरमीडिएट (उच्चतर माध्यमिक) शिक्षा के एक बोर्ड की स्थापना का भी सुझाव दिया गया।

- इंटरमीडिएट के बाद डिग्री कोर्स (पाठयक्रम) की अवधि 3 वर्ष सीमित की गई। योग्य विद्यार्थियों के लिए **पास कोर्स (Pass Course)** से अलग **ऑनर्स कोर्स (Honours Courses)** के प्रावधान का भी सुझाव दिया।
- बड़ी संख्या में फैले हुए अलग-अलग महाविद्यालयों को समाहित करते हुए भारतीय विश्वविद्यालयों की पुरानी व्यवस्था के स्थान पर केंद्रीकृत एकात्मक-आवासीय-शिक्षण निकायों को स्थापित किए जाने का सुझाव दिया गया।
- कलकत्ता यूनिवर्सिटी में महिला शिक्षा के एक बोर्ड की स्थापना की जानी चाहिए और महिला शिक्षा के लिए सुविधाओं का प्रसार किया जाना चाहिए।
- शिक्षकों के प्रशिक्षण के लिए आवश्यक सुविधाएं प्रदान की जानी चाहिए।
- कलकत्ता एवं ढाका विश्वविद्यालयों में शिक्षा विभाग की स्थापना की जानी चाहिए।

1916-1921 के दौरान 7 नए विश्वविद्यालय अस्तित्व में आए। इनमें बनारस, लखनऊ, पटना, मैसूर, अलीगढ़, ढाका और उस्मानिया शामिल थे। 1920 में प्रांतीय सरकारों को सैडलर रिपोर्ट के सुझाव अनुसार कार्य करने हेतु प्रस्तुत किया गया।

द्वैध शासन के अधीन शिक्षा (Education under Dyarchy, 1921-1937)- मोंटेग्यू चेम्सफोर्ड सुधार, 1919 के प्रावधानों के अनुसार विभिन्न प्रांतों में शिक्षा विभाग को लोकप्रिय मंत्रियों (चुने हुए मंत्रियों) के नियंत्रण में हस्तांतरित कर दिया गया था। लेकिन वित्तीय प्रबंधन भारत सरकार के हाथों में ही रहा। इस प्रकार के प्रबंधन ने सभी हस्तांतरित विभागों के प्रशासन को बुरी तरह प्रभावित किया। शिक्षा के क्षेत्र में जिस केंद्रीय अनुदान को 1902 से उदारतापूर्वक संस्वीकृत किया गया था, उसे अब बंद कर दिया गया था। वित्तीय बाधाओं ने लोकप्रिय मंत्रियों को शिक्षा के सुधार और प्रसार से जुड़ी महत्वाकांक्षी योजनाओं को लागू करने में बाधा उत्पन्न की।

इन बाधाओं के बावजूद देश में शिक्षा का प्रसार मुख्य रूप से लोकोपकारी प्रश्नों के माध्यम से जारी रहा। शिक्षा की प्रगति ने शिक्षा के मूल्य के प्रति लोगों के विश्वास और अपने बच्चों की शिक्षा के लिए अभिभावकों को समर्पण की ओर झुकाव को बढ़ाया।

हार्टोग समिति (Hartog Committee, 1929)- यद्यपि मात्रात्मक प्रसार जारी रहा, लेकिन गुणात्मक रूप से गिरावट एक मुख्य मुद्दा बना और भारत में शिक्षा के विकास पर प्रतिवेदन देने के लिए भारतीय संविधि आयोग (Indian Statutory Commission) की एक सहायक समिति (Auxiliary Committee) को नियुक्त किया गया। इसकी मुख्य खोजें थीं-

- यद्यपि इसने प्राथमिक शिक्षा के महत्व को स्वीकार किया, लेकिन अनिवार्य शिक्षा और शिक्षा के त्वरित (उतावले) प्रसार की नीति की निंदा की। इसने यह भी अनुभव किया कि प्राथमिक शिक्षा में प्रसार का परिणाम साक्षरता में अनुषांगिक वृद्धि के रूप में सामने नहीं आ पा रहा है, क्योंकि कक्षा चार में पहुंचने से पहले ही अनेक बच्चे (मुख्य रूप से छात्राएं) विद्यालय छोड़ देते हैं।
- माध्यमिक शिक्षा में इसने ग्रामीण कामकाज के इच्छुक अधिकांश विद्यार्थियों को माध्यमिक वर्नाकुलर विद्यालय स्तर पर बनाए रखने का सुझाव दिया, इसके बाद विद्यार्थियों को उद्योग एवं वाणिज्य के क्षेत्र से जुड़े प्रमुख विभिन्न कोर्सों के लिए मोड़ दिया जाएगा। ऐसा विश्वविद्यालयों में भीड़ को रोकने के लिए किया गया था।
- विश्वविद्यालय स्तर पर इसने अंधाधुंध (विवेकहीन) प्रवेश की नीति की आलोचना की, जो शैक्षणिक मानकों को गिरावट की ओर ले जा रहा था। इसने सुझाव दिया कि सभी प्रयासों को योग्य छात्र-छात्राओं को उन्नत शिक्षा देने के विश्वविद्यालयों के सुचारु कार्य को पुन: स्थापित करने की ओर लगा देना चाहिए।

सेंट्रल एडवाइजरी बोर्ड ऑफ एजुकेशन (Central Advisory Board of Education, CABE] 1935)- 1935 में सरकार ने शैक्षिक योजना में सहायता हेतु केंद्रीय एडवाइजरी बोर्ड ऑफ एजुकेशन (शिक्षा के केन्द्रीय सलाहकार बोर्ड) की स्थापना की। व्यावसायिक शिक्षा की समस्या पर सुझाव देने के लिए दो विशेषज्ञ एबट और वुड को आमंत्रित किया गया। एबट-वुड रिपोर्ट में शैक्षिक संस्थाओं के समानांतर व्यावसायिक संस्थाओं की स्थापना का सुझाव दिया गया। परिणामस्वरूप, एक नए प्रकार के तकनीकी संस्थान (पॉलिटेक्निक) अस्तित्व में आए और सभी प्रांतों में अनेक तकनीकी, व्यावसायिक और कृषक विद्यालयों की स्थापना की गई।

प्रांतीय स्वायत्तता के अधीन शिक्षा (Education under Provincial Autonomy, 1936-1937 से 1946-1947)- यह भारत में ब्रिटिश शासन का अंतिम दशक था। 1935 के अधिनियम ने प्रांतों में द्वैध शासन के स्थान पर प्रांतीय स्वायत्तता स्थापित की और शिक्षा के वित्त पोषण की संरचनात्मक कठिनाइयां कम हुई और इससे शिक्षा की उन्नति की अपेक्षाओं में वृद्धि हुई। हालांकि, यह अपेक्षाएं झूठी साबित हुई, क्योंकि कांग्रेस के अधीन प्रांतीय सरकारों ने द्वितीय विश्व युद्ध के आरंभ होने के बाद 1939 में अपने पद से इस्तीफा दे दिया था। यद्यपि उच्चतर शिक्षा का प्रचार हो रहा था, लेकिन प्राथमिक शिक्षा का प्रसार रुक गया था और विद्यालयों में भीड़ बढ़ती जा रही थी।

बुनियादी/मूलभूत शिक्षा की वर्धा योजना (Wardha Scheme of Basic Education, 1937)

1937-1939 के दौरान कांग्रेस सरकार ने प्रांतों में सत्ता में रहते हुए शिक्षा के क्षेत्र में दूरगामी निर्णय लिए, जो बाद में स्वतंत्र भारत में शिक्षा के पुनर्निर्माण के मूलभूत सिद्धांत बने।

पद ग्रहण करने के बाद कांग्रेस सरकार ने निरक्षरता से लड़ने के लिए सार्वभौमिक, मुफ्त एवं अनिवार्य प्राथमिक शिक्षा को आरंभ करने की आवश्यकता महसूस की। लेकिन जब उन्होंने संसाधनों की कमी अनुभव की, तो महात्मा गांधी आगे आए और उन्होंने **'नई तालीम'** के रूप में प्राथमिक शिक्षा की एक आमनिर्भर योजना को प्रस्तावित किया। यह बुनियादी शिक्षा की योजना थी, जिसमें पूरे देश में 7 वर्षों के लिए बच्चे को उसकी मातृभाषा में मुफ्त एवं अनिवार्य शिक्षा देने की कल्पना की गई थी। इस योजना का मुख्य सिद्धांत गतिविधि से सीखना था और यह हाथ से किए जाने वाले उत्पादन कार्य के इर्द-गिर्द केंद्रित था, जिससे कि शिक्षकों के लिए वेतन सृजित किया जा सके। गांधी के विचारों को जाकिर हुसैन समिति के द्वारा एक विस्तृत स्वरूप प्रदान किया गया, जिसका प्रतिवेदन बाद में कांग्रेस शिक्षा नीति का एक आधारभूत दस्तावेज बना। लेकिन कांग्रेस मंत्रिमंडल के त्यागपत्र के साथ यह योजना आगे विकसित नहीं हो सकी। (इस योजना को अध्याय 6.19 में विस्तारपूर्वक बताया गया है।)

शिक्षा की सार्जेन्ट योजना (Sargeant Plan of Education, 1944)- द्वितीय विश्व युद्ध के बाद सर जॉन सार्जेन्ट (भारत सरकार के शिक्षा परामर्शदाता) के मार्गदर्शन में सी.ए.बी.ई. ने शिक्षा की एक राष्ट्रीय योजना बनाई और इस योजना को सार्जेन्ट योजना के नाम से जाना गया। यह युद्ध के बाद औपनिवेशिक सरकार की पुनर्निर्माण योजना का एक भाग था। यद्यपि ब्रिटिश ने भारत छोड़ने का निर्णय लगभग ले ही लिया था, तथापि इस प्रतिवेदन ने 40 वर्षीय एक शैक्षिक योजना बनाई, जिसका उद्देश्य उस समय के ब्रिटेन के शैक्षिक विकास के समान ही विकास को प्राप्त करना था। इसके मुख्य सुझाव थे

- 6 से 11 वर्ष के बच्चों के लिए सार्वभौमिक मुफ्त और अनिवार्य आधारभूत अथवा प्राथमिक शिक्षा का प्रस्ताव।
- अनिवार्य शारीरिक शिक्षा, कुपोषित बच्चों के लिए दूध और मध्याह्न भोजन का प्रावधान।
- रोजगार ब्यूरो का निर्माण
- शारीरिक एवं बौद्धिक रूप से अक्षम बच्चों के लिए शिक्षा।
- इन्टरमीडिएट पाठ्यक्रम की समाप्ति।

स्वतंत्रता के बाद अधिकांश राज्यों ने सार्जेन्ट योजना को उनकी विद्यालयीन शिक्षा व्यवस्था का आधार बनाया।

स्वतंत्रता के बाद शिक्षा (Education after Independence)

राधाकृष्णन आयोग (1948-1949)- स्वतंत्रता के बाद देश के प्रशासन के लिए शिक्षित जन-शक्ति और अर्थव्यवस्था के आधुनिकीकरण के लिए दक्ष तकनीकी जन-शक्ति की आवश्यकता अनुभव की गई। देश में विश्वविद्यालयीन शिक्षा की समीक्षा के लिए डॉ. राधाकृष्णन की अध्यक्षता में भारत सरकार द्वारा विश्वविद्यालय शिक्षा आयोग (University Education Commission) नियुक्त किया गया, जिसने सुधार के लिए सुझाव दीजिए। इसके मुख्य सुझाव थे-

- इसने विश्वविद्यालय से पूर्व एक 12 वर्षीय शैक्षिक पाठ्यक्रम का प्रस्ताव रखा (इसने 10+2+3 के स्वरूप का समर्थन किया)
- इसने उच्च शिक्षा के तीन उद्देश्य निर्धारित किए: सामान्य, उदार और शैक्षिक।
- इसने सुझाव दिया कि प्रशासनिक सेवाओं के लिए विश्वविद्यालय डिग्री को आवश्यक नहीं माना जाना चाहिए।
- विश्वविद्यालय शिक्षा को समवर्ती सूची में स्थान दिया जाना चाहिए।
- विश्वविद्यालय के शिक्षकों का वेतनमान बढ़ाया जाना चाहिए।
- देश में विश्वविद्यालयीन शिक्षा के निरीक्षण के लिए **विश्वविद्यालय अनुदान आयोग (University Grants Commission)** की स्थापना का सुझाव दिया।

विश्वविद्यालय अनुदान आयोग (University Grants Commission, 1953)- राधाकृष्णन आयोग के सुझाव के आधार पर 1953 में विश्वविद्यालय अनुदान आयोग की स्थापना की गई। 1956 में संसद के एक अधिनियम के अनुपालन में यह आयोग विश्वविद्यालय शिक्षा से संबंधित अधिकांश मुद्दों के प्रबंधन के लिए एक सांविधिक स्वायत्त निकाय बन गया। प्रतिवर्ष केंद्र सरकार विश्वविद्यालय अनुदान आयोग को पर्याप्त धन प्रदान करती थी, जिसमें से विभिन्न विश्वविद्यालयों को अनुदान दिया जाता है।

मुदालियर आयोग (Mudaliar Commission, 1952-53)- यह एक माध्यमिक शिक्षा आयोग था, जिसे डॉ. लक्ष्मणस्वामी मुदालियर की अध्यक्षता में नियुक्त किया गया था। इसने 11 वर्षीय विद्यालय शिक्षा, बहुउद्देशीय विद्यालयों की स्थापना, शिक्षक प्रशिक्षण, शिक्षकों की सेवा सुविधाओं में सुधार इत्यादि का सुझाव दिया।

कोठारी शिक्षा आयोग (Kothari Education Commission, 1964-66)- जुलाई, 1964 में भारत सरकार ने शिक्षा के राष्ट्रीय स्वरूप और विभिन्न पक्षों व विभिन्न स्तरों पर शिक्षा के विकास के लिए सिद्धांतों एवं नीतियों हेतु सरकार को सुझाव देने के लिए डॉ. डी. एस. कोठारी की अध्यक्षता में एक शिक्षा आयोग नियुक्त किया। इस आयोग में ब्रिटेन, सोवियत संघ एवं यूनेस्को के विशिष्ट शिक्षाविदों और वैज्ञानिकों के अनुभवों का लाभ भी लिया गया। इस आयोग के मुख्य सुझाव थे-

- पूरे देश में शिक्षा के एक समान प्रारूप 10+2+3 की । इस सुझाव से विरोध उत्पन्न हुआ, क्योंकि उस समय शिक्षा राज्य के नियंत्रण में था और अनेक राज्य संगठनात्मक एवं वित्तीय कठिनाइयों के कारण यह प्रारूप अपनाने के इच्छुक नहीं थे। (हालांकि, 42वें संवैधानिक संशोधन अधिनियम ने शिक्षा को समवर्ती सूची में स्थानांतरित कर दिया था और 1986 तक सभी राज्यों ने इस प्रारूप को स्वीकार कर लिया था।)
- शिक्षा के लगभग सभी स्तरों पर कार्य अनुभव और सामाजिक सेवा को प्रस्तावित किया गया।
- माध्यमिक शिक्षा का व्यावसायीकरण।
- शिक्षा व्यवस्था में पूर्णकालिक के साथ-साथ वैकल्पिक व्यवस्था जैसे अंशकालिक (पार्ट टाइम) शिक्षा की व्यवस्था।
- अंतर्राष्ट्रीय मानकों को प्राप्त करने के उद्देश्य से कम संख्या में मुख्य विश्वविद्यालयों की स्थापना।
- एक समतावादी समाज निर्मित करने के लिए सार्वजनिक विद्यालय और पड़ोसी विद्यालय व्यवस्था।
- नैतिक शिक्षा और सामाजिक उत्तरदायित्व पर बल।
- कृषि के क्षेत्र में शिक्षा और अनुसंधान को प्राथमिकता।

शिक्षा की राष्ट्रीय नीति (National Policy on Education, 1968)- कोठारी आयोग के सुझावों के अनुपालन में भारत सरकार ने शिक्षा की एक राष्ट्रीय नीति को अपनाया, जिसमें निम्नलिखित बिंदुओं पर बल दिया गया-

- 14 वर्ष की आयु तक मुफ्त एवं अनिवार्य शिक्षा।
- सार्वजनिक विद्यालय व्यवस्था, त्रिभाषा सूत्र, नियमित विद्यालयों में अध्ययन के लिए अक्षम बच्चों के अध्ययन हेतु एकीकृत कार्यक्रम इत्यादि को अपनाया गया।

- शिक्षकों के स्तर और सुविधाओं में सुधार।
- कृषि एवं उद्योग के लिए शिक्षा का विकास।
- कम कीमत की, लेकिन गुणवत्तापूर्ण पाठ्य पुस्तकों का उत्पादन।
- राष्ट्रीय आय के 6% का शिक्षा में निवेश करना।

नई शिक्षा नीति (New Education Policy, 1986)- इस नीति में इस बात पर बल दिया गया कि एक गतिहीन समाज को विकास व परिवर्तन की ओर प्रतिबद्ध एक जीवंत समाज में रूपांतरण हेतु शिक्षा की महती भूमिका है। इसके मुख्य तत्व थे-

- 1968 की नई शिक्षा नीति की तर्ज पर इसने 10+2+3 की शैक्षिक संरचना और सार्वजनिक विद्यालय व्यवस्था के प्रति अपनी प्रतिबद्धता दोहराई।
- एकसमान मुख्य पाठ्यक्रम की आवश्यकता पर पुनः बल देते हुए इसने कुछ विशेष अंतर्निहित मूल्यों पर ध्यान केंद्रित किया। वे थे - भारत की सांस्कृतिक विरासत, समतावाद, लोकतंत्र, धर्मनिरपेक्षता, लिंगों की समानता, पर्यावरण संरक्षण, छोटा परिवार मानक और वैज्ञानिक मनोवृत्ति की ओर झुकाव।
- वर्ष 2000 तक साक्षरता को वर्तमान जनसंख्या के 36% से 56% तक वृद्धि करना।
- प्राथमिक शिक्षा का सार्वभौमीकरण।
- न्यूनतम आवश्यक शिक्षण और सीखने संबंधित उपकरण और सामग्रियां प्रदान करने के लिए ऑपरेशन ब्लैक बोर्ड (Operation Blackboard or OB Scheme) की कल्पना की कल्पना की गई।
- उच्चतर माध्यमिक शिक्षा का व्यावसायीकरण (इसके तहत नवोदय विद्यालयों की स्थापना हुई)।
- विद्यालय स्तर पर शिक्षकों की गुणवत्ता में सुधार करने के लिए इसने शिक्षण और प्रशिक्षण के जिला स्तरीय संस्थाओं का प्रस्ताव दिया।

ब्रिटिश राज के अधीन तकनीकी शिक्षा का विकास

वर्ष	संस्था	विवरण
1847	रुड़की कॉलेज, यूनाइटेड प्रोविंस	प्रथम इंजीनियरिंग कॉलेज, जिसका नाम 1854 में थोमसॉनस इंजीनियरिंग कॉलेज रखा गया। 1948 में विश्वविद्यालय के रूप में उन्नत हुआ और 2001 में आईआईटी के रूप में उन्नत किया गया।
1856	कलकत्ता कॉलेज ऑफ सिविल इंजीनियरिंग (Calcutta College of Civil Engg.), बंगाल प्रेसिडेंसी	1857 में इसका नाम बंगाल इंजीनियरिंग कॉलेज रखा गया।
1858	पूना कॉलेज ऑफ इंजीनियरिंग, बॉम्बे प्रेसिडेंसी	इसे ओवरसीर स्कूल (Overseer's School), पूना (1854 में स्थापित) से उन्नयन कर कॉलेज बनाया गया।
1858	ग्युंदे कॉलेज ऑफ इंजीनियरिंग (Guindy College of Engg.), मद्रास प्रेसीडेंसी	इसे इंडस्ट्रियल स्कूल, ग्युंदे, मद्रास, 1842 से उन्नत कर कॉलेज बनाया गया।
1887	विक्टोरिया जुबली टेक्निकल इंस्टिट्यूट (Victoria Jubilee Technical Institute] Bombay), बॉम्बे	

वर्ष	संस्था	विवरण
1905	एग्रीकल्चरल रिसर्च इंस्टिट्यूट (Agricultural Research Institute), पूसा, बिहार	1936 में दिल्ली स्थानांतरित हुआ, स्वतंत्रता के बाद इसका नाम परिवर्तित कर इंडियन एग्रीकल्चरल रिसर्च इंस्टिट्यूट (IARI) रखा गया।
1908	कॉलेज ऑफ इंजीनियरिंग एंड टेक्नोलॉजी, जादवपुर	स्वदेशी नेताओं द्वारा प्रारंभ किए नेशनल काउंसिल ऑफ एजुकेशन की एकमात्र जीवित संस्था
1909	इंडियन इंस्टीट्यूट ऑफ साइंस (Indian Institute of Science), बैंगलोर	सर जमशेद टाटा के विचार का परिणाम था, जो 1915 में डॉ. अल्फ्रेड हे के अधीन इलेक्ट्रिकल इंजीनियरिंग कक्षाओं के रूप में इसकी शुरुआत हुई।
1917	बनारस हिंदू विश्वविद्यालय	मदन मोहन मालवीय द्वारा स्थापित, मेकेनिकल/ इलेक्ट्रिकल और धातुकर्म (metallurgy) में डिग्री कोर्स शुरू करने वाला पहला संस्थान।

परिशिष्ट

5 भारत के गवर्नर-जनरल एवं वॉयसराय

गवर्नर-जनरल

1. **वॉरेन हेस्टिंग्स (1772-1785)**

1.1 **1772** में हेस्टिंग्स बंगाल के गवर्नर बने और **1773** में रेगुलेटिंग एक्ट **1773** द्वारा बंगाल के पहले गवर्नर-जनरल बने।

1.2 उन्होंने राजस्व एकत्र करने के लिए नीलामी प्रणाली शुरू की (**1772-1777**)।

1.3 अंग्रेजी कानून के आधार पर कलकत्ता में भारत के पहले सर्वोच्च न्यायालय की स्थापना की।

1.4 रोहिल्ला युद्ध (**1774**) के बाद अवध के नवाब ने अंग्रेजों की मदद से रोहिलखंड पर कब्जा कर लिया।

1.5 1781 का अधिनियम पारित हुआ, जिसने स्पष्ट रूप से कलकत्ता में कलकत्ता परिषद सहित गवर्नर जनरल और सर्वोच्च न्यायालय के बीच क्षेत्राधिकार को विभाजित किया।

1.6 1781 में कलकत्ता मदरसा की स्थापना हुई।

1.7 पहला मराठा युद्ध (1778-1782) और सालबाई की संधि।

1.8 दूसरा एंग्लो-मैसूर युद्ध (1780-1784) और टीपू सुल्तान के साथ मंगलौर की संधि (1785)।

1.9 1784 में सर विलियम जोन्स के साथ बंगाल एशियाटिक सोसाइटी की स्थापना की।

1.10 पिट्स इंडिया एक्ट, 1784 पारित किया गया और गवर्नर जनरल की कार्यकारी परिषद की संख्या चार से घटाकर तीन कर दी गई। इंग्लैंड में बोर्ड ऑफ कंट्रोल भी स्थापित किया गया था।

1.11 हिंदू कानून की संहिता के रूप में मनुस्मृति का अनुवाद किया गया।

1.12 चार्ल्स विल्किंस द्वारा अंग्रेजी में गीता और हितोपदेशा का अनुवाद।

1.13 प्रशासन की दोहरी व्यवस्था को समाप्त कर दिया।

1.14 दीवानी व फौजदारी अदालतें और जिला स्तरीय सदर दीवानी व निजामत अदालतें (अपील अदालतें) शुरू की गईं।

1.15 उनके कार्यकाल में हिंदू और मुस्लिम कानूनों को भी नए सिरे से परिभाषित किया गया।

1.16 हेस्टिंग्स ने जमींदार की न्यायिक शक्तियां छीन लीं और अभिलेखों का रख-रखाव अनिवार्य कर दिया।

2. लॉर्ड कॉर्नवालिस (1786-1793)

2.1 तीसरा मैसूर युद्ध (1790-1792) और श्रीरंगपटनम की संधि (1792)।

2.2 1793 में बंगाल और बिहार में स्थायी बंदोबस्त या जमींदारी व्यवस्था की शुरुआत की।

2.3 1793 के कॉर्नवालिस कोड में राजस्व प्रशासन को न्यायिक प्रशासन से अलग करने के साथ-साथ कई न्यायिक सुधार शामिल थे।

2.4 जिला न्यायाधीश का पद सृजित किया और सिविल सेवा (1793) की शुरुआत की, इन्हें भारत में सिविल सेवाओं के पिता के रूप में जाना जाता है।

2.5 उनके कार्यकाल में प्रशासनिक तंत्र का यूरोपीयकरण हुआ।

2.6 पुलिस सुधार शुरू किए।

3. सर जॉन शोर (1793-1798)

3.1 1793 में स्थायी बंदोबस्त के प्रारंभ में महत्वपूर्ण भूमिका निभाई।

3.2 उन्होंने 1793 का पहला चार्टर अधिनियम प्रस्तुत किया।

3.3 निजाम और मराठों के बीच खरदा की लड़ाई (1795) हुई, जिसमें निजाम को पराजय का सामना करना पड़ा।

3.4 अहस्तक्षेप की नीति के लिए जाने जाते हैं।

4. लॉर्ड वेलेजली (1798-1805)

4.1 वेलेजली ने सहायक संधि व्यवस्था शुरू की, कंपनी के साथ क्रमशः हैदराबाद (1798), मैसूर(1799), अवध (1801) और पेशवा (1802) ने संधि पर हस्ताक्षर किए।

4.2 हैदराबाद के निजाम सहायक संधि को स्वीकार करने वाले पहले व्यक्ति थे।

4.3 मद्रास प्रेसीडेंसी उनके कार्यकाल के दौरान बनाई गई थी।

4.4 चौथा आंग्ल-मैसूर युद्ध (1799) हुआ, जिसमें टीपू सुल्तान की मृत्यु हुई।

4.5 1800 में, उन्होंने कलकत्ता में फोर्ट विलियम कॉलेज (जॉन गिलक्रिस्ट के साथ, जो इसके प्राचार्य बने) की स्थापना की। यह लोक सेवकों को उर्दू और हिंदी सिखाने के लिए स्थापित किया गया था।

4.6 दूसरा मराठा युद्ध (1803-1805)।

4.7 बेसिन की सहायक संधि (1802)।

5. सर जॉर्ज बार्लो (1805-1807)

5.1 वेल्लोर विद्रोह (1806)

5.2 द्वितीय आंग्ल मराठा युद्ध समाप्त हुआ।

6. लॉर्ड मिंटो प्रथम (1807-1813)

6.1 वर्ष 1809 में रणजीत सिंह के साथ अमृतसर की संधि।

6.2 1813 का चार्टर अधिनियम पारित हुआ, जिसने भारत में ईस्ट इंडिया कंपनी का एकाधिकार समाप्त कर दिया।

7. लॉर्ड हेस्टिंग्स (1813-1823)

7.1 हेस्टिंग्स ने हस्तक्षेप और युद्ध की नीति अपनाई।

7.2 आंग्ल-नेपाल युद्ध (1814-1816) हुआ, जिसमें गोरखा नेता अमर सिंह की हार हुई, यह युद्ध सुगौली की संधि के साथ समाप्त हुई।

7.3 तीसरा आंग्ल-मराठा युद्ध (1817-1818) - पेशवाशाही के उन्मूलन और उसके प्रदेशों पर कब्जा करने के साथ समाप्त हुआ।

7.4 बॉम्बे प्रेसीडेंसी का निर्माण (1818)।

7.5 पेशवाओं के साथ पूना की संधि (1817)।

7.6 पिंडारियों का दमन (1817)।

7.7 थॉमस मुनरो, गवर्नर (1820) द्वारा मद्रास प्रेसीडेंसी में रैयतवारी बंदोबस्त शुरू किया गया था।

8. लॉर्ड एमहर्स्ट (1823-1828)

8.1 प्रथम बर्मा युद्ध (1824-26), 1826 में यंदाबू की संधि पर हस्ताक्षर किए।

8.2 मलय प्रायद्वीप और भरतपुर का अधिग्रहण (1826)।

9. लॉर्ड विलियम बेंटिंक (1828-1835)

9.1 बेंटिक को भारत के सभी गवर्नर जनरलों में सबसे उदार और प्रबुद्ध माना जाता है।

9.2 वे भारत के पहले गवर्नर जनरल थे।

9.3 इन्हें 'भारत में आधुनिक पश्चिमी शिक्षा के जनक' के रूप में भी जाना जाता है।

9.4 इनके कार्यकाल के दौरान 1829 का सती-विरोधी प्रस्ताव पारित किया गया था।

9.5 ठगी के दमन के उपाय किए (1830)।

9.6 मैसूर के राजा को अपदस्थ किया और उसके प्रदेशों का विलय/समामेलन किया (1831)।1

9.7 1833 का चार्टर अधिनियम पारित किया; चाय के व्यापार और चीन के साथ व्यापार में ईस्ट इंडिया कंपनी के एकाधिकार को समाप्त कर दिया।

9.8 गवर्नर जनरल की कार्यकारी परिषद में विधि सदस्य का जोड़ा।

9.9 1834 में आगरा प्रांत बनाया गया।

9.10 कूर्ग (1834) और सेंट्रल कछार (1834) का समामेलन।

9.11 अपील और सर्किट के प्रांतीय न्यायालयों को समाप्त कर दिया, इसके स्थान पर आयुक्तों की नियुक्ति की।

9.12 1835 में कलकत्ता में पहला मेडिकल कॉलेज खोला गया।

9.13 1835 का प्रस्ताव और शैक्षिक सुधार; ब्रिटिश सरकार के उद्देश्यों को परिभाषित किया और लॉर्ड मैकाले को जन शिक्षा समिति का अध्यक्ष नियुक्त किया।

10. लॉर्ड मेटकाफ (1835-1836)

10.1 प्रसिद्ध प्रेस कानून पारित करके प्रेस को स्वतंत्रता प्रदान की।

10.2 भारत में प्रेस के मुक्तिदाता के रूप में भी जाना जाता है।

11. लॉर्ड ऑकलैंड (1836-1842)

11.1 अफगानिस्तान को रूसी साम्राज्य और ब्रिटिश भारत के बीच बफर राज्य बनाने के लिए पहला अफगान युद्ध (1836-1842) हुआ। यह युद्ध ब्रिटिश के लिए गले की फांस साबित हुई और ऑकलैंड को वापस बुलाने के साथ इसकी समाप्ति हुई।

11.2 रणजीत सिंह की मौत (**1839**)।

12. लॉर्ड एलेन बरो (1842-1844)

12.1 पहले आंग्ल-अफगान युद्ध का अंत हुआ (**1842**)।

12.2 चार्ल्स नेपियर (1843) द्वारा सिंध का विलय किया गया। उन्हें सिंध का पहला गवर्नर नियुक्त किया गया।

12.3 दास प्रथा को समाप्त किया।

12.4 ग्वालियर के साथ युद्ध; ग्वालियर के सिंधिया को अपमानजनक संधि (1843) पर हस्ताक्षर करने के लिए मजबूर किया।

13. लॉर्ड हार्डिंग (1844-1848)

13.1 पहला आंग्ल-सिख युद्ध (**1845-1846**) और लाहौर की संधि (**1846**)।

13.2 उन्होंने कन्या भ्रूण-हत्या और मानव बलि को रोकने जैसे सामाजिक सुधारों की शुरुआत की, ये कुप्रथाएं गोंड जाति (मध्य भारत की एक जनजाति) में प्रचलित थीं।

13.3 रोजगार में अंग्रेजी शिक्षितों को प्राथमिकता दी।

14. लॉर्ड डलहौजी (1848-1856)

14.1 दूसरा आंग्ल-सिख युद्ध (1848-49) र ईस्ट इंडिया कंपनी के साम्राज्य में। पंजाब का विलय (1849)

14.2 दूसरा बर्मा युद्ध (1848-49) और बर्मा (पेगू) का विलय/सामामेलन।

14.3 उपाधियों और पेंशनों को समाप्त कर दिया।

14.4 व्यपगत के सिद्धांत की शुरुआत की और कुशासन के आधार पर सतारा (1848), जैतपुर और संबलपुर (1849), उदयपुर (1852), झांसी (1853), नागपुर (1854) और अवध (1856) का विलय किया।

14.5 **1854** के वुड्स एजुकेशनल डिस्पैच (जिसे भारत में आधुनिक शिक्षा के मैग्नाकार्टा के रूप में भी जाना जाता है) और आम जनता को शिक्षित करने के ब्रिटिश उत्तरदायित्व की अवधारणा।

14.6 1853 में रेलवे (बॉम्बे से ठाणे तक पहली ट्रेन), टेलीग्राफ (आगरा से कलकत्ता के लिए पहली लाइन) और डाक प्रणाली की शुरुआत।

14.7 पोस्ट एंड टेलीग्राफ एक्ट (1854) पारित किया गया।

14.8 विधवा पुनर्विवाह अधिनियम (1856) लागू किया गया, ईश्वर चंद विद्यासागर ने इस अधिनियम का बड़े पैमाने पर समर्थन किया।

14.9 सिद्धू और कान्हू के नेतृत्व में संथाल विद्रोह (1855-1856) हुआ।

14.10 प्रत्येक प्रांत में लोक निर्माण विभाग की स्थापना (1854)।

15. लॉर्ड कैनिंग (1856-1857)

15.1 1857 का विद्रोह।

15.2 1857 में कलकत्ता, बॉम्बे और मद्रास के विश्वविद्यालयों की स्थापना हुई थी।

15.3 वह ईस्ट इंडिया कंपनी के अंतिम गवर्नर जनरल थे।

भारत के वॉयसराय

1. लॉर्ड कैनिंग (1858-1862)

1.1 लॉर्ड कैनिंग भारत के पहले वॉयसराय थे।

1.2 भारत सरकार अधिनियम, 1858 पारित किया गया, जिसने ईस्ट इंडिया कंपनी का शासन समाप्त कर दिया; नियंत्रण को ईस्ट इंडिया कंपनी से क्राउन को हस्तान्तरित कर दिया।

1.3 1 नवंबर 1858 को महारानी विक्टोरिया की उद्घोषणा इलाहाबाद में प्रकाशित हुई, जिसमें निम्नलिखित प्रावधान थे

1. अब आगे किसी राज्य का विलय नहीं होगा।
2. बलपूर्वक धर्मांतरण नहीं होगा।
3. लोक सेवाओं में योग्यता के आधार पर नियुक्तियां होंगी।
4. कानून बनाते समय भारतीय परंपरा को उचित सम्मान दिया जाए।

5. संपत्तियों और उत्तराधिकार के स्वामित्व के लिए पूर्ण सुरक्षा।
6. जब तक किसान राजस्व का भुगतान करते हैं, तब तक किसानों का भूमि पर अधिकार होगा।

1.4 भारतीय दंड संहिता पारित की गई, जो 1860 से लागू हुई।

1.5 दंड प्रक्रिया संहिता, 1859 पारित की गई, जो 1861 से लागू हुई।

1.6 भारतीय उच्च न्यायालय अधिनियम, 1861 लागू किया गया था।

1.7 1865 में उच्च न्यायालय स्थापित किए गए।

1.8 भारतीय परिषद अधिनियम, 1861 पारित किया गया था, जिसे भारत के संवैधानिक इतिहास में एक मील का पत्थर माना जाता है।

2. लॉर्ड एल्गिन (1862-1863)

2.1 वहाबी आंदोलन का दमन किया।

2.2 अपनी अकाल मृत्यु के कारण, सर चार्ल्स नेपियर और डेनिसन ने 1862 और 1864 के मध्य वॉयसराय के रूप में काम किया।

3. सर जॉन लॉरेंस (1864-1869)

3.1 आंग्ल-भूटान युद्ध (**1856**)।

3.2 कलकत्ता, बॉम्बे और मद्रास में उच्च न्यायालयों की स्थापना (1865)।

3.3 यूरोप के साथ टेलीग्राफ संचार प्रारम्भ हुआ।

3.4 पंजाब काश्तकारी अधिनियम पारित किया गया।

3.5 चौथा उच्च न्यायालय 1866 में आगरा, संयुक्त प्रांत में स्थापित किया गया, जिसे बाद में इलाहाबाद स्थानांतरित कर दिया गया।

3.6 अफगानिस्तान के मामलों में अहस्तक्षेप की नीति का पालन किया गया। इस नीति को 'उत्तम निष्क्रियता की नीति' के रूप में जाना जाता है।

4. लॉर्ड मेयो (1869-1872)

4.1 भारत में वित्तीय विकेंद्रीकरण की शुरुआत की और **1870** में पहला प्रांतीय बंदोबस्त किया।

4.2 भारतीय राजकुमारों के प्रशिक्षण के लिए काठियावाड़ में राजकोट कॉलेज और अजमेर में मेयो कॉलेज की स्थापना की।

4.3 उन्होंने भारतीय सांख्यिकी सर्वेक्षण को गठित किया। 1872 में पहली जनगणना कराई गई।

4.4 उन्होंने कृषि और वाणिज्य विभाग की स्थापना की।

4.5 राज्य रेलवे की शुरुआत की।

4.6 वह एकमात्र ऐसे वॉयसराय थे, जिनकी पद पर रहते हुए हत्या कर दी गई।

5. लॉर्ड नॉर्थ ब्रूक (1872-1876)

5.1 पंजाब में राम सिंह के नेतृत्व में कुका विद्रोह (1872) हुआ।

5.2 बिहार में अकाल (1874)

5.3 प्रिंस ऑफ वेल्स (बाद में एडवर्ड सप्तम) ने भारत (1875) का भ्रमण किया।

5.4 उन्होंने अफगानिस्तान के प्रश्न पर इस्तीफा दे दिया।

5.5 बड़ौदा के गायकवाड़ों पर अभियोग।

6. लॉर्ड लिटन (1876-1880)

6.1 1876 का रॉयल टाइटल एक्ट पारित किया गया, महारानी विक्टोरिया ने 'कैसर-ए-हिंद' की उपाधि ग्रहण की, रानी के स्वागत के लिए लाल किले में **1877** में दिल्ली दरबार का आयोजन किया गया था।

6.2 भारत के कई हिस्सों (1876-1878) में गंभीर अकाल पड़ा, रिचर्ड स्ट्रैची (1878) के नेतृत्व में अकाल आयोग की नियुक्ति की गई।

6.3 1878 का स्थानीय भाषा प्रेस अधिनियम (वर्नाकुलर प्रेस एक्ट) पारित हुआ, जिसने स्थानीय भाषा के समाचार पत्रों पर सेंसर लगाया गया, लेकिन अंग्रेजी भाषा के समाचार पत्रों के साथ ऐसा नहीं किया।

6.4 1878 का शस्त्र अधिनियम पारित किया गया था, जिसके अनुसार भारतीयों को हथियार ले जाने अनुमति नहीं थी।

6.5 आईसीएस की अधिकतम आयु 21 वर्ष से घटाकर 19 वर्ष कर दी।

6.6 दूसरा अफगान युद्ध (1878-1880)।

7. लॉर्ड रिपन (1880-1884)

7.1 1878 के स्थानीय भाषा प्रेस अधिनियम और शस्त्र अधिनियम को निरस्त कर दिया।

7.2 मजदूरी की स्थिति में सुधार के लिए 1881 का पहला कारखाना अधिनियम।

7.3 वित्तीय विकेंद्रीकरण की नीति को जारी रखा।

7.4 पहली नियमित जनगणना 1881 में आयोजित की गई थी।

7.5 रिपन ने 1882 में स्थानीय स्वशासन की शुरुआत की और भारत में उन्हें स्थानीय स्वशासन के पिता के रूप में जाना जाता है।

7.6 शैक्षिक सुधारों के लिए, विशेष रूप से प्राथमिक शिक्षा को महत्व देने के लिए, सर विलियम हंटर के नेतृत्व में हंटर कमीशन (1882) की नियुक्ति।

7.7 इल्बर्ट बिल विवाद (1883)।

7.8 अकाल संहिता (1883) अपनाई गई थी।

7.9 पंजाब यूनिवर्सिटी का नींव रखी गई।

8. लॉर्ड डफरिन (1884-1888)

8.1 भारतीय राष्ट्रीय कांग्रेस की स्थापना (1885) हुई।

8.2 कलकत्ता में गार्डन चाय पार्टी में कांग्रेस के प्रतिनिधियों ने भाग लिया (यह नाम डफरिन ने दिया और उसने कांग्रेस पार्टी को 'सूक्ष्म अल्पसंख्यक' कहा)।

8.3 तीसरा बर्मा युद्ध और बर्मा का विलय (1885)।

8.4 एकमात्र महिला सदस्य कादंबिनी गांगूली सहित कांग्रेस के पहले अधिवेशन में 72 सदस्य शामिल हुए।

8.5 बंगाल काश्तकारी अधिनियम, 1885।

9. लॉर्ड लैंसडाउन (1888-1894)

9.1 **1891** का कारखाना अधिनियम।

9.2 सिविल सेवाओं को शाही, प्रांतीय और अधीनस्थ सेवाओं में वर्गीकृत किया गया।

9.3 1892 का भारतीय परिषद अधिनियम।

9.4 डूरंड आयोग (**1893**), जिसने अफगानिस्तान और ब्रिटिश भारत के बीच की सीमाओं को परिभाषित किया (जिसे डूरंड रेखा के रूप में जाना जाने लगा)। अब यह रेखा अफगानिस्तान और पाकिस्तान के बीच है।

9.5 **1891** में, सहमति की आयु अधिनियम (**Age of Consent Act**), जिसके अनुसार **12** वर्ष से कम उम्र की लड़की का विवाह निषिद्ध कर दिया गया, पारित किया गया।

10. लॉर्ड एल्गिन द्वितीय (1894-1898)

10.1 1899 के मुंडा विद्रोह।

10.2 1896-1897 का विशाल अकाल।

10.3 अकाल के बाद लायल आयोग की नियुक्ति।

10.4 1897 में चापेकर बंधुओं द्वारा दो ब्रिटिश अधिकारियों की हत्या।

11. लॉर्ड कर्जन (1899-1905)

11.1 एंड्रयू फ्रेजर के नेतृत्व में एक पुलिस आयोग (1902) नियुक्त किया।

11.2 रैले आयोग, 1902 की सिफारिश के आधार पर विश्वविद्यालयों पर नियंत्रण बढ़ाने और बढ़ती राष्ट्रवादी भावनाओं के विकास को रोकने के लिए भारतीय विश्वविद्यालय अधिनियम, 1904 पारित किया गया।

11.3 वाणिज्य एवं उद्योग विभाग की स्थापना।

11.4 बंगाल विभाजन (1905) की घोषणा की गई।

11.5 कलकत्ता निगम अधिनियम 1899।

11.6 उन्होंने भारत की सांस्कृतिक विरासत को पुनर्जीवित करने के लिए प्राचीन स्मारक संरक्षण अधिनियम, 1904 पारित किया। इस प्रकार भारतीय पुरातत्व सर्वेक्षण की स्थापना हुई।

11.7 मैकडोनेल के नेतृत्व में अकाल आयोग नियुक्त।

11.8 इंडियन कॉइनेज एंड पेपर करेंसी एक्ट, 1899 पारित किया और भारत को स्वर्ण मानक (**Gold Standard**) के अधीन लाया गया।

11.9 मोनक्रिफ (1901) के नेतृत्व में सिंचाई आयोग नियुक्त।

11.10 1903 में पीयूएसए कृषि संस्थान।

12. लॉर्ड मिंटो द्वितीय (1905-1910)

12.1 स्वदेशी और बहिष्कार आंदोलन।

12.2 1906 में ढाका में आगा खां द्वारा मुस्लिम लीग की स्थापना।

12.3 1907 का सूरत विभाजन।

12.4 भारतीय परिषद अधिनियम, 1909 (मोर्ले-मिन्टो सुधार)। मुसलमानों के लिए पृथक निर्वाचन की व्यवस्था।

12.5 समाचार पत्र अधिनियम, 1908।

12.6 1908 का मुजफ्फरपुर षड्यंत्र, जिसमें खुदीराम बोस और प्रफुल्ल चाकी द्वारा विवादास्पद मजिस्ट्रेट किंग्सफोर्ड को मारने का प्रयास किया गया था।

13. लॉर्ड हार्डिंग द्वितीय (1910-1916)

13.1 बंगाल के विभाजन (1911) का विलोपन, बिहार और उड़ीसा को पृथक किया गया।

13.2 कलकत्ता से दिल्ली (1911) राजधानी का स्थानांतरण।

13.3 दिल्ली में दरबार और जॉर्ज पंचम और क्वीन मैरी का राज्याभिषेक।

13.4 सैन फ्रांसिस्को में लाला हरदयाल द्वारा गदर पार्टी का गठन (1913) किया गया।

13.5 28 जुलाई 1914 को प्रथम विश्व युद्ध की शुरुआत।

13.6 दक्षिण अफ्रीका (1915) से महात्मा गांधी का आगमन।

13.7 मदन मोहन मालवीय द्वारा हिंदू महासभा की स्थापना (1915)।

14. लॉर्ड चेम्सफोर्ड (1916-1921)

14.1 भारत सरकार अधिनियम, 1919 (जिसे मोंटेग्यू-चेम्सफोर्ड सुधार के नाम से जाना गया)।

14.2 एनी बेसेंट द्वारा 1916 में होम रूल लीग का गठन।

14.3 1916 में कांग्रेस का लखनऊ अधिवेशन और लखनऊ समझौता।

14.4 पूना में महिला विश्वविद्यालय की नींव (1916)।

14.5 साबरमती आश्रम की नींव; चंपारण सत्याग्रह (1916), खेड़ा सत्याग्रह (1918) और अहमदाबाद मिल हड़ताल (1918)।

14.6 एस.एन. बनर्जी और अन्य (1918) द्वारा भारतीय लिबरल फेडरेशन की नींव।

14.7 शैक्षिक नीति सुधारों पर सेडलर आयोग (1917)।

14.8 दमनकारी रोलेट अधिनियम (1919)।

14.9 जलियांवाला बाग हत्याकांड (13 अप्रैल 1919)।

14.10 जलियांवाला बाग घटना की जांच के लिए हंटर कमीशन की नियुक्ति।

14.11 चैंबर ऑफ प्रिंसेस (राजकुमारों के संगठन) की स्थापना (1919)।

14.12 अली बंधुओं द्वारा खिलाफत समिति का गठन और खिलाफत आंदोलन (1919-1920) की शुरुआत।

14.13 असहयोग आंदोलन (1920) की शुरुआत।

14.14 तिलक की मृत्यु (1 अगस्त 1920)।

14.15 एस.पी. सिन्हा को बिहार का गवर्नर (गवर्नर बनने वाला पहला भारतीय) नियुक्त किया गया।

15. लॉर्ड रीडिंग (1921-1925)

15.1 यूपी के गोरखपुर में चौरी-चौरा घटना (5 फरवरी 1922) और असहयोग आंदोलन का वापस लिया जाना (बारदोली में 12 फरवरी 1922 को)।

15.2 1919 के रोलेट अधिनियम और 1910 के प्रेस अधिनियम को निरस्त करना।

15.3 केरल में मोप्लाह विद्रोह (1921) हुआ।

15.4 वर्ष 1922 में सीआर दास और मोतीलाल नेहरू ने कांग्रेस की खिलाफत स्वराजवादी पार्टी (स्वराज पार्टी) का गठन किया।

15.5 1923 से इंग्लैंड और भारत में आईसीएस के लिए एक साथ परीक्षा का आयोजन।

15.6 क्रांतिकारियों द्वारा कानपुर में हिन्दुस्तान रिपब्लिकन आर्मी का गठन।

15.7 एम.एन. राय (1925) द्वारा भारतीय कम्युनिस्ट पार्टी की स्थापना की गई।

15.8 काकोरी ट्रेन डकैती (1925)।

15.9 1925 में आरएसएस की स्थापना हुई।

15.10 स्वामी श्रद्धानंद की हत्या (1926)।

15.11 कृषि पर रॉयल कमीशन।

15.12 मुद्रा नोटों (करेंसी नोट) के लिए युवा हिल्टन समिति (1926)।

15.13 लोक सेवाओं के लिए ली आयोग (1924)।

16. लॉर्ड इरविन (1926-1931)

16.1 साइमन कमीशन नियुक्त किया गया (1927) और भारत में इसका आगमन (1928)।

16.2 बटलर भारतीय राज्य आयोग की नियुक्ति (1927)।

16.3 अखिल भारतीय राज्यों के जन सम्मेलन (All India States People's Conference) का गठन (1927)।

16.4 इरविन को ईसाई वॉयसराय के नाम से भी जाना जाता था।

16.5 अखिल भारतीय युवा कांग्रेस का गठन (1928) हुआ।

16.6 1928 की नेहरू समिति रिपोर्ट।

16.7 भारतीय कामगारों के लिए शाही आयोग, 1929।

16.8 भगत सिंह और बटुकेश्वर दत्त ने केंद्रीय विधान सभा (1929) में दो बम फेंके।

16.9 लॉर्ड इरविन द्वारा 'दीपावली घोषणा' (1929)।

16.10 जवाहरलाल नेहरू की अध्यक्षता में लाहौर अधिवेशन (1929) में पूर्ण स्वराज प्रस्ताव पारित किया गया था।

16.11 प्रथम गोलमेज सम्मेलन (1930), कांग्रेस ने इसका बहिष्कार किया।

16.12 26 जनवरी को स्वतंत्रता दिवस के रूप में मनाया गया।

16.13 5 मार्च 1931 को गांधी-इरविन समझौता।

16.14 गांधी द्वारा दांडी मार्च (12 मार्च 1930) और सविनय अवज्ञा आंदोलन की शुरुआत।

16.15 शारदा अधिनियम, 1929 जिसके द्वारा लड़कियों (14 वर्ष की गई) और लड़कों (18 वर्ष की गई) की विवाह योग्य आयु बढ़ाई गई।

17. लॉर्ड विलिंगडन (1931-1936)

17.1 दूसरा गोलमेज सम्मेलन (1931) और सम्मेलन की विफलता, सविनय अवज्ञा आंदोलन की बहाली।

17.2 गांधी ने कांग्रेस के एकमात्र प्रतिनिधि के रूप में लंदन में दूसरे गोलमेज सम्मेलन में भाग लिया।

17.3 तत्कालीन ब्रिटिश प्रधानमंत्री रैमजे मैकडॉनाल्ड द्वारा सांप्रदायिक पुरस्कार (कम्यूनल अवॉर्ड, 1932) की घोषणा किया गई, जिसके अनुसार अलग सांप्रदायिक निर्वाचक मंडल स्थापित किए गए थे।

17.4 यरवदा जेल में गांधी द्वारा 'आमरण अनशन', पूना समझौते के बाद तोड़ा गया।

17.5 तीसरा गोलमेज सम्मेलन (1932)।

17.6 भारत सरकार अधिनियम 1935।

17.7 आचार्य नरेंद्र देव और जय प्रकाश नारायण द्वारा अखिल भारतीय किसान सभा (1936) और कांग्रेस सोशलिस्ट पार्टी की स्थापना।

17.8 भारत से बर्मा अलग हुआ, 1935।

18. लॉर्ड लिनलिथगो (1936-1944)

18.1 प्रथम आम चुनाव (1936-1937); कांग्रेस को पूर्ण बहुमत प्राप्त हुआ।

18.2 द्वितीय विश्व युद्ध (1939) के बाद कांग्रेस मंत्रालयों का इस्तीफा।

18.3 मुस्लिम लीग द्वारा मुक्ति दिवस (सितंबर, 1939)।

18.4 कांग्रेस का त्रिपुरी अधिवेशन (1939) और सुभाष चंद्र बोस द्वारा फॉरवर्ड ब्लॉक का गठन।

18.5 मुस्लिम लीग द्वारा लाहौर प्रस्ताव (मार्च, 1940) और मुसलमानों के लिए अलग राज्य की मांग।

18.6 वॉयसराय का अगस्त प्रस्ताव और व्यक्तिगत सत्याग्रह (1940) शुरू हुआ।

18.7 क्रिप्स प्रस्ताव (1942), जिसने भारत को डोमिनियन का दर्जा देने और संविधान सभा की स्थापना की पेशकश की; कांग्रेस द्वारा अस्वीकार किया गया।

18.8 भारत छोड़ो आंदोलन (1942)।

18.9 मुस्लिम लीग (1944) के कराची अधिवेशन में 'फूट डालो और छोड़ो' का नारा।

19. लॉर्ड वेवेल (1944-1947)

19.1 सी.आर. फॉर्मूला (1944), सांप्रदायिक मुद्दे को सुलझाने के लिए गांधी-जिन्ना वार्ता की विफलता (1944)।

19.2 शिमला सम्मेलन और वेवेल योजना भी विफल रही (1945)।

19.3 आई.एन.ए. मुकदमा (1945)।

19.4 आर.आई. विद्रोह (1946)।

19.5 कैबिनेट मिशन योजना (1946)।

19.6 अंतरिम सरकार का गठन (इसमें जवाहरलाल नेहरू प्रधानमंत्री बने) (सितंबर, 1946)।

19.7 संविधान सभा का गठन (1946)।

19.8 पाकिस्तान के अलग राष्ट्र की मांग के लिए मुस्लिम लीग द्वारा प्रत्यक्ष कार्रवाई दिवस (Direct Action Day, 16 अगस्त 1946) मनाया गया।

19.9 20 फरवरी 1947 को क्लेमेंट एटली द्वारा भारत में ब्रिटिश शासन के अंत की घोषणा।

20. लॉर्ड माउंटबेटन (1947-1948)

20.1 तीन जून की योजना (3 जून 1947) की घोषणा की। इसे माउंटबेटन योजना के नाम से भी जाना जाता है।

20.2 भारत की स्वतंत्रता (15 अगस्त 1947)।

20.3 बंगाल और पंजाब के विभाजन के लिए सर सिरिल रैडक्लिफ के अधीन दो सीमा आयोगों की नियुक्ति।

20.4 ब्रिटिश भारत के अंतिम ब्रिटिश वॉयसराय और स्वतंत्र भारत के पहले गवर्नर ज़नरल।

21. सी राजगोपालाचारी (1948-1950)

21.1 एकमात्र भारतीय गवर्नर जनरल और आजाद भारत के अंतिम गवर्नर जनरल।

अभ्यास प्रश्न - प्रारंभिक परीक्षा

Practice Paper 1

प्रश्न 1. नादिर शाह के भारत पर आक्रमण के संबंध में निम्नलिखित में से कौन-सा/से कथन सत्य है/हैं?

1. नादिर शाह के हमले के समय अहमद शाह मुगल बादशाह थे।
2. इसने मराठा सरदारों और विदेशी व्यापारिक कंपनियों के सामने साम्राज्य की छिपी कमजोरी को उजागर किया।
3. आक्रमण के परिणामस्वरूप नादिर शाह ने सिंधु के पश्चिम के क्षेत्रों को पर्सियन साम्राज्य में मिला लिया।

नीचे दिए गए कूट से सही उत्तर का चयन कीजिए-

(क) केवल 1 (ख) 1 और 2
(ग) 2 और 3 (घ) 1, 2 और 3

उत्तर- (ग)

प्रश्न 2. निम्नलिखित देशों को उनके भारत आगमन के अनुसार कालानुक्रमिक क्रम में व्यवस्थित करें-

1. अंग्रेजी 2. डच
3. पुर्तगाली 4. डेन

नीचे दिए गए कूट से सही उत्तर का चयन कीजिए-

(क) 1234 (ख) 4321
(ग) 3214 (घ) 2314

उत्तर- (ग)

प्रश्न 3. किस मुद्दे ने भारतीय राज्यों को एक दूसरे के साथ संघर्ष में ला दिया?

1. शासकों ने क्षेत्रीय विस्तार की नीति का पालन किया।
2. शासक विभिन्न धर्मों के थे।

उपरोक्त प्रश्न के संदर्भ में, उपरोक्त में से कौन-सा/से कथन सही है/हैं?

(क) केवल 1
(ख) केवल 2
(ग) दोनों
(घ) दोनों में से कोई नहीं

उत्तर- (क)

प्रश्न 4. निम्नलिखित में से कौन सिंध पर ब्रिटिश विजय का कारक नहीं था?

1. सिंध नदी की व्यावसायिक संभावनाएं।
2. यूरोप में बढ़ती आंग्ल-फ्रांसीसी प्रतिद्वंदिता।

नीचे दिए गए कूट का प्रयोग कर सही उत्तर चुनिए।

(क) केवल 1
(ख) केवल 2
(ग) दोनों
(घ) दोनों नहीं

उत्तर- (ख)

प्रश्न 5. भारत में ईस्ट इंडिया कंपनी के व्यापार के एकाधिकार को समाप्त करने वाला अधिनियम ________ था।

(क) रेगुलेटिंग एक्ट, 1773

(ख) पिट्स इंडिया एक्ट, 1784

(ग) 1793 का चार्टर अधिनियम

(घ) 1813 का चार्टर अधिनियम

उत्तर- (घ)

प्रश्न 6. निम्नलिखित में से कौन भारत में राष्ट्रीय चेतना के उदय का कारक नहीं था?

1. भारतीय रेलवे
2. अंग्रेजी शिक्षा प्रणाली
3. भारत में शांति और व्यवस्थित सरकार की स्थापना

नीचे दिए गए कूटों से सही उत्तर का चयन कीजिए-

(क) केवल 1

(ख) 1 और 2

(ग) केवल 3

(घ) इनमे से कोई भी नहीं

उत्तर- (घ)

प्रश्न 7. 1857 के विद्रोह में शिक्षित भारतीयों ने भाग नहीं लिया क्योंकि-

(क) वे जानते थे कि भारत सैन्य रूप से कमजोर है।

(ख) उनका मानना था कि भारत को आधुनिकीकरण की ओर ले जाने के लिए ब्रिटिश प्रभाव की आवश्यकता थी।

(ग) उनका मानना था कि भारतीयों को उन पर शासन करने के लिए एक मास्टर रेस की जरूरत है।

(घ) इनमे से कोई भी नहीं

उत्तर- (ख)

प्रश्न 8. ईश्वर चंद्र विद्यासागर ने मुख्य रूप से निम्नलिखित में से किस सामाजिक मुद्दे के लिए काम किया?

1. बाल विवाह
2. बहुविवाह
3. सती
4. विधवा पुनर्विवाह
5. महिलाओं के लिए उच्च शिक्षा

नीचे दिए गए कूट का प्रयोग कर सही उत्तर चुनिए-

(क) 1, 3 और 4

(ख) 1, 2, 3 और 4

(ग) 1, 2, 4 और 5

(घ) ऊपर के सभी

उत्तर- (ग)

प्रश्न 9. बंगभाषा प्रकाशिका सभा के संबंध में निम्नलिखित कथनों का विचार कीजिए-

1. इसकी स्थापना राजा राम मोहन राय ने की थी।
2. इस सभा का गठन बंगाली साहित्य को बढ़ावा देने के उद्देश्य से किया गया था।

उपरोक्त में से कौन-सा/से कथन सही है/हैं?

(क) केवल 1

(ख) केवल 2

(ग) दोनों

(घ) दोनों में से कोई नहीं

उत्तर- (घ)

प्रश्न 10. प्रारंभिक कांग्रेस की रचना के संबंध में निम्नलिखित कथनों पर विचार करें-

1. अधिकांश सदस्य जमींदार-अभिजात वर्ग से आते थे।
2. कानूनी पेशे का सबसे अधिक प्रतिनिधित्व किया गया था।

उपरोक्त में से कौन-सा/से कथन सही है/हैं?

(क) केवल 1

(ख) केवल 2

(ग) दोनों

(घ) दोनों में से कोई नहीं

उत्तर- (ख)

प्रश्न 11. 1905 के कांग्रेस अधिवेशन के संबंध में निम्नलिखित कथनों पर विचार करें-

1. यह बनारस में आयोजित किया गया था।

2. इसकी अध्यक्षता दादाभाई नौरोजी ने की थी।
3. यह निर्णय लिया गया कि स्वदेशी आंदोलन को बंगाल के बाहर विस्तारित किया जाए।

नीचे दिए गए कूटों में से सही उत्तर चुनिए-

(क) केवल 1
(ख) 1 और 2
(ग) 2 और 3
(घ) इनमे से कोई भी नहीं

उत्तर- (क)

प्रश्न 12. निम्नलिखित कथनों पर विचार कीजिए-

1. राजनीति की गांधीवादी शैली समावेशवाद पर आधारित थी।
2. नैतिकता संबंधी गांधीवादी विचार भारत की धार्मिक विविधता की अपेक्षा भारत के वर्ग आधारित समाज पर आधारित हैं।
3. महात्मा गांधी पश्चिमी औद्योगिक पूंजीवाद के आलोचक थे।

उपरोक्त में से कौन-सा/से कथन सही है/हैं? नीचे दिए गए कूटों में से सही उत्तर चुनिए-

(क) 1, 2 और 3 (ख) 2 और 3
(ग) 1 और 2 (घ) 1 और 3

उत्तर- (घ)

प्रश्न 13. निम्नलिखित में से कौन-सी विधि गांधी द्वारा अपनाई गई जन लामबंदी की विधि नहीं थी?

(क) सत्याग्रह
(ख) आंदोलनकारियों का प्रशिक्षण
(ग) याचिकाएं और स्मारक
(घ) सामाजिक सुधार

उत्तर- (ग)

प्रश्न 14. रोलेट एक्ट के संदर्भ में निम्नलिखित कथनों पर विचार कीजिए-

1. रोलेट एक्ट मार्च, 1919 में पारित किया गया था, यद्यपि भारतीय विधान परिषद के प्रत्येक भारतीय केंद्रीय सदस्य ने इसका विरोध किया था।
2. रोलेट एक्ट ने ब्रिटिश सरकार को किसी भी व्यक्ति को बिना मुकदमे और दोषसिद्धि के अदालत में कैद करने के लिए अधिकृत किया।
3. रोलेट एक्ट ने ब्रिटिश सरकार को बंदी प्रत्यक्षीकरण के अधिकार को निलंबित करने के लिए अधिकृत किया, जो ब्रिटेन में नागरिक स्वतंत्रता की नींव थी।

उपरोक्त में से कौन से कथन सही हैं? नीचे दिए गए कूटों में से सही उत्तर चुनिए-

(क) सब सही हैं।
(ख) 1 और 2
(ग) 2 और 3
(घ) इनमे से कोई भी नहीं।

उत्तर- (क)

प्रश्न 15. मोंटेग्यू-चेम्सफोर्ड सुधारों द्वारा केंद्र सरकार में किए गए परिवर्तनों के संबंध में निम्नलिखित में से कौन-सा सत्य है?

(क) अधिनियम के अनुसार एक सदनीय विधायिका की स्थापना की गई, जिसे भारतीय विधान सभा के रूप में जाना गया।
(ख) अनुपूरक प्रश्न पूछने का अधिकार विधायिका के सभी सदस्यों को दिया गया था।
(ग) गवर्नर जनरल की प्रमाणीकरण की विशेष शक्ति समाप्त कर दी गई।
(घ) विधानसभा का कार्यकाल 5 वर्ष निर्धारित किया गया था।

उत्तर- (ख)

प्रश्न 16. 1892 के भारतीय परिषद अधिनियम के संबंध में निम्नलिखित कथनों पर विचार करें-

1. परिषदों के सदस्य अप्रत्यक्ष रूप से चुने जा सकते थे।
2. परिषदों के सदस्य वार्षिक वित्तीय विवरण पर चर्चा और संशोधन कर सकते थे।

उपरोक्त में से कौन-सा/से कथन सही है/हैं?

(क) केवल 1

(ख) केवल 2

(ग) दोनों

(घ) दोनों में से कोई नहीं

उत्तर- (क)

प्रश्न 17. अपनी आत्मकथा 'द इंडियन स्ट्रगल' में सुभाष चंद्र बोस एक घटना को 'राष्ट्रीय आपदा' कहते हैं।

यह घटना ________ थी।

(क) सूरत में कांग्रेस का विभाजन।

(ख) जलियांवाला बाग हत्याकांड।

(ग) असहयोग आंदोलन को वापस लेना।

(घ) गांधी की गिरफ्तारी।

उत्तर- (ग)

प्रश्न 18. असहयोग के कार्यक्रम में निम्नलिखित में से क्या शामिल था?

1. उपाधियों और मानद कार्यालयों का समर्पण।
2. सरकारी दरबारों और सरकारी समारोहों में शामिल होने से मना करना।
3. मेसोपोटामिया में सेवा के लिए खुद को पेश करने के लिए सभी वर्गों का अस्वीकार करना।
4. राष्ट्रीय शिक्षा संस्थानों की स्थापना।

नीचे दिए गए कूट से सही उत्तर का चयन कीजिए-

(क) 1 और 2 (ख) 1, 2 और 3

(ग) 1, 2, 3 और 4 (घ) केवल 1

उत्तर- (ग)

प्रश्न 19. निम्नलिखित में से कौन साम्प्रदायिकता से संबंधित हैं?

1. सर सैयद अहमद खान
2. भारतीय राष्ट्रीय कांग्रेस का गठन
3. उग्रवादी राष्ट्रवाद

नीचे दिए गए कूट से सही उत्तर का चयन कीजिए-

(क) केवल 1 (ख) 1 और 2

(ग) 2 और 3 (घ) 1 और 3

उत्तर- (घ)

प्रश्न 20. निम्नलिखित में से कौन कांग्रेस पर समाजवादी विचारों के प्रभाव को प्रकट करता है?

1. कांग्रेस के फैजपुर अधिवेशन में कृषि कार्यक्रम को अंगीकार करना।
2. 1936 में कांग्रेस का चुनावी घोषणा-पत्र।
3. जय प्रकाश नारायण, नरेंद्र देव और अच्युत पटवर्धन को कांग्रेस कार्यसमिति में शामिल करना।

नीचे दिए गए कूट से सही उत्तर का चयन कीजिए-

(क) केवल 1 (ख) 1 और 2

(ग) 1 और 3 (घ) 1, 2 और 3

उत्तर- (घ)

प्रश्न 21. साइमन कमीशन के संबंध में निम्नलिखित में से कौन-सा/से सत्य था/थे?

1. यह एक सांविधिक आयोग था।
2. सर जॉन साइमन और क्लेमेंट एटली इसके सदस्य थे।
3. इसे प्रधान मंत्री स्टेनली बाल्डविन द्वारा नियुक्त किया गया था।

नीचे दिए गए कूट से सही उत्तर का चयन कीजिए-

(क) 1 और 2 (ख) 1 और 3

(ग) 2 और 3 (घ) 1, 2 और 3

उत्तर- (घ)

प्रश्न 22. सविनय अवज्ञा आंदोलन के दौरान विरोध के प्रकारों और उनके क्षेत्र के संबंध में निम्नलिखित युग्मों पर विचार करें।

1. वन सत्याग्रह- मध्य प्रांत
2. 'न राजस्व, न कर'- संयुक्त प्रांत
3. चौकीदार विरोधी- पूर्वी भारत

उपरोक्त में से कौन-सा/से युग्म सही सुमेलित है/हैं?

(क) 1 और 2 (ख) 2 और 3
(ग) केवल 3 (घ) 1, 2 और 3

उत्तर- (घ)

प्रश्न 23. निम्नलिखित प्रतिक्रियाओं पर विचार करें, जब एक बार कांग्रेस ने चुनाव लड़ने का निर्णय लिया-

1. गांधी ने कांग्रेस से त्यागपत्र दे दिया, क्योंकि वे संसदीय राजनीति से असहमत थे।
2. जे. नेहरू ने निर्णय का स्वागत किया, क्योंकि वह विधायिकाओं के अंदर संघर्ष जारी रखने में विश्वास करते थे।

उपरोक्त में से कौन-सा/से कथन सत्य है/हैं?

(क) केवल 1
(ख) केवल 2
(ग) दोनों
(घ) दोनों में से कोई नहीं

उत्तर- (क)

प्रश्न 24. बकाश्त आंदोलन के संदर्भ में निम्नलिखित कथनों पर विचार कीजिए-

1. इसकी शुरुआत 1946-47 में बंगाल के किसानों ने की थी।
2. किसानों ने कांग्रेस के नेतृत्व में विरोध प्रदर्शन किया।

उपरोक्त में से कौन-सा/से कथन असत्य है/हैं? नीचे दिए गए कूट का प्रयोग कर सही उत्तर चुनिए-

(क) केवल 1
(ख) केवल 2
(ग) दोनों
(घ) दोनों में से कोई नहीं

उत्तर- (ग)

प्रश्न 25. निम्नलिखित में से कौन फरवरी, 1947 की एटली की घोषणा का भाग बना?

1. 30 जून 1947 तक अंग्रेज भारत छोड़ देंगे।
2. वेवेल की जगह लॉर्ड माउंटबेटन को वायसराय बनाया जाएगा।
3. डोमिनियन स्थिति के आधार पर सत्ता हस्तांतरित की जाएगी।

नीचे दिए गए कूट का प्रयोग कर सही उत्तर चुनिए-

(क) केवल 1 (ख) 2 और 3
(ग) केवल 2 (घ) 1, 2 और 3

उत्तर- (ग)

Practice Paper 2

प्रश्न 1. निम्नलिखित में से कौन-सा/से सही सुमेलित है/हैं?

1. गुरू अंगद- गुरुमुखी लिपि का विकास किया
2. गुरू राम दास- आदि ग्रंथ का संकलन किया
3. गुरू अर्जन देव- पवित्र शहर अमृतसर की नींव रखी

नीचे दिए गए कूट से सही उत्तर का चयन कीजिए-

(क) केवल 1 (ख) 1 और 2
(ग) 2 और 3 (घ) 1, 2 और 3

उत्तर- (क)

प्रश्न 2. निम्नलिखित में से क्या 1764 में बक्सर के युद्ध के परिणामों में से थे?

1. मीर जाफर को बंगाल का नवाब बनाया गया।
2. क्लाइव को कंपनी का गवर्नर और कमांडर-इन-चीफ नियुक्त किया गया।
3. बंगाल में द्वैध शासन की व्यवस्था।

नीचे दिए गए कूट से सही उत्तर का चयन कीजिए

(क) 1 और 2 (ख) 2 और 3
(ग) 1 और 3 (घ) 1, 2 और 3

उत्तर- (घ)

प्रश्न 3. अंग्रेजों ने यांडाबो की संधि किसके साथ की थी?

(क) अफगानिस्तान (ख) बर्मा
(ग) नेपाल (घ) वियतनाम

उत्तर- (ख)

प्रश्न 4. भारत में रेलवे की सेवा आरंभ करने का मुख्य कारण था-

(क) भारत का औद्योगीकरण

(ख) भारतीय अर्थव्यवस्था का विकास

(ग) भारत को एकीकृत करने के लिए

(घ) भारत में कंपनी के आर्थिक हितों को सुरक्षित करने के लिए।

उत्तर- (घ)

प्रश्न 5.

1. कन्या भ्रूण हत्या पहली सामाजिक कुरीति थी, जिसका अंग्रेजों द्वारा दमन किया गया।
2. इसका दमन करने वाले पहले अधिकारी विलियम जोन्स थे।

उपरोक्त में से कौन-सा/से कथन सही है/हैं?

(क) 1 केवल (ख) केवल २

(ग) दोनों (घ) दोनों नहीं

उत्तर- (क)

प्रश्न 6. ब्रिटिश भारत में 1857 के पूर्व के विद्रोह के संबंध में नीचे दिए गए कथनों में से कौन-सा/से गलत है/हैं?

1. कोल्हापुर विद्रोह का नेतृत्व गडकरियों ने किया था।
2. सूरत नमक आंदोलन के परिणामस्वरूप ब्रिटिश सरकार को नमक शुल्क में वृद्धि को वापस लेने के लिए मजबूर होना पड़ा।
3. भील विद्रोह का नेतृत्व पूर्वी घाट के आदिवासी भील आदिवासियों ने किया था।

नीचे दिए गए कूट से सही उत्तर का चयन कीजिए-

(क) केवल 1 (ख) 1 और 2

(ग) 2 और 3 (घ) केवल ३

उत्तर - (घ)

प्रश्न 7. नील विद्रोह के संबंध में निम्नलिखित में से कौन सत्य है:

1. किसानों को नुकसान में नील की फसल उगाने के लिए मजबूर होना पड़ा।
2. विद्रोह सबसे पहले गोबिंदपुर गांव से शुरू हुआ था
3. विद्रोह में हिंदू-मुस्लिम एकता का अभाव था।

(क) केवल 1 और 2

(ख) केवल 2 और 3

(ग) केवल 3

(घ) 1, 2 और 3

उत्तर- (क)

प्रश्न 8. देवबंद आंदोलन के संबंध में निम्नलिखित में से कौन-सा/से कथन सही है/हैं?

1. आंदोलन विदेशी शासन के विरुद्ध जिहाद की भावना को जीवित रखना चाहता था।
2. इसने मुसलमानों के बीच कुरान और हदीस की शुद्ध शिक्षाओं का प्रचार किया।
3. यह एक सुधारवादी आंदोलन था।
4. देवबंद स्कूल की स्थापना 1866 में यूपी के सहारनपुर जिले में हुई थी।

उपरोक्त में से कौन-सा/से कथन सही है/हैं?

(क) केवल 1 और 4 (ख) 1, 3 और 4

(ग) केवल 3 (घ) 1, 2 और 4

उत्तर- (घ)

प्रश्न 9. प्रारंभिक कांग्रेसियों ने ह्यूम को अपना नेता स्वीकार किया क्योंकि-

1. वे क्षेत्रीय पूर्वाग्रह रहित निष्पक्ष नेतृत्व प्रदान करने में सक्षम थे।
2. उनके नेतृत्व में राज्य के संदेह को जगाने की संभावना कम थी।
3. उनका उद्देश्य भारतीय लोगों का वास्तविक पुनरुत्थान करना था।

नीचे दिए गए कूट से सही उत्तर का चयन कीजिए।

(क) 1 और 2 (ख) 1 और 3

(ग) केवल 2 (घ) 1, 2 और 3

उत्तर- (घ)

प्रश्न 10. चरमपंथी/उग्रवादी दल किसकी शिक्षाओं से प्रभावित थे -

(क) राममोहन राय, स्वामी विवेकानंद और स्वामी दयानंद

(ख) स्वामी विवेकानंद, डेरोजियो और राममोहन राय

(ग) स्वामी विवेकानंद, स्वामी दयानंद और बंकिम चंद्र

(घ) डेरोजियो, बंकिम चंद्र और राममोहन राय

उत्तर- (ख)

प्रश्न 11. 1918 के बाद क्रांतिकारी आंदोलन के पतन के संबंध में निम्नलिखित कारणों का परीक्षण कीजिए-

1. लोकप्रिय प्रतिक्रिया का अभाव।
2. कठोर कानूनों के साथ-साथ कठोर सरकारी दमन।
3. भारत रक्षा अधिनियम (Defense of India Act) के तहत गिरफ्तार सभी राजनीतिक बंदियों की रिहाई।

उपरोक्त में से कौन-सा/से गिरावट का सही कारण था/थे? नीचे दिए गए कूट से सही उत्तर का चयन कीजिए-

(क) केवल 1 (ख) 1 और 2

(ग) केवल 2 (घ) 1, 2 और 3

उत्तर- (घ)

प्रश्न 12. दक्षिण अफ्रीका में गांधी का पहला संघर्ष निम्नलिखित में से किसके विरुद्ध निर्देशित था?

(क) भारतीयों का अनिवार्य पंजीकरण

(ख) प्रत्येक मनुष्य पर लगनेवाला कर

(ग) हिंदू विवाहों की अमान्यता

(घ) भारतीयों को मताधिकार से वंचित करने वाला विधेयक

उत्तर- (घ)

प्रश्न 13. दक्षिण अफ्रीका में गांधीजी के बारे में निम्नलिखित कथनों पर विचार करें-

1. 1894 से 1906 तक गांधीजी की राजनीतिक गतिविधियों को दक्षिण अफ्रीकी भारतीयों के संघर्ष के मध्यम चरण के रूप में वर्गीकृत किया गया है।
2. उन्होंने नेटाल इंडियन कांग्रेस की स्थापना की और 'इंडियन ओपिनियन' नाम से एक पेपर शुरू किया।
3. दक्षिण अफ्रीका में संघर्ष का दूसरा चरण 1906 में शुरू हुआ, जिसमें सत्याग्रह विधि के उपयोग की विशेषता थी।
4. दक्षिण अफ्रीका ने गांधी को अपनी राजनीति और नेतृत्व की अपनी शैली विकसित करने का अवसर प्रदान किया।

उपरोक्त में से कौन से कथन सही हैं?

(क) 1, 2 और 3

(ख) 2, 3 और 4

(ग) 1, 2, 3 और 4

(घ) 1, 4 और 2

उत्तर- (ग)

प्रश्न 14. गांधी को पहली बार नस्लीय अपमान का सामना कहां करना पड़ा-

(क) इंगलैंड (ख) दक्षिण अफ्रीका

(ग) भारत (घ) जर्मनी

उत्तर- ख

प्रश्न 15. निम्नलिखित में से कौन-सा युग्म गलत सुमेलित है?

(क) प्रांतीय स्वायत्तता-1919

(ख) पृथक निर्वाचक मंडल-1909

(ग) विधायी हस्तांतरण-1861

(घ) पोर्टफोलियो सिस्टम-1892

उत्तर- (घ)

प्रश्न 16. 1861 का भारतीय परिषद अधिनियम निम्नलिखित में से किस कारण से महत्वपूर्ण था?

1. इसने केंद्रीकरण की प्रक्रिया शुरू की, जिसने धीरे-धीरे केंद्र को अधिक विधायी कार्य दिए।
2. इसने विधायन में भारतीयों के सहयोग की प्रक्रिया शुरू की।
3. इसने पहली बार अप्रत्यक्ष चुनाव की व्यवस्था शुरू की।

नीचे दिए गए कूट में से सही उत्तर चुनिए-

(क) केवल 1 (ख) केवल 2

(ग) 1 और 2 (घ) 2 और 3

उत्तर- (ख)

प्रश्न 17. स्वराजवादियों के संदर्भ में निम्नलिखित कथनों पर विचार कीजिए-

1. जब उनके परिषद में प्रवेश के प्रस्ताव का कांग्रेस ने विरोध किया, तो स्वराजवादियों ने दल बदल दिया और कांग्रेस से स्वतंत्र एक नई पार्टी स्वराज पार्टी का गठन किया।
2. उन्हें सामूहिक सविनय अवज्ञा में कोई विश्वास नहीं था।
3. जवाहरलाल नेहरू स्वराज पार्टी में शामिल हो गए।

उपरोक्त में से कौन-सा/से कथन सत्य है/हैं?

(क) केवल 1
(ख) 1 और 2
(ग) 1, 2 और 3
(घ) इनमे से कोई भी नहीं

उत्तर- (घ)

प्रश्न 18.

1. 'स्वराजवादियों' और 'परिवर्तन-विरोधी' (नो-चेंजर्स) के बीच मुख्य अंतर नगर पालिकाओं और स्थानीय निकायों के चुनाव के मुद्दे पर था।
2. स्वराजवादियों के साथ-साथ 'परिवर्तन-विरोधी' (नो-चेंजर्स) दोनों ने कांग्रेस के रचनात्मक कार्यक्रम का समर्थन किया।

उपरोक्त में से कौन-सा/से कथन गलत है/हैं?

(क) केवल 1 (ख) केवल 2
(ग) दोनों (घ) दोनों नहीं

उत्तर- (क)

प्रश्न 19. निम्नलिखित में से कौन-सा/से सही सुमेलित है/हैं?

1. लाहौर षडयंत्र केस- रामप्रसाद बिस्मिल
2. काकोरी डकैती- बटुकनाथ दत्त
3. चटगांव शस्त्रागार छापे-सूर्य सेन

नीचे दिए गए कूटों से सही उत्तर का चयन कीजिए-

(क) केवल 1 (ख) 1 और 2
(ग) 2 और 3 (घ) केवल 3

उत्तर- (घ)

प्रश्न 20. निम्नलिखित में से क्या किसान आंदोलनों से जुड़ा/जुड़े था/थे ?

1. चौकीदार कर विरोधी आंदोलन
2. समर स्कूल ऑफ इकोनॉमिक्स एंड पॉलिटिक्स
3. लगान नहीं चुकाने का आंदोलन

नीचे दिए गए कूट का प्रयोग कर सही उत्तर चुनिए-

(क) 1 और 2 (ख) 2 और 3
(ग) 1 और 3 (घ) 1, 2 और 3

उत्तर- (घ)

प्रश्न 21.

1. साइमन कमीशन की नियुक्ति निर्धारित समय से 2 वर्ष पहले की गई थी।
2. इसका गठन 1909 के अधिनियम अनुसार भारत सरकार के कामकाज की जांच करने के लिए किया गया था।

साइमन कमीशन के संबंध में उपरोक्त में से कौन-सा/से कथन सत्य है/हैं?

(क) केवल 1 (ख) केवल 2
(ग) दोनों (घ) दोनों नहीं

उत्तर- (क)

प्रश्न 22.

1. 1935 के अधिनियम ने केंद्र में अवशिष्ट शक्तियों को निहित करते हुए एकात्मक की ओर झुके हुए संघीय सरकार का प्रस्ताव रखा।
2. 1935 के अधिनियम ने केंद्र में द्वैध शासन का प्रस्ताव रखा और इसे प्रांतों के लिए भी बनाए रखा।

भारत सरकार, 1935 के संबंध में उपरोक्त में से कौन-सा वाक्य सत्य है?

(क) केवल 1 (ख) केवल 2
(ग) दोनों (घ) दोनों नहीं

उत्तर- (घ)

प्रश्न 23. निम्नलिखित में से कौन गलत सुमेलित है?

(क) सतारा-प्रति सरकार
(ख) बतमलुक-जातिया सरकार

(ग) बलिया-चित्तू पांडे

(घ) तालचेर-नानी पाटिल

उत्तर- (घ)

प्रश्न 24. निम्नलिखित में से कजय माउंटबेटन योजना के प्रावधानों में से थे?

1. रियासतों को दो नए डोमिनियनों में से किसी एक में शामिल होने या स्वतंत्र रहने का विकल्प दिया गया था।
2. पंजाब और बंगाल का विभाजन होना था या नहीं, यह जनमत संग्रह द्वारा तय किया जाना था।
3. उत्तर पश्चिम सीमांत प्रांत और सिलहट में जनमत संग्रह होना था।

नीचे दिए गए कूट का प्रयोग कर सही उत्तर चुनिए-

(क) केवल 1

(ख) 2 और 3

(ग) केवल 3

(घ) इनमे से कोई भी नहीं

उत्तर- (ग)

प्रश्न 25. वॉयसराय माउंटबेटन के संबंध में निम्नलिखित कथनों पर विचार करें-

1. उन्हें भारत में ब्रिटिश राज को पुनर्जीवित करने के उद्देश्य से भेजा गया था।
2. वह स्वतंत्र भारत के पहले गवर्नर जनरल थे।
3. वह ब्रिटिश भारत के अंतिम वॉयसराय थे।
4. उन्होंने एक योजना तैयार की, जिसे 3 जून योजना के रूप में जाना जाता है।

उपरोक्त में से कौन-सा/से गलत है/हैं?

(क) केवल 1 (ख) 2 और 4

(ग) 1 और 4 (घ) 1, 3 और 4

उत्तर- (क)

अभ्यास प्रश्न - मुख्य परीक्षा

Practice Paper 1

प्रश्न 1. आप भारतीय इतिहास में 18वीं शताब्दी को किस प्रकार चित्रित करना चाहेंगे? स्पष्ट करें।

प्रश्न 2. भारत में विभिन्न यूरोपीय शक्तियों के आगमन और स्थापना का समालोचनात्मक मूल्यांकन कीजिए।

प्रश्न 3. 18वीं शताब्दी में किस मुद्दे ने अंग्रेजों को देश की शक्तियों के साथ संघर्ष में ला दिया? विश्लेषण कीजिए।

प्रश्न 4. वे कौन से कारक थे, जिन्होंने उत्तर भारत में राजनीतिक नियंत्रण हासिल करने में अंग्रेजों की मदद की? विश्लेषण कीजिए।

प्रश्न 5. ब्रिटिश सरकार ने ईस्ट इंडिया कंपनी के मामलों को नियंत्रित करने का निर्णय क्यों लिया?

प्रश्न 6. 'भारत के अतीत की पुनर्खोज राष्ट्रवादी आंदोलन के लिए एक मिश्रित वरदान थी'। परीक्षण कीजिए।

प्रश्न 7. 1857 के विद्रोह की पूर्व संध्या पर जनता की क्या शिकायतें थीं? वे किस हद तक विद्रोह के लिए उत्तरदायी थे? चर्चा कीजिए।

प्रश्न 8. 19वीं शताब्दी के विभिन्न सुधार आंदोलनों में किन कारकों ने योगदान दिया? उन्हें किस हद तक पश्चिम के प्रभाव के लिए जिम्मेदार ठहराया जा सकता है?

प्रश्न 9. कांग्रेस से पूर्व संगठनों ने राष्ट्रीय चेतना को जगाने और राष्ट्रीय आंदोलन के विकास को बढ़ावा देने में महत्वपूर्ण भूमिका निभाई। मूल्यांकन कीजिए।

प्रश्न 10. ब्रिटिश सरकार के प्रति नरमपंथियों की विचारधारा और दृष्टिकोण पर प्रकाश डालिए। स्वदेशी आंदोलन के बाद नरमपंथी-चरमपंथी (उग्रवादी दल) विभाजन के लिए उनका दृष्टिकोण किस हद तक जिम्मेदार था?

प्रश्न 11. अंग्रेजों ने बंगाल विभाजन के पक्ष में क्या कारण बताए? आपको क्या लगता है कि इसके पीछे उनका वास्तविक उद्देश्य क्या था? परीक्षण कीजिए।

प्रश्न 12. भारत के स्वतंत्रता संग्राम में एक जन नेता के रूप में गांधी के उदय में योगदान देने वाले विभिन्न कारक क्या थे? प्रमुख विद्वानों के विचारों पर चर्चा करके अपने उत्तर का समर्थन करें। (100 शब्द)

प्रश्न 13. खिलाफत मुद्दे से आप क्या समझते हैं ? इसने असहयोग आंदोलन में किस प्रकार योगदान दिया? परीक्षण कीजिए।

प्रश्न 14. 'साम्प्रदायिकता' शब्द के अर्थ की विवेचना कीजिए। यह भारत में पहली बार कब और कैसे उभरा?

प्रश्न 15. आपको क्या लगता है कि प्रारंभिक कांग्रेसी नेता भारत में समाजवादी विचारों को अपनाने में क्यों हिचकिचाते थे? कांग्रेस के अंदर समाजवाद को प्रोत्साहन देने में नेहरू और बोस की क्या भूमिका थी? समझाइए।

प्रश्न 16. इन पर संक्षिप्त नोट्स लिखें-
(a) साइमन बॉयकॉट आंदोलन
(b) दिल्ली घोषणापत्र

प्रश्न 17. गोलमेज सम्मेलन क्यों आहूत किया गया? भारतीय राष्ट्रीय कांग्रेस की भूमिका पर विशेष प्रकाश डालते हुए उनके परिणामों की चर्चा कीजिए।

प्रश्न 18 द्वितीय विश्व युद्ध के प्रति कांग्रेस का दृष्टिकोण क्या था? इसने राष्ट्रीय आंदोलन के विकास में किस प्रकार योगदान दिया? यदि हां, तो कैसे?

प्रश्न 19 निम्नलिखित पर संक्षिप्त टिप्पणियां लिखिए-
(a) एटली की घोषणा, फरवरी, 1947
(b) विभाजन और गांधी

प्रश्न 20 कांग्रेस द्वारा विभाजन की स्वीकृति आत्मसमर्पण का अंतिम कार्य था। क्या आप सहमत हैं? क्यों?

Practice Paper 2

प्रश्न 1. "18वीं शताब्दी में स्वायत्त राज्यों का उदय राज्य व्यवस्था के पतन की अपेक्षा एक रूपांतरण का प्रतिनिधित्व करता था।" समालोचनात्मक विश्लेषण कीजिए।

प्रश्न 2. अंग्रेजी ईस्ट इंडिया कंपनी ने राजनीतिक आयाम क्यों प्राप्त किये? भारत में यूरोपीय कंपनियों के विस्तार के पीछे कौन से कारक थे? चर्चा कीजिए।

प्रश्न 3. उन कारणों की विवेचना कीजिए जिनके कारण अंग्रेजों का भारतीय सीमाओं से परे विस्तार हुआ?

प्रश्न 4. 'धन का निर्गम' ('drain of wealth') शब्द का क्या अर्थ है? प्रासंगिक उदाहरणों की सहायता से अपने उत्तर का समर्थन करें।

प्रश्न 5. 1813 के बाद की अवधि में औपनिवेशिक सामाजिक नीति में किस तरह परिवर्तन आया?

प्रश्न 6. 1857 के पूर्व की अवधि में भारत में हुए विद्रोह के लिए उत्तरदायी विभिन्न कारकों पर प्रकाश डालिए।

प्रश्न 7. अंग्रेजों के हाथों किसानों, आदिवासियों और कारीगरों की दुर्दशा काफी हद तक 19वीं शताब्दी के भारत में हुए विभिन्न विद्रोहों के लिए उत्तरदायी थी। विश्लेषण कीजिए।

प्रश्न 8. मुस्लिम सुधार आंदोलन अपने समय की सामाजिक परिस्थितियों को सुधारने में किस सीमा तक सफल रहे? सर सैयद अहमद खान के नेतृत्व में अलीगढ आंदोलन के विशेष संदर्भ में चर्चा कीजिए।

प्रश्न 9. भारतीय राष्ट्रीय कांग्रेस की उत्पत्ति के संबंध में क्या विवाद था? चर्चा कीजिए।

प्रश्न 10. 20वीं शताब्दी के प्रारंभ के दौरान चरमपंथियों/उग्रदल के उदय के लिए कौन से सामाजिक-आर्थिक और राजनीतिक कारक थे?

प्रश्न 11. अंग्रेजों ने बंगाल विभाजन के पक्ष में क्या कारण बताए? आपको क्या लगता है कि उनका वास्तविक उद्देश्य क्या था? परीक्षण कीजिए।

प्रश्न 12. 1907 के कांग्रेस विभाजन के संदर्भ में मॉर्ले-मिंटो सुधारों की चर्चा कीजिए। उन्होंने नरमपंथियों की आकांक्षाओं को कहां तक पूरा किया?

प्रश्न 13. विधानमंडलों में स्वराजवादियों के प्रदर्शन का परीक्षण कीजिए।

प्रश्न 14. 1922 के बाद उत्तरी भारत में क्रांतिकारी आतंकवादियों की मुख्य गतिविधियों की चर्चा कीजिए।

प्रश्न 15. निम्नलिखित पर संक्षिप्त टिप्पणी लिखिए-

(a) अखिल भारतीय किसान सभा

(b) ऑल इंडिया ट्रेड यूनियन कांग्रेस

प्रश्न 16. गांधी ने नमक को आंदोलन के केंद्रीय मुद्दे के रूप में क्यों चुना? परीक्षण कीजिए।

प्रश्न 17. राष्ट्रीय आंदोलन में कांग्रेस मंत्रिमंडल की क्या भूमिका थी? मूल्यांकन कीजिए।

प्रश्न 18. द्वितीय विश्व युद्ध के बाद भारत में ब्रिटिश नीति का आलोचनात्मक विश्लेषण कीजिए। यह किन तरीकों में पृथक था और क्यों?

प्रश्न 19. क्या भारत का विभाजन टाला जा सकता था? आलोचनात्मक विश्लेषण कीजिए।

प्रश्न 20. मुस्लिम लीग ने 'इस्लाम खतरे में है' का नारा क्यों दिया? हिंदू सांप्रदायिक ताकतों ने कैसे प्रतिक्रिया दी? उपयुक्त उदाहरण देकर समझाइए।

विगत वर्षों के प्रश्न

प्रारंभिक परीक्षा, 1995-2021

पार्ट 1: आधुनिक भारत

1. सन 1946 में निर्मित अन्तरिम सरकार में कार्यपालिक परिषद के उपसभापति थे: (1995)
   (a) जवाहरलाल नेहरू (b) डॉ. एस. राधाकृष्णन
   (c) सी. राजगोपालाचारी (d) डॉ. राजेन्द्र प्रसाद

2. हुगली को बंगाल की खाड़ी में समुद्री लूटपाट के लिए किसने अड्डा बनाया था? (1995)
   (a) पुर्तगालियों ने (b) फ्रांसवासियों ने
   (c) डेनमार्कवासियों ने (d) अंग्रेजों ने

3. 'मोडी लिपि' का प्रयोग किनके लेखों में किया जाता था? (1995)
   (a) वोडेयारों के (b) जमोरिनों के
   (c) होयसलों के (d) मराठों के

4. नीचे दिये हुए मानचित्र की जांच कीजिए: (1995)
   इसमें 1, 2, 3, और 4 से अंकित स्थान क्रमशः शक्ति केन्द्र थे:
   (a) सिन्धिया, होल्कर, गायकवाड़ और भोंसले के
   (b) होल्कर, सिन्धिया, गायकवाड़ और भोंसले के
   (c) गायकवाड़, भोंसले, सिन्धिया और होल्कर के
   (d) सिन्धिया, होल्कर, भोंसले और गायकवाड़ के

5. निम्नलिखित में से कौन-सा युग्म सही सुमेलित है: (1995)
   (a) बक्सर का युद्धः मीरजाफर विरुद्ध क्लाइव
   (b) वाण्डीवाश का युद्धः फ्रांसीसी विरुद्ध ईस्ट इंडिया कंपनी
   (c) जलियांवाला का युद्धः डलहौजी विरुद्ध मराठे
   (d) खेड़ा का युद्धः निजाम विरुद्ध ईस्ट इंडिया कंपनी

6. जनजातीय लोगों के संबंध में आदिवासी शब्द का प्रयोग किया था: (1995)
   (a) महात्मा गांधी ने
   (b) ठक्कर बापा ने
   (c) ज्योतिबा फुले ने
   (d) बी.आर. अम्बेडकर ने

7. सूची I को सूची II से सुमेलित कीजिए तथा सूचियों के नीचे दिए हुए कूट का प्रयोग करते हुए सही उत्तर का चयन कीजिए: (1996)

   सूची-I
   (a) बंगाल में फोर्ट विलियम प्रेसीडेन्सी का गवर्नर जनरल (रेग्यूलेटिंग एक्ट, 1773 के अधीन)
   (b) भारत का गवर्नर जनरल (चार्टर एक्ट, 1833 के अधीन)
   (c) भारत का गवर्नर जनरल और वॉयसराय (इंडियन काउन्सिल एक्ट, 1858 के अधीन)
   (d) गवर्नर जनरल और सम्राट का प्रतिनिधि (गवर्नमेन्ट ऑफ इंडिया एक्ट, 1935 के अधीन)

   सूपी-II
   1. आर्किबाल्ड पर्सिवल वावेल, विस्काउण्ट और अल वावेल
   2. जेम्स ऐण्ड्रयू ब्राऊन-रैम्जे, डलहौजी का अर्ल और मार्किवरा
   3. चार्ल्स कार्नवालिस, कार्नवालिस का दूसरा अर्ल और पहला मार्किवरा
   4. गिल्बर्ट, जॉन इलियट-मरे-कीनिन्माण्ड, मिन्टो का अल
   5. लुईस माउंटबेटन, बर्मा का अर्ल माउंटबेटन

   (a) A–3; B–2; C–4; D–1
   (b) A–1; B–2; C–3; D–4
   (c) A–2; B–5; C–3; D–1
   (d) A–2; B–4; C–5; D–3

8. उसका ''प्रमुख सिद्धान्त (Principal Forte) था सामाजिक और धार्मिक सुधार, उसने सामाजिक बुराइयों के निराकरण के लिए विधान निर्माण का सहारा लिया और बाल विवाह, पर्दा प्रथा के उन्मूलन के लिए अविराम परिश्रम किया। सामाजिक समस्याओं पर राष्ट्रीय स्तर पर विचार विमर्श को प्रोत्साहित करने हेतु उसने भारतीय राष्ट्रीय सामाजिक सम्मेलन का उदघाटन किया, जिसके अधिवेशन बहुत वर्षों तक भारतीय राष्ट्रीय कांग्रेस के साथ होते रहे।'' इस उद्धरण में संकेतित व्यक्ति हैं: (1996)
(a) ईश्वर चन्द्र विद्यासागर
(b) बेहरामजी मालाबारी
(c) महादेव गोविन्द रानाडे
(d) बी. आर. अम्बेडकर

9. निम्नलिखित विज्ञापन: (1996)
THE MARVEL OF THE CENTURY
THE WONDER OF THE WORLD
LIVING PHOTOGRAPHIC PICTURES
IN
LIFE & SIZED REPRODUCTIONS
BY
MESSERS LUMIERE BROTHERS CINEMATOGRAPHIE
A FEW EXHIBITIONS WILL BE GIVEN
AT
WATSON'S HOTEL
TO NIGHT
अगस्त के टाइम्स ऑफ इंडिया में 7 अगस्त को छपा था:
(a) 1931 ई. में (b) 1929 ई. में
(c) 1921 ई. में (d) 1896 ई. में

10. निम्नलिखित में से कौन-सा प्रथम यूरोपियन व्यक्ति था जिसने भू-क्षेत्र अर्जित करने के उद्देश्य से भारतीय राजाओं के झगड़ों में भाग लेने की नीति आरम्भ की? (1996)
(a) क्लाइव (b) डूप्ले
(c) अल्बुकर्क (d) वारेन हेस्टिंग्स

11. भारतीय शिक्षा के निम्नलिखित युगान्तरकारी चरणों पर ध्यान दीजिए: (1996)
1. हिन्दू कॉलेज, कलकत्ता
2. कलकत्ता विश्वविद्यालय
3. एडम की रिपोर्ट
4. वुड का डिस्पैच
इन युगान्तरकारी चरणों का सही कालक्रम इस प्रकार है:
(a) 1, 3, 4, 2 (b) 1, 4, 3, 2
(c) 3, 1, 4, 2 (d) 3, 2, 4, 1

12. निम्नलिखित में कौन-सा उन्नीसवीं सदी के उत्तरार्द्ध में लिखा हुआ महत्वपूर्ण ऐतिहासिक उपन्यास है? (1996)
(a) रस्त गुफ्तार (b) दुर्गेश नन्दिनी
(c) महारथ (d) निबन्धमाला

13. ठगों के दमन में निम्नलिखित में से कौन सम्बद्ध था? (1997)
(a) जनरल हेनरी प्रेन्डरगास्ट
(b) कैप्टन स्लीमैन
(c) अलेक्जेण्डर बर्स पेम्बरटन
(d) कैप्टन रॉबर्ट

14. निम्नलिखित का सही कालानुक्रम क्या होगा? (1997)
1. वुड का एजुकेशन डिस्पैच
2. मैकाले का मिनट ऑन एजुकेशन
3. दि सार्जेन्ट एजुकेशन रिपोर्ट
4. इंडियन एजुकेशन (हंटर कमीशन)।
नीचे दिये कूटों में सही उत्तर का चयन कीजिए-
(a) 2, 1, 4, 3 (b) 2, 1, 3, 4
(c) 1, 2, 4, 3 (d) 4, 3, 1, 3

15. सूची-I को सूची-II से सुमेलित कीजिए और सूचियों के नीचे दिए हुए कूट का प्रयोग करते हुए सही उत्तर का चयन कीजिए: (1997)

	सूची-I		सूची-II
A.	मोपला विद्रोह	1.	केरल
B.	पाबना विद्रोह	2.	विहार
C.	एका आन्दोलन	3.	बंगाल
D.	बिरसा मुंडा विद्रोह	4.	अवध

कूट:
(a) A–1; B–3; C–4;D–2
(b) A–2; B–3; C–4; D–1
(c) A–1; B–2; C–3; D–4
(d) A–3; B–4; C–1; D–2

16. भारत में शिक्षित मध्यवर्ग ने: (1998)
(a) 1857 ई. के विद्रोह का विरोध किया था।
(b) 1857 ई. के विद्रोह का समर्थन किया था।
(c) 1857 ई. के विद्रोह में तटस्थता बनाए रखी थी।
(d) देशी शासकों के विरुद्ध युद्ध किया था।

17. अवनीन्द्रनाथ टैगोर के बनाये चित्रों को वर्गीकृत किया गया है: (1999)
(a) यथार्थवादी
(b) समाजवादी
(c) पुनराज्जीवन वादी
(d) प्रभाववादी

18. ब्रिटिश शासन के दौरान भारत में उद्योगों का कोई स्वतन्त्र विकास नहीं हुआ। इसका कारण था: (1999)

(a) उद्योगों का अभाव।
(b) विदेशी पूंजी की कमी।
(c) प्राकृतिक संसाधनों की कमी।
(d) धनिक वर्ग द्वारा भू-सम्पत्ति में निवेश करने को तरजीह दिया जाना।

19. भारत में बनने वाली सर्वप्रथम कथा फिल्म (टॉकी) थी: (1999)
(a) हातिमताई (b) आलमआरा
(c) पुण्डलीक (d) राजा हरिश्चन्द्र

20. अफगानिस्तान के प्रति एक जोशभरी 'अग्र' (फॉरवर्ड) नीति का अनुसरण करने वाला गवर्नर जनरल था- (1999)
(a) मिन्टो (b) डफरिन
(c) एल्गिन (d) लिटन

21. उस समय जब नेपोलियन की शक्ति के सामने यूरोप में साम्राज्य धराशायी हो रहे थे, नीचे लिखे गवर्नर जनरलों में से किस एक ने भारत में ब्रिटिश पताका फहराए रखी? (1999)
(a) वॉरेन हेस्टिंग्ज (b) लॉर्ड कार्नवालिस
(c) लॉर्ड वेलेजली (d) लॉर्ड हेस्टिंग्ज

22. निम्नलिखित कथनों में से कौन-सा एक सही नहीं है? (1999)
(a) 'नील दर्पण' नील की खेती करने वाले किसानों के शोषण पर आधारित नाटक था।
(b) 'घासीराम कोतवाल' नामक नाटक के लेखक का नाम विजय तेन्दुलकर था।
(c) नवीनचन्द्र दास लिखित नाटक 'नवाब' बंगाल के अकाल पर आधारित था।
(d) उर्दू रंगमंच, फारसी थियेटर पर बहुत अधिक आधारित हुआ करता था।

23. सूची-I को सूची-II से सुमेलित कीजिए और नीचे दिए हुए कूट का प्रयोग करते हुए सही उत्तर का चयन कीजिए: (1999)

	सूची-I (पुस्तकें)		सूची-II (लेखक)
A.	द फर्स्ट इंडियन वार	1.	रवीन्द्रनाथ टैगोर ऑफ इंडिपेन्डेन्स
B.	आनन्द मठ	2.	श्री अरविन्द
C.	लाइफ डिवाइन	3.	बंकिम चन्द्र चटर्जी
D.	साधना	4.	विनायक दामोदर सावरकर

कूट:
(a) A–4; B–3; C–2; D–1
(b) A–3; B–4; C–1; D–2
(c) A–4; B–3; C–1; D–2
(d) A–3; B–4; C–2; D–1

24. निम्नलिखित घटनाओं पर विचार कीजिए: (1999)
1. नील विद्रोह 2. संथाल विद्रोह
3. दक्कन दंगे 4. सिपाही विद्रोह

इन घटनाओं का सही कालानुक्रम है-
(a) 4, 2, 1, 3 (b) 4, 2, 3, 1
(c) 2, 4, 3, 1 (d) 2, 4, 1, 3

25. सूची-I को सूची-II से सुमेलित कीजिए और सूचियों के नीचे दिए हुए कूट का प्रयोग करते हुए सही उत्तर का चयन कीजिए: (1999)

	सूची-I (वर्ष)		सूची-II (घटना)
A.	1775 ई.	1.	प्रथम आंग्ल-बर्मा युद्ध
B.	1780 ई.	2.	प्रथम आंग्ल-अफगान युद्ध
C.	1824 ई.	3.	प्रथम आंग्ल-मराठा युद्ध
D.	1838 ई.	4.	द्वितीय आंग्ल-मैसूर युद्ध

कूट:
(a) A–4; B–3; C–2; D–1
(b) A–4; B–3; C–1; D–2
(c) A–3; B–4; C–1; D–2
(d) A–3; B–4; C–2; D–1

26. ब्रिटिश भारतीय राज्य क्षेत्र का अन्तिम प्रमुख विस्तार हुआ: (2000)
(a) डफरिन के समय में
(b) डलहौजी के समय में
(c) लिटन के समय में
(d) कर्जन के समय में

27. निम्नलिखित कथनों में से कौन-सा एक गलत है? (2000)
(a) गोवा को 1987 ई. में पूर्ण राज्य का दर्जा प्राप्त हुआ।
(b) दीव खम्भात की खाड़ी में एक टापू है।
(c) दमन और दीव को भारत के संविधान के 56वें संशोधन द्वारा गोवा से अलग किया गया।
(d) दादरा और नगर हवेली 1954 ई. तक फ्रांसीसी औपनिवेशिक शासन के अन्तर्गत थे।

28. निम्नलिखित भारतीय शासकों में से कौन था जिसने विदेशों में आधुनिक पद्धति से दूतावास स्थापित किए थे? (2001)
(a) हैदर अली (b) मीर कासिम
(c) शाह आलम द्वितीय (d) टीपू सुल्तान

29. निम्नलिखित युग्मों में कौन-सा सही सुमेलित नहीं है? (2001)
(a) भारत की प्रथम टेक्नीकलर फिल्म- झांसी की रानी
(b) भारत की प्रथम 3-डी फिल्म- माई डिअर कुट्टीचाटन
(c) भारत की प्रथम बीमाकृत फिल्म- ताल
(d) भारत रत्न प्राप्त करने वाली भारत की प्रथम अभिनेत्री- मीना कुमारी

30. चिरस्थायी बन्दोबस्त 1793 ई. के अन्तर्गत जमींदारों से अपेक्षा की गई थी कि वे खेतिहरों को पट्टा जारी करेंगे। अनेक जमींदारों ने पट्टे जारी नहीं किये। इसका कारण था: (2001)
(a) जमींदारों के ऊपर किसानों का विश्वास था।
(b) जमींदारों के ऊपर कोई सरकारी नियंत्रण नहीं था।
(c) यह ब्रिटिश सरकार की जिम्मेदारी थी।
(d) खेतिहरों की दिलचस्पी पट्टा प्राप्त करने में नहीं थी।

31. निम्नलिखित कथनों पर विचार कीजिए: (2001)
1. आर्य समाज की स्थापना 1835 ई. में हुई थी।
2. लाला लाजपतराय ने आर्य समाज के उस आग्रह का विरोध किया था जो उसके अपने समाज सुधार कार्यक्रमों के समर्थन में वेदों को आप्त प्रमाण मानने को लेकर था।
3. केशवचन्द्र सेन के नेतृत्व में ब्रह्मा समाज ने नारी शिक्षा के लिए आन्दोलन चलाया था।
4. विनोबा भावे ने शरणार्थियों में काम करने के लिए सर्वोदय समाज की स्थापना की थी।

इन कथनों में कौन-कौन से कथन सही हैं?
(a) 1 और 2 (b) 2 और 3
(c) 2 और 4 (d) 3 और 4

32. निम्नलिखित अंग्रेजों में से कौन था जिसने सर्वप्रथम भगवदगीता का अंग्रेजी में अनुवाद किया था? (2001)
(a) विलियम जोन्स (b) चार्ल्स विल्किन्स
(c) अलेक्जेण्डर कनिंघम (d) जॉन मार्शल

33. निम्नलिखित में से किस एक ने सन 1875 में हाउस ऑफ कॉमन्स में एक याचिका प्रस्तुत करते हुए ब्रिटिश संसद में भारत के प्रत्यक्ष प्रतिनिधित्व की मांग की? (2002)
(a) दि डक्कन एसोसिएशन
(b) दि इंडियन एसोसिएशन
(c) दि मद्रास महाजन सभा
(d) दि पूना सार्वजनिक सभा

34. वर्ष 1765 में दीवानी प्रदान किए जाने के बाद ब्रिटिश सबसे पहले निम्नलिखित में से किस पर्वतीय जनजाति के सम्पर्क में आए? (2002)
(a) गारो (b) खासी
(c) कुकी (d) टिप्पराह

35. सूची-I (भारत की उपनिवेशीय सरकार के अधिनियम) को सूची-II (प्रावधान) के साथ सुमेलित कीजिए और सूचियों के नीचे दिये गए कूट का प्रयोग कर सही उत्तर चुनिए: (2002)

सूची-I (भारत की उपनिवेशीय सरकार के अधिनियम)
A. चार्टर एक्ट 1813
B. रेग्यूलेटिंग एक्ट
C. एक्ट ऑफ 1858
D. पिटस इंडिया एक्ट

सूची-II (प्रावधान)
1. भारत में ईस्ट इंडिया कंपनी के कार्यों को पूरी तरह विनियमित करने के लिए ब्रिटेन में एक बोर्ड ऑफ कन्ट्रोल स्थापित करना।
2. भारत में कंपनी का व्यापार एकाधिकार समाप्त कर दिया गया।
3. शासन का अधिकार ईस्ट इंडिया कंपनी से ब्रिटिश क्राउन को हस्तान्तरित कर दिया गया।
4. कंपनी के निदेशकों को कंपनी के प्रबन्ध से संबंधित सभी पत्राचार और दस्तावेज ब्रिटिश सरकार को प्रस्तुत करने को कहा गया।

कूट:
(a) A-2; B-4; C-3; D-1
(b) A-1; B-3; C-4; D-2
(c) A-2; B-3; C-4; D-1
(d) A-1; B-4; C-3; D-2

36. ब्रिटिश इंडिया के निम्नलिखित में से किस एक अधिनियम में सामूहिक कार्यचालन के स्थान पर "विभाग" या विभागीय पद्धति द्वारा वॉयसराय की कार्यकारी परिषद पर उनके प्राधिकार को और बल प्रदान किया। (2002)
(a) इंडियन काउन्सिल्स एक्ट, 1861
(b) गवर्नमेन्ट ऑफ इंडिया एक्ट, 1858
(c) इंडियन काउन्सिल्स एक्ट, 1892
(d) इंडियन काउन्सिल्स एक्ट, 1909

37. भारत में उपनिवेशी काल में ह्विटली आयोग का उद्देश्य था: (2003)
(a) और आगे राजनीतिक सुधारों के लिए भारत की क्षमता का पुनरीक्षण।
(b) श्रमिकों की मौजूदा परिस्थितियों पर प्रतिवेदन कर सिफारिशें प्रस्तुत करना।
(c) भारत में वित्तीय सुधारों के लिए योजना को तैयार करना।
(d) भारत में प्रशासनिक सेवाओं के लिए विस्तृत पद्धति विकसित करना।

38. भारत में यूरोपीय शक्तियों के प्रवेश के सन्दर्भ में निम्न में से कौन-सा कथन सही नहीं है? (2003)
(a) पुर्तगालियों ने 1499 ई. में गोवा पर कब्जा किया था।
(b) अंग्रेजों ने अपना पहला कारखाना दक्षिणी भारत में मछलीपट्टनम में लगाया।

(c) पूर्वी भारत में अंग्रेजी कंपनी ने 1633 ई. में उड़ीसा में पहला कारखाना लगाया।

(d) डूप्ले के नेतृत्व में फ्रांसीसियों ने 1746 ई. में मद्रास पर कब्जा किया था।

39. भारत में फ्रांसीसियों ने अपना सबसे पहला कारखाना निम्न स्थानों में से कहां लगाया? (2003)

(a) सूरत (b) पुलिकट
(c) कासिम बाजार (d) कोचीन

40. 1854 की वुड-विज्ञप्ति में अभिव्यक्त शिक्षा का लक्ष्य था: (2003)

(a) देशी भारतीयों के लिए रोजगार के अवसर उत्पन्न करना।
(b) भारत में पाश्चात्य संस्कृति का प्रचार।
(c) अंग्रेजी भाषा के माध्यम का प्रयोग कर लोगों में साक्षरता को बढ़ावा देना।
(d) परम्परागत भारतीय शिक्षा में वैज्ञानिक अनुसन्धान तथा तर्कबुद्धिवाद का प्रवेश करवाना।

41. निम्न कथनों में से कौन-सा एक सही नहीं है? (2003)

(a) अली मर्दन खां ने बंगाल में राजस्व की नयी पद्धति प्रारम्भ की।
(b) महाराजा रंजीत सिंह ने लाहौर में तोपों के निर्माण के लिए आधुनिक ढलाईखाने स्थापित किए।
(c) अम्बेर में सवाई जयसिंह ने यूक्लिड के 'रेखागणित के तत्वों' का संस्कृत में अनुवाद कराया।
(d) मैसूर में टीपू सुल्तान ने शृंगेरी मन्दिर में देवी शारदा की मूर्ति के निर्माण के लिए धन दिया।

42. चार्टर एक्ट, 1833 में निम्न प्रावधानों में से कौन-सा एक नहीं था? (2003)

(a) ईस्ट इंडिया कंपनी की व्यापारिक गतिविधियों पर नियन्त्रण T।
(b) काउंसिल में परम सत्ताधिकारी के पदनाम को भारत के गवर्नर-जनरल के पदनाम में बदलना।
(c) काउंसिल के गवर्नर जनरल को विधिकर्ता की सभी शक्तियां प्रदान करना।
(d) गवर्नर-जनरल की काउंसिल में विधि सदस्य के रूप में एक भारतीय की नियुक्ति।

43. भारत में उपनिवेशी शासन के सन्दर्भ में 1883 में इलबर्ट बिल का उद्देश्य था: (2003)

(a) जहां तक अदालतों की दांडिक अधिकारिता का संबंध था, भारतीय तथा यूरोपीय लोगों को बराबरी पर लाना।
(b) देशी प्रेस की स्वतंत्रता पर कड़ा अंकुश लगाना, क्योंकि उसे उपनिवेशी शासकों का विरोधी समझा जाता था।
(c) प्रशासनिक सेवा परीक्षाएं भारत में करवाना ताकि देशी भारतीयों को उसमें बैठने के लिए प्रोत्साहित किया जा सके।
(d) शस्त्र एक्ट में संशोधन कर देशी भारतीयों को शस्त्र रखने की अनुमति देना।

44. भारत में भारतीय द्वारा 1881 ई. में स्थापित हुआ तथा उनके प्रबन्ध में चलने वाला सीमित देयता का प्रथम बैंक था: (2003)

(a) हिन्दुस्तान कमर्शियल बैंक
(b) अवध कमर्शियल बैंक
(c) पंजाब नेशनल बैंक
(d) पंजाब एण्ड सिन्ध बैंक

45. निम्नलिखित में से कौन-से युग्म सही सुमेलित हैं? (2004)

	सूची-I (अवधि)	सूची-II (युद्ध)
1.	1767-69	प्रथम आंग्ल-मराठा युद्ध
2.	1790-92	तृतीय आंग्ल-मैसूर युद्ध
3.	1824-26	प्रथम आंग्ल-बर्मी युद्ध
4.	1845-46	द्वितीय आंग्ल-सिख युद्ध

नीचे दिए गए कूट का प्रयोग कर सही उत्तर चुनिए:

कूट:

(a) 2 और 4 (b) 3 और 4
(c) 1 और 2 (d) 2 और 3

46. निम्नलिखित युग्मों में से कौन-सा एक सही सुमेलित नहीं है? (2004)

(a) पिटस इंडिया एक्ट: वारेन हेस्टिंग्स
(b) डॉक्ट्रिन ऑफ लैप्स: डलहौजी
(c) वर्नाक्यूलर प्रेस एक्ट: कर्जन
(d) इल्बर्ट बिल: रिपन

47. भारत में ब्रिटिश साम्राज्य के दौरान निम्नलिखित वॉयसरायों पर विचार कीजिये: (2004)

1. लार्ड कर्जन 2. लॉर्ड चौम्सफोर्ड
3. लॉर्ड हार्डिंग 4. लॉर्ड इरविन

उपरोक्त की पदावधियों का सही कालानुक्रम है:

(a) 1, 3, 2, 4 (b) 2, 4, 1, 3
(c) 1, 4, 2, 3 (d) 2, 3, 1, 4

48. भारत में ब्रिटिश शासन की निम्नलिखित देसी रियासतों के बारे में विचार करें: (2004)

1. झांसी
2. संबलपुर
3. सतारा

सही कालानुक्रमिक क्रम जिसमें वे अंग्रेजों द्वारा कब्जा कर लिए गए थे।

(a) 1, 2, 3 (b) 1, 3, 2
(c) 3, 2, 1 (d) 3, 1, 2

49. निम्नलिखित कथनों पर विचार कीजिए: (2004)

1. पानीपत के तृतीय युद्ध में अहमद शाह अब्दाली ने इब्राहीम लोदी को पराजित किया।
2. तृतीय आंग्ल-मैसूर युद्ध में टीपू सुल्तान की मृत्यु हुई।
3. प्लासी के युद्ध में नवाब सिराजुद्दौला की पराजय के लिए मीरजाफर ने अंग्रेजों से मिलकर षड्यंत्र रचा।

उपरोक्त कथनों में से कौन-सा/से सही है/हैं?

(a) 1, 2 और 3
(b) केवल 3
(c) 2 और 3
(d) उपरोक्त में से कोई नहीं

50. कुंवर सिंह, 1857 ई. में विद्रोह के प्रमुख नायक थे, वह निम्नलिखित में से किससे सम्बद्ध थे? (2005)

(a) बिहार (b) मध्य प्रदेश
(c) राजस्थान (d) उत्तर प्रदेश

51. निम्नलिखित में से कौन-सा एक क्षेत्र 1857 ई. के विद्रोह से प्रभावित नहीं था? **(2005)**

(a) झांसी (b) चित्तौड़
(c) जगदीशपुर (d) लखनऊ

52. निम्नलिखित कथनों पर विचार कीजिए: (2005)

1. ईश्वरचन्द्र विद्यासागर ने महिलाओं की शिक्षा को प्रोत्साहित करने के प्रमुख उद्देश्य से कलकत्ता में बेथुन स्कूल स्थापित किया।
2. बंकिमचन्द्र चट्टोपाध्याय कलकत्ता विश्वविद्यालय के प्रथम स्नातक थे।
3. केशवचन्द्र सेन के सती प्रथा के विरुद्ध अभियान के फलस्वरूप तत्कालीन गवर्नर जनरल ने सती प्रथा पर प्रतिबन्ध के लिए कानून बनाया।

उपरोक्त कथनों में से कौन-सा/से सही है/हैं?

(a) केवल 1 (b) 1 व 2
(c) 2 व 3 (d) 1, 2 व 3

53. निम्नलिखित में से किसने वर्नाक्यूलर प्रेस एक्ट निरस्त किया? (2005)

(a) लॉर्ड डफरिन (b) लॉर्ड रिपन
(c) लॉर्ड कर्जन (d) लॉर्ड हार्डिंग

54. निम्नलिखित कथनों में से कौन-सा एक सही है? (2005)

(a) आधुनिक कोच्चि भारत की स्वतंत्रता तक डच उपनिवेश था।
(b) डचों ने पुर्तगालियों को पराजित किया और आधुनिक कोच्चि में उन्होंने फोर्ट विलियम्स का निर्माण किया।
(c) आधुनिक कोच्चि पहले डच उपनिवेश था जिस पर बाद में पुर्तगालियों का अधिकार हो गया।
(d) आधुनिक कोच्चि कभी भी ब्रिटिश उपनिवेशों का भाग नहीं था।

55. निम्नलिखित कथनों पर विचार कीजिए: (2005)

1. वॉरेन हेस्टिंग्स प्रथम गवर्नर जनरल थे जिन्होंने भारत में ब्रिटिश ढांचे पर आधारित एक नियमित पुलिस बल स्थापित किया।
2. रेग्यूलेटिंग एक्ट, 1773 ई. द्वारा कलकत्ता में उच्चतम न्यायालय (सुप्रीम कोर्ट) स्थापित किया गया।
3. भारतीय दंड संहिता वर्ष 1860 में लागू हुई।

उपरोक्त कथनों में से कौन-सा/से सही है/हैं?

(a) 1 व 2 (b) 2 व 3
(c) 1 व 3 (d) 1, 2 व 3

56. 18वीं सदी में भारत में लड़े गए युद्धों का निम्नलिखित में से सही कालानुक्रम कौन-सा है? (2005)

(a) वाण्डीवाश युद्ध-बक्सर युद्ध-अम्बर युद्ध-प्लासी युद्ध
(b) अम्बर युद्ध-प्लासी युद्ध-वाण्डीवाश युद्ध-वक्सर युद्ध
(c) वाण्डीवाश युद्ध-प्लासी युद्ध-अम्बर युद्ध-बक्सर युद्ध
(d) अम्बर युद्ध-बक्सर युद्धः वाण्डीवाश युद्ध-प्लासी युद्ध

57. निम्नलिखित में से कौन फेबियन आन्दोलन का प्रस्तावक था? (2005)

(a) एनी बेसेन्ट
(b) ए.ओ. ह्यूम
(c) माइकल मधुसूदन दत्त
(d) आर.पाम. दत्त

58. निम्नलिखित कथनों पर विचार कीजिए: (2006)

1. चार्टर एक्ट 1853 के द्वारा ईस्ट इंडिया कंपनी के भारतीय व्यापार के एकाधिकार को उत्सादित कर दिया गया।
2. गवर्नमेन्ट ऑफ इंडिया एक्ट 1858 के अन्तर्गत ब्रिटिश संसद ने ईस्ट इंडिया कंपनी को पूर्णतः समाप्त कर भारत में सीधा शासन करने का उत्तरदायित्व ग्रहण किया।

उपरोक्त कथनों में से कौन-सा/से सही है/हैं?

(a) केवल 1
(b) केवल 2
(c) दोनों 1 और 2
(d) न ही 1 और न ही 2

59. निम्नलिखित विद्रोहों में से किसको बंकिम चन्द्र चटर्जी ने अपने उपन्यास 'आनन्द मठ' में उल्लेख करके प्रसिद्ध किया? (2006)
(a) भील विद्रोह
(b) रंगपुर तथा दीनापुर विद्रोह
(c) विष्णुपुर तथा वीरभूम विद्रोह
(d) संन्यासी विद्रोह

60. वर्ष 1857 के विद्रोह के सन्दर्भ में निम्नलिखित में से किसे उसके मित्र ने धोखा दिया तथा जिसे अंग्रेजों द्वारा बन्दी बनाकर मार दिया गया? (2006)
(a) नाना साहब (b) कुंवर सिंह
(c) खान बहादुर खान (d) तात्या टोपे

61. सिपाही विद्रोह के समय भारत का गवर्नर-जनरल कौन था? (2006)
(a) लॉर्ड कैनिंग (b) लॉर्ड डलहौजी
(c) लॉर्ड हार्डिंग (d) लॉर्ड लिटन

62. निम्नलिखित में से किसने श्सोम प्रकाशश नामक समाचार-पत्र शुरू किया? (2007)
(a) दयानन्द सरस्वती
(b) ईश्वरचन्द्र विद्यासागर
(c) राजा राममोहन राय
(d) सुरेन्द्र नाथ बनर्जी

63. ब्रिटिश द्वारा कुशासन का बहाना लेकर, निम्नलिखित प्रान्तों में से किस एक का शासक हटा दिया गया था? (2007)
(a) अवध (b) झांसी
(c) नागपुर (d) सतारा

64. प्रथम कारखाना अधिनियम जो महिलाओं और बच्चों के काम के घंटों को सीमित करता है और स्थानीय सरकारों को आवश्यक नियम बनाने के लिए अधिकृत करता है, किसके समय में अपनाया गया था? (2007)
(a) लॉर्ड लिटन (b) लॉर्ड बेंटिक
(c) लॉर्ड रिपन (d) लॉर्ड कैनिंग

65. निम्नलिखित यूरोपियनों में से कौन-सा एक स्वतंत्रता-पूर्व भारत में व्यापारी के रूप में सबसे अन्त में आया? (2007)
(a) डच (b) इंग्लिश
(c) फ्रांसीसी (d) पुर्तगाली

66. निम्नलिखित कथनों पर विचार कीजिए: (2007)
1. रॉबर्ट क्लाइव बंगाल के प्रथम गवर्नर-जनरल थे।
2. विलियम बैंटिक भारत के प्रथम गवर्नर-जनरल थे।

उपर्युक्त कथनों में से कौन-सा/से सही है/हैं?
(a) केवल 1 (b) केवल 2
(c) 1 और 2 दोनों (d) न तो 1 और न ही 2

67. निम्नलिखित किलों में से ब्रिटिश ने किसका सबसे पहले निर्माण किया? (2007)
(a) फोर्ट विलियम (b) फोर्ट सेंट जॉर्ज
(c) फोर्ट सेंट डेविड (d) फोर्ट सेंट एंजेलो

68. निम्नलिखित में से किसने 'बहुविवाह' नामक पुस्तक लिखी? (2007)
(a) राजा राममोहन राय (b) ईश्वरचन्द्र विद्यासागर
(c) पंडित रमाबाई (d) रवीन्द्रनाथ टैगोर

69. सूची-I को सूची-II से सुमेलित कीजिए और सूचियों के नीचे दिए कूट का प्रयोग कर सही उत्तर चुनिए: (2008)

सूची-I (लेखक)	सूची-II (कृति)
A. बंकिमचन्द्र चटर्जी	1. शतरंज के खिलाड़ी
B. दीनबन्धु मित्र	2. देवी चौधरानी
C. प्रेमचन्द	3. नीलदर्पण
	4. चन्द्रकान्ता

कूट:
(a) A–2; B–4; C–1
(b) A–3; B–4; C–2
(c) A–2; B–3; C–1
(d) A–3; B–1; C–4

70. डेविड हेयर और एलेक्जेंडर डफ के साथ मिलकर निम्नलिखित में से किसने कलकत्ता में हिन्दू कॉलेज की स्थापना की? (2009)
(a) हेनरी लुइस विवियन डोरोजिओ
(b) ईश्वर चन्द्र विद्यासागर
(c) केशव चन्द्र सेन
(d) राजा राममोहन राय

71. निम्नलिखित कथनों पर विचार कीजिए: (2009)
1. भारत में पहली बार टेलीग्राफ लाईन कोलकाता और डायमंड हार्बर के बीच बिछायी गयी।
2. भारत में प्रथम निर्यात संवर्धक क्षेत्र कांडला में स्थापित किया गया।

उपर्युक्त कथनों में से कौन-सा/से सही है/हैं?
(a) केवल 1
(b) केवल 2
(c) 1 और 2 दोनों
(d) न तो 1 और न ही 2

72. निम्नलिखित में से किस गवर्नर-जनरल ने भारत की प्रसंविदाबद्ध सिविल सेवा (कोवेटेंड सिविल सर्विस ऑफ इंडिया) का सृजन किया, जो कालान्तर में भारतीय सिविल सेवा के नाम से जानी गई? (2010)
(a) वॉरेन हेस्टिंग्स (b) वेलेजली
(c) लॉर्ड कार्नवालिस (d) विलियम बेंटिक

73. 1793 ई. में एक विनियम द्वारा जिला कलेक्टर को उसकी न्यायिक शक्तियों से वंचित कर दिया गया और केवल संग्राहक अभिकर्ता बना दिया गया। ऐसे विनियमन का कारण क्या था? (2010)

(a) लॉर्ड कार्नवालिस ने महसूस किया कि जिला कलेक्टर की राजस्व संग्रहण की दक्षता, अन्य कार्यों का बोझ न रहने से बहुत अधिक बढ़ जाएगी।

(b) लॉर्ड कार्नवालिस ने महसूस किया कि न्यायिक शक्ति अनिवार्य रूप से यूरोपियनों के हाथ में होनी चाहिए, जबकि जिलों में राजस्व संग्रहण का कार्य भारतीयों को सौंपा जा सकता है।

(c) लॉर्ड कार्नवालिस जिला कलेक्टर में संकेन्द्रित इतनी विस्तृत शक्ति से सतर्क हो गया था और महसूस करता था कि एक व्यक्ति में इतनी परम शक्ति का होना अवांछनीय है।

(d) न्यायिक कार्य के लिए भारत का गहरा ज्ञान और अच्छा प्रशिक्षण होना आवश्यक था, और लॉर्ड कार्नवालिस महसूस करता था कि जिला कलेक्टर को केवल राजस्व संग्राहक होना चाहिए।

74. अहमद शाह अब्दाली के भारत पर आक्रमण और पानीपत की तीसरी लड़ाई लड़ने का तात्कालिक कारण क्या था? (2010)

(a) वह मराठों द्वारा लाहौर से अपने वॉयसराय तैमूर शाह के निष्कासन का बदला लेना चाहता था।

(b) उसे जालन्धर के कुंठाग्रस्त राज्यपाल आदीन बंग खान ने पंजाब पर आक्रमण करने के लिए आमंत्रित किया।

(c) वह मुगल प्रशासन को चहार महल (गुजरात, औरंगाबाद, सियालकोट तथा पसरूर) के राजस्व का भुगतान न करने के लिए दण्डित करना चाहता था।

(d) वह दिल्ली की सीमाओं तक के पंजाब के सभी उपजाऊ मैदानों को हड़पकर अपने राज्य में विलय करना चाहता था।

75. पांडिचेरी (वर्तमान पुदुचेरि) के सन्दर्भ में निम्नलिखित कथनों पर विचार कीजिए: (2010)

1. पांडिचेरी पर कब्जा करने वाली पहली यूरोपीय शक्ति पुर्तगाली थे।
2. पांडिचेरी पर कब्जा करने वाली दूसरी यूरोपीय शक्ति फ्रांसीसी थे।
3. अंग्रेजों ने कभी पांडिचेरी पर कब्जा नहीं किया।

उपर्युक्त कथनों में से कौन-सा/से सही है/हैं?

(a) केवल 1 (b) केवल 2 और 3
(c) केवल 3 (d) 1, 2 और 3

76. 1793 में लॉर्ड कार्नवालिस की भू-व्यवस्था प्रणाली लागू होने के बाद कानूनी विवादों की प्रवृत्ति में बढ़ोत्तरी देखी गई थी। निम्नलिखित प्रावधानों में से किसी एक को सामान्यतया इसके कारक के रूप में जोड़ कर देखा जाता है? (2011)

(a) रैयत की तुलना में जमींदार की स्थिति को अधिक सशक्त बनाना।

(b) ईस्ट इंडिया कंपनी को जमींदारों का अधिपति बनाना।

(c) न्यायिक पद्धति को अधिक कार्यकुशल बनाना।

(d) उपर्युक्त (a), (b) तथा (c) कथनों में से कोई भी सही नहीं है।

77. भारत में 19वीं शताब्दी के जनजातीय विद्रोह के लिए निम्नलिखित में से कौन से तत्व ने साझा कारण मुहैया कराया? (2011)

(a) भू-राजस्व की नई प्रणाली का लागू होना और जनजातीय उत्पादों पर कर का लगाया जाना।

(b) जनजातीय क्षेत्रों में विदेशी धर्म प्रचारकों का प्रभाव।

(c) जनजातीय क्षेत्रों में बिचौलियों के रूप में बड़ी संख्या में महाजनों, व्यापारियों और लगान के ठेकेदारों का बढ़ना।

(d) जनजातीय समुदायों की प्राचीन भूमि संबंधी व्यवस्था का संपूर्ण विदारण।

78. भारत में उपनिवेशी शासन काल में ''होम चार्जेज'' भारत से संपत्ति दोहन का महत्वपूर्ण अंग थे। निम्नलिखित में से कौन-सी निधि/निधिया ''होम-चार्जेज'' की संघटक थी/थीं? (2011)

1. लंदन में इंडिया आफिस के भरण-पोषण के लिए प्रयोग में लाई जाने वाली निधि।
2. भारत में कार्यरत अंग्रेज कर्मचारियों के वेतन तथा पेंशन देने हेतु प्रयोग में लाई जाने वाली निधि।
3. भारत के बाहर हुए युद्धों को लड़ने में अंग्रेजों द्वारा प्रयोग में लाई जाने वाली निधि।

निम्नलिखित कूटों के आधार पर सही उत्तर चुनिए:

(a) केवल 1 (b) केवल 1 और 2
(c) केवल 2 और 3 (d) 1, 2 और 3

79. सन 1893 में सर विलियम वेडरबर्न तथा डब्लू.एस. कैन ने किस उद्देश्य से इंडियन पार्लियामेंटरी कमेटी की स्थापना की थी? (2011)

(a) भारत में राजनैतिक सुधारों हेतु हाउस ऑफ कॉमन्स में आंदोलन करने के लिए।

(b) भारतीयों के साम्राज्यिक न्यायपालिका में प्रवेश हेतु अभियान करने के लिए।

(c) भारतीय स्वतंत्रता पर ब्रिटिश संसद में चर्चा सुगम करने के लिए।

(d) ब्रिटिश संसद में विख्यात भारतीयों के प्रवेश हेतु आंदोलन करने के लिए।

80. रैयतवारी बन्दोबस्त के सन्दर्भ में, निम्नलिखित कथनों पर विचार कीजिए: (2012)

1. किसानों द्वारा लगान सीधे सरकार को दिया जाता था।
2. सरकार रैयत को पट्टे देती थी।
3. कर लगाने के पूर्व भूमि का सर्वेक्षण और मूल्य-निर्धारण किया जाता था।

उपर्युक्त में से कौन-सा/से कथन सही है/हैं?

(a) केवल 1 (b) केवल 1 और 2
(c) केवल 1, 2 और 3 (d) कोई भी नहीं

81. निम्नलिखित में से कौन-सा/से कथन ब्रह्म समाज के बारे में सही है? (20-12)

1. इसने मूर्तिपूजा का विरोध किया।
2. इसने धार्मिक ग्रंथों की व्याख्या के लिए एक पुरोहित वर्ग की आवश्यकता से इनकार किया।
3. इसने इस सिद्धांत को लोकप्रिय बनाया कि वेद अचूक हैं।

नीचे दिए गए कूट का उपयोग करके सही उत्तर चुनें:

(a) केवल 1 (b) केवल 1 और 2
(c) केवल 3 (d) 1, 2 और 3

82. निम्नलिखित पर विचार कीजिए: (2012)

1. मृदा के स्वरूप तथा उपज के गुणों के आधार पर भूमि राजस्व का मूल्यांकन।
2. युद्ध में चलती-फिरती तोपों का उपयोग।
3. तम्बाकू और लाल मिर्च की खेती।

उपर्युक्त में से कौन-सा/से अंग्रेजी की भारत को देन थी/थीं?

(a) केवल 1 (b) 1 और 2
(c) केवल 3 (d) इनमें से कोई नहीं

83. इलबर्ट बिल विवाद किससे संबंधित था? (2013)

(a) भारतीयों द्वारा हथियार लेकर चलने पर कुछ प्रतिबन्धों का लागू किया जाना।
(b) भारतीय भाषाओं में प्रकाशित होने वाले समाचार-पत्रों और पत्रिकाओं पर प्रतिबन्ध लागू किया जाना।
(c) यूरोप के लोगों के मामलों की सुनवाई करने के लिए भारतीय न्यायाधीशों पर लगाई गई अयोग्यताओं का हटाया जाना।
(d) आयातित सूती कपड़े पर लगाए गए शुल्क का हटाया जाना।

84. रेडक्लिप समिति को नियुक्त किया गया था- (2014)

(a) भारत में अल्पसंख्यकों की समस्या का समाधान करने के लिए।
(b) स्वतंत्रता विधेयक को प्रभावित करने के लिए।
(c) भारत और पाकिस्तान के बीच की सीमाओं का परिसीमन करने के लिए।
(d) पूर्वी बंगाल के दंगों के बारे में अधिक जानकारी प्राप्त करने के लिए।

85. 1905 ई. में लॉर्ड कर्जन द्वारा किया गया बंगाल का विभाजन कब चला: (2014)

(a) प्रथम विश्व युद्ध में जब तक भारतीय सैनिकों की ब्रिटिशों द्वारा आवश्यकता थी तथा विभाजन की समाप्ति तक।
(b) सम्राट जॉर्ज पंचम ने 1911 में दिल्ली के राज दरबार में कर्जन एक्ट को रद्द कर दिया।
(c) गांधीजी ने अपना सविनय अवज्ञा आंदोलन आरंभ किया।
(d) 1947 में भारत का विभाजन जब पूर्वी बंगाल पूर्वी पाकिस्तान बना।

86. महारानी विक्टोरिया की उदघोषणा (1858) का उद्देश्य क्या था? (2014)

1. भारतीय राज्यों को ब्रिटिश साम्राज्य में मिलाने के किसी भी विचार का परित्याग करना।
2. भारतीय प्रशासन को ब्रिटिश क्राउन के अन्तर्गत रखना।
3. भारत के साथ ईस्ट इंडिया कंपनी के व्यापार का नियमन करना।

नीचे दिए गए कूट का प्रयोग कर सही उत्तर चुनिए।

(a) केवल 1 और 2 (b) केवल 2
(c) केवल 1 और 3 (d) 1, 2 और 3

87. मंगानियार नामक लोगों का एक समुदाय किसके लिए प्रसिद्ध है? (2014)

(a) पूर्वोत्तर भारत में मार्शल आर्ट के लिए।
(b) उत्तर-पश्चिम भारत में संगीत परंपरा के लिए।
(c) दक्षिण भारत में शास्त्रीय गायन संगीत के लिए।
(d) मध्य भारत में पिएट्रा ड्यूरा परंपरा के लिए।

88. गदर था: (2014)

(a) भारतीयों का एक क्रांतिकारी संघ जिसका मुख्यालय सैन फ्रांसिस्को में था।
(b) सिंगापुर से संचालित राष्ट्रवादी संगठन।
(c) एक आतंकवादी संगठन जिसका मुख्यालय बर्लिन में था।
(d) भारत की आजादी के लिए कम्युनिस्ट आंदोलन जिसका मुख्यालय ताशकंद में था।

89. भारतीय इतिहास के संदर्भ में निम्नलिखित में से सामंती प्रणाली के आवश्यक तत्व है/हैं? (2015)

1. एक बहुत मजबूत केंद्रीकृत राजनीतिक प्राधिकार और बहुत कमजोर प्रांतीय या स्थानीय राजनीतिक प्राधिकार।
2. जमीन के नियंत्रण और अधिकार पर आधारित एक प्रशासनिक संरचना का उदभव।
3. जागीरदार सामन्त तथा उसके अधिपति के बीच स्वामी जागीरदार संबंध का निर्माण।

नीचे दिए गए कूट का प्रयोग करके सही उत्तर का चयन करें:

(a) केवल 1 और 2 (b) केवल 2 और 3
(c) केवल 3 (d) 1, 2 तथा 3

90. निम्नलिखित में से कौन भारत में उपनिवेशवाद के अधिक आलोचक था/थे। (2015)
1. दादाभाई नौरोजी
2. जी. सुब्रमनिया अय्यर
3. आर.सी. दत्त

नीचे दिये गये कोड का उपयोग करके सही उत्तर चुनें।
(a) केवल 1 (b) केवल 1 और 2
(c) केवल 2 और 3 (d) 1, 2 तथा 3

91. 1919 के भारत सरकार अधिनियम ने स्पष्ट रूप से परिभाषित किया था: (2015)
(a) न्यायपालिका और विधायिका के बीच सत्ता का अलगाव।
(b) केन्द्र और प्रांतीय सरकारों के अधिकार क्षेत्र।
(c) भारतीय राज्य सचिव और वॉयसराय की शक्तियां।
(d) इसमें से कोई भी नहीं।

92. सत्यशोधक समाज ने संगठित किया: (2016)
(a) बिहार में आदिवासियों के उन्नयन का एक आंदोलन।
(b) गुजरात में मंदिर प्रवेश का एक आंदोलन।
(d) महाराष्ट्र में एक जाति-विरोधी आंदोलन।
(d) पंजाब में एक विकास आदोलन।

93. मोंटेग्यू-चेम्सफोर्ड प्रस्ताव किससे संबंधित थे? (2016)
(a) सामाजिक सुधार
(b) शैक्षिक सुधार
(c) पुलिस प्रशासन में सुधार
(d) सांविधानिक सुधार

94. निम्नलिखित पर विचार कीजिये: (2016)
1. कलकता यूनिटेरियन कमेटी
2. टेबरनेकल ऑफ न्यू डिस्पेंसेशन
3. इंडियन रिफार्म असोसिएशन

केशव चंद्र सेन का संबंध उपर्युक्त में से किसकी/किनकी स्थापना से है?
(a) केवल 1 और 2 (b) केवल 2 और 3
(c) केवल 3 (d) 1, 2 और 3

95. वर्ष 1907 में सूरत में भारतीय राष्ट्रीय कांग्रेस के विभाजन का मुख्य कारण क्या था? (2016)
(a) लॉर्ड मिन्टो द्वारा भारतीय राजनीति में साम्प्रदायिकता का प्रवेश करना।
(b) अंग्रेजी सरकार के साथ नरमपंथियों की वार्ता करने की क्षमता के बारे में चरमपंथियों में विश्वास का अभाव।
(c) मुस्लिम लीग की स्थापना।
(d) भारतीय राष्ट्रीय कांग्रेस का अध्यक्ष निर्वाचित हो सकने में अरविंद घोष की असमर्थता।

96. सर स्टैफर्ड क्रिप्स की योजना में वह परिकल्पना थी कि द्वितीय युद्ध के बाद: (2016)
(a) भारत को पूर्ण स्वतंत्रता प्रदान की जानी चाहिए।
(b) स्वतंत्रता प्रदान करने से पहले भारत को दो भागों में विभाजित कर देना चाहिए।
(c) भारत को इस शर्त के साथ गणतंत्र बना देना चाहिए कि वह राष्ट्रमंडल में शामिल होगा।
(d) भारत को डोमिनियम स्टेटस दे देना चाहिए।

97. भारत के सांस्कृतिक इतिहास के सन्दर्भ में, निम्नलिखित कथनों पर विचार कीजिए:
1. त्यागराज की अधिकांश कृतियां भगवान कृष्ण की स्तुति के भक्ति गीत हैं।
2. त्यागराज ने अनेक नए रागों का सृजन किया।
3. अन्नमाचार्य और त्यागराज समकालीन हैं।
4. अन्नमाचार्य कीर्तन भगवान वेंकटेश्वर की स्तुति के भक्ति गीत हैं।

उपर्युक्त कथनों में से कौन-से सही हैं? (2018)
(a) केवल 1 और 3 (b) केवल 2 और 4
(c) 1, 2 और 3 (d) 2, 3 और 4

98. 18वीं शताब्दी के मध्य इंग्लिश ईस्ट इंडिया कपंनी के द्वारा बंगाल से निर्यातित प्रमुख पण्यपदार्थ (स्टेपल कमोडिटीज) क्या थे? (2018)
(a) अपरिष्कृत कपास, तिलहन और अफीम
(b) चीनी, नमक, जस्ता और सीसा
(c) तांबा, चांदी, सोना, मसाले और चाय
(d) कपास, रेशम, शोरा और अफीम

99. लॉर्ड वेलेजली द्वारा लागू की गई सहायक संधि व्यवस्था के बारे में निम्नलिखित में से कौन-सा कथन लागू नहीं होता? (2018)
(a) दूसरों के खर्च पर एक बड़ी सेना बनाए रखना।
(b) भारत को नेपोलियन के खतरे से सुरक्षित रखना।
(c) कंपनी के लिए एक नियत आय का प्रबन्ध करना।
(d) भारतीय रियासतों के ऊपर ब्रिटिश सर्वोच्चता स्थापित करना।

100. आर्थिक तौर पर, 19वीं शताब्दी में भारत पर अंग्रेज शासन का एक परिणाम था? (2018)
(a) भारतीय हस्त-शिल्पों के निर्यात में वृद्धि।
(b) भारतीयों के स्वामित्व वाले कारखानों की संख्या में वृद्धि।
(c) भारतीय कृषि का वाणिज्यीकरण।
(d) नगरीय जनसंख्या में तीव्र वृद्धि।

101. निम्नलिखित में से कौन-सी घटना सबसे पहले हुई? (2018)
(a) स्वामी दयानंद ने आर्य समाज की स्थापना की।
(b) दीनबंधु मित्र ने नीलदर्पण का लेखन किया।

(c) बंकिम चन्द्र चपाध्याय ने आनंदमठ का लेखन किया।
(d) सत्येन्द्रनाथ टैगोर इंडियन सिविल सर्विस परीक्षा में सफलता पाने वाले प्रथम भारतीय बने।

102. भारत में औपनिवेशिक शासन के दौरान शैक्षणिक संस्थाओं के सन्दर्भ में, निम्नलिखित युग्मों पर विचार कीजिए: (2018)

	संस्थान	संस्थापक
1.	बनारस का संस्कृत कॉलेज	विलियम जोन्स
2.	कलकत्ता मदरसा	वॉरेन हेस्टिंग्स
3.	फोर्ट विलियम कॉलेज	आर्थर वेलेजली

उपर्युक्त युग्मों में से कौन-सा/से सही सुमेलित है/हैं?
(a) 1 और 2 (b) केवल 2
(c) 1 और 3 (d) केवल 3

103. वुड डिस्पैच के बारे में निम्नलिखित में से कौन-से कथन सत्य हैं? (2018)
1. सहायता अनुदान व्यवस्था (ग्रांटस-इन-एड) शुरू की गई।
2. विश्वविद्यालयों की स्थापना की सिफारिश की गई।
3. शिक्षा के सभी स्तरों पर शिक्षण माध्यम के रूप में अंग्रेजी की सिफारिश की गई।

नीचे दिए गए कूट का प्रयोग कर सही उत्तर चुनिए:
(a) केवल 1 और 2 (b) केवल 2 और 3
(c) केवल 1 और 3 (d) 1, 2 और 3

104. निम्नलिखित में से किससे किनसे भारत में अंग्रेजी शिक्षा की नींव पड़ी? (2018)
1. 1813 का चार्टर एक्ट
2. जनरल कमेटी ऑफ पब्लिक इंस्ट्रक्शन, 1823
3. प्राच्यविद एवं आंग्लविद विवाद

नीचे दिए गए कूट का प्रयोग कर सही उत्तर चुनिए:
(a) केवल 1 और 2 (b) केवल 2
(c) केवल 1 और 3 (d) 1, 2 और 3

105. निम्नलिखित में से कौन 1948 में स्थापित 'हिन्द मजदूर सभा' के संस्थापक थे? (2018)
(a) वी. कृष्ण पिल्लई, ई.एम.एस. नम्बूदरिपाद और के.सी. जॉर्ज
(b) जय प्रकाश नारायण, दीन दयाल उपाध्याय और एम.एन. रॉय
(c) सी.पी. रामस्वामी अय्यर, के. कामराज और वीरेशलिंगम पंतुलु
(d) अशोक मेहता, टी.एस. रामानुजम और जी.जी. मेहता

106. निम्नलिखित विदेशी यात्रियों में से किसने भारत के हीरों और हीरे की खदानों की विस्तृत रूप से चर्चा की? (2018)
(a) फ्रांस्वा बर्नियर
(b) ज्यां-बैप्टिस्ट टेवर्नियर
(c) ज्यां द थेवेनी
(d) एबे बार्थलमी कारे

107. निम्नलिखित घटनाओं पर विचार कीजिए: (2018)
1. भारत के किसी राज्य में सर्वप्रथम लोकतांत्रिक रूप से चुनी गई साम्यवादी दल की सरकार।
2. भारत का उस समय का सबसे बड़ा बैंक 'इम्पीरियल बैंक ऑफ इंडिया' जिसका नाम बदलकर भारतीय स्टेट बैंक रखा गया।
3. एयर इंडिया का राष्ट्रीयकरण किया गया और यह राष्ट्रीय वाहक बन गया।
4. गोवा स्वतंत्र भारत का अंग बन गया।

निम्नलिखित में से कौन-सा उपर्युक्त घटनाओं का सही कालानुक्रम है:
(a) 4-1-2-3 (b) 3-2-1-4
(c) 4-2-1-3 (d) 3-1-2-4

108. स्वतंत्र भारत में भूमि सुधारों के संदर्भ में, निम्नलिखित में से कौन-सा कथन सही है? (2019)
(a) हदबंदी कानून पारिवारिक जोत पर केंद्रित थे, न कि व्यक्तिगत जोत पर।
(b) भूमि सुधारों का प्रमुख उद्देश्य सभी भूमिहीनों को कृषि भूमि प्रदान करना था।
(c) इसके परिणामस्वरूप नकदी फसलों की खेती, कृषि का प्रमुख रूप बन गई।
(d) भूमि सुधारों ने हदबंदी सीमाओं को किसी भी प्रकार की छूट की अनुमति नहीं दी।

109. 'चार्टर एक्ट, 1813' के संबंध में, निम्नलिखित कथनों पर विचार कीजिए: (2019)
1. इसने भारत में ईस्ट इंडिया कंपनी के व्यापार एकाधिपत्य को, चाय का व्यापार तथा चीन के साथ व्यापार को छोड़कर, समाप्त कर दिया।
2. इसने कंपनी द्वारा अधिकार में लिए गए भारतीय राज्यक्षेत्रों पर ब्रिटिश राज (क्राउन) की सम्प्रभुता को सुदृढ़ कर दिया।
3. भारत का राजस्व अब ब्रिटिश संसद के नियंत्रण में आ गया था।

उपर्युक्त में से कौन-से कथन सही है?
(a) केवल 1 और 2 (b) केवल 2 और 3
(c) केवल 1 और 3 (d) 1, 2 और 3

110. निम्नलिखित युग्मों पर विचार कीजिए: (2019)

आंदोलन/संगठन	नायक (लीडर)
1. अखिल भारतीय अस्पृश्यता विरोधी लीग	महात्मा गांधी
2. अखिल भारतीय किसान	स्वामी सहजानंद सरस्वती सभा
3. आत्मसम्मान आंदोलन	ई.वी. रामास्वामी नायकर

उपर्युक्त में से कौन-सा/से युग्म सही सुमेलित है/हैं?

(a) केवल 1 (b) केवल 1 और 2
(c) केवल 2 और 3 (d) 1, 2 और 3

111. भारतीय इतिहास के सन्दर्भ में 1884 का रहमाबाई कांड इर्द-गिर्द घूमता था: (2020)

1. शिक्षा प्राप्त करने का महिलाओं का अधिकार
2. सहमति की आयु
3. दाम्पत्य अधिकारों की बहाली

नीचे दिए गए कूट का प्रयोग कर सही उत्तर चुनिए:

(a) केवल 1 और 2
(b) केवल 2 और 3
(c) केवल 1 और 3
(d) 1, 2 और 3

112. वेलेस्ली ने कलकत्ता में फोर्ट विलियम कॉलेज की स्थापना की क्योंकि: (2020)

(a) उन्हें लंदन में निदेशक मंडल द्वारा ऐसा करने के लिए कहा गया था।
(b) वह भारत में प्राच्य शिक्षा में रुचि को पुनर्जीवित करना चाहता था।
(c) वह विलियम कैरी और उनके सहयोगियों को रोजगार प्रदान करना चाहता था।
(d) वह भारत में प्रशासनिक उद्देश्य के लिए ब्रिटिश नागरिकों को प्रशिक्षित करना चाहता था।

113. निम्नलिखित में से कौन-सा कथन उन्नीसवीं शताब्दी के पूर्वार्द्ध के दौरान भारत पर औद्योगिक क्रांति के प्रभाव की सही व्याख्या करता है? (2020)

(a) भारतीय हस्तशिल्प बर्बाद हो गए थे।
(b) भारतीय कपड़ा उद्योग में बड़ी संख्या में मशीनें पेश की गई।
(c) देश के कई भागों में रेल लाइनें बिछाई गई।
(d) ब्रिटिश निर्माताओं के आयात पर भारी शुल्क लगाया गया था।

114. निम्नलिखित कथनों पर विचार करें: (2021)

1. सेंट फ्रांसिस जेवियर जेसुइट ऑर्डर के संस्थापक सदस्यों में से एक थे।
2. सेंट फ्रांसिस जेवियर की गोवा में मृत्यु हो गई और वहां एक चर्च उन्हें समर्पित है।
3. गोवा में हर साल सेंट फ्रांसिस जेवियर का पर्व मनाया जाता है।

ऊपर दिए गए कथनों में से कौन-से सही हैं?

(a) 1 और 2 केवल (b) 2 और 3 केवल
(c) केवल 1 और 3 (d) 1, 2 और 3

115. भारतीय इतिहास के संदर्भ में, निम्नलिखित में से कौन-सा/से कथन सही है/हैं? (2021)

1. आरकोट का निजामत हैदराबाद राज्य से निकला।
2. मैसूर साम्राज्य का उदय विजयनगर साम्राज्य से हुआ।
3. रोहिलखंड साम्राज्य अहमद शाह दुर्रानी के कब्जे वाले क्षेत्रों से बना था।

नीचे दिए गए कूट का प्रयोग कर सही उत्तर चुनिए।

(a) 1 और 2 (b) 2 केवल
(c) 2 और 3 (d) केवल 3

116. सत्रहवीं शताब्दी की पहली तिमाही में, निम्नलिखित में से किसमें अंग्रेजी ईस्ट इंडिया कंपनी का कारखाना/कारखाना अवस्थित था/था? (2021)

1. भरूच
2. चिकाकोले
3. त्रिचिनोपोली

नीचे दिए गए कूट का प्रयोग कर सही उत्तर चुनिए

(a) 1 केवल (b) 1 और 2
(c) 3 केवल (d) 2 और 3

पार्ट 2: भारतीय राष्ट्रीय आंदोलन

1. कांग्रेस पार्टी के कट्टरपंथी नेताओं के समूह के प्रमुख नेताओं में से एक जवाहर लाल नेहरू इंडिपेंडेंस फॉर इंडियन लीग की स्थापना निम्न में से किसके विरोध में की थी? (1995)

(a) वित्त आयोग
(b) राष्ट्रीय विकास परिषद
(c) नेहरू रिपोर्ट
(d) भारत का संविधान

2. निम्नलिखित में से कौन एम.एन. राय की उत्प्रवासी साम्यवादी पत्रिका थी? (1995)

(a) किसान सभा (b) द वर्कर
(c) बैगार्ड (d) अनुशीलन

3. निम्नलिखित घटनाओं का सही कालक्रम क्या है? (1995)

1. लखनऊ समझौता
2. द्वैधशासन का प्रवर्तन

3. रौलेट अधिनियम
4. बंग-भंग

कूट:

(a) 1, 3, 2, 4 (b) 4, 1, 3, 2
(c) 1, 2, 3, 4 (d) 4, 3, 2, 1

4. स्वतंत्रता आंदोलन के क्रांतिकारी आतंकवादियों का पहला महत्वपूर्ण साहसिक कार्य 'बर्रा डकैती' का स्थान था: (1995)
(a) बम्बई-कर्नाटक में (b) पंजाब में
(c) पूर्वी बंगाल में (d) मद्रास प्रसीडेंसी में

5. महात्मा गांधी ने 1930 ई. में सविनय अवज्ञा आंदोलन का आरम्भ किया था: (1995)
(a) सेवा ग्राम से (b) दांडी से
(c) साबरमती से (d) वर्धा से

6. निम्नलिखित में से कौन-सा युग्म सही सुमेलित नहीं है? (1995)
(a) जमनालाल बजाज-वर्धा का सत्याग्रह आश्रम
(b) दादाभाई नौरोजी-बम्बई एसोसिएशन
(c) लाला लाजपतराय-लाहौर का राष्ट्रीय विद्यालय
(d) बालगंगाधर तिलक-सत्य शोधक सभा

7. सन 1922 के साराबन्दी (कोई कर नहीं) अभियान का नेतृत्व किया था: (1996)
(a) भगत सिंह ने (b) चितरंजन दास ने
(c) राजगुरु ने (d) वल्लभभाई पटेल ने

8. भारत के लिए संविधान की रचना हेतु संविधान सभा का विचार निम्नलिखित में से सर्वप्रथम किसने प्रस्तुत किया था? (1996)
(a) स्वराज पार्टी ने (1934 में)
(b) कांग्रेस पार्टी ने (1936 में)
(c) मुस्लिम लीग ने (1942 में)
(d) सर्वदल सम्मेलन ने (1946 में)

9. **कथन (A):** स्वतंत्र भारत में ब्रिटेन की प्रभुता बनी रही।
कारण (R). स्वतंत्र भारत के अन्तिम गवर्नर जनरल की नियुक्ति ब्रिटेन के प्रभुता सम्पन्न शासन ने की।

निम्नलिखित में से कौन-सा सही है?
(a) A और R दोनों सही है, तथा R, A की सही व्याख्या करता है।
(b) A और R दोनों सही है, परन्तु R, A की सही व्याख्या नहीं करता है।
(c) A सही है, परन्तु R गलत है।
(d) A गलत है, परन्तु R सही है।

10. निम्नलिखित में से कौन दादाभाई नौरोजी के उत्सारण सिद्धान्त (Drain Theory) में विश्वास नहीं करता था? (1996)
(a) बाल गंगाधर तिलक
(b) आर. सी. दत्त
(c) एम. जी. रानाडे
(d) सर सैयद अहमद खान

11. बी.आर. अंबेडकर का संविधान सभा में निर्वाचन हुआ था: (1996)
(a) पश्चिम बंगाल से
(b) बम्बई प्रेसीडेन्सी से
(c) तत्कालीन मध्य भारत से
(d) पंजाब से

12. द अनार्किकल एण्ड रिवोल्यूशनरी क्राइम एक्ट, 1919 को सामान्य बोलचाल में कहा जाता था: (1996)
(a) रौलेट एक्ट (b) पिटस इंडिया एक्ट
(c) इंडियन आर्स एक्ट (d) इल्बर्ट बिल

13. 1930-1932 ई. की अवधि में भारत और ब्रिटेन के राजनेताओं की लन्दन में हुई बैठकों का प्राय: प्रथम, द्वितीय और तृतीय गोलमेज सम्मेलन के रूप में उल्लेख किया जाता है। उनका उसी रूप में उल्लेख गलत होगा, क्योंकि: (1996)
(a) इनमें से दो में राष्ट्रीय कांग्रेस ने भाग नहीं लिया।
(b) भारतीय राष्ट्रीय कांग्रेस को छोड़कर जिन भारतीय दलों ने भाग लिया उन्होंने पूरे भारत का नहीं, वर्गीय हितों का प्रतिनिधित्व किया।
(c) ब्रिटेन की लेबर पार्टी सम्मेलन के बीच में ही हट गई थी और सम्मेलन की कार्यवाही पक्षपातपूर्ण हो गई थी।
(d) ये तीन अलग-अलग सम्मेलन नहीं थे, अपितु यह एक ही सम्मेलन की अवस्था थी जो तीन सत्रों में सम्पन्न हुई थी।

14. निम्नलिखित में से कौन कांग्रेस समाजवादी दल का प्रमुख नेता था? (1996)
(a) एम.एन. राय
(b) गणेश शंकर विद्यार्थी
(c) पट्टम ताणु पिएणै
(d) आचार्य नरेन्द्र देव

15. सूची I को सूची II से सुमेलित कीजिए तथा सूचियों के नीचे दिए हुए कूट का प्रयोग करते हुए सही उत्तर का चयन कीजिए: (1996)

	सूची-I		सूची-II
A.	सुरेन्द्रनाथ बनर्जी	1.	हिन्द स्वराज
B.	एम.के. गांधी	2.	द इंडियन स्ट्रगल
C.	सुभाष चन्द्र बोस	3.	ऑटोबायोग्राफिक्स राइटिंग्स (आत्म-चरित्रात्मक रचनाएं)
D.	लाजपत राय	4.	ए नेशन इन मेकिंग

कूटः
(a) A–4; B–1; C–3; D–2
(b) A–1; B–4; C–3; D–2
(c) A–4; B–1; C–2; D–3
(d) A–1; B–4; C–2; D–3

16. जवाहरलाल नेहरू के विषय में निम्नलिखित कथनों पर ध्यान दीजिए: (1996)
1. वे 1947 ई. में कांग्रेस दल के अध्यक्ष थे।
2. उन्होंने संविधान सभा की अध्यक्षता की।
3. भारत की स्वतंत्रता से पूर्व उन्होंने संयुक्त प्रांत में प्रथम कांग्रेस मंत्रिमंडल बनाया था।

इन कथनों में से:
(a) 1, 2 और 3 सही है।
(b) 1 और 3 सही है।
(c) 1 और 2 सही है।
(d) कोई भी सही नहीं है।

17. कैबिनेट मिशन योजना के विषय में निम्नलिखित में से कौन-सा विकल्प सही नहीं है? (1996)
(a) प्रांतीय समूहीकरण
(b) भारतीय सदस्यों वाला अंतरिम मंत्रिमंडल
(c) पाकिस्तान की स्वीकृति
(d) संविधान निर्माण का अधिकार

18. सूची-I को सूची-II से सुमेलित कीजिए तथा सूचियों के नीचे दिए हुए कूट का प्रयोग करते हुए सही उत्तर का चयन कीजिए: (1996)

	सूची-I		सूची-II
A.	अभिनव भारत समाज	1.	श्री अरविन्द घोष
B.	अनुशीलन समिति	2.	लाला हरदयाल
C.	गदर पार्टी	3.	सी.आर. दास
D.	स्वराज पार्टी	4.	वी.डी. सावरकर

कूटः
(a) A–4; B–1; C–3; D–2
(b) A–1; B–4; C–3; D–2
(c) A–1; B–4; C–2; D–3
(d) A–4; B–I; C–2; D–3

19. सूची-I को सूची-II से सुमेलित कीजिए तथा सूचियों के नीचे दिए हुए कूट का प्रयोग करते हुए सही उत्तर का चयन कीजिए: (1996)

	सूची-I		सूची-II
A.	1883 ई.	1.	ह्वाइट हॉल से साम्प्रदायिक पंचाट की घोषणा
B.	1906 ई.	2.	अखिल भारतीय देशी राज्य प्रजा परिषद की स्थापना
C.	1927 ई.	3.	ढाका में मुस्लिम लीग की स्थापना
D.	1932 ई.	4.	कलकत्ता में राष्ट्रीय सम्मेलन का प्रथम अधिवेशन

कूटः
(a) A–4; B–3; C–1; D–2
(b) A–3; B–4; C–1; D–2
(c) A–4; B–3; C–2; D–1
(d) A–3; B–4; C–2; D–1

20. नीचे दिए गए कथनों पर विचार कीजिए: (1996)
असहयोग आंदोलन के फलस्वरूप-
1. कांग्रेस सर्वप्रथम जन-आंदोलन बनी।
2. हिंदू-मुस्लिम एकता में वृद्धि हुई।
3. जनता के मन से ब्रिटिश 'शक्ति' का भय हट गया।
4. ब्रिटेन की सरकार भारतीयों को राजनीतिक रियायतें देने को राजी हुई।

(a) 1, 2, 3 और 4 सही है।
(b) 2 और 3 सही है।
(c) 1 और 3 सही है।
(d) 3 और 4 सही है।

21. भारत के स्वतंत्रता प्राप्ति के बाद निम्नलिखित में से किसने सुझाव दिया था कि भारतीय राष्ट्रीय कांग्रेस को समाप्त कर दिया जाए? (1996)
(a) सी. राजगोपालाचारी
(b) आचार्य कृपलानी
(c) महात्मा गांधी
(d) जय प्रकाश नारायण

22. सूची-I को सूची-II से सुमेलित कीजिए तथा सूचियों के नीचे दिए हुए कूट का प्रयोग करते हुए सही उत्तर का चयन कीजिए: (1997)

	सूची-I		सूची-II
A.	बटलर समिति रिपोर्ट	1.	जलियांवाला बाग हत्याकांड
B.	हार्टुग समिति रिपोर्ट	2.	भारतीय राज्यों और सर्वोच्च शक्ति के बीच संबंध
C.	हंटर जांच समिति रिपोर्ट	3.	माण्टेग्यू- चेम्सफोर्ड
D.	मुडिमैन समिति रिपोर्ट	4.	ब्रिटिश भारत में शिक्षा की अभिवृद्धि और प्रगति की संभावनाएं

कूटः
(a) A–3; B–2; C–1; D–4
(b) A–1; B–4; C–2; D–3
(c) A–2; B–1; C–3; D–4
(d) A–2; B–4; C–1; D–3

23. "18 वर्ष की आयु में स्नातक, 20 वर्ष की आयु में प्रोफेसर तथा 'सुधारक' के सह सम्पादक, 25 वर्ष की आयु में सार्वजनिक सभा और प्रांतीय सम्मेलन के मंत्री, 29 वर्ष की आयु में राष्ट्रीय कांग्रेस के मंत्री, 31 वर्ष की आयु में महत्वपूर्ण रॉयल कमीशन के समक्ष अग्रणी गवाह, 34 वर्ष की आयु में प्रांतीय विधायक, 36 वर्ष की आयु में इम्पीरियल विधायक, 39 वर्ष की आयु में भारतीय राष्ट्रीय कांग्रेस के अध्यक्ष एक देशभक्त जिसे महात्मा गांधी ने स्वयं अपना गुरू माना है" इन शब्दों में एक जीवनीकार ने वर्णन किया है: (1997)

(a) पंडित मदन मोहन मालवीय का
(b) महादेव गोविन्द रानाडे का
(c) गोपाल कृष्ण गोखले का
(d) बाल गंगाधर तिलक का

24. सूची-I को सूची-II से सुमेलित कीजिए तथा सूचियों के नीचे दिए हुए कूट का प्रयोग कर सही उत्तर का चयन कीजिए: (1997)

	सूची-I (घटनाएं)		सूची-II (परिणाम)
A.	मिण्टो-मार्ले सुधार	1.	देशव्यापी आंदोलन
B.	साइमन कमीशन	2.	असहयोग आंदोलन का वापस लिया जाना
C.	चौरी-चौरा घटना	3.	सांप्रदायिक निर्वाचन क्षेत्र
D.	दांडी मार्च	4.	सांप्रदायिक उद्वेग
		5.	नमक का अवैध निर्माण

कूट:
(a) A–3; B–4; C–5; D–2
(b) A–4; B–1; C–2; D–3
(c) A–2; B–3; C–4; D–5
(d) A–3; B–1; C–2; D–5

25. ब्रिटिश सरकार और महात्मा गांधी के मध्य सन 1934 में हस्ताक्षरित पूना समझौते में प्रावधान था: (1997)

(a) भारत के लिए डोमीनियन स्थिति बनाए जाने का
(b) मुसलमानों के लिए पृथक निर्वाचन क्षेत्र का
(c) हरिजनों के लिए पृथक निर्वाचन क्षेत्र का
(d) हरिजनों के लिए आरक्षण सहित संयुक्त निर्वाचन क्षेत्र का

26. सूची-I को सूची-II से सुमेलित कीजिए तथा सूचियों के नीचे दिए हुए कूट का प्रयोग करते हुए सही उत्तर का चयन कीजिए: (1997)

	सूची-I		सूची-II
A.	सूरत विभाजन	1.	1929 ई.
B.	सांप्रदायिक अधिनिर्णय	2.	1928 ई.
C.	सर्वदलीय सम्मेलन	3.	1932 ई.
D.	पूर्ण स्वराज्य का संकल्प	4.	1907 ई.-1905 ई.

कूट:
(a) A–4; B–3; C–1; D–5
(b) A–4; B–3; C–2; D–1
(c) A–2; B–5; C–4; D–1
(d) A–1; B–4; C–2; D–3

27. सूची-I को सूची-II से सुमेलित कीजिए तथा सूचियों के नीचे दिए हुए कूट का प्रयोग करते हुए सही उत्तर का चयन कीजिए: (1997)

	सूची-I		सूची-II
A.	चटगांव शस्त्रागार हमला	1.	लाला हरदयाल
B.	काकोरी षड्यन्त्र	2.	जतिन दास
C.	लाहौर षड्यन्त्र	3.	सूर्यसेन
D.	गदर पार्टी	4.	रामप्रसाद बिस्मिल
		5.	वासुदेव फड़के

कूट:
(a) A–3; B–4; C–1; D–5
(b) A–4; B–3; C–2; D–1
(c) A–2; B–4; C–2; D–1
(d) A–1; B–4; C–3; D–1

28. एम.सी. शीतलवाड़, बी.एन. राव तथा अल्लादि कृष्णास्वामी अय्यर प्रख्यात सदस्य थे: (1997)

(a) स्वराज पार्टी के
(b) ऑल इंडियन नेशनल लिबरल फेडरेशन के
(c) मद्रास लेबर यूनियन के
(d) सर्वेंटस ऑफ इंडिया सोसायटी के

29. निम्नलिखित घटनाओं का सही अनुक्रम क्या है?

1. तिलक का होमरूल लीग
2. कामागाटामारू प्रसंग
3. महात्मा गांधी का भारत आगमन

नीचे दिए गए कूट का प्रयोग कर सही उत्तर चुनिए-

(a) 1, 2 और 3 (b) 3, 2 और 1
(c) 2, 1 और 3 (d) 2, 3 और 1

30. 1927 ई. के साइमन कमीशन का बहिष्कार किया गया, क्योंकि: (1998)

(a) कमीशन में कोई भारतीय सदस्य नहीं था।
(b) वह मुस्लिम लीग का समर्थन करती थी।
(c) कांग्रेस का विचार था कि भारतवासियों को स्वराज्य मिलना चाहिए।
(d) सदस्यों के बीच मतभेद था।

31. भारतीय मुसलमान, सामान्य रूप से उग्रवादी आंदोलन की ओर आकर्षित नहीं हुए, इसका कारण था:

(a) उन पर सर सैयद अहमद खां का प्रभाव
(b) उग्रवादी नेताओं का मुस्लिम विरोधी दृष्टिकोण

(c) मुस्लिम आकांक्षाओं के प्रति उदासीनता का भाव
(d) उग्रवादियों की हिंदू अतीत का राग अलापने की नीति

32. निम्नलिखित घटनाओं में से किस एक को माण्टेग्यू ने 'निवारक हत्या' के नाम से विशेषीकृत किया है? (1998)
(a) INA सक्रियतावादियों की हत्या
(b) जलियांवाला बाग का नरसंहार
(c) महात्मा गांधी को गोली मारा जाना
(d) कर्जन वाइली को गोली मारा जाना

33. निम्नलिखित घटनाओं का सही अनुक्रम क्या है? (1998)
1. अगस्त प्रस्ताव
2. आई.एन.ए. मुकदमा
3. भारत छोड़ो आंदोलन
4. रॉयल इंडियन नैवल रैटिंग का विद्रोह।

नीचे दिए गए कूट का प्रयोग कर सही उत्तर चुनिए:
कूट:
(a) 1, 3, 2, 4 (b) 3, 1, 2, 4
(c) 1, 3, 4, 2 (d) 3, 1, 4, 2

34. भारत के स्वतंत्रता आंदोलन के प्रारम्भिक दौर में उग्रवादी विचारधारा को निम्नलिखित में से कौन-सा एक निरूपित करता है? (1998)
(a) आयातित वस्तुओं पर देशज वस्तुओं को प्रश्रय देकर देशज वस्तुओं के उत्पादन को बढ़ावा देना।
(b) सांविधानिक साधनों एवं याचिकाओं के स्थान पर आक्रामक साधनों से स्वशासन प्राप्त करना।
(c) देश को आवश्यकतानुसार राष्ट्रीय शिक्षा प्रदान करना।
(d) सैनिक विद्रोह द्वारा ब्रिटिश साम्राज्य के विरुद्ध बलात राजपरिवर्तन संगठित करना।

35. निम्नलिखित युग्मों में से कौन-से सही सुमेलित है? (1998)
1. थियोडोर बेक: मोहम्मडन एंग्लो-ओरिएन्टल कॉलेज, अलीगढ़
2. इलबर्ट बिल : रिपन
3. फिरोजशाह मेहता : भारतीय राष्ट्रीय कांग्रेस
4. बदरुद्दीन तैयबजी : मुस्लिम लीग

नीचे दिए गए कूट का प्रयोग कर सही उत्तर चुनिए-
कूट:
(a) 1, 2 , 3 और 4 (b) 2 और 4
(c) 1, 3 और 4 (d) 1, 2 और 3

36. कांग्रेस अपने पतन की कगार पर है और भारत में रहते हुए मेरी एक महती आकांक्षा इसके शान्तिपूर्ण ढंग से समाप्त हो जाने में हाथ बंटाने की है, यह कथन है: (1998)
(a) लॉर्ड डफरिन का
(b) लॉर्ड कर्जन का
(c) लॉर्ड लिटन का
(d) उपरोक्त में से किसी का नहीं

37. गदर पार्टी का नेता कौन था? (1998)
(a) भगत सिंह (b) लाला हरदयाल
(c) बाल गंगाधर तिलक (d) वी.डी. सावरकर

38. लॉर्ड माउन्टबेटन वॉयसराय के रूप में भारत आए- (1998)
(a) भारतीय उपमहाद्वीप को विभाजित करने की विशेष हिदायत के साथ
(b) यथासम्भव भारत को संयुक्त रखने को विशेष हिदायत के साथ
(c) जिन्ना की पाकिस्तान की मांग को स्वीकार करने की विशेष हिदायत के साथ
(d) कांग्रेस का विभाजन स्वीकार करने हेतु राजी करने को विशेष हिदायत के साथ

39. **कथन (A):** खिलाफत आंदोलन ने शहरी मुस्लिम को राष्ट्रीय आंदोलन के घेरे में ला दिया।
कारण (R): राष्ट्रीय और खिलाफत दोनों आंदोलनों में साम्राज्यवाद विरोधी एक प्रबल तत्व था। (1998)
नीचे दिए गए कूट से सही उत्तर चुनिए:
(a) A और R दोनों सही है तथा R, A का सही स्पष्टीकरण है।
(b) A और R दोनों सही है, परन्तु R, A का सही स्पष्टीकरण नहीं है।
(c) A सही है, परन्तु R गलत है।
(d) A गलत है, परन्तु R सही है।

40. **कथन (A):** सन 1905 में बंगाल के विभाजन से भारतीय स्वतंत्रता आंदोलन में नरमदलियों की भूमिका समाप्त हो गई।
कारण (R): भारतीय राष्ट्रीय कांग्रेस के सूरत अधिवेशन ने गरमदलियों को नरमदलियों से पृथक कर दिया। (1998)
(a) A और R दोनों सही है तथा R, A का सही स्पष्टीकरण है।
(b) A और R दोनों सही है, परन्तु R, A का सही स्पष्टीकरण नहीं है।
(c) A सही है, परन्तु R गलत है।
(d) A गलत है, परन्तु R सही है।

41. **कथन (A):** भारत में प्राथमिक शिक्षा को अनिवार्य करने वाला सर्वप्रथम बिल 1911 ई. में अस्वीकृत हो गया था।
कारण (R): यदि प्रत्येक खेतिहर पढ़ने में सक्षम हो जाता तो असन्तोष बढ़ गया होता। (1998)

(a) A और R दोनों सही है तथा R, A का सही स्पष्टीकरण है।
(b) A और R दोनों सही है, परन्तु R, A का सही स्पष्टीकरण नहीं है।
(c) A सही है, परन्तु R गलत है।
(d) A गलत है, परन्तु R सही है।

42. **कथन (A):** क्रिप्स प्रस्तावों को कांग्रेस ने अस्वीकृत कर दिया था।

कारण (R): क्रिप्स मिशन में केवल श्वेत लोग सम्मिलित थे। (1998)
(a) A और R दोनों सही है तथा R, A का सही स्पष्टीकरण है।
(b) A और R दोनों सही है, परन्तु R, A का सही स्पष्टीकरण नहीं है।
(c) A सही है, परन्तु R गलत है।
(d) A गलत है, परन्तु R सही है।

43. **कथन (A):** गांधी जी ने 1922 ई. में असहयोग आंदोलन को रोक दिया था।

कारण (R): चौरी-चौरा में हुई हिंसा उनके आंदोलन को रोक देने का कारण बनी। (1998)
(a) A और R दोनों सही है तथा R, A का सही स्पष्टीकरण है।
(b) A और R दोनों सही है, परन्तु R, A का सही स्पष्टीकरण नहीं है।
(c) A सही है, परन्तु R गलत है।
(d) A गलत है, परन्तु R सही है।

44. जब 1946 ई. में भारतीय मुस्लिम लीग को अन्तरिम सरकार में सम्मिलित किया गया तब लियाकल अली खां को जो विभाग दिया गया, वह है: (1998)
(a) विदेश (b) गृह
(c) वित्त (d) रक्षा

45. सन 1947 में भारतीय राष्ट्रीय कांग्रेस देश के विभाजन के लिए मुख्यरूप से इसलिए सहमत हुई, क्योंकि: (1998)
(a) उन्हें तब द्विराष्ट्र सिद्धान्त स्वीकार था।
(b) इसे ब्रिटिश सरकार द्वारा थोपा गया था और कांग्रेस इस मामले में नि:सहाय थी।
(c) वे बड़े पैमाने पर सम्भावित साम्प्रदायिक दंगों को बचाना चाहते थे।
(d) भारत स्वाधीनता प्राप्त करने के अवसर से अन्यथा वंचित रह जाता।

46. भारत की स्वाधीनता के समय, महात्मा गांधी: (1998)
(a) कांग्रेस कार्यकारिणी समिति के सदस्य थे।
(b) कांग्रेस के सदस्य नहीं थे।
(c) कांग्रेस के अध्यक्ष थे।
(d) कांग्रेस के महासचिव थे।

47. क्रान्तिकारियों के एक गुप्त समाज 'अभिनव भारत' का गठन किया था: (1999)
(a) खुदीराम बोस ने
(b) वी.डी. सावरकर ने
(c) प्रफुल्ल चाकी ने
(d) भगत सिंह ने

48. भारत में ब्रिटेन के सभी संवैधानिक प्रयोगों में से सबसे कम समय तक चला: (1999)
(a) वर्ष 1861 का इंडियन काउन्सिल एक्ट
(b) वर्ष 1892 का इंडियन काउन्सिल एक्ट
(c) वर्ष 1909 का इंडियन काउन्सिल एक्ट
(d) वर्ष 1919 का गवर्नमेन्ट ऑफ इंडिया एक्ट

49. 'इसका प्रस्ताव मई में आया। इसमें अभी भारत को विभाजन मुक्त रखने की आकांक्षा थी जिसका ब्रिटिश प्रांतों से मिलकर बने एक संघीय राज्य का स्वरूप होना था। उपरोक्त उद्धरण का संबंध है: (1999)
(a) साइमन कमीशन से
(b) गांधी-इरविन पैक्ट से
(c) क्रिप्स मिशन से
(d) कैबिनेट मिशन से

50. किस भारतीय राष्ट्रवादी नेता ने जर्मनी और ब्रिटेन के बीच युद्ध को ऐसे ईश्वर प्रदत्त अवसर के रूप में देखा, जिसमें भारतीयों को उस स्थिति का अपने हित में लाभ उठाने का मौका मिलता? (1999)
(a) सी. राजगोपालाचारी (b) एम.ए. जिन्ना
(c) सुभाष चन्द्र बोस (d) जवाहरलाल नेहरू

51. कांग्रेस के निम्नलिखित नेताओं में से कौन एक कैबिनेट मिशन योजना के पक्ष में पूरी तरह से था?
(a) महात्मा गांधी
(b) जवाहरलाल नेहरू
(c) सरदार पटेल
(d) मौलाना अबुल कलाम आजाद

52. निम्नलिखित भारतीय नेताओं में से कौन एक ब्रिटिश द्वारा इंडियन सिविल सर्विस से बर्खास्त किया गया था? (1999)
(a) सत्येन्द्रनाथ टैगोर (b) सुरेन्द्रनाथ बनर्जी
(c) आर.सी. दत्त (d) सुभाष चन्द्र बोस

53. शब्द 'इम्पीरियल प्रेफरेन्स' का प्रयोग किया जाता था: (1999)

(a) भारत में ब्रिटिश आयातों पर दी गई विशेष रियायतों के लिए।
(b) ब्रिटिश नागरिकों द्वारा किये जा रहे प्रजातीय भेदभाव के लिए।
(c) ब्रिटिश हित के लिए किए जा रहे भारतीय हित के दमन के लिए।
(d) भारतीय रियासतों के राजाओं पर ब्रिटिश पॉलिटिकल एजेंटों को दी जा रही तरजीह के लिए।

54. **कथन (A):** लॉर्ड लिनलिथगो ने 1942 ई. के अगस्त आंदोलन को सिपाही विद्रोह के बाद सर्वाधिक गम्भीर विद्रोह कहा था।

कारण (R): कुछ क्षेत्रों में किसान व्यापक जनआंदोलन में उठ खड़े हुए थे। (1999)

(a) A और R दोनों सही है तथा R, A का सही स्पष्टीकरण है।
(b) A और R दोनों सही है, परन्तु R, A का सही स्पष्टीकरण नहीं है।
(c) A सही है, परन्तु R गलत है।
(d) A गलत है, परन्तु R सही है।

55. अखिल भारतीय राजनीति में गांधी जी का पहला साहसिक कदम था: (1999)

(a) असहयोग आंदोलन (b) रौलेट आंदोलन
(c) चम्पारण आंदोलन (d) दांडी यात्रा

56. कांग्रेस की प्रार्थना और याचिका की नीति अन्ततोगत्वा समाप्त हो गई: (1999)

(a) अरविन्द घोष के नेतृत्व में
(b) बाल गंगाधर तिलक के नेतृत्व में
(c) लाला लाजपतराय के नेतृत्व में
(d) महात्मा गांधी के नेतृत्व में

57. सूची-I को सूची-II से सुमेलित कीजिए तथा सूचियों के नीचे दिए हुए कूट का प्रयोग करते हुए सही उत्तर का चयन कीजिए: (1999)

सूची-I	सूची-II
A. श्याम जी कृष्ण वर्मा	1. वन्दे मातरम्
B. मैडम भीकाजी कामा	2. इंडियन सोशियोलॉजिस्ट
C. एनी बेसेन्ट	3. द तलवार
D. अरविन्द घोष	4. कॉमनवेल्थ

(a) A–2; B–3; C–4; D–1
(b) A–3; B–2; C–1; D–4
(c) A–2; B–3; C–1; D–4
(d) A–3; B–2; C–4; D–1

58. 'इस मिसाल में हम मुसलमानों को हिन्दुओं से भिड़ा नहीं पाए।' निम्नलिखित में से कौन-सी एक घटना में एचिसन के इस कथन का संबंध है? (2000)

(a) 1857 ई. का विप्लव
(b) चम्पारण सत्याग्रह (1917 ई.)
(c) खिलाफत और असहयोग आंदोलन (1919-1922 ई.)
(d) 1942 ई. की अगस्त क्रान्ति

59. 1935 ई. के भारत सरकार अधिनियम की निम्नलिखित में से कौन-सी एक वैशिष्ट्य युक्त नहीं है? (2000)

(a) केन्द्र के साथ ही साथ राज्यों में द्वैध शासन
(b) द्विसदनी विधानमंडल
(c) प्रांतीय स्वायत्तता
(d) एक अखिल भारतीय संघ

60. 1943 ई. में आजाद हिन्द फौज (INA) अस्तित्व में आई: (2000)

(a) जापान में
(b) तत्कालीन बर्मा में
(c) सिंगापुर में
(d) तत्कालीन मलाया में

61. भारत के विभाजन के विकल्प के रूप में गांधीजी ने माउंटबेटन को सुझाया था कि वे: (2000)

(a) स्वतंत्रता प्रदान करने के कार्य को स्थगित करें।
(b) जिन्ना को सरकार बनाने के लिए आमंत्रित करें।
(c) नेहरू एवं जिन्ना को साथ-साथ सरकार बनाने के लिए आमंत्रित करें।
(d) सेना को कुछ समय के लिए अधिकार ग्रहण करने के लिए आमंत्रित करें।

62. त्रिपुरा की देसी रियासत स्वतंत्रता आंदोलन में बीसवीं सदी के प्रारम्भ में शामिल हुई, क्योंकि: (2000)

(a) त्रिपुरा के राजा हमेशा ब्रिटिश विरोधी रहे।
(b) बंगाल के क्रान्तिकारी त्रिपुरा में आश्रय लिये हुए थे।
(c) राज्य की जनजातियां घोर रूप से स्वतंत्रता प्रेमी थीं।
(d) पहले से ही कुछ समूह राजपद एवं उसके रक्षक ब्रिटिश के खिलाफ लड़ रहे थे।

63. दक्षिण अफ्रीका से लौटने के पश्चात, गांधीजी ने प्रथम सफल सत्याग्रह आरम्भ किया: (2000)

(a) चौरी-चौरा में (b) दांडी में
(c) चम्पारन में (d) बारदोली में

64. सूची-I को सूची-II से सुमेलित कीजिए तथा सूचियों के नीचे दिए हुए कूट का प्रयोग करते हुए सही उत्तर का चयन कीजिए: (2000)

	सूची-I		सूची-II
A.	चितगंग आर्मरी रेड	1.	कल्पना दत्त
B.	अभिनव भारत	2.	गुरु राम सिंह
C.	अनुशीलन समिति	3.	वी.डी. सावरकर
D.	कूका आंदोलन	4.	अरविन्द घोष

कूट:
(a) A–1; B–3; C–4; D–2
(b) A–1; B–3; C–2; D–4
(c) A–3; B–1; C–2; D–4
(d) A–3; B–1; C–4; D–2

निर्देश (65-66): निम्न प्रश्नों में दो वक्तव्य हैं, एक को कथन (A) तथा दूसरे को कारण (R) कहा गया है, इन दोनों वक्तव्यों का सावधानीपूर्वक परीक्षण कर इन प्रश्नों का उत्तर नीचे दिए कूट की सहायता से चुनिए:

कूट:
(a) A और R दोनों सही है तथा R, A का सही स्पष्टीकरण है।
(b) A और R दोनों सही है, परन्तु R, A का सही स्पष्टीकरण नहीं है।
(c) A सही है, परन्तु R गलत है।
(d) A गलत है, परन्तु R सही है।

65. **कथन (A):** लॉर्ड लिनलिथगो ने 1942 ई. के अगस्त आंदोलन को सिपाही विद्रोह के बाद का सबसे गम्भीर विद्रोह बताया।

कारण (R): कुछ स्थानों में किसानों ने बड़ी संख्या में आंदोलन में भाग लिया। (2000)

66. **कथन (A):** प्रारम्भिक राष्ट्रीय आंदोलन की आधारभूत कमजोरी उसका संकीर्ण सामाजिक आधार था।

कारण (R): यह इसमें सम्मिलित होने वाले सामाजिक समूहों के संकीर्ण हितों के लिए लड़ता था। (2000)

67. अध्यक्षीय सम्बोधन के समय, जिस कांग्रेस अध्यक्ष ने हिंदी भाषा के लिए रोमन लिपि लागू करने की वकालत की वे थे:
(a) महात्मा गांधी
(b) जवाहरलाल नेहरू
(c) अबुल कलाम आजाद
(d) सुभाष चन्द्र बोस

68. भारत वर्ष के विभाजन के समय ब्रिटिश-भारत के निम्नलिखित में से किस एक प्रांत ने एक संयुक्त स्वतंत्र अस्तित्व के लिए योजना सामने रखी? (2000)
(a) पंजाब (b) असम
(c) बंगाल (d) बिहार

69. भारत के विभाजन का बाल्कन प्लान उपज थी: (2000)
(a) डब्ल्यू. चर्चिल के मस्तिष्क की
(b) एम.ए. जिन्ना के मस्तिष्क की
(c) लॉर्ड माउंटबेटन के मस्तिष्क की
(d) वी.पी. मेनन के मस्तिष्क की

70. भारतीय राष्ट्रीय कांग्रेस के बारे में निम्नलिखित कथनों पर विचार कीजिए:
1. सरोजिनी नायडू कांग्रेस की अध्यक्ष होने वाली प्रथम महिला थी।
2. सी.आर. दास ने जब कांग्रेस के रूप में कार्य किया, वे जेल में थे।
3. एलन ऑक्टेवियन ह्यूम प्रथम ब्रिटिश नागरिक थे, जो कांग्रेस अध्यक्ष बने।
4. अल्फ्रेड वेब (Alfred Web) 1894 ई. में कांग्रेस के अध्यक्ष थे।

इनमें से कौन-कौन से कथन सही हैं? (2000)
(a) 1 और 3 (b) 2 और 4
(c) 2, 3 और 4 (d) 1, 2, 3 और 4

71. हण्टर आयोग की नियुक्ति की गई थे: (2001)
(a) काली कोठरी घटना के बाद
(b) जलियांवाला बाग हत्याकाण्ड के बाद
(c) 1857 ई. के विद्रोह के बाद
(d) बंगाल के विभाजन के बाद

72. 1920 ई. के अहमदाबाद अधिवेशन में निम्नलिखित नेताओं में से किसने संपूर्ण स्वराज को कांग्रेस का लक्ष्य मानने का प्रस्ताव रखा? (2001)
(a) अब्दुल कलाम आजाद
(b) हसरत मोहानी
(c) जवाहर लाल नेहरू
(d) मोहनदास करमचन्द गांधी

73. निम्नलिखित में से किसने प्रसिद्ध चटगांव शस्त्रागार धावे को आयोजित किया था? (2001)
(a) लक्ष्मी सहगल (b) सूर्यसेन
(c) बटुकेश्वर (d) जे.एम. सेनगुप्त

74. सन 1908 में अखिल भारतीय मुस्लिम लीग की एक लन्दन शाखा की स्थापना हुई: (2001)
(a) आगा खान की अध्यक्षता में
(b) अमीर अली की अध्यक्षता में
(c) लिआकत अली खान की अध्यक्षता में
(d) एम.ए. जिन्ना की अध्यक्षता में

75. निम्नलिखित में से कौन 1939 ई. में भारत प्रजामंडल (ऑल इंडिया स्टेट्स पीपुल्स कॉन्फ्रेन्स) के अध्यक्ष थे? (2001)
(a) जय प्रकाश नारायण
(b) शेख अब्दुल्ला
(c) जवाहरलाल नेहरू
(d) सरदार वल्लभभाई पटेल

76. स्वदेशी की भावना से ओत-प्रोत भारत के चरमपंथी राष्ट्रवादी आंदोलन काल के सन्दर्भ में निम्नलिखित में से कौन-सा कथन सही नहीं है? (2002)
(a) लियाकत हुसैन ने बरिसाल के मुस्लिम किसानों के आंदोलनों में उनका नेतृत्व किया।
(b) वर्ष 1898 में, राष्ट्रीय शिक्षा की योजना सतीश चन्द्र मुखर्जी द्वारा तैयार की गई।
(c) बंगाल नेशनल कॉलेज की स्थापना वर्ष 1906 में हुई जिसके प्रधानाचार्य अरविन्दो थे।
(d) टैगौर ने आत्मशक्ति की उपासना का उपदेश दिया, जिसका मुख्य उद्देश्य गांवों का सामाजिक और आर्थिक पुनरुद्धार करना था।

77. भारतीय स्वाधीनता संघर्ष के सन्दर्भ में निम्नलिखित में कौन-सा कथन सही नहीं है? (2002)
(a) हकीम अजमल खान राष्ट्रवादी तथा चरमपंथी अहराट आंदोलन शुरू करने वाले नेताओं में से थे।
(b) भारतीय राष्ट्रीय कांग्रेस के गठन के समय सैयद अहमद खान ने इसका विरोध किया।
(c) 1906 ई. में गठित अखिल भारतीय मुस्लिम लीग ने बंगाल के विभाजन और अलग निर्वाचक समूह बनाए जाने का प्रबल विरोध किया।
(d) मौलाना बरकतुल्ला और मौलाना अब्दुल्ला सिन्धी, काबुल में भारत की अन्त: कालीन सरकार का गठन करने वालों में से थे।

78. 1935 ई. के भारत अधिनियम द्वारा प्रस्तावित फैडरल यूनियन में राजसी प्रांतों को शामिल करने के पीछे अंग्रेजों की असली मंशा थी- (2002)
(a) हकीम अजमल खान राष्ट्रवादी तथा चरमपंथी अहराट आंदोलन शुरू करने वाले नेताओं में से थे।
(b) भारतीय राष्ट्रीय कांगेस के गठन के समय सैयद अहमद खान ने इसका विरोध किया।
(c) 1906 ई. में गठित अखिल भारतीय मुस्लिम लीग ने बंगाल के विभाजन और अलग निर्वाचक समूह बनाए जाने का प्रबल विरोध किया।
(d) मौलाना बरकतुल्ला और मौलाना अब्दुल्ला सिन्धी काबुल में भारत की अंत: कालीन सरकार का गठन करने वालों में से थे।

79. भारत के विभाजन के समय भारतीय राष्ट्रीय कांग्रेस के अध्यक्ष थे: (2002)
(a) सी. राजगोपालाचारी
(b) जे.बी. कृपलानी
(c) जवाहरलाल नेहरू
(d) मौलाना अब्दुल कलाम आजाद

80. भारतीय इतिहास के औपनिवेशिक काल के सन्दर्भ में सूची-I (व्यक्ति) को सूची-II (विषय) के साथ सुमेलित कीजिए और सूचियों के नीचे दिए गए कूट का प्रयोग कर सही उत्तर चुनिए- (2002)

सूची-I (व्यक्ति)	सूची-II (विषय)
A. मैक्डोनाल्ड	1. डॉक्ट्रिन ऑफ लैप्स
B. लिनलिथगो	2. कॉम्युनल अवार्ड
C. डलहौजी	3. अगस्त ऑफर
D. चेम्सफोर्ड	4. डाइआर्की

कूट:
(a) A–3; B–2; C–1; D–4
(b) A–3; B–2; C–4; D–1
(c) A–2; B–3; C–1; D–4
(d) A–2; B–3; C–4; D–1

81. भारतीय स्वाधीनता संघर्ष के दौरान रेडशटर्स के नाम से भी पहचाने जाने वाले खुदाई खिदमतगारों ने आह्वान किया: (2002)
(a) उत्तर पश्चिम के पश्तून जनजातीय क्षेत्रों को अफगानिस्तान के साथ मिलाकर एक करने का।
(b) उपनिवेशीय शासकों को आतंकित करने और अन्त में उन्हें हटा देने के लिए आतंकवादी युक्तियों और तरीकों को अपनाने का।
(c) राजनैतिक और सामाजिक सुधार के लिए साम्यवादी क्रान्तिकारी विचारधारा अपनाने का।
(d) पठान क्षेत्रीय राष्ट्रवादी एकता का और उपनिवेशवाद के विरुद्ध संघर्ष का।

82. **कथन (A):** 1930 ई. के दशक के आरम्भ में भारतीय राष्ट्रवादी लहर में श्रमिक भागीदारी का प्रभाव कम था।
कारण (R): श्रमिक नेता भारतीय राष्ट्रीय कांग्रेस की विचारधारा को बुर्जुआ और प्रतिक्रियावादी समझते थे।
उपर्युक्त के सन्दर्भ में निम्नलिखित में से कौन सही है? (2002)
(a) A और R दोनों सही है तथा R, A का सही स्पष्टीकरण है।
(b) A और R दोनों सही है, परन्तु R, A का सही स्पष्टीकरण नहीं है।
(c) A सही है, परन्तु R गलत है।
(d) A गलत है, परन्तु R सही है।

83. भारत के विभाजन को टालने का अन्तिम अवसर समाप्त हो गया था: (2002)
(a) क्रिप्स मिशन को अस्वीकार करने के साथ ही।
(b) राजगोपालाचारी फार्मूले को अस्वीकार करने के साथ ही।
(c) कैबिनेट मिशन को अस्वीकार करने के साथ ही।
(d) वैवेल प्लान को अस्वीकार करने के साथ ही।

84. भारत के संविधान का प्रारूप तैयार करने वाली संविधान सभा के सदस्यों को: (2002)
(a) ब्रिटिश संसद द्वारा नामित किया गया।
(b) गवर्नर जनरल द्वारा नामित किया गया।
(c) विभिन्न प्रांतों की विधान सभाओं द्वारा चुना गया।
(d) भारतीय राष्ट्रीय कांग्रेस और मुस्लिम लीग द्वारा चुना गया।

85. वर्ष 1946 ई. में गठित अंतरिम कैबिनेट की अध्यक्षता किसने की? (2003)
(a) राजेन्द्र प्रसाद
(b) जवाहरलाल नेहरू
(c) सरदार वल्लभभाई पटेल
(d) राजगोपालाचारी

86. बारदोली सत्याग्रह (1928) का नेतृत्व किया? (2003)
(a) सरदार वल्लभभाई पटेल ने
(b) महात्मा गांधी ने
(c) विट्ठलभाई जे. पटेल ने
(d) महादेव देसाई ने

87. **कथन (A):** 1916 ई. में मौलाना मोहम्मद अली तथा अबुल कलाम आजाद ने विधान परिषद से त्यागपत्र दे दिया था।

कारण (R): विधान परिषद के सभी भारतीय सदस्यों के विरोध के बावजूद सरकार ने रौलेट एक्ट को पारित कर दिया था।

नीचे दिये गए कूट से सही उत्तर चुनिए: (2003)
(a) A और R दोनों सही है तथा R, A का सही स्पष्टीकरण है।
(b) A और R दोनों सही है, परन्तु R, A का सही स्पष्टीकरण नहीं है।
(c) A सही है, परन्तु R गलत है।
(d) A गलत है, परन्तु R सही है।

88. भारत के स्वतंत्रता-संग्राम से संबंधित निम्न कथनों में से कौन-सा एक सही नहीं है? (2003)
(a) रौलेट एक्ट से सार्वजनिक रोष की एक लहर उमड़ी जिसके फलस्वरूप जलियांवाला बाग जनसंहार हुआ।
(b) सुभाष चन्द्र बोस ने फारवर्ड ब्लॉक गठित किया था।
(c) भगत सिंह हिन्दुस्तान रिपब्लिकन सोशलिस्ट एसोसिएशन के संस्थापकों में से एक थे।
(d) 1931 ई. में कराची के कांग्रेस अधिवेशन में गांधी-इर्विन समझौते का विरोध हुआ था।

89. 1942 ई. के क्रिप्स मिशन का एक महत्वपूर्ण पहलू था: (2003)
(a) भारत को किसी भी कोटि की स्वायत्तता देने की शर्त थी कि सभी भारतीय राज्यों को भारत संघ में शामिल होना होगा।
(b) द्वितीय विश्वयुद्ध के तुरन्त पश्चात भारत संघ की स्थापना करना और उसे डोमीनियन पद प्रदान करना।
(c) विश्वयुद्ध के पश्चात भारत को संपूर्ण स्वतंत्रता तथा प्रभुत्व का दर्जा प्रदान करने की शर्त थी-भारतीय लोगों, समुदायों तथा राजनीतिक दलों का ब्रितानिया के युद्ध में भाग तथा सहयोग।
(d) संपूर्ण भारत संघ के लिए एक ही संविधान की संरचना करना, किसी भी प्रांत के लिए पृथक संविधान का न होना तथा सभी प्रांतों को संघीय संविधान मान्य होगा।

90. कांग्रेसी नेताओं द्वारा मॉण्टेग्यू-चेम्सफोर्ड रिपोर्ट की निन्दा करने पर कई नरमपंथियों ने पार्टी छोड़कर निम्न में से कौन-सी पार्टी का गठन किया? (2003)
(a) स्वराज पार्टी
(b) इंडियन फ्रीडम पार्टी
(c) इंडिपेन्डेंस फेडरेशन ऑफ इंडिया
(d) इंडियन नेशनल लिबरल फेडरेशन

91. निम्नलिखित कथनों पर विचार कीजिए-
1935 ई. के भारत सरकार अधिनियम (Government of India Act, 1935) की कुछ विशेषताएं थीं-
1. गवर्नरी प्रांतों में द्वैध-शासन की समाप्ति।
2. गवर्नरों को विधायी क्रियाओं में निषेधाधिकार (VETO) की शक्ति तथा स्वयं द्वारा विधि बनाना।
3. साम्प्रदायिक प्रतिनिधित्व के नियम की समाप्ति।

उपरोक्त कथनों में से कौन-सा/से सही है/हैं? (2004)
(a) केवल 1 (b) 1 और 2
(c) 2 और 3 (d) 1, 2 और 3

92. निम्नलिखित कथनों पर विचार कीजिए.
1. भारतीय राष्ट्रीय कांग्रेस का प्रथम अधिवेशन कलकत्ता में हुआ।
2. भारतीय राष्ट्रीय कांग्रेस का दूसरा अधिवेशन दादाभाई नौरोजी की अध्यक्षता में हुआ।
3. भारतीय राष्ट्रीय कांग्रेस तथा मुस्लिम लीग, दोनों ने लखनऊ में 1916 ई. में अधिवेशन किया तथा लखनऊ समझौता सम्पन्न किया।

उपरोक्त कथनों में से कौन-सा/से सही है/हैं?
(a) 1 और 2 (b) केवल 2
(c) 2 और 3 (d) केवल 3

93. निम्नलिखित कथनों में से कौन-सा एक सही है? (2004)
(a) वर्ष 1946 में प्रांतीय सभाओं द्वारा भारत की संविधान सभा चुनी गई।
(b) जवाहरलाल नेहरू, एम.ए. जिन्ना और सरदार वल्लभभाई पटेल भारत की संविधान सभा के सदस्य थे।
(c) भारत की संविधान सभा का प्रथम अधिवेशन जनवरी 1947 में हुआ।
(d) भारत का संविधान 26 जनवरी 1950 को अंगीकृत (Adopted) किया गया।

94. मोंटेग्यू-चेम्सफोर्ड की रिपोर्ट: (2004)
(a) भारतीय परिषद अधिनियम, 1909 का आधार बनी।
(b) भारत सरकार अधिनियम, 1919 का आधार बनी।
(c) भारत सरकार अधिनियम, 1935 का आधार बनी।
(d) भारतीय स्वतंत्रता अधिनियम, 1947 का आधार बनी।

95. भारतीय स्वतंत्रता संग्राम के दौरान, निम्नलिखित में से किसने प्रस्तावित किया कि स्वराज को सभी प्रकार के विदेशी नियंत्रण से मुक्त संपूर्ण स्वतंत्रता के रूप में परिभाषित किया जाए? (2004)
(a) मजहरुल हक
(b) मौलाना हसरत मोहानी
(c) हकीम अजमल खान
(d) अबुल कलाम आजाद

96. 1919 ई. में पंजाब में हुए अत्याचारों से अपने विरोध के प्रतीक के रूप में किस विख्यात व्यक्ति ने ब्रिटिश सरकार द्वारा प्रदान किए गए 'नाइट हुड' की उपाधि को वापस लौटा दिया? (2004)
(a) तेज बहादुर सप्रू (b) आशुतोष मुखर्जी
(c) रवीन्द्रनाथ टैगोर (d) सैयद अहमद खान

97. भारत के स्वतंत्रता संग्राम के दौरान घटी निम्नलिखित घटनाओं पर विचार कीजिए:
1. चौरी-चौरा हिंसा
2. मिन्टो-मार्ले
3. दांडी यात्रा
4. मॉण्टेग्यू-चेम्सफोर्ड सुधार

उपरोक्त घटनाओं का सही कालानुक्रम है- (2004)
(a) 1, 3, 2, 4 (b) 2, 4, 1, 3
(c) 1, 4, 2, 3 (d) 2, 3, 1, 4

98. प्रथम विश्वयुद्ध के दौरान सक्रिय होने वाले गदर क्रान्तिकारियों का आधार-स्थल था: (2005)
(a) मध्य अमेरिका (b) उत्तरी अमेरिका
(c) पश्चिमी अमेरिका (d) दक्षिणी अमेरिका

99. निम्नलिखित कथनों पर विचार कीजिए।
भारत छोड़ो आंदोलन प्रारम्भ करने के पूर्वदिन महात्मा गांधी ने-
1. सरकारी कर्मचारियों को त्यागपत्र देने को कहा।
2. सैनिकों से अपने पद छोड़ने को कहा।
3. राजसी रियासतों के राजाओं को अपनी जनता की प्रभुसत्ता स्वीकार करने को कहा।

उपरोक्त कथनों में से कौन-सा/से सही है/हैं? (2005)
(a) 1 और 2 (b) 2 और 3
(c) केवल 3 (d) 1, 2 और 3

100. निम्नलिखित में से किस एक प्रदेश में सन 1935 के अधिनियम के अन्तर्गत कांग्रेस की मंत्रिपरिषद का गठन नहीं हुआ था? (2005)
(a) बिहार (b) मद्रास
(c) उड़ीसा (d) पंजाब

101. किस कांग्रेस सत्र में कार्यकारी कमेटी को सविनय अवज्ञा आंदोलन प्रारम्भ करने का अधिकार दिया गया था? (2005)
(a) बम्बई सत्र (b) लाहौर सत्र
(c) लखनऊ सत्र (d) त्रिपुरा सत्र

102. अक्टूबर, 1920 में भारतीय कम्युनिस्ट पार्टी की स्थापना के लिए ताशकन्द में एकत्र हुए भारतीयों के समूह के मुखिया निम्नलिखित में से कौन थे? (2005)
(a) एच.के. सरकार (b) पी.सी. जोशी
(c) एम.सी. छागला (d) एन.एन. राय

103. सन 1931 में कांग्रेस के कराची अधिवेशन में मूल अधिकारों पर प्रस्ताव का प्रारूप निम्नलिखित में से किसने बनाया? (2005)
(a) डॉ. बी.आर. अम्बेडकर
(b) पंडित जवाहरलाल नेहरू
(c) डॉ. राजेन्द्र प्रसाद
(d) सरदार वल्लभभाई पटेल

104. निम्नलिखित में से कौन फरवरी, 1918 में स्थापित यू.पी. किसान सभा की स्थापना से सम्बद्ध नहीं था? (2005)
(a) इन्द्र नारायण द्विवेदी (b) गौरीशंकर मिश्र
(c) जवाहरलाल नेहरू (d) मदन मोहन मालवीय

105. निम्नलिखित युग्मों में कौन-से सही सुमेलित हैं?
आंदोलन/सत्याग्रह : सक्रिय सम्बद्ध व्यक्ति
1. चम्पारण : राजेन्द्र प्रसाद
2. अहमदाबाद मिल श्रमिक : मोरारजी देसाई
3. खेड़ा : वल्लभभाई पटेल

नीचे दिए गए कूट का प्रयोग कर सही उत्तर चुनिए: (2005)

कूट:
(a) 1 और 2 (b) 2 और 3
(c) 1 और 3 (d) 1, 2 और 3

106. निम्नलिखित कथनों पर विचार कीजिए:
1. जब शिमला सम्मेलन हुआ, तब लॉर्ड माउंटबेटन वॉयसराय थे।
2. भारतीय नौसेना का विद्रोह सन 1910 में तब हुआ जब बम्बई और कराची में रॉयल इंडियन नेवी के भारतीय नौसैनिक सरकार के विरुद्ध उठ खड़े हुए।

उपरोक्त कथनों में से कौन-सा/से सही है/हैं? (2005)
(a) केवल 1
(b) केवल 2
(c) दोनों 1 व 2
(d) न ही 1 और न ही 2

107. निम्नलिखित कथनों पर विचार कीजिए-
1. प्रथम गोलमेज सम्मेलन में डॉ. अम्बेडकर ने दलित वर्ग के लिए अलग निर्वाचक मंडल की मांग रखी।
2. पूना पैक्ट में स्थानीय निकायों तथा सिविल सेवाओं में दलित वर्गों के प्रतिनिधित्व के लिए विशेष उपबन्ध रखे गए थे।
3. तृतीय गोलमेज सम्मेलन में भारतीय राष्ट्रीय कांग्रेस ने भाग नहीं लिया था।

उपरोक्त कथनों में से कौन-सा/से सही है/हैं? (2005)
(a) 1 और 2 (b) 2 और 3
(c) 1 और 3 (d) 1, 2 और 3

108. वर्ष 1939 में कांग्रेस को छोड़ने के पश्चात सुभाष चन्द्र बोस ने किस दल की स्थापना की? (2005)
(a) इंडियन फ्रीडम पार्टी (b) आजाद हिन्द फौज
(c) रिवोल्यूशनरी फ्रन्ट (d) फॉरवर्ड ब्लॉक

109. निम्नलिखित कथनों पर विचार कीजिए:
गवर्नमेन्ट ऑफ इंडिया एक्ट, 1935 ई. में-
1. प्रांतीय स्वशासन का उपबन्ध था।
2. एक संघीय न्यायालय (फेडरल कोर्ट) की स्थापना का उपबन्ध था।
3. केन्द्र में अखिल भारतीय संघ का उपबन्ध था।

उपरोक्त कथनों में से कौन-सा/से सही है/हैं? (2005)
(a) 1 और 2 (b) 2 और 3
(c) 1 और 3 (d) 1, 2 और 3

110. भारतीय राष्ट्रीय कांग्रेस का वर्ष 1929 में लाहौर सम्मेलन, जिसमें अंग्रेजों से पूर्ण स्वतंत्रता पाने का संकल्प अंगीकृत किया गया था, किसकी अध्यक्षता में हुआ था? (2006)
(a) बाल गंगाधर तिलक (b) गोपाल कृष्ण गोखले
(c) जवाहरलाल नेहरू (d) मोती लाल नेहरू

111. मैडम भीकाजी कामा से संबंधित निम्नलिखित कथनों पर विचार कीजिए:
1. मैडम कामा ने वर्ष 1907 में पेरिस में आयोजित अन्तर्राष्ट्रीय सोशलिस्ट सम्मेलन में राष्ट्रीय ध्वज फहराया।
2. मैडम कामा दादाभाई नौरोजी को निजी सचिव रही।
3. मैडम कामा के माता-पिता पारसी थे।

उपरोक्त कथनों में से कौन-सा/से सही है/हैं? (2006)
(a) 1, 2 तथा 3 (b) केवल 2 तथा 3
(c) केवल 1 तथा 2 (d) केवल 3

112. 1946 ई. में बनी अन्तरिम सरकार में डॉ. राजेन्द्र प्रसाद के पास कौन-सा विभाग था? (2006)
(a) रक्षा
(b) विदेशी मामले तथा राष्ट्रमंडल संबंध
(c) खाद्य तथा कृषि
(d) कोई भी नहीं

113. **कथन (A):** वेवेल योजना के अनुसार, कार्यकारी परिषद में हिंदू और मुस्लिम सदस्यों की संख्या समान होती थी।
कारण (R): वेवेल का विचार था कि ऐसी व्यवस्था से भारत का बंटवारा बच जाता। (2007)
(a) A और R दोनों सही है तथा R, A का सही स्पष्टीकरण है।
(b) A और R दोनों सही है, परन्तु R, A का सही स्पष्टीकरण नहीं है।
(c) A सही है, परन्तु R गलत है।
(d) A गलत है, परन्तु R सही है।

114. निम्नलिखित में से किसके कारण सार्वजनिक रोष को लहर उभरी, जिसके फलस्वरूप जलियांवाला बाग में ब्रिटिश द्वारा जनसंहार (Massacre) की घटना घटी? (2007)
(a) दि आर्स एक्ट
(b) दि पब्लिक सेफ्टी एक्ट
(c) दि रौलेट एक्ट
(d) दि वर्नाक्यूलर प्रेस एक्ट

115. निम्नलिखित स्थानों में से कहां महात्मा गांधी ने भारत में सर्वप्रथम सत्याग्रह आरम्भ किया? (2007)
(a) अहमदाबाद (b) बारदोली
(c) चंपारण (d) खेड़ा

116. भारत के स्वदेशी आंदोलन के दौरान लिखा गया गीत 'आमार शोनार बांग्ला' ने बांग्लादेश को उसके स्वतंत्रता संग्राम में प्रोत्साहित किया और उसे बांग्लादेश ने राष्ट्रीय गान के रूप में अपनाया, यह गीत किसने लिखा था? (2007)
(a) रजनी कान्त सेन (b) द्विजेन्द्रलाल रॉय
(c) मुकुन्द दास (d) रवीन्द्रनाथ टैगोर

117. निम्नलिखित में से किसने नाइटहुड की उपाधि को अस्वीकार किया और भारत के लिए काउन्सिल ऑफ द सेक्रेटरी ऑफ स्टेट में पद ग्रहण करना अस्वीकार किया? (2008)
(a) मोतीलाल नेहरू (b) एम.जी. रानाडे
(c) जी.के. गोखले (d) बी.जी. तिलक

118. भारतीय स्वतंत्रता संघर्ष के दौरान, निम्नलिखित में से किसने 'फ्री इंडियन लीजन' नामक सेना बनाई? (2008)
(a) लाला हरदयाल (b) रास बिहारी बोस
(c) सुभाष चन्द्र बोस (d) वी.डी. सावरकर

119. निम्नलिखित में से किसने वॉयसराय की एक्जीक्यूटिव काउन्सिल के पुनर्गठन का सुझाव दिया, जिसमें वॉर मेम्बर सहित सभी विभाग भारतीय नेताओं द्वारा धारण किए जाने थे? (2008)
(a) साइमन कमीशन (b) शिमला सम्मेलन
(c) क्रिप्स प्रस्ताव (d) कैबिनेट मिशन

120. निम्नलिखित में से किसने इंडियन नेशनल कांग्रेस की नरमदलीय राजनीति की व्यवस्थित आलोचना 'न्यू लैंप्स फॉर ओल्ड' शीर्षक लेखों की श्रृंखला में की? (2008)
(a) अरविन्द घोष (b) आर.सी. दत्त
(c) सैयद अहमद खान (d) वीर राघवाचारी

121. निम्नलिखित में से किसने भारत के अंग्रेजी उपनिवेशी नियन्त्रण की आलोचना में 'अन-ब्रिटिश' पदावली का उपयोग किया था? (2008)
(a) आनन्द मोहन बोस (b) बदरुद्दीन तैयबजी
(c) दादाभाई नौरोजी (d) फिरोजशाह मेहता

122. जब रौलेट एक्ट पारित हुआ था, उस समय भारत का वॉयसराय कौन था? (2008)
(a) लॉर्ड इरविन (b) लॉर्ड रीडिंग
(c) लॉर्ड चेम्सफोर्ड (d) लॉर्ड वेवेल

123. गांधी जी के निम्नलिखित अनुयायियों में से कौन पेशे से एक शिक्षक था? (2008)
(a) ए.एन. सिन्हा (b) बृज किशोर प्रसाद
(c) जे.बी. कृपलानी (d) राजेन्द्र प्रसाद

124. निम्नलिखित में से कौन-सा एक जर्नल अबुल कलाम आजाद द्वारा प्रकाशित है? (2008)
(a) अलहिलाल
(b) कॉमरेड
(c) दि इंडियन सोशियोलॉजिस्ट
(d) जमींदार

125. दिसम्बर, 1885 में इंडियन नेशनल कांग्रेस का सर्वप्रथम अधिवेशन कहां आयोजित किया गया था? (2008)
(a) अहमदाबाद (b) बम्बई
(c) कलकत्ता (d) दिल्ली

126. निम्नलिखित में से किसने 'सुबहे आजादी' नामक कविता लिखी? (2008)
(a) साहिर लुधियानवी
(b) फैज अहमद फैज
(c) मुहम्मद इकबाल
(d) मौलाना अबुल कलाम आजाद

127. **कथन (A):** वर्ष 1939 में सभी प्रांतों में कांग्रेस मंत्रिमंडलों ने त्यागपत्र दे दिया।
कारण (R): कांग्रेस ने द्वितीय विश्वयुद्ध के सन्दर्भ में वॉयसराय के जर्मनी के विरुद्ध युद्ध घोषित कर देने के निर्णय को स्वीकार नहीं किया। (2008)
(a) A और R दोनों सही है तथा R, A का सही स्पष्टीकरण है।
(b) A और R दोनों सही है, परन्तु R, A का सही स्पष्टीकरण नहीं है।
(c) A सही है, परन्तु R गलत है।
(d) A गलत है, परन्तु R सही है।

128. 'व्यक्तिगत सत्याग्रह' में विनोबा भावे को प्रथम सत्याग्रही चुना गया था, दूसरा कौन था? (2009)
(a) डॉ. राजेन्द्र प्रसाद
(b) पंडित जवाहरलाल नेहरू
(c) सी. राजगोपालाचारी
(d) सरदार वल्लभभाई पटेल

129. निम्नलिखित कथनों पर विचार कीजिए: (2009)
क्रिप्स प्रस्तावों में प्रावधान सम्मिलित हैं:
1. भारत को पूर्ण स्वतंत्रता के लिए।
2. संविधान-निर्मात्री निकाय की रचना के लिए।
उपरोक्त कथनों में से कौन-सा/से सही है/हैं?
(a) केवल 1
(b) केवल 2
(c) 1 और 2 दोनों
(d) न तो । और न ही 2

130. स्वतंत्रता संग्राम के दौरान अरुणा आसफ अली किस भूमिगत क्रियाकलाप की प्रमुख महिला संगठक थीं? (2009)
(a) सविनय अवज्ञा आंदोलन
(b) असहयोग आंदोलन
(c) भारत छोड़ो आंदोलन
(d) स्वदेशी आंदोलन

131. निम्नलिखित प्रधानमंत्रियों में से किसने भारत में क्रिप्स मिशन भेजा? (2009)
(a) जेम्स रैम्जे मैक्डोनाल्ड (b) स्टेनली बाल्डविन
(c) नेविल चेम्बरलेन (d) विन्स्टन चर्चिल

132. भारतीय स्वतंत्रता संग्राम के दौरान, रौलेट एक्ट ने किस कारण से सार्वजनिक रोष उत्पन्न किया? (2009)
(a) इसने धर्म की स्वतंत्रता को कम किया।
(b) इसने भारतीय परम्परागत शिक्षा को दबाया।
(c) इसने लोगों को बिना मुकदमा चलाए जेल भेजने के लिए अधिकृत किया।
(d) इसने श्रमिक संघ (ट्रेड यूनियन) की गतिविधियों को नियन्त्रित किया।

133. दांडी यात्रा के साथ निम्नलिखित में से क्या प्रारम्भ हुआ है? (2009)
(a) होमरूल आंदोलन
(b) असहयोग आंदोलन
(c) सविनय अवज्ञा आंदोलन
(d) भारत छोड़ो आंदोलन

134. ''करो या मरो,'' नारा निम्नलिखित आंदोलनों में से किससे संबंधित है? (2009)
(a) स्वदेशी आंदोलन
(b) असहयोग आंदोलन
(c) सविनय अवज्ञा आंदोलन
(d) भारत छोड़ो आंदोलन

135. निम्नलिखित में से किसने अहमदाबाद टैक्सटाइल लेबर एसोसिएशन की स्थापना की? (2009)
(a) महात्मा गांधी
(b) सरदार वल्लभभाई पटेल
(c) एन.एम. जोशी
(d) जे.बी. कृपलानी

136. भारतीय स्वतंत्रता संग्राम के सन्दर्भ में 16 अक्टूबर 1905 निम्नलिखित कारणों में से किसके लिए प्रसिद्ध है? (2009)
(a) कलकत्ता के टाउन हाल में स्वदेशी आंदोलन की औपचारिक घोषणा की गई थी।
(b) बंगाल का विभाजन हुआ।
(c) दादाभाई नौरोजी ने घोषणा की कि भारतीय राष्ट्रीय कांग्रेस का लक्ष्य स्वराज्य है।
(d) लोकमान्य तिलक ने पूना में स्वदेशी आंदोलन प्रारम्भ किया।

137. भारत सरकार अधिनियम 1935 में निहित ''इंस्ट्रूमेंट ऑफ इंस्ट्रक्शन्स'' को भारत के संविधान में वर्ष 1950 में किस रूप में शामिल किया गया? (2010)
(a) मौलिक अधिकार के रूप में
(b) राज्यनीति के निर्देशक सिद्धांत रूप में
(c) राज्य की कार्यकारी शक्ति के विस्तार रूप
(d) भारत सरकार के कार्य के संचालन रूप में

138. साइमन कमीशन की संस्तुतियों के सन्दर्भ में निम्नलिखित में से कौन-सा एक कथन सही है? (2010)
(a) इसने प्रांतों में द्वैधशासन को उत्तरदायी सरकार द्वारा प्रतिस्थापित करने की संस्तुति की।
(b) इसने गृह विभाग के अधीन अन्तर-प्रांतीय परिषद स्थापित करने का सुझाव दिया।
(c) इसने केन्द्र में द्वि-सदन विधायिका के उन्मूलन का सुझाव दिया।
(d) इसने भारतीय पुलिस सेवा इस प्रावधान के साथ सृजित करने की संस्तुति की कि ब्रिटिश भर्ती का, भारतीय भर्ती की तुलना में वेतन तथा भत्ता अधिक होगा।

139. भारतीय राष्ट्रीय कांग्रेस के, वर्ष 1906 में विख्यात कलकत्ता अधिवेशन में चार संकल्प पारित किए गए थे। सूरत में 1907 ई. में हुए कांग्रेस के अगले अधिवेशन में इन चारों संकल्पों को स्वीकार करने अथवा उन्हें अस्वीकृत करने के प्रश्न पर कांग्रेस में विभाजन हो गया था। निम्नलिखित में से कौन-सा एक संकल्प इन चारों संकल्पों में नहीं था? (2010)
(a) बंगाल के विभाजन को रद्द करना
(b) बहिष्कार (बायकॉट)
(c) राष्ट्रीय शिक्षा
(d) स्वदेशी

140. भारत छोड़ो आंदोलन के उपरान्त, सी. राजगोपालाचारी ने 'दी वे-आउट' नामक पैम्फलेट जारी किया। निम्नलिखित में से कौन-सा एक प्रस्ताव इस पैम्फलेट में था? (2010)
(a) ब्रिटिश भारत तथा भारतीय राज्यों के प्रतिनिधियों को मिलाकर एक 'युद्ध सलाहकार परिषद' की स्थापना।
(b) केन्द्रीय कार्यकारी परिषद का इस प्रकार पुनर्गठन कि गवर्नर-जनरल तथा कमाण्डर-इन-चीफ के अतिरिक्त अन्य सभी सदस्य भारतीय नेता हों।
(c) केन्द्रीय तथा प्रांतीय विधानमंडलों के 1945 के अन्त में नए चुनाव कराए जाएं तथा संविधान का निर्माण करने वाले निकाय को यथासम्भव शीघ्र आयोजित किया जाए।
(d) संवैधानिक गतिरोध का हल।

141. स्वदेशी आंदोलन के प्रारम्भ का तात्कालिक कारण क्या था? (2010)
(a) लॉर्ड कर्जन द्वारा किया गया बंगाल विभाजन।
(b) लोकमान्य तिलक पर अधिरोपित 18 महीने के सख्त कारावास का दंडादेश।
(c) लाला लाजपत राय तथा अजीत सिंह की गिरफ्तारी व निर्वासन; तथा पंजाब कोलोनाइजेशन बिल का पारित किया जाना।
(d) चापेकर बन्धुओं को मृत्यु-दंड की सजा सुनाया जाना।

142. निम्नलिखित कथनों पर विचार कीजिए: (2010)

1. डॉ. राजेन्द्र प्रसाद ने महात्मा गांधी को चम्पारण आने तथा कृषकों की समस्या की जांच करने के लिए राजी किया।
2. चम्पारण जांच में आचार्य जे.बी. कृपलानी महात्मा गांधी के निकट सहयोगियों में से एक थे।

ऊपर दिए गए कथनों में से कौन-सा/से सही है/हैं?

(a) केवल 1
(b) केवल 2
(c) 1 और 2 दोनों
(d) न तो 1 और न ही 2

143. 1931 ई. में भारतीय राष्ट्रीय कांग्रेस के कराची अधिवेशन के लिए, जिसकी अध्यक्षता सरदार पटेल कर रहे थे, किसने मूल अधिकारों तथा आर्थिक कार्यक्रम पर संकल्प प्रारूपित किया था? (2010)

(a) महात्मा गांधी
(b) पंडित जवाहरलाल नेहरू
(c) डॉ. राजेन्द्र प्रसाद
(d) डॉ. बी.आर. अम्बेडकर

144. निम्नलिखित में से कौन, क्रिप्स मिशन के साथ कांग्रेस के आधिकारिक वार्ताकार थे? (2010)

(a) महात्मा गांधी एवं सरदार पटेल
(b) आचार्य जे.बी. कृपलानी एवं सी. राजगोपालाचारी
(e) पंडित जवाहरलाल नेहरू एवं मौलाना आजाद
(d) डॉ. राजेन्द्र प्रसाद एवं रफी अहमद किदवई

145. निम्नलिखित कथनों पर विचार कीजिए: (2010)

1. 1936 ई. में हस्ताक्षरित 'बम्बई मेनिफेस्टो' प्रत्यक्ष रूप से समाजवादी आदर्शों के प्रतिपादन का विरोधी था।
2. इसको समस्त भारत से वृहत व्यापारिक समुदाय का सहयोग मिला था।

उपरोक्त कथनों में से कौन-सा/से सही है/हैं?

(a) केवल 1
(b) केवल 2
(c) 1 और 2 दोनों
(d) न तो 1 और न ही 2

146. 1942 के भारत छोड़ो आंदोलन के संबंध में निम्नलिखित में से कौन-सी एक टिप्पणी सत्य नहीं है? (2011)

(a) यह आंदोलन अहिंसक था।
(b) उसका नेतृत्व महात्मा गांधी ने किया था।
(c) यह आंदोलन स्वत:प्रवर्तित था।
(d) इसने सामान्य श्रमिक वर्ग को आकर्षित नहीं किया था।

147. खेड़ा के किसानों के पक्ष में महात्मा गांधी के सत्याग्रह संघटित करने का क्या कारण था? (2011)

1. अकाल पड़ने के बावजूद प्रशासन ने भू-राजस्व की उगाही स्थगित नहीं की थी।
2. प्रशासन का यह प्रस्ताव था कि गुजरात में स्थाई बंदोबस्त लागूकर दिया जाए।

उपर्युक्त में से कौन-सा/कौन से कथन सही है/हैं?

(a) केवल 1
(b) केवल 2
(c) 1 और 2 दोनों
(d) न तो 1 और न ही 2

148. महात्मा गांधी ने कहा कि उनकी कुछ गहरी धारणाएं एक पुस्तक में, जिसका शीर्षक है, "Unto this Last" में परिलक्षित होती है। इस पुस्तक ने उनके जीवन को बदल दिया। महात्मा गांधी को बदलने वाली पुस्तक में क्या संदेश था? (2011)

(a) उत्पीड़ित और गरीबों का उत्थान करना एक शिक्षित व्यक्ति की नैतिक जिम्मेदारी है।
(b) सभी की भलाई में ही व्यक्ति की भलाई निहित है।
(c) ब्रह्मचर्य जीवन और आध्यात्मिक अनुसरण आदर्श जीवन के लिए आवश्यक है।
(d) इस संदर्भ में सभी कथन (a), (b) और (c) सहीं हैं।

149. भारतीय स्वतंत्रता आंदोलन के संदर्भ में उषा मेहता की ख्याति: (2011-12)

(a) भारत छोड़ो आंदोलन की बेला में गुप्त कांग्रेस रेडियो चलाने हेतु है।
(b) द्वितीय गोलमेज सम्मेलन में सहभागिता हेतु है।
(c) आजाद हिंद फौज को एक टुकड़ी का नेतृत्व करने हेतु है।
(d) पंडित जवाहरलाल नेहरू की अंतरिम सरकार के गठन में सहायक भूमिका निभाने हेतु है।

150. भारतीय स्वतंत्रता आंदोलन के काल के संदर्भ में नेहरू रिपोर्ट में निम्नलिखित में से किस की/किस-किस की अनुशंसा की गई थी?

1. भारत के लिए पूर्ण स्वतंत्रता।
2. अल्पसंख्यकों हेतु आरक्षित स्थानों के लिए संयुक्त निर्वाचन-क्षेत्र।
3. संविधान में भारतीयों के लिए मौलिक अधिकारों का प्रावधान।

निम्नलिखित कूटों के आधार पर सही उत्तर चुनिए- (2011)

(a) केवल 1
(b) केवल 2 और 3
(c) केवल 1 और 3
(d) 1, 2 और 3

151. 1939 में कांग्रेस मंत्रिमंडल ने सात प्रांतों में त्यागपत्र दे दिया था, क्योंकि: (2012)
(a) कांग्रेस अन्य चार प्रांतों में मंत्रिमंडल नहीं बना पाई थी।
(b) कांग्रेस में 'वामपक्ष' के उदय से मंत्रिमंडल का कार्य कर सकना असम्भव हो गया था।
(c) उनके प्रांतों में बहुत अधिक साम्प्रदायिक अशान्ति थी।
(d) उपर्युक्त कथनों (a), (b) और (c) में से कोई भी सही नहीं है।

152. भारतीय स्वतंत्रता आंदोलन के समय, राष्ट्रीय सामाजिक सम्मेलन (नेशनल सोशल कॉन्फ्रेंस) का गठन किया गया था। इसके गठन के लिए उत्तरदायी कारण था। (2012)
(a) बंगाल क्षेत्र के विभिन्न सामाजिक सुधार ग्रुप/संगठन किसी एक मंच पर एकत्रित होकर व्यापक हित में मांगपत्र सरकार के समक्ष प्रस्तुत करना चाहते थे।
(b) भारतीय राष्ट्रीय कांग्रेस अपने कार्यक्रम मे सामाजिक सुधारों को नहीं रखना चाहती थी इसीलिए प्रस्तुत उद्देश्य के लिए उसने अलग से संगठन बनाने का सुझाव दिया।
(c) बहरामजी मालाबारी और एम.जी. रानाडे ने यह निश्चय किया कि देश के समस्त सामाजिक सुधार ग्रुपों को एक संगठन के अंर्तगत लाया जाय।
(d) उपुर्यक्त संदर्भ में (a), (b) और (c) में दिए गए वक्तव्य में कोई भी सही नहीं है।

153. निम्नलिखित में से किन दलों की स्थापना डॉ. भीमराव अम्बेडकर ने की थी? (2012)
1. पीजेंटस एण्ड वर्कर्स पार्टी ऑफ इंडिया
2. अखिल भारतीय अनुसूचित जाति महासंघ
3. स्वतंत्र लेबर पार्टी

निम्नलिखित कूटों के आधार पर सही उत्तर चुनिए:
(a) केवल 1 और 2
(b) केवल 2 और 3
(c) केवल 1 और 3
(d) 1, 2 और 3

154. 1932 में महात्मा गांधी ने मरणपर्यन्त उपवास प्रधानतया इसलिए किया कि (2012)
(a) गोल मेज सभा भारतीय राजनीतिक आकांक्षाओं को सन्तुष्ट करने में असफल हुई।
(b) कांग्रेस और मुस्लिम लीग में मत-भिन्नता थी।
(c) रैम्जे मैकडोनल्ड ने साम्प्रदायिक अधिनिर्णय (काम्युनल एवार्ड) की घोषणा की।
(d) इस सन्दर्भ में उपुर्यक्त (a), (b) तथा (c) कथनों में से कोई भी सही नहीं है।

155. निम्नलिखित कथनों पर विचार कीजिए :
दादाभाई नौरोजी की भारतीय राष्ट्रीय आंदोलन को सर्वाधिक प्रभावी देन थी कि: (2012)
1. उन्होंने इस बात को अभिव्यक्त किया कि ब्रिटेन, भारत का आर्थिक शोषण कर रहा है।
2. उन्होंने प्राचीन भारतीय ग्रंथों की व्याख्या की और भारतीयों में आत्मविश्वास जगाया।
3. उन्होंने सभी सामाजिक बुराइयों के निराकरण की आवश्यकता पर सर्वोपरि जोर दिया।

उपर्युक्त में से कौन-सा/से कथन सही है/हैं?
(a) केवल 1
(b) केवल 2 और 3
(c) केवल 1 और 3
(d) 1, 2 और 3

156. भारतीय राष्ट्रीय कांग्रेस का लाहौर अधिवेशन (1929) इतिहास में इसलिए बहुत प्रसिद्ध है, क्योंकि: (2012)
1. कांग्रेस ने पूर्ण स्वराज्य की मांग का एक संकल्प पारित किया।
2. इस अधिवेशन में उग्रवादियों एवं उदारवादियों के बीच झगड़े को सुलझा लिया गया।
3. इस अधिवेशन में दो राष्ट्रों की मांग के सिद्धान्त को अस्वीकार करते हुए एक संकल्प पारित किया गया।

उपर्युक्त में से कौन-सा/से कथन सही है/हैं?
(a) केवल 1
(b) 2 और 3
(c) 1 और 3
(d) उपर्युक्त में से कोई नहीं

157. निम्नलिखित में से कौन भारत सरकार अधिनियम 1919 की प्रमुख विशेषता है/हैं? (2012)
1. प्रांतों की कार्यकारी सरकार में वैध शासन का आरंभ।
2. मुसलमानों के लिए पृथक सांप्रदायिक निर्वाचक मंडल का आरंभ।
3. प्रांतों के लिए केन्द्र द्वारा विधायी अधिकार का अंतरण।

नीचे दिए गए का उपयोग करके सही उत्तर चुनें:
(a) केवल 1 (b) केवल 2 और 3
(c) केवल 1 और 3 (d) 1, 2 और 3

158. रौलेट एक्ट का उद्देश्य था: (2012)
(a) युद्ध प्रयासों के लिए अनिवार्य आर्थिक सहायता।
(b) परीक्षण तथा सारांश प्रक्रियाओं के बिना ही कारावास।
(c) खिलाफत आंदोलन का दमन।
(d) प्रेस की स्वतंत्रता पर प्रतिबंध लागू।

159. बंगाल में तेभागा किसान आंदोलन की मांग थी: (2012)
(a) फसल के आधे से घटाकर एक तिहाई तक जमींदारों की हिस्सेदारी में कमी।
(b) किसानों को भूमि के स्वामित्व का अनुदान क्योंकि वे भूमि के वास्तविक कृषक थे।
(c) जमींदारी प्रथा का उन्मूलन और अधर्म का अंत।
(d) सभी किसान ऋणों को छोड़ना।

160. एनी बेसेंट थीं (2012)
1. होम रूल आंदोलन शुरू करने के लिए जिम्मेदार।
2. थियोसॉफिकल सोसायटी के संस्थापक।
3. एक बार भारतीय राष्ट्रीय कांग्रेस के अध्यक्ष।

नीचे दिए गए कूट का उपयोग करके सही कथन/कथनों का चयन करें?
(a) केवल 1
(b) केवल 2 और 3
(c) केवल 1 और 3
(d) 1, 2, और 3

161. साइमन कमीशन के आने के विरुद्ध भारतीय जन-आंदोलन क्यों हुआ? (2013)
(a) भारतीय, 1919 के अधिनियम की कार्यवाही का पुनरीक्षण कभी नहीं चाहते थे।
(b) साइमन कमीशन ने प्रांतों में द्विशासन की समाप्ति की संस्तुतिकी थी।
(c) साइमन कमीशन में कोई भी भारतीय सदस्य नहीं था।
(d) साइमन कमीशन ने देश के विभाजन का सुझाव दिया था।

162. भारत छोड़ो आंदोलन किसकी प्रतिक्रिया में प्रारम्भ किया गया? (2013)
(a) कैबिनेट मिशन योजना
(b) क्रिप्स प्रस्ताव
(c) साइमन कमीशन रिपोर्ट
(d) वैवेल योजना

163. स्वतंत्रता आंदोलन के इतिहास में भारतीय राष्ट्रीय कांग्रेस का 1929 का अधिवेशन इसलिए महत्वपूर्ण है, क्योंकि इस अधिवेशन में: (2014)
(a) कांग्रेस के उद्देश्य के तौर पर स्व-शासन प्राप्ति की घोषणा की गई।
(b) कांग्रेस के लक्ष्य के तौर पर पूर्ण स्वराज प्राप्ति को स्वीकृत किया गया।
(c) असहयोग आंदोलन का आरम्भ हुआ।
(d) लन्दन में गोलमेज सम्मेलन में भागीदारी करने का निर्णय लिया गया।

164. निम्नलिखित में से किस आंदोलन के कारण भारतीय राष्ट्रीय कांग्रेस का विभाजन हुआ जिसके परिणामस्वरूप 'नरम दल' और 'गरम दल' का उदभव हुआ? (2015)
(a) स्वदेशी आंदोलन
(b) भारत छोड़ो आंदोलन
(c) असहयोग आंदोलन
(d) सविनय अवज्ञा आंदोलन

165. कांग्रेस सोशलिस्ट पार्टी के संदर्भ में, निम्नलिखित कथनों पर विचार करें: (2015)
(a) इसने ब्रिटिश वस्तुओं के बहिष्कार और करों की चोरी की वकालत की।
(b) यह सर्वहारा वर्ग की तानाशाही स्थापित करना चाहता था।
(c) इसने अल्पसंख्यकों और उत्पीड़ित वर्गों के लिए अलग निर्वाचक मंडल की वकालत की।

दिए गए कथनों में से कौन-सा सही है/हैं?
(a) केवल 1 और 2
(b) केवल 3
(c) 1, 2, और 3
(d) कोई नहीं

166. रौलेट सत्याग्रह के सन्दर्भ में, निम्नलिखित में से कौन-सा/से कथन सही है/हैं? (2015-17)
1. रौलेट अधिनियम, सेडिशन कमेटी की सिफारिश पर आधारित था।
2. रौलेट सत्याग्रह में, गांधीजी ने होम रूल लीग का उपयोग करने का प्रयास किया।
3. साइमन कमीशन के आगमन के विरुद्ध हुए प्रदर्शन रौलेट सत्याग्रह के साथ-साथ हुए।

नीचे दिए गए कूट का प्रयोग कर सही उत्तर चुनिए।
(a) केवल 1
(b) केवल 1 और 2
(c) केवल 2 और 3
(d) 1, 2 और 3

167. निम्नलिखित में से किसने अप्रैल, 1930 में नमक कानून को तोड़ने के लिए तंजौर तट पर एक मार्च का आयोजन किया? (2015)
(a) वी.ओ. चिदंबरम पिल्लई
(b) सी. राजगोपालाचारी
(c) के. कामराज
(d) एनी बेसेंट

168. निम्नलिखित कथनों पर विचार कीजिए: (2015)

1. भारतीय राष्ट्रीय कांग्रेस की प्रथम महिला अध्यक्ष सरोजिनी नायडू थीं।
2. भारतीय राष्ट्रीय कांग्रेस के प्रथम मुस्लिम अध्यक्ष बदरुद्दीन तय्यब जी थे।

उपर्युक्त कथनों में से कौन-सा/से सही है/हैं?

(a) केवल 1
(b) केवल 2
(c) 1 और 2 दोनों
(d) न तो 1 और न ही 2

169. 'स्वदेशी' और 'बहिष्कार' पहली बार किस घटना के दौरान संघर्ष की विधि के रूप में अपनाए गए थे? (2016)

(a) बंगाल विभाजन के विरूद्ध आंदोलन
(b) होम रूल आंदोलन
(c) असहयोग आंदोलन
(d) साइमन कमीशन की भारत यात्रा

170. निम्नलिखित में से कौन, ब्रिटिश शासन के दौरान भारत में रैयतवाड़ी बंदोबस्त के प्रारंभ किए जाने से संबंध था/थे? (2017)

1. लॉर्ड कॉर्नवॉलिस
2. अलेक्जेंडर रीड
3. थॉमस मुनरो

नीचे दिए गए कूट का प्रयोग कर सही उत्तर चुनिए।

(a) केवल 1 (b) केवल 1 और 3
(c) केवल 2 और 3 (d) 1, 2 और 3

171. निम्नलिखित युग्मों पर विचार कीजिए: (2017)

1. राधाकांत देव - ब्रिटिश इंडियन एसोसिएशन के प्रथम अध्यक्ष
2. गजुलु लक्ष्मीनरसु चेट्टी - मद्रास महाजन सभा के संस्थापक
3. सुरेन्द्रनाथ बनर्जी इंडियन एसोसिएशन के संस्थापक

उपर्युक्त युग्मों में से कौन-सा/से सही सुमेलित है/हैं?

(a) केवल 1
(b) केवल 1 और 3
(c) केवल 2 और 3
(d) 1, 2 और 3

172. भारतीय इतिहास के संदर्भ में, द्वैध शासन (डायआर्की) सिद्धांत किसे निर्दिष्ट करता है। (2017)

(a) केन्द्रीय विधानमंडल का दो सदनों में विभाजन।
(b) दो सरकारों, अर्थात केन्द्रीय और राज्य सरकारों का शुरू किया जाना।
(c) दो शासक-समुच्चय, एक लन्दन में और दूसरा दिल्ली में होना।
(d) प्रांतों को प्रात्यायोजित विषयों का दो प्रवर्गों में विभाजन।

173. भारतीय स्वतंत्रता संघर्ष के संबंध में, निम्नलिखित घटनाओं पर विचार कीजिए: (2017)

1. रॉयल इंडियन नेवी में गदर
2. भारत छोड़ो आंदोलन का प्रारंभ
3. द्वितीय गोल मेज सम्मेलन

उपर्युक्त घटनाओं का सही कालानुक्रम क्या है?

(a) 1-2-3 (b) 2-1-3
(c) 3-2-1 (d) 3-1-2

174. 1927 की बटलर कमेटी का उद्देश्य था: (2017)

(a) केन्द्रीय एंव प्रांतीय सरकारों की अधिकारिता निश्चित करना।
(b) भारत के सेक्रेटरी ऑफ स्टेट की शक्तियां निश्चित करना।
(c) राष्ट्रवादी प्रेस पर सेंसर व्यवस्था अधिरोपित करना।
(d) भारत सरकार एवं देशी रियासतों के बीच संबंध सुधारना।

175. 1929 का व्यापार विवाद अधिनियम (ट्रेड डिस्प्यूटस एक्ट) निम्नलिखित में से किसका उपबंध करता है? (2017)

(a) उद्योगों के प्रबंधन में कामगारों की भागीदारी।
(b) औद्योगिक झगड़ों के दमन के लिए प्रबन्धन के पास मनमानी करने की शक्ति।
(c) व्यापार विवाद की स्थिति में ब्रिटिश न्यायालय द्वारा हस्तक्षेप।
(d) अधिकरणों (..........) की प्रणाली तथा हड़ताल पर रोक।

176. निम्नलिखित कथनों पर विचार कीजिए: (2017)

1. फैक्टरी एक्ट, 1881 औद्योगिक कामगारों की मजदूरी नियत करने के लिए और कामगारों को मजदूर संघ बनाने देने की दृष्टि से पारित किया गया था।
2. एन.एम. लोखंडे ब्रिटिश भारत में मजदूर आंदोलन संगठित करने में अग्रगामी थे।

उपर्युक्त कथनों में से कौन-सा/से सही है/हैं?

(a) केवल 1
(b) केवल 2
(c) 1 और 2 दोनों
(d) न तो 1 न ही 2

177. उन्होंने मैजिनी, गैरिबॉल्डी, शिवाजी तथा श्रीकृष्ण की जीवनी लिखी; वे अमेरिका में कुछ समय के लिए रहे; तथा वे केन्द्रीय सभा के सदस्य भी निर्वाचित हुए। वे थे:- (2018)

(a) अरविंद घोष (b) विपिन चन्द्र पाल
(c) लाला लाजपत राय (d) मोतीलाल नेहरू

178. संथाल विद्रोह के शांत हो जाने के बाद, औपनिवेशिक शासन द्वारा कौन-सा/से उपाय किया गया/किए गए?
1. 'संथाल परगना' नामक राज्यक्षेत्रों का सृजन किया गया।
2. किसी संथाल का गैर-संथाल को भूमि अंतरण करना गैरकानूनी हो गया।

नीचे दिए गए कूट का प्रयोग कर सही उत्तर चुनिए: (2018)
(a) केवल 1
(b) केवल 2
(c) 1 और 2 दोनों
(d) न तो 1, न ही 2

179. निम्नलिखित में से कौन-सा एक चम्पारण सत्याग्रह का अति महत्वपूर्ण पहलू है? (2018)
(a) राष्ट्रीय आंदोलन में अखिल भारतीय स्तर पर अधिवक्ताओं, विद्यार्थियों और महिलाओं की सक्रिय सहभागिता।
(b) राष्ट्रीय आंदोलन में भारत के दलित और आदिवासी समुदायों की सक्रिय भागीदारी।
(c) भारत के राष्ट्रीय आंदोलन में किसान असंतोष का सम्मिलित होना।
(d) रोपण फसलों तथा वाणिज्यिक फसलों की खेती में भारी गिरावट।

180. 1920 में, निम्नलिखित में से किसने अपना नाम परिवर्तित कर 'स्वराज्य सभा' रख लिया? (2018)
(a) ऑल इंडिया होम रूल लीग
(b) हिंदू महासभा
(c) साउथ इंडियन लिबरल फेडरेशन
(d) द सर्वेन्टस ऑफ इंडिया सोसाइटी

181. स्वदेशी आंदोलन के संदर्भ में, निर्मलखित कथनों पर विचार कीजिए: (2019)
1. इसने देशी शिल्पकारों के कौशल तथा उद्योगों को पुनर्जीवित करने में योगदान किया।
2. स्वदेशी आंदोलन के एक अवयव के रूप में राष्ट्रीय शिक्षा परिषद की स्थापना हुई थी।

उपर्युक्त में से कौन-सा/से कथन सही है/हैं?
(a) केवल 1
(b) केवल 2
(c) 1 और 2 दोनों
(d) न तो 1, न ही 2

182. भारत में ब्रिटिश औपनिवेशिक शासन के संदर्भ में, निम्नलिखित कथनों पर विचार कीजिए: (2019)
1. महात्मा गांधी 'गिरमिटिया (इंडेचर्ड लेबर)' प्रणाली के उन्मूलन में सहायक थे।
2. लॉर्ड चेम्सफोर्ड की 'वॉर कॉन्फरेन्स' में महात्मा गांधी ने विश्व युद्ध के लिए भारतीयों की भर्ती से संबंधित प्रस्ताव का समर्थन नहीं किया था।
3. भारत के लोगों द्वारा नमक कानून तोड़े जाने के परिणामस्वरूप, औपनिवेशिक शासकों द्वारा भारतीय राष्ट्रीय कांग्रेस को अवैध घोषित कर दिया गया था।

उपर्युक्त में से कौन-से कथन सही है?
(a) केवल 1 और 2 (b) केवल 1 और 3
(c) केवल 2 और 3 (d) 1, 2 और 3

183. भारतीय राष्ट्रीय आंदोलन के संदर्भ में, निम्नलिखित युग्मों पर विचार कीजिए: (2019)

	व्यक्ति	धारित पद
1.	सर तेज बहादुर सप्रू	अध्यक्ष, अखिल भारतीय उदार संघ
2.	के.सी. नियोगी	सदस्य, संविधान सभा
3.	पी.सी. जोशी	महासचिव भारतीय साम्यवादी दल

उपर्युक्त में से कौन-सा/ से युग्म सही सुमेलित है/ है?
(a) केवल 1
(b) केवल 1 और 2
(c) केवल 3
(d) 1, 2 और 3

184. भारत में नील की खेती 20वीं सदी की शुरुआत में कम होने के कारण हुई? (2020)
(a) बागान मालिकों के दमनकारी आचरण के लिए किसान प्रतिरोध।
(b) नए आविष्कारों के कारण विश्व बाजार में इसकी लाभहीनता।
(c) नील की खेती के लिए राष्ट्रीय नेताओं का विरोध।
(d) बागान मालिकों पर सरकार का नियंत्रण।

185. भारत के इतिहास के सन्दर्भ में 'उलगुलान' या महा कोलाहल निम्नलिखित में से किस घटना का वर्णन है? (2020)
(a) 1857 का विद्रोह
(b) 1921 का मैपिला विद्रोह
(c) 1859-60 का नील विद्रोह
(d) बिरसा मुंडा का 1899-1900 का विद्रोह

186. स्वतंत्रता संग्राम के दौरान सखाराम गणेश देउस्कर द्वारा लिखित पुस्तक ''देशेर कथा'' के संदर्भ में, निम्नलिखित कथनों पर विचार करें: (2020)
1. इसने औपनिवेशिक राज्य की मन की सम्मोहक विजय कें खिलाफ चेतावनी दी।
2. इसने स्वदेशी नुक्कड़ नाटकों और लोक गीतों के प्रदर्शन को प्रेरित किया।

3. देउस्कर द्वारा 'देश' का उपयोग बंगाल क्षेत्र के विशिष्ट संदर्भ में किया गया था।

ऊपर दिए गए कथनों में से कौन-से सही हैं?

(a) केवल 1 और 2
(b) केवल 2 और 3
(c) केवल 1 और 3
(d) 1, 2 और 3

187. गांधी-इरविन समझौते में निम्नलिखित में से क्या शामिल था? (2020)

1. गोलमेज सम्मेलन में भाग लेने के लिए कांग्रेस को निमंत्रण।
2. सविनय अवज्ञा आंदोलन के संबंध में प्रख्यापित अध्यादेशों को वापस लेना।
3. पुलिस ज्यादतियों की जांच के लिए गांधीजी के सुझाव की स्वीकृति।
4. केवल उन कैदियों की रिहाई, जिन पर हिंसा का आरोप नहीं लगाया गया था।

नीचे दिए गए कूट का प्रयोग कर सही उत्तर चुनिए:

(a) केवल 1
(b) केवल 1, 2 और 4
(c) केवल 3
(d) केवल 2, 3 और 4

188. निम्नलिखित कथनों पर विचार करें: (2021)

1. 1919 के मोंटेग्यू-चेम्सफोर्ड सुधारों ने 21 वर्ष से अधिक उम्र की सभी महिलाओं को मतदान का अधिकार देने की सिफारिश की।
2. 1935 के भारत सरकार अधिनियम ने महिलाओं को विधायिका में आरक्षित सीटें दीं।

ऊपर दिए गए कथनों में से कौन-सा/से सही है/हैं?

(a) केवल 1
(b) केवल 2
(c) 1 और 2 दोनों
(d) न तो 1 और न ही 2

189. भारतीय इतिहास में 8 अगस्त 1942 के संदर्भ में, निम्नलिखित में से कौन-सा कथन सही है? (2021)

(a) भारत छोड़ो प्रस्ताव AICC द्वारा अपनाया गया था।
(b) अधिक भारतीयों को शामिल करने के लिए वॉयसराय की कार्यकारी परिषद का विस्तार किया गया।
(c) कांग्रेस के मंत्रालयों ने सात प्रांतों में इस्तीफा दे दिया।
(d) द्वितीय विश्व युद्ध समाप्त होने के बाद क्रिप्स ने पूर्ण डोमिनियन स्टेटस के साथ एक भारतीय संघ का प्रस्ताव रखा।

190. निम्नलिखित में से कौन 'सॉन्स फ्रॉम प्रिजन' से जुड़ा है, जो प्राचीन भारतीय धार्मिक गीतों का अंग्रेजी में अनुवाद है? (2021)

(a) बाल गंगाधर तिलक
(b) जवाहरलाल नेहरू
(c) मोहनदास करमचंद गांधी
(d) सरोजिनी नायडू

191. निम्नलिखित में से कौन हिंदू महिला स्कूल के सचिव के रूप में जुड़ा था जिसे बाद में बेथ्यून महिला स्कूल के रूप में जाना जाने लगा? (2021)

(a) एनी बेसेंट
(b) देवेंद्रनाथ टैगोर
(c) ईश्वर चंद्र विद्यासागर
(d) सरोजिनी नायडू

192. औपनिवेशिक भारत के संदर्भ में शाह नवाज खान, प्रेम कुमार सहगल और गुरबख्श सिंह ढिल्लों को किस रूप में याद किया जाता है? (2021)

(a) स्वदेशी और बहिष्कार आंदोलन के नेता।
(b) 1946 में अंतरिम सरकार के सदस्य।
(c) संविधान सभा में मसौदा समिति के सदस्य।
(d) भारतीय राष्ट्रीय सेना के अधिकारी।

193. आंध्र प्रदेश के मदनपल्ले के संदर्भ में, निम्नलिखित में से कौन-सा कथन सही है? (2021)

(a) पिंगली वेंकय्या ने यहां तिरंगे भारतीय राष्ट्रीय ध्वज को डिजाइन किया था।
(b) पट्टाभि सीतारमैया ने यहां से आंध्र क्षेत्र के भारत छोड़ो आंदोलन का नेतृत्व किया।
(c) रवींद्रनाथ टैगोर ने यहां राष्ट्रगान का बंगाली से अंग्रेजी में अनुवाद किया।
(d) मैडम ब्लावास्टस्की और कर्नल ओल्कोट ने सबसे पहले यहां थियोसॉफिकल सोसायटी का मुख्यालय स्थापित किया।

मुख्य परीक्षा, 2013-2020

1. आयु, लिंग तथा धर्म के बंधनों से मुक्त होकर, भारतीय महिलाएं भारत के स्वाधीनता संग्राम में अग्रणी बनी रहीं। विवेचना कीजिए। (2013)

2. अनेक विदेशियों ने भारत में बसकर, विभिन्न आंदोलनों में भाग लिया। भारतीय स्वाधीनता संग्राम में उनकी भूमिका का विश्लेषण कीजिए। (2013)

3. अनेक प्रकार से लॉर्ड डलहौजी ने आधुनिक भारत की नींव रखी थी। व्याख्या कीजिए। (2013)

4. पानीपत का तीसरा युद्ध 1761 में लड़ा गया था। क्या कारण है कि इतनी अधिक साम्राज्य-प्रकम्पी लड़ाइयां पानीपत में लड़ी गई थी? (2014)

5. भारत में 18वीं शताब्दी के मध्य से स्वतंत्रता तक अंग्रेजों की आर्थिक नीतियों के विभिन्न पक्षों का समालोचनात्मक परीक्षण कीजिए। (2014)

6. किन प्रकारों से नौसैनिक विद्रोह भारत में अंग्रेजों की औपनिवेशिक महत्वकांक्षाओं को शव-पेटिका में लगी अंतिम कील साबित हुआ था? (2014)

7. महात्मा गांधी के बिना भारत की स्वतंत्रता की उपलब्धि कितनी भिन्न हुई होती? चर्चा कीजिए। (2015)

8. स्वतंत्र भारत के लिए संविधान का मसौदा केवल तीन साल में तैयार करने के ऐतिहासिक कार्य को पूर्ण करना संविधान सभा के लिए कठिन होता, यदि उनके पास भारत सरकार अधिनियम, 1935 से प्राप्त अनुभव नहीं होता। चर्चा कीजिए। (2015)

9. यह स्पष्ट कीजिए कि 1857 का विप्लव किस प्रकार औपनिवेशिक भारत के प्रति ब्रिटिश नीतियों के विकासक्रम में एक महत्वपूर्ण ऐतिहासिक मोड़ है। (2016)

10. स्वतंत्रता संग्राम में विशेष तौर पर गांधीवादी चरण के दौरान महिलाओं की भूमिका का विवेचन कीजिए। (2016)

11. स्वतंत्रता के लिए संघर्ष में सुभाषचंद्र बोस एवं महात्मा गांधी के मध्य दृष्टिकोण की भिन्नताओं पर प्रकाश डालिए। (2016)

12. सुस्पष्ट कीजिए कि मध्य 18वीं शताब्दी का भारत विखंडित राज्यतंत्र की छाया से किस प्रकार ग्रसित था। (2017)

13. क्या कारण था कि 19वीं शताब्दी के अंत तक आते-आते 'नरमदलीय' अपनी घोषित विचारधारा एवं राजनीतिक लक्ष्यों के प्रति राष्ट्र के विश्वास को जगाने में असफल हो गए थे? (2017)

14. परीक्षण कीजिए कि औपनिवेशिक भारत में पारम्परिक कारीगरी उद्योग के पतन ने किस प्रकार ग्रामीण अर्थव्यवस्था को अपंग बना दिया। (2017)

15. आधुनिक भारत में, महिलाओं से संबंधित प्रश्न 19वीं शताब्दी के सामाजिक सुधार आंदोलन के भाग के रूप में उठे थे। उस अवधि में महिलाओं से संबद्ध मुख्य मुद्दे और विवाद क्या थे? (2017)

16. पिछली शताब्दी के तीसरे दशक से भारतीय स्वतंत्रता की स्वप्न दृष्टि के साथ संबद्ध हो गए नए उद्देश्यों के महत्व को उजागर कीजिए। (2017)

17. वर्तमान समय में महात्मा गांधी के विचारों के महत्व पर प्रकाश डालिए। (उत्तर 150 शब्दों में दें) (2018)

18. 1857 का विप्लव ब्रिटिश शासन के पूर्ववर्ती सौ वर्षों में बार-बार घटित छोटे एवं बड़े स्थानीय विद्रोहों का चरमोत्कर्ष था। सुस्पष्ट कीजिए। (2019)

19. 19वीं शताब्दी के 'भारतीय पुनर्जागरण' और राष्ट्रीय पहचान के मध्य सहलग्नताओं का परिक्षण कीजिए। (2019)

20. गांधीवादी प्रावस्था के दौरान विभिन्न स्वरों ने राष्ट्रवादी आंदोलन को सुदृढ़ एवं समृद्ध बनाया था। विस्तारपूर्वक स्पष्ट कीजिए। (2019)

21. 1940 के दशक के दौरान सत्ता हस्तान्तरण की प्रक्रिया को जटिल बनाने में ब्रिटिश साम्राज्यिक सत्ता की भूमिका का आंकलन कीजिए। (2019)

22. लॉर्ड कर्जन की नीतियों एवं राष्ट्रीय आंदोलन पर उनके दूरगामी प्रभावों का मूल्यांकन कीजिए। (2020)

23. 1920 के दशक से राष्ट्रीय आंदोलन ने कई वैचारिक धाराओं को ग्रहण किया और अपना सामाजिक आधार बढ़ाया। विवेचना कीजिए। (2020)

उत्तरमाला

प्रारंभिक परीक्षा, 1995-2021

पार्ट 1: आधुनिक भारत

1. (a)	2. (a)	3. (d)	4. (a)	5. (b)	6. (b)	7. (a)	8. (c)	9. (d)	10. (b)
11. (a)	12. (b)	13. (b)	14. (a)	15. (a)	16. (c)	17. (c)	18. (a)	19. (b)	20. (d)
21. (d)	22. (c)	23. (a)	24. (d)	25. (c)	26. (b)	27. (d)	28. (d)	29. (d)	30. (b)

31. (d) 32. (b) 33. (d) 34. (b) 35. (a) 36. (a) 37. (b) 38. (a) 39. (a) 40. (d)
41. (a) 42. (d) 43. (a) 44. (b) 45. (d) 46. (c) 47. (a) 48. (c) 49. (b) 50. (a)
51. (b) 52. (b) 53. (b) 54. (b) 55. (b) 56. (b) 57. (a) 58. (b) 59. (d) 60. (d)
61. (a) 62. (b) 63. (a) 64. (c) 65. (c) 66. (b) 67. (b) 68. (b) 69. (c) 70. (d)
71. (c) 72. (c) 73. (c) 74. (a) 75. (a) 76. (d) 77. (d) 78. (d) 79. (a) 80. (c)
81. (b) 82. (d) 83. (c) 84. (c) 85. (b) 86. (a) 87. (b) 88. (a) 89. (b) 90. (d)
91. (b) 92. (c) 93. (d) 94. (b) 95. (b) 96. (d) 97. (b) 98. (d) 99. (c) 100. (c)
101. (b) 102. (b) 103. (a) 104. (d) 105. (d) 106. (b) 107. (b) 108. (b) 109. (a) 110. (d)
111. (d) 112. (d) 113. (a) 114. (d) 115. (a) 116. (a)

पार्ट 2: भारतीय राष्ट्रीय आंदोलन

1. (c) 2. (c) 3 . (b) 4. (c) 5. (c) 6. (d) 7. (d) 8. (a) 9. (d) 10. (d)
11. (a) 12. (a) 13. (d) 14. (d) 15. (c) 16. (d) 17. (c) 18. (d) 19. (c) 20. (b)
21. (c) 22. (d) 23. (c) 24. (d) 25. (d) 26. (b) 27. (c) 28. (d) 29. (d) 30. (a)
31. (d) 32. (b) 33. (a) 34. (b) 35. (d) 36. (b) 37. (b) 38. (b) 39. (a) 40. (d)
41. (d) 42. (b) 43. (a) 44. (c) 45. (b) 46. (b) 47. (b) 48. (c) 49. (d) 50. (c)
51. (c) 52. (b) 53. (a) 54. (a) 55. (c) 56. (b) 57. (a) 58. (c) 59. (a) 60. (a)
61. (b) 62. (d) 63. (c) 64. (a) 65. (a) 66. (c) 67. (d) 68. (a) 69. (c) 70. (b)
71. (b) 72. (b) 73. (b) 74. (b) 75. (c) 76. (a) 77. (c) 78. (d) 79. (b) 80. (c)
81. (d) 82. (a) 83. (c) 84. (c) 85. (b) 86. (a) 87. (d) 88. (d) 89. (b) 90. (d)
91. (b) 92. (c) 93. (a) 94. (b) 95. (b) 96. (c) 97. (b) 98. (b) 99. (b) 100. (c)
101. (b) 102. (d) 103. (b) 104. (c) 105. (c) 106. (b) 107. (c) 108. (d) 109. (d) 110. (c)
111. (b) 112. (c) 113. (c) 114. (c) 115. (c) 116. (d) 117. (c) 118. (c) 119. (b) 120. (a)
121. (c) 122. (c) 123. (c) 124. (a) 125. (b) 126. (b) 127. (a) 128. (b) 129. (b) 130. (c)
131. (d) 132. (c) 133. (c) 134. (d) 135. (a) 136. (b) 137. (b) 138. (a) 139. (a) 140. (d)
141. (a) 142. (b) 143. (b) 144. (c) 145. (a) 146. (a) 147. (a) 148. (b) 149. (a) 150. (b)
151. (d) 152. (b) 153. (b) 154. (c) 155. (a) 156. (a) 157. (c) 158. (b) 159. (a) 160. (c)
161. (c) 162. (b) 163. (b) 164. (a) 165. (d) 166. (b) 167. (b) 168. (b) 169. (a) 170. (c)
171. (b) 172. (d) 173. (c) 174. (d) 175. (d) 176. (b) 177. (c) 178. (c) 179. (c) 180. (a)
181. (c) 182. (b) 183. (d) 184. (b) 185. (d) 186. (a) 187. (b) 188. (b) 189. (a) 190. (c)
191. (c) 192. (d) 193. (c)